LA COURONNE DU MONDE

Peter Berling est né en 1934 dans la partie de l'Allemagne de l'Est aujourd'hui polonaise. Sa famille — des émigrés russes venus des pays Baltes — est traditionnellement vouée aux métiers militaires et scientifiques. À la fin de la Seconde Guerre mondiale, après une jeunesse passée sous les bombes à Osnabrück, il est envoyé dans une école expérimentale autogérée par les élèves. En 1954, il part étudier l'architecture à Munich mais entre finalement à l'Académie des Beaux-Arts. En 1957, alors promoteur de voyages dans le Maghreb, Peter Berling s'engage politiquement auprès du FLN. De retour à Munich en 1955, il découvre le milieu cinématographique : il produit une cinquantaine de documentaires de jeunes metteurs en scène allemands et devient l'agent de Juliette Gréco, Charles Aznavour, Gilbert Bécaud et Marcel Marceau. En 1969, Peter Berling travaille avec Rainer Werner Fassbinder, Jean-Jacques Annaud et Martin Scorsese, de même qu'il interprète des rôles importants dans des films tels que *Aguirre ou La Colère de Dieu*, *Le Nom de la rose*, *Francesco*...
En 1984, il cède à une nouvelle passion et devient journaliste pour *Der Spiegel*, *Lui*, *Playboy*, *Cinéma*. Il est également l'auteur de livres à succès : *La Vie de saint François d'Assise*, *Les Enfants du Graal*, *Le Sang des rois. Les Treize Arts de Rainer Werner Fassbinder*.
Peter Berling vit aujourd'hui à Rome.

Paru dans Le Livre de Poche :

PETER BERLING

La Couronne du Monde

ROMAN TRADUIT DE L'ALLEMAND PAR OLIVIER MANNONI

JC LATTÈS

Titre original :

DIE KRONE DER WELT

Publié par Gustav Lübbe Verlag

DRAMATIS PERSONAE

L'OCCIDENT CHRÉTIEN

Roger-Ramon-Bertrand, dit Roç, *Trencavel du Haut-Ségur*

Isabelle-Constance-Ramona, dite Yeza, *Esclarmonde du Mont-Sion*

Guillaume de Rubrouck, *chroniqueur*

Gavin Montbard de Béthune, *précepteur des Templiers*

Créan de Bourivan, *alias* Mustafa Ibn-Daumar, *Assassin, au service du Prieuré*

Élie de Cortone, *conseiller impérial*

Hamo l'Estrange, *comte d'Otrante*

Shirat Bundukdari, *comtesse d'Otrante*

Alena Elaia, *leur fille*

Hethoum Ier, *roi d'Arménie*

Sempad, *son frère, connétable d'Arménie*

Xenia, *veuve arménienne*

Sergius l'Arménien, *moine à Karakorom*

Rainaldo di Jenna, *archevêque-cardinal d'Ostie*

André de Longjumeau, *dominicain, légat pontifical*

Cenni di Pepo, dit Cimabue, *peintre florentin*

Taxiarchos, dit Le Pénicrate, *roi des mendiants de Constantinople*

Guillaume Buchier, *orfèvre de Paris*

« Monseigneur » Gosset, *prêtre, ambassadeur du roi de France*

Bartholomée de Crémone, *ambassadeur au service de la curie*

Laurent d'Orta, *au service du Prieuré*

Ingolinde de Metz, *alias* Madame Pacha, *ancienne prostituée*

Philippe, *serviteur*
Theodolus, *secrétaire de Guillaume*

LE MONDE DE L'ISLAM

Imam Mohammed III, *grand maître des Assassins*
Khur-Shah, *son fils et successeur*
Émir Hassan Mazandari, *son favori, commandant d'Alamut*
Mustafa Ibn-Daumar, *alias* Créan de Bourivan, *ambassadeur des Assassins*
Pola, dite « al muchtara », *sa fille, surveillante du harem*
Kasda, *sa fille, astrologue de l'observatoire d'Alamut*
Zev Ibrahim, *ingénieur d'Alamut*
Maître Herlin, *grand scribe et bibliothécaire d'Alamut*
Omar d'Iskenderun, *Assassin*
Amál, *fille d'Omar*
Aziza, *sœur d'Omar*
Le père d'Omar, *Assassin*
Shams *fils de Khur-Shah*
El-Mustasim, *calife de Bagdad*
Muwayad ed-Din, *grand vizir de Bagdad*
Aybagh, dit « le dawatdar », *grand secrétaire de la cour et chancelier de Bagdad*
Nasir el-Din Tusi, *savant et ambassadeur arabe*
Ali, *son fils*
Malouf, *marchand de Samarcande*
Abdal le Hafside, *marchand d'esclaves*

LE ROYAUME DES MONGOLS

Princesse Sorghaqtani, *princesse kereït, mère du clan Toluy*
Möngke, le « khagan », *grand khan des Mongols*
Kubilai, *son frère, futur empereur de Chine*
Hulagu, *son frère, futur Il-Khan de Perse*
Ariqboga, *son plus jeune frère*
Kokoktai-Khatun, *Première épouse du grand khan. Chrétienne*
Koka, *Deuxième épouse du grand khan. Idolâtre*
Dokuz-Khatun, *épouse de Hulagu, chrétienne*
Ata el-Mulk Dschuveni, *chambellan de Hulagu, musulman*
Général Kitbogha, *chef d'armée de Hulagu, chrétien*
Kito, *son fils, chef de section*

Batou-Khan, *cousin du grand khan et chef de la Horde d'Or*
Sartaq, *son fils et successeur*
Oghul Kaimish, *veuve du dernier grand khan,* Guyuk
Chiremon, *cousin de Guyuk*
Bulgai (ou le Bulgai), *grand juge des Mongols, chef des Services secrets*
Arslan, *le chaman*
Jonas, *archidiacre des nestoriens*
Orda, *servante de Yeza*
Timdal, dit « homo Dei », *interprète de Guillaume*

SOUS LA COUPE DES ASSASSINS

1. LE TENDRE BERCEAU DE L'HUMANITÉ

Dans l'iwan de Ctésiphon

Au sud de Bagdad, sur la rive gauche du Tigre, se trouvait l'iwan de Ctésiphon, le palais d'été de l'*amir al-mumin*, le « maître de tous les croyants ». Le calife s'y était retiré dans les thermes avec sa cour et son harem pour échapper aux poursuites de ses médecins. Car el-Mustasim souffrait de la goutte, son dos l'accablait, ses genoux le mettaient au supplice, et ses pieds avaient perdu depuis longtemps l'habitude de le porter.

Plongé dans l'eau chaude, lorsque de tendres mains l'aspergeaient d'essences odorantes, frottaient avec douceur sa peau flétrie ou laissaient glisser leurs ongles manucurés le long de ses membres, il se sentait merveilleusement apaisé — mille fois plus qu'après les lavements infligés par ses docteurs juifs venus d'Alexandrie, les saignées et les douches froides des médecins que l'empereur lui avait envoyés de Salerne, ou ces petites piqûres d'aiguilles dont un élève d'Ibn al-Baitars venu de Pékin lui avait vanté les mérites.

El-Mustasim leva les yeux sur l'extraordinaire voûte en berceau que l'on avait posée dans le sable des rives du Tigre comme un gigantesque œuf d'autruche. L'iwan se dressait sans étais à la verticale. D'un côté, il donnait sur la palmeraie de l'oasis ; de l'autre, sur le fleuve qui s'étirait paresseusement. Le calife aimait cette halle aérée qui datait de l'époque du Prophète, sa fraîcheur lumineuse, sa légèreté. Des hirondelles nichaient dans les pierres ; de temps en temps, un lézard aux reflets d'émeraude venait frétiller au bord du bassin où il se reposait. Des joueuses de tambourin aux poignets et aux chevilles ornés de clochettes se balançaient au son des flûtes. Elles seraient encore plus belles si elles ne chantaient pas, songea le petit homme, mais alors elles bavarderaient sans doute comme les dames de mon harem, celles qui, derrière le rideau — inquiet, el-Mustasim regarda par-dessus sa cage thoracique aplatie et son ventre rond pour apercevoir l'extrémité de son sexe —, parlaient d'autres hommes avec exaltation. Le calife pensa à la femme qu'An-Nasir, le sultan de Damas, lui avait envoyée. Le maître de la Syrie l'avait décrite comme une conteuse pleine d'esprit, et avait souligné son extraction exceptionnelle : c'était une fille du Hohenstaufen, intelligente, et qui avait grandi dans les mœurs courtoises de l'Occident. Elle savait lire, mais aussi écrire, et c'était une narratrice sans égale. Elle aura sans doute été trop vieille pour entrer dans son harem, se dit el-Mustasim. Ce cadeau bien mûr avait tout de même déjà vingt-cinq printemps...

Le calife regarda l'horloge, au bord du bassin — un objet hideux ! Mais elle indiquait les heures, et c'était un présent du roi des Francs. Celui-ci l'avait fait fabriquer spécialement à son intention par un orfèvre parisien. L'ouvrage doré représentait un chevalier. Il tenait à la main un bouclier rond au centre duquel tournait une flèche, qui servait d'aiguille. Les périodes de la journée étaient gravées sur le rebord du bouclier. L'autre main portait une massue, ou un objet qui ressemblait plutôt à l'un de ces petits cônes utilisés pour les tambourins des enfants. Toutes les heures, le guerrier s'en servait pour frapper sur le rebord du bouclier, jusqu'à douze coups retentissants. Mais ce n'était pas tout : comble des merveilles, son bras se levait aussi tous les quarts d'heure et martelait le heaume — ding, dong. Allah soit loué ! la visière était baissée, si bien que le calife n'avait aucune peine à s'imaginer qu'elle dissimulait la tête d'un infidèle. Cette fois encore, el-Mustasim éprouva une sorte d'exaltation en entendant résonner le métal. Il claqua des mains et chassa les bayadères qui chantaient derrière le rideau, se fit emmailloter dans des draps par les maîtres du bain et porter sur une couche installée au bord de la grande salle, juste en face de la tente de tissu derrière laquelle ses dames recommençaient déjà à papoter.

Clarion de Salente était parmi elles. Elle savait que le seigneur n'allait pas tarder à la faire venir auprès de lui. Le premier eunuque en personne lui avait épilé les derniers poils noirs qui lui restaient sous les aisselles, et il était en train de l'oindre de toutes sortes de baumes et d'huile. Elle connaissait cette cérémonie qui ne négligeait aucune partie du corps. Il avait un pot spécifique pour chacune d'entre elles. L'eunuque la chatouillait, sans doute, mais elle appréciait le murmure jaloux des autres femmes. Bien sûr, elle n'était pas la plus jeune, elle avait donné le jour à une fille et son corps s'était potelé, mais le calife était de ceux qui savent apprécier les fesses rondes et les seins opulents.

Le tissu de mousseline translucide que Clarion portait pour tout vêtement soulignait encore ses rondeurs. Coiffée, poudrée, aspergée une fois encore d'essences aromatiques, elle traversa l'iwan la tête haute pour rejoindre la couche du seigneur.

El-Mustasim s'était assis et la contemplait avec satisfaction. Il lui désigna une place sur un coussin recouvert de velours, à ses pieds. Il était curieux de savoir comment elle le réjouirait cette fois-ci.

— Fière *houri* du Paradis, parle-moi des deux enfants qu'Allah est censé avoir envoyés pour mener les Francs sur le droit chemin !

C'est donc de cela qu'il s'agit, songea Clarion. Elle laissa son regard glisser sur le Tigre, l'air songeur, comme si elle allait délivrer un oracle.

— Pas seulement les Francs, répondit-elle en souriant, l'Occident tout entier. Le grand empereur romain...

— N'est-ce pas le pape ? fit le calife en lui coupant la parole.

Elle reprit avec indignation :

— Le pape n'est qu'un grand prêtre ! Cet imposteur se fait passer pour le successeur de Jésus de Nazareth et poursuit les enfants, héritiers légitimes du sang sacré, de sa jalousie haineuse ! Et le roi des Francs est son valet, son factotum !

Le calife leva les yeux vers l'horloge, qui se mettait tout juste à sonner.

— Les enfants descendent donc du prophète Jessé ?

Clarion hocha la tête. L'horloge sonnait encore — ding, ding...

— Comment le roi de France peut-il oser lever la main contre les enfants du prophète ?

Les Francs sont une lignée stupide, songea le calife. Ce chevalier qui frappait sur son propre heaume suffisait à l'en convaincre.

— Je vais vous l'expliquer, dit Clarion, qui ne comprenait pas pourquoi le vieil homme observait sans arrêt cette poupée bizarre. Y avait-il dissimulé un Maure minuscule, chargé de se taper sur la tête lorsque le seigneur le regardait ?

— Dans la partie la plus plaisante de l'Occident, on trouve une terre nommée Occitanie, semblable à une belle femme courtisée par quatre princes puissants : l'empereur, dont les terres, à l'est, s'étendent à perte de vue. Le roi d'Aragon, à l'ouest, séparé d'elle par un massif montagneux. Au sud, au-delà de la mer, les terres des Hafsides. Et au nord guette le roi des Francs, qui, par un acte de violence infâme...

— C'est lui qui m'a envoyé ce chevalier qui bat les heures, fit el-Mustasim en l'interrompant doucement. Son horloge ne témoigne pas d'un goût exquis, mais elle sonne.

Clarion comprit et changea de sujet.

— Là, donc, se trouve l'Occitanie, pays enchanté, l'amante de l'Occident, la plus belle fleur de la culture des ménestrels et des mœurs courtoises.

Il ne lui semblait pas qu'el-Mustasim ait compris de quoi elle parlait.

— Là, non loin d'el-Andaluz, la fastueuse Córdoba sarrasine, près de Séville la lumineuse, de Grenade la puissante, dont vous êtes le maître suprême, mûrissent les plus beaux fruits du savoir et de la sagesse. Juifs, musulmans et chrétiens vivent en paix...

— Certes non! s'exclama le calife. Ils pourraient vivre ainsi, c'est vrai! Mais, au lieu de goûter ce bonheur qu'Allah leur accorde généreusement, ces chiens chrétiens au front étroit nous combattent...

— La faute en revient au pape catholique, trop intolérant pour supporter un autre dogme que le sien. Il n'admet pas même celui de Jésus-Christ!

— Jessé, le prophète, reprit le calife, n'a rien proclamé qui puisse autoriser les Francs à nous imposer la guerre. Au contraire : votre prophète prêchait la douceur, la fraternité, la miséricorde...

Le souverain resta un instant songeur : comment pouvait-on bien mettre ces beaux principes en œuvre ? Puis il ajouta :

— Il exagérait même un peu. N'a-t-il pas dit : « Si quelqu'un te donne une gifle, tends l'autre joue » ?

Clarion éclata de rire.

— Je ne suis pas chrétienne. Mais s'il ne s'agissait que de gifles ! C'est par le feu et le fer que la funeste conjuration du roi franc et du pape romain s'est abattue sur l'Occitanie. Le premier est avide de terres et de butins; le second est impitoyable et l'invective est son seul langage.

L'horloge sonna l'heure pleine, à huit reprises. Les voiles bleus du soir se déposaient sur le fleuve. Le calife fit porter des fruits et de l'eau de rose rafraîchie. Il servit personnellement Clarion.

— Tu voulais me parler des enfants. Qu'ont-ils à voir avec ce drôle de roi et ce mauvais pape, puisque Allah vous a envoyé ces petits par l'intermédiaire de son prophète Jessé?

— Il les a guidés tout droit vers ce jardin de roses qu'est l'Occitanie, où la cabale juive, l'érudition islamique et d'antiques cultes celtes vivaient en harmonie. Des chevaliers croisés revenant d'Orient rapportèrent, comme autant de graines de fleurs inconnues, un nouveau mode de vie, une nouvelle civilisation. Dans l'heureuse Occitanie, où les poètes étaient des princes, les chevaliers des ménestrels et les sages des prêtres, on tissa une théorie des « purs » qui ne craignaient pas le mal et avaient le paradis devant les yeux. C'était une religion de la foi, de la croyance dans le véritable message de Jésus de Nazareth, transmis directement et sans falsification! Leur vertu, qui n'avait pas besoin du pardon, de l'expiation ou du bûcher, devint une épine dans le pied du pape, et une poutre dans l'œil du roi des Francs, qui convoitait avidement cette terre féconde. L'Occitanie s'étendait devant lui, sans défense, avec ses forêts sombres, ses rivières argentées et ses grottes cachées dont les parois étincelaient d'or et de pierres précieuses. Je ne l'ai jamais vue de mes yeux, regretta Clarion, le regard brillant, mais Créan me l'a raconté.

— Créan? Qui est-ce?

Le calife avait beau paraître assoupi, il écoutait avec une grande attention.

— Le courageux chevalier qui a sauvé les enfants, leur a permis de s'évader du château de Montségur assiégé...

— Raconte-moi toute l'histoire depuis le début, demanda el-Mustasim.

Et Clarion reprit son récit au commencement.

— Eh bien, voilà. Un jour, le roi et le pape levèrent une gigantesque armée pour partir en « croisade » contre...

— Quoi? Une croisade contre des chrétiens, au cœur de l'Occident?

— Oui, si grandes étaient leur insolence et leur perfidie. Ils promirent un butin opulent. Des hordes de mercenaires entrèrent ainsi dans le pays, dévastèrent les villes et les châteaux, persécutèrent leurs habitants. « Brûlez-les vifs, tous autant qu'ils sont ! ordonna le légat du pape. Le jour du Jugement dernier, Dieu reconnaîtra les siens ! »

— Quel blasphème contre Allah ! dit le calife, horrifié.

— Oui, mais il y a pis encore. Lorsqu'ils eurent brûlé toutes les villes, avec tous ceux qui s'étaient réfugiés dans les maisons de Dieu, il restait encore un château sur un piton rocheux : Montségur. Il avait résisté trente-trois années durant. Mais les gardiens du Graal décidèrent d'abandonner et de mettre un terme à leur vie terrestre...

El-Mustasim était impressionné.

— Le Graal ? Est-ce le père des « enfants du Graal » ?

— Nul ne sait au juste qui est ou ce qu'est le Graal.

Clarion ne chercha pas à se faire passer pour plus maligne qu'elle était. Mais elle tira sur son voile de mousseline, et la pointe sombre de ses seins se dessina sous le tissu.

— Créan de Bourivan, le noble protecteur des enfants, a dit : « Le Graal est une science secrète. »

— Sur quoi porte-t-elle ?

— Sur l'origine du sang sacré, le sang des rois, celui de la lignée royale de David...

— Ah ! s'exclama le commandeur des croyants, le sang du prophète Jessé ?

L'horloge sonna.

— C'est sans doute cela, répondit Clarion, qui se surprit à observer à son tour la figurine en métal. En tout cas, les enfants, un garçon et une fille, ont été treuillés au bout d'une corde depuis le haut des rochers, au cours de la nuit qui précéda la reddition du château. Le responsable de ce sauvetage était sans doute le Prieuré, le Conseil suprême de Sion. C'est un ordre secret auquel appartient aussi Créan de Bourivan, qui le sert fidèlement.

Elle attendit que le bouclier ait cessé de résonner.

— Une alliance puissante et qui agit dans l'ombre, ajouta Clarion avec un battement désarmant des paupières.

Ses beaux yeux feraient peut-être oublier au calife qu'elle n'en savait pas beaucoup plus sur le Prieuré. Il l'interrogea tout de même :

— Qui agit pour le compte de qui ?

Mais il ne regardait plus l'horloge. Son regard était resté prisonnier des voiles de Clarion, remontait le long de sa cuisse et se perdait dans le triangle de duvet noir qui les surmontait.

— Pour le compte de qui ? répéta-t-il.

Clarion avait remarqué son regard ; elle s'étira comme le fait un chat juste avant de s'immobiliser pour faire croire à la souris qu'elle peut continuer à l'observer impunément.

— Je peux juste vous dire contre qui elle agit : contre l'Église du pape romain et la Maison des rois de France, dont les soldats ont pris Montségur d'assaut. Ils n'ont pas trouvé ce qu'ils cherchaient, le Graal. Ceux qui occupaient le château sont allés au bûcher de leur propre chef, car ils refusaient de reconnaître le pape. Le pays qui l'entourait, les châteaux et les villes ont été remis au roi de France, qui a ainsi doublé ses possessions, et s'est mis à croire qu'il était désormais aussi puissant et honorable que l'empereur.

— Je connais cela, marmonna le calife, qui avait bien du mal à se concentrer sur le récit, tant ses yeux étaient fixés sur le tulle de la jeune femme. On trouve toujours des princes pour croire que le pouvoir et la richesse donnent aussi de la dignité. Mais que sont devenus les enfants ?

Deux coups aigus signalèrent qu'une heure se serait bientôt écoulée. Dehors, la pénombre s'était faite depuis longtemps, et le sultan n'avait toujours pas obtenu satisfaction. Clarion comprit que la souris allait lui échapper. Elle reprit :

— Créan de Bourivan, poursuivi par les Francs,

leur a fait franchir la mer pour se rendre à Rome, et a secrètement traversé la caverne de la bête. Un moine l'a aidé : Guillaume, le franciscain.

— Guillaume de Rubrouck, le fameux ambassadeur qui a rendu visite il y a quatre ou cinq ans au grand khan des Mongols ?

El-Mustasim n'avait plus rien d'une souris : il était devenu un gros matou aux aguets. Clarion éclata de rire :

— J'ignore si Guillaume, le rusé, a vraiment été chez les Mongols à Karakorom. À cette époque, les enfants étaient bien à l'abri chez nous, dans le château d'Otrante, où j'ai personnellement grandi. Moi-même, chaque jour, je les...

— Décrivez-les-moi ! Comment s'appellent-ils, au juste ?

— Roç et Yeza, annonça fièrement Clarion. Leurs noms véritables sont bien plus longs, car tous deux sont de la plus haute noblesse, mais on doit les garder secrets : ceux qui les traquent ne reculent devant rien, pas même devant le meurtre.

— À quoi ressemblent-ils ? L'impatience pointait dans la voix du calife.

— Roç est certainement devenu un jeune chevalier. C'était un beau petit garçon aux yeux bruns, aux cheveux noirs, une tête de statue d'airain. Un jeune dieu. Il bouillonnait d'envie d'agir et d'imagination. On était forcé de l'aimer !

Le calife sourit de la voir tellement enthousiaste, même s'il avait été un peu vexé par cette description d'une jeunesse pétulante et d'une virilité intacte.

— Et Yeza ? demanda-t-il, en chassant d'un geste la pensée de sa propre vieillesse et de ses insuffisances.

— Yeza est un garçon manqué. Dans ses veines coule le sang sauvage des Normands. Elle était mince comme une baguette, ses iris brillaient comme des étoiles vert et gris, des boucles blondes entouraient son profil bien découpé. Seules ses lèvres laissaient deviner la sensualité qui sommeillait dans son corps. Lequel s'est certainement épanoui depuis. Elle était avide de savoir, et avait un sens affirmé du pouvoir.

— Difficilement concevable dans un harem comme le mien, grommela le calife, déçu. Il y aurait des coups, voire des assassinats !

Il se permit alors de laisser glisser sur sa conteuse un regard de propriétaire.

— On raconte que tu es une fille de l'empereur !

— Mais je le suis vraiment ! répondit la jeune femme avec une telle indignation que sa poitrine en trembla. Elle se leva et expliqua : L'empereur a offert Otrante à ma mère, à l'extrémité méridionale de l'empire, en Apulie, une région qu'il aimait assez pour y passer le plus clair de ses jours. C'est là que la mort s'est emparée du grand Hohenstaufen. À moi, il a donné le titre de comtesse de Salente.

— As-tu jamais vu l'empereur Frédéric ?

— Non. Il n'a plus jamais rendu visite à ma mère. J'ai grandi à Otrante avec mon frère, Hamo l'Estrange, qui a pris l'an dernier comme épouse la plus jeune sœur de l'émir Baibars...

— Ah ! « l'Archer »...

Clarion, agacée, glissa sur son coussin ; le tissu qui lui recouvrait les cuisses était tendu à craquer. Le calife ne la quittait plus des yeux.

— Oui, dit-il, songeur. Si les mamelouks n'avaient pas assassiné le dernier souverain ayyubide d'Égypte, An-Nasir ne serait sans doute pas devenu sultan de Damas, et tu ne serais peut-être pas là pour que ton cœur me...

Clarion sentit qu'elle avait poussé le jeu trop loin. Elle n'avait pas la moindre envie de rafraîchir le cœur du souverain, pas plus d'ailleurs que n'importe quelle autre partie de son corps flétri. Elle revint à l'Apulie :

— Nous vivions heureux et en paix sur notre château, au bord de la mer. À l'époque, le pape avait perdu la trace des enfants, auxquels il vouait une haine mortelle. Mais ensuite, Guillaume, ce balourd, a remis les ennemis sur la trace des enfants. Nous avons dû quitter Otrante en catastrophe avec la trirème, l'admirable navire de combat que l'empereur avait offert à ma mère : car les sbires ne tardèrent pas à se présenter à notre porte.

— Sur les terres de l'empereur ?

Le calife avait du mal à y croire. L'horloge sonna l'heure pleine, il avait faim, mais il était encore plus avide de connaître la suite de l'histoire. À moins que le corps de la narratrice ne lui eût paru plus savoureux que n'importe quel autre plat ?

— Dans l'intervalle, l'empereur avait proclamé la déposition du pape, la déchéance de tous ses pouvoirs et dignités, reprit rapidement Clarion.

Les neuf coups la pressèrent elle aussi : elle savait qu'il était l'heure, pour le souverain, de se rendre à table si rien ne le retenait ailleurs.

— Une bonne chose, fit le calife, que je sois à la fois empereur et pape. Il ne m'aurait plus manqué qu'un grand mollah aussi arrogant ! Il chassa cette idée désagréable. Et ensuite ? Où Yeza et Roç se sont-ils réfugiés ?

— À Constantinople, de l'autre côté de la mer ! Mais leurs ennemis les y ont traqués aussi. Après une longue errance, les enfants ont atteint l'Égypte.

El-Mustasim se rappela :

— Le sultan du Caire n'a-t-il pas même caressé l'idée de remettre son trône aux enfants ? Il était vieux, déjà, ses idées n'étaient plus très claires, et son fils ne valait pas grand-chose.

Il n'aurait pas dû évoquer l'âge d'Ayoub : cela lui rappela le sien, et il sentit l'agacement le gagner. Mais Clarion lui adressa un sourire qui, aussi mensonger soit-il, calma les inquiétudes du calife.

Elle croisa les jambes avec une lenteur excitante.

— Le sultan Ayoub est mort avant d'avoir pu emporter la victoire sur le roi Louis. Son fils n'avait pas de plus grand désir que de renoncer au pouvoir de ce monde et de confier le sultanat à Roç et Yeza, le couple royal. Il a vaincu le roi des Francs, l'a emprisonné et a été assassiné lors de la révolte de palais menée par Baibars. « L'Archer », pourtant connu pour sa cruauté, s'est lui aussi laissé prendre au charme des enfants. Dans un accès de générosité, il a laissé le roi Louis sortir de ses geôles, pour qu'il les sacre « rois de Jérusalem ».

— Jérusalem! soupira le calife, rêveur.

L'horloge avait de nouveau sonné, et depuis long-temps. Mais el-Mustasim ne l'avait même pas regar-dée. Ses yeux restaient fixés aux lèvres de Clarion. Il remarqua que son invitée avait à peine touché à l'eau de rose. Il claqua dans les mains et fit apporter du vin. Le calife remplit juste une coupe, y but, puis la tendit à la femme. Ses lèvres brillaient; el-Mustasim vit avec plaisir la langue rose de Clarion glisser sur la surface du breuvage. On peut aussi poser des échelles sur les murs d'une citadelle à conquérir. Il tendit encore une fois le précieux calice.

— Abasourdi par le charisme des enfants, le pieux Louis surmonta la colère que lui inspiraient les « enfants hérétiques », qu'il avait poursuivis de Montségur à Constantinople. Il était prêt à leur remettre la couronne de Jérusalem. Mais il échoua : sa cour et les barons de la Terre sainte lui oppo-sèrent une trop forte résistance. Roç et Yeza étaient entre-temps devenus des personnalités autonomes. Il suffit pour s'en convaincre d'entendre raconter leur folle tentative pour nous libérer, Shirat et moi-même, du harem d'An-Nasir. À l'époque, je portais un enfant du Taureau et je ne songeais pas à l'aban-donner.

L'allusion au Taureau et à ses bourses chagrina un peu le calife, mais Clarion reprit comme si de rien n'était :

— C'est Créan de Bourivan, à la tête d'une troupe d'Assassins, qui a sorti le couple royal de la fâcheuse situation où il s'était placé.

— Ah! grogna el-Mustasim, rêveur; il avait profité de ce flot de paroles pour prendre d'assaut, comme une forteresse, le corps de la narratrice. Ah! répéta-t-il, les ismaélites sont donc de la partie?

Il inspira profondément, à la manière du conquérant vainqueur. Un léger vertige s'empara de lui.

— Ils en étaient dès le début. Leur chancelier
nous avait déjà présenté ses hommages à Otrante. Le
Prieuré ne misait pas tout sur les Templiers...

Cette fois, Clarion, esclave docile, servit son seigneur, auquel la précieuse boisson parut deux fois
plus savoureuse.

— Mais il est étrange que ce... comment s'appelle-
t-il, déjà?... ce mystérieux Conseil de Sion ait justement fait confiance aux Templiers, ces blasphéma-
teurs, et aux Assassins, cette bande de tueurs du
Vieux de la montagne!

Pour cacher son excitation, il prit le temps de
savourer le vin.

La comtesse de Salente tendit les bras sur le coussin derrière elle et arqua tout son corps, comme si
elle était seule dans la pièce. Elle laissa son regard
monter vers la voûte de l'iwan. Lorsqu'elle redescendit la tête, une barrette tomba et sa lourde chevelure
vint caresser ses épaules.

— Ce sont l'un comme l'autre des eaux sombres et
profondes, répondit-elle d'une voix sourde, en
repoussant le calife qui lui tendait de nouveau la
coupe. Mais elles sont alimentées par la même
source claire. Le gardien de cette source secrète,
c'est le Prieuré. S'il a choisi les Templiers et les
Assassins, ces deux ordres de moines-soldats, c'est
qu'ils sont capables de préserver le savoir des premiers temps, de l'origine de toute chose. Ils sont disposés à obéir sans condition à tous les ordres et à
imposer dans le monde entier la volonté de la gardienne du « grand projet ».

El-Mustasim avait vidé sa coupe et se resservit
d'une main tremblante, si copieusement qu'une
grosse tache rouge se propagea sur la mousseline de
Clarion, donnant l'impression que sa cuisse était
nue. Mais il ne le remarqua même pas.

— S'agit-il du destin des enfants, belle *houri* ?

Clarion comprit que l'histoire des enfants n'avait

pas fait oublier au calife la femme qui se trouvait à ses pieds. Le vieil homme tripotait nerveusement les tissus qui l'enveloppaient. Elle sourit avec douceur, lui tendit la coupe pleine de vin capiteux et reprit son histoire.

— Il s'agit uniquement de l'avenir des enfants. Le « grand projet », pour le couple royal, est à la fois un objectif et un destin. On a beau tenter de s'y opposer, il s'accomplit. Tous en ont fait l'expérience, même Guillaume de Rubrouck, qui s'était pris d'affection pour eux et n'a cessé de croiser la route pleine d'embûches qui les mène au royaume de la paix. Créan de Bourivan a conduit le couple royal en Orient, à Alamut, où réside le grand maître des Assassins. Mais je doute que ce soit là-bas, chez l'imam de tous les ismaélites, qu'ils trouvent leur destination finale, la...

La coupe du calife venait de tomber sur le sol de pierre, dans un bruit de métal.

— ... la Couronne du Monde ! ajouta Clarion avant de lever son regard vers le vieil homme.

Il s'était endormi.

Le calife fatigué

— *Bis'mil amir al-mumin !* voilà le mot d'ordre ! lança le grand chambellan du calife à la garde du palais, qui lui était toute dévouée. Ils se trouvaient dans l'antichambre de la salle d'audience. Je crierai : « Au nom du commandeur de tous les croyants ! » alors, vous vous précipiterez à l'intérieur et vous les capturerez tous. Ceux qui se défendront seront abattus sur-le-champ !

Maka al-Malawi donna ces ordres à voix basse, dès que le dernier membre de la délégation eut franchi la haute porte. Elle menait dans la grande salle somptueuse où les attendait le calife el-Mustasim.

— N'épargnez que le vénérable el-Din Tusi. Envoyez les autres à la prison, où le bourreau les attend déjà !

Et comme si une idée particulièrement désagréable lui était venue, il ajouta, l'air furieux :

— Mais isolez d'abord les enfants ! Je les veux vivants !

Il avait aussi adressé ces paroles au petit homme qui se tenait tranquillement dans un coin de la pièce. Son regard pénétrant montrait qu'il n'avait pas laissé échapper la moindre de ces instructions. Il s'éloigna ; il traînait d'une jambe.

Le capitaine de la garde hocha la tête, et le chambellan franchit la porte de la salle d'audience.

L'eau sablonneuse du Tigre, qui sépare la médina de Bagdad et l'ancien palais du calife, sur une rive, de la partie est de la ville, sur l'autre, coulait paresseusement. El-Mustasim, commandeur de tous les croyants, issu de la dynastie des Abbassides qui régnait sans interruption depuis cinq siècles, avait dépensé beaucoup d'argent pour construire dans la nouvelle ville un quartier administratif. Les palais somptueux avaient jailli du sol, il les avait fait entourer d'un double mur et des casernes hébergeant sa cavalerie de cent vingt mille hommes. Pourtant, depuis quelque temps, le calife n'était plus sûr de lui. C'est la raison pour laquelle il avait décidé de se retirer dans les locaux étroits du vieux palais, laissant à son grand vizir le commandement sur la rive est.

El-Mustasim était un vieil homme de petite stature. Il paraissait fragile sous son turban beaucoup trop volumineux. Son regard glissa sur les flots troubles où grouillaient les barges et les bacs, entre lesquels les galères gouvernementales cherchaient à se frayer un chemin à grands coups de rames.

L'amir al-mumin n'avait plus l'élan de ses premières années de fonction. Il n'avait certes pas provoqué la chute du royaume du Khorezm, mais il lui avait été donné de la vivre. Il s'était efforcé d'instau-

rer la paix entre les mamelouks du Caire et le dernier
Ayyubide de Damas, une paix qui incluait aussi les
Francs — *Allah jasihum !* — du « royaume de Jérusalem ». Ces chiens de chrétiens pouvaient remercier
leur roi Louis, c'était un homme pieux auquel on
n'avait pu refuser un cessez-le-feu. El-Mustasim soupira, son regard revint dans la salle d'audience, et il
perçut vaguement que l'entretien avec la délégation
touchait à sa fin. Une bonne chose. Il ne l'avait pas
particulièrement intéressé.

La délégation envoyée par le grand Da'i des Assassins d'Alamut était placée sous la direction impar-
tiale d'el-Din Tusi. C'était un homme d'âge moyen ;
ses traits de paysan ne laissaient en rien deviner qu'il
était l'un des plus fameux érudits du monde musulman. Le calife songea avec mélancolie que ce sage
s'était toujours efforcé — comme lui-même, faible
commandeur de tous les croyants — d'établir au
cours de son bref passage sur cette terre un équilibre
entre ces ismaélites fanatisés et le califat sunnite. Le
bon Tusi n'y parviendrait sans doute jamais ; mais au
moins, cette fois-ci, les Assassins de cet « imam »
mégalomane, puisque c'est le titre que se donnait le
grand maître de la secte, n'avaient pas proféré de
menace de meurtre. Ils n'avaient pas non plus exigé
le paiement d'un tribut démentiel, ni son abdication
en faveur d'un partisan de la *shi'a* : celle-ci exigeait
en effet que le maître suprême de tous les croyants
descende du Prophète en ligne directe !
Le regard fatigué du calife resta captivé par le haut
plafond à caissons de la salle, où les stalactites de
bois précieux avaient noirci au fil du temps. El-
Mustasim était le trente-septième calife de la dynastie des Abbassides. Ces Assassins existaient à peine
depuis cent ans ! *Allahu akbar !* Avant qu'ils n'entrent
dans la salle d'audience, on les avait fouillés pour
trouver des armes éventuelles, et tel qu'il connaissait
Maka al-Malawi, son grand chambellan (qui avait
encore plus de haine pour les Assassins que pour les

scorpions), il avait certainement dû leur faire ôter
jusqu'à la chemise et inspecter le moindre de leurs
orifices corporels, pour s'assurer qu'ils n'y avaient
pas caché un stylet. Et pourtant, ces meurtriers
d'Alamut étaient capables de n'importe quelle magie.
Ils serreraient leur poing dans l'air, et il en jaillissait la
lame d'un poignard. Le calife avait donc ordonné à
sa garde personnelle de s'installer sur trois rangées à
ses pieds, sur les marches du trône.

Le sage el-Din Tusi aurait dû comprendre depuis
longtemps que ses efforts étaient voués à l'échec.
Tenter d'unir l'Islam contre le péril mongol qui se
levait au loin était absurde. Cela revenait à essayer
de faire cohabiter sous le même toit le chat et le
chien, le faucon et le serpent, pour dissiper un nuage
d'orage dont on ne savait même pas s'il allait un jour
cracher la foudre et le tonnerre, et où il le ferait.
Avant même qu'une telle unité ne soit envisageable,
il leur faudrait d'abord forcer ces bandits des montagnes du Khorassan à cesser de semer la terreur,
eux qui se considéraient volontiers comme des aigles
(alors qu'ils avaient tout du reptile!). Il leur faudrait
alors prouver à quel point l'unité de l'Islam leur
tenait effectivement à cœur. Dans le cas contraire, le
calife, cible privilégiée de cette bande de tueurs,
aurait tout simplement laissé une vipère se poser sur
sa poitrine.

El-Din Tusi, dont le calife appréciait autant l'érudition qu'il raillait sa naïveté politique, parut avoir
deviné les pensées de son maître. Par-dessus la tête
du chambellan, du grand secrétaire et des gardes du
corps, le chef de la délégation s'adressa directement
à el-Mustasim.

— Éminent commandeur de tous les croyants,
c'est avec fierté et plaisir que Votre regard se porte
sur Votre nouvelle Madrasa, nommée en Votre honneur « Mustamsiriya ». Vous avez ouvert ce lieu de
savoir aux quatre courants de la *sunna*; vous avez
donné aux *shafi'i* et aux *hanafi* des chaires de profes-
seurs, vous avez même concédé des places d'ensei-

gnants aux *hanbalis* et aux *malakis* sectaires ; le seul
à ne pas avoir sa place serait-il l'enseignement de la
shi'a ?

La question — si ce n'était pas un reproche — ne
resta pas sans réponse. Comme s'il avait été piqué
par une tarentule, Maka al-Malawi bondit.

— Il ne manquait plus que cela ! fit le chambellan
en écumant de rage. Pendant dix générations, les
califes assis sur ce trône ont été importunés et menacés par les ismaélites, leurs fidèles vizirs ont été
assassinés, et en guise de remerciement, vous exigez
désormais une chaire pour enseigner vos doctrines
aberrantes. Soumettez-vous d'abord, insolents hérétiques ! Et si le commandeur de tous les croyants,
dans son incommensurable bonté, accepte votre
hommage et le tribut à payer...

Il haletait de fureur et fut bientôt hors d'haleine,
ce dont le chancelier, le *dawatdar* Aybagh, un
homme plus conciliant, profita pour prendre la
parole :

— Le fait que vous ayez... je veux dire, le fait
qu'Alamut ait peur des Mongols, précieux el-Din
Tusi, ne constitue pas à lui seul, loin s'en faut, un
motif pour envoyer notre précieuse cavalerie parcourir plusieurs milliers de lieues à travers vos montagnes désertiques.

Le *dawatdar* bien en chair songeait toujours
d'abord à sa sécurité intérieure.

— Les Assassins ne connaissent pas la peur,
répondit el-Din Tusi en s'adressant de nouveau au
calife, qui piquait un peu du nez malgré tout ce
bruit. Permettez à quelqu'un qui n'est pas dans leurs
rangs, mais les connaît et les estime, de prononcer
ces mots. Toutefois ils n'ont pas perdu leur sens du
danger, ni leur réflexion stratégique : il faut arrêter
un ennemi avant qu'il n'arrive. Une fois que les
hordes mongoles se seront déversées ici, dans la
plaine, elles s'abattront sur votre fière armée de
cavaliers comme une meute de loups sur un troupeau de moutons.

— Nous pouvons attendre cela ici, tranquillement, protégés par le fleuve et nos doubles murailles.

Physiquement, le *dawatdar* ne ressemblait guère à son maître, il pesait trois fois plus lourd sur la balance. Mais moralement, c'était son portrait craché.

— Le Caire et Damas nous..., reprit-il.

— ... Ils n'enverront pas un seul homme à votre secours, répondit el-Din Tusi au secrétaire. Songez à mes paroles, Aybagh ! Vous, vous croyez que l'orage éclatera dans les montagnes ou passera devant vous. La Syrie, elle, ne se privera pas de ses protections, surtout pas avec les mamelouks du Caire dans le dos. Je vous le dis — il se tourna encore une fois vers le calife —, si vous, l'unique autorité spirituelle de l'Islam, ne parvenez pas à proclamer une paix divine entre tous les peuples et tous les gouvernants de la juste foi, si vous ne parvenez pas à créer un front commun, la tempête venue de l'est vous balaiera les uns après les autres. Seul le bosquet dense de l'oasis est capable de résister à l'ouragan. Le palmier solitaire dans le désert est brisé ou arraché du sol avec ses racines.

Depuis un bon moment, le calife regardait, par la fenêtre, les coupoles et les cours de sa Mustamsiriya. Depuis le minaret tout proche de la *Jami'al-Qasr*, la mosquée du palais, le muezzin appelait à la prière de midi.

La ville reposait, rose et somnolente, dans la brume brûlante. Elle s'étendait trop loin pour que le calife pût en voir les limites.

El-Mustasim sentit avec mauvaise humeur que son ventre était vide. Mais il voulut encore obtenir une information avant de renvoyer la délégation d'où elle était venue : que devenaient les enfants ? Il avait personnellement demandé à el-Din Tusi de les lui amener ; autrement, il pouvait se passer du spectacle des Assassins, dont la vue lui portait sur l'estomac.

— Où sont les enfants ? demanda-t-il en s'adressant pour la première fois à l'émir Hassan Mazandari, le plus élevé en grade de la délégation d'Alamut, que l'on savait très proche de l'imam.

Hassan avait suivi d'un regard sombre le cours de ces débats qui l'avaient sérieusement agacé. C'était un homme de bonne allure, mince et soigné. Lorsqu'il riait, il dévoilait des dents de prédateur. Son nez crochu lui donnait les traits d'un oiseau de proie, et ses yeux étaient perçants comme ceux d'un serpent. Tusi était peut-être un intermédiaire toléré entre les partisans des deux doctrines antagonistes de l'islam, mais il n'était visiblement pas l'homme qu'il fallait pour présenter avec l'énergie requise les exigences des Assassins. Pourquoi donc l'émir devrait-il écouter les insolences de ce chambellan si Bagdad ne voulait pas leur accorder sa protection contre les Mongols, et ne jugeait même pas nécessaire de le faire ? C'est d'ailleurs pour cette raison qu'il n'avait, pour sa part, pas jugé utile d'exaucer le vœu du calife, que lui avait transmis Tusi. Il avait certes, avant le départ, présenté les deux enfants au chef de la délégation, mais il n'avait emmené que Roç et renvoyé Yeza, folle de rage, à la garde des femmes. À quoi bon mettre les deux enfants en danger ? Le couple royal éveillait la convoitise de tous les pouvoirs de ce monde, et rendait imprévisible n'importe quel gouvernant. Dans ces conditions, même le statut de délégation officielle ne leur assurait guère de protection. Mais un enfant seul ne valait pas beaucoup plus qu'un fou ou qu'un cavalier sur le grand échiquier où se jouait le pouvoir.

Hassan prit du temps avant de répondre, jusqu'à frôler la discourtoisie.

— Éminent *amir al-mumin*, dit-il ensuite à voix basse, utilisant le titre qui rappelait au calife ses droits et devoirs de « chef militaire de tous les croyants », nous sommes tout à fait disposés à nous battre sous la bannière du Prophète, et à le faire en première ligne, la place que nous a assignée Allah lorsqu'il a fait de nous l'avant-poste de l'islam contre la barbarie de l'Orient chrétien...

— Hérétiques! grogna le chambellan. Apostats, vous avez été chassés de la communauté des croyants, en temps de guerre comme en temps de paix! Allah vous a anéantis et...

Le calife leva la main et Hassan reprit, sans accorder le moindre regard à Maka al-Malawi, qui bouillonnait de haine.

— Les Mongols ne font aucune différence entre la *shi'at'Ali*, la lignée du sang, et les partisans de la *sunna*, qui croient connaître la doctrine pure. Ils feront périr tous ceux qui ne se soumettront pas à eux. Ils vous forceront tous à accepter leur pouvoir, jusqu'au bout du monde, puisqu'ils s'estiment appelés à en devenir les maîtres.

— Les enfants? demanda de nouveau le calife, obstiné.

Hassan sourit.

— Apportez les cadeaux! ordonna-t-il à ses serviteurs, qui déposèrent de grandes caisses devant les marches du trône.

Sur un signe de l'émir, ils ouvrirent quelques-uns des coffres et des écrins. Le parfum capiteux de la myrrhe et de l'ambre se répandit dans la salle d'audience, mais personne n'y prit garde, tant les rouleaux de soie brillèrent dès qu'on eut soulevé les couvercles des caisses. On déplia du brocart et de l'étoffe damassée, de la tendre mousseline roula aux pieds du calife. Des récipients d'or, calices et coupes, brillaient depuis le fond des bahuts. Des colliers de perles jaillirent des petits écrins, qui contenaient aussi des bijoux précieux richement ornés. Les serviteurs déposèrent également de grosses malles et de petites cassettes devant le *dawatdar* et le chambellan.

Hassan s'adressa à celui-ci avec un sourire de conjuré.

— J'espère, précieux Maka al-Malawi, fit-il, flagorneur, que votre seigneur ne jalousera pas les trésors que je vous destine et avec lesquels j'espère conquérir votre cœur.

Le chambellan avait perdu sa faconde. Un regard

rapide sur le côté lui permit de constater que même le gros Aybagh, chancelier et premier secrétaire du califat, s'abstenait d'étaler le contenu de sa caisse ; il ordonna donc à ses hommes de porter sans les ouvrir les deux malles et les cassettes dans son palais. Ce n'était pas par cupidité (il devrait de toute façon envoyer sa part au calife), le chancelier désirait surtout ne plus avoir devant les yeux les cadeaux généreux de ses ennemis. Car, pour lui, l'heure des comptes avec ces ismaélites outrecuidants n'avait pas encore sonné. Lui, Maka al-Malawi, ne se laisserait pas corrompre aussi simplement que le gras *dawatdar* !

Le chambellan allait repasser à l'attaque lorsque le calife reprit la parole. Cette fois-ci, il avait perdu son calme.

— Nous n'avions pas demandé des cadeaux, mais les enfants. Les avez-vous amenés ?

Son regard impérieux glissa au-dessus de Tusi, qui baissait la tête, et du sombre Hassan. Pour la première fois, il regarda fixement l'escorte de la délégation, composée en majeure partie de *rafiq* assez âgés.

Derrière l'émir se tenait, comme toujours, un *fida'i* à peine sorti de l'enfance qui brandissait fixement devant lui, à la verticale, un bâton entouré de tissu. Tous savaient que le drap cachait des poignards encastrés les uns dans les autres, la lame du premier plongée dans la poignée du deuxième. Un symbole sans ambiguïté, songea le calife, et il se demanda s'il ne vaudrait pas mieux, tout de même, répondre clairement comme le souhaitait son inflexible chambellan.

Derrière le garçon aux poignards se tenait un enfant plus jeune que le premier, le visage tendre, pour autant qu'on pût le voir sous sa capuche qui lui descendait très bas sur le front. Il avait l'air plus inquiétant encore : lui portait sur le bras un drap de lin, et el-Mustasim savait ce qu'on lui répondrait s'il s'interrogeait sur la signification de cet objet : « C'est votre linceul, éminent commandeur des croyants, s'il plaît à mon seigneur, l'imam Mohammed III. »

Voilà ce qu'était devenu le pouvoir du calife : un chef de secte venu des montagnes de Perse le faisait trembler !

Alors, le jeune *fida'i* remit son bâton en poignards à celui qui se tenait derrière lui et s'inclina devant le calife, sans toutefois se prosterner. D'un geste royal, il posa la main droite sur son cœur et regarda le vieil homme dans les yeux.

— Vous avez voulu nous voir, illustre commandeur de tous les croyants, et nous voici ! Car il plaît aux enfants du Graal de faire votre connaissance et de chercher votre amitié.

Le calife voulut se dresser sur son trône pour prendre dans ses bras le garçon audacieux qui, sans crainte, se frayait déjà un chemin parmi les gardes du corps.

— Laissez-le passer ! cria le souverain à ses hommes qui barraient la voie au *fida'i* avec leurs sabres recourbés.

— Tu es donc Roç, s'enquit el-Mustasim. Et où est la princesse ? demanda-t-il ensuite à l'émir, l'air méfiant.

Le garçon sourit, et Hassan s'empressa d'expliquer que l'on n'avait pas pu imposer ce pénible voyage à Yeza, le deuxième enfant royal.

— Ce n'est pas vrai ! fit alors une voix claire et énergique.

Et le joli *fida'i* portant le linceul fit vers l'arrière un mouvement de tête si puissant que sa capuche tomba et dégagea ses cheveux blonds.

— Nous, les enfants royaux, nous sommes inséparables. Et il n'est rien de pénible que je ne puisse affronter.

Yeza avait rejoint Roç. Elle lança immédiatement au calife un appel enflammé :

— C'est à toi que va notre salut, *amir al-mumin !* Et tu peux compter sur notre aide, s'il s'agit d'unir les peuples qui croient en un seul Dieu pour combattre les Tatares athées et les chasser de la steppe !

— Elle parle comme la jeune Tawaddud! dit le commandeur, enthousiaste, en s'adressant à el-Din Tusi, tandis que le petit homme au regard perçant avait rejoint le *dawatdar*, le chancelier, et discutait avec lui à voix basse. Le calife savait que ce pied-bot insupportable était le confident et le soutien de son chancelier.

— Qu'en disent mes conseillers? demanda le vieux calife, interrompant cet aparté.

Mais Yeza reprit la parole, indignée.

— Je ne suis pas une esclave qui raconte des histoires, et il y a longtemps que l'époque tranquille et sûre des *Mille et Une Nuits* est révolue pour Bagdad.

— Écoutez-moi ça! s'exclama le calife, ravi.

Mais Maka al-Malawi, le chambellan, perdit son calme et se mit à crier :

— Ne vous laissez pas prendre à ses chimères, grand seigneur. Ce sont des enfants hérétiques, hérétiques comme la femme d'Ismaël!

Il chercha du regard l'assistance du gros *dawatdar*, se sachant uni à lui, le sunnite, dans la haine contre les chi'ites apostats, mais celui-ci regardait ailleurs.

— Nous devrions mettre toute cette bande en prison, décapiter les émissaires insolents d'Alamut, et envoyer leur tête au grand khan en même temps que ces enfants du *cheîtan!* ajouta méchamment le chambellan.

— La cible du Mongol n'est certainement pas Bagdad, reprit-il, crachant son venin avec plus de discernement. Mais il est irrité par ces nids rocheux que l'on trouve dans les montagnes du Khorassan, d'où les frelons surgissent de toutes parts pour enfoncer leur dard. Suivez mon conseil, il vaut plus que n'importe quelle alliance inconsidérée avec des gens qui en ont toujours voulu à votre vie, éminent souverain.

Le calife leva la main, apaisant. Son regard s'arrêta sur Yeza qui, d'un geste discret dans sa chevelure blonde, avait attrapé un poignard.

— Veux-tu me tuer? chuchota-t-il, perçant un

silence que les cimeterres de ses gardes rendaient encore plus pesant.

Yeza ne bougea pas, elle tenait la lame à la verticale devant son visage, et ses yeux gris s'y reflétaient.

— Jamais, répondit-elle tranquillement. Mais lorsqu'une vipère siffle, il faut être sur ses gardes.

— *Bis'mil A...*, gémit Maka al-Malawi.

C'était le début du mot de passe convenu. Mais le *dawatdar* lui coupa la parole.

— *Bis'mil Allah!* s'exclama-t-il avant lui.

Cela plut aussi à Yeza, qui s'exclama à son tour :

— Au nom d'Allah! et elle replongea son poignard dans sa coiffure comme si rien ne s'était passé, et se tourna vers Roç.

Celui-ci s'inclina devant le calife et parla.

— Vous nous avez vus, et nous vous avons mis en garde. *Inch'Allah!* Que la volonté de Dieu soit faite!

La délégation des Assassins quitta la salle d'audience sans être inquiétée. Contrairement à ce qu'auraient voulu les coutumes et la politesse, aucun des dignitaires présents ne les raccompagna.

Comme s'il devait cacher au peuple la délégation des ismaélites, Chaiman, le garçon au regard perçant, les mena d'un pas traînant à travers les cours sales de l'ancien palais, jusqu'à une porte située à l'arrière, juste à côté des offices.

Roç et Yeza apprécièrent la marche dans les ruelles étroites du souk, même s'ils durent se passer de tout commentaire : leur guide claudiquant ne répondait à aucune de leurs questions.

— Un rat paralysé, murmura Yeza en souriant, et sourd-muet, par-dessus le marché!

— J'ai plus de sympathie pour les rats, chuchota Roç, l'air grave.

Les deux enfants ne pouvaient pas voir le ciel; tantôt, les encorbellements des maisons, en bois ciselé et usé par les intempéries, surplombaient le sol dallé, tantôt des galeries sinueuses jalonnées de piliers ou des arcs jadis ornés de carrelage les guidaient dans les rues de la ville. Dans ce quartier habitaient les professions considérées comme peu prestigieuses ; ce que confirmait l'odeur des lieux. Les bouchers avaient accroché devant leur boutique les agneaux éviscérés, en y ajoutant la tête pour attirer le chaland. Deux rues plus loin, les équarrisseurs accomplissaient leur triste besogne. On faisait cuire les os et l'on filtrait la graisse qui refroidissait ensuite dans des caisses de bois luisantes. Le sol grouillait de rats.

— Les rongeurs sont passés maîtres dans la réutilisation des matériaux, dit Roç.

— Ici, il y en a trop, répliqua Yeza. Imagine qu'ils tombent dans la soupe que les pauvres préparent avec les restes.

— Ils sont trop intelligents pour cela. Regarde de l'autre côté, là où les tanneurs baignent leurs peaux et touillent les couleurs dans leurs cuves, tu n'en verras pas un seul !

Toujours guidés en silence par le pied-bot, les Assassins revinrent par le plus court chemin à la plus vieille *madrasa* de Bagdad. C'est là que le chambellan, qui ne les appréciait guère, les avait installés à leur arrivée. Leur accompagnateur dans les souks disparut sans les saluer.

— La Nizamiya est un refuge traditionnel, expliqua el-Din Tusi aux enfants — mais son but était aussi d'apaiser l'émir Hassan, furieux, qui considérait à juste titre que les avoir logés dans ce quartier était un affront. Depuis des centaines d'années, c'est ici que se sont arrêtées les caravanes qui venaient vers nous depuis les déserts du Maghreb et les montagnes enneigées du nord, là où les gens mangent du poisson cru. Ici s'arrêtait la route de la soie, qui partait du pays des Kitai. C'est là que les chameaux portaient les tapis de Boukhara et de Tabriz, c'est là que débarquaient les marins convoyant les épices, les arômes, les essences de l'Inde et les esclaves noirs de l'Afrique. C'est ici que se sont assemblées les légions de pèlerins pour partir ensemble à La Mecque et à Médine. La Nizamiya est le nombril du monde, le ventre...

— Sage Tusi, si vous voulez faire l'éloge des vis-
cères, fit l'émir, moqueur, alors pensez aussi à leur
extrémité, car la Nizamiya n'est rien d'autre
aujourd'hui ! Une halte pour la racaille pétomane, les
mendiants crottés et les saints déchus qui baignent
dans leur propre urine !

Hassan Mazandari se rappela son rôle de
commandant de la délégation et mit un terme à sa
diatribe.

— Je louerai Allah si nous retrouvons nos paque-
tages en bon état, grogna-t-il à voix basse.

Ils étaient arrivés devant la porte de leur abri, et
les gardiens n'auraient peut-être pas aimé entendre
ses propos. Il ajouta donc seulement, mais à voix
haute cette fois :

— Maintenant, emballons nos affaires, et vite !
C'est à regret que nous quitterons ce lieu aux mille
parfums délicieux !

Roç retint Yeza par le bras et attendit que tous les
membres du convoi aient franchi le seuil de la porte.

— J'ai découvert un orfèvre au coin de la rue, lui
révéla-t-il. Allons vite voir les précieux trésors que
cache sa caverne enfumée !

Et il la tira par la main.

— Qu'appelles-tu « précieux » ? Nous ne pouvons
même pas nous offrir une verseuse en cuivre percé !
s'exclama-t-elle en riant.

Mais elle se laissa entraîner, ne serait-ce que par
curiosité, et pour ne pas lui ôter son plaisir de
chineur — une joie qu'elle savait d'ailleurs aussi partager.

L'orfèvre, un petit homme voûté, portant un
tablier élimé, était tellement myope qu'il avait les
yeux à quelques centimètres du bracelet d'argent sur
lequel il travaillait avec son taraud. Il se tenait à
l'entrée de son atelier. Derrière lui, sur des étagères,
on avait empilé des casseroles et des poêles, des
lustres de laiton, des fourchettes rouillées, des
miroirs rayés et des lampes.

— Un brocanteur ! fit Yeza d'une voix suffisamment basse pour ne pas vexer l'homme, mais assez forte pour que Roç fût informé de sa déception.

Le petit homme avait reconnu Roç, et une lueur passa sur son visage.

— Ils sont prêts, dit-il bruyamment. Il se leva, s'essuya les mains à son tablier et fouilla dans un coffre qu'il avait caché sous son établi pour le mettre à l'abri des voleurs. Il en sortit un petit sac en tissu et, fièrement, en fit tomber le contenu, deux petites bagues, dans les mains ouvertes de Roç.

— Oh! s'exclama Yeza, espèce de brigand, canaille, imposteur!

Mais Roç ne répondit pas à ses plaisanteries. D'un geste solennel, il lui prit la main et lui passa l'une des bagues avant de mettre l'autre à son propre doigt. Toutes deux paraissaient avoir été jointes à la fonte. Elles n'étaient pas en or. L'anneau était en laiton, le socle en cuivre, et le montage en simple fer. Yeza se sentit cependant comblée de joie au fur et à mesure qu'elle les observait : elle découvrit dans la gravure le lis du Prieuré et, dans le superbe relief, la croix de Toulouse. Sans un mot, elle tomba dans les bras de Roç et l'embrassa derrière l'oreille.

— Montre-moi la tienne, demanda-t-elle ensuite.

Elle constata que sa bague était presque identique à la sienne, si ce n'est que le symbole du Prieuré était chez lui en relief, tandis que le blason de l'Occitanie était gravé en profondeur.

— Elles ne sont pas seulement semblables, expliqua Roç d'une voix que la dignité rendait rauque, elles sont faites l'une pour l'autre.

Il approcha sa main du doigt auquel Yeza portait sa bague, les deux joyaux parurent bondir l'un vers l'autre, s'assemblèrent avec un claquement et restèrent accolés.

— Des aimants! s'exclama-t-elle.

Roç ne put s'empêcher de rire.

— Tu m'as fait le plus beau des cadeaux, Roç! chuchota Yeza, profondément heureuse.

— Pas à toi, à nous, dit Roç. Parce que je t'aime.

— Et moi je te hais! s'exclama Yeza. Viens, maintenant nous devons rejoindre la Nizamiya, sans cela Hassan va se mettre à tourner comme un derviche!

Ils se prirent par la main et rentrèrent en courant. Le vieil orfèvre les suivit du regard, rêveur, jusqu'à ce qu'ils aient disparu au coin de la rue.

Les gardes du corps

Roç et Yeza ne cessaient de se retourner sur la Médina de cette « ville des villes ». Sa silhouette n'était pas aussi excitante, il s'en fallait de loin, que celle de Constantinople, avec ses grosses tours et ses puissantes coupoles. Et il n'y avait pas non plus de pyramides, comme au Caire. Mais el-Din Tusi avait dit que c'était « le berceau de l'humanité ».

— Je suis heureux que nous ayons vu les « rives de Babylone », dit Roç avec respect, et que nous puissions vivre cette aventure ensemble.

Yeza était moins impressionnée que lui.

— Elles empestent, répondit-elle sèchement, et il n'y a pas la moindre trace de la célèbre tour de Babel!

Le cortège formé par la délégation ismaélite passa le long double pont qui se balançait doucement sur le fleuve et menait à la partie orientale de la ville. Les flots vaseux du Tigre exhalaient le parfum suave et mordant de la pourriture et du poisson. Mais il fut rapidement recouvert par l'odeur des milliers de chevaux qui vivaient là, dans des centaines d'écuries.

— Hiii! fit Yeza, enthousiaste, en hennissant. J'aimerais voir mille chevaux d'un coup!

— Hassan a tout à fait raison, dit Roç qui avançait à côté d'elle et fit un signe négatif avec le pouce. Au palais du calife, l'odeur était épouvantable.

— Elle venait du *soukh al-Ghazi*, le marché aux puces, juste à côté.

— Non, répondit Roç, cela montait de l'ancienne *madrasa*, ce trou à rats où nous avons logé!

— Tu te trompes. C'est l'air vicié du nouveau quartier, dont le calife est tellement fier qu'il y a installé une école coranique ultra-conservatrice, et ceux qui y enseignent le texte sacré ne se lavent jamais!

Yeza riait encore de sa plaisanterie douteuse lorsque Hassan Mazandari brida son cheval et attendit que les enfants arrivent à sa hauteur, ce qu'il n'avait pu faire jusqu'ici dans les rues trop étroites.

— Tu aurais pu laisser en place ton arme effroyable! lança l'émir à Yeza, moqueur, sans même tenter de jouer les éducateurs responsables. Il s'en est fallu de peu qu'ils ne nous découpent en morceaux avec leur cimeterre! Ta délicieuse épingle à cheveux a failli nous coûter la vie.

— C'est le risque que nous courons chaque jour que nous donne Allah, répondit Roç. Tu en tireras la leçon : on ne sépare pas le couple royal.

— Et quelles que soient les circonstances, il vaut mieux montrer les dents, ajouta Yeza. Comment disait le célèbre Ibn Qluwi d'Iskenderun? « *Bil chattar uaddiq, juaddi at-tariq al uassat illal maut.* »

Ils entendirent derrière eux des cris et des coups de bâton : le *dawatdar,* installé dans une litière, se frayait un chemin. Il les rejoignit rapidement.

— Mon maître, le Commandeur des Croyants..., lança-t-il d'un seul trait.

Roç et Yeza répondirent aussitôt, à l'unisson :

— *Allah jâtii al oumr at-tawil!* — qu'Allah lui donne longue vie, avant de recommencer à rire, ce qui troubla un peu le chancelier corpulent.

— ... Mon maître m'envoie vous guider en sécurité jusque sur l'autre rive, où l'illustre grand vizir — *Allah jijasi al kufar!* vous attend.

Il se tut un instant, se rappelant sans doute que Hassan, qui était avec eux, était un partisan de la *shia* et pouvait donc être offusqué par ses propos. Mais celui-ci ne fit pas attention à ce salut sunnite d'un habitant de Bagdad, si bien que le *dawatdar* put reprendre :

— En outre, mon seigneur, le Commandeur...

— *Amir al-mumin!* glissèrent les enfants, à qui il s'était adressé.

— ... vous prie d'accepter ces cadeaux de sa part.

Il fouilla dans les coussins de sa litière et en sortit un bracelet éblouissant.

« Il est certainement très vieux, il remonte peut-être à Babylone », songea Roç en voyant le gros chancelier se courber en gémissant sur sa litière et tendre le bijou à Yeza. Il était fait en or tressé, et des pierres incrustées dessinaient une tête de taureau. Entre ses cornes d'ivoire dépassait une tête d'oiseau, sans doute un aigle.

— Un Minotaure! s'exclama Roç, impressionné.

— Un bracelet de fauconnier, fit Yeza en contenant sa joie. J'ai toujours rêvé d'un bijou aussi fabuleux! Je remercie le calife.

Roç reçut quant à lui une coupe de quartz rose ciselé. Elle était taillée d'une seule pièce et son support en or était, comme le pied du calice, richement orné de rubis et de lapis-lazuli. Lorsqu'on le tenait à contre-jour, les pierres précieuses s'illuminaient, et la coupe scintillait comme une peau claire et translucide. Un écrin de cuir capitonné protégeait cette merveille. Le *dawatdar* le reposa avant de remettre le cadeau à Roç.

— Haroun al-Rachid y a bu, dit-il en prenant l'air important. El-Mustasim, mon maître, désire que vous songiez à lui chaque fois que vous y boirez.

Roç s'inclina profondément et ne trouva rien à répondre.

La délégation fut reçue sur la rive orientale par une escorte du grand vizir Muwayad ed-Din, et conduite au palais que le calife avait généreusement mis à sa disposition. Les vastes édifices, pavillons, colonnades et halles ouvertes, ainsi que les jardins aux cours ombragées, envahies par les fleurs, avec leurs jets d'eau et leurs volières, se perdaient dans un gigantesque parc qui s'étendait à perte de vue. Mais si cet étalage d'une richesse incommensurable impressionnait tant, c'était surtout parce que l'on n'y voyait pas âme humaine.

— Puisqu'il est partisan de la *shi'a*, une tente à chien devrait suffire à Muwayad, mais notre bienveillant souverain laisse le grand vizir résider dans son palais !

Aux mots plutôt murmurés par Aybagh, on devinait facilement que le gros homme n'était pas un ami de Muwayad ed-Din, et qu'il ne comprenait pas les attentions que son seigneur réservait à ce dernier.

En réalité, le grand vizir séjournait plus en ces murs qu'il y résidait. Il vivait à l'extrémité la plus éloignée de la zone du palais, dans l'une des casernes destinées aux gardes, non loin de l'hippodrome des officiers. L'odeur des écuries, du fumier et du cuir y était à peine supportable.

Le grand vizir, un homme maigre aux os épais, reçut la délégation dans un atrium que l'on avait couvert d'une gigantesque toile, pour y conserver la fraîcheur. Ses gardes du corps, des Nubiens forts comme des arbres, le sabre courbe étincelant, étaient campés autour de lui, jambes écartées. À ses pieds était installée une partie du corps des officiers, dont beaucoup de *halca*, ces enfants de la noblesse qui faisaient office de pages. Ils buvaient du thé à la menthe et observaient une démonstration de combat offerte par deux maîtres d'armes qui s'affrontaient torse nu et retenaient habilement leurs coups.

Muwayad ed-Din négligea la présence du *dawatdar*, et salua el-Din Tusi avec d'autant plus de chaleur.

— Eh bien, précieux ami à la sage parole, demanda-t-il, avez-vous trouvé chez l'*amir al-mumin* une oreille attentive à vos soucis ?

— Vous savez fort bien, illustre Muwayad ed-Din Ibn al-Alqami, répondit Hassan à sa place, que le calife ne voit pas plus loin que la rive du Tigre, et que le vol de ses pensées, pareilles au pigeon, n'atteint certainement pas Alamut — ne fût-ce que par crainte de voir un aigle s'abattre sur elles !

— Mon illustre seigneur el-Mustasim n'a pas tellement tort d'être aussi prudent, répliqua le grand
vizir. Dans vos montagnes, nous sommes exposés à
l'iniquité d'une nature hostile, et dépendants de
l'hospitalité de nos alliés, comme vous, les Assassins.
Sans même parler des hordes de Mongols qui y
rôdent. Ici, entourés de notre double muraille et protégés par notre armée nombreuse et fidèle, nous
sommes en sécurité.

D'un geste, il pria ses invités de s'installer tout
autour de lui.

— Je peux faire plus confiance à mes gardiens
qu'à moi-même, plaisanta le grand vizir, et il fit servir à boire.

— Votre sécurité est illusoirc, vénéré Muwayad
ed-Din. Que mon grand maître, le vénérable imam
Mohammed III, l'ordonne, et l'aigle fondra partout
sur sa proie, y compris ici et maintenant.

— Certainement pas !

Le grand vizir éclata de rire, les émirs et les officiers qui l'entouraient crurent devoir l'imiter. Une
flamme sembla jaillir des yeux de Hassan ; il se leva
d'un bond et sortit de sa poche un mouchoir blanc.

— Voyez-vous ce tissu, Muwayad ed-Din ? Avant
qu'il ne touche le sol, vous aurez changé d'avis.

Et il laissa tomber le mouchoir. Aussitôt, deux
hommes parmi les officiers se levèrent en brandissant un poignard, alors que tous étaient censés avoir
laissé leurs armes dans l'antichambre. L'un des
cadets s'était également dressé, une arme blanche à
la main.

— Un mot de moi, jubila Hassan, et ils vous...

— J'ai toujours ma garde du corps ! fit avec un air
de triomphe le grand vizir, qui s'était retranché derrière les Nubiens.

Alors, deux des Noirs levèrent lentement leurs
armes acérées, et en posèrent la pointe sur le cœur et
la gorge du haut fonctionnaire. Horrifié, Muwayad
demanda :

— Me tueriez-vous vraiment, moi, votre bon
maître ?

— Oui, seigneur, répondit l'un des hommes, si l'on nous en donne l'ordre, nous le ferons.

Le grand vizir tomba à genoux et couvrit son visage avec les mains.

— Et que me reproche donc le vénérable imam, pour ne plus vouloir me compter parmi les vivants ? gémit-il.

L'émir des Assassins releva l'homme agenouillé en le tirant par les deux bras.

— Quelle veulerie ! dit-il froidement, et d'un geste impérieux, il ordonna aux *fida'i* qui s'étaient avancés de se retirer. Je ne veux pas, Muwayad ed-Din, vous voir un jour ainsi agenouillé devant un général des Mongols ; or vous le ferez inévitablement si vous ne concluez pas un pacte de défense. Rendez-vous à Damas, à Acre, au Caire, implorez le roi et le sultan. Songez toujours à cette image que je vous ai décrite, ô frère de croyance : la hache est au-dessus de vous, votre tête est déjà inclinée — et le Mongol ne fait jamais de quartier !

Puis Hassan se retourna et donna à son escorte le signe du départ.

— Cela vaut aussi pour vous, Aybagh, qui n'êtes pas notre ami, lança-t-il au chancelier intimidé. Il n'est pas nécessaire que vous nous accompagniez plus loin. Rentrez auprès du calife et faites-lui part de notre ultime mise en garde !

Tout en sautant sur son cheval, l'émir ajouta :

— Ce n'est pas nous, les Assassins, qui mettons votre vie en péril ; c'est votre pusillanimité. Vous êtes comme le zébu, qui plonge la tête dans le sable et pense que l'ennemi ne le voit pas.

El-Din Tusi, le véritable chef de la délégation, avait accepté en silence l'incident et le fait que l'émir se soit fait leur porte-parole. Il savait que Hassan était le favori de l'imam, et garda donc ses remarques pour lui. Mais il offrit de somptueux présents au grand vizir, comme s'il souhaitait réparer l'injustice qui venait de lui être faite. Et Hassan le laissa faire.

La délégation quitta la ville du calife par la large

route qui menait vers le nord, pour tourner ensuite dans la montagne, en direction de Kermanshah. Roç et Yeza chevauchaient l'un à côté de l'autre. Ils étaient restés longtemps sans mot dire. Yeza se pencha vers son préféré, chercha sa main et approcha sa bague de la sienne jusqu'au moment où la pierre magique les réunit en cliquetant.

— Vous devez savoir, mon chevalier, dit-elle en riant, que votre gage d'amour représente mille fois plus à mes yeux que le cadeau du calife.

— Il en va ainsi de votre amour, ma *damna!* dit Roç, la regardant dans les yeux.

L'émir Hassan les rejoignit, et Yeza changea de sujet.

— Dommage, dit-elle, j'aurais si volontiers vu les chevaux!

Roç lui adressa un regard presque réprobateur.

— Qu'est-ce qui ne passe pas par la tête des femmes? et ne parvenant pas à se contenir plus longtemps : Tu n'aurais pas dû faire cela! reprocha-t-il à l'émir. Pour satisfaire ton orgueil, tu as livré cinq frères à la lame du couteau!

— Ce qui compte double, ajouta Yeza. Ce sont autant d'armes secrètes perdues, et ils vont sans doute mourir sur le bûcher, à présent.

Hassan Mazandari baissa son regard vers les enfants avec une certaine arrogance; mais il se reprit et laissa un sourire glisser sur ses traits harmonieux.

— Ce que vous considérez comme un trait de vanité incontrôlée était un dernier avertissement, extrêmement nécessaire, à la garde du palais de Bagdad.

Il s'arrêta pour vérifier s'il avait été convaincant, mais Roç et Yeza ne manifestèrent pas la moindre compréhension.

— Quant aux cinq *fida'i*, ce sont des soldats en guerre, prêts à donner leur vie.

— Mais pas de manière absurde! Juste pour gagner un pari! s'indigna Roç. Tu as joué avec des vies humaines.

— Je ne suis pas un joueur, corrigea l'émir, mais un supérieur. Les soldats ne comptent pas. Et si on les brûle, le paradis leur est assuré.

— Ce qui n'est pas ton cas, Hassan Mazandari, rétorqua Yeza pour finir, et Roç ne vit rien à ajouter.

L'émir se tira de cette situation embarrassante avec un rire narquois et regagna au galop la tête du convoi.

Au même instant, Maka al-Malawi, le grand chambellan, commentait encore les événements avec le calife. Il submergeait son souverain de reproches lorsque le chancelier Aybagh revint et leur raconta l'incident scandaleux qui s'était déroulé avec la garde personnelle du grand vizir.

— Vous voyez bien! s'exclama Maka al-Malawi en se tournant vers le chancelier. Le grand vizir a-t-il au moins fait écarteler sur-le-champ ces traîtres infidèles?

— Pas du tout, répondit sans mentir le gros homme. Il regrette cette rupture de serment, il a juste suspendu ces cinq canailles et caresse l'idée de les renvoyer rejoindre leurs frères Assassins pour que le grand maître voie quel noble caractère est celui de Muwayad ed-Din Ibn al-Alqami! ajouta le *dawatdar*, moqueur.

— Votre grand vizir! persifla Maka al-Malawi. Permettez-moi donc au moins de lui indiquer que ces cinq hommes doivent être exécutés immédiatement. Brûlés vifs, de préférence!

Le calife ne répliqua pas.

— Nous pourrions aussi, fit remarquer Aybagh, les envoyer aux Mongols, les yeux crevés, les oreilles et le nez coupés. Avec un message au grand khan, lui indiquant qu'ils avaient été envoyés d'Alamut pour l'assassiner.

L'idée plut au chambellan.

— Dans ce cas, nous devrions leur couper la langue, mais leur laisser la vue, pour qu'ils puissent profiter du paysage et admirer les chevaux sauvages qui les écartèleront.

— En tout cas, il serait bon que les Mongols déchargent leur bile sur Alamut et voient en nous une puissance amie, affirma le chancelier corpulent.

— La nuit porte conseil, dit le calife, et il libéra les deux hommes.

Le gros Aybagh, *dawatdar* du califat, monta dans sa litière sans dire au revoir. Cette journée ne l'avait pas satisfait, c'était le moins que l'on puisse dire.

Le chambellan se fit lui aussi porter dans son palais. Bien qu'il soit déjà tard, il fit porter les caisses dans son appartement, puis renvoya son escorte pour pouvoir regarder les cadeaux sans témoins qui ne manqueraient pas d'aller tout raconter au calife. Il ouvrit d'abord l'un des écrins, et resta bouche bée devant la valeur des joyaux, notamment celle d'un animal doré et couvert de pierres précieuses. Il trouva un soufflet en maroquin, à poignée d'ébène, orné d'un serpent en émeraudes vertes qui se tortillait sur la surface tandis qu'à l'extrémité du bois, un petit oiseau à poitrine de corail ouvrait le bec. Selon la manière dont on faisait sortir l'air de la poche en cuir, le petit oiseau sifflait ou le serpent crachait. Maka al-Malawi se rappela les mots de l'émir : « J'espère gagner ainsi votre cœur. »

Le chambellan aimait plus que tout ce genre de jouets mécaniques. Il était tellement occupé à les essayer qu'il n'entendit pas le grincement des deux grosses malles qui s'ouvraient derrière lui. Deux Assassins en sortirent, souples comme des guépards, qui enfoncèrent profondément leur poignard, l'un sous son omoplate, droit dans le cœur, l'autre dans sa nuque. Il n'eut même pas le temps d'émettre un râle. Seul le bruit mat qu'il fit en tombant de son siège attira l'attention de ses gardes, devant la porte. Mais lorsqu'ils le trouvèrent, nageant dans son sang, les meurtriers étaient partis depuis longtemps.

Quatre princes

L'aigle tournoyait depuis longtemps au-dessus de la steppe. Il avait bien du mal à défendre son territoire : les vents, qui tombaient depuis les hautes montagnes s'élevant à pic non loin de lui, le repoussaient vers le bas, au-dessus de l'Altaï. L'oiseau de proie donnait l'impression de resurgir sans cesse pour vérifier à quel stade en étaient les opérations, en dessous de lui, et s'assurer qu'aucun autre oiseau ne lui brûlait la politesse. Il attendait patiemment sa victime.

Les hommes et les animaux du petit groupe qui progressait au sol n'avaient d'abord formé que quelques points minuscules à l'horizon. Puis ils avaient traversé la plaine et fait halte au pied de la montagne. C'était leur habitude. Mais cette fois-ci, ils prirent plus de temps : le serment et les vœux, prononcés avec une solennité exagérée, traînaient en longueur.

Des Mongols de haut rang, sans doute membres de l'une des lignées princières des Gengis, s'étaient rassemblés ici. Ils avaient emmené des prêtres, et célébraient le sacrifice traditionnel du cheval, selon un rituel immuable.

Le cheval avait été débarrassé de sa selle, de son filet et de ses rênes. Des soldats l'entouraient ; ils avaient planté dans le sol de petits javelots, pointe vers le haut, mais ils disposaient aussi de grandes lances. La famille princière, une mère avec ses quatre fils, s'était installée devant l'animal et ne le quittait pas des yeux.

Le prêtre se campa devant le cou du cheval, que deux soldats tenaient solidement. Le couteau du sacrifice sortit de son fourreau, étincelant, et le jet de sang rouge jaillit de la carotide. L'animal se cabra — l'entaille s'élargit en un instant —, ses jambes tremblèrent, il tomba à genoux, les javelots se plantèrent dans son ventre et l'empêchèrent de s'effondrer. Le sang coulait désormais en un flot tranquille, puis il se tarit peu à peu. Les yeux de la victime s'abaissèrent et perdirent de leur éclat. On enfonça alors les longues lances en biais dans la peau de la croupe et du cou du cheval, jusqu'à ce qu'elles soient dressées vers le ciel et qu'elles donnent une bonne tenue à la carcasse. L'être le plus précieux qui existât pour un Mongol sur cette terre — mis à part lui-même et quelques membres de sa famille — se tenait désormais rigide, livré à la bienveillance du dieu du Ciel, *tengri*.

L'aigle observa le départ rapide du petit groupe en décrivant de nouveaux cercles majestueux, de plus en plus serrés. Il se garda de fondre sur sa proie tant qu'il fut à portée de flèche des Mongols. Ils l'avaient aperçu depuis longtemps avec satisfaction, mais ils n'aimaient pas voir les messagers de *tengri* prendre possession de la victime. Et leurs arcs vrillés ne manquaient jamais leur cible.

C'est seulement au moment où la troupe s'étira comme un serpent et commença l'ascension de la montagne que le roi des airs s'élança, majestueux, et descendit prendre son déjeuner.

L'Altaï se dressait dans un ciel bleu comme l'acier, ses ravines creusaient de sombres rides sur ses flancs, et le blanc de ses sommets déchiquetés éblouissait jusqu'à la douleur l'homme qui levait les yeux vers eux.

Les guerriers mongols se frayèrent un chemin dans les champs d'éboulis et les profonds névés des flancs de la montagne, marchèrent sur des parois en surplomb, franchirent des crevasses dans les glacières, traversèrent des gorges creusées par les cascades.

C'est là-haut, quelque part, que se trouvait la grotte d'Arslan. La petite troupe mongole ressemblait plus à une procession qu'à une armée partant en guerre. Des drapeaux et des fanions accrochés à

de hautes lances battaient au vent, fixés à une litière,
au milieu des guerriers qui avaient mis pied à terre
depuis longtemps et tenaient leurs chevaux par le
licol. Les hommes les menaient tantôt sur de hautes
congères, tantôt sur des étendues de glace luisante.
Un soleil impitoyable s'abattait sur les marcheurs
enveloppés, de la tête aux pieds, dans d'épaisses
tenues de feutre aux couleurs vives, et dont le visage
était presque entièrement couvert de coiffes lisérées
de fourrure, destinées à protéger les yeux. Il était difficile d'avancer dans cet air sans oxygène ; on respi-
rait par à-coups, de petits nuages de vapeur s'élevaient rapidement des cols relevés des guerriers et
des gueules de leurs animaux, eux aussi protégés par
du feutre.

Quatre hommes, portant des vêtements noirs et
austères, avançaient à côté de la litière. Celui qui
marchait à l'avant avait les jambes arquées, la stature trapue et la solidité du taureau. Malgré le bouc
qui ornait son menton anguleux, son visage rond
aurait pu être celui d'un berger. Mais ses petits yeux
bridés révélaient la malice, sinon la rouerie. Möngke
se frayait son chemin avec l'assurance d'un homme
sachant très bien que les autres le suivraient. Il était
le plus vieux, il avait déjà passé la quarantaine. Le
seul vers lequel il se retournait de temps en temps
était Ariqboga, son plus jeune frère. Mis à part une
certaine similitude dans le visage, ils n'avaient rien
de semblable. Ariqboga était de taille haute, presque
étiré, il avait le regard franc, presque gai, même s'il
pouvait rapidement basculer dans la rêverie ou la
méditation. Il paraissait encore très jeune, la maturité n'avait pas altéré son visage. Mais il était d'une
extrême amabilité.

Le troisième se tenait à distance. Kubilai, par sa
stature, dépassait largement ses frères, même le
cadet. C'était un géant aux épaules de colosse,
auquel sa force physique aurait bien suffi. Mais il
avait aussi une tête de savant, le front haut et des
yeux clairs comme de l'eau. Il s'entendait à dissimu-

ler ses pensées et à les imposer sans douceur lorsque
c'était nécessaire. Kubilai avait la tranquillité d'un
homme qui ne dépendait de personne et allait son
propre chemin, non parce qu'il était fort, mais parce
qu'il pouvait attendre.

Hulagu était à la traîne. Il lui était pénible de marcher dans la neige, et il laissa libre cours à sa mauvaise humeur. Avec sa poitrine rentrée et son ventre
proéminent, il ressemblait à un vieux singe, même
s'il portait des habits plus précieux que ses frères.
Courbé vers l'avant, il marchait derrière eux et leur
lançait des regards lourds de reproches ; il n'avait
aucune confiance dans leur entreprise. Son visage
avait un teint malsain, un peu jaunâtre — il buvait,
et ne le supportait pas. Dans ses traits amollis se
reflétaient tantôt l'autocompassion, tantôt une profonde cruauté. Hulagu était tenté de crier aux autres
qu'ils pourraient faire attention à lui et l'attendre un
peu. Mais il s'en abstint : la seule réponse de Möngke
aurait été un silence méprisant.

Les princes ne discutaient pas, parler leur aurait
coûté trop d'efforts. Ils se contentaient de lancer de
brefs regards vers la hauteur, où se trouvait certainement l'homme qu'ils cherchaient, et lançaient à la
femme, dans la litière, des regards dubitatifs.

Même assise, la princesse Sorghaqtani se tenait
parfaitement droite. Ses nobles traits exprimaient
une grande confiance. Après la mort de son époux
Toluy, cette belle femme avait décemment refusé
d'épouser le neveu du défunt, Guyuk, lorsqu'il était
devenu grand khan. Jeune veuve, elle s'était consacrée à l'éducation de ses fils, suivant avec obstination un unique objectif : les mener un jour au pouvoir. Ce jour-là ne tarderait pas. Elle venait chercher
conseil auprès d'Arslan, le chaman. Pour tout dire,
elle n'attendait qu'une seule chose de lui : il devait lui
confirmer que le rêve de toute son existence n'allait
pas tarder à se réaliser.

Elle aimait ses quatre fils, mais était décidée à
rompre avec cette tradition qui privilégiait le plus

jeune. La raison, qui avait toujours été la loi suprême de la princesse Sorghaqtani, lui imposait de remettre le pouvoir à son aîné, Möngke. C'est lui qu'elle considérait comme le souverain, mais elle souhaitait que ses frères entendent ce verdict de la bouche du chaman. Elle espérait qu'ils prêteraient serment d'assistance et de fidélité à Möngke ici même, sur cette montagne sacrée. Le regard de la princesse, qui avait passé tout le voyage à rêver les yeux ouverts, glissa, plein de fierté, sur ses princes : Kubilaï, le silencieux, sans doute le plus intelligent d'entre eux, Hulagu, l'indécis, et son cadet, le hardi Ariqboga. Möngke avait sur eux tous un avantage qui le prédestinait à devenir le khan des khans : il était autant capable d'allumer le feu dans le cœur des Mongols que de l'éteindre. Il avait la puissance nécessaire pour garder entre ses mains le pouvoir qu'il aurait conquis.

— Je vois Arslan ! s'exclama Ariqboga, et il désigna le haut de la montagne, où une grotte s'ouvrait, grande et sombre, dans la paroi.

Ils levèrent tous les yeux, mais aucun ne put apercevoir le chaman.

— Mais il était là-haut, reprit Ariqboga, furieux car il avait bien entendu le rire étouffé de ses frères. Je vais lui demander de sortir ! s'exclama-t-il, et il fit mine de se précipiter dans la grotte.

Ils s'étaient à présent tellement rapprochés que chacun pouvait voir la lueur d'un âtre.

— Halte, Ariqboga ! cria la princesse. Cela pourrait être un avertissement ! Ne franchis jamais le seuil d'un foyer sans que l'on t'y ait invité !

— Laissez-moi juste jeter un coup d'œil !

Ariqboga avança en tâtonnant, rien ne semblait pouvoir le retenir.

— Ariqboga, fit la voix basse et sévère de Möngke, si tu ne veux pas suivre le conseil de ta mère, alors respecte mon ordre !

Le cadet s'immobilisa, et un bruit étrange s'éleva autour d'eux. Une tempête de vent glacé chargé de poussière de neige manqua balayer le petit groupe, et jeta Ariqboga sur le dos. Une avalanche avait dévalé devant eux dans un bruit de tonnerre ; l'entrée de la grotte était ensevelie sous des masses de poudre blanche. Ariqboga se redressa et évita de regarder ses frères dans les yeux. Son regard chercha celui de sa mère pour se faire pardonner, mais celle-ci se contenta de désigner sans rien dire l'autre flanc de la vallée, où se tenait le chaman, visible de tous. Il leur fit signe de le rejoindre. Ils commencèrent à descendre, en silence. Pour donner un meilleur appui aux porteurs de la litière, l'escorte leur tailla des marches dans la glace.

Les quatre princes ne quittaient pas le côté de la chaise à porteurs. Ils la soutenaient et déployaient les plus grands efforts pour l'empêcher de basculer. Les éboulis et la glace rendaient la descente encore plus pénible que la montée. Le groupe franchit un promontoire rocheux et regarda vers le fond de la vallée. Ils y virent un lac aux eaux vert foncé où se reflétaient les sommets blancs et dentelés de la montagne sur laquelle se tenait — s'était tenu — Arslan. Les princes ne le voyaient plus, désormais, et ils n'étaient plus très sûrs du rocher sur lequel ils l'avaient aperçu.

— En tout cas, nous devons traverser, dit Möngke.

— Je n'en suis pas certain, objecta Hulagu. Si nous ne voyons plus le saint homme, mieux vaudrait attendre qu'il se montre. Sa disparition pourrait être une nouvelle mise en garde.

— Il se pourrait aussi que tu aies peur de l'eau ! répondit Möngke, railleur.

Ils descendirent le chemin en serpentin qui menait au lac et découvrirent tout d'un coup un solide canot en bois épais. Il était orné de fioritures en couleurs, et ses bancs pouvaient accueillir au moins vingt rameurs. Une tête de dragon dorée surmontait la proue. L'esquif était amarré au rivage, et les cordages étaient recouverts de toutes sortes de planches — des madriers usés par les intempéries — comme

s'il fallait les protéger du soleil ou des regards indis-
crets. À côté se tenait un passeur aux traits de géant,
vêtu d'un long manteau de feutre. Il était tête nue, sa
chevelure grise et hirsute avait poussé en bataille,
comme sa barbe, qui lui tombait jusqu'au milieu de
la poitrine.

Le chef de l'escorte sortit sa bourse et déposa plusieurs pièces d'or dans la main du passeur, qui
n'avait rien demandé. Le vieil homme les jeta dans la
barque, sans y prendre garde. Les hommes virent
alors que le sol de l'embarcation était couvert d'une
épaisse couche de pièces jaunes.

Lorsque les porteurs eurent hissé la litière dans le
canot et que les quatre princes eurent pris place, les
guerriers mongols menèrent les uns après les autres
leur monture à bord, par une passerelle. Puis ils
attendirent que le passeur les rejoignît. Mais il se
contenta de secouer la tête et détacha les amarres. À
peine la dernière était-elle dénouée que le bateau
quitta la rive.

D'en haut, le lac leur avait paru lisse comme un
miroir ; en réalité, il était parcouru par un puissant
courant. L'escorte avait pris les rames, mais ils
avaient beau souquer de toutes leurs forces, l'embarcation se dirigeait inexorablement vers les rochers,
là où le lac semblait prendre fin et où un bruisse-
ment et un grondement inquiétants annonçaient une
chute d'eau. Les rameurs furent pris de panique ; les
porteurs de la litière bondirent à leur secours, mais
ils avaient beau s'arc-bouter sur leurs rames pour
éviter le saut dans l'abîme, l'esquif filait toujours
plus vite vers son malheur.

Alors, Möngke reprit la barre au pilote et, en hurlant, compta pour redonner un rythme aux hommes
qui ramaient chacun de leur côté. Ses frères, eux
aussi, durent s'installer sur les bancs. Sous ses
ordres, le bateau sembla d'abord s'immobiliser, puis
décrivit lentement une courbe qui le fit sortir de la
zone dangereuse et le conduisit en sûreté sur l'autre
rive.

Hulagu fut le dernier à quitter le bord; il amarra le bateau à une branche qui dépassait de l'eau. Il leva les yeux, suivant du regard ses compagnons qui avaient déjà commencé à monter. Il chercha le brisant où le chaman était apparu. Puis il observa de nouveau la surface du lac. Il y aperçut l'écueil, mais deux enfants y jouaient à présent, un garçon et une fille. Ils étaient certes habillés comme des princes mongols, mais c'étaient des étrangers. La chevelure blonde de la princesse le révélait, les traits du garçon n'étaient pas, eux non plus, ceux des peuples de la steppe. Hulagu se hâta de rejoindre les autres pour leur faire part de sa découverte. Il remonta le coteau en trébuchant, sans cesser de se retourner sur cet étrange reflet. Il rejoignit enfin Möngke, le tira par la manche et désigna le bas. L'aîné, lui aussi, aperçut alors le brisant. Il était en dessous d'eux : ils étaient déjà montés trop haut. Mais sur le rocher, ils ne virent que le chaman qui leur souriait, la tête appuyée sur la main. Un fracas les fit tous sursauter. Une chute de pierres! Ils virent les rochers dévaler la pente et voulurent mettre en garde Arslan, mais il se contenta de sourire et les pierres volèrent devant lui avant de tomber dans le lac. Une pierre toucha la branche et la détruisit. Désormais libre de toute attache, l'embarcation s'éloigna, comme tirée par une main invisible. Elle tournoya de plus en plus vite sur le lac, vers le fond de l'eau. Une dernière pierre tomba après les autres, décrivit un grand arc au-dessus d'Arslan et perça la surface du lac. Les ondes en forme d'anneau firent trembler, puis se dissiper l'image du chaman. Lorsque le lac fut redevenu lisse, l'écueil était vide. Le bateau, lui aussi, avait disparu comme s'il n'avait jamais existé.

— C'est ta faute, dit sèchement Möngke. Tu aurais dû protéger l'amarre.

— Ne vaudrait-il pas mieux..., commença Hulagu, abattu.

Mais son frère aîné, furieux, lui coupa la parole.

— Ne prononce pas le mot! menaça Möngke. Sinon, je ne te considérerai plus comme un Mongol.

Kubilai, le silencieux, s'interposa entre les deux hommes.

— Ce n'est pas pour cela que je suis venue ! cria la princesse à ses fils. Soyez unis ! Il n'est pas question d'abandonner et de faire demi-tour. Nous devons atteindre notre but, ajouta-t-elle, sûre d'elle-même.

Ils continuèrent à monter dans les rochers, contournèrent une saillie de la montagne. Devant eux, le passeur était assis sur une pierre, au bord du chemin.

— Arslan, fit la princesse, acceptez nos salutations et nos remerciements pour tous les indices que vous nous avez accordés.

— Je vois que la mère a compris, répliqua l'homme en la regardant droit dans les yeux.

— Pas tout, répondit Sorghaqtani, qui descendit de la litière.

Elle fit signe à ses fils de s'asseoir en demi-cercle autour d'Arslan, et ordonna à l'escorte de s'éloigner.

— Expliquez à une simple femme ce qu'elle désire savoir.

Elle s'installa entre les princes, face au chaman. Mais celui-ci demanda aux quatre hommes de le laisser seul avec la princesse.

— Il est plus facile de parler de quelqu'un lorsqu'on ne l'a pas les yeux dans les yeux, surtout lorsque ce sont quatre paires d'yeux et qu'elles s'épient les unes les autres.

Möngke se leva, en maîtrisant sa colère.

— Cette visite était le vœu de notre mère. Que votre volonté soit donc faite ! dit-il.

Les quatre frères s'éloignèrent comme on le leur demandait.

— Ariqboga, votre cadet, doit encore apprendre qu'aucun feu ne brûle sans risquer de s'éteindre l'instant d'après. Jusque-là, il devra servir fidèlement son frère aîné.

La princesse fut incapable de calmer son impatience.

— Möngke sera-t-il le prochain grand khan ?

— Il nous a prouvé qu'il est le plus capable de tous. Mais les eaux s'écoulent vite. Il doit prendre en temps utile le gouvernail en main, et ne plus le lâcher. C'est lui qui était responsable du bateau, pas Hulagu.

— Celui-ci ne pouvait pas deviner qu'une pierre atteindrait justement la branche à laquelle était amarré l'esquif, fit la mère, qui défendait comme toujours son enfant à problèmes.

— Lorsque quelqu'un n'a qu'un seul point vulnérable, c'est là que l'atteindra la flèche du destin.

— Vous n'avez rien à me dire sur Kubilai ?

— A-t-il quelque chose à vous dire ? répondit en retour le chaman. Kubilai peut attendre. Il régnera un jour sur un royaume qui fleurira encore lorsque celui des Mongols appartiendra depuis longtemps au passé.

— Mes fils vivront-ils en paix les uns avec les autres ? demanda la princesse, inquiète.

— Ils vivront ainsi, répondit Arslan d'une voix ferme, car ils ont compris aujourd'hui qu'ils sont forcés de coexister. Mais il y a encore une chose que je veux leur confier, à eux personnellement...

— Un dernier mot, Arslan, demanda la princesse pour le retenir. Hulagu m'a confié que tout à l'heure, à votre place, il a vu deux enfants, des princes, habillés comme des Mongols — et pourtant des étrangers. Font-ils courir un risque à mes fils ?

Le chaman se mit à rire et répondit :

— Hulagu a toutes les raisons de faire cette mine. Cela le concerne beaucoup plus que ses frères. Le destin du monde le forcera à prendre des responsabilités, qu'il le veuille ou non. C'est plus qu'un cordage mal amarré auquel le bateau...

Arslan s'interrompit avec l'air d'en avoir déjà trop dit, et se tourna vers la princesse, comme si de rien n'était.

— C'est de ces enfants royaux que je voulais parler à vos fils. Rappelez-les, à présent, je vous prie.

Le chaman plongea le visage dans ses mains, et

parut un instant perdu dans ses pensées. Les princes mongols s'installèrent auprès de leur mère et attendirent qu'Arslan leur adresse la parole.

— Le royaume des Mongols, dit le chaman d'une voix basse mais distincte, n'existera que s'il est maintenu en mouvement constant depuis son centre, et s'il s'étend vers tous les points cardinaux. Toute immobilité provoque, au bout de quelque temps, la pourriture, laquelle est aussi un processus animé, mais qui ne mène qu'à la mort. Si je ne me trompe pas... — il leva les yeux et laissa son regard glisser sur les quatre princes avant de s'arrêter sur Möngke —, on vous remettra le pouvoir lors du *Kuriltay* à venir. Songez à ne pas le conserver, mais partagez-le avec vos frères, qui devront le propager aux quatre coins du monde.

Le chaman tourna alors ses yeux vers Hulagu, mais la princesse fut la seule à le remarquer.

— C'est le « Reste du Monde », comme vous aimez l'appeler avec dédain, qui comptera le plus. Car si vous ne le conquerrez pas, il n'y aura jamais de royaume universel des Mongols, et le « Reste du Monde » vous imposera un jour sa volonté sans même devoir envoyer une armée.

— Comment cela peut-il se faire ? s'exclama Hulagu, bien que le chaman ait évité de s'adresser directement à lui. Le pape et le roi nous appellent à l'aide et vous dites...

— Je dis ce que j'ai dit. Mais il existe pour les Mongols une possibilité d'échapper à ce destin. Elle se présentera à vous sous la forme d'un couple royal, deux jeunes souverains sans royaume. C'est à eux qu'est promis le « Reste du Monde ». Prenez-les parmi vous, éduquez-les dans l'esprit du royaume mongol et installez-les sur le trône. Si vous y parvenez, le monde sera vôtre. Mais si vous échouez ou si vous manquez votre cible, alors ce sera le début de votre déclin. Portez donc le couple royal dans vos mains comme si c'était votre bien le plus précieux !

Le chaman se tut et cacha de nouveau son visage sous la capuche de son manteau.

— Laissez-moi conquérir le « Reste du Monde » !
s'exclama Ariqboga à l'intention de ses aînés.

Mais Möngke le poussa doucement sur le côté, se
campa devant le chaman et demanda :

— Et où trouverai-je ces jeunes rois ?

Arslan semblait ne plus l'entendre. Ou bien il ne
voulait pas répondre.

Alors, pour la première fois, Kubilai sortit de son
silence et dit :

— Sans doute notre mission sera-t-elle de les
retrouver.

Möngke hocha la tête et donna l'ordre du départ. Il
avait désormais la certitude qu'il serait le nouveau
grand khan, et il savait ce qu'il lui restait à faire.

La princesse Sorghaqtani voulut récompenser le
chaman. Mais elle se rappela l'or dans le bateau et
n'importuna plus Arslan. Un sentier s'ouvrit tout
d'un coup devant elle, qui mena en toute sécurité le
petit groupe hors de l'Altaï et jusque dans la plaine.
De là, ils chevauchèrent de nouveau en direction de
Karakorom.

2. PARFUM DE FLEUR ET POURRITURE

Les chroniqueurs

Depuis la grotte, par l'ouverture en forme d'entonnoir creusée dans la roche, les enfants ne pouvaient
percevoir qu'un banc de nuages sombres entouré, à
droite et à gauche, des créneaux formés par les montagnes et des sommets qui perçaient le brouillard.
Roç et Yeza le savaient, ils l'avaient déjà vécu lors de
leur première arrivée, Alamut se cachait quelque
part derrière. Hassan Mazandari, qui leur avait permis de monter avec lui sur la plate-forme de la
caverne, sculptée dans la pierre, les laissa observer
tout leur soûl. Mais même au moment où quelques
rayons de soleil traversèrent la brume, ils ne purent
découvrir la forteresse. Tout ce qui pouvait ressembler à un bouton de fleur ventru se noyait dans les
reflets rougeoyants du soir et finissait par se perdre
dans le brouillard. Ils sentaient que l'émir s'en amu-
sait, derrière leur dos, et devinaient qu'il existait une
possibilité de dissiper cette brume.

Le regard de Roç s'abaissa alors vers la plaque de
pierre plate où ils se trouvaient. Il vit une tache
claire. Il poussa Yeza de côté et lui fit lever les yeux
vers la voûte. Un minuscule orifice faisait descendre
sur eux un rayon de soleil. Il se retourna vers Hassan, qui souriait à présent, l'air encourageant. Roç

poussa la plaque de pierre, elle se déplaça presque d'elle-même. En dessous, il vit apparaître une assiette d'argent luisante. Le faisceau lumineux la toucha et, passant par la fenêtre, se dirigea vers la brume nuageuse. Hassan plaça sa main à travers le rayon et se mit à envoyer des signaux lumineux.

Sans afficher ouvertement sa curiosité, Yeza observa ses mouvements, leur longueur et leurs pauses. Puis elle dit froidement :

— Devant le grand maître, tu peux faire comme si ta mission, qui était aussi celle de Tusi, s'était bien passée, mais réfléchis donc à la manière dont tu comptes justifier ton comportement quand tu seras face à Créan.

Hassan était ahuri.

— Où as-tu appris à lire les signes secrets ? demanda-t-il, agacé.

— Enfants, nous les connaissions déjà, dit fièrement Roç. À Otrante, sur la tour de la comtesse...

Hassan comprit qu'il devait être prudent avec Roç et Yeza, leur récit du voyage à Bagdad pourrait le mettre en fâcheuse posture.

— Et qui donc a tiré son poignard devant le calife ? demanda-t-il pour intimider Yeza. Est-ce que je dois en parler à Créan ?

Yeza le toisa, glaciale.

— J'ai couru un risque, mais je ne l'ai fait courir à personne d'autre qu'à moi-même.

Elle était revenue auprès de Roç et avait prononcé la dernière partie de la phrase en tournant presque le dos à Hassan. Elle scrutait la brume rose.

— Et cela nous aurait valu notre tête à tous ! répondit l'émir, qui fulminait. Mieux vaut, je pense — il tenta de prendre l'air aimable, mais parvint seulement à donner à sa voix une note flagorneuse — que nous trois laissions à notre vénéré el-Din Tusi le soin de présenter le rapport sur l'issue des négociations.

Il attendit que les enfants hochent la tête, mais ils étaient distraits depuis longtemps par les éclairs qui traversaient à présent les nuages à intervalles irréguliers et étaient dirigés vers eux.

— Créan vient nous chercher! s'exclama Yeza, toute joyeuse; comme toujours, elle était la plus rapide au déchiffrage.

Roç la laissa savourer son triomphe. Il regarda, captivé, par la fenêtre. Comme si les signaux lumineux avaient découpé et chassé la brume, ils virent apparaître la citadelle d'acier, fleur somptueuse émergeant des eaux sombres. Elle était bien là, la Rose. Ses pétales scintillants en forme de coques paraissaient prendre l'air au soleil du soir. Depuis sa plus haute élévation, la mince tour du minaret qui se dressait comme un sceau allongé au-dessus des feuilles voûtées et dentelées, les derniers éclairs brillèrent comme des étoiles lorsque les ultimes bribes de nuages passèrent devant eux. Tout en haut se trouvait l'observatoire avec le gigantesque disque d'argent qui suivait constamment le cours de la lune. Les enfants n'avaient encore jamais été autorisés à s'y rendre. Mais en demander la permission à Hassan, à cet instant précis, aurait été fort malvenu. Ils firent donc redescendre l'émir au fond de la grotte, où les autres les attendaient déjà.

Roç et Yeza se placèrent en queue de convoi: ils s'attendaient à subir les foudres de Créan qui avait interdit à Yeza de participer à toute l'entreprise. Ce qui ne l'avait pas empêchée de se glisser, avec l'aide d'Ali, dans le rôle et les vêtements du jeune *fida'i*.

— Nous devrions écrire tout cela à notre cher Guillaume, murmura Roç sans en être tout à fait convaincu.

Mais Yeza reprit l'idée au bond.

— Oh oui, s'exclama-t-elle doucement, pour sa chronique secrète!

Cher Guillaume, Yeza s'adresse à toi.

C'est Ali qui a pris les coups qu'aurait dû me valoir mon départ secret pour Bagdad. Créan a d'abord été très fâché, puis presque triste, parce qu'il se sent res-

ponsable de nous et que nous l'avons trahi. Nous avons
dû lui promettre solennellement de lui obéir, désormais, s'il doit de nouveau s'éloigner de nous. Il a dit que
nous lui donnions beaucoup de mal, qu'il était seulement un serviteur du « grand projet » et qu'il nous fallait enfin apprendre à nous mettre nous aussi à son service.

Ali est le fils d'el-Din Tusi, qui est un homme particulièrement intelligent, je dirais presque un sage, et
d'une patience infinie. Ali a presque le même âge et la
même taille que Roç — même s'il a encore plutôt
l'allure d'un enfant — et porte de belles boucles noires.

Lorsque le tumulte provoqué par notre arrivée a pris
fin, nous sommes immédiatement descendus dans la
cave, dans les cryptes d'Alamut, le royaume de notre
meilleur ami, « Zev sur roues ». En fait, il s'appelle Zev
Ibrahim, parce qu'il est juif. C'est l'ingénieur suprême,
le créateur de tous les prodiges d'Alamut, mais je ne
veux pas ôter à Roç le plaisir de décrire toute l'installation, parce qu'il s'y connaît mieux que moi — du moins,
c'est ce qu'il prétend. De toute façon, j'ai des crampes
aux doigts. Je comprends aujourd'hui le mal que tu as
eu, à l'époque, à Constantinople, lorsque tu as dû rédiger pour Pian del Carpine ton rapport de voyage chez
les Mongols. On dit que ce peuple possède un nombre
incroyable de chevaux, plusieurs centaines de milliers.
C'est à peine croyable. À Bagdad, déjà (où, bêtement, je
n'en ai vu aucun), j'ai été impressionnée par les
énormes écuries, qui se succédaient sur plusieurs
lieues. On pouvait entendre hennir les animaux, et leur
odeur allait bien au-delà des murailles, lorsque nous
avons quitté la ville. Mais je dois à présent cesser
d'écrire. Roç et moi-même alternerons. Il te donnera
des nouvelles. Ton obéissante Yeza, O.C.M., Yeza de
l'ordre des Chroniqueurs Mineurs.

L.S.

Roç à Guillaume de Rubrouck, *Ordo Fratrum
Minorum*, actuellement à Acre, auprès du roi Louis IX
de France ; Alamut, deuxième décade du mois de juin
Anno Domini 1251.

Mon cher Guillaume, tu nous manques beaucoup !
Où es-tu donc passé ? C'est tout Yeza : elle ne s'est
même pas demandé comment te faire parvenir nos

récits. Peut-être n'es-tu plus du tout en Terre sainte, mais déjà revenu chez toi, en Flandre. Peut-être ton ordre peut-il entrer en contact avec toi, peut-être Élie de Cortone sait-il où tu es — c'était bien ton supérieur chez les franciscains, ton ministre général ? À moins que l'on ne puisse le demander au pape, à Rome, qui te connaît forcément ? Peut-être as-tu épousé Ingolinde de Metz ? Dans ce cas, tu cultives sans doute aujourd'hui un champ fertile que le comte de Joinville t'aura offert sur ses terres.

Nous allons remettre nos écrits rassemblés à Créan, que le grand maître veut envoyer en Europe pour demander une assistance contre les Mongols. Je ne peux pas imaginer que quiconque puisse parcourir ce long chemin ; mais si les Mongols ont déjà chevauché jusqu'en Hongrie, un voyage à Alamut ne devrait pas leur poser de problème. Tu sais bien, cela se trouve dans les montagnes, au sud-est de la mer Caspienne, mais pas loin d'ici. La meilleure manière de s'y rendre est de passer par l'Arménie.

Mais si personne ne vient à notre aide, Alamut se défendra tout seul. Mon ami Zev Ibrahim a fait le nécessaire. Il n'a plus de jambes. Elles ont été broyées par des rochers qu'il a fait tomber en creusant l'un des nombreux canaux souterrains qui sont le plus grand mystère d'Alamut. Je peux te le dire sans crainte, car hormis Zev, personne ne sait encore où ils coulent, ni comment. En tout cas, en bas, dans la cave, l'eau passe à toute vitesse, avec une force et un bruit monstrueux, et fait tourner un axe semblable à ceux des moulins à eau.

Mais ce n'est pas tout : il y a aussi des tuyaux dans lesquels coule un liquide noir et poisseux. Il sent mauvais, il peut flotter sur l'eau — et brûler. Tout autour du ventre de la forteresse (tu peux te la représenter comme une grosse cruche) semble se trouver un lac asséché — mais c'est une illusion, car cette douve profonde peut se remplir d'eau à une telle vitesse que tous les assaillants se noient aussitôt. Si les ennemis veulent employer la ruse et arrivent en bateaux, le *damm al ard*, le « sang de la terre » jaillit de tuyaux invisibles et flotte sur l'eau. « Et alors ? » me diras-tu. Eh bien, c'est à ce moment-là que survient le plus terrible : avec une seule torche, je mets le feu à l'huile noire ! Lorsque les ennemis se sont enfuis ou ont été calcinés jusqu'au dernier, l'eau redescend, et le « sang de la terre » est de nouveau aspiré par les tuyaux. N'est-ce pas admirable ?

Mais ce n'est pas encore fini. Il y a un autre miracle, les « pétales » de la rose, comme les appelle Zev. Imagine-toi que la cruche — elle est d'ailleurs taillée dans un matériau qui ressemble à de la pierre mais est dur comme du fer ; quand on tape dessus, elle sonne comme une grosse cloche —, bref, la cruche est enveloppée de pétales. Ils sont découpés dans du bois très fort, et ornés de pièces de fer. Ils se collent contre la voûte formée par le ventre et la poitrine, et dissimulent les fenêtres et les portes. Celles-ci peuvent s'ouvrir tout d'un coup, et des catapultes tirent par les trous, qui se referment en un éclair. Ou bien — encore plus effroyable pour les ennemis qui attendent au-delà des douves — les pétales tombent comme des ponts-levis au-dessus de l'eau, frappent les assaillants avec leurs épines de fer et les broient. Au même instant, en haut, dans le ventre de la fleur, les portes de sortie s'ouvrent, la cavalerie des Assassins dévale dans un bruit de tonnerre et s'abat sur les ennemis, au beau milieu de leurs rangs ! Lorsque tout est fini, les pétales se relèvent. Ensuite, on peut les bombarder avec n'importe quoi, rien n'y fait : ils arrêtent tous les coups, et les Assassins rient de leurs adversaires. Seuls les fous se hasardent à portée de la « Rose en fer », dit mon ami Zev.

Il y a une autre merveille : l'intérieur de la fleur. Même pour un ingénieur hors du commun, la tâche a sûrement été extraordinairement difficile. Imagine-toi : en haut, depuis le bord de la cruche — je n'y ai pas encore été, cela nous est interdit —, une sorte de nid de guêpes pend vers l'intérieur. Ce n'est pas une maison ordinaire, mais le somptueux palais de l'imam Mohammed III. Le grand maître ne peut donc pas seulement regarder en haut, vers le ciel et le « Paradis ». Il regarde aussi vers le bas et vers les rayons latéraux, où ses *fida'i* remplissent leur office sur un entrelacs d'escaliers et de plates-formes. Le palais plane au-dessus de tout cela comme une couronne, si ce n'est que ses pointes visibles et richement ornées sont tournées vers le bas. Celles d'en haut, que l'on ne peut voir de l'extérieur et dont les extrémités donnent dans le « Paradis », sont certainement encore plus précieuses.

On m'appelle justement dans le palais suspendu du roi. J'ai encore beaucoup de choses à te raconter. Tu me

manques beaucoup, mon bon, mon vieux Guillaume.
Ton dévoué, Roç.

L.S.

À Guillaume, plus grande fierté de son ordre,
de Yeza, O.C.M.

Roç reçoit une punition après le repas, parce qu'il est
arrivé avec la dernière corbeille, c'est la coutume chez
l'imam. Pour venir s'asseoir à sa table, il faut en effet se
faire hisser dans une corbeille, on n'arrive pas autrement jusqu'au palais. Ne te l'imagine pas trop minuscule, il a de grandes salles, des halls, mais tout cela est
incurvé et pourvu de fenêtres qui donnent sur le bas et
sont posées de biais, si bien qu'il faut prendre garde de
ne pas y tomber. On mourrait sur le coup. C'est la raison pour laquelle les percées creusées dans le plancher
des salles sont entourées d'une rambarde, et les balcons
pourvus de balustrades. De quoi vous donner un beau
vertige. On se sent comme sur un navire, un vaisseau
qui traverserait les airs. Tu te demandes sans doute
d'où je t'écris ces lignes. Je suis assise à un *marahid*,
depuis lequel un tuyau plonge dans les profondeurs.
Une fois que l'on s'est présenté à table, on n'est plus
considéré comme un retardataire, et je porte toujours à
présent sur moi du parchemin et une plume, avec un
petit flacon d'encre. Lorsque je regarde par la fenêtre
minuscule (dont le rôle est sans doute plutôt d'aérer ce
lieu secret) je vois directement l'arbre rotatif et les
artères, les muscles et les entrailles d'Alamut. Les
barres et les tuyaux tournent en couinant doucement,
ou bien se lèvent et s'abaissent en gémissant et en grinçant. Cette mécanique mène au cœur du palais, qui
s'enroule autour d'elle comme un anneau. Mais c'est le
seul endroit d'où l'on puisse voir et entendre les efforts
de l'arbre rotatif. Je ne comprends rien à la manière
dont il est animé en bas, dans la cave, par l'eau et le
pétrole, mais je m'intéresse au plus haut point à ce qu'il
déplace tout en haut, là où se trouvent certainement le
ciel et le soleil. Je me suis toujours imaginé le Paradis
comme une oasis de paix et de tranquillité. Est-ce
l'endroit où les tiges des fleurs se bercent, et où les
arbres fruitiers se balancent ? Mais il me faut à présent
revenir à table : sans cela, ils vont croire que je suis
tombée dans le trou !

Le grand maître est effroyablement gentil avec nous, les enfants, il aime la plaisanterie — le plus souvent aux dépens de ses courtisans. Nous, il ne fait que nous taquiner, surtout moi. Mais il aime terroriser d'autres personnes. À très bientôt, ta Y., O.C.M.

L.S.

À Guillaume, en hâte, de Yeza.

Aujourd'hui, l'envoyé de Dieu, imam de tous les ismaélites, Mohammed III, grand Da'i des Assassins, a poussé la plaisanterie un peu loin. Les repas avec lui n'ont vraiment rien de cette solennité rigide qui règne à la cour du roi Louis. Le grand maître lui-même ne mange pas, il s'est sans doute revigoré auparavant au « Paradis », auquel il est seul à avoir accès. Il est assis sur son trône, bien au-dessus de tous, et imagine constamment de nouveaux « jeux ».

Hassan Mazandari, qui peut se permettre beaucoup de choses avec l'imam et dont celui-ci prend chaque mot pour argent comptant, avait en effet imputé à el-Din Tusi l'échec de notre mission à Bagdad. Je m'étais attendue à ce que l'imam fasse punir son cher Hassan pour les cinq *fida'i* brûlés vifs. Mais le grand Da'i trouva leur mort tout à fait normale : « Ils sont sûrs désormais d'aller au paradis. » Je me demande bien ce qu'ils en penseront s'ils ne sont plus que de la cendre. L'émir Hassan a un pouvoir : lorsqu'il vous regarde d'une certaine manière, vous vous endormez sur-le-champ, même debout, mais vous faites tout ce que Hassan exige de vous. Tusi a voulu décliner toute responsabilité dans cette affaire; à cet instant, Hassan l'a regardé bizarrement, Tusi a fermé les yeux et il est devenu immobile comme une planche. Alors, le grand maître a exigé qu'on le couche sur l'un des trous creusés dans le sol de la salle à manger pour regarder le vide. L'orifice était juste assez grand pour que Tusi ait la nuque posée sur un côté de la rambarde, et les chevilles sur l'autre. Alors Roç (c'était l'idée de Hassan) a dû passer sur le corps étendu comme sur un pont. J'ai voulu l'en dissuader, mais Roç ne m'a pas écoutée et a marché, les yeux fermés, sur les jambes et le ventre de Tusi, jusqu'à ce qu'il arrive aux épaules. Là, c'est Hassan qui l'a accueilli, il a agité la main devant son visage, et Roç l'a regardé, tout étonné de se retrouver couché dans les

bras de cet émir détesté. Après, mon chevalier m'a dit
qu'il n'était absolument pas conscient d'avoir marché
ainsi sur une planche humaine. Ensuite, lorsqu'il a vu
que l'on relevait le digne el-Din Tusi et qu'on le rani-
mait, Roç s'est mis à pleurer de rage. Ali aussi pleurait :
il avait vu ce qu'on avait fait à son père. Roç demanda
instamment à Ali de transmettre ses excuses au noble
el-Din Tusi. Il ne se rappelait vraiment plus rien,
expliqua-t-il, et il n'avait pas agi consciemment. La
cible suivante fut Khur-Shah. C'est le fils de l'imam ; il a
déjà seize ans, et il fait peine à voir. Bien qu'il soit
prince héritier, et donc futur imam, son père le traite
comme un idiot. Je crois qu'on le frappe quotidiennement. En tout cas, il se traîne à longueur de journée.
Cette fois, c'est Zev Ibrahim qui a dû fournir l'instrument de torture, une grosse corde noire qui ne pouvait
pas avoir été tressée de chanvre, car elle s'allongeait au
fur et à mesure que trois hommes tiraient en même
temps sur chacune de ses extrémités. Roç m'informa
qu'il s'agissait d'une mystérieuse invention à base
d'huile. Il me croit sans doute aussi stupide que Khur-
Shah. Cette corde magique, dès qu'elle aura été vérifiée,
doit être montée sur les trébuchets. On pourra ainsi
construire des catapultes précises, d'un tout nouveau
genre, dont les leviers de tension ne prendront pratiquement plus de place, ce qui compte beaucoup dans
cette forteresse étroite. Pour l'expérimenter, on a fermement noué l'une des extrémités sous les aisselles de
Khur-Shah, et l'on a attaché l'autre bout de cette corde
grosse comme un bras, au plafond, en décrochant spécialement un lustre. Il était suspendu juste au-dessus de
la plus grande percée, en dessous du trône, celle qui
permet au grand maître de toujours voir ce qui se
trouve en bas, dans la « marmite ». « Je suis le couvercle, a-t-il coutume d'expliquer, et je dois faire en
sorte qu'Alamut ne déborde pas. » C'est pourtant lui qui
attise le feu et fait bouillir les mixtures. C'est du moins
mon opinion, et celle de Roç.

Khur-Shah dut alors se jeter dans le vide sans autre
forme de procès. Il tremblait de peur. Ibrahim s'assura
que sa *chorda laxans* le ferait remonter sans dommage
à la hauteur de la rambarde, depuis laquelle il lui fallait
sauter à présent.

Khur-Shah n'y était pas du tout disposé. Il se
retourna vers son père, implorant, mais celui-ci se

contenta de rire et fit un signe à ses hommes pour qu'ils poussent son fils dans l'abîme. Ibrahim eut tout juste le temps de crier : « Lorsque tu remonteras, accroche-toi à la rambarde ! » et Khur-Shah, sans un bruit, se laissa tomber dans le trou.

Tous, moi comprise (mais pas Roç), s'étaient approchés de la rambarde. Le corps de Khur-Shah parut aller s'écraser en bas, dans la « marmite ». Beaucoup mirent la main devant leurs yeux, mais la corde se tendit, Khur-Shah repartit vers le haut et apparut tout d'un coup, livide, au-dessus de la rambarde. Il éclata de rire, oublia de s'accrocher et repartit de nouveau vers le bas, à toute vitesse. La fois suivante, il n'arriva qu'à la lisière inférieure de la percée, et ses mains ne trouvèrent pas de prise. Il retomba, puis rebondit jusqu'à ce qu'il s'arrête, suspendu au-dessus du sol de la « marmite ». Il resta là à se balancer jusqu'à ce que plusieurs *fida'i* aillent chercher une échelle et le détachent. Ils voulurent l'installer dans une corbeille et le faire remonter, mais il refusa. Les applaudissements qui crépitèrent alors dans la salle, tout en haut, ne lui étaient pas destinés : ils s'adressaient à Zev Ibrahim, que l'on avait fait monter dans sa chaise à deux roues auprès du grand maître. Celui-ci lui offrit en récompense une somptueuse chaîne d'or, et une bague ôtée de son doigt. « La chaîne pour ton génie, dit l'imam en riant, la bague pour ton courage. Si mon fils avait été blessé, tu aurais suivi le même chemin que lui. »

Voilà toute l'histoire, très cher Guillaume. J'ai encore oublié de te dire que ce spectacle m'a fait vomir. Ta Yeza, O.C.M.

P.S. : Ne trouves-tu pas, toi aussi, que l'imam montre des signes de démence ?

L.S.

Le converti mal aimé

El-Din Tusi, qui n'était pas un Assassin et n'avait accepté sa mission d'intermédiaire que par désir de paix et de réconciliation entre les courants dogmatiques en conflit — les guerres de religion contredisaient sa vision philosophique —, se laissa convaincre de mener une nouvelle délégation, cette fois auprès des Mongols. Le grand maître n'eut aucun mal à faire pression sur le savant : son fils Ali se trouvait encore à Alamut et pouvait être considéré comme un otage. Mais c'est Hassan Mazandari qui expliqua ce chantage, moqueur, lorsqu'il apprit que el-Din Tusi avait insisté, auprès de l'imam, pour que cet « émir imprévisible, aussi colérique que rusé », ne vienne pas avec eux.

— Comme si j'en avais jamais exprimé le vœu ! s'exclama Hassan lorsque le grand maître discuta avec le grand scribe, Herlin, le texte de la missive que l'on adresserait au grand khan.

Herlin, un petit homme sec comme un clou, aux cheveux blancs comme neige, était aussi surveillant de la bibliothèque, le plus grand trésor d'Alamut.

— El-Din Tusi s'est tellement imprégné de son idéal non violent qu'il est devenu un soleil pâlot, rayonnant d'amabilité. Il incite littéralement les autres à employer des moyens militaires contre ceux qu'il représente, ajouta l'émir.

— Je te déconseille, Hassan, de croire que le soleil est pacifique ! Il est aussi meurtrier que le fer lorsqu'il perce et découpe au combat au corps à corps, si ce n'est qu'aucune cuirasse ne protège de ses armes, répondit l'imam.

— C'est la raison pour laquelle vous donnez votre préférence au quartier de lune blême et meurtrier !

— Garde ta langue, Hassan Mazandari, sans cela je l'enverrai aux Mongols comme cadeau de noces, et le reste suivra. Nous devons réfléchir à ce que nous comptons proposer aux Mongols, si ce n'est la soumission totale et immédiate.

— Si votre combativité s'est affaiblie à ce point, grand imam, pourquoi ne donnez-vous pas Roç et Yeza comme accompagnateurs à l'émissaire ? En Occident comme en Orient, ces enfants sont précédés par leur réputation de vrais rois de la paix. La rumeur aura peut-être déjà atteint les Tatares.

— Avant de sortir cet atout de ma manche, je veux savoir ce que Roç et Yeza valent vraiment aux yeux des Mongols. Et c'est ce que el-Din Tusi doit déterminer.

— Et quel sera donc le prétexte officiel de cette ambassade ? Comptez-vous leur remettre quelques-uns de nos châteaux, proposer le paiement d'un tribut, ou même aller faire en personne des politesses à Karakorom ?

Hassan oublia ses moqueries et prit le ton d'un ami sincère et soucieux.

— Tout cela ne servirait à rien. Tels que je connais les Mongols, la réponse sera la suivante : « Où sont les clefs des forteresses ? Où sont les caisses d'or apportées par votre imam pour les proposer avec soumission au maître du monde et obtenir ses faveurs ? »

Le grand maître se tut, piqué au vif. Le vieux surveillant de la bibliothèque se racla la gorge. Herlin était le seul à retrouver son chemin dans le labyrinthe de la tour qui abritait la bibliothèque ; sans lui, les trésors apocryphes qu'on y conservait étaient perdus.

— Parle, sage Herlin, demanda l'imam avec impatience.

— Le monde sera de nouveau partagé et aura de nouveaux maîtres, dit-il à voix basse. Nous, Assassins, nous devons nous tenir à l'écart des combats profanes pour le pouvoir, dans lesquels de toute façon nous ne pourrons plus l'emporter. Nous devons déposer nos poignards et échanger la tunique de combat contre le simple habit de moines pieux, de saints hommes qui ont consacré leur vie à Allah et à la propagation de sa parole. C'est aussi une manière de se présenter devant le grand khan. Ce dont nous avons besoin, ce n'est plus du grand maître et du seigneur, mais de l'imam, celui qui proclame la doctrine vraie.

L'ancien s'arrêta, épuisé par la vision lucide qu'il avait sur les choses et par l'effort qu'il avait produit pour l'habiller de mots susceptibles d'atteindre Mohammed III.

Le grand maître avait manifestement du mal à garder contenance.

— Il est trop tard pour cela, murmura-t-il. Le monde entier nous hait pour la peur que nous avons semée. — Il lança autour de lui un regard perdu, comme s'il était déjà encerclé par les ennemis. — Et je ne le veux pas non plus ! cria-t-il d'une voix étranglée. Je ne veux renoncer à rien. Cette horde de vachers revenus à l'état sauvage devrait me forcer à m'incliner devant les Barbares ? Jamais !

D'un brusque mouvement de la main, il chassa de la pièce Hassan et le vieil Herlin, et monta à grands pas l'escalier tournant qui menait au « Paradis ». Herlin le suivit en silence. L'escalier abritait aussi l'un des accès secrets à la bibliothèque.

Hassan regarda en bas, dans la « marmite » où les Assassins allaient et venaient comme des abeilles appliquées pour servir la Rose unique, cette machine d'habitation et de combat qui donnait un sens à leur vie. À moins que tout ici n'ait tourné autour de ce roi des abeilles mégalomane ? En disant cela, songea l'émir, Herlin n'était pas aussi éloigné de la vérité qu'on aurait pu l'attendre de ce rat de bibliothèque. Mais on ne pourrait pas convaincre Mohammed de se replier sur une position purement spirituelle.

Créan de Bourivan restait autant que possible à l'écart des discussions et des intrigues du palais. Le grand maître y avait offert l'hospitalité à son invité, et Créan, pour éviter un affront, s'était présenté en simple *fida'i* pour lequel il n'existait pas d'exception, et surtout pas de luxe. De toute façon, toute l'activité du nid de guêpes perché en haut de la citadelle lui répugnait. Cela n'avait rien à voir avec la vocation qu'il avait ressentie, jadis, et qu'il avait suivie avec obstination en entrant dans l'ordre des Assassins de Syrie.

L'homme maigre au visage gris, dont les cicatrices empêchaient de déterminer l'âge avec précision, passait la plupart du temps à arpenter les alentours de la forteresse et à réfléchir à sa situation. Il s'inquiétait pour les enfants, que le Prieuré et son père naturel avaient jetés dans sa vie sept années plus tôt. Sans jamais l'avoir voulu, il était ainsi entré dans cette société secrète, il était devenu le serviteur du « grand projet ». Le destin de Roç et de Yeza avait, depuis, guidé son existence. Créan était installé dans sa cellule austère, collée contre la paroi intérieure de la « marmite », juste sous la bordure. Elle était munie d'une minuscule ouverture, une archère qui lui permettait de regarder à l'extérieur, dans la campagne, et de ne pas rester les yeux rivés au palais suspendu devant lui. Comme tous les rayons, sa cellule était en effet ouverte vers l'intérieur. Pour atteindre ce reclus venteux, il fallait franchir un labyrinthe d'échelles raides, de passerelles vacillantes et de ponts étroits qui se tendaient comme des toiles d'araignées sur toute la cuvette.

Créan avait pensé que les enfants lui rendraient souvent visite, mais il eut bientôt l'impression qu'ils avaient plutôt tendance à l'éviter. Cela le fit sourire.

Roç et Yeza étaient à présent à l'âge où ils devaient faire face aux sentiments qu'ils éprouvaient l'un pour l'autre — ils avaient découvert leurs corps depuis bien longtemps. Pour eux, l'amour ne faisait aucun doute, et les seules questions qui se posaient étaient le « comment » et le « combien ». Ces nouveaux problèmes étaient leur préoccupation du moment. À cela s'ajoutait le fait que chacun d'eux était également la proie du désir, sinon de la concupiscence d'autres personnes.

Sachant que Créan, qui était pour eux une sorte de père rigoureux, allait prochainement quitter Alamut, ils lui avaient remis des lettres destinées à Guillaume, supposant qu'il rencontrerait le franciscain au premier coin de rue : ils réfléchissaient parfois encore comme deux enfants. Pour des raisons de sécurité, il s'était permis de lire ce qu'ils y avaient écrit. On n'y trouvait pas un mot sur l'amour, rien sur leurs préoccupations, leurs désirs et leurs passions. Même à Guillaume, ils ne voulaient rien confier de tout cela.

Créan s'inquiétait pour les deux adolescents — c'était du reste devenu une habitude, chez lui. Depuis longtemps, la forteresse ne lui paraissait plus le refuge idéal pour Roç et Yeza. Il n'avait jamais pensé qu'ils y resteraient définitivement. Mais pour l'heure, il n'imaginait pas d'autre lieu de séjour. Le Prieuré se taisait depuis longtemps déjà, comme si les enfants l'avaient oublié depuis que les Assassins avaient rejoint le nombre de leurs protecteurs. Il savait cependant que, s'il se trompait dans ses démarches, le Prieuré interviendrait, il en avait déjà fait l'expérience.

Créan n'avait rien dit à Roç et à Yeza de la présence de ses propres filles, ici, sous le même toit qu'eux. Les petites étaient encore des enfants lorsque le père de Créan les avait remises à l'ordre des Assassins, quand le malheur s'était abattu sur Blanchefort et que leur mère, l'épouse de Créan, avait été assassinée. Personne n'avait alors trouvé d'autre solution pour préserver les fillettes de l'Inquisition, même s'il était clair aux yeux de tous que les femmes, au sein de l'ordre d'Alamut, ne pouvaient devenir que des *houris* au « Paradis », c'est-à-dire dans le harem du grand maître.

Kasda, la plus âgée et la plus subtile, avait bientôt quitté le jardin des plaisirs pour des niveaux supérieurs, où elle avait mené des études intensives en astrologie afin de parfaire ses facultés de voyante. Herlin avait été son maître, et peut-être même plus que cela. En tout cas, l'imam l'avait autorisée à s'installer sur l'observatoire à l'abandon où depuis elle remplissait son office, tout en haut, sur la dernière plate-forme du minaret. Lorsqu'il fallait affiner la mécanique de l'instrument, il lui arrivait d'appeler Zev Ibrahim à l'aide. Créan n'était jamais monté et ne l'avait pas vue au cours de son séjour. Kasda devait avoir près de trente ans, à présent. Le vieil

Herlin avait transmis à Créan les salutations de la jeune femme.

Pola, la cadette, d'une année plus jeune, n'avait pu parler à Créan, elle non plus, sans doute parce qu'elle ne le voulait pas. C'était bien fait pour ce père indigne : Pola avait été de longues années durant la tempétueuse favorite de l'imam ; lorsque les sentiments que celui-ci lui portaient s'étaient apaisés, il en avait fait la maîtresse du « Paradis ». Créan tenait cette information de Zev Ibrahim. L'imam mis à part, l'infirme était le seul homme à avoir accès à ces lieux lorsqu'il fallait y effectuer des réparations. Créan pensa de nouveau aux enfants. Avec leur expérience, les deux femmes pourraient peut-être leur servir de précieuses conseillères, surtout à Yeza.

Hassan Mazandari se tenait au seuil de la cellule de Créan et demandait l'autorisation d'entrer. Créan n'avait aucune estime pour l'émir. Hassan lui faisait penser à un serpent, ou à un autre reptile perfide.

— Nous avons décidé, commença Hassan avec son arrogance habituelle, de vous envoyer, Créan de Bourivan, comme ambassadeur en Europe.

— Les enfants m'ont-ils assez vu ? fit Créan, moqueur, mais il avait senti son cœur se serrer.

— Non, répondit l'émir en souriant. Pas eux, nous. — Il s'installa sans qu'on l'en ait prié. — El-Din Tusi a été envoyé auprès des Mongols, pour un voyage parfaitement absurde. Je considère que sa mission ne nous a même pas fait gagner du temps, elle a au contraire plutôt accéléré des événements désagréables. Nous sommes mal préparés pour les affronter, nous avons les mains vides, et tout cela me fait penser au déclenchement volontaire d'une avalanche, confia-t-il à Créan.

— Et c'est contre cette avalanche que vous me demandez de faire surgir une protection, comme par enchantement ?

— Oui, c'est ainsi que notre imam Mohammed III, maître de tous les ismaélites, se figure les choses. Le pape, les rois et les princes de l'Occident abandonneront tout pour répondre à cet appel. Vous emporterez de précieux cadeaux pour votre voyage.

— Et pour quelle raison voulez-vous vous débarrasser de moi, Hassan Mazandari ? Je vous fais obstacle ?

— Tout le monde me fait obstacle, répliqua l'émir en riant, surtout moi-même !

Roç à Guillaume de Rubrouck, à l'adresse connue, Alamut, troisième décade de juin 1251.

Mon cher Guillaume, tu auras certainement compris, toi aussi, comment la Rose respire, se nourrit et fleurit chaque jour de nouveau sans jamais se fatiguer. Ce sont les forces de quatre éléments : l'eau, l'air, la lumière du soleil et — voilà le grand mystère — le jus de la terre, l'huile noire qu'elle pompe dans ses artères. C'est ainsi que me l'a dit Zev Ibrahim, et lorsque Yeza a demandé si ce liquide lui donnait la vie éternelle, il a secoué la tête. J'étais très triste lorsqu'il a répondu : « Non, elle vieillit aussi ! » Je ne peux pas le croire, et je dois en avoir le cœur net. Peut-être ne pense-t-il cela que parce que lui-même devient vieux, dans sa chaise roulante, et parce qu'il ne veut pas que son œuvre lui survive.

Nous avons encore un ami, mais Yeza l'a accaparé, parce qu'elle ne comprend pas tout ce qui se passe en bas, dans la cave de Zev. Elle essaie donc d'apprendre des choses « supérieures », d'acquérir le savoir éternel, et voue à présent un culte au surveillant de la bibliothèque, Herlin. Il a certainement jadis été français et chrétien comme nous, car il sait tout de nous, de notre origine d'« enfants du Graal » et de nos ancêtres, depuis le roi Arthur jusqu'à Trencavel et Esclarmonde. Il continue aussi obstinément à nous traiter d'« enfants », alors que nous n'en sommes vraiment plus. Je l'aime bien. C'est un petit homme aimable, toujours doux et très courageux. Peut-être le seul ici à ne pas avoir peur de l'épouvantable imam. Il a promis de nous montrer clandestinement la bibliothèque. Je suis extraordinairement curieux de la découvrir, car j'ai une théorie secrète sur la manière dont on a installé cette lourde tour contenant tous ces livres en parchemin et tous ces rouleaux de papyrus, qui paraît suspendue au-dessus de l'ouverture, en haut de la tour. En réalité, justement, elle ne plane pas, elle s'appuie dans la « marmite » à l'aide d'espèces de côtes qui descendent très bas. Lorsqu'on observe ses parois, on peut remarquer des renflements qui montent comme de grosses veines, mais vers quel but ? Le palais de bois suspendu empêche de voir la véritable armature de la Rose. Mais je réussirai bien à passer derrière. Je me sentirais mieux si tu étais auprès de nous, cher Guillaume. Ton dévoué, Roç.

L.S.

Plaisanteries de soufis

 Cher Guillaume, Yeza s'adresse à toi.

Nous avons visité le « Paradis » aujourd'hui. Mais l'un après l'autre. Mon vénérable maître (il s'appelle Herlin, mais c'est certainement un nom de guerre) nous a emmenés dans la bibliothèque par un escalier secret, au moment où l'imam s'était retiré pour faire une sieste. C'est une tour qui dispose, en bas, d'une salle où les piliers sont totalement de travers. Roç était surexcité, parce que cela confirmait sa *ratio atque usus*. Le parquet de la salle est en bois ; il constitue aussi le plafond du palais, raison pour laquelle nous avons dû marcher sans faire de bruit : l'imam ne devait pas nous entendre. Au centre, naturellement, passe cette tige qui monte jusqu'en haut de la tour et dessert l'observatoire. Les murs sont couverts d'étagères pliant sous le poids des gros livres : « Des traités sur l'observation de la nature, des connaissances tirées de la vie ordinaire », a dit mon maître.

Depuis cette salle, plusieurs escaliers partent vers le haut. Un seul, bien précis, nous a été autorisé. Nous sommes arrivés dans la « voûte de l'équilibre, des doctrines et de leurs réfutations », nous a expliqué Herlin, « avec les livres des philosophes, des volumes très précieux, en parchemin. C'est la plus grande salle voûtée suspendue du monde ». Voyant trois escaliers supplémentaires, j'ai voulu savoir ce qui se trouvait au-dessus de nous.

— Sur l'une de ces marches, tu atteins la *magharat*

at-tanabuat al mashkuk biha, la « caverne des prophéties apocryphes ».

— Et après ? a demandé Roç.

— Si tu prends le bon chemin — il est raide et étroit —, tu peux arriver à la *magharat al ouahi*, la « grotte des révélations », ou bien être précipité au fond de la marmite.

— Et après, qu'y a-t-il ?

— Le Ciel ! répondit mon maître.

Nous nous sommes donc arrêtés aux philosophes et à la voûte des doctrines, toutes écrites sur la peau de fœtus d'agneau, et ornées d'images en couleurs. Il en va de même pour les réfutations. J'aimerais bien lire Aristote. Roç a découvert les fenêtres, des ouvertures semblables à de longs tuyaux dans le mur, qui doit être d'une épaisseur effrayante. Certaines partent de biais vers le ciel et laissent tomber la lumière, d'autres désignent le bas et permettent de voir le « Paradis ». Guillaume, quelle surprise ! Il était en dessous de nous, extrêmement éloigné et pourtant à portée de main. Je voyais des fleurs en corolle et des arbustes colorés ; d'autres buissons, et de petits arbres, étaient tellement chargés de fruits précieux qu'ils se courbaient sous le poids des branches. Les parfums me montaient au nez, et je sentais la fraîcheur des sources jaillissantes dans lesquelles s'égaillaient de petits poissons rouge et or. J'entendais des rires et des chants, et le jeu d'instruments de musique, mais je ne voyais personne. Roç, lui, n'avait d'yeux que pour l'épaisseur du mur — il prenait des mesures — et pour l'angle d'inclinaison de la fenêtre donnant sur le « Paradis ».

— La tour de la bibliothèque, a-t-il dit à Herlin, dans son socle, est entourée comme par un manteau par les chambres du harem, ouvertes vers le « Paradis ». C'est la raison pour laquelle nous ne pouvons monter plus haut, dans la *magharat al ouahi :* de là, on voit tout ce qui se passe dans les jardins que l'on nomme le « Paradis », et les *houris* sont tout simplement les femmes du harem de l'imam !

— Rusé jeune homme, a dit Herlin. À celui qui a déjà mangé les fruits de l'arbre de la connaissance, le chemin reste barré. Mais garde-toi de raconter tes découvertes à qui que ce soit ! La Rose a ses lois, et elle a des épines sur lesquelles les gens trop malins peuvent bien s'empaler un jour ou l'autre.

Ainsi a parlé mon maître, et j'ai eu peur pour mon Roç. Je lui ai donc demandé de ne pas essayer d'atteindre sans moi le sommet de la Rose, car je sais qu'il n'en démordra plus, désormais. Le grand maître est passé en bas et a levé les yeux vers nous. J'ignore s'il nous a vus. Son terrible visage barbu n'a montré aucune espèce d'émotion. Les Assassins racontent qu'il voit tout, qu'il entend tout, qu'il sait tout.

J'ai hâte de quitter de nouveau ce lieu interdit. J'ai peur. Tout est pourtant si paisible, ici, entre tous ces livres.

Ta Yeza, O.C.M.

L.S.

Roç à Guillaume de Rubrouck, à l'adresse connue, Alamut, première décade de juillet 1251.

Mon cher Guillaume,

L'imam, lors du dernier repas, nous a accusés d'avoir été dans la bibliothèque. Je me suis dit qu'il ne servait à rien de nier mais, pour protéger Herlin et Yeza, j'ai prétendu avoir découvert, tout seul, un escalier secret et m'être retrouvé tout d'un coup dans la bibliothèque.

Il a éclaté d'un rire effroyable, a tapé sur la tête de son fils Khur-Shah, en s'exclamant : « Ha ! Prends-en de la graine ! Toi qui ne parviens même pas à trouver le chemin du Lieu Secret ! »

A-t-il frappé pour que Khur-Shah soit encore plus stupide ? Il ressemble déjà à un jeune veau, et il laisse Hassan l'exciter à propos de Yeza, qui, par pitié, l'accueille toujours aimablement. Récemment, il lui a demandé si elle pouvait imaginer devenir sa femme lorsqu'il serait assez grand pour l'épouser.

Yeza lui a répondu : « En as-tu déjà parlé à ton père ? » Alors le veau s'est mis à geindre comme un enfant en bas âge. Comme si c'était à l'imam d'en décider ! C'est sans doute à moi qu'il faudrait d'abord poser la question.

Tous participaient à ce repas, y compris Créan, Zev et Herlin. On avait invité trois soufis, des hommes farouches au visage barbu. Lorsqu'on a desservi la table, l'un d'eux a pris un poignard et s'en est servi pour planter son bras sur la table, mais le sang en a à peine jailli. Sur ce, son voisin a pris deux petites piques en argent, les a soigneusement nettoyées avec la langue et s'est percé les joues avec la première jusqu'à ce qu'elle ressorte de l'autre côté du visage. Il roulait les yeux, et sa longue langue lui sortait de la bouche. Il a essayé de la faire rentrer, mais n'est pas arrivé à la capturer. Il a pris l'autre épingle et l'a plantée au beau milieu de sa langue, comme dans une truite frétillante. L'imam ne pouvait plus s'arrêter de rire. Alors, le troisième soufi s'est fait remettre un sabre par l'un des *fida'i*. Il a dénudé son ventre et y a plongé l'arme lentement, jusqu'à la garde. Lorsque le soufi s'est retourné, l'extrémité de l'arme dépassait largement dans son dos.

« C'est de la magie ! » s'est exclamée Yeza, indignée. L'imam a cessé de rire et a dit : « C'est d'abord une entorse à la discipline. » Et il a fait un petit signe au *fida'i* qui avait prêté son arme. Celui-ci s'est incliné, a franchi la rambarde qui entourait l'un des passages et a sauté. Nous avons entendu son corps s'écraser sur le fond de la « marmite ».

« N'importe qui peut faire ça », a repris l'imam en répondant à Yeza. Il recommença à rire. « Et n'importe quelle personne dont je veux qu'elle puisse le faire ! » Et il me désigna.

Je ne l'avais pas remarqué, accaparé que j'étais par ce spectacle : les soufis ressortaient les lames de leurs blessures, celles-ci s'arrêtaient de saigner et se refermaient en dessinant de fines cicatrices blanches. Sous mes yeux, Guillaume ! Tous avaient à présent le regard fixé dans ma direction, et le grand maître a dit : « Tu dois être puni, Roç, tu le sais. » Puis il est devenu très aimable. « Pose ta main sur la table, la paume vers le haut, prends le couteau et appuie jusqu'à ce que tu sentes la résistance du bois. » J'ai attrapé le couteau, incapable d'agir autrement. Une force invisible guidait mon bras.

« C'est moi la coupable ! a crié Yeza. J'y étais, c'est moi qui l'ai fait désobéir ! » Elle tenait déjà son poignard dans la main droite, et avait posé la gauche sur la table.

L'imam a répondu en riant : « Je ne veux pas qu'une cicatrice enlaidisse ta main », et il laissa son regard effrayant faire le tour de la table. « Mais si quelqu'un se propose pour assumer la punition... »

Créan a tendu le bras et retroussé sa manche. Son bras était plein de cicatrices, mais le grand maître a fait un geste de dénégation agacée. « Ça n'est pas de toi que je parle ! »

Alors, maître Herlin s'est levé, a retiré la petite épingle d'argent de la langue du soufi, puis la deuxième de sa joue, les a tenues toutes deux un bref instant au-dessus des flammes qui léchaient le rôti, a craché sur le métal et s'est enfoncé les pointes dans l'angle extérieur de l'œil.

J'étais incapable de regarder ; mais Yeza m'a chuchoté que l'aiguille était en train de ressortir en dessous, près du cou, et que le maître saisissait à présent l'autre extrémité.

« Soyez remercié, Herlin, a dit l'imam. Pardonnez-moi, j'ai oublié que vous connaissiez vos pouvoirs. »

— Pardonnez-moi », a répondu Herlin, et je levai de nouveau les yeux. « J'ai oublié que l'on n'a pas le droit de faire tout ce que l'on peut faire. » Et sur ces mots, il a retiré le petit bâton de son œil. On n'y voyait qu'une gouttelette de sang, qu'il a essuyée comme si c'était une larme.

À cet instant, dans les montagnes, les cornes d'alerte ont commencé à sonner, et le grand gong de la marmite a donné l'alarme, tonitruant. On nous attaquait...

L.S.

Horreur à la crème

L'ennemi, une horde de Choresmii forte d'un bon millier d'hommes, eut sans doute l'impression que toute la forteresse d'Alamut dormait. Les pétales de la Rose, sur lesquels les *fida'i* passaient d'habitude leurs journées à manœuvrer, étaient remontés à la verticale et entouraient la fleur comme de gigantesques boucliers. Ils paraissaient trembler, comme s'ils attendaient quelque chose. Sur la poulie qui servait à faire entrer les marchandises, on avait aussi remonté la corde et la corbeille. Seul un dernier pétale posé au sol accueillait encore les paysans et artisans qui n'avaient pas eu le temps de se réfugier dans les grottes, aux alentours. Ils entrèrent avec leurs animaux dans une cachette située en profondeur, sous le lac, dont la surface commençait désormais à monter. Si des ennemis déguisés s'étaient faufilés parmi eux pour prendre la citadelle de l'intérieur, ils ne pourraient rien faire ; au moindre soupçon, eux-mêmes et tous les occupants de la caverne seraient impitoyablement noyés.

Hassan reprit son poste de commandement. Zev Ibrahim fut descendu à la corde dans les profondeurs de la cave, avec son fauteuil roulant. L'imam disparut vers le haut, le reste de ses convives se rendit par l'une des passerelles sur l'extrémité supérieure de la marmite, où l'on avait de nombreux points d'observation — même si la plupart étaient utilisés pour la catapulte et les nouveaux engins à projectiles qu'Ibrahim avait tendus avec sa *chorda laxans*.

La horde des Choresmii n'était manifestement pas menée d'une main de fer. Ces montagnards agressifs arrivaient de tous les côtés, comme un essaim. Ils avaient sans doute compté sur l'effet de surprise. Les hommes portaient sur leur dos des canots de bois, qui leur servirent de bouclier jusqu'à ce qu'ils aient atteint le lac entourant la forteresse. Sur les barges, on avait apprêté des chaînes de fer pourvues d'une ancre, et les échelles d'assaut étaient déjà montées avec leurs contre-crochets : ils comptaient s'en servir pour arracher l'un des pétales et pénétrer à l'intérieur de la citadelle.

Les Assassins se contentèrent de faire pleuvoir sur les assaillants une grêle de projectiles — c'était la première fois qu'ils pouvaient expérimenter la *chorda*. Elle était tendue par une roue qui permettait de tirer à intervalles rapides et de diriger très précisément les rondins de bois gros comme des bras, dont on avait affûté l'extrémité. Chaque poteau pouvait percer au moins trois ennemis à la file, et les planter sur le sol comme des coléoptères dans une vitrine.

Les premières barques étaient tout de même arri-

vées sur l'eau, et ces plates-formes flottantes avançaient vers le socle de la forteresse. Tous les habitants de la Rose, défenseurs et spectateurs,
attendaient le moment où l'huile noire jaillirait des
profondeurs pour entourer les barges, et où le
commandant ordonnerait la mise à feu. Mais ils
entendirent d'un seul coup la voix de l'imam retentir
au-dessus de leurs têtes : « N'allumez pas ! » Et il
ajouta, avec un sourire de carnassier : « Je veux ces
chacals vivants ! »

Sa voix sonnait creux, comme amplifiée par un
tuyau, et portait jusque dans la cave où se trouvait
Zev Ibrahim, le maître de l'eau et du feu.

Entre-temps, les Choresmii s'étaient tous assemblés au point où le rivage rocheux tombait à pic :
leur attaque était manifestement un succès. Malgré
toutes les pertes qu'ils avaient subies, ils étaient parvenus tout de même à traverser le lac avec leurs
barges réunies pour former une plate-forme. Les
assaillants s'agrippèrent aux parois, on dressa des
échelles, et les ancres de fer s'envolèrent et s'accrochèrent ; l'assaut pouvait commencer. Ce succès inattendu fit jaillir un cri de joie sauvage de plusieurs
centaines de gorges. Alors, subitement, dans la montagne, un amoncellement d'eau jaillit des écluses
grandes ouvertes, happa les hommes installés sur la
pente, les précipita dans le vide avec leurs chevaux et
les sacs emportés pour évacuer le butin, le trésor
d'Alamut. Dans le même temps, le niveau du lac
baissa tout d'un coup. Les échelles pendaient dans le
vide sur la paroi bombée, les ancres mirent les
barges à la verticale, précipitant les assaillants dans
l'eau. Beaucoup se noyèrent, lorsqu'ils n'avaient pas
été assommés par les planches. Le niveau baissait
rapidement, et les survivants se retrouvèrent piégés
dans la fosse, comme des souris. Les flots, qui cou-
laient à une vitesse inconcevable, écrasèrent le gros
de la troupe contre les rochers. Seuls quelques guerriers furent épargnés, parvinrent à rattraper les chevaux affolés et à s'enfuir au galop, sans se pré-

occuper de ceux qui se retrouvaient dans la vase jusqu'au menton, dans la fosse qui se vidait. Le flot avait à présent cessé ; les écluses avaient été refermées par Ibrahim : elles risquaient d'être bouchées par les cadavres qu'elles avaient aspirés à l'instant où les hommes avaient cru se sauver en s'accrochant à des poutres ou des morceaux d'échelle. Les restes humains remontèrent alors à la surface, décuplant l'effroi des survivants. Quant à ceux qui fuyaient le raz de marée, eux non plus n'eurent pas le moindre répit. L'un des pétales descendit et planta ses épines de fer dans le sol dur, de l'autre côté de la vase. Les portes s'ouvrirent, laissant apparaître la cavalerie des Assassins, sous le commandement de l'émir Hassan. Lui et ses hommes dévalèrent les ponts de bois arqués dans un bruit de tonnerre, chargèrent les fugitifs qui s'étaient souvent installés à deux ou à trois sur les chevaux, et leur prirent leurs montures. Les Choresmii se défendirent avec l'énergie du désespoir, mais l'eau jaillissante avait arraché leurs armes à beaucoup d'entre eux.

— Pourquoi ne les laisse-t-il pas filer ? demanda Yeza. Ils ne représentent plus aucun danger.

Elle se tenait avec Roç dans la cellule de Créan et regardait le champ de bataille avec une indignation croissante.

— Parce que les *fida'i* ne comptent pas encore la moindre victime dans leurs rangs, dit Créan. Et pour des motifs pédagogiques, l'imam apprécie de pouvoir citer des héros morts au combat.

— Au lieu de s'estimer heureux que tout ait si bien fonctionné, même sans faire appel aux flammes..., commenta Roç.

Il regarda vers le bas. Dans les fosses, des grues avaient soulevé de grands filets pleins de morceaux de bois et de Choresmii survivants. L'eau recommença rapidement à monter. Le lac entourerait bientôt la Rose, de nouveau, comme si rien ne s'était passé.

— La perfection de ses installations défensives

agace tellement le maître de ces lieux qu'il jetterait volontiers votre Zev si compétent au beau milieu des flammes, dans son fauteuil roulant, lança Créan à Roç, moqueur.

— Et Zev est certainement furieux de ne pas avoir pu allumer la mèche, cette fois-ci.

— Voilà Hassan qui revient ! s'exclama Yeza.

— Cela signifie que les Assassins ont suffisamment de morts, et l'imam assez de prisonniers pour réjouir son cœur, répondit Créan, la mine sombre, au moment précis où un serviteur apparut et les invita à se présenter à l'heure convenue pour le dîner à la table du grand maître.

Lorsque les enfants entrèrent dans le palais, ils remarquèrent que les grands lustres de la salle à manger ne brûlaient pas. L'unique lumière provenait de torches que l'on n'avait pas installées au mur, par crainte des incendies, mais confiées à des serviteurs qui les tenaient.

Lorsque tous eurent pris place et que l'on eut servi les entrées, le grand maître claqua solennellement dans ses mains. Le bourreau entra, le buste nu.

— Avec son sabre gigantesque, on dirait le cuisinier, chuchota Yeza.

Roç ne lui répondit pas. Il regardait fixement le gâteau dressé au pied des marches menant au trône du grand maître. Il était fait de miel et de noix, orné de fleurs et de fruits, décoré de bougies allumées, et recouvrait toute la surface de l'une des percées, rambarde comprise. Des manivelles émergeaient de cette admirable composition. Deux serviteurs les empoignèrent tandis que le bourreau s'installait derrière, dans une position qui lui permettait de voir son seigneur, lequel, de nouveau, claqua dans ses mains. Les serviteurs attrapèrent alors les manivelles pour faire tourner la poulie d'une roue cachée derrière le gâteau. De l'ouverture située en haut de la pâtisserie sortit la tête de l'un des Choresmii capturés. L'homme regarda autour de lui, hagard.

— L'imam veut savoir si tu es le chef, dit Hassan, qui avait pris place aux pieds de son maître.

Le Choresmii secoua la tête, et le bourreau, qu'il ne pouvait pas voir, la lui trancha d'un coup de sabre avant de la brandir et de la placer sur le gâteau.

— Qu'est-ce que ça veut dire? demanda Roç, anxieux mais incapable de détourner son regard de la gigantesque pièce montée, d'où sortit alors la tête suivante.

La même question, la même réponse négative, le même mouvement sec de la lame acérée du bourreau.

— C'est la *ruota della fortuna*, la roue de la fortune, expliqua Créan, la mine pétrifiée. Heureux ceux auxquels un tel sort est accordé!

— Comment peux-tu dire une chose pareille? fit Yeza, furieuse.

— Parce que cela sera encore pire dans quelques instants, répondit Créan. Mieux vaut ne pas regarder la suite.

— Mais si, répliqua Yeza. Que je regarde ailleurs n'empêchera rien.

— Il doit y avoir là-dessous une roue dont les rayons sont des hommes. Son axe est plus profond, mais pour transmettre la force des manivelles, elle est actionnée par un engrenage.

— Exactement, commenta Créan. Ça n'est pas précisément un chef-d'œuvre de ton ami Zev!

Entre-temps, les troisième, quatrième et cinquième têtes ornaient le gâteau. Le sang dégoulinait déjà. L'émir s'efforçait de poser ses questions d'un ton patient, et il lui fallut encore trois têtes supplémentaires avant qu'il ne perde son calme et crie à la neuvième face:

— Admets donc que tu dirigeais cette bande de voleurs de grand chemin.

Alors, le Choresmii, le visage déjà souillé par le sang de ses compagnons décapités, se mit à hurler.

— J'avoue que je voulais tuer ce *cheîtan*, ce contempteur d'Allah et du Prophète, ce faux imam..., il cracha en direction du grand maître, ... que je le veux encore, et que je...

Il n'alla pas plus loin, un serviteur lui avait planté son arme dans les joues. Le bourreau prit son élan, mais le grand maître leva la main en riant et cria aux serviteurs : « On peut se passer de sa langue, mais gardez-moi le reste jusqu'au dessert ! »

Le Choresmii disparut dans le gâteau, que des serviteurs dissimulèrent derrière un drap tendu. Pendant ce temps-là, on servait aux invités le plat principal. Roç et Yeza étaient les seuls à ne pas même avoir touché leurs entrées. Tous les autres dégustèrent avec le plus grand appétit la grasse soupe aux anguilles que l'on servait chaque fois que le lac avait été siphonné. Lorsque le drap fut relevé, on vit une corde descendre par chacune des ouvertures, auxquelles on accrochait les lustres en temps normal.

L'imam frappa une fois de plus dans ses mains, et Hassan cria « *Faljusha'alu an-nur !* » Alors, les cordes remontèrent lentement. À chacune d'entre elles était accrochée une grappe serrée de corps humains, prisonniers de filets aux larges mailles. On aurait dit des poissons reluisants tout juste sortis de la vase ; en réalité, ils étaient imbibés d'huile noire. Lorsque les filets eurent été hissés jusqu'à la hauteur où se trouvaient les lustres, l'imam frappa de nouveau dans ses mains. Des serviteurs avancèrent alors devant chaque grappe humaine et brandirent leur torche vers le filet. Tous s'enflammèrent en un instant. Les hurlements de douleur des torches vivantes étaient à peine supportables. Des gouttes incandescentes tombaient vers la profondeur de la marmite, mais les filets résistaient, prolongeant l'atroce agonie des hommes qui y étaient entassés. Les flammes étaient si hautes que les serviteurs durent les redescendre un peu pour que les poutres du palais et les caissons du plafond ne prennent pas feu. Finalement, les mailles des filets se détachèrent et les premiers corps en flammes furent précipités dans le feu, suivis, de plus en plus rapidement, par ceux qui avaient préféré sauter dans le vide pour échapper à l'enfer. Certains restèrent cependant accrochés aux

filets et brûlèrent jusqu'à ce que toute l'huile ait été
consumée. Puis les serviteurs détachèrent les cordes
carbonisées et laissèrent les restes disparaître à travers les ouvertures, dans un nuage d'étincelles. Les
convives étaient de nouveau plongés dans la
pénombre, et y restèrent jusqu'à ce que les lustres
habituels soient revenus à leur place et allumés. On
se mit à applaudir l'imam. On desservit le plat principal. Yeza et Roç étaient serrés l'un contre l'autre, le
visage livide. Hassan annonça :

— Pour le dessert, que les dames du palais prendront avec nous, notre seigneur a souhaité une
démonstration de la *chorda laxans*, qui a déjà fait ses
preuves.

À côté du trône du grand maître, une porte s'était
ouverte, et une rangée de créatures couvertes de
voiles se faufila dans la salle pour prendre place à la
gauche de l'imam. À sa droite étaient déjà assis son
fils Khur-Shah, Zev Ibrahim et le vieil Herlin.

Le maître des lieux frappa dans ses mains, et l'on
poussa de nouveau le gâteau devant les convives. On
y avait ligoté le dernier Choresmii. On l'avait couvert
de peinture blanche, comme toute la tarte aux têtes
décapitées. Le bourreau avançait derrière la pâtisserie. Son sabre brillait autant que son buste huilé.

— Qu'est-ce qu'il prépare ? demanda Yeza à
Créan, qui se contenta de hausser les épaules.

— Je ne le sais pas plus que toi. Une surprise de
votre ami Zev, je suppose ! Sa voix vibrait d'indignation.

On accrocha la *chorda* aux pieds du Choresmii.
Mais un serviteur inattentif mit prématurément le
feu à la victime, avec sa torche. Il y eut une explosion
et un nuage blanc d'où jaillirent des étincelles, semblables à une nuée d'étoiles. La *chorda* prit feu. En
un instant, la flamme parcourut la grosse corde. Le
Choresmii avait de l'écume rouge à la bouche. Il
poussa un cri informe — on lui avait arraché la
langue — mais à glacer le sang, et se secoua de telle
sorte que l'extrémité de la *chorda* enflammée allât

claquer sur la tête de ceux qui mangeaient assis aux pieds de l'imam. La nappe damassée prit feu.

Le prisonnier profita de la confusion et se jeta tête la première dans le vide. Le serviteur inattentif s'offrit un dernier acte de résistance. Il jeta sa torche en direction de l'imam avant de sauter à son tour. Les femmes se mirent à glapir, les gardes du corps éteignirent l'incendie et arrachèrent de la table la nappe en flammes et les couverts. L'imam remonta à grands pas l'escalier en colimaçon, et les femmes disparurent de nouveau dans le « Paradis ».

— Zev, dit Herlin à l'ingénieur qui regardait la scène d'une mine sombre, lorsqu'on a la capacité de maîtriser les éléments et que l'on se sert de ce pouvoir pour des gamineries, on cesse rapidement de diriger les forces de la nature. Elles vont te tuer !

— Je ne crois pas aux esprits, répondit celui-ci, furieux, mettant son fauteuil roulant en marche. Je vois seulement que je suis devenu l'instrument méprisable d'un homme mauvais.

Il avait roulé jusqu'au bord de la percée. Herlin bondit et le suivit.

— Zev, dit-il, tu ne peux pas échapper ainsi aux esprits. Réconcilie-toi avec toi-même en refusant de faire ce que ta conscience — puisque tu en as une — te révèle comme le mal. Notre vie est trop étroitement associée à la Rose pour que nous puissions l'abandonner.

— Oui, Herlin, répondit l'ingénieur, et il se fit hisser dans la corbeille par les serviteurs pour redescendre dans son antre. Nous sommes liés à la Rose, à la vie et à la mort. Je suis condamné à la servir jusqu'à ma mort.

Sur ces mots, Zev disparut dans sa corbeille, vers les profondeurs de la marmite. Les enfants les avaient rejoints avec Créan, et avaient entendu les derniers mots.

— À présent, dit Yeza, je sais que l'enfer se trouve juste en dessous du « Paradis ».

Herlin les regarda longuement avant de lui répondre :

— Vous devrez sans doute traverser le premier pour atteindre le second. « *Deus omnipotens* », Dieu est partout, y compris dans le mal, y compris par le mal. Sa toute-puissance ne se limite pas au royaume du bon.

— Mais alors, que devient ce royaume de paix que nous devons instaurer ? demanda Roç, troublé.

C'est Créan qui lui répondit :

— C'est un vieux rêve de l'humanité, pour lequel il vaut la peine de se battre.

Il serra dans ses bras Roç et Yeza et prit congé d'eux en ces termes :

— Prenez comme des épreuves tout ce qui vous arrivera. La récompense n'est pas l'objectif, mais le chemin qui y mène. Ne vous laissez pas égarer !

3. LE LOINTAIN *KURILTAY*

Un envoyé du pape

L'été ne dure jamais longtemps dans la steppe mongole. On avait donc fixé au mois de juillet 1251 la date du *Kuriltay*, la grande assemblée de l'empire à laquelle toutes les tribus mongoles libres envoyaient leurs chefs. Tous ceux qui étaient venus élire le nouveau grand khan (il sortirait de leurs rangs) avaient le droit de vote. Mais les seuls candidats envisageables étaient les descendants du grand Gengis Khan ou de ses frères et fils. Celui qui ne pouvait attester ces liens du sang, ou dont l'extraction était douteuse, n'avait pas la moindre chance d'emporter le titre et le pouvoir qui l'accompagnait. Le clan des Gengis était trop puissant et trop nombreux.

L'assemblée avait lieu dans un campement en plein air, et non dans la capitale, Karakorom, qui aurait été incapable de loger pareille foule d'invités. En outre, tant d'hommes armés représentaient une force bien trop importante, et l'on réservait au grand khan élu le privilège de prendre possession de la ville. Et puis, de toute façon, n'importe quel Mongol libre préférait l'étendue de la steppe.

À perte de vue, les yourtes se serraient les unes contre les autres; les attelages de bœufs et les charrettes à hautes roues se succédaient, les chevaux se pressaient dans les enclos. Les rues du camp grouillaient de membres de tribus souvent venues de loin pour cet événement, qui était à la fois une fête et un devoir. Et, pourtant, il y régnait un ordre qui étonnait toujours l'hôte venu d'Occident : la loi incontestée du *Jasa*, que le fondateur de cet empire gigantesque avait donnée à ses peuples.

André de Longjumeau, le dominicain, s'émerveillait lui aussi chaque fois qu'il était envoyé auprès des Mongols, tantôt comme ambassadeur du roi de France, tantôt comme nonce du Saint-Père. C'était déjà le troisième voyage harassant et interminable qu'il entreprenait dans la steppe, la troisième tentative d'obtenir de ces Tatares mal dégrossis, arrogants et imprévisibles, des actes profitables à la chrétienté. On leur demandait d'envoyer une armée en Terre sainte pour reprendre enfin Jérusalem aux musulmans et y établir à tout jamais le royaume de Jésus-Christ. L'idée d'envoyer une armée dans un pays qui appartenait au « Reste du Monde » n'avait rien d'aberrant pour les Mongols, même si cela devait aider la chrétienté à triompher d'autres religions. Ils se demandaient simplement au profit de qui ils devaient le faire. Ni le pape, le prêtre suprême, ni le roi de France n'avaient jamais fait acte d'allégeance envers le grand khan. Au début, cette insubordination avait étonné les chefs des Mongols. Puis, constatant que ce comportement se généralisait, ils comprirent qu'on ne pouvait plus l'excuser par l'ignorance : cette attitude était une preuve évidente de l'entêtement témoigné par le « Reste du Monde » à leur égard. Les maîtres de Karakorom commencèrent à perdre patience. La seule chose admirable était le courage des ambassadeurs chrétiens, qui refaisaient sans cesse le voyage pour exposer leurs exigences toujours identiques, sans avoir en tête, et *a fortiori* dans leur sac, la moindre contrepartie.

À la cour du grand khan, les moines chrétiens, franciscains ou dominicains dans la plupart des cas, jouissaient donc d'une singulière estime. Leur comportement téméraire impressionnait les Mongols qui, depuis le début de leur histoire, avaient eu affaire avec des peuples touchés par la mission chrétienne. Le plus souvent, c'étaient des prêtres nestoriens qui venaient rencontrer leur chef sous la yourte. Les Mongols s'étaient faits à leurs rites. Inversement, les nestoriens s'étaient faits aux habitudes des Mongols en matière de boisson. Mais les moines que l'on envoyait depuis quelque temps étaient différents : plus curieux, plus difficiles, pour ne pas dire importuns !

André de Longjumeau sentait que ses hôtes étaient en train de l'évaluer. Il faisait en sorte de ne rien laisser voir de ce qu'il pensait d'eux, mais cet effort le crispait. La colère, le mépris et l'écœurement lui remontaient à la gorge comme des plats mal digérés.

> « *A solis ortus cardine*
> *et usque terrae limitem*
> *Christum cantamus principem*
> *natum Maria virgine.* »

André de Longjumeau célébrait la messe dans la yourte d'apparat de la princesse Sorghaqtani. À sa demande, il s'était dit disposé à intercéder en sa faveur auprès du Seigneur. Elle n'avait pas fait mystère de son vœu : elle souhaitait que son fils aîné soit élu grand khan. Le dominicain, lui, ne se souciait guère de l'issue du *Kuriltay*. D'une part, quel que soit l'élu, le nouveau maître des Mongols lui réserverait comme toujours un traitement arbitraire et irrespectueux. Il avait déjà échangé quelques paroles courtoises avec celui qui lui paraissait avoir les meilleures chances, et qui lui semblait même certain d'être élu : Chiremon. Ils n'avaient pas lié amitié, c'était impossible avec ces fourbes de Mongols, mais le dominicain avait senti chez le prince vieillissant un intérêt qui dépassait l'échange habituel de formules creuses. Lorsqu'ils s'étaient rencontrés, André s'attendait à ce qu'on lui demande une aide militaire ou un cours sur la juste foi. Il n'en fut rien : Chiremon lui avait au contraire révélé qu'il voulait faire beaucoup pour embellir la capitale, une fois qu'il serait élu grand khan. Le Mongol lui avait montré un dessin à l'encre de Chine de la cathédrale de Chartres ; il conservait ce parchemin jauni comme une relique dans un petit sac en cuir. C'est cela qu'il souhaitait bâtir. Il se renseigna sur le matériau utilisé, sur l'architecte et sur la valeur de l'édifice, qu'il attendait en cadeau du roi de France. À sa grande terreur, André comprit tout d'un coup que Chiremon lui demandait de faire démonter la cathédrale, de l'apporter en caravane à Karakorom et de la remonter pierre par pierre. Le prêtre en prit son parti : après tout, un vœu pareil exprimait au moins un goût affirmé pour le catholicisme concret. Et puis cela pourrait résoudre la question de l'allégeance au grand khan, qui n'avait toujours pas de solution. Il se contenta donc prudemment de laisser entendre à Chiremon qu'il serait bien plus rapide de réaliser une copie de la cathédrale.

— Soit, mais alors un peu plus grande, avait concédé le Mongol, magnanime. La nef aura ainsi suffisamment de place pour la cérémonie au cours de laquelle le roi et le pape se soumettront à Nous ! avait-il ajouté

Et c'est ce Chiremon qui voulait désormais être élu grand khan ! André de Longjumeau, ambassadeur du roi et légat pontifical, ne pouvait que prier son Dieu de bien vouloir en favoriser un autre.

Si agacé fût-il, le dominicain n'eut donc pas de mal à donner une certaine force à son intercession, qu'il exprima en chantant :

> « *Famulis tuis, quaesimus, Domine*
> *caelestis gratiae munus impertire.* »

Le dominicain toucha fugitivement, du bout des lèvres, le drap de l'autel. La princesse Sorghaqtani

pouvait bien croire que sa prière concernait son fils
Möngke, que l'homme de Dieu n'avait jamais vu en
personne (ce qui signifiait qu'il n'était jamais venu à
la messe). Il y avait des Mongols qui prenaient au
sérieux leur foi chrétienne, même si elle leur avait
été transmise par les nestoriens, pleine d'erreurs et
d'absurdités. On comptait dans cette catégorie le
général Kitbogha, qui assistait à la messe — à
chaque messe ! — avec son fils cadet, Kito, âgé de
seize ans. Ce vieux guerrier aux allures d'ours prétendait en effet descendre d'une famille comptant
parmi ses ancêtres l'un des trois Rois Mages. La
chose était tout à fait possible car, vu de Bethléem,
l'Occident était en Extrême-Orient. Une belle-fille de
la princesse fréquentait elle aussi assidûment la
messe quotidienne. Dokuz-Khatun était l'épouse de
Hulagu, une princesse kereït, c'est-à-dire chrétienne.
Lors de ses voyages d'ambassadeur, André avait noté
avec un extrême étonnement le nombre de sectes et
d'Églises « chrétiennes » qui peuplaient l'Orient.
Toutes se référaient au Messie et vénéraient d'une
manière ou d'une autre le Seigneur Jésus-Christ,
mais aucune n'avait causé autant de ravages que les
adeptes de ce Nestor.

Le dominicain, qui continuait sa psalmodie, vit
avec déplaisir que le général s'emparait une fois de
plus du calice contenant le vin de messe et en avalait
une bonne gorgée. Il autorisa son fils à y tremper les
lèvres, puis fit passer la coupe : ils y buvaient tous à
présent !

> « *Benedicta et venerabilis es,*
> *Maria Virgo, quae sine tactu pudoris*
> *inventa es mater Salvatoris.* »

La princesse Sorghaqtani fit au prêtre un signe
impérieux : il devait s'arrêter. André savait qu'elle
brûlait d'impatience, elle voulait rejoindre le *Kuriltay*
au plus vite, pour faire élire son aîné au trône de
grand khan.

« *Dominus vobiscum...* »

Incapable d'attendre plus longtemps, elle resserrait déjà les pans de sa robe d'apparat.

« ... *Et cum spiritu tuo* », répondirent les nestoriens.

André, en réprimant un sourire, céda aux injonctions de la princesse et prononça en toute hâte le « *Ite missa est.* » Il bénit la petite communauté qui se disloquait déjà et s'agenouilla pour une brève prière grâce à laquelle il espérait se racheter auprès du Seigneur : avoir conclu la messe à une vitesse pareille était inexcusable. Il ferma les yeux. Cela l'empêcha de voir que Batou, le puissant khan du Qiptchak, était entré dans la yourte et retenait la princesse Sorghaqtani. Mais le prêtre entendit les mots que le maître de la Horde d'Or adressa à la mère de Möngke. Le gros Batou l'avait entraînée derrière l'autel et s'adressait à elle d'une voix sévère :

— Si vous vous présentez devant l'assemblée des hommes, princesse, et y prenez la parole, alors la veuve de Guyuk ne se privera pas de réclamer le même droit et d'y parler à son tour. Oghul Kaimish peut arguer du fait que son mari a été le dernier grand khan et qu'il est légitime de confier cette fonction à l'un de ses fils, peut-être le cadet.

Batou parlait d'une voix claire, sans doute parce qu'il avait préparé son discours, ce qui éveilla les soupçons de la princesse. Mais elle laissa le vieil homme achever sa harangue.

— À cela s'ajoute le fait qu'Oghul Kaimish a occupé la régence toutes ces dernières années, c'est-à-dire depuis la mort de Guyuk. Elle a sous son pouvoir toute la cour et beaucoup d'autres personnes. Vous connaissez son clientélisme. Elle fera parler toutes ces voix contre vous si nous tolérons...

— Quel est ce « nous », mon cher Batou ? demanda la princesse Sorghaqtani, moqueuse, pour cacher sa méfiance. S'agit-il de Batou, le fils de Djötchi ? Qui me garantit que je puisse compter sur votre voix ? Le titre de seigneur suprême pourrait être le couronnement de votre existence.

— Pourrait, dit Batou d'une voix abattue, car la princesse avait touché son point faible. Mais le doute qui plane sur la naissance de mon père reviendrait sans aucun doute dans le débat. Je ne suis peut-être pas un pur descendant de Gengis ! C'est la raison pour laquelle, ajouta-t-il, amer, je me suis créé mon propre royaume, dans lequel je n'ai à me soumettre à aucun vote. La Horde d'Or obéit à mes ordres. Je n'ai plus besoin de l'honneur qui s'attache au titre de khan des khans. Mais le peuple des Mongols a besoin, d'urgence, d'un souverain qui reprenne les rênes, et d'une main ferme. C'est la raison pour laquelle je voterai pour Möngke !

Le dominicain en prière pencha la tête et se boucha les oreilles. Il ne voulait plus rien entendre.

— Je vous crois volontiers, Batou, répondit la princesse, adoucie, mais je ne veux pas me reprocher, plus tard, d'avoir abandonné le terrain sans combattre ses rivaux. Au bout du compte, la mère de Chiremon peut elle aussi arguer du fait qu'Ödegai a désigné son fils à elle comme successeur.

— Ce qui n'a aucune valeur légale, mais représente un certain poids moral, admit Batou. C'est précisément la raison pour laquelle je veux vous demander avec force de ne pas insister pour être sur place. Car votre absence donnera au chef des élections, le grand juge Bulgai, qui nous est dévoué, la possibilité d'exclure toutes les femmes et toutes les mères.

— Ce qui vous conviendrait fort bien ! s'exclama la princesse, indignée.

Mais sa belle-fille, Dokuz-Khatun, une femme bien plus jeune qu'elle, et qui s'était tenue jusqu'ici à ses côtés, silencieuse, lui posa la main sur le bras pour l'apaiser.

— Ne vous inquiétez donc pas de l'influence des femmes. La seule chose importante à présent est que nos hommes occupent les bonnes positions.

La princesse combattit longtemps contre elle-même avant d'annoncer à voix haute :

— Parler au *Kuriltay* et voter est le privilège exclusif des hommes. Nous, les femmes, nous nous fierons à leur jugement. Nous en attendrons le résultat dans nos yourtes.

Le *Kuriltay* débuta, et les gardiens de l'ordre du grand juge Bulgai, que l'on reconnaissait à leurs pantalons verts et à leurs tabliers orange, veillèrent strictement à ce que toutes les mères des princes appartenant à la lignée des Gengis, (autant de candidats potentiels à l'élection), soient tenues à l'écart de l'assemblée. Cela fit bien sûr des remous. La princesse Oghul Kaimish, l'ancienne régente, qui avait fait jusqu'ici tout ce qu'il lui plaisait de faire et dont il était déconseillé de braver les ordres, se mit en fureur et tenta, avec la garde de son clan, de se frayer par la force un accès à l'assemblée électorale. Sur ce, les hommes du Bulgai l'enfermèrent dans l'antichambre de la tente d'audience et décapitèrent ses gardes. La mère de Chiremon n'osa pas se rebeller, mais elle se joignit à Oghul Kaimish, à laquelle elle proposa, en guise d'hommage, pour ainsi dire, sa propre garde, qui n'avait pas encore été décapitée. Mais les espions du Bulgai ne quittaient pas les deux femmes des yeux, et leurs gardiens firent en sorte que personne ne s'approchât à portée de leurs cris tant que l'élection ne serait pas encore faite.

Comme on pouvait s'y attendre, on commença par délibérer longuement sur le choix de la procédure : fallait-il appliquer la loi de l'« ultimogéniture », le choix du plus jeune, qui avait été battue en brèche depuis longtemps, ou bien celle de la « primogéniture », qui désignait l'aîné, et donc le plus expérimenté, pour devenir le souverain ?

Batou proposa un compromis à la Salomon, taillé sur mesures pour son favori. Le chef de la Horde d'Or, respecté par la plupart des Mongols et redouté par les autres, déclara :

— Toluy était le fils cadet du père de notre lignée, le grand Temudjin, qui unit les tribus mongoles sous le nom de Gengis Khan. Il s'est sacrifié, il a donné sa vie pour son frère. Il est donc juste de faire venir aujourd'hui son clan au pouvoir. Nous avons le choix entre quatre de ses fils, et tous soutiennent fidèlement leur frère aîné. Nous ne devrions rien leur céder en loyauté.

Le discours était habile : il jetait une lumière déplaisante sur les fils de Guyuk et d'Oghul Kaimish, qui ne s'entendaient guère. L'engagement de Batou en faveur des fils de Toluy et de Sorghaqtani épargna aussi aux Mongols la tâche gênante d'élire le vieux khan, car tous connaissaient la rumeur : dans la jeunesse de Temudjin, alors qu'il était encore loin d'être devenu Gengis Khan, on avait enlevé sa femme au futur grand khan, et elle était déjà enceinte lorsqu'il avait enfin pu la libérer. Elle mit ensuite un fils au monde, Djötchi, le père de Batou. Peut-être était-ce en raison de l'origine douteuse de Djötchi que Gengis Khan n'avait pas désigné Batou comme son successeur.

Si Batou plaidait pour son neveu et non pour son propre fils, c'était certainement le premier qu'il fallait élire. Dans ces conditions, Chiremon ne pouvait plus avoir le moindre espoir. Ce n'était pas qu'on l'eût méprisé. Plus d'un Mongol considéra même comme une injustice la manière dont son propre clan avait passé ses droits par pertes et profits. Chiremon le supporta avec dignité, mais les plaintes constantes de sa mère lui firent plus de tort que de bien. « Ah, le pauvre garçon », disait-on dans son dos. Chiremon voulut mettre un terme viril à ces simagrées, il se leva, et, à l'étonnement général, se dirigea vers Batou et lui donna l'accolade.

André de Longjumeau attendait dans la yourte de la princesse Sorghaqtani l'instant où l'on élirait enfin un « khagan », un grand khan, afin de pouvoir présenter lors d'une prochaine audience le message dont l'avaient chargé le roi et le pape, puis quitter enfin ce pays, une fois pour toutes !

La princesse attendait aussi. Elle avait été rejointe par l'épouse de Möngke, Kokoktai-Khatun, et par Irina, la femme du général Kitbogha. Toutes étaient de sang kereït et, en tant que telles, des chrétiennes nestoriennes pratiquantes. Mais elles étaient trop émues pour prier à cet instant. Plus pour combattre sa nervosité que par curiosité, la princesse demanda à l'ambassadeur :

— Parlez-nous donc de ce jeune couple de princes sans couronne, ces « enfants du roi Graal » que l'on vénère tellement dans le « Reste du Monde », bien qu'ils ne vous gouvernent pas. Est-ce comme chez nous, faut-il d'abord qu'un *Kuriltay* les désigne souverains ?

André avait immédiatement compris de qui lui parlait la princesse mongole. Il était embarrassé. Devait-il simplement nier l'existence de Roç et de Yeza ? Cela lui ferait peut-être perdre toute crédibilité auprès de Sorghaqtani, qui était manifestement bien informée. Devait-il expliquer la position de l'*Ecclesia catolica* à l'égard du Graal hérétique ? Cela mènerait trop loin. Il répondit donc :

— Tout n'est pas réglé de manière aussi harmonieuse que chez vous. Il existe une souveraineté accordée par Dieu, comme celle du Saint-Père, notre seigneur le pape, et celle du roi de France, lui aussi par la grâce de Dieu... André réfléchit, très gêné. Et il y a l'élection du roi allemand, que le pape, et le pape seul, peut sacrer empereur.

— Et les « enfants du Graal » ? insista la princesse.

— Ils ne peuvent apporter la preuve de leur sang royal, dit André, c'est la raison pour laquelle personne ne les veut, l'Église...

— Le pape est-il de sang royal ? reprit Sorghaqtani. Est-il marié à une chrétienne ?

— Mais non, pas du tout ! s'exclama le dominicain, horrifié. Le pape est élu et il est saint, il ne se marie pas...

— Dans ce cas, comment peut-il être issu de la même Sainte Famille ? À moins que n'importe qui puisse devenir pape sans apporter la preuve qu'il est de sang royal ?

André se gratta les quelques cheveux qui entouraient sa tonsure.

— N'importe qui, pourvu qu'il ait voué sa vie au Christ !

— Vous aussi, par conséquent, André, constata la princesse d'une voix amicale. Mais alors, qu'est-ce que c'est que ce couple royal ? Pourquoi prenez-vous tant de précautions, s'ils ne sont pas de sang royal, s'ils ne sont pas saints, s'ils ne sont pas enfants du pape et s'ils ne sont pas issus non plus de la Sainte Famille ? S'ils ne peuvent donc pas revendiquer la souveraineté... pourquoi ne les tuez-vous pas ?

— C'est... c'est délicat, bredouilla André. Il y a une puissance qui les protège ; beaucoup de gens croient que le Graal existe, et qu'il est puissant. Mais moi, je dis : Il n'existe pas. Ce sont les pires ennemis de l'Église.

— Ah ! répondit la princesse en souriant. Mais comment est-ce possible, puisqu'ils ne possèdent ni royaume, ni armée ?

— Ils revendiquent la souveraineté sur tous les hommes...

— Sur le monde entier ? demanda la princesse, incrédule.

André hocha la tête.

— Une souveraineté spirituelle, tenta-t-il d'expliquer, qui revient au pape, et à lui seul.

— Ho, ho ! dit la princesse, moqueuse. Au pape ? Et qui lui a accordé ce droit ? Sa voix paraissait presque menaçante, à présent. Peut-être cette prétention des descendants du Graal est-elle plus justifiée que vous ne voulez l'admettre ? L'heure me semble venue de mettre de l'ordre chez vous, et il n'existe qu'un seul ordre : la loi créée par Gengis Khan. Ces jeunes rois s'y plieront aussi s'ils sont intelligents. Ils doivent venir chez nous, faites-le-leur savoir !

L'ambassadeur n'osa pas la contredire. Pourquoi diable s'était-il laissé entraîner dans cette effroyable dispute ?

— Nous devrions prier, dit-il d'une voix ferme pour rétablir sa position et celle de son Église.

— Non, dit la princesse, nous allons boire !

À l'extérieur, on avait entendu des cris qui ressemblaient à « Khagan ! Khagan ! » Mais le silence était ensuite revenu. Cette élection n'arriverait-elle donc jamais à son terme ?

— Laissez-nous seuls ! ordonna la princesse en faisant signe aux gardes. Le légat du pape désirerait une audience ! fit-elle, narquoise, avant d'ajouter : Pour savoir qui doit régner sur ce monde.

Les gardes s'emparèrent du dominicain et l'entraînèrent à l'extérieur. André craignit pour sa vie, mais ils l'accompagnèrent dans la grande salle d'audience, toujours vide, et lui indiquèrent un appartement latéral qui n'avait pas d'ouverture sur l'extérieur. Dans l'antichambre, la mère des fils de Guyuk et celle de Chiremon attendaient. Elles étaient seules. Des gardes étaient postés à toutes les issues. Les femmes regardaient fixement l'assemblée et tentaient de deviner ce qui s'y passait.

Affinités électives

Une fois certain d'être élu par acclamation, Möngke avait tenu à prononcer devant l'assemblée quelques mots sur ses intentions de gouvernant. Il parlait d'une voix haute et distincte ; quelques phrases parvenaient même à ceux qui accomplissaient leur office en marge de la réunion.

— Le legs de mon grand-père, s'exclama-t-il, n'est pas un héritage commode ; il ne s'agit pas d'administrer les biens qui nous ont été transmis, mais de les multiplier et de les étendre pour que le monde entier nous soit soumis !

Et il exposa ses idées aux Mongols qui l'écoutaient, captivés : son frère Kubilai soumettrait la Chine, Hulagu la Perse et le « Reste du Monde » ; il chargerait Batou, fort de tant d'expérience, de

conquérir la Russie. Lui-même, avec Ariqboga à son
côté, régnerait sur les terres d'origine des Mongols et
soumettrait à sa loi les derniers peuples sylvestres
insurgés de la Sibérie et « les gens des montagnes »,
au nord-est. Chaque tribu devrait mettre à disposition, pour cette entreprise guerrière, un tiers de ses
troupes, au moment et à l'endroit que lui, Möngke,
jugerait opportuns. L'assemblée l'acclama du nom
de « khagan ». Möngke était devenu grand khan. Et
il fit aussitôt proclamer qu'il célébrerait son élection
le soir même en organisant une grande fête. Tous se
réjouirent de cette beuverie annoncée — tous, sauf
les deux mères dont les fils allaient repartir les mains
vides. La maligne Oghul Kaimish et la stupide mère
de Chiremon, qui la soutenait, cherchaient une vengeance. André, dans son cachot étroit, avait lui aussi
entendu les cris de joie acclamant le « khagan », et
exigea, furieux, que les gardes lui indiquent l'identité
du nouveau grand khan élu : il souhaitait à présent
être reçu par lui en audience, comme il seyait à un
envoyé du Saint-Père et du roi Louis de France. Il
haussa le ton, mais les gardes se firent un plaisir de
le laisser dans l'ignorance. L'élection n'était pas
encore terminée, loin de là, lui expliquèrent-ils ; on
ne pourrait parler de résultat qu'au moment où le
grand festin se serait achevé. Celui qui n'aurait pas
roulé sous la table et se tiendrait encore sur ses deux
jambes, celui-là serait le khagan ! Ils se pliaient en
deux de rire, et se délectèrent de ses injures autant
que de la perspective de cette grande beuverie.

Lorsque André comprit enfin qu'il n'obtiendrait
rien de ces soudards, il se tut d'un seul coup. Il perçut les voix des femmes qui chuchotaient dans l'antichambre. Il colla son oreille à la paroi de la tente et
entendit clairement Oghul Kaimish murmurer :
« Lorsqu'ils seront tous ivres, tes hommes entreront
dans la tente de fête et... sans exception ! Aucun ne
sera épargné ! »

Il n'entendit plus un mot.

Les élections étant terminées, le grand juge Bulgai

n'avait plus aucun motif de retenir prisonnières les deux dames et leur escorte. La tête droite, le nez pincé de fureur, l'âme noire de haine et de rancœur, Oghul Kaimish se précipita hors de la tente d'audience et exigea de voir ses fils sur-le-champ.

Constatant que lui n'était pas libéré, André de Longjumeau fut pris d'un accès de rage. Il se mit à crier comme si on voulait l'assassiner, puis à geindre et à se lamenter sur son destin. Il se garda cependant de maudire les Mongols, et moins encore le grand khan, si furieux fût-il. Cette stratégie lui réussit. Le chambellan musulman de Hulagu, Ata el-Mulk Dschuveni, entendit ces piaillements qui gâchaient l'ambiance de la fête. Il informa son seigneur du comportement peu convenable du légat chrétien. Hulagu, déjà averti par sa femme qu'il fallait traiter plus aimablement le représentant du Saint-Père, se tourna vers son frère cadet, Ariqboga :

— C'est ton désir ardent, mon frère, d'être lancé à la conquête du « Reste du Monde » ! Comme amuse-gueule, accepte donc d'accorder à ce légat une audience qui lui fera définitivement passer sa manie de nous donner des leçons.

— Hulagu, tu me parles comme à un jeune chien désireux d'aller planter ses crocs dans les mollets du messager du pape !

Ariqboga était doublement vexé : il n'avait pu imposer que son frère l'envoie lui aussi, comme il le voulait, à la conquête d'une partie du monde. Et on lui jetait à présent cet os à ronger ! Ariqboga grogna :

— Tu ne viendras pas te plaindre de moi après coup ! J'ai des dents qui font mal !

Fou de rage, il partit au pas de charge vers la grande salle d'audience, poursuivi par le rire toni-truant du général Kitbogha. Il pouvait bien se moquer, ce vieux grognard. C'est lui qui dirigerait la campagne de conquête dont Ariqboga avait telle-ment souhaité le commandement. Le prince se pré-cipita si vite dans la salle d'audience que sa garde personnelle parvint à peine à le suivre. Ariqboga

hésita un instant en voyant, sur le côté, le trône surélevé du grand khan. Mieux valait ne pas s'y asseoir. Il
resta donc debout, le souffle lourd, posa simplement
sa main sur le dossier du trône et ordonna que l'on
fît entrer l'ambassadeur.

André de Longjumeau pénétra dans cette salle qui
constituait la partie principale de la tente où on
l'avait retenu prisonnier pendant presque une journée entière. Il vit devant lui, bordé par une haie de
gardes au regard courroucé, le chemin qu'il lui fallait
accomplir avant d'arriver devant le trône. Il remarqua aussi le jeune prince qui, entouré par quelques
dignitaires, discutait vivement avec le chambellan
Dschuveni, que Hulagu avait envoyé auprès de son
frère en le chargeant d'éviter un scandale. Ce tableau
donna du courage au dominicain et dissipa sa
colère. Il avança à grands pas et s'inclina très bas
devant le jeune Ariqboga qu'il n'avait encore jamais
vu, aucun des fils de Sorghaqtani n'ayant assisté à
l'une de ses messes. André se racla la gorge; pour
l'instant, personne n'avait fait attention à lui. Il se
mit à chanter à voix haute :

« *Alleluia, Alleluia. Assumpta est Maria in coelum :
gaudet exercitus angelorum. Alleluia.* »

Les Mongols se tournèrent vers lui, étonnés et
amusés, et le nonce annonça d'une voix solennelle :

— Soyez salué, mon prince, et avec vous l'admirable peuple des Mongols.

L'interprète traduisit, Ariqboga sourit, et André
reprit aussitôt :

— Le maître de la chrétienté, le Saint-Père de
Rome, Pontifex Maximus, le pape Innocent IV, et
son premier paladin Louis, roi de France, m'ont
chargé de vous demander...

C'est l'instant que choisit Ariqboga pour lui couper
la parole sans ménagement :

— Vous n'avez pas à demander ! aboya-t-il. Que ce
père et son fils Paladin viennent nous voir et se soumettent au nouveau khagan de tous les Mongols, s'ils
veulent garder leur couronne sur leur tête !

Le chambellan tenta d'apaiser le prince. Auparavant, il lui avait chuchoté, en vain, le nom et le titres corrects du Pontifex Maximus et de Louis. Mais Ariqboga l'écarta et fit annoncer par l'interprète :

— Si ces princes tergiversent plus longtemps et gaspillent notre temps avec leurs questions, leurs demandes et leurs exigences, alors nous les écraserons par les armes, eux, leurs familles et leurs pays.

Décontenancé, il regarda André, qui s'était agenouillé et courbait la tête, puis il ajouta :

— Ensuite, nous n'accepterons plus que les hommages des têtes coupées !

André, désespéré, recommença à chanter l'hymne à Marie :

« *Omnipotens sempiterne Deus, qui in corde beatae Mariae Virginis dignum Spiritus Sancti habitaculum praeparasti !* »

Ariqboga crut que le prêtre se moquait de lui ; il s'approcha d'un garde et tira le sabre de son fourreau. Cette fois, le chambellan intervint pour de bon et s'interposa.

— C'est un ambassadeur accrédité, dit-il à voix basse. Seul le grand khan a le pouvoir de le condamner à mort.

Voyant qu'Ariqboga, loin de comprendre son intervention en faveur de cet étranger insolent, lui en tenait rigueur, il ajouta en chuchotant :

— Si vous voulez tuer quelqu'un, alors prenez ma vie, mais ne laissez pas le sang de ces chrétiens stupides souiller l'honneur du peuple mongol !

Ces mots furent décisifs. Ariqboga lança le sabre à son propriétaire et sortit de la salle comme une furie, sans même regarder le dominicain prosterné. Sa garde personnelle le suivait au pas de course.

André leva la tête et demanda aux personnes qui se trouvaient encore autour de lui :

— Qui est devenu grand khan ? Je veux me présenter à lui et témoigner pour mon Seigneur !

L'état mental de l'ambassadeur parut extrêmement inquiétant à Ata el-Mulk Dschuveni. Il envoya

donc le chambellan chercher le grand juge, et resta
auprès d'André jusqu'à ce que les gardiens de l'ordre
du Bulgaï entrent et emmènent le dominicain,
lequel, dans la confusion de son esprit, continuait à
chanter son hymne d'une voix cassée :

« *Alleluia, Alleluia. Salve Mater misericordiae,
Mater spei et gratiae, o Maria. Alleluia.* »

Entre-temps, on avait apporté le repas dans la
grande tente de fête, à laquelle se rattachaient directement d'autres petits pavillons, semblables à des
poussins cherchant la chaleur de la mère poule. Un
peu partout, dans les rues qui séparaient les tentes,
on avait installé des broches. Des bœufs et des moutons de toutes les tailles, jusqu'aux agneaux les plus
tendres, grillaient au-dessus du feu. Des serviteurs
apportaient les carafes et les cruches d'hydromel et
de kumiz, la boisson que tous préféraient parce
qu'elle les menait plus vite à l'ivresse. Tous ceux qui
avaient été autorisés à participer aux ripailles
avaient d'abord dû déposer les armes. Les gardiens
de l'ordre du Bulgaï avaient tracé avec des cordes
une sorte de cercle autour des tentes, et les poignards rassemblés s'empilaient sur les tables. Malgré
cette mesure générale et rigoureuse — on avait
annoncé à plusieurs reprises que toute personne portant une arme à l'intérieur du cercle serait condamnée à mort —, le grand juge avait déployé trois cordons de sécurité supplémentaires dans la tente
principale autour du grand khan, de son clan et de
ses plus proches amis.

Le Bulgaï jouait un jeu dangereux. Il savait, par
ses mouchards, que des membres du clan de la
régente, mais aussi, sans aucun doute, de la garde de
Chiremon préparaient une attaque pour une heure
avancée de la nuit. Mais il ne connaissait pas tous les
visages, et de loin ; on pouvait supposer qu'Oghul
Kaimish n'avait pas lésiné sur les promesses afin de
gagner à sa cause d'autres conjurés et des assassins.
Il aurait pu, bien sûr, la faire arrêter de nouveau et
l'isoler de sa suite, mais c'est justement ce qu'il ne

voulait pas faire. Il avait donc demandé aux hommes
qui gardaient le cercle extérieur de ne procéder à
aucune fouille. Ceux qui voulaient se débarrasser de
leurs armes pouvaient le faire sur les tables, devant
le cordage. Mais les gardes avaient pour consigne de
surveiller tous ceux qui n'auraient pas déposé leurs
poignards, de s'emparer d'eux lorsqu'il en donnerait
l'ordre, et surtout pas plus tôt. Le Bulgai espérait
ainsi pouvoir prendre les assassins l'arme à la main.
Il n'avait pas du tout l'intention d'empêcher
l'attaque : il voulait anéantir, une fois pour toutes, la
clique d'Oghul Kaimish. Le grand juge avait engagé
tous ses hommes, soit en gardiens de l'ordre
reconnaissables, soit en mouchards déguisés. Dans
la tente de laquelle il dirigeait l'opération, ses meilleurs bourreaux étaient déjà prêts.

Lorsque Chiremon les vit affûter leurs haches, il
crut défaillir. Mais cette scène lui prouva qu'il avait
choisi la bonne solution. Il s'était rendu dans la tente
du Bulgai parce qu'il avait eu vent des sinistres projets de la régente — dont on ne l'avait pas informé.
Mais il avait senti que quelque chose se préparait
autour de lui, et présenta au juge la totalité de ses
soupçons.

— C'est une bonne chose que vous soyez venu,
Chiremon, lui dit celui-ci. Dans le cas contraire,
j'aurais été forcé de vous compter parmi les instiga-
teurs du complot. À présent, rendez-vous dans la
tente et faites allégeance à Möngke. Sans cela, votre
absence plaidera contre vous ! Buvez avec lui, et fiez-
vous à ma vigilance !

Entre-temps, on avait remporté les plats principaux du festin. Tous avaient abondamment mangé,
si l'on en croyait les rots tonitruants : il fallait à
présent arroser ces mets gras et salés.

Des bateleurs surgirent dans la tente : cracheurs
de feu d'Ispahan, illusionnistes turcs, avaleurs de
sabres géorgiens, fakirs du Gange capables de s'infliger des entailles effroyables sans se causer de blessures visibles. D'autres soufflaient dans leur pipeau

pour faire danser des cobras. Des Tcherkesses aux larges hanches secouaient leurs fesses rebondies, rivalisant avec les femmes du lointain Maghreb qui faisaient rouler leur ventre et prenaient des poses lascives au son des tambours.

Autour de Möngke s'étaient installés ses frères et presque tous ses cousins, oncles et autres parents : tous ceux qui avaient milité pour son élection, ou du moins s'en donnaient l'apparence. Ils avaient tous leur verre levé en son honneur lorsque Chiremon apparut. En guise de punition pour son apparition tardive, il dut aussitôt boire trois hanaps à la file. Hulagu lui fit ensuite le beau récit de la réception offerte par Ariqboga à l'ambassadeur du pape. Le chambellan, Dschuveni, fit preuve de tact et d'un talent parodique considérable. Il mima le pauvre André en se livrant à des numéros de chant qui lui valurent beaucoup de succès. Tous rirent à gorge déployée, Kitbogha plus encore que les autres, lorsque Dschuveni, un homme que l'on considérait généralement comme un pince-sans-rire, tout juste capable de s'enflammer sur des questions d'ortho-doxie islamique, entonna l'« *Ave Maria* » avec la voix de fausset d'un eunuque. Les mugissements hilares cessèrent seulement à l'instant où Dokuz-Khatun, qui se tenait un peu en arrière des hommes avec l'épouse de Möngke et les autres femmes, pria son mari, Hulagu, d'avoir un peu plus de respect pour sa foi chrétienne. Alors, Kitbogha, le barbu, donna une grosse bourrade au chambellan : son trille lui resta dans la gorge.

À cet instant, Batou entra, suivi par son fils Sartaq. Il poussait devant lui un prince étranger, une haute silhouette au regard froid, un homme qui ne crai-gnait visiblement aucune lame.

— C'est Alexandre Nevski, cria Batou à l'intention de son neveu, Möngke. Il vient d'arriver pour vous rendre hommage, khagan !

Le prince de Kiev s'inclina et salua l'assistance.

— Alors je me suis dit..., fit Batou en riant, d'une

voix de stentor (lui aussi avait déjà beaucoup bu avant qu'on ne l'appelle à l'extérieur de la tente),... je vais vous l'amener tout de suite, comme ça il pourra faire ses salamalecs et puis boire avec nous !

Le regard de Möngke se posa, bienveillant, sur ce prince qui n'avait pas craint de faire un aussi long voyage, et dont le regard lui parut aussi intelligent que courageux.

— Voulez-vous vous soumettre à moi, et combattre à mes côtés comme mon vassal ?

Alexandre Nevski regarda le grand khan droit dans les yeux.

— C'est pour cela que je suis venu, dit-il d'une voix ferme, et il fit mine de se jeter au pied du trône, mais Möngke l'en empêcha.

— Votre parole me suffit, fit le khagan. De toute façon, vous versez votre tribut et vous remplissez votre devoir de vassal à Batou, mon oncle vénéré. Il me suffit donc de vous savoir au nombre de mes amis.

Il tira Nevski vers lui en s'exclamant : « Buvez avec nous ! » Et ils burent sans fin.

Bien après minuit, comme le leur avait ordonné Oghul Kaimish, les conjurés quittèrent les tentes annexes pour s'infiltrer dans le pavillon principal. Ils firent mine d'être ivres morts, ce qui, chez les Mongols, n'avait rien de condamnable. Ils comptaient se frayer dans la mêlée des buveurs un chemin jusqu'au grand khan et ses amis. Lorsqu'ils y seraient parvenus, ils tireraient leurs poignards ensemble et se jetteraient de tous côtés sur le souverain. Il y en aurait bien un pour atteindre la cible, le cœur de Möngke ; les gardes du corps n'avaient pas mille bras, et eux aussi semblaient déjà pris d'une profonde ivresse. Les agresseurs laissèrent des hommes avinés les prendre par le bras en rotant, en riant gentiment et en plaisantant. Mais lorsqu'ils voulurent se débarrasser de ces soûlards, les mains amicales se transformèrent en pinces d'acier : on leur tordit le bras et on les fit discrètement sortir de la tente principale, jusqu'à la table où étaient déposées les armes. Là, on les confia aux gardiens de l'ordre du Bulgai, en plaisantant toujours, mais sans desserrer l'étreinte. On leur lia les mains dans le dos et on les fouilla pour confisquer leurs armes. Chaque fois que l'on trouvait un poignard, le coupable était entraîné devant les tentes, dans l'obscurité. Les bourreaux du grand juge l'y attendaient. Seule la faible lueur des torches de leurs assistants éclairait la scène. Un coup au creux du genou, le sabre se levait et s'abattait, la tête tombait dans le sable et l'on évacuait le tronc. Le procédé était efficace, si l'on en croyait le nombre des têtes qui ne cessait d'augmenter. Personne ne protesta, et aucun garde du clan d'Oghul Kaimish ne parvint même à s'approcher de l'estrade où se trouvaient Möngke et ses amis. Les gardes du corps du khagan le regrettèrent profondément, ils n'avaient rien bu, pas même une goutte d'alcool, et avaient sincèrement espéré qu'au moins l'un des conjurés parviendrait jusqu'à eux pour pouvoir épancher leur bile.

Lorsque le grand juge pensa avoir éliminé tout danger, il ordonna d'aller chercher la régente, la mère de Chiremon et leurs suites dans leurs yourtes et de les mener jusqu'à la sienne.

— Regardez donc, Oghul Kaimish, tonna Bulgai d'une voix moqueuse en la forçant à contempler les têtes. Regardez et dites-moi s'il manque encore quelqu'un.

Puis il donna l'ordre de l'attacher, elle et tous ceux qui l'accompagnaient. Comme Oghul Kaimish ne répondait pas, le grand juge fit tomber quelques têtes parmi son escorte, mais en épargnant les fils de la comploteuse. Horrifiés, ils virent leurs amis perdre la vie l'un après l'autre. La régente finit par reprendre ses esprits et lâcha :

— Il ne manque plus personne.

Le grand juge était satisfait de son travail. Il se rendit dans la vaste tente de réception et parla longtemps au grand khan, à voix basse, avant de s'éloigner de nouveau, aussi discrètement qu'il était venu.

Möngke ne se leva pas, il se contenta d'informer ceux qui se trouvaient le plus près de lui, ses frères et le clan de la Horde d'Or. Pour ce premier acte de gouvernement, si déplaisant fût-il, il lui fallait avant toute chose l'assentiment de Batou. Mais auparavant, il prit congé des femmes et leurs souhaita une bonne nuit.

Lorsqu'elles furent parties, Möngke dit d'une voix tranquille, comme s'il devait expliquer les événements à son invité, le prince russe :

— De mauvais perdants ont entrepris de faire revenir la roue de l'histoire en arrière. Ils ont méprisé la volonté du peuple des Mongols, qui m'a élu grand khan lors de son *Kuriltay*. Ils sont entrés dans cette tente pour me tuer.

Il laissa la nouvelle porter un instant (personne ne parut particulièrement effrayé) avant de reprendre :

— Tous ceux qui ont participé à cette action sont condamnés à mort. Les sentences ont déjà été exécutées.

Chiremon, le seul à avoir perçu les mouvements dans la salle, était devenu livide.

— Celles qui ont été à l'origine de ce crime, des femmes qui sont entrées par le mariage dans la lignée des Gengis, ont reconnu les faits. Nous statuerons sur leur sort en tribunal. Pour l'heure, elles ont été réduites au silence.

Chiremon en resta bouche bée. Sa mère stupide était donc encore de ce monde. Il n'était pas certain de devoir s'en réjouir.

— Les fils de Guyuk devaient être les bénéficiaires du complot, j'ignore s'ils l'ont su, s'ils l'ont seulement toléré ou s'ils ont même encouragé l'entreprise. Ce sont des descendants de Gengis Khan, et c'est la raison pour laquelle aucun bourreau n'a le droit de lever la main sur eux. Mais je veux qu'ils soient bannis sur-le-champ. Aucun clan des Mongols ne devra plus les accepter en son sein.

— Un sage jugement, dit Batou en perçant le silence, et un exemple de ce qui s'impose à un souverain. Nous devrions boire à ton gouvernement, Möngke, car je t'aime comme mon fils. À ta santé et à ton long règne !

Ils burent. Puis Alexandre Nevski leva sa coupe et parla :

— Je veux ajouter à ce ban le vœu du bonheur : cela, nul ne peut le conquérir par la force. Il est offert par Dieu !

Ils burent, et burent encore.

André de Longjumeau avait été consigné dans ses anciens appartements immédiatement après l'« audience » des hommes du Bulgai. Cette fois-ci, il s'endormit aussitôt, épuisé et affamé. Il ne se réveilla qu'au milieu de la nuit, lorsque les femmes furent de nouveau enfermées dans l'antichambre. À leurs vêtements, il reconnut par la porte ouverte la régente Oghul Kaimish et la mère de Chiremon, accompagnées par les dames de cour qui se trouvaient déjà avec elles pendant la matinée. Il entendit des gémissements et des sanglots contenus, mais cela ne l'émut pas particulièrement. Comme les gardes se tenaient devant la tente d'audience et n'en voyaient pas l'intérieur, il prit son courage à deux mains et passa dans la pièce voisine.

Il entendit un sifflement sourd, une sorte de pet — André eut honte de cette comparaison — et il fut pris d'une véritable terreur lorsqu'il comprit d'où provenait ce bruit. Là où se trouvaient jadis des lèvres courait désormais un trait ensanglanté dans la chair boursouflée : on avait cousu la bouche des femmes à gros points de crin de cheval ; au milieu, on avait placé un petit morceau de roseau, semblable à l'anche d'une flûte. C'est de là que provenaient ces bruits inquiétants, on aurait dit que Belzébuth cherchait à s'échapper par ce tuyau. Le dominicain se détourna, horrifié, fit trois signes de croix et rentra en marche arrière dans sa cellule où il tomba par terre et pria.

Il ignorait combien de temps il était resté couché ainsi. De grosses mains s'étaient emparées de lui et

l'avaient soulevé. « Toujours en train d'espionner ? »
lui cria-t-on à la face. Et les gardiens de l'ordre le
traînèrent comme un sac humide — la peur lui avait
vidé les tripes — vers l'extérieur, en passant devant
les gardes. Ceux-ci se bouchèrent le nez. Les gardiens se dirent qu'ils ne pouvaient mener l'ambassadeur dans cet état à leur maître, le grand juge. Ils lui
apportèrent un seau d'eau et il dut se déshabiller
devant tout le monde pour laver ses excréments. Ils
ne furent pas nombreux à le regarder : les Mongols
cuvaient leur vin. André n'était pourtant pas
mécontent d'avoir connu ce désagrément avant
d'être jugé : il savait que cela arrivait à la plupart des
délinquants lorsqu'on les mène sur le lieu d'exécution. Compte tenu de l'heure matinale et des nombreuses têtes coupées qui paraissaient le dévisager
de leurs yeux vides, devant la tente du Bulgai, il ne
doutait pas un instant du sort qui l'attendait. André
se ressaisit et se mit à prier à voix haute :

> « *Miserere mei, Domine, quia in angustiis sum,*
> *[maerore tabescit*
> *oculus meus, anima mea, et corpus meum.* »

Le Bulgai, les traits marqués par sa nuit blanche,
reçut l'ambassadeur sans lever les yeux, avec une
amabilité impersonnelle ; il était justement en train
de rédiger les derniers jugements de la nuit. « Des
retardataires ! fit-il en plaisantant. — Mais ils auront
leur compte tout de même ! » Il songea aux membres
du clan de la régente qui portaient encore leur tête
sur leurs épaules. Oghul Kaimish se le rappelait
sûrement : du vivant de son mari, le grand khan
Guyuk, elle l'avait accusé, lui, le grand juge incor-
ruptible, d'avoir détourné et dérobé les fonds de
l'État. Peu avant, elle avait cherché à faire inculper
de haute trahison sa rivale redoutée, l'irréprochable
princesse Sorghaqtani, et le Bulgai n'avait pas
accepté de se mêler au complot. Le grand juge était

tombé en disgrâce, et n'avait retrouvé ses fonctions qu'au moment où Batou s'était porté garant de lui — ce dont Oghul Kaimish, qui assurait désormais la régence, espérait une certaine reconnaissance. Mais le Bulgai était un homme intègre et rancunier. Il avait patiemment attendu le jour de sa vengeance. Et celui-ci était venu.

— Voici votre accréditation comme ambassadeur officiel du grand khan, dit le grand juge en tendant à André un rouleau de parchemin scellé.

— Dans ce cas — André fondait de bonheur — je vais enfin pouvoir être reçu en audience par le grand khan !

— Non, répondit froidement le Bulgai. Ce document vous place sous la protection personnelle du grand khan, et vous permet de faire en toute sécurité le voyage du retour !

— Mais... mais il, je veux dire le grand kha... le khagan, le puis... le plus puissant souverain des Mongols... ne m'a pas encore reçu, pas du tout ! bredouilla André.

— Ça n'est pas nécessaire, lui répondit le grand juge en se consacrant de nouveau à des tâches moins prenantes. Nous savons à présent ce que vous voulez de nous, et vous connaissez aussi notre réponse, non ?

— Si, si ! s'empressa de confirmer André de Longjumeau, qui s'apprêtait à quitter la tente.

— Ne franchissez pas ce seuil ! fit le Bulgai.

André s'arrêta net.

— La prochaine fois, dit le Mongol, emmenez avec vous ce jeune couple royal. Les « enfants du Graal », c'est bien cela ? ajouta-t-il comme si de rien n'était.

— Roç et Yeza ! laissa échapper le dominicain (il s'en serait mordu la langue).

Et, se retournant pour partir sans prendre congé, il ajouta d'une voix rétive :

— Pour moi, il n'y aura pas de « prochaine fois » !

— Est bienvenu chez nous quiconque respecte

nos désirs. Si l'un d'entre vous devait encore se présenter ici sans amener avec lui Roç et Yeza, il ne serait pas traité en ambassadeur, mais en espion, lui annonça le Bulgai en guise d'adieu.

André voulut protester. L'Église n'avait rien à voir avec ces enfants hérétiques. Mais il préféra s'abstenir.

— Je vous souhaite un bon voyage, dit le Bulgai pour finir.

Et André fut amené jusqu'au char à bœufs que l'on avait déjà préparé pour son départ. Lorsque la charrette à grandes roues quitta le campement en bringuebalant, le soleil se levait à l'est. Et André entonna un chant de remerciement à la Vierge :

> « *Ave Maria, nos pia sana.*
> *Ave tu Virga, expurga vana.*
> *Ave formosa rosa de spina.*
> *Ave annosa glosa divina.*
> *Ave tu scutum virtutum Regina.* »

Mappa Terrae Mongalorum

De la chronique de Guillaume de Rubrouck, Castel d'Ostie, à la Saint-François-d'Assise, en 1251.

Depuis trois mois déjà, je suis l'« hôte » de ce château au bord de la mer. Il monte moins la garde sur le port de Rome que sur un tas de ruines latines devant les murs de la Ville éternelle. On y trouve entre autres un théâtre à l'abandon où paissent des moutons. J'en suis un moi aussi, certes pas le plus petit agneau de Dieu, mais le plus grand de ses béliers. Moi qui m'étais imaginé que l'on m'accueillerait ici à bras ouverts, puisque tant de forces différentes s'étaient jointes pour me faire traverser la Méditerranée par le premier bateau afin de rejoindre l'Italie. Même les deux ordres de chevaliers chrétiens étaient tombés d'accord, exceptionnellement, pour préserver désormais la Terre sainte de ma présence.

Mais mon ordre, celui des frères mineurs de Saint-François, m'a battu froid partout où j'ai débarqué. Et lorsque, ignorant les évolutions politiques survenues en Occident, j'ai invoqué mes relations avec Élie de Cortone, qui avait tout de même été ministre général des franciscains, des soldats m'arrêtèrent, me firent descendre du bord et me conduisirent dans cette forteresse portuaire. Elle fait partie des propriétés épiscopales de la curie romaine ; c'est Rainaldo di Jenna qui la dirige, de son état archevêque-cardinal d'Ostie, issu de la lignée de *papabili* des Conti di Segni. Deux semaines durant, devenu le simple frère Guillaume des Flandres, je suis resté à croupir dans un cachot situé sous le château et sans doute aussi sous le niveau de la mer, avant que le bienveillant seigneur archevêque et cardinal ne prête la moindre attention à sa prise. Mais depuis, je ne peux me plaindre que l'on ait manqué d'attentions à mon égard.

— Son Excellence se considère comme un excellent connaisseur du monde spirituel de l'Est. Il ne parle pas de l'Orient classique des *Mille et Une Nuits*, mais des lointains inexplorés, ceux de la steppe tatare.

Le bavard qui me fait ces confidences est frère Thomas, un frère mineur comme moi, chargé de consigner le nom des visiteurs dans l'antichambre du grand seigneur. Avant de m'interroger sur ma personne, qu'il paraît fort bien connaître, il ajoute :

— Son Excellence estime qu'il lui revient de faire en sorte que l'on porte un regard neuf sur la question mongole.

Frère Thomas n'a manifestement pas besoin de faire preuve d'une loyauté exceptionnelle envers son maître, en reconnaissance pour son poste de *secretarius*.

— Et ce, au sein d'une curie qui continue, tel un cheval à œillères, à suivre la route cahoteuse qui mène à la destruction des Hohenstaufen, afin de piétiner sous ses sabots ce nid de vipères.

Frère Thomas, un gibelin camouflé? Non, si Thomas de Celano a choisi de servir en ces lieux, c'est qu'il veut écrire un livre sur le fondateur de notre ordre, saint François d'Assise. C'est la raison pour laquelle il a aussi entendu parler de moi, Guillaume, un piètre exemple de frère mineur.

— Guillaume, mais quelle mouche t'a donc piqué, justement à la porte de cette maison, de demander des nouvelles d'Élie de Cortone, ce traître proscrit, deux fois excommunié, qui s'est rallié à l'empereur pour devenir son conseiller contre l'Église?

— Je pensais, dis-je avec un air un peu niais — et peut-être une once de véritable stupidité —, qu'après toutes ces années, l'herbe aurait repoussé sur cette vieille histoire et sur mes erreurs. Tout de même, l'empereur est mort. J'ai cru que, fort de sa douloureuse expérience, le *Bombarone* pourrait m'indiquer la voie qui me permettrait de retrouver la grâce de l'ordre.

— Comment cela? répliqua Thomas. On ne t'a jamais chassé de nos rangs, c'est toi qui t'es placé en dehors de la *regula*!

J'eus l'impression d'être libéré d'un poids, et je demandai :

— Et pourquoi donc m'a-t-on arrêté comme un voleur?

— Pour que tu ne repartes pas en courant, Guillaume de Rubrouck!

Thomas de Celano eut un sourire rusé.

— Le maître des lieux, ton hôte, a créé un *Ufficium Studii Mongalorum* dont il a confié la direction à l'un de nos frères, sans doute parce que messire le cardinal considère tous les franciscains comme des explorateurs-nés. Mais, ajouta-t-il en riant, ce Crémonais, depuis Assise, n'est encore jamais allé plus loin en direction de l'Orient que dans les Marches. Son Excellence, pour des raisons qui me sont obscures, se fie sans doute aux capacités de Bartholomée de Crémone, qui lui est aveuglément dévoué.

Un frisson de terreur me parcourut les membres,

je le sentis jusque dans mes entrailles. Le passé m'avait rattrapé. Ce Bartholomée, un espion de la curie, m'avait dérobé la copie du « grand projet », jadis, quand avait débuté mon errance. Mon Dieu, cela remontait déjà à sept ans ! Le Crémonais perfide n'était peut-être pas allé traîner plus loin que sur les côtes de l'Adriatique, mais il était chez lui dans les services secrets du pape. J'entendis tinter une clochette.

— On nous appelle, dit Thomas. Quand es-tu né, Guillaume ?

Il n'avait pas cessé de prendre des notes.

— Il y a trente ans.

Il nota aussi cette information, saisit ses documents et me fit passer par un couloir étroit et un escalier grinçant, jusqu'à une lourde porte de chêne devant laquelle se tenaient deux gardes. Ils jetèrent un coup d'œil aux papiers avant de me laisser entrer.

La salle était claire, les fenêtres donnaient sur la mer. Rainaldo di Jenna se tenait devant sa table de travail, dans un grand fauteuil à oreilles. Frère Bartholomée était assis dans le coin, derrière son pupitre.

— C'est lui, annonça-t-il à son maître dès que je fus entré.

— Prenez place, Guillaume, dit le maître des lieux d'une voix accueillante. Si j'avais su qui j'abritais sous mon toit, vous seriez assis ici depuis longtemps.

« Tiens donc, songeais-je, mon frère d'ordre a donc commencé par me laisser mijoter en cellule, pour ne pas dire pourrir. »

— J'aurais préféré le toit à la cave, Excellence, répondis-je, mais je suis habitué à faire face à l'adversité.

— Je m'en doute, répondit-il aimablement. Pour entreprendre un voyage aussi long que celui que vous avez effectué jadis avec Pian del Carpine, on doit avoir les épaules larges.

Il y avait dans sa voix une nuance d'interrogation, si bien qu'il me fallut aborder aussitôt ce sujet désagréable.

— Oui, dis-je modestement, un long chemin, plein d'obstacles et de chausse-trappes dressés par la nature ou inventés par l'homme, dont le voyageur doit d'abord étudier les étranges manières de pouvoir se faire une idée à leur propos.

— Bien parlé! s'exclama mon hôte. Je vois que vous êtes l'homme dont l'expérience manque totalement à mon *Ufficium Studii Mongalorum* (il désigna Bartholomée, sans manifester d'estime particulière), et qui nous enrichira tous.

Cela annonçait un travail mal rémunéré, voire pas payé du tout, et un assez long séjour.

— Vous savez dessiner, Guillaume? Je veux dire: représenter les choses par le dessin? Précisons tout de suite que je n'attends pas de vous le talent artistique d'un peintre de fresques.

Je hochai la tête, je me suis toujours cru capable de tout, et je me suis toujours débrouillé avec cette foi inébranlable.

— Je souhaiterais pouvoir développer mes dispositions naturelles par des études, mais je vous servirai bien volontiers.

— Vous êtes mon hôte bienvenu, Guillaume, fit le cardinal qui venait de refermer son piège. Je pense, reprit-il, que la principale condition pour travailler sur la question mongole serait de se faire une idée de leur royaume et du chemin qui y mène. Les montagnes et les fleuves, les lacs et les déserts, les villes.

Le sujet l'enthousiasmait visiblement.

— Les distances et les ordres de grandeur: voilà ce qu'il nous plairait d'avoir devant nous, sur une carte, avant de nous lancer dans des réflexions stratégiques ou des démarches politiques. Je ferai tendre de lin toute la largeur de cette pièce — il désigna le mur de refend, qui mesurait au moins quinze pas —, et c'est sous votre direction, Guillaume, que nous établirons cette représentation topographique!

Sainte Vierge! Dans quoi m'étais-je lancé? Même mon dilettantisme en peinture de paysages ne pourrait masquer le fait que je n'avais pas la moindre idée sur ce pays et sur ses habitants. Messire l'archevêque-cardinal ne s'en doutait pas, cela ne l'aurait d'ailleurs guère chagriné. Il était possédé par son idée.

— Je vais vous faire fabriquer un bâti, vous procurer toutes les peintures, pinceaux et matériaux, et mettre à votre disposition toute la main-d'œuvre dont vous aurez besoin.

Donnez-moi donc quelqu'un, songeai-je, qui me chuchotera à l'oreille dans quel ordre se trouvent les montagnes et les plaines et me tiendra la main pour tracer approximativement les contours de cette masse de terre ! Mais je me contentai de répondre :

— Je vous remercie pour l'honneur que représente cette mission, et je brûle d'impatience à l'idée de me mettre au travail.

Mon hôte agita alors sa sonnette, et frère Thomas me raccompagna.

Les journées suivantes furent consacrées aux préparatifs. Frère Bartholomée de Crémone en fut désigné responsable. Je les surveillai en qualité de « chargé de mission spécial », et je trouvai constamment une critique quelconque à formuler. Tantôt le bâti était trop haut, trop branlant ou trop immobile, tantôt c'était la toile qui manquait de finesse ou le pinceau qui en avait trop. On monta l'échafaudage sur des roues, on tendit sur le cadre de bois une toile de lin fin, qui permettrait de changer certaines parties si je me trompais trop sévèrement sur les proportions. Je pus ainsi me convaincre que l'on pourrait préciser tel ou tel élément de détail une fois que l'ensemble aurait été achevé.

Mon hôte rayonnait de confiance et de nonchalance. Je pris exemple sur lui.

Je ne voulais pas faire entrer frère Thomas dans la confidence ; mon unique espoir était Pian del Carpine et son *Ystoria Mongalorum*. Mais (et cela donne une idée de la qualité de l'Institut de l'Extrême-Orient dirigé par Bartholomée de Crémone !) cette œuvre ne se trouvait pas dans la bibliothèque usuelle de l'*Ufficium Studii*, pas plus qu'aucun autre rapport des ambassades précédemment envoyées auprès du grand khan. Dans cette description de voyage (je me le rappelais car j'avais à l'époque été autorisé à en copier moi même des chapitres entiers sur le parchemin), je trouverais presque tout ce qui me manquait et avait échappé à ma mémoire. Le jour approchait où il me faudrait monter sur l'échafaudage et m'installer devant la toile blanche. Dans mes rêves, le bâti se transformait tantôt en potence, tantôt en pilori, et la toile blanche se teignait de mon sang.

Le jour vint enfin. Je pus encore gagner la matinée : un effroyable orage assombrit le ciel, ce qui me permit d'arguer que je ne pouvais travailler dans une lumière pareille. Mais de toute façon, nul ne se souciait de moi. Une importante délégation était arrivée, me fit savoir Bartholomée avec arrogance, les gardes étaient présents, et l'on ne m'autorisait ni à quitter le château, ni à regarder par les fenêtres, du moins pas du côté de ma salle de travail. On en avait d'ailleurs voilé les fenêtres.

— Sans la lumière du jour ? m'indignai-je aussitôt. Mais comment pourrais-je alors peindre la *Mappa Terrae Mongalorum... ?* Impossible !

Mais la réponse m'épargna un lamento supplémentaire :

— Eh bien, tu attendras que le soleil brille de nouveau, ou que tu aies été illuminé ! dit Bartholomée avec insolence.

Ma présence au déjeuner (on m'y avait invité pour fêter le début de mon travail) n'était plus requise, elle non plus. Furieux, je mangeai à la cuisine, avec les domestiques. Je sus bientôt à quoi rimait tout ce tapage. Une délégation des Hohenstaufen était arrivée. Dans ses rangs se trouvait le renégat, Élie de Cortone, un vieil homme, malade et fragile. Il demandait la levée de son excommunication pour pouvoir mourir en paix dans sa ville natale. L'archevêque-cardinal avait laissé entrer tous les autres membres de la délégation dans le château, les avait

même conviés à sa table, mais on avait laissé le
pauvre Élie à l'extérieur, sous les éclairs et le tonnerre. Certains allèrent jusqu'à affirmer que l'ancien
ministre général était resté agenouillé dans la boue,
vêtu de la tenue des pénitents.

Tandis que je me demandais encore si c'était moi
qu'on tenait éloigné d'Élie, ou Élie de moi, une main
se posa sur mon épaule. Levant les yeux, je découvris
le visage rusé de mon ami Laurent d'Orta. Le petit
homme nerveux, la tête ceinte d'une couronne de
cheveux clairsemés, faisait partie de la délégation ;
officiellement, il était le confesseur du *Bombarone* ;
en réalité, il était en « mission secrète » — je prononçai d'ailleurs en même temps que lui ces mots que
nous échangions en fait à chacune de nos rencontres. Je passai avec lui dans la salle entièrement
assombrie par des draps noirs, et lui montrai, à la
lueur d'une torche, l'échafaudage et les cadres vides
qui se trouvaient derrière. Je lui avouai aussi ma
détresse : il me fallait peindre l'image d'un pays que
je n'avais jamais vu !

Laurent n'aurait pas été mon vieux Laurent s'il ne
s'était repu un instant du malheur dans lequel je
m'étais moi-même plongé. Mais il finit par dire :

— Le livre dont tu as besoin est conservé dans la
bibliothèque secrète et sévèrement gardée du château Saint-Ange. Mis à part le fait qu'aucun homme
de Jenna ne se hasarde jusque là-bas, car c'est une
fois de plus le peuple qui a repris le pouvoir dans
l'*Urbs*, il faut une autorisation écrite du Cardinal gris
pour y être admis.

— Mais dans ce cas, fis-je en gémissant, on me
démasquera, on saura que j'ai menti ! Et comment le
trouverions-nous dans ces conditions ? Et quand
bien même, pourquoi le...

— Oh, répondit Laurent en riant, je vois que tu es
encore loin d'avoir compris entre quelles mains tu te
trouves ! C'est ton hôte, tellement soucieux de
culture, ce brave homme si jovial qu'est Rainaldo di
Jenna, c'est lui qui occupe aujourd'hui cette fonc-

tion. C'est lui, le Cardinal gris de la curie, depuis que le redouté Capoccio a quitté ce monde. La question n'est donc pas « comment », mais « pourquoi devrait-il ? » Laisse-moi réfléchir, et je te recommande de faire de même, cher Guillaume, car une main lave l'autre : tu dois absolument te trouver une cachette, si possible dans cette salle que je recommanderai pour les négociations secrètes à venir, une cachette dans laquelle tu pourras tout entendre et tout consigner par écrit.

— Je n'ai pas besoin de réfléchir longtemps pour cela, dis-je avec satisfaction. Derrière la toile, un conduit de cheminée abandonné mène jusqu'au toit. Il est si large que même un homme de ma taille peut s'y asseoir, et la lumière qui tombe par la cheminée éclaire suffisamment.

— Tu es bien certain que le foyer n'est plus utilisé ? fit Laurent, moqueur. Guillaume en saucisse fumée, voilà un plat que beaucoup apprécieraient !

— La nouvelle cheminée est de l'autre côté de la salle, répondis-je en grimpant déjà avec agilité sur l'échafaudage, en poussant un cadre sur le côté et en ouvrant la porte de fer dissimulée. Un essaim de chauves-souris me frôla les oreilles en battant des ailes. Je m'enfermai et criai :

— Faisons un essai !

Laurent ne me répondit pas. J'écoutai attentivement. J'entendis alors plusieurs voix dans la salle.

— Votre choix, mon cher Laurent, disait mon hôte avec cérémonie, va rendre malheureux le précieux Guillaume de Rubrouck. Il brûle de commencer sa représentation du royaume des Mongols.

— Il pourrait m'aider, intervint Thomas de Celano, il a une belle écriture.

Le gredin ! songeai-je. Il ne me manquait plus que cela : participer à sa biographie de saint François ! Mais mon *praefectus Ufficii* intervenait déjà.

— Il est certain que frère Guillaume pourra t'aider en décrivant ses nombreux voyages avec François, dit Bartholomée.

— Si tu veux faire allusion, Bartholomée, répliqua Laurent avec retenue, au fait que Guillaume n'avait que quatre ans à la mort de notre cher frère François, ta remarque est stupide. Guillaume a effectivement pu être de quelque utilité à François, car je tiens de lui, par exemple, en quel endroit du château Saint-Ange se trouve la règle de l'ordre, que l'on a dit perdue, la fameuse *sine glossa*. Cela pourrait t'aider beaucoup, Thomas, puisqu'elle contiendrait, sans falsification, les dernières volontés de frère François.

Un silence gêné s'instaura alors. C'est le cardinal qui le brisa :

— Je pourrais envoyer Bartholomée...

— Mieux vaut s'en abstenir, répondit Laurent en lui coupant la parole, sauf si vous voulez désormais renoncer à ses services, Excellence. Les sbires de Brancaleone captureront Bartholomée dès qu'il aura quitté le Tibre et posé son pied sur la rive. Le Crémonais est un espion qui a traversé toutes les flammes, mais, cette fois-ci, il serait livré pour de bon au bûcher.

Le silence revint, on entendait littéralement les mauvaises pensées bouillir dans ces crânes chauves.

— Me feriez-vous le plaisir, Laurent d'Orta, de sortir ce précieux écrit et de le faire porter ici, car on devrait réserver tous les honneurs à la vérité sur saint François d'Assise ; c'est aussi l'intérêt de l'Église.

— Laissez-le donc en place, Excellence, objecta Laurent. On a besoin de moi ici.

— Si un Guillaume connaît déjà l'existence du document et le lieu où il est conservé, alors ce singulier testament n'est pas en sécurité. Je vous offre le plus rapide de mes navires.

Laurent avait sans doute fait une génuflexion et cédé aux injonctions du cardinal, car le brouhaha des voix s'éloigna très rapidement. J'attendis encore quelque temps avant de me faufiler hors de ma cachette. C'était du reste indiqué : peu après, on rouvrit les rideaux noirs. Je regardai à l'extérieur, mais ne pus apercevoir Élie. Puis j'entendis dans la cuisine que monseigneur l'archevêque-cardinal avait fait passer la grâce avant le droit et accordé des quartiers au *Bombarone* dans les geôles du château. Laurent en avait sans doute fait une condition : pour ma part, depuis que je savais qui se cachait derrière le masque bienveillant et le flegme joyeux de ce gras seigneur, je ne pouvais plus croire au bon cœur de Rainaldo di Jenna. Quant à la *regula sine glossa*, mon frère Thomas ne la verrait jamais, et il serait encore moins autorisé à l'intégrer à son livre. Je ne l'ai jamais vue, mais je sais de source sûre qu'elle exprime clairement ce que saint François ne voulait pas : que l'Église comprime dans un ordre sa « libre fraternité dans le Christ ». Pour Thomas non plus, cette idée, aussi crûment exprimée, n'allait pas de soi, et sur le mode de la plaisanterie, il me traita d'hérétique.

— François n'aurait jamais autorisé non plus qu'on écrive un livre à son propos, répondis-je. Il aurait tout au plus accepté que l'on propage sa parole.

Je m'abstins d'exposer le reste de ma pensée : Bartholomée de Crémone entrait dans la salle. Il tenait à la main un gamin aux cheveux roux qui nous lança un regard hargneux.

— Personne ne t'empêche plus désormais de commencer ton travail, précieux Guillaume, me dit Bartholomée. Dans un premier temps, frère Thomas et moi-même t'assisterons. Jusqu'à ce que la poursuite de la peinture exige d'autres aides, notre jeune ami Cenni di Pepi remuera tes peintures et te tendra le pinceau.

Il donna au jeune garçon une petite bourrade d'encouragement. Le morveux nous lança un regard encore plus hostile. Puis Bartholomée nous laissa seuls.

— Il ne songe pas un instant à se salir les mains, s'exclama Thomas, indigné, et je ne pus m'empêcher d'éclater de rire.

— Tu connais mal le genre humain, mon cher frère! Bartholomée n'arrive jamais à se laver!

Au seuil de la porte, le cardinal se racla la gorge, il ne voulait manifestement pas laisser passer l'instant solennel du premier coup de pinceau, celui qui déciderait de tout. Je devins tout à fait calme à l'instant où je montai sur l'échafaudage. C'est sans doute toujours ainsi lorsque les condamnés marchent enfin vers leur potence. Je me rendis dans le coin droit, près de ma cachette, au-dessus de la cheminée.

— Mes amis, fis-je en m'adressant d'en haut à Son Excellence, nous, le « Reste du Monde », nous sommes des étrangers, et nous ne pouvons comprendre le caractère des Mongols que si nous adoptons leur point de vue : ils sont le Centre du Monde.

Je me fis tendre le pinceau par le gamin qui avait grimpé derrière moi, et je plongeai l'instrument dans la peinture rouge.

— La ville où réside le grand khan s'appelle Karakorom. (D'un geste infatué, je posai un gros point rouge sur l'écran.) — Ici (je pris le pinceau noir), ils tiennent leurs assemblées du royaume, appelées *Kuriltay.*

Je me donnai bien de la peine pour tracer un cercle à peu près rond autour du point d'où le rouge coulait à présent comme un sanglant présage et, descendant vers le sol, avait débordé de la toile.

— Je vois, Guillaume, que c'est le spécialiste et l'homme d'action qui parle en toi, dit le cardinal en levant les yeux vers moi. Que ta main et ton œuvre soient bénies!

Il fit un signe de croix et je m'agenouillai sur l'échafaudage. Pour pouvoir joindre les mains, je pris le pinceau entre les dents et fermai les yeux. Lorsque je les rouvris, il avait quitté la pièce. En revanche, le gamin était campé devant moi et me regardait fixement avec un air de défi.

— Est-ce tout ce qui vous vient sur la ville du grand khan de tous les Mongols? demanda-t-il, insolent.

— Écoute, Cenni di Pepi..., intervint frère Thomas, qui perdait patience.

Mais je lui coupai la parole et demandai gentiment au garçon :

— Quel âge as-tu ?

— Dix, onze, douze, répondit le garçon, la mine fermée, qui peut le savoir ? Ma mère a fichu le camp, et mes amis m'appellent « Cimabue ».

— Oh, oh, dit Thomas, moqueur, cela signifie sans doute « celui qui scie les cornes au bœuf » ?

— C'est peut-être vrai dans votre cas, répliqua l'enfant du tac au tac. Moi, je prends le taureau par les cornes ! ajouta-t-il fièrement. Maintenant, donnez-moi le pinceau (c'est à moi qu'il s'adressait) et parlez-moi des Mongols !

En quelques coups de pinceau assurés et rapides, sans perdre la moindre goutte de peinture, il avait posé sur mon misérable cercle un souverain installé sur son trône. Derrière, il dressa des murs avec des créneaux, des tours et deux coupoles en bulbe. Une somptueuse image apparut devant mes yeux. Le gamin s'était pourtant contenté de tracer quelques contours à la peinture noire.

— Leurs maisons s'appellent des yourtes, ils les installent comme de grandes tentes fixes sur des voitures équipées de roues hautes comme des hommes et tirées par des bœufs.

Pendant que je racontais, Cimabue remplissait les tours et les toits de couleurs vives.

— Il me faut du doré ! indiqua-t-il à frère Thomas. Comptez-vous faire des économies en lésinant sur la couleur du souverain ?

— Demain, répondit le moine à l'artiste en inclinant la tête. Nous n'y avons pas pensé.

Sur la toile, on voyait à présent des charrettes aux roues immenses, surmontées de tentes pointues, entrer et sortir de Karakorom. Les bœufs étaient admirablement dessinés, comme du reste les femmes qui dirigeaient les attelages. Je lui décrivis ensuite les monstrueuses hordes des cavaliers mongols. Nous les vîmes aussitôt partir aux quatre points cardinaux, essaims d'hommes à cheval tirant à l'arc au grand galop et brandissant des sabres fortement recourbés.

— Voilà ce que j'appelle le Centre du Monde ! m'exclamai-je, et mes félicitations venaient du fond du cœur. Tel que ses conquérants se proposent...

— Pour demain, procurez-moi de l'or ! fit-il en me coupant la parole. Et d'ici là, ne touchez pas la toile ! (Il nettoya son pinceau et ferma le pot de peinture.) D'autre part, il me faut une palette.

Thomas et moi-même le regardâmes sans doute d'un air stupide, car notre artiste réagit avec colère :

— Laissez, j'en trouverai une tout seul !

Il descendit rapidement de l'échafaudage, jeta d'en bas un rapide regard sur son œuvre. Son front se plissa. Alors, il ne se retint plus et courut hors de la salle comme un enfant qui peut enfin aller jouer.

In Festo Omnium Sanctorum 1251

Deux journées s'écoulèrent avant que Laurent d'Orta ne revienne de Rome. Le gardien de la bibliothèque avait tenu à ce que l'on réalise une copie.

— L'original de la *regula* restera là où il est, en lieu sûr, même si le pape venait le réclamer *in persona* !

Laurent eut donc le temps d'aller faire un tour dans les rayons. Il sortit de son pourpoint cette *Ystoria Mongalorum* qui était restée si longtemps inaccessible. Laurent était revenu juste à temps.

Entre-temps, nous avions couvert ce vaste pays de montagnes et de mers, autant que je pouvais me fier à ma mémoire. La mer Noire pointait par la gauche sur l'image ; c'était ensuite le Caucase qui se dressait, suivi par la mer Caspienne. Je parlai de la Porte de fer que l'on trouvait sur ses rivages, celle qui, protégée par des pointes d'argent, verrouillait le passage vers le nord.

— Ici commence le royaume de la Horde d'Or, affirmai-je, et d'en haut, l'Oural fait descendre ses contreforts.

— Quelle taille a donc cette mer ? demanda Cima-

bue, méfiant, parce que je le pressai de laisser encore
plus de place à la *Mare Caspicum*.

— Elle est au moins aussi grande que toute l'Italie, de la Lombardie à l'Apulie! répondis-je au petit
bonheur.

Et il couvrit la toile d'une débauche de lapis-lazuli,
qu'il orna de poissons et de navires.

— Il y a ensuite un lac, aussi grand que la Sicile,
mais il se trouve en Istrie et s'appelle la mer d'Aral.

— Et ensuite? demanda mon petit maître. Où
sont les déserts infinis, les montagnes aux glaces
éternelles, si hautes que leur sommet dépasse dans le
ciel?

— Nous allons y venir, fis-je pour le calmer — Je
m'étais hasardé trop loin. — Il est loin, le chemin qui
mène au khan des khans!

Et de fait, sur la carte, une gigantesque zone
blanche nous séparait de la lointaine Karakorom,
dans le coin supérieur droit.

— Et la mer? insista Cimabue. Il y a forcément
quelque part...

— Non, dis-je avec force. Le royaume des Mongols ne touche jamais la mer, aucun rivage ne lui fixe
de frontières.

J'attirai son attention sur les régions méridionales,
sur des villes mystérieuses, comme Boukhara, où
l'on tissait les tapis, la riche et belle Samarcande, et
le grand marché de Tachkent. Comme je l'espérais,
cela stimula l'imagination du garçon, qui fit apparaître sur la toile des caravanes de chameaux, des
mosquées, des minarets et des muezzins qui rivalisaient avec les monastères, des portes de villes gigantesques et des moines en pèlerinage.

Cela plut aussi extraordinairement à notre
commanditaire. Sans même s'intéresser à notre ange
roux au visage de rat, il me félicita avec enthousiasme d'avoir pris si rapidement le pinceau en
main.

— Cela me rappelle la marche du grand Alexandre
qui, parti de Macédoine, a soumis l'Asie Mineure et

l'Égypte avant de pousser jusqu'à Samarcande *via* Babylone. Ses conquêtes au nord se sont arrêtées ici. Il a même franchi l'Indus.

— Voilà donc votre modèle, Rainaldo di Jenna ! fit tout d'un coup une voix inconnue.

Je levai les yeux, plus effrayé encore que le cardinal. On avait fait entrer à l'avant de la salle une litière noire, dans un tel silence que nous ne l'avions pas remarquée.

— Le nouvel Alexandre, non seulement sur le trône de saint Pierre, mais dépassant aussi son modèle comme chef de guerre, fit une voix moqueuse qui sonnait comme celle d'un homme, mais je savais que c'était une femme qui se cachait dans la litière. Je vois que vous faites déjà tracer les cartes, grand conquérant du monde !

La première réaction du cardinal fut de chasser les témoins gênants que nous étions, et de faire aussitôt masquer la salle par les draps. À l'extérieur, je rencontrai Laurent, qui me fourra hâtivement dans la main une liasse de papiers et me chuchota :

— Va à ta place !

Rêveurs invétérés

J'avais découvert comment, sans se faire voir, on pouvait descendre dans la cheminée en passant par le toit. Il suffisait de soulever une plaque de pierre, ensuite, une sorte de galerie descendait jusqu'à la porte du mur, des briques y faisaient office de marches. Je pris avec moi l'*Ystoria* : c'était le meilleur lieu pour la consulter rapidement, s'il nous était permis de reprendre notre peinture.

Lorsque j'eus disparu dans la cheminée, ne laissant dépasser que la tête, mon regard descendit dans la cour du castel. Je vis entrer des seigneurs, avec ou sans leur escorte. Je connaissais beaucoup d'entre

eux, tels Olivier de Termes et Guillaume de Gisors. Il
ne manquait plus que l'arrivée de mon maître gri-
sonnant, Gavin Montbard de Béthune, précepteur
du temple de Rennes-le-Château : j'aurais alors été
certain qu'il ne s'agissait pas d'une simple visite de la
grande maîtresse à son adversaire, le Cardinal gris,
mais d'une conférence secrète du Prieuré. Je descendis rapidement dans le conduit et collai mon oreille
contre la porte. Par une fente, je vis seulement que
des torches éclairaient la salle, et je m'imaginais la
litière noire devant le mur, avec ses rideaux fermés
qui n'autorisaient pas le moindre regard sur la
grande maîtresse en exercice. Comme toujours, sans
doute, huit templiers entouraient la litière, les
épaules couvertes de leurs longs manteaux blancs à
croix rouge griffue. Gavin et Gisors seraient sans
doute habillés ainsi. Ils prendraient place en demi-
cercle devant la litière, et même le siège du cardinal
ne s'élèverait pas au-dessus des autres.

On frappa trois coups avec l'abaque, c'était le
début de la réunion. Gavin fut le premier à prendre
la parole.

— Excellence, dit-il avec ce ton arrogant qui le
caractérisait, vous avez imposé à frère Élie son
voyage à Canossa, restez-en là.

Rainaldo di Jenna dut sans doute faire un effort
pour se calmer avant de répondre :

— Je le laisserai assister à cette réunion, mais ne
me demandez pas de lever son excommunication.

— Au nom de saint François, qui était plus proche
du Christ que nous tous, laissez le *Bombarone* mourir au moins en paix avec son âme, sinon avec les
sacrements de l'Église.

Laurent d'Orta faisait preuve d'un certain courage.

— La vôtre aussi, Excellence, a besoin de plaidoyer et de bonnes œuvres.

— C'est possible, dit Jenna, impassible, mais je
sais qu'Élie ne regrette rien. C'est un Hohenstaufen.
Qu'il aille au diable !

— C'est son affaire, intervint la grande maîtresse.

Votre registre des péchés n'a rien à envier à celui de frère Élie.

— S'il me jure de rentrer à Cortone par le chemin le plus court et de ne plus quitter la ville jusqu'à sa mort... — Le cardinal se fit violence, et marmonna : — *lo absolverò* ! Mais Conrad, qui s'imagine toujours roi, et Manfred, le bâtard qui prend le pouvoir dans notre fief de Sicile, qui nous a été donné par Dieu...

— Arrêtez ! dit une voix allemande. Manfred est disposé à se soumettre à vous et à recevoir le fief de votre main, je suis chargé de vous faire cette offre et...

— Non, fit Jenna en lui coupant la parole. Nous ne redonnerons plus jamais cette terre à un homme dont les veines porteraient ne serait-ce qu'une seule goutte de l'Antéchrist Frédéric ! Épargnez-vous toute parole supplémentaire, Berthold von Hohenburg !

L'abaque frappa de nouveau contre le bois, et la voix de la grande maîtresse résonna :

— Je ne veux pas entendre de votre bouche pareilles absurdités sur l'Antéchrist, Rainaldo di Jenna. Vous êtes trop intelligent pour cela. Dans le cas contraire, vous ne seriez pas parmi nous. Je veux donc vous le dire clairement : nous ne tolérerons jamais qu'avec l'Anjou le sang des Capet soit élevé ici, une fois de plus, à la dignité royale.

— Vénérable grande maîtresse, dit le Cardinal gris, vous gaspillez vos faveurs en les accordant aux perdants.

— Nous le faisons depuis plus de mille ans, répondit-elle, depuis que Jésus, le perdant, le fils de roi de la lignée de David, a connu la défaite dans le combat pour Jérusalem...

— Mais par l'Église du Christ, il a gagné la bataille pour emporter le cœur des hommes !

— La prééminence de *l'Ecclesia catolica* ! C'est votre combat, et vous êtes encore loin de l'avoir remporté ! Ni la bataille du Christ, ni celle de ses héritiers ! répliqua la grande maîtresse.

— Ha ! nous en venons au fait, répondit le cardinal, moqueur. Comment vont ces charmantes têtes blondes ?

L'abaque frappa trois nouveaux coups.

— Si nous continuons sur ce ton, nous serons forcés de considérer que le seul but de la poursuite de cet entretien est de nous offenser. Je me retire jusqu'à ce que vous ayez changé d'état d'esprit.

— Soyez mon hôte estimé.

— Je le suis déjà.

Des pas m'indiquèrent que la litière et son escorte quittaient la salle. Un silence gênant suivit. Puis la porte s'ouvrit de nouveau, et Guillaume de Gisors, qui assumait sans doute désormais la direction de la séance, annonça :

— Nous saluons frère Élie de Cortone.

C'est alors la voix de Gavin qui s'éleva.

— Les enfants ne sont plus aujourd'hui des enfants, ils sont devenus de jeunes souverains.

Guillaume de Gisors reprit la parole :

— Qu'une chose soit claire : le pacte avec les ismaélites doit être considéré comme aboli. Ne serait-ce que pour une raison : les Assassins syriens avec qui il avait été conclu ont remis les enfants à la citadelle orientale d'Alamut. Cela contrecarre la destinée de Roç et de Yeza. En outre, compte tenu de la menace que les Mongols font peser sur Alamut, cela représente un péril pour leur vie. Je demande que ceux qui ne partagent pas cette opinion lèvent la main.

Personne ne souleva d'objection, et Gavin conclut :

— Si nous ne donnons pas rapidement au jeune couple un trône et du pouvoir, il pourrait suivre sa propre voie, et celle-ci ne correspondrait pas forcément à nos objectifs.

Oh oui, songeai-je, Roç et Yeza n'en font qu'à leur tête ! J'étais heureux d'entendre parler d'eux, ils me manquaient tellement !

— Nous ne devrions pas les laisser à Alamut, reprit le précepteur des Templiers, ils appartiennent à l'Occident, au sens le plus large du mot, celui que les Mongols appellent avec mépris le « Reste du Monde », mais qui inclut pour nous l'union de l'Occident et de l'Orient tout autour de *Mare Nostrum*.

— Qui les a donc remis aux mains des Assassins, sinon votre ordre, mon cher Gavin Montbard de Béthune ? fit le cardinal, sarcastique, comme s'il voulait s'attirer une vive réplique du précepteur.

— Les manigances de l'*Ecclesia romana et catolica*, que vous représentez mieux qu'aucun autre, cardinal, ne nous ont pas laissé d'autre choix. (Cette dispute avec Rainaldo faisait manifestement plaisir à Gavin.) Mais nous avons toujours considéré cette solution comme provisoire.

— Comptez-vous les envoyer chez nous à Rome ? Ils n'entreront pas chez moi !

— Ne vous faites pas de souci, Excellence, dit Laurent d'Orta, nous ne vous faciliterons pas la tâche à ce point-là !

— Tenez votre langue ! siffla le cardinal au petit franciscain. *Quod licet Jovi, non licet bovi !*

Guillaume de Gisors s'interposa :

— Nous ne nous sommes pas réunis ici pour nous injurier ou nous menacer. La question que je veux vous poser a des prémisses parfaitement claires : Ni Manfred, ni Charles d'Anjou. La voici : Pouvez-vous imaginer les enfants du Graal sur le trône de Palerme ?

Un instant de silence accueillit cette proposition audacieuse.

— Difficilement, répondit Rainaldo di Jenna après une brève réflexion. D'abord, les prémisses sont erronées, aucun des deux ne renoncera volontairement au trône. Ensuite, certaines rumeurs affirment que du sang des Hohenstaufen court aussi dans les veines des enfants. Enfin, ma contre-question : Les enfants veulent-ils faire allégeance au pape ? L'Église ne pourrait y renoncer. Mais que diriez-vous de Constantinople ?

— Ce sera difficile, répondit Laurent d'Orta d'une

voix forte. Trois empereurs grecs se la disputent déjà : celui de Trébizonde, le despote d'Épiros et celui de Nicée, alors que le souverain romain, Baudouin II, n'a même pas encore abdiqué.

— Jérusalem !

C'était la première fois depuis longtemps que j'entendais la voix d'Élie. Elle paraissait fragile, mais enflammée. Quelqu'un se mit à rire.

— Jérusalem ? s'exclama Gavin. Si les enfants royaux apparaissent aujourd'hui dans ce champ de ruines, tous penseront que nous les y avons relégués. Il faudrait aussi demander l'autorisation aux sultans du Caire et de Damas. Et par-dessus le marché, le titre est, *de jure*, déjà détenu. Y introniser le jeune couple serait donner un coup d'épée dans le nid de guêpes de l'Outremer.

— Achetons ! proposa le Cardinal gris. Le titre est achetable, ouvrez donc vos coffres !

— Volontiers, dit le templier, agacé, dès que le royaume de Jérusalem n'existera plus dans les faits.

— Alors, vous n'existerez plus non plus ! grogna Jenna.

Gavin n'avait pas entendu ou pas écouté cette pique, il continua :

— En tout cas, toute puissance de protection, sans laquelle un règne de Roç et Yeza serait inconcevable, devrait établir une relation permanente entre la Syrie et les mamelouks, et notre force n'y suffit pas. Jérusalem reste pour nous un rêve hors de portée.

Dans le silence qui suivit s'éleva la voix fluette du vieil Élie. Il chantait :

— Un petit navire sur la haute mer, sa voile est l'amour, son mât le Graal si majestueux... Et quelqu'un s'exclama : — Malte !

Gavin y sera certainement favorable, pensai-je. Cela lui permettra déjà d'écarter les chevaliers de Saint-Jean, qui ont un œil sur cette île. Mais le templier répondit :

— Ce sera un échec, ne serait-ce qu'à cause du titre. « Rois de Malte » ?

— Mais on pourrait l'imposer! fit le cardinal.

— Il rapetisserait ceux qui le porteraient, persista Gavin. Ce serait grotesque, des « rois de Malte »!

— Grands maîtres de..., glissa messire Berthold dans la discussion.

— Grands maîtres d'un ordre?

— Tant que le mot « Graal » n'apparaît pas dans son intitulé...

Le Cardinal gris s'efforçait de ne pas paraître faire de l'obstruction. Les voix se mêlèrent alors : « Ordre souverain des Chevaliers de la Rose? » « Une rose rouge sur une terre blanche comme neige! » « Une fleur ou un bouton? »

— Un tel ordre ne peut être reconnu, fit Rainaldo pour mettre un terme au brouhaha, que si un nombre suffisant de chevaliers chrétiens le soutient, et s'il est fermement fondé sur la profession de foi catholique.

— Avec messire Gavin comme protecteur! proposa l'un des participants.

— Pourquoi pas? railla le Cardinal gris.

— Guillaume de Rubrouck serait évêque, ou bien lui donnerait-on le rang de cardinal?

— Celui de patriarche de Malte!

Dans le nouveau tumulte qui suivit s'éleva la voix de Guillaume de Gisors.

— Qui est pour Malte? Votons à main levée.

— Je ne suis pas mandaté pour le faire, objecta messire Berthold.

Le Cardinal gris lui rit au nez :

— Si j'accorde le pardon à une montagne de péchés et de manquements, comme dans le cas du *Bombarone*, m'exposant ainsi à la fureur du Saint-Père, vous pouvez aussi renoncer à un petit rocher en pleine mer!

— Pardonner n'est pas abandonner, répondit messire Berthold, mais soit, je le prends sur moi.

Et ils votèrent tous pour Malte, c'est du moins ce que je supputais depuis ma cachette.

— À présent, nous devrions rappeler la grande maîtresse auprès de nous, proposa alors Laurent.

Mais le cardinal s'exclama, bienveillant :

— À présent, nous passons à table. J'ai le projet de me réconcilier avec la vénérable Marie de Saint-Clair autour d'un repas de choix. Venez, Gisors, venez, messire Berthold. Aujourd'hui, on n'empoisonne pas, s'esclaffa-t-il avec un rire mugissant. Je dois seulement exclure le *Bombarone*, car je ne lèverai l'excommunication qu'après le repas. Pour cela, le repenti doit se présenter le ventre creux !

Il rit de nouveau, encore plus fort qu'auparavant, et la salle se vida. Seuls Gavin et Laurent restèrent encore un instant. Le glorieux et mystérieux Prieuré n'est plus ce qu'il a été, songeai-je. Il est devenu un amas d'esprits confus qui aiment à s'entendre parler, ce qui permet à leur plus farouche ennemi de mener la danse dans ce genre de réunions. Et le pire me paraissait qu'ils se préparaient encore à semer de nouveaux désordres.

— Comment s'emparer de Malte ? interrogea Laurent. Henri, comte de Malte, n'était-il pas le père de Hamo l'Estrange, le fils de la comtesse d'Otrante ?

— C'est ce qui est écrit, répondit Gavin, ambigu.

Je savais bien, moi, ce qu'il en était : la comtesse m'avait confessé son histoire.

— Notre Hamo est confortablement installé à Otrante, prend du plaisir avec sa jeune épouse Shirat et ne songe nullement à abandonner sa grasse prébende de Malte, dit Gavin, grognon. Il a en outre hérité du palais Kallistos à Constantinople, celui que lui a laissé son cousin l'évêque. Il est devenu si paresseux qu'il ne se rend même pas sur place pour parcourir ce bel héritage, avec ses terres et ses *latifundia* luxurieux. Il va engraisser comme Guillaume !

Gavin avait toujours l'art de me piquer au vif, moi, l'espion invisible.

— Ha! s'exclama Laurent. Cela me donne une idée.

Mais Gavin se plaisait dans le rôle de l'*advocatus diaboli* :

— Tant que le jeune comte d'Otrante soutient les

Hohenstaufen, ni Manfred, ni Conrad n'ont la moindre raison de lui retirer le fief de Malte.

— On peut faire en sorte que cela change, répliqua Laurent. La possession de Malte n'est pas héréditaire, mais associée au titre d'amiral de la Flotte. On pourrait le rappeler au sénéchal de l'empire, messire Berthold.

— Mieux vaut s'en abstenir, fit Gavin. Nous n'obtiendrons cette île que de Hamo lui-même, qu'elle n'intéresse pas, mis à part les impôts qui en proviennent.

— Il faut donc le forcer à nous céder Malte.

— Je vous en prie, dit Gavin, je vous écoute.

— Il suffirait que l'on sème l'inquiétude dans l'esprit de Hamo à propos de ses prétentions sur Malte, tout en faisant à son épouse, dans les couleurs les plus chatoyantes, un tableau idyllique de Constantinople, la ville des deux mondes. Croyez-moi, il sera même facile d'attirer une jeune femme loin du désert d'Otrante! Dans le même temps, de nouvelles menaces planeront sur la citadelle, des pirates multiplieront leurs attaques et tenteront de mettre la main sur la trirème. Hamo s'épuisera, Shirat ne tarira plus d'éloge sur ce lieu sublime près de la Corne d'Or, elle sera tellement enthousiasmée...

— ... que le Cardinal gris décidera de renommer quelqu'un sur le siège d'évêque à Byzance.

— Gavin! À présent, vous exagérez votre jeu d'avocat du diable! Ce siège est vacant depuis des années.

— Il l'a promis à André de Longjumeau.

— Bien, je le ferai aussi savoir à Hamo. Les pirates seront de plus en plus téméraires, et sa femme ne cessera d'inciter Hamo à partir. C'est à cet instant-là que nous intervenons, pour lui proposer notre aide : « Hamo, nous allons faire en sorte que tu puisses mener à Byzance une vie splendide sur tes terres et dans ton palais; en contrepartie, tu cèdes Otrante, et avec elle, Malte, à l'ordre des Templiers. » Ce serait votre tâche. Ensuite, nous remettons

Otrante à Manfred, qui nous accorde en échange le fief de Malte.

— Fabuleux ! s'exclama Gavin. Maintenant, allons à table, nous aussi, sans cela Son Excellence va perdre patience !

Je quittai ma cachette, épuisé et fourbu. La faim me mena à la cuisine. On y parlait des invités.

— Savez-vous, Guillaume, que même Jean de Procida est présent, l'ancien médecin personnel du méchant empereur ?

— Il a récemment soigné le cardinal Orsini d'une mauvaise douleur.

— C'est du pauvre Élie qu'il devrait s'occuper !

La conversation allait ainsi bon train, tandis que je mangeais à la cuillère ma sobre soupe aux haricots, avalais un peu de brouet et rongeais un os de poulet. On ne m'avait pas laissé plus.

Les enfants étaient donc à Alamut ! Je ne me sentais pas assez bien ici pour ne pas risquer ce voyage, pour peu qu'on me laisse repartir. Mais la *mappa* ferait certainement obstacle à ce projet. Pourtant, grâce aux instructions transmises par le petit mot de Pian — qui l'eût cru ? —, il allait sans doute être possible de mettre bientôt un terme à notre œuvre.

Le petit Alexandre

Le jour de la fête des Innocents, 1251

La *Mappa Terrae Mongalorum* recouvre à présent l'angoissante toile vide, en si belles images et dans de si belles couleurs qu'il n'y reste pratiquement plus la moindre tache blanche. Tout cela grâce à mes « connaissances », que je vais secrètement chercher dans ma cheminée, et surtout grâce à l'imagination avec laquelle notre petit maître transpose chacune de mes remarques sur la vie du peuple des steppes en miniatures souvent bizarres, si bien que je me dis parfois que Cimabue a dû accomplir à ma place le voyage auprès du grand khan, que le Prieuré m'avait jadis envoyé faire comme dans un rêve étrange. À moins qu'il ne se soit rendu à Karakorom dans une vie antérieure.

En tout cas, nous approchons de la fin de ce travail dont je suis aujourd'hui bien fier, en tant qu'*imitator spiritus*.

La fin de la conférence de l'ordre secret avec le Cardinal gris n'avait vraiment satisfait aucun des participants. D'abord, la grande maîtresse n'avait pas participé au repas de réconciliation, elle avait quitté les lieux auparavant, aussi discrètement qu'elle était arrivée.

Le « retour d'excommunication » d'Élie n'avait pas eu lieu, lui non plus ; alors que les autres étaient encore à table, le *Bombarone* fut pris d'un accès de fièvre tellement effroyable que nous crûmes sa dernière heure venue. Il avait sans doute été victime d'un sévère refroidissement lorsque, agenouillé dans la boue et sous la pluie, il avait tenté d'obtenir la réconciliation avec l'Église. Mais l'*Ecclesia* est plus coriace que sa faible santé. Le médecin présent, Jean de Procida, un partisan des Hohenstaufen, s'est occupé du malade et le soigne encore, alors que tous les autres sont repartis, à l'exception de Gavin. Le précepteur du Temple est resté comme invité du cardinal. Ce n'est pas qu'ils aient noué une sorte d'amitié : ils se parlent à peine. Mais ils se rencontrent chaque soir devant l'échiquier installé ici, dans la salle, devant la cheminée. Leurs parties durent jusqu'à une heure avancée de la nuit. Je les ai observés sans me faire voir. Ce qui leur importe, ce n'est ni la victoire, ni le profit, mais le pouvoir, un pouvoir qu'aucun moyen, aucun chemin dans ce monde ne permet d'exprimer, et qu'aucune personne et aucun lieu n'autorise à établir. Ils le savent tous deux, et luttent pourtant avec acharnement.

Le travail sur la *mappa*, en revanche, avance à pas de géant vers sa glorieuse conclusion. Nous avons

laissé derrière nous le massif du Pamir, au sud, et le
Kara-Kitai ; au nord, le désert de Gobi, avec l'Hima-
laya en arrière-plan, un chef-d'œuvre du jeune Cimabue, avec des squelettes d'hommes morts de soif et
d'étranges créatures, mi humaines, mi animales,
dans les neiges éternelles des glaciers bleus. L'Altaï
est le dernier obstacle que nous ayons traversé, avec
ses tas de pierres dressés par les chamans et ses
fanions colorés, isolés dans la neige. Puis nous avons
atteint le camp militaire du grand khan, nous partons avec lui à la chasse, nous tenons tribunal et
nous répartissons la Terre : le nord-ouest, nous le
laissons à l'oncle Batou qui y crée, à partir de la
Horde Blanche et de la Horde Bleue, le royaume de
la Horde d'Or, le pays des Russes. On donne à Il-
Khan le sud-ouest, l'Inde, la Perse et le « Reste du
Monde ». Un autre reçoit le nord-est, la terre des
Kitai.

Cimabue voulait encore à tout prix peindre la
Grande Muraille. J'étais d'accord, s'il me promettait
de renoncer à représenter tout ce qui se trouvait
« derrière » — j'avais déjà la mentalité d'un Mongol.
Le seul problème était que nous ne pouvions pas
tomber d'accord sur le tracé du mur. Bartholomée
de Crémone, le *praefectus Studii Mongalorum*, qui ne
s'était pas montré pendant notre travail, participa
activement au *finale*, ne serait-ce que pour briller
devant le Cardinal gris. Pendant qu'il se disputait
avec Laurent, je glissai une pièce d'or dans la main
de Cimabue, afin qu'il dessine le mur comme il lui
plairait au moment où nous autres irions déjeuner.

— Songe seulement, lui chuchotai-je, qu'il est carrossable, qu'il a une tour de garde tous les deux pas
et qu'il serpente sur la montagne et dans la vallée.

Il hocha la tête. J'ajoutai encore :

— Dans les espaces libres, en dessous, dans ce
triangle, dans le coin inférieur droit...

— C'est le pays des Kitai !

— Non ! commandai-je, l'air sévère. Là, tu place-
ras un écusson portant les mots « *Mappa Terrae*

Mongalorum », et une dédicace à Son Excellence Rainaldo di Jenna, avec tous ses titres !

Lorsque je revins, bien évidemment, ce coin de la toile grouillait d'hommes jaunes aux yeux bridés, les Kitaï. Cela, je m'y étais attendu, mais le pire était le texte du bandeau qui s'enroulait autour d'une pagode : « *Rinaldus affidavit fratri ignoranti, Cimabue pinxit.* » Comme j'entendis des voix approcher, je me retirai dans ma cheminée, plein de honte et de colère. Ce gamin allait sentir de quel bois je me chauffe.

C'étaient Gavin et Laurent. Dieu soit loué, ils n'accordèrent pas la moindre attention à cette glorieuse conclusion de l'œuvre.

— Des amis de la mer et de la navigation commerciale ont été informés qu'un butin intéressant les attend à Otrante, dit Gavin. Vous pouvez donc désormais vous y rendre et faire miroiter à la dame la perspective d'un départ pour la Corne d'Or.

— Si vite.... Je ne pensais pas..., objecta Laurent, effrayé.

J'imaginai sans peine le regard ironique avec lequel le templier dévisagea le petit frère mineur.

— Laurent d'Orta, dit-il, vous êtes un maillon de la même chaîne que moi, et ce depuis trop longtemps pour ne pas savoir que chaque pensée de l'un d'entre nous se manifeste dans le *dictum* et que chaque mot prononcé est transposé dans les faits. Ne dites pas à présent que vous n'avez pas mesuré la portée de votre proposition.

— J'accepterais volontiers, puissant et infaillible messire Précepteur, d'être considéré par vous comme un bavard irresponsable, si cela permettait de revenir sur...

Il fut interrompu par le rire de Gavin.

— Comment voulez-vous donc faire changer d'avis le brochet dans l'étang lorsqu'il a flairé le gardon ? Vous êtes forcé de le prendre ! N'hésitez donc pas, et hâtez-vous de lancer vos appâts, sans cela toute la pêche sera pour le chat. Salut à saint Pierre !

— Vous êtes devenu méchant, Gavin! rétorqua Laurent. Je peux peut-être mener à son terme mon idée aussi stupide que cruelle. J'espère que Hamo et sa chère épouse seront heureux à Constantinople, et l'on préparera un nid en sûreté pour les enfants, à Malte. Mais comment accomplirez-vous votre part du travail? Comment allez-vous faire sortir Roç et Yeza d'Alamut? Comptez-vous, par hasard, envoyer Guillaume de Rubrouck les chercher?

Ha! canaille, me dis-je, c'est ainsi que tu parles de moi! Mais Gavin se contenta d'un petit rire.

— Ça n'est pas une mauvaise idée, Laurent, et elle vient de vous, une fois de plus. Mais, vous le savez, Guillaume est connu là-bas comme un ami des enfants, et son apparition pourrait plutôt compliquer leur fuite.

— Ne songez pas à moi! avertit Laurent. Nous en avons assez fait comme cela! C'est votre soupe, pas la mienne. J'espère que vous vous y brûlerez la gueule, ou au moins qu'elle vous étranglera un bon coup!

Sur ces mots, il quitta la salle en tapant du pied.

La conférence venait d'émettre son dernier soupir — et c'était un simple pet!

Lorsque Gavin fut parti — j'entendis dire qu'il avait repris aussitôt sa route —, je quittai ma cachette. Je m'apprêtais précisément à recouvrir de peinture jaune le bandeau portant le texte infamant lorsque messire le cardinal amena dans la salle un nouvel invité. Je ne me retournai pas et cherchai à couvrir l'inscription de mon corps, mais ils avaient déjà remarqué cette insolence et riaient à gorge déployée. Ils prenaient sans doute cela pour une plaisanterie particulièrement réussie.

— Notre Guillaume est toujours tellement modeste, fit le cardinal, et il a un sens affirmé de l'humour.

Il me fallut alors, bon gré, mal gré, me tourner vers lui, et mon humour me pesa très lourd sur l'estomac : l'hôte était André de Longjumeau, ce dominicain ennuyeux et infatué, qui avait croisé mon chemin à plusieurs reprises de la manière la plus désagréable qui soit et qui, contrairement à moi, avait déjà effectué trois véritables missions auprès du grand khan. Aucune n'avait encore été couronnée de succès ; il rentrait donc de la troisième.

— Comment trouvez-vous ma *mappa* ? demanda fièrement le cardinal. Elle est censée expliquer l'itinéraire et faciliter le parcours des futures délégations.

André me lança un regard dédaigneux avant de répondre au cardinal :

— Une belle peinture, sans aucun doute. J'espère pourtant que vous n'y attachez pas trop de valeur, car le désert éternellement vert de la campagne n'a d'égal que l'infinie stupidité des hommes qui la peuplent.

Messire Jenna répondit en me faisant signe d'approcher.

— Un dominicain aurait aussi, vraisemblablement, décrit comme désertique et stupide l'environnement et l'action d'un saint François d'Assise, parce qu'il considère la simplicité comme de la bêtise.

Messire le légat mordit à l'hameçon :

— Il ne m'appartient pas de juger de la grandeur d'esprit des frères mineurs, mais au moins, ils vivent dans la décence et les bonnes mœurs — mis à part quelques exceptions peu glorieuses. (Cela m'était destiné.) Les Mongols traitent leurs femmes comme du bétail, c'est une racaille, une bande de voleurs.

— Je vois, dis-je depuis mon échafaudage, un miracle que Notre-Seigneur ne sait accomplir qu'avec des dominicains. Un aveugle et un sourd, unis dans la même personne, ont réussi à trouver le chemin de Karakorom et à en revenir sans avoir vu ni entendu que les Mongols sont fidèlement dévoués à leurs femmes et que l'adultère, chez eux, est puni de mort, tout comme le moindre délit touchant à la propriété.

— C'est possible, admit André, agacé, mais cela ne dit rien encore sur leur morale et leur foi. Je vois ici

— il désigna mon Karakorom — des églises chrétiennes dans toute leur splendeur. En réalité, vous n'y trouverez qu'une poignée de prêtres nestoriens qui traînent dans de misérables baraques et s'adonnent à la boisson au lieu d'invoquer le Saint-Esprit. Ce sont les chamans qui ont le pouvoir là-bas, ceux qui voient les esprits et lisent l'avenir sur des os roussis, misérables magiciens! Et l'on tolère aussi des musulmans à la cour...

— Mais tout de même, fit le cardinal en lui coupant la parole. Il y a bien une forme de christianisme, vous l'admettez, et cela a suffi pour que vous puissiez accomplir votre mission. Que vous a remis le grand khan à notre intention?

— Le... grand... grand khan..., bredouilla André... Il n'y en a pas pour le moment! Ils tenaient justement leur *Kuriltay*, expliqua-t-il, une sorte de parlement au cours duquel ils comptaient élire leur prochain souverain.

— Quoi? s'exclama Rainaldo di Jenna. Vous voulez dire que vous êtes parti sans attendre le résultat et sans présenter votre hommage au nouveau grand khan?

André de Longjumeau hocha piteusement la tête.

— Mais vous ne savez pas comment ces gens-là vous traitent, Excellence! On voyage selon leur bon vouloir, on attend une audience jusqu'à y prendre racine, et ils vous mettent à la porte lorsqu'ils vous ont assez vu.

— Cela dépend aussi de la conduite du légat, dis-je avec insolence du haut de mes planches, et le Cardinal gris m'adressa un sourire où l'on devinait une once d'approbation.

— Qui avait donc les plus grandes chances d'être élu? demanda-t-il en épiant son hôte avec une sorte de jouissance. Vous aurez tout de même réussi à savoir cela, André?

La question plaçait le légat en fâcheuse posture. Il ne s'était jamais soucié des querelles internes entre Mongols. Savoir quel Tatare était au pouvoir n'avait

strictement aucune importance! Il réfléchit longtemps avant de répondre.

— C'est sûrement Chiremon qui a été élu, son
grand-père Ögedai l'avait déjà désigné comme successeur de son fils Guyuk. Et Ögedai est le fils de
Gengis Khan. L'élection de Chiremon était une
affaire entendue.

Mais de légers doutes assaillaient tout de même
l'ambassadeur, qui dut admettre :

— Sauf si le khan le plus puissant et le plus haut
placé, Batou, le seigneur de la Horde d'Or, a décidé
que cela se passerait autrement.

Le cardinal s'adressa à moi.

— Guillaume, fameux connaisseur de la cour des
Mongols, comment voycz-vous l'issue du *Kuriltay*?

Je réfléchis fébrilement et me rappelai vite toutes
les allusions que j'avais lues dans l'*Ystoria*, laquelle
avait tout de même été rédigée quatre ans auparavant. Puis je fis mon exposé :

— Gengis Khan avait plusieurs fils. Ögedai n'était
que le troisième né. Le quatrième, le cadet, était
Toluy, qui a lui-même engendré quatre fils. Le goût
des Mongols pour le changement de lignée me paraît
aussi puissant que leur goût du rajeunissement. Je
suppose donc que le fils aîné de Toluy est devenu
grand khan!

— Certainement pas! s'exclama André, plein de
mépris pour ce pronostic audacieux. À moins qu'il
n'ait voulu m'induire en erreur?

Le Cardinal gris sourit, il fit appeler Bartholomée
de Crémone et le présenta au légat :

— Le responsable de ma commission pour les
affaires mongoles.

Puis il se tourna vers son maître espion :

— Eh bien, précieux Bartholomée, qui est devenu
grand khan?

— Möngke! dit-il en s'inclinant.

— Qu'est-ce que je disais! lança le seigneur à
André.

Le Crémonais et moi-même dûmes quitter la salle.

Comme nous ne pouvions pas nous souffrir, nous nous séparâmes aussitôt. Je courus sur le toit, rampai dans ma cheminée et arrivai juste à temps pour entendre les mots du cardinal :

— Ce frère mineur que vous dédaignez tant a au moins déjà obtenu que le grand khan Guyuk fasse allégeance aux enfants. Nous en avons un témoin, l'honorable Pian del Carpine. Et vous, vous ne trouvez rien de mieux que de laisser Ariqboga, reparti les mains vides, vous mettre dans le crâne le projet embarrassant de faire venir à Karakorom, pour ne pas dire à Canossa, Sa Sainteté le pape et l'empereur. Dieu soit loué, nous ne sommes pas en mesure de les leur amener !

— Ce Guillaume de Rubrouck n'a jamais été chez les Mongols ! fit André, qui tentait vainement de se protéger contre l'éclat de ma lampe (je prenais toujours grand soin de bien la polir et de l'emplir d'huile fraîche).

— Et comment se peut-il alors, demanda le Cardinal gris, en prenant cette fois une voix d'inquisiteur, que la mère de Möngke, comme vous l'avez raconté vous-même, vous ait questionné sur les enfants, et que même le grand juge vous ait interrogé à leur propos ?

André s'empêtrait de plus en plus dans ses contradictions.

— Je me suis toujours contenté de dire que les enfants étaient les pires ennemis de l'Église !

— Ce qui est déjà bien assez grave, car vous les avez ainsi élevés plus haut qu'ils ne le méritent ! En quoi nos rapports avec les héritiers du Graal concernent-ils les Mongols ? Si vous vous étiez tu, nous pourrions nous en servir comme ambassadeurs de la cause du Christ. Mais de la manière dont vous vous y êtes pris, on peut les utiliser contre nous. Vous n'avez causé que du tort à l'*Ecclesia catolica*.

Apparemment, il avait brusquement congédié l'ambassadeur : on l'entendit s'éloigner d'un pas traînant. Le dominicain pouvait faire une croix sur ses espoirs d'être nommé, en récompense, évêque à Constantinople. Rainaldo di Jenna, lui, resta sans doute un instant à regarder la *mappa*, car je l'entendis soupirer : « Ah, Alexandre ! » Puis il quitta la salle à son tour.

Je fus invité au dîner, et messire le Cardinal me servit en personne les meilleurs morceaux. On dégusta ce soir-là des moules marinées dans le vin blanc d'Anagni, la ville natale de Jenna, et des pigeonneaux en pâte, avec beaucoup d'amandes et de miel. Puis des figues fraîches disposées dans de la purée de pastèques, et saupoudrées de gingembre et de poivre.

Le lendemain, Élie, qui s'était entre-temps rétabli, devait faire en litière le voyage du retour à Cortone. L'escorte que le médecin Jean de Procida lui avait préparée n'était certes pas pontificale, mais on ne s'arrêta pas sur ce point. Avant son départ, Élie se fit encore porter dans la salle où moi-même et Laurent surveillions le démontage de l'échafaudage. Il était trop tard pour que nous effacions le texte infamant, au coin de la toile. Cimabue, le gamin, ne se montra plus non plus. La voix du *Bombarone* était faible, il nous fit signe d'approcher tous deux de sa litière.

— À un moment ou à un autre, Créan de Bourivan se présentera ici, chuchota-t-il. Il n'abandonnera pas sa quête absurde d'un soutien pour les Assassins. Je l'ai manqué au campement de Manfred, où l'on annonçait sa venue, parce que je ne voulais pas ajourner encore mon dernier voyage. Faites-lui dire de ma part, le moribond qui voit beaucoup de choses plus clairement et plus librement que ce converti lié par ses engagements, faites-lui dire qu'il ne doit pas s'épuiser en résistant à des choses qui suivent leur cours.

Élie dut reprendre son souffle et me sourit.

— Mieux vaut que Laurent se charge de cette mission. Toi, Guillaume, personne ne t'écoute, bien que tout te réussisse.

Il se tourna donc vers Laurent d'Orta, lequel, contrairement à moi, était un membre du Prieuré.

— Irrité parce qu'on ne l'aura pas soutenu officiellement en lançant une croisade contre la « couvée des Hohenstaufen », Charles d'Anjou retirera peut-être sa candidature auprès du pape — une feinte, et certainement pas un abandon de ses projets ambitieux ! Même si Conrad ou Manfred devaient reprendre Naples, on ne pourrait plus retenir le déclin de l'empire des Hohenstaufen !

Élie avait tellement parlé que son visage était devenu livide. Mais il y avait dans son regard l'éclat du visionnaire.

— Naples sera le symbole de l'échec définitif de la tribu des Hohenstaufen ! Cela ôtera toute légitimité dynastique à Roç et Yeza, après l'extinction de la lignée des Trencavel. Mais il reste la force spirituelle du Graal, que nul ne peut leur ôter. Le Graal doit revenir à ses origines, en Terre sainte, à Jérusalem !

Sa voix se fit de plus en plus faible. « Il va nous mourir entre les mains », me disais-je déjà.

— Faites des Mongols des soldats du Graal, nous implora-t-il (cette fois-ci, il s'adressait de nouveau à moi autant qu'à Laurent). Eux qui oscillent entre toutes les religions sont destinés à les servir. Donnez les enfants aux Mongols, car ainsi vous donnerez les Mongols aux enfants ! — Il rassembla ses forces. — Faites de Roç et Yeza des souverains spirituels, laissez-les régner, par le Graal, sur le « Reste du Monde », tolérants envers la chrétienté et l'Islam, alliés à l'idée de l'empire, dont seul le grand khan peut être le bras armé. Les enfants doivent lui faire allégeance, ils n'y perdront rien, au contraire ; ils le serviront avec obéissance et exerceront ainsi un pouvoir sur lui. Ils transformeront en une bénédiction mondiale ce que nous redoutons comme le péril mongol.

L'enthousiasme que lui inspirait son projet fit oublier au *Bombarone* l'effort qu'il produisait et lui donna une certaine ferveur.

— Seule une main forte peut établir la paix tout autour de la Méditerranée ! Laissez les enfants orner cette main comme une bague précieuse !

Il se laissa retomber en arrière, et nous donna le temps de réfléchir à tout ce qu'il venait de nous dire. Tout cela me faisait l'effet d'un tissu de chimères, mais Laurent, lui, hochait la tête et paraissait l'approuver. Le moine agonisant l'attrapa donc par la manche et reprit d'une voix saccadée :

— Il faut que tu le fasses comprendre à Créan, ce fanatique acharné !

Laurent hocha la tête, mais Élie ne le lâcha pas :

— À quoi bon donner du courage aux Assassins, et leur faire croire, faussement, que l'Occident va entreprendre une nouvelle croisade pour les sauver ?

Élie tira Laurent jusqu'à ce qu'il s'agenouille près de la litière, et je fis de même avec Laurent.

— Faites allégeance aux Mongols, fit le vieil homme d'une voix grinçante, pour qu'ils ne se mettent pas en colère et ne vous punissent pas ! Ouvrez-leur la voie vers Jérusalem, ne travaillez pas contre eux, mais pour eux !

Le *Bombarone* se tranquillisa : sa voix était terne à présent, mais très claire.

— De l'Occident, on ne peut de toute façon attendre aucune aide ; l'ère des croisades est terminée. Louis a été son dernier héros tragique. Le roi rentrera bientôt dans son pays sans avoir rien obtenu. Le monde chrétien est plus corrompu que jamais. Il a besoin d'un coup de balai impitoyable, et c'est l'Orient qui le lui donnera.

La lueur de folie lucide s'était ranimée dans le regard d'Élie. Comme s'il avait perçu ma résistance, il posa sur mes cheveux clairsemés sa main tremblante de vieillard.

— Mon bon Guillaume, chuchota-t-il, les papes ont transformé les pures intentions de saint François, son appel à l'amour fraternel et au service de Dieu, ils en ont fait un Ordre de l'Église. Je les ai aidés à le faire jusqu'à ce que j'aie reconnu mon erreur. Depuis, j'ai combattu pour faire de nous, franciscains, des frères libres dans l'empire, indépendants du pape, et responsables uniquement de leur conscience chrétienne. Ils doivent suivre la doctrine pure de Jésus de Nazareth, et personne d'autre. J'ai échoué, dit-il, rayonnant, comme si c'était une chance. Je suis excommunié, ce qui m'emplit de fierté. Je suis un « impérial » sans empereur, et c'est dans cet habit que je quitte la scène. Épargnez mon destin aux enfants ! ajouta-t-il après avoir longuement réfléchi.

Nous priâmes ensemble ; puis on le coucha dans sa litière, qui disparut bientôt de notre vue. Avec lui, j'ai perdu un petit morceau de l'Occident, auquel je suis profondément attaché et lié par l'amour. Son testament, qui nous appelait à nous soumettre aux forces de l'Extrême-Orient, ne m'angoissait pas. Mais il ne me rassurait pas le moins du monde.

L.S.

Le vicaire

Roç à Guillaume, deuxième décade de janvier 1252.

Mon cher Guillaume, voici un an déjà que Créan a emporté les récits que nous destinions à ta chronique secrète, et nous n'avons toujours pas de réponse de toi, nous ne savons même pas si tu les as reçus. Tel que je connais Créan de Bourivan, il ne se presse que lorsqu'il s'agit d'exécuter les ordres de ses supérieurs. Je suppose qu'il n'accorde pas beaucoup d'importance à notre humble requête, celle de te retrouver au plus vite. Yeza t'envoie ses salutations, elle est trop occupée avec ses « études » pour t'écrire régulièrement. Elle lit à l'étage inférieur de la bibliothèque, dans la *qubbat al musawa*. Yeza et son maître, auquel elle voue une haute estime, croient véritablement que ce nom vient de la dimension intellectuelle de cette pièce, qu'ils appellent aussi la « salle des doctrines et de leurs réfutations ». Je suis sûr, pour ma part, que ce nom a un rapport avec la construction secrète de la Rose. Car c'est en ce lieu que se rejoignent ces côtes filigraniques en pierre qui montent comme des tresses depuis les bords de la « marmite » — eux disent la « fleur ». Ces côtes se perdent ensuite dans les murs de ce minaret qu'elles portent malgré le poids monstrueux des pierres et, surtout, des livres innombrables. Sans même parler des instruments d'astronomie, en haut, dans l'observatoire où je n'ai pas encore été. Hélas !

Alors, as-tu compris ? C'est la moitié supérieure qui se cambre au-dessus de la grande salle et lui dessine un plafond voûté. Mais sous le sol de plancher, on a suspendu la même construction, une sorte de toile d'araignée dirigée vers le bas. C'est à cela qu'est attaché le palais de bois flottant de l'imam, ce que l'on appelle le « nid de guêpes ». Je n'ai toujours pas pu déterminer si les cordes qui sortent du bord crénelé de la « marmite » sont elles aussi en pierre sculptée ou taillées dans un matériau plus solide, mais flexible, comme de l'acier forgé. En fait, c'est sans doute la seconde solution qui est la bonne : si bonnes et bien assemblées soient-elles, des pierres tomberaient forcément. Je m'imagine l'ensemble comme des sabres recourbés et imbriqués les uns dans les autres à la manière des rayons d'une roue. En leur centre, un trou laisse passer cet arbre qui traverse toute la Rose, le nid de guêpes, la « voûte de l'équilibre », la tour du minaret, et même l'observatoire, tout en haut. Arrives-tu à me suivre, Guillaume ? À un moment ou à un autre, la pression de la tour sur la rive d'un fleuve arrête la course des sables vers le bas. Le même phénomène se produit sans doute ici. Car bien que le palais de l'imam soit en bois, il pèse un certain poids : en théorie, la toile d'araignée devrait se rompre et déchirer le crénage de la Rose. Dès que j'aurai résolu cette énigme, je te le ferai savoir, car elle est tellement intéressante et tellement extraordinaire que même mon ami « Zev sur roues », l'ingénieur Ibrahim, ne veut pas faire devant moi la moindre allusion à ce sujet. « *Stabilitas atque flexibilitas sunt causa ut rosa floreat; donant eam soliditatem et agunt ut bene rosa animam reciprocare posset* », m'a-t-il enseigné. J'ai passé des journées à m'épuiser les méninges à propos de cette phrase. Yeza rit de mes soucis. Elle lit les œuvres des philosophes, qui ne connaissent pas ce genre de problèmes. Elle a recommencé à apprendre le grec, pour pouvoir parcourir ces traités dans le texte, et elle n'a plus le temps de partir avec moi en exploration. Du reste, elle a beaucoup changé depuis qu'elle est devenue « femme » en Égypte, dans la pyramide.

P.S. : Je sais à présent ce que fait en vérité la traîtresse dans la bibliothèque. De là, en passant par l'escalier qui monte vers la « caverne des prophéties apocryphes », elle s'est frayé un accès au « Paradis ». Même son maître, le sage Herlin, n'en sait rien. Elle le prend par la ruse, fait mine d'avoir soif de connaissances et disparaît dans les jardins interdits du « Paradis » ! Elle me l'a avoué, sans doute pour m'agacer. À présent, elle se vante de sa nouvelle « amie ». Elle s'appelle Pola, elle a deux fois l'âge de Yeza et — voilà le plus beau — c'est la fille cadette de notre Créan ! De notre moine-soldat hypocrite ! Il ne nous a jamais dit qu'il avait été marié, et surtout pas que ses filles avaient grandi ici, dans la Rose. L'autre s'appelle Kasda et doit être très spéciale ; en tout cas, elle vit à l'écart, ou du moins à part. Elle passe ses jours et ses nuits à regarder le cours des étoiles, en haut, et se sert des instruments de l'observatoire. Je revaudrai ces cachotteries à Yeza ! Je ne t'écris rien non plus du « Paradis » avec ses *houris*, elles ne m'intéressent pas. Mais le chemin de l'observatoire, lui, je le trouverai.

Ton Roç qui t'aime.

P.P.S. : Tu me manques beaucoup.

L.S.

 À Guillaume de Rubrouck, O.F.M., de Yeza, O.C.M.

Qui donc, quelle femme rends-tu donc malheureuse en ce moment, mon Guillaume, même si cela te paraît être un grand bonheur ? J'ai quelques difficultés avec Roç. Il ne comprend pas qu'il y a des choses dont on ne parle qu'entre femmes. Mon petit chevalier n'a plus que des fonctions mathématiques dans la tête ! Il se prend sans doute pour une réincarnation de Pythagore et d'Euclide réunis, il file dans la corbeille, il monte et descend, il mesure, il calcule, il dessine la Rose à l'horizontale et à la verticale, comme si on l'avait découpée en son milieu avec un couteau affûté. Récemment, il est

venu dans la *qubbat al musawa*, et il s'est mis à détacher les lattes du plancher pour voir ce qui se trouvait
par-dessous. C'était de la pierre, naturellement ; dans le
cas contraire, à quoi aurait-on pu accrocher les lustres
qui illuminent la salle de repas et la salle d'audience de
monseigneur le grand maître Mohammed III ? Celui-ci
est d'ailleurs en voyage d'inspection dans les citadelles
des Assassins proches d'Alamut, c'est-à-dire qu'il sera
absent pour quelques semaines. C'est agréable, car
lorsqu'il est ici, une certaine tension règne, il faut lui
tenir compagnie midi et soir à table, ce qui est effroyablement fatigant, à cause de ses « jeux » déments et de
sa manie de toujours vouloir punir quelqu'un. Le plus
souvent, cela tombe sur son fils, qui montre déjà les
premiers signes de folie, même si elle est bénigne.
Depuis qu'il a fait des aller et retour suspendu comme
une grenouille au bout de la *chorda laxans*, il croit qu'il
peut voler. À présent, « Zev sur roues » doit lui faire des
ailes avec lesquelles il compte tourbillonner dans la
« marmite » de la fleur comme une abeille — toujours
suspendu à la *chorda*, Dieu soit loué. Récemment, il a
essayé de le faire avec un drap tendu comme un parasol
sur des bâtons de bambou, qui était censé freiner sa
chute. Mais le morceau de tissu s'est aussitôt refermé,
le châssis a cassé, et il se serait écrasé sur le sol s'il
n'avait pas été attaché. Roç, évidemment, trouve cela
intéressant. Je suis heureuse qu'ils s'entendent bien, à
présent. Autrefois, il y avait des frictions, des disputes
qui me paraissaient bien stupides. Khur-Shah a certes
déjà dix-sept ans, mais pour moi il reste un grand veau ;
Roç n'a vraiment pas de soucis à se faire de ce côté-là !
Si seulement mon petit chevalier grandissait un peu
plus vite ! Je crois qu'à passer tout son temps assis dans
la cave, chez Zev, il s'empêche de devenir un homme.
C'est aussi ce que pense Pola. C'est elle qui dirige le
harem, que l'on appelle ici le « Paradis ». D'ailleurs, si
tu pouvais voir les jeunes *houris*, Guillaume, tu en
aurais l'eau à la bouche. Aucun rapport avec les
« dames » qui t'avaient plu en Égypte. Mon Dieu, ce
n'étaient que de grasses vaches ou des chèvres squelet-
tiques ! Les *houris*, ici, sont les plus belles filles du pays,
de première jeunesse, mais déjà extraordinairement
expérimentées en amour. Pola y veille ; c'est elle qui les
choisit elle-même ; pour ce faire, elle voyage en secret,
cachée dans une litière fermée, et les achète à leurs

parents « reconnaissants ». Pola entreprend toujours ce
genre de voyages lorsque le grand maître est parti, pour
qu'il puisse profiter de fruits bien frais à son retour.
Autrefois, dit-on, il était insatiable. Ce fut la plus belle
époque pour Pola. En ce temps-là, elle était encore sa
favorite ; aujourd'hui, elle a déjà vingt-neuf ans, et il ne
se soucie plus d'elle. Elle affirme que la force virile de
l'imam a décru, mais je crois que c'est sa vanité blessée
qui la fait parler. Pola est encore très belle, et c'était
sûrement une furie dans sa jeunesse. À toi, mon Guillaume, elle plairait sûrement encore : tu cueilles aussi
les fruits plus mûrs, si je me rappelle bien. D'ailleurs,
que devient Ingolinde, la putain de Metz ? Elle t'a aimé,
plus que tu ne l'as mérité, frère l'Inconstance !

Pola a ses appartements à l'étage supérieur, sans
doute bâti en cercle autour de la *magharat al ouahi*, si
j'ai bien compris les calculs de Roç. Cela lui donne une
vue sur tous les jardins du « Paradis ». On regarde au
loin, par-dessus la cime des arbres, des fruits juteux
sont suspendus à toutes les plantes, des rosiers en fleur
grimpent le long des murs. Leur parfum imprègne les
appartements, pleins de divans en velours, de matelas
damassés recouverts de montagnes de coussins soyeux.
Les tapis sont innombrables, si bien que l'on marche
volontiers pieds nus. Pour ma part, je préfère aller
entièrement nue, en ne portant que des chaînes de
perles et des bijoux forgés, sertis de pierres précieuses
finement ciselées. Pola admire ma minceur, mais ma
petite poitrine l'amuse. Elle dit qu'elle pousse avec
l'amour, mais quand l'amour arrive-t-il ? Pola dit qu'il
vient lorsqu'on ne l'attend pas si ardemment, si violemment. Les *houris* qui se trouvent parmi nous passent le
temps avec des jeux absurdes, elles se courent après les
yeux bandés, par exemple. Elles chantent et jouent sur
des instruments à cordes, des flûtes et des tambourins.
Le son est très médiocre, mais elles dansent joliment.
Elles se balancent avec grâce sur leurs hanches, comme
si elles voulaient séduire tous les hommes de la Rose.
Mais le seul à venir est le grand maître, et il ne visite
qu'une seule d'entre elles, deux tout au plus. Mais
crois-tu qu'il laisserait son fils aller voir les filles, au
moins une fois ? Tu te trompes fort ! Cela ferait pourtant grand bien à Khur-Shah, car il ne sait pas du tout
quoi faire de sa force de veau ! Les *houris* habitent au
niveau du sol, dans de petites chambres qui donnent

toutes sur le jardin. Je n'y suis pas encore allée. Pola dit
qu'il n'est pas convenable que je vienne les voir et que je
leur parle. Elles sont peut-être aussi vraiment trop stupides pour moi, elles passent leur temps à glousser et à
se taquiner. Aucune ne lit ! Lorsque de jeunes *fida'i* sont
envoyés dans une mission où ils risquent leur vie (c'est-
à-dire, tout à fait entre nous, lorsqu'ils doivent assassiner quelqu'un), et uniquement en cette occasion, on
leur accorde avant de partir une nuit au « Paradis ».
J'aimerais y être — je veux dire que je regarderais cela
d'en haut, cachée, évidemment, mais sur ce point Pola
est un vrai dragon : il n'en est pas question.

Et si mon Roç est envoyé en mission comme *fida'i*,
est-ce que je devrai l'abandonner aux *houris* ? Guillaume, soyons sincère, je voudrais devenir sa *houri*
avant qu'une autre ne l'initie aux délicieux secrets
d'Aphrodite ou que la flèche d'Amor ne me touche tout
d'un coup et n'oriente mon désir sur un autre que sur
mon très cher Roç. Je ne peux m'imaginer aimer un
étranger, un corps dont chaque fibre ne me serait pas
aussi familière que celui de Roç, mais j'ai hâte, tellement hâte que cela se produise ! À quoi bon être devenue femme ! Je vais dire à Roç qu'à partir de maintenant, nous écrirons séparément nos contributions à ta
chronique. Je ne veux pas qu'il lise tout cela. Avec toi,
c'est autre chose. Pour moi, tu es un moine, même si je
suis la seule lueur de chasteté dans ta vie de débauché.
Je te salue.

Ta Yeza, O.C.M.

P.S. : Je travaille sur l'*astrologia*, la théorie de
l'influence des astres, et j'ai déjà lu un livre d'Al-Kindi ;
actuellement, j'étudie l'œuvre d'Alcabitius sur l'interprétation des étoiles. Ensuite, je me plongerai dans les
écrits d'Abu'l Wefa. À présent, je sais au moins que
l'Alphard permet de conclure à l'immoralité, la Bellatrix
au mariage pour l'argent et au peu d'honneur, et l'Annilam au bonheur bref. En revanche, le Sirrah annonce
amour et richesse. Le veau doit apporter le bonheur, ce
qui m'étonne, mais c'est ce qui est écrit pour le *regulus*.
Ainsi, je ne me présenterai pas en parfaite ignorante
devant Kasda, si je devais parvenir à entrer dans
l'observatoire.

P.P.S. : Je sais que la majeure partie de ce que produit ma plume bavarde n'est pas digne d'être admise

dans ta chronique secrète. Picores-y donc ce qui t'y plaira comme le ferait un oisillon, mon frère!

L.S.

Roç à Guillaume. Alamut, en la première décade de février 1252.

Mon cher Guillaume, pourquoi ne viens-tu pas? J'aime bien t'écrire, mais je préférerais que tu sois auprès de nous. Yeza réclame désormais que je respecte son « secret épistolaire ». Les lettres que nous t'adressions étaient pourtant aussi une possibilité de nous informer l'un l'autre de ce que nous pensions et ressentions. Il est bien des choses que l'on ne se dit pas si facilement, et Yeza devient de plus en plus compliquée. En tout cas, j'ai en préparation une expédition qu'elle ne pourra refuser. C'est que je me suis fait un nouvel ami! Ali est bon avec moi, mais assez ennuyeux. Il ne s'intéresse qu'aux filles, enfin, il en parle, mais ici il n'y en a pas. Il veut devenir *fida'i*, juste pour qu'on le laisse aller chez les *houris*. Je lui ai dit que, pour cela, il fallait d'abord savoir manier le poignard à la perfection. Depuis, il s'exerce chaque jour; quand il m'aperçoit, il se précipite sur moi en hurlant. Chaque fois, je dois l'esquiver, le déséquilibrer, lui arracher l'arme des mains d'un coup de poing ou de pied, et le jeter au sol. À présent, j'y arrive très bien. Nous avons pour cela un enseignant venu de Chine, il est capable de détruire d'un seul coup avec la tranche de sa main dix planches de bois ou cinq briques empilées. Cet homme, tout comme la Rose, semble bâti d'acier des pieds à la tête : à la fois ferme et mobile! Il a une barbe fine comme celle d'un bouc, d'ailleurs il bêle de la même manière. Il est incapable de prononcer le mot « Roç », ça ressemble toujours à « Lodch ». J'ai du mal à le comprendre, mais il nous apprend toutes les « pridges » avec beaucoup de patience. Mais avec Ali, il s'échine en pure perte; le bonhomme ne comprend pas que toute l'énergie vient de la tête, qui apprend aux muscles à être dociles, prêts à se détendre comme des ressorts et à transformer en défaite l'attaque impétueuse de l'adversaire. C'est en suivant ces cours que j'ai fait la connaissance d'Omar. Il a déjà dix-neuf ans, il est très grand, il est fort, c'est un *fida'i* particulièrement noble et courageux. Il vient des environs d'Alamut, un village de montagne nommé

Iskenderun qui doit être minuscule et que l'on connaît
pour son puits, parce qu'Alexandre le Grand est censé y
avoir bu lors de sa marche vers l'Inde. Cela me fait
certes l'effet d'une légende incroyable, puisqu'à ma
connaissance le fameux héros n'a jamais été dans cette
région et que — c'est toi qui me l'as appris : « *Tria, treis,
treis, hae, en Issos nikae !* » — Issos est situé au nord de
Bagdad. Nous y sommes passés lorsque nous allions
rendre notre hommage au calife.

Omar m'avait invité dans la maison de son père. Le
seul problème, puisque l'imam est toujours en voyage,
était la nécessité d'échapper à son surveillant, Hassan
Mazandari. Yeza a proposé que nous quittions la Rose
séparément. Elle voulait inciter sa fidèle conseillère
Pola à l'emmener au prochain voyage. On disait que
celui-ci serait imminent, mais les femmes l'entouraient
d'un grand mystère. En tout cas, je lui avais décrit précisément les lieux et le chemin de la maison d'Omar.
C'est là que nous comptions nous rencontrer. Je dus
trouver une idée pour que mes quelques jours
d'absence passent inaperçus, car Yeza avait obtenu,
entre-temps, d'être confiée officiellement à la garde de
Pola, la responsable du harem, et de dormir auprès
d'elle. J'étais donc tout seul dans le logement que nous
habitions jusqu'ici, et qui est pendu ou collé à celui où
vivait Créan. Cette cellule a un inconvénient : depuis le
palais, on peut regarder à l'intérieur presque sans la
moindre difficulté, en tout cas depuis le haut, j'ai pu le
constater. Si je bricolais une poupée qui me ressemblait
mais se tiendrait raide dans son lit ou regarderait par la
fenêtre, ils penseraient que je suis malade et m'enver-
raient le médecin. Omar a eu l'idée de mettre Ali dans le
complot. Il est vrai qu'en tant qu'otage il n'est pas autorisé à sortir, mais personne ne se soucie de de lui autant
que de nous, on est certain qu'il ne s'enfuira pas. Cela
ne lui viendrait même pas à l'esprit. Nous lui avons
donc dit que l'une des *houris*, la plus belle, avait des
vues sur moi et que, au cours de l'une des nuits à venir,
elle laisserait une corde descendre du « Paradis » pour
me faire venir auprès d'elle. Comme il est mon meilleur
ami, et que j'ai déjà une *damna* à laquelle je suis fidèlement attaché, ce qui est d'ailleurs exact, je lui laissais
ma place. Au cours des soirées à venir, il n'aurait qu'à
se montrer de temps en temps, vêtu de mes habits,
coiffé d'un turban qui n'aurait rien de discret, et à se

coucher dans mon lit. Ali était tout feu, tout flamme, bouillant d'impatience en attendant que je quitte ma chambre. Omar me nouait sur la tête, chaque jour, un monstrueux turban de damas et de brocart, orné d'une plume de paon. Ce monstre fiché sur le haut du crâne, je passais plusieurs fois en me dandinant devant Hassan jusqu'à ce qu'il se fût habitué à cette vision grotesque — c'est ainsi que je m'imagine Ali Baba! — et qu'il n'y fît même plus attention. Un matin, de très bonne heure, nous partîmes. Omar s'était fait accorder un congé en règle par Hassan pour aller rendre à sa famille une visite de quelques jours. Ensemble, nous équipâmes Ali, qui avait l'air d'autant plus idiot avec son ballot d'étoffe en haut du crâne qu'il en était particulièrement fier. Puis ils m'installèrent dans une corbeille avec laquelle on avait coutume de hisser à une corde les marchandises des paysans, pour que la populace ne se presse pas dans la « marmite ». Et puis des espions ou, pis encore, des ennemis déguisés auraient pu se mêler à eux. Ces corbeilles sont actionnées depuis la Rose par des poulies, elles sont suspendues à une grosse corde au-dessus des douves, on les descend pour les remplir. Malheureusement, c'est aussi la voie par laquelle on évacue les immondices de la citadelle : si on les jetait dans les douves, la puanteur ne tarderait pas à nous envahir. Il me fallut donc accepter que l'on déversât sur moi les écorces de cucurbitacées, les gousses de haricots et le fumier de cheval. Puis Omar dévala l'escalier ; la garde le laissa passer par un petit pont-levis, et il courut sur le lieu du rassemblement des marchandises, là où arrivent les corbeilles. Il tira trois fois sur la corde, comme convenu, et Ali commença à la faire coulisser vers le bas.

— Raconte-moi comment elle embrasse ! l'implorai-je.

Il rayonnait déjà de désir, et il tourna la manivelle avec une telle hâte que la corbeille se mit à danser ; je me vis déjà nageant dans le fossé. Sur l'autre rive du lac, Omar avait loué des mulets. Lorsque je touchai le sol, des esclaves me renversèrent sur la montagne de détritus. Mon admirable ami était déjà prêt. Il jeta sur moi un burnous noir et m'installa sur un des animaux. Les paysans et les travailleurs qui nous entouraient pensèrent sans doute qu'il avait enlevé l'une des *houris* et firent de grasses plaisanteries sur le sort qui nous attendait : on savait que l'imam punissait cruellement ce genre de larcins. Omar donna à chacun quelques pièces, garantes de leur silence, et s'éloigna en ma compagnie.

Lorsque nous fûmes certains de ne pas être suivis (pour ma part, je ne craignais pas les sbires de Hassan, mais Omar aurait été puni à ma place), je me défis de mon déguisement indigne. Entre-temps, nous avions atteint l'une des vallées qui entouraient le cirque montagneux, et nous étions hors de portée de vue de la Rose. Le sentier caillouteux décrivait sur la montagne des serpentins escarpés, souvent tellement étroits que les mulets devaient avancer à la queue leu leu. Des ravines rocheuses s'ouvraient, béantes, à côté de nous. J'évitais de regarder vers le bas mais, lorsque je me retournai, je revis la Rose. Elle brillait en dessous de nous au milieu des flots, avec ses pétales sombres et recourbés. De leur centre s'élevait le pistil de la fleur, avec, à son sommet, le minaret et le croissant de lune rotatif. Au soleil levant, la Rose brillait d'un rouge incandescent, comme si elle voulait nous atteindre avec ses rayons. Effrayé, je rabaissai sur mon visage le drap noir du burnous. Omar se mit à rire. Quant à moi, je me jurai qu'une fois revenu je percerais le mystère de l'observatoire, en haut de la citadelle. Était-il vrai que l'on pouvait voir de là-bas toute chose de ce monde, y compris ce qui se passerait à l'avenir ? C'est du moins ce que croient les *fida'i*. Il y a sûrement du vrai là-dedans. Comment, autrement, tout ce « savoir secret » qui enthousiasme tellement Yeza arriverait-il dans la « grotte des révélations » pour aboutir dans la « caverne des prophéties apocryphes » ? La gloire de cette bibliothèque unique en son genre, je le compris alors, se focalise dans ce lieu. C'est du rayonnement des astres que la Rose tire son pouvoir, mais seul le génie humain peut le faire agir, comme le fait mon « Zev sur roues », en bas, dans les sombres entrailles de la citadelle. Son action discrète maintient le planétarium dans un mouvement calculé avec précision. J'ai été effrayé par ma découverte, comme si j'avais jeté un regard dans l'abîme dont mon mulet, qui avançait avec prudence, me préservait encore.

— N'aie pas peur ! s'exclama Omar, qui avançait devant moi. Nous sommes arrivés !

4. SOUS LA LUNE D'ARGENT D'ALAMUT

Au puits d'Iskenderun

Devant nous, sur un creux de la montagne, nous aperçûmes Iskenderun : quelques rares maisons, et, dans le vallon du petit plateau, quelques cèdres majestueux. Leurs aiguilles vert foncé donnaient à ce désert rocheux une fraîcheur qui me rappelait mon pays. Le petit village paraissait paisible et sûr. Je découvris tout de suite le puits. C'était un simple anneau de pierres, qui paraissaient cependant venues d'ailleurs et portaient quantité d'inscriptions gravées au fil des siècles, sinon des millénaires, et dont beaucoup me parurent indéchiffrables. Je cherchai en vain le nom d'Alexandre le Grand.

Nous nous arrêtâmes un bref instant, et des jeunes femmes qui connaissaient manifestement Omar puisèrent pour nous de l'eau glacée, remontée des profondeurs du puits. Le jeune *fida'i* les remercia. Puis nous entrâmes dans la maison de son père. La mère d'Omar fut navrée d'avoir été prise au dépourvu par notre arrivée, et honteuse de ne pas nous recevoir solennellement. Elle se mit aussitôt à crier : « Aziza ! Aziza ! Cours chercher ton père ! »

Une jeune fille sauta par la porte comme une gazelle, sourit à son frère, me rit insolemment au visage et monta sur la colline, juste derrière la maison. Deux doigts dans la bouche, elle émit un sifflement strident.

— C'est ma sœur, m'expliqua Omar (mais je l'avais déjà compris). Elle n'a pas de manières, ajouta-t-il comme pour s'excuser. Elle grandit comme une sauvageonne, parce qu'elle passe son temps à guider les chèvres sur la montagne avec mon père au lieu d'aider ma mère à la maison. Elle ne trouvera certainement pas de mari !

Aziza me paraissait avoir l'âge de Yeza. Si elle suivait l'exemple de sa mère, elle deviendrait une beauté plantureuse, qui mettrait l'eau à la bouche des hommes, comme un gigot bien gras.

La mère d'Omar nous conduisit dans la cour, un jardinet dont le centre était orné d'un grand arbre ; ses branches dispensaient ombre et fraîcheur. Elle porta en toute hâte du fromage frais, *jibn tasa*, des galettes de pain juste sorties du four, *chubs*, et des figues séchées, *tin nashif*, et nous pria d'accepter ce repas de bienvenue dont elle nous demanda d'excuser la sobriété. Puis le père apparut lui aussi dans la cour, par la grille de derrière. Il portait dans les bras une chevrette qui bêlait misérablement. J'eus le cœur serré lorsqu'il la donna à sa femme qui disparut avec elle à l'intérieur de la maison, où les bêlements cessèrent rapidement. Le père d'Omar n'était pas de ceux qui omettent de servir à leurs hôtes un rôti parfumé, quitte à sacrifier l'ultime chevreau de la maison. Toute protestation l'aurait vexé.

Malheureusement, Aziza avait aussi filé à la cuisine avec sa mère, et je dus me contenter des figues sèches. Le fromage frais avait un goût admirable, et je fis, la bouche pleine, des compliments à mon hôte. Il avait déjà les cheveux gris, il était trapu et certainement d'une force extraordinaire. La peau de son visage anguleux était tannée par le vent et les intempéries, il avait autour de la bouche ce trait de bonté et de cruauté mêlées qui caractérise souvent les bergers. Il demanda du *jibn muchammar*, indispensable pour que ses papilles perçoivent précisément le goût qui lui plaisait. Aziza lui apporta ce qu'il souhaitait, si vite que je ne parvins même pas à la regarder dans les yeux. Sa poitrine est déjà tout à fait épanouie. Je me consolai de sa disparition en reprenant de ce fromage que l'on devait mâcher comme les rognons d'une vieille chèvre. Puis Aziza apporta de l'eau fraîche. Cette fois, elle osa me lancer un regard vif comme l'éclair, ce qui me fit rougir. Mais ce petit animal n'alla pas plus loin, se contentant d'apaiser d'un regard muet le cœur de son père.

— Un ami de mon fils fait partie de ma famille, proclama-t-il d'une voix implorante. Il ne peut me déshonorer !

Aziza grimpa sur le banc à côté de lui et s'installa avec lui. Cette invocation était naturellement destinée à mes pensées impures, et je pensai à toi, malgré moi, ô Guillaume : comment te comporterais-tu dans une situation aussi piquante ? Je songeai avec terreur à la nuit. Mais Omar dormirait certainement dans la même chambre que moi. Cela pourrait sûrement retenir sa sœur impétueuse de souiller l'honneur de leur père en mettant ma constance à l'épreuve. Pour être honnête, mon devoir de fidélité envers Yeza ne me vint même pas à l'esprit. J'entendis alors, devant la porte, des voix de femmes excitées, à la fois angoissées et réjouies, et la mère se précipita dans la cour. Elle tira sa fille loin de notre table et cria :

— Va tout de suite te cacher dans la chambre ! La *habibat al-oula-as-sabiqa* jette son mauvais œil sur notre pauvre village !

Aziza obéit en hésitant. En se levant du banc, elle me lança un regard et, en s'inclinant, me fit apercevoir la naissance de ses seins, comme pour dire : « Si tu ne me sauves pas, alors... » Puis elle disparut avec une lenteur agaçante.

Il n'y eut pas besoin d'autre explication. J'avais compris que Pola était arrivée à Iskenderun — et avec elle, Yeza ! Je n'avais pas encore dit le moindre mot à mes hôtes sur le fait que j'avais rendez-vous ici avec ma *damna*. Je ne m'étais pas attendu à la voir arriver si vite. Et j'étais évidemment horrifié par la terreur qu'inspirait la fille de Créan.

— Il y a aussi des mères qui n'ont qu'une hâte : présenter leurs filles à la *al muchtara*, me confia la mère d'Omar avec angoisse. Lorsqu'une fille lui plaît, il est interdit aux parents de s'opposer à son vœu. Ils sont forcés de donner leur enfant. Et moi, je n'ai... — elle regarda son époux et Omar, comme pour s'excuser — ... nous n'avons que celle-là.

— Autant je suis honoré par le fait que mon fils unique serve la Rose, ajouta le père, autant je n'aimerais pas voir ma seule fille au « Paradis » !

Je crus de mon devoir de rappeler les règles de la Rose :

— Tranquillisez-vous, braves gens. Lorsque le frère est déjà à son service, on ne prend pas la sœur ! C'est la loi !

— Ah, fit la mère, c'est vrai ! Seulement si cette femme, cette excroissance de l'œil de l'imam, a remarqué une fille dans une famille, on envoie le fils « en mission », c'est-à-dire à une mort certaine !

— Tais-toi, femme ! Que parles-tu de choses auxquelles tu ne comprends rien ? répliqua son époux.

— Je veux garder mon Aziza et ainsi...

À cet instant, Yeza apparut. Son entrée nous laissa tous bouche bée, d'autant plus que les femmes du village criaient devant la porte de la maison : « Elle vient, elle vient, elle visite la maison de la mère d'Aziza ! »

Nous avions bondi, Omar et moi-même, pour saluer Yeza. Par le vestibule, nous vîmes la litière s'arrêter devant la maison. Pola descendit. Elle était drapée dans une djellaba de soie rose, son visage était recouvert par un *hejab* qui laissait juste une fente pour les yeux. Mais lorsqu'elle descendit, elle montra sans la moindre honte une bonne partie de ses jambes. Elle laissa ses gardes attendre devant la porte et entra dans la maison ; dans le vestibule, la mère marcha vers elle, l'air soumis. Lorsque je me tournai vers la cour, le père d'Omar avait disparu.

— Quelle bonne odeur de chevrette rôtie, ici ! s'exclama Yeza.

Elle prit Pola par la main.

— Mon chevalier et son ami Omar, dit-elle, ont tout préparé pour notre accueil.

« L'ancienne favorite » entra dans la cour, suivie par la mère de famille, tellement émue qu'elle oublia de lui offrir une place. C'est Omar qui s'en chargea. Il y gagna un regard ardent depuis la fente du *hejab*, tandis que Pola s'installait sur le banc. Yeza, affamée, s'attaqua aussitôt au *jibn tasa*, tandis que *al muchtara* demandait simplement une gorgée d'eau. La mère voulut aller en chercher, mais Omar la devança. Je présentai Yeza à la mère de mon ami.

— Voici la princesse du Graal, annonçai-je solennellement, et je suis son chevalier préféré.

Yeza me corrigea aussitôt.

— Nous formons tous deux le couple royal. Sans l'autre, aucun de nous n'a de valeur. Le chevalier peut être infidèle à sa dame, la dame peut changer de chevalier, expliqua-t-elle à la mère effarée, tellement angoissée à l'idée de voir sa fille partir qu'elle ne comprenait plus rien à ce qu'on lui disait. Nous sommes faits pour agir ensemble, reprit-elle, nous sommes les souverains d'un royaume qui n'est pas de ce monde.

J'eus l'impression qu'elle avait dit : nous y sommes condamnés ! Comme ma Yeza est trop intelligente pour adresser de telles paroles à une paysanne des montagnes, c'est sans doute à moi qu'elle les destinait. Hormis son amie Pola, Omar et moi-même, nous étions seuls.

Le père d'Omar revint dans la cour en poussant devant lui deux nouvelles chevrettes, mais Pola se leva.

— Très cher seigneur, dit-elle, cessant avec un plaisir manifeste de regarder le fils pour observer son père, un homme puissant, je ne puis accepter votre hospitalité : aujourd'hui, il me faut poursuivre ma route.

Elle tendit la main à la mère, qui l'embrassa avec reconnaissance.

— Je vous laisse ma protégée en garde, je reviendrai la prendre d'ici quelques jours.

Puis elle s'adressa à moi, en toisant Omar une fois de plus.

— J'ai été heureuse de rencontrer le courageux chevalier Roç et de vous savoir tous deux en bonnes mains. Cela aura aussi tranquillisé Hassan Mazandari, qui...

— Mordieu ! laissai-je échapper dans un accès d'effroi qui n'avait rien de chevaleresque. Sait-il où nous nous trouvons ?

— Je le suppose, répondit Pola.

Je lui embrassai moi aussi le bout des doigts, l'image de sa jambe nue me revint un instant à l'esprit. Puis je la guidai avec Yeza jusque devant la maison. Les femmes du village s'y tenaient en demi-cercle autour de la litière, impatientes et excitées. Pola ne leur accorda pas la moindre attention. Elle embrassa Yeza et prit congé d'elle.

— Repose-toi dans cet environnement sain, princesse, entourée de jeunes et forts guerriers !

On aurait presque dit qu'elle enviait Yeza et qu'elle aurait volontiers échangé sa place contre la sienne. « L'ancienne favorite » n'était pourtant pas si vieille que cela ! La litière se leva et disparut sous les cris des femmes et des enfants.

Puis Iskenderun se prépara au repas de fête, dans la maison d'Omar qui avait des invités si particuliers que *al muchtara* n'avait pas jeté le moindre regard sur les filles du lieu. La blonde jeune fille était une princesse, et l'ami d'Omar un prince ! Cela promettait des discussions palpitantes après le repas, pendant lequel on put observer de tout près le couple royal. Le père dut abattre deux chèvres supplémentaires : chacun, dans le village, comptait répondre à l'invitation.

Ces jours heureux à Iskenderun filèrent comme les hirondelles qui gazouillaient autour du toit de la maison d'Omar. Les hommes dormaient en haut, dans le foin. Yeza avait son lit avec les femmes, dans la chambre située à côté de la cuisine. Le père était reparti vers les pacages, et la mère ne pouvait empêcher Aziza de mener son troupeau chaque jour à l'endroit dont nous étions convenus. Nous nous promenions dans les forêts, ramassions des baies sauvages et du bois sec que nous rapportions le soir afin que sa mère ne pose pas de questions. Nous trayions le lait des chèvres et nous faisions griller toute sorte de volatiles, le plus souvent des pigeons — nous avions fait un concours : c'était à qui en abattrait le plus. Aziza ne savait pas manier l'arc et la flèche. Elle s'entendait en revanche à apprêter notre tableau de chasse et à l'accommoder en plats délicieux. Yeza, elle, était une cuisinière catastrophique ! Mais la jeune montagnarde admirait beaucoup plus les talents de Yeza pour le tir que les miens. Omar, lui aussi, fut impressionné par l'œil vif et la main ferme de ma princesse, mais trouva inquiétant le fait qu'elle maîtrisât presque toutes les disciplines qui font un guerrier. Un jour, elle fit tout d'un coup surgir son poignard et, d'un geste rapide comme l'éclair, le lança vers un tronc d'arbre où il alla se planter juste à côté du cou d'Omar.

— Tu n'as encore jamais tué un homme, Omar, dit-elle en riant. Moi, si !

C'est sans doute ce jour-là qu'Omar fut le plus abasourdi.

Mais avant que je ne puisse raconter à Omar l'histoire du cuisinier au chien [1], il répondit amèrement :

---

1. Voir *Les Enfants du Graal.* (N.d.T.)

— En revanche, il te reste à trouver l'homme qui t'aimera, chère Yeza. Moi, j'ai déjà perdu la femme que j'aime.

Je ne pouvais laisser dire ça, et je repris mon ami..

— Ta douleur ne t'autorise pas à mettre en doute mon amour pour Yeza. Et je sais qu'elle y répondra jusqu'à ce que la mort nous sépare.

— Je ne voulais nullement t'offenser, protesta Omar en rougissant. Tu es mon ami, mais je sais par expérience que toute alliance d'amour sur cette terre est menacée par la séparation, bien avant que la mort n'intervienne en rédemptrice. L'amour vrai ou éternel n'existe qu'au paradis !

— Chez les *houris* ? fit Yeza, moqueuse et presque en colère. C'est donc cela que tu désignes sous le nom d'amour !

— Je ne pense pas à une nuit de rencontre furtive avec une inconnue, répliqua Omar avec émotion, mais à ce bonheur durable qui t'est accordé à la fin de ta vie terrestre.

— Et tu y crois ? demandai-je.

— Avec joie et fermeté ! dit Omar. Cela me donne la force d'accomplir chaque mission que peut me confier l'imam.

— Qui te mène vraisemblablement à la mort, répondis-je.

Là-dessus, Aziza se mit à pleurer, et Yeza me lança un regard de reproche dans lequel je discernai à mon grand effroi une once de mépris — mais ce n'était peut-être que le fruit de mon imagination. Yeza consola Aziza et murmura quelque chose comme : « Ah, ces hommes et leurs images stupides ! »

Depuis qu'elle lit les livres des philosophes et surtout depuis qu'elle a des relations avec cette Pola, ma Yeza s'est beaucoup transformée. Elle me deviendra plus étrangère chaque jour, si je n'y prends garde. Mais que dois-je faire, Guillaume ? Conseille-moi ! En ce moment, je n'en laisse rien paraître, je suis sur mes gardes avec Aziza, qui me lance des regards ardents, même derrière ses larmes. Je suis heureux que son frère dorme à côté de moi et qu'elle ne puisse pas m'approcher pendant la nuit. Et à vrai dire, son inexpérience de jeune fille ne m'attire pas non plus particulièrement. Si je cédais à ses exigences, une foule de problèmes s'abattrait sur moi. Aziza, avec sa sincérité et certainement aussi son exclusivité d'enfant, n'aurait sans doute pas le cran d'une femme expérimentée pour assumer une nuit de rencontre furtive avec l'inconnu. Je la vois d'ici geindre de rage et de désespoir! Et puis il faut songer à l'honneur de sa famille. Omar me pardonnerait peut-être, ou me provoquerait en duel chevaleresque, c'est un combat à la vie et à la mort que je ne redoute pas. Mais c'est Yeza que je devrais craindre. Elle se contenterait de me lancer un regard bref et froid, le front barré par une ride verticale de colère, et ce serait le dernier regard qu'elle m'aurait accordé dans cette vie. Raison pour laquelle je préfère rester près d'Omar. Il m'a montré comment on attrape des truites à main nue dans le torrent clair et comment on vole le miel dans le nid des abeilles sans être piqué à mort.

Yeza rassemble des herbes sous la direction d'Aziza. Elle nous a épicé et rôti un poisson délicieux. Omar a dit en plaisantant qu'elle finirait par devenir la femme de sa vie, mais elle lui a répondu qu'elle préférerait être ma *houri* au paradis. Peut-être ne devrais-je pas attendre ce jour plus longtemps? Le paradis est éloigné, mais notre amour est certainement la clef de notre bonheur sur terre! Ah, Guillaume! Voici plusieurs jours que je suis assis pour rédiger ce rapport que je t'envoie, plusieurs jours que je ne me soucie de personne; Yeza s'est déjà plainte que je prenne tout ce qu'il y avait à écrire et m'a dit que je pourrais bien connaître « la fin violente d'un chroniqueur trop zélé ». Cela ne peut rien annoncer de bon, et je conclus donc en toute hâte.

Ton malheureux Roç.

L.S.

 À Guillaume de Rubrouck, O.F.M., de Yeza, O.C.M.

Pourquoi la vie n'est-elle pas plus simple, mon Guillaume? Depuis des jours, nous apprécions l'air frais des montagnes, le parfum épicé des prairies, la puanteur des chèvres et l'incessante attention que nous accordent les moustiques et les taons. J'ai même été piquée par une guêpe! Où cela? Au postérieur! Pour refroidir cette noble partie de mon corps, Omar nous a menés à un lac. J'y ai plongé aussitôt, l'eau était glacée. Pour ne pas geler sur place, nous avons joué à plonger les uns sous les autres. Aziza ne sait même pas nager. Mais elle est descendue dans l'eau jusqu'à ses gros seins, et s'est campée pour que Roç lui passe entre les jambes. Il sait très bien le faire ; j'espère seulement qu'il ne lui a pas attrapé le jardinet en passant par en dessous, comme il le fait toujours avec moi. Cette chèvre a couiné si fort ! Ensuite, son frère s'est précipité devant moi dans l'eau claire. Je crois qu'il n'avait encore jamais fait cela auparavant. En tout cas, je suppose qu'il l'a fait en fermant les yeux : il est passé à côté de moi. Je n'ai pu m'empêcher de rire bruyamment en le voyant sortir son visage de l'eau, plus loin, l'air tout à fait ahuri. Je lui ai crié : « Reste là, je te montre ! » et j'ai plongé pour m'approcher de lui par-derrière. Je crois que je lui ai fait très peur lorsque je me suis faufilée sous lui entre ses cuisses poilues. Son membre a caressé mon dos, il a fait un bond de côté et est tombé à la renverse tandis que je me retournais en vitesse et que je sortais de l'eau, l'âme paisible, à l'endroit précis où j'avais plongé. J'ai dit : « Omar, tu ne peux pas rester tranquille un moment ? » et j'ai de nouveau sauté dans sa direction. Mais cette fois-ci, je l'ai laissé attendre en vain, c'est Roç que je voulais observer. Je suis arrivée à sa hauteur à l'instant précis où il s'agrippait des deux mains aux jambes solides d'Aziza. Je lui ai attrapé les testicules par-derrière, avec une telle force qu'il a bondi comme un crabe effrayé et a renversé Aziza. On aurait dit qu'on allait l'empaler ; elle a hurlé qu'elle se noyait, alors qu'elle avait juste avalé un peu d'eau. J'ai fini par crier : « Ça me suffit. Je fais la dernière porte, que ceux qui doivent venir viennent ! »

Roç, agile comme une truite, était déjà à ma hauteur. Je sentis sa langue qui glissait sur la face intérieure de ma cuisse, il couvrit mon jardinet de baisers. Même la piqûre d'abeille reçut encore une tendre consolation avant que mon chevalier, totalement essoufflé, n'apparaisse derrière moi en sortant de l'eau et ne m'enlace tendrement par derrière.

Guillaume, Guillaume ! Je dois te le confesser : je m'étais imaginé, tout ce temps, que c'était le corps masculin d'Omar qui me faisait tout cela, si bien qu'en pensée je frissonnais, je tremblais d'excitation. Peut-être était-ce simplement le résultat de la froideur glaciale du lac, dont j'avais plus que profité. Omar, en tout cas, avait totalement négligé mon invitation, il était revenu depuis longtemps sur le rivage, avec sa sœur.

Nous nous y retrouvâmes tous sur le ventre, tête

contre tête, entre les herbes et les fourmis. Roç raconta des histoires, et je me demandais : Pourquoi la vie n'est-elle pas toujours aussi délicieusement agaçante que ce scarabée qui court sur ma main, ou d'une légèreté aussi joyeuse que ce papillon qui va et vient sur les fleurs, sous mon nez ? Je sentis la chaleur humide de l'herbe monter en moi. Je me surpris à presser mon jardinet contre le sol, et à écouter le battement de mon cœur inquiet. J'avais envie de... oui, de quoi avais-je envie, puisque j'avais tout ? Je peux être certaine d'attirer le regard concupiscent des inconnus, et tout aussi sûre de l'inclination de Roç. Le parfum familier de ses cheveux m'appartient, tout comme la tendresse de ses lèvres agiles et l'habileté de ses doigts. Je sais que le corps nerveux de mon petit chevalier se tient prêt pour moi, encore réservé, ignorant ce que j'aime. Et les autres, qui sentent le péril et l'avidité, ne sont pas hors d'atteinte non plus, une idée qui ne me déplaît pas ! Seule est mauvaise Yeza, qui a de telles pensées, *mala femina !* Guillaume, je pèche par la pensée. Me donnes-tu l'absolution ? Ou bien suis-je déjà promise à l'enfer ? Si ses flammes me brûlent aussi fort que les rayons du soleil à Iskenderun, je ne mettrai pas longtemps avant d'être calcinée.

Mais le diable ne s'est pas fait attendre longtemps non plus, et a mis un terme à notre bonheur terrestre.

Il est apparu un jour, au petit matin, dans l'embrasure de la porte, sous les traits du jeune crétin Ali. C'est le fils d'el-Din Tusi, tu le sais. Mon Roç, qui dormait à poings fermés, s'est réveillé aussitôt sous l'effet de la terreur. Ali était en piteux état, il sentait très mauvais et était totalement affamé. La mère d'Omar, qui ne s'étonne de rien, l'a bourré de *jibn tasa*. Puis il a dû raconter.

— Chaque jour, dit-il en s'adressant à Roç d'un ton dépité, je me suis tenu à la fenêtre avec ton turban, en attendant la *houri* promise. Mais elle n'est pas venue. Puis, un matin, j'ai vu une corde qui se balançait devant mes yeux, et j'ai vite écrit sur un parchemin : « Suave fleur de mon cœur battant jusqu'à sa tige, de mon sang excité, de mes lèvres enflammées, je t'attends chaque nuit pour épier le battement de ton cœur sous le pétale, plonger dans tes jus bouillonnants et éteindre l'ardeur de ton calice. Ton Roç. »

— Oh! mon Dieu, dit Roç, tu as écrit ça sous mon nom, et tu l'as signé, en plus?

— C'est la plus belle histoire d'amour que j'aie jamais entendue! fit Aziza, ravie, en dévorant Ali de ses grands yeux vifs.

Ali lui adressa un regard de poète reconnaissant.

— Que voulais-tu que j'écrive d'autre? se défendit-il, ne doutant pas de sa veine poétique. C'est bien ce que tu m'avais chargé de faire!

— Allons, allons, tu voulais juste t'approcher des *houris!* lançai-je d'un ton railleur.

— Il n'en était pas question, répliqua Omar, qui voyait son ami en fâcheuse posture. Ali devait seulement apparaître sous forme d'une silhouette, et non prendre en son nom la plume du poète.

Sa sœur lui coupa la parole.

— Ali a laissé parler son cœur. Pour moi, je souhaiterais que quelqu'un m'ait exprimé son désir en termes aussi...

— Aziza! fit Omar d'une voix sévère, et le petit animal baissa la tête en rougissant.

— Continue! ordonnai-je.

Roç roula les yeux et se tut. Omar me lança un regard complice que je n'aurais pas dû lui autoriser.

— J'ai accroché la lettre au cordon, et on l'a tirée vers le haut. Puis la nuit est venue. J'ai fixé à la porte ouverte tout ce que je trouvais, y compris mes vêtements, de telle sorte que l'on ne puisse plus regarder dans la chambre depuis le palais. J'étais nu, mon turban mis à part, et j'attendais dans la pénombre. Seule la lueur de la lune passait par la fenêtre.

— Continue, Ali, raconte encore, insista mon Roç.

— C'est une merveilleuse histoire! soupirait Aziza.

— J'étais couché sur ton lit, chuchota Ali à Roç. Tout d'un coup, la lune s'est assombrie et sa déesse volait devant la fenêtre, sa chair blanche...

À cet instant précis, la mère apparut dans la cour, et Omar s'exclama :

— Aziza, va aider ta mère!

Furieuse, Aziza lui donna un coup de pied au tibia sous la table, mais il resta inflexible.

— Disparais immédiatement dans la cuisine!

Elle se leva et fila dans la maison, excédée.

— Sa chair blanche, reprit mon Roç. Elle était nue?

— Non, non, poursuivit Ali, mais vêtue d'une manière tellement excitante que...

— Quoi donc?

— Ses seins impressionnants étaient pris dans une toile de cordons de perles, un diamant brillait dans son nombril, ses pieds charmants étaient enfoncés dans de petites pantoufles de soie, et elle eut du mal à passer le séant par la fenêtre, il était rond comme la pleine lune.

Omar proposa une fois encore le pot de fromage à son invité, ces friandises les distrayaient tous les deux.

— Oh là, chuchotai-je à Roç, la grosse Laila!

— Comment? répondit-il, méfiant. Tu connais les *houris* par leur nom?

— D'en haut, fis-je pour le rassurer. Je les voyais d'en haut, par la fenêtre et je sais...

— La *houri* somptueuse était accrochée à une corde qu'elle s'était passée autour des hanches...

— Tu l'as détachée? demanda Roç.

— Non, concéda Ali. Elle a gardé la corde et le diamant au nombril. Elle m'a poussé vers ma couche et... et m'a conduit à la chaude grotte de l'amour, fit-il en bredouillant.

— Et toi? insista Roç.

— J'étais sous elle, immobile et raide.

— Je l'espère bien, répondit mon Roç.

— Nous l'avons fait sans interruption pendant toute la nuit. Tantôt, c'étaient les cuisses de la belle, tantôt mon...

— Ça ira, fit Roç en lui coupant sèchement la parole. Nous savons comment on fait!

Omar a profité de l'occasion pour me regarder de nouveau d'une manière que je ne compte pas tolérer. J'ajoutai donc sans tendresse :

— L'accomplissement de l'acte amoureux ne nous intéresse pas, Ali. Que s'est-il passé ensuite?

— Elle s'appelle Laila. — Je lançai à Roç un regard de triomphe qu'Omar ne comprit pas, ce qui m'amusa.

— Elle m'aime ardemment, avoua Ali, et je suis sien à tout jamais. Je lui ai proposé de s'enfuir avec moi à Iskenderun, parce qu'aucun autre lieu ne me venait à l'esprit, et Laila a dit, rayonnant de bonheur : « C'est là, très cher, que nous nous retrouverons! »

— Continue, cher Ali, continue! demandai-je à mon tour.

— Comment finit l'histoire? renchérit Omar.

— Je l'ignore moi aussi ! répondit Ali, l'air inquiet. Je... je..., fit-il, recommençant à bafouiller. J'ai... j'ai dû m'endormir à un moment ou à un autre.

Nous éclatâmes tous de rire, mais Ali ne se laissa pas contaminer par notre hilarité.

— Lorsque je me suis réveillé, elle était partie, reprit-il d'un air maussade. J'ai pensé à la parole que j'avais donnée et j'ai fourré dans tes vêtements, Roç, tout ce que j'ai pu trouver, j'ai passé le turban au mannequin et j'ai quitté la Rose par le même chemin que toi. Je devais me dépêcher pour que Laila n'arrive pas ici avant moi et, par dépit...

Notre rire insensé le fit taire.

— Elle ne viendra pas ! annonça Roç à l'amant malheureux de la plus grasse *houri* que le « Paradis » ait jamais connue. Mais en commettant ton acte chevaleresque, tu as mis un terme à notre séjour à Iskenderun. Nous devons rentrer immédiatement.

Pola et moi étions convenues de nous retrouver ici pour qu'elle me raccompagne. Mais je ne voulais pas laisser Roç, Ali et surtout Omar affronter seuls le tribunal de la Rose, que Hassan réunirait certainement pour juger les évadés. Si j'étais sur place, le pire, que je redoutais pour Omar, n'arriverait pas : on ne toucherait ni à nous, les enfants royaux, ni à Ali, le fils d'el-Din Tusi. Mais Omar, lui, était un *fida'i*, et devait obéissance jusqu'à la mort. Cela m'inquiéta ; je demandai ainsi à sa mère de présenter à « l'ancienne favorite » mes excuses les plus contrites, car il m'était impossible de l'attendre plus longtemps. Puis nous quittâmes les lieux. Nous étions accablés, sachant tous quelle punition implacable Omar allait devoir subir pour cette incartade.

Nous arrivâmes au soir. Aucun d'entre nous n'avait vraiment le cœur à contempler la beauté de cette Rose qui scintillait au soleil couchant et prenait une autre coloration, plus tendre, à chaque nouveau pas que nous faisions. Actionner encore la manivelle de la corbeille n'avait aucun sens. Nous marchâmes donc tout droit vers le portail central dissimulé. L'un des pétales de la Rose s'abaissa au-dessus des fossés. Le pont nous mena au-dessus de l'eau jusque devant le grand portail. Mais seule une petite porte s'ouvrit. Hassan se tenait dans le passage et nous reçut, la mine impénétrable. Mais il parla à voix basse, ce qui me donna un peu d'espoir.

— *Alhamdulillah !* dit-il. Allah soit loué, vous êtes revenus. L'imam vient tout juste de rentrer de son voyage et n'a pas encore remarqué votre absence.

Puis il s'adressa à Roç.

— Je passerai sous silence votre éloignement volontaire, proposa-t-il. Je n'attends de vous aucun mot non plus sur votre excursion à Iskenderun, que je vous pardonne, ajouta-t-il, mielleux. Mais cela ne vaut pas (sa voix redevint dure) pour votre guide. Omar sait de quoi il s'est rendu coupable et ce que...

Je lui coupai immédiatement la parole.

— Si tu as l'intention d'exécuter Omar, alors nous révélerons ton complot à l'imam, nous lui dirons que c'est toi qui nous as convaincus de tenter cette fuite d'Alamut, et qui nous l'as permise en nous apportant toutes sortes d'aides. Nous lui ferons savoir que nous sommes revenus de notre propre chef, pour l'amour de l'imam, et contre ta volonté.

— Je vois, princesse, que vous avez tiré les enseignements de l'esprit qui anime la Rose, mais je ne peux laisser Omar impuni...

— Envoyez-le en mission, qu'il fasse ses preuves. Cela, nous le comprendrions. Car, au bout du compte, c'est tout de même notre faute...

— Non, c'est la sienne, répondit froidement Hassan. Vous avez peut-être été le prétexte. Mais Omar connaît la loi de l'obéissance et de la discipline. Vous n'y êtes pas tenus parce que vous n'avez pas prêté le serment de *fida'i*. Omar, lui, l'a fait ! Je trouverai une solution qui satisfera la Rose. Maintenant, allez à vos chambres, le repas va être servi.

Omar s'est mis à l'écart. Ali a disparu, piteux, dans la profondeur de la « marmite ». Il a peut-être honte de ce qu'il a provoqué par sa stupidité. Mais il est vraisemblable qu'il prend pour argent comptant la plaisanterie que lui ont faite les *houris*, et qu'il attend toujours sa Laila. J'ai rabattu son caquet à Roç lorsqu'il m'a demandé si je voulais passer la nuit chez lui : « Dors donc tout seul, Laila reviendra peut-être te voir. »

Et, sur ces mots, je suis revenue dans les appartements de Pola.

Mon cher Guillaume, tu le vois, Alamut m'a retrouvée, je suis lasse.

Ta Yeza, O.C.M.

N'ai-je pas fait des progrès de style et de rythme dans mon travail de chroniqueuse appliquée? Félicite-moi donc!

L.S.

Le seuil du Bulgai

— Ces quelques baraques en planches? Et même pas une muraille!

L'émir Belkacem Mazandari ne se donna pas la peine de dissimuler sa déception. La délégation d'Assassins qu'il dirigeait s'approchait du campement des seigneurs mongols installés devant les portes de Karakorom.

— Qu'est-ce que les Mongols pourraient bien faire d'une muraille? objecta el-Din Tusi. Qui les attaquerait ici? Les portes de la ville sont un simple point de contrôle, de repère et, le cas échéant, d'accueil solennel pour les invités.

— Pour ce qui nous concerne, je ne discerne rien de tel! regretta l'émir. Nous devrions nous faire respecter!

Belkacem était juste chargé de diriger l'escorte du sage diplomate qu'était el-Din Tusi. Et encore: si cette mission lui avait été confiée, c'était uniquement parce qu'il était le cousin de Hassan Mazandari.

— Pour l'amour du ciel! s'exclama el-Din Tusi. C'est bien le cadet de nos soucis! Je vous le demande, si vous tenez à notre vie à tous, témoignez du respect envers leurs personnes et envers leurs mœurs, même si elles vous déplaisent.

— Vous qui avez parcouru le monde, rétorqua Belkacem, moqueur, vous admettrez tout de même que le terme de « ville » est très excessif pour désigner cet alignement de tentes grossières!

— Ils ignorent aussi le terme de ville, expliqua el-Din Tusi avec douceur. Et ce serait une erreur de l'employer ici. Ils appellent cela le « lieu principal », ils s'y rassemblent rarement, et ne le font même pas avec beaucoup de plaisir. Les Mongols aiment parcourir librement l'immensité de la steppe. Raison pour laquelle leurs yourtes et les chars à bœufs qui les transportent leur sont si chers que, même ici, ils ne s'en séparent pas.

Depuis une petite élévation, les Assassins observaient à présent toute l'étendue de Karakorom. Seules quelques bâtisses de bois dressées sur des fondations de pierre ornaient le cœur du village, le « palais » du grand khan était en dehors, au loin, et paraissait entouré par un mur. Une ou deux tours surmontées d'un bulbe, des toits de pagode et un minaret révélaient la présence tolérée de communautés chrétienne, bouddhiste et musulmane. Mais le plus impressionnant étaient les ruelles du camp, qui paraissaient tirées au cordeau.

— L'imbécillité élevée au rang de principe ! maugréa l'émir, qui n'était pas du tout impressionné. Voilà sans doute ce qui fait le succès de ce peuple de bergers mal dégrossis. Comme Allah ne leur a offert ni l'imagination, ni le sens de l'art, ils consacrent toute leur énergie à faire la guerre !

— Pour les Mongols, l'ordre est plus important que ce que nous entendons par « équité », répondit el-Din Tusi, qui s'efforçait patiemment de préparer l'arrogant Belkacem à la rencontre qui les attendait. L'ordre signifie pour eux une obéissance absolue à leur loi simple et claire. Celui qui la viole est sûr de mourir !

— Ce troupeau de bêtes que vous appréciez tant est justement en train de nous livrer un ingénieux exemple de sa justice ! grommela Belkacem, effaré par l'image qui s'offrait à eux.

Le campement des Mongols était situé au bord d'un petit lac. Ils s'en étaient maintenant approchés de si près qu'aucun détail ne leur échappait. Deux femmes étaient menées à l'extérieur du camp, les mains liées dans le dos. Ce n'était pas cela qui avait effrayé les Assassins, mais leurs visages. Elles n'avaient pas de lèvres, seul un petit morceau de roseau dépassait d'un trait cicatrisé, où avait dû, jadis, se trouver la bouche. Cela donnait à leur tête l'allure d'un crâne de vieil oiseau; à chaque pas qu'elles faisaient, elles émettaient un sifflement hideux. Puis on attacha chacune d'elles par une corde à la queue d'un cheval, et elles avancèrent en trébuchant derrière les animaux qui furent envoyés vers le fleuve. Les femmes aux mains liées poussèrent des piaillements d'angoisse et tombèrent avant même d'avoir atteint la berge. Les chevaux les entraînèrent dans l'eau et se dirigèrent à la nage vers l'autre rive. Les deux corps restèrent un certain temps à la surface, crachant de petites fontaines en gargouillant. Puis ils disparurent sous l'eau, et les dernières bulles d'air annoncèrent que leur lutte contre la mort avait pris fin.

Ata el-Mulk Dschuveni se détacha du groupe des Mongols qui avaient assisté à l'exécution. Le chambellan musulman de Hulagu avança lentement vers la délégation des Assassins. Il négligea l'émir Belkacem Mazandari et s'adressa aussitôt à el-Din Tusi.

— Ces sorcières devaient être noyées. Elles ont provoqué la mort de beaucoup de guerriers aguerris en réussissant à dresser tout un clan contre le souverain élu.

Et comme s'il voulait obtenir l'assentiment du sage el-Din Tusi, il ajouta :

— Elles n'ont pu y parvenir qu'à l'aide de sorcelleries malignes. Allah est notre témoin! Vous, el-Din Tusi, phare de la science, vous n'auriez pas prononcé un autre verdict.

Il ne laissa pas à son interlocuteur le temps de répondre, et poursuivit :

— Mais je suis étonné de voir un homme aussi sage que vous à la tête d'une ambassade que nous n'avons pas appelée, que nous ne voyons pas avec plaisir et qui, comble de tout, n'a rien à nous offrir!

Son ton était devenu de plus en plus sec. Il avait adressé sa dernière phrase à l'émir, auquel il demanda de but en blanc :

— Où sont les enfants? Pourquoi ne les avez-vous pas amenés, comme nous vous l'avions ordonné?

— Parce que vos ordres, nous nous les...

El-Din Tusi coupa aussitôt la parole à l'émir et termina lui-même sa phrase :

— Parce que votre désir d'accueillir les enfants nous était inconnu. Autrement, nous aurions...

Cette fois, c'est Belkacem qui l'empêcha de finir et compléta lui-même, railleur :

— ... renoncé à entreprendre ce voyage.

— Avez-vous reçu notre ordre, oui ou non?

— Non! s'exclamèrent el-Din Tusi et Belkacem Mazandari, presque d'une seule voix.

— Très étrange..., grogna le chambellan. Et pourtant, je vais vous croire. Autrement, comment auriez-vous osé vous présenter ici devant nous, les mains vides!

— Nous venons en ambassadeurs de sa majesté Mohammed III, imam de tous les ismaélites et — Belkacem désigna les mulets chargés de coffres et de ballots, pour qu'on les débarde — ... nous connaissons fort bien les usages. Ce sont de précieux cadeaux pour le grand khan! ajouta-t-il, l'air suffisant.

Le chambellan ne se laissa pas impressionner.

— Vous avez entrepris votre voyage en vain, dit-il à l'intention d'el-Din Tusi. Il ne vous sera pas permis d'entrer dans Karakorom.

— Nous voulons voir le grand khan..., rétorqua l'émir.

El-Din Tusi s'efforça de le réduire au silence, mais en vain.

— En tant qu'ambassade, nous avons le droit...

— Il vaudrait mieux vous taire! lui conseilla le chambellan en lui coupant la parole. Puis ses propos devinrent beaucoup plus crus : Croyez-vous que nous autorisons l'entrée aux membres d'une secte de tueurs redoutés? Que nous leur montrons le palais du grand khan? Que nous leur donnons le loisir d'espionner autant qu'ils le souhaitent le chemin de ses appartements?

Il n'avait pas haussé le ton, bien au contraire, il parlait presque à voix basse à présent, et cela semblait tellement menaçant que l'émir éclata :

— Je ne me laisserai pas offenser par un homme comme vous.

Ata el-Mulk Dschuveni eut un mauvais sourire.

— Ôtez-vous de la tête, si vous voulez repartir avec elle, les notions d'honneur en usage dans le « Reste du Monde » ! Si vous considérez que ma parole a trop peu de poids, je vais vous conduire auprès du Bulgai. Tenez votre langue et respectez le seuil de sa maison : c'est le juge suprême des Mongols !

Il l'avait dit sur un ton presque attentionné, comme s'il était tout d'un coup devenu un ami de l'émir, qu'il ne regardait d'ailleurs pas. Et il s'en alla d'un seul coup, si bien que la délégation dut le suivre, de gré ou de force. El-Din Tusi rejoignit rapidement le chambellan. Les Assassins suivirent à distance ; leur chef, Belkacem Mazandari, prenait tout son temps. Il fulminait.

Le chambellan avait atteint la yourte du Bulgai. El-Din Tusi fit attendre tous les autres à l'extérieur et entra en s'inclinant profondément. Le grand juge était assis derrière sa table de travail. De là, il pouvait surveiller le rivage du lac, où les curieux qui avaient assisté à la noyade d'Oghul Kaimish et de la mère de Chiremon se dirigeaient à présent vers la délégation des Assassins.

— Prenez place, el-Din Tusi, dit aimablement le Bulgai. Nous vous avons envoyé une délégation à Alamut pour réclamer ce « couple royal ». Vous avez sans doute croisé son chemin.

— La terre des Mongols est si démesurément large et longue, répondit Tusi, qu'il peut arriver que deux délégations ne se rencontrent pas. Si j'avais connu votre vœu, nous serions revenus sur nos pas afin de l'exaucer.

— Voilà des paroles qui me réjouissent, dit le Bulgai.

Mais, à cet instant, une mêlée se produisit à l'entrée de la yourte.

— Qui représente ici le grand khan de tous les Mongols ? s'exclama l'émir Belkacem, provocateur.

Il se tenait au milieu du seuil, jambes écartées, bras calés sur les hanches. Le grand juge leva les yeux un court instant.

— Je représente ici la loi des Mongols, annonça-t-il à l'importun, et vous venez de la transgresser !

Il fit un signe, et deux gardes attrapèrent l'émir sous les bras et l'emmenèrent.

— Soyez miséricordieux pour cet ignorant, demanda el-Din Tusi.

Le Bulgai se leva.

— Cet homme savait parfaitement ce qu'il faisait. Mais je veux lui accorder une chance d'échapper à l'exécution du verdict.

Il eut une discussion à voix basse avec ses gardes du corps et les envoya à l'extérieur. Puis il s'adressa de nouveau à el-Din Tusi.

— Soyez le témoin de ma bonne volonté !

Ils avancèrent jusqu'au seuil. Dehors, on avait tracé un cercle de craie blanche ; son diamètre était aussi grand que celui de la yourte dont il touchait le seuil.

— Quiconque entre dans ce cercle se soumet à mon jugement, lui expliqua le Bulgai, celui qui le quitte tombe sous le coup de la loi.

Au milieu du cercle, on était en train de passer un sac sur la tête de l'émir et de le nouer. Puis on le fit tourner, on le poussa, et on lui frappa le creux du genou jusqu'à ce qu'il tombe.

— Si le condamné retrouve le chemin du seuil et le franchit sans marcher dessus, il sera pardonné.

Belkacem rampa à quatre pattes dans le cercle, autour duquel s'étaient postés les Assassins et les Mongols accourus de toutes parts. Ses hommes encouragèrent l'émir et tentèrent de lui indiquer en criant le bon chemin. Mais leurs voix étaient recouvertes par celles des Mongols, qui cherchaient à égarer le délinquant. Belkacem avait perdu toute orientation.

— Je pense, dit le Bulgai à son hôte, que vous allez devoir renoncer à votre guide pour revenir chez vous. Il ne retrouve plus le chemin.

El-Din Tusi se mit alors à crier :

— Belkacem ! Belkacem ! N'écoutez que ma voix et venez vers moi.

L'émir l'avait forcément entendu. « Vers moi ! » cria el-Din Tusi sans le moindre égard pour son hôte, mais les Mongols poussèrent de tels rugissements que ses appels devinrent inaudibles.

Belkacem se redressa lentement et marcha vers son salut. Un sourire de triomphe se dessinait déjà sur les lèvres d'el-Din Tusi. Mais l'émir se retourna dans un geste de défi et, arrivé juste à côté de la porte, fit un bond hors du cercle. Plusieurs sabres jaillirent et le frappèrent jusqu'à ce que le sac contenant sa tête roule à côté de son tronc.

— Il a gardé sa fierté, soupira el-Din Tusi, ému. C'est aussi un geste de grâce auquel je n'avais pas songé.

— Je ne pouvais que lui offrir une sortie honorable, c'était à lui de l'accomplir, répondit le grand juge, impassible. Considérez cela comme mon cadeau d'adieu. Revenez à Alamut et rapportez-moi les enfants du Graal !

— Je présenterai votre vœu. Je dois cependant vous dire qu'il ne s'agit pas d'enfants, mais de jeunes souverains qui choisissent eux-mêmes la direction de leur voyage. Vous ne pouvez pas les menacer : ils n'ont pas de pouvoir que vous puissiez leur prendre, pas d'empire que vous puissiez attaquer et dévaster.

— Vous êtes un homme courageux, répondit le grand juge. Cela vous honore. Je préfère pour ma part être un serviteur intelligent de mon maître. Je vous donnerai donc cent de mes meilleurs hommes, et le chambellan pour vous servir de guide.

Il se tourna en souriant vers Ata el-Mulk Dschu-

veni, qui avait passé tout ce temps assis dans un coin
et n'avait pas regardé le spectacle devant le seuil.

— Vous ne reviendrez pas ici sans les enfants,
ajouta le Bulgai avec sa concision habituelle. Et
notre ami, le sage el-Din Tusi, n'entrera pas à Alamut
avant que le couple royal ne se soit remis entre vos
mains, précieux Dschuveni.

Il sourit aux deux hommes, une sorte d'adieu au
moment où ils franchissaient le seuil de la tente.

— C'est aussi simple que cela lorsqu'on sait ce que
l'on veut, dit-il à voix basse.

Puis il appela un jeune Mongol qui se trouvait
dans la foule.

— Kito, dit-il, j'ai promis à ton père que tu ferais
partie de la prochaine expédition. Tu t'attireras
l'amitié des enfants royaux, tu leur serviras de garde
du corps, et tu seras responsable devant moi de leur
intégrité. Ils ne viendront chez nous ni en otages, ni
en prisonniers, mais en amis.

Le fils de Kitbogha, un garçon fort et trapu, hocha
la tête avec joie et courut seller son cheval. Il veilla à
ce qu'on lui donne deux autres chevaux de selle du
meilleur sang. Le cortège s'en alla l'après-midi
même. Les Assassins apprirent tout juste, en partant,
l'arrivée de Sempad, le frère du roi d'Arménie. Il
venait avec une escorte considérable rendre hommage au nouveau grand khan. Pour lui, on avait
orné la porte de la ville.

Ariqboga, le plus jeune frère de Möngke, chevaucha à sa rencontre jusqu'au campement pour le
saluer. Il donna l'accolade au sénéchal de ce petit
royaume dont le souverain avait compris, plus tôt
que tout le « Reste du Monde », quelle était la voie de
la survie.

— C'est aussi simple que cela, grommela el-Din
Tusi, en se retournant une dernière fois.

À la lueur dorée du soleil couchant, Karakorom
avait une allure somptueuse.

— À supposer que l'on sache ce que l'on peut faire
et ce que l'on devrait faire faire !

La prêtresse du croissant

Roç à Guillaume, Alamut, aux ides du mois de mars Anno Domini 1252.

Cher Guillaume, un monde nouveau s'est ouvert à moi, d'une ampleur et d'une beauté infinies, une lumière rayonnante — des lumières, devrais-je dire. Elles étincellent et éclatent dans une pénombre veloutée qui n'est ni aussi étrange, ni aussi inquiétante que les grottes souterraines, mais tellement attirante que je crois entendre de suaves voix. Elles crient : « Roç, tu nous appartiens, nous t'appartenons à tout jamais ! »

Je pense que tu as compris ce qui me comble autant de bonheur : j'ai vu le ciel ! J'ai pu jeter un regard depuis le firmament et en attraper un bout ; un peu du mystère de la Création m'a effleuré. C'est plus que tout ce que Yeza pourra jamais apprendre dans les vieux gros livres des philosophes ! La précieuse femme qui m'initie aux mystères du cosmos est Kasda, l'inaccessible prêtresse des étoiles. Tu vois, je suis allé au planétarium, le sommet de ce qu'Alamut, sinon le monde entier, peut offrir aux hommes. Le chemin qui y monte n'a pas été simple à trouver. Il ne pouvait pas passer par la bibliothèque de Herlin, bien que je ne sois pas sûr que la chose n'ait pas été possible malgré tout. En tout cas, il ne m'a pas été donné de pouvoir monter par la *magharat al ouahi*. Je ne suis même pas autorisé à accéder à la *magharat at-tanabuat al mashkuk biha*. La clef de l'observatoire se trouvait forcément quelque part ailleurs. Tu te rappelles, Guillaume, que j'ai examiné ces côtes étranges qui, partant des pétales de la Rose, s'élèvent vers le haut comme des veines, se ramifient et s'attachent les unes aux autres pour former cet entrelacs capable de porter la tour de la bibliothèque. Pendant cet examen, j'ai remarqué un réseau de veines plus épais que les autres. Et lorsque j'ai tapé dessus, il sonnait creux. Un tuyau ! Il disparaissait dans la paroi du calice. Mais où pouvait-il bien mener, sinon dans les profondeurs de la « marmite » ? Puis je me suis dit qu'aucune mécanique ne peut être construite avec une perfection telle qu'il ne soit pas nécessaire de la réviser et la graisser de temps en temps, et j'ai commencé à interroger mon ami « Zev sur roues » pour savoir s'il s'était déjà rendu au sommet de la tige de la fleur, là où tourne son chef-d'œuvre, le disque des phases de la lune.

Il m'a répondu par la négative, mais avec une telle virulence que je l'ai compris tout de suite : j'étais sur la bonne piste. J'ai fouiné dans son petit royaume et j'ai découvert une sphère suffisamment grande pour qu'il y entre ; mais moi aussi, j'ai réussi à m'y faufiler. Elle nage dans l'un des canaux souterrains qui passent devant la tige de la Rose et font tourner la tige dans le pistil de la fleur. La sphère est accrochée par le haut et par le bas à une grosse chaîne, laquelle court sur une grande roue aux dents de fer. Cette roue dentée peut être mise en prise par un levier, qui l'engrène aux pales d'un moulin, maintenues en mouvement constant par le courant, j'espère que tu me suis, Guillaume ? Zev a depuis bien longtemps pris l'habitude de me voir passer des heures dans les fosses, les escaliers et les cavernes de ses machines ; il a sans doute aussi oublié depuis belle lurette ma question sur l'observatoire. J'ai donc tiré la sphère vers le bord du bassin. Je n'ai pas eu de mal à l'ouvrir. Elle est même garnie de sièges en cuir moelleux. Des trous, assez grands pour passer les bras à l'extérieur et voir ses mains travailler, sont percés en haut, dans le couvercle, un peu plus petit que la partie inférieure de la sphère — celle dans laquelle on est assis. Même lorsqu'elle est chargée, elle ressort à la surface de l'eau comme un melon creux, dont on aurait détaché le sommet pour manger l'intérieur à la cuiller. Je m'y suis installé, j'ai refermé le couvercle au-dessus de moi et je l'ai solidement verrouillé : je savais que c'est par lui que serait suspendue la sphère lors de mon voyage dans les tuyaux. Puis j'ai défait son amarre et j'ai actionné le levier. Il y a eu une secousse et des claquements effrayants, mais je volais déjà au-dessus de l'eau. Puis je n'ai plus rien vu : le tuyau, un trou en forme d'entonnoir qui débouchait dans le plafond, m'avait déjà englouti. Je n'avais que deux soucis. Le premier, que Zev n'ait vent de cette ascension interdite. Le second, que la roue dentée et les rayons ne se dissocient. En pareil cas, je serais resté suspendu dans la pénombre, j'aurais à peine pu bouger, et crier ne m'aurait certainement pas aidé non plus. C'eût été une juste punition ! Mais rien n'arriva de tel. La chaîne me conduisit à travers les tuyaux, par à-coups réguliers ;

parfois, j'entendais des voix; parfois, un éclair traversait la sphère, sa lueur arrivait par le haut et disparaissait vers le bas. À quelques reprises, j'ai vu à côté de
moi le palais suspendu de l'imam; il s'éloignait de moi à
chaque fois, j'eus même un instant l'impression d'être
un des lustres.

L'air était mauvais, et je me sentis mal; mon véhicule
bascula, ce dont je déduisis que nous quittions la paroi
et qu'en franchissant la *qubbat al musawa*, il s'était
placé pratiquement à l'horizontale. J'espérais pouvoir
apercevoir quelque chose ici aussi, peut-être Yeza plongée dans l'un de ses gros manuscrits. Mais tout resta
sombre, la sphère se balança violemment et je fus de
nouveau tiré vers le haut. Qu'aurais-je donné pour voir
quelque chose des niveaux supérieurs et secrets de la
bibliothèque! Mais cela demeura interdit à ton Roç, qui
continuait à monter irrésistiblement. Traversant les
« prophéties » et les « révélations », je montais toujours
plus haut sans pouvoir rien voir de tout cela, pas même
l'espace d'un battement de paupières. Tout d'un coup,
une cloche se mit à battre à côté de moi, un son tellement puissant et strident que je pris peur et me cognai
la tête contre le couvercle. Elle sonna une fois encore,
mais plus fort. Je compris que l'on annonçait l'arrivée
de la sphère. La chaîne se décrocha, et je me retrouvai
librement suspendu dans mon œuf qui se balançait.
Mon ouïe ne s'en plaignit pas : pendant tout le voyage,
j'avais eu juste à côté de ma tête le fracas du métal qui
frottait, grinçait, gémissait, cliquetait et couinait parfois aussi, ce qui était particulièrement pénible. Il
régnait à présent un singulier silence. Mon vaisseau
descendit tout d'un coup mais doucement, et se posa
sur un support mou. Je regardai à l'extérieur et j'aperçus le bleu de la voûte céleste, parcourue de petits
nuages. Puis je baissai les yeux et vis, par les trous
situés en bas de la sphère, le sol de marbre. On y distinguait d'étranges inclusions de cuivre, d'argent et d'or,
des ellipses et des axes qui se recoupaient, des symboles
de ces dieux des planètes que je connaissais bien, et les
signes mystiques du zodiaque. Sur le marbre blanc, je
vis approcher de jolis pieds chaussés de sandales, de
fines chevilles, et des jambes drapées dans la mousseline la plus subtile.

Je déverrouillai craintivement le couvercle de ma
coquille de noix, mais j'avais trop honte pour le soule-

ver. Une main féminine s'en chargea, et je découvris le visage de la prêtresse. Elle aurait dû être étonnée de me trouver dans cette capsule à la place de Zev, mais ses yeux gris-bleu ne paraissaient pas connaître ce type d'émotion. Elle me regarda comme si ma venue était la chose la plus naturelle du monde — au moins à Alamut — et dit, ravie et joyeuse : « Mon roi du Graal, soyez le bienvenu chez moi ! »

Je rassemblai toutes mes belles manières et répondis avec douceur :

— Soyez saluée, noble vierge Kasda, fille de Créan de Bourivan.

Elle parut déconcertée un bref instant, puis elle sourit.

— Vous connaissez mieux mon père que moi, Roç. J'étais petite fille lorsque nous nous sommes vus pour la dernière fois.

Je sortis de ma coque. Elle était enfoncée dans un tapis qui bouchait le trou noir d'où j'étais sorti. Au-dessus de moi se trouvait encore un trépied sur lequel passait la chaîne, entraînée par une roue, avant de disparaître par un petit orifice creusé dans le sol, et, sans doute, de repartir vers le bas. Mais des cordes passaient aussi au-dessus de l'échafaudage, par une sorte de palan, et je compris que j'aurais besoin de l'aide de Kasda pour faire le chemin du retour. Ces cordes lui permettent certainement de remettre en prise l'engrenage et les rayons situés dans les profondeurs de la « marmite », tout comme elle les avait dissociés lorsque la cloche avait retenti pour la deuxième fois. Mais je ne songeais pas encore au retour. J'y étais arrivé, Guillaume : j'étais sur la plate-forme. Tout autour de moi se tenaient, debout ou accrochés, les ustensiles que je m'étais si souvent dépeints dans mon imagination, sans pouvoir véritablement me les représenter. Je ne sais ce que je dois te décrire d'abord : les tuyaux tournés vers le ciel, des instruments grands comme des catapultes que l'on soulève, baisse et tourne en quelques gestes, et que l'on peut ajuster avec une précision infinie. « Zev sur roues » a installé ici, dans un espace minuscule, un prodigieux méli-mélo de colimaçons imbriqués les uns dans les autres, de couronnes, de vis coniques, de manivelles et de vérins. Ou bien dois-je d'abord t'expliquer le *miraculum mobilis* ? Le planétarium ! Imagine-toi : le sol de marbre est recouvert de dessins, de lignes, de toutes sortes d'ellipses et de courbes que seul un dieu, ou le génie de la géométrie, peut avoir tracés. Là-dedans, des orifices encerclés d'anneaux de cuir; de chacun d'entre eux sort un anneau de fer qui file librement dans la salle et replonge, en un autre endroit, dans un trou creusé dans la pierre. Tous les anneaux tournent lentement, car ils se déplacent en tremblant, autour d'un autel situé au centre et composé d'une coupe de topaze poli. Dans son fond en chrysolite ciselée se concentre la lumière qui, venant du soleil, tombe ici.

— C'est la coupe de Gea, la mère de notre terre, le centre du monde! m'exclamai-je avec autant d'enthousiasme que de niaiserie.

Kasda me regarda, l'air songeur, avant de se décider à faire de moi l'adepte d'une vérité fantastique.

— C'est le soleil, Roç! dit-elle, et elle désigna l'autel. Le feu de sa sphère ne peut être capturé que symboliquement; c'est la source de notre vie. C'est lui, le centre du monde.

Elle hésita encore une fois. Il est vrai que je ne suis pas un haut dignitaire de ces lieux. Mais elle se rappela sans doute ma destinée, et ajouta très sèchement :

— *Terra Nostra*, notre terre, n'est que l'une de ses planètes.

Elle désigna une pomme en minerai qui, à mi-distance, sortait justement de son trou dans le plancher.

— *Sol*, l'astre divin central, est entouré par nombre de paladins, dignes et indignes. À sa proximité immédiate, il tolère Mercure, l'éternel enfant sans descendance, le voleur d'amour, sans conscience, celui qui promet la richesse terrestre.

Kasda désigna la plus petite des sphères qui tournait autour du soleil et que je n'avais pas remarquée. Elle avait des reflets tantôt dorés, tantôt argentés. Elle était faite d'améthyste. L'anneau suivant portait une émeraude grosse comme un œuf de pigeon.

— Voici madame Vénus, qui se fait volontiers plus jeune que son âge. C'est une très vieille sorcière, et une mauvaise séductrice; elle est, hélas, notre plus proche voisine. Nous voici ensuite, avec notre terre pétrifiée. Nous nous figurons que tout tourne autour de nous. En vérité, c'est nous qui tournons, comme la *ruota della fortuna*. Seulement nous ne le remarquons pas : l'action de Dieu est trop grande, trop puissante pour nous, petits esprits. Il nous épargne donc la connaissance...

— Mais vous, vous la possédez ? demandai-je un peu trop fort, car je ne savais plus très bien où j'en étais.

— Je suis sa servante, répondit Kasda. J'ai consacré ma vie à ce service et j'en serais certainement libérée sans jamais savoir si j'en étais digne.

— Et après, qu'est-ce qui vient ?

— Une autre vie, sous une autre forme, répliqua Kasda en souriant.

— Je veux dire : après la *Terra Nostra* ?

— Mars ! Le voilà, l'astre rouge grenat, l'escarboucle qui croit que le monde et toutes ses femmes appartiennent à l'homme. Le guerrier éternel est tellement imbu de lui-même, tellement occupé par ses conquêtes qu'il ne lui reste pas une minute pour réfléchir à sa propre personne. C'est son bonheur, mieux, c'est presque une grâce !

La prêtresse ne cachait pas la répulsion que lui inspiraient les hommes, si bien que je me sentis en droit de briser une lance en notre faveur, Guillaume.

— Et pourtant, nous sommes au centre de l'histoire de la Création, qui s'est faite à partir de la côte d'Adam.

Kasda m'éclata de rire au visage.

— Et qui a écrit l'Ancien Testament, la Bible et le Coran ? Des hommes ! De vieux hommes ! Tu es jeune, Roç tu as une compagne enchanteresse qui n'a pas été taillée dans ta côte et qui ne t'est en rien inférieure.

Elle connaissait donc Yeza, ou savait quelles étaient nos relations.

— Ne vous laissez pas enfermer dans les rôles que Mars et Vénus ont pris sous la contrainte de *Terra*. Libérez le dieu et la déesse, donnez-leur une nouvelle réalité, ici, sur cet astre, sur notre planète ! Si les gens pouvaient comprendre dans quelle admirable harmonie s'intègre la *Terra !* Ils trouveraient la paix. Mais leur esprit pourrait aussi accomplir des actes gigantesques. Ils ne s'épuiseraient pas dans la lutte entre les sexes et dans une vaine course au pouvoir, mais pourraient agir dans le cosmos, qu'il s'agit de découvrir.

J'osai mettre sa parole en doute.

— Comment cela ? Les petites étoiles sont infiniment éloignées, et minuscules. (Je désignai les plus grandes ellipses formées par l'entrelacs des sphères, celle de

Jupiter, en saphir, et de Saturne, en diamant.) Elles sont encore plus loin que la Lune !

— Les distances jouent un rôle subalterne dans le temps et l'espace, Roç. — Sa petite main caressa avec amour la Lune, qui suivait sa trajectoire tout près de la *Terra* — Sur l'ami de notre âme, je te confierai quelque chose plus tard, lorsque tu te seras calmé et que tu seras capable d'entendre les secrets. À présent, détends-toi.

J'eus l'impression que ses yeux bleu-gris plongeaient dans les miens.

— Tu passeras la nuit auprès de moi, en mon sein qui te recevra sans que tu doives y pénétrer.

Et la prêtresse me conduisit dans une couche à haut rebord, juste assez grande pour recevoir son petit corps. Le lit donnait une impression austère, même s'il était couvert d'un tapis. Elle s'y coucha gracieusement. À travers les voiles de mousseline, j'aperçus ses seins de jeune fille, deux boutons de rose en hiver, les contours de ses cuisses et l'ombre noire de son pubis. Je sentis mon membre grandir et battre, et j'eus honte de ma fougue, face à sa tranquillité et à sa douceur. Elle se coucha sur le côté et m'attira vers elle de telle sorte que ma tête repose sur son jardinet, et que mon membre érigé se presse contre ses seins. Elle se contenta de me regarder de ses yeux gris et j'eus l'impression que des vagues me balançaient dans une tendre brise ; de petits nuages traversèrent ma tête stupide, me délivrèrent du mal, et je m'endormis.

J'ignore combien de temps nous sommes restés couchés ainsi, collés l'un à l'autre et perdus l'un dans l'autre, elle, la chaste, qui avait volontairement renoncé au monde des hommes, et moi qui brûlais du désir d'y être admis. Kasda avait certainement passé tout ce temps à veiller sur mon sommeil ; lorsqu'elle me réveilla, je vis qu'elle n'avait pas fermé l'œil. Une certaine lassitude se dessinait aux commissures de ses lèvres, et les petites couronnes de rides qui ornaient ses yeux gris n'étaient certainement pas dues à un excès de rire.

— Nous y voilà, chuchota-t-elle comme si elle ne voulait pas déranger les étoiles qui scintillaient au-dessus de nous.

La nuit était certainement déjà bien avancée. Nous

quittâmes la partie de la plate-forme recouverte d'une voûte pour nous rendre sur ces échafaudages en forme de catapultes dans lesquels de grands tuyaux s'élevaient vers le ciel. C'était le dernier quartier de la lune : son croissant jaune se détachait violemment sur le noir mystérieux de son corps.

— Ce que tu ne vois pas, ce sont Hécate et ses chiens, le voile noir de la femme Lilith, expliqua la prêtresse à voix basse. Elle n'a pas abandonné le combat pour le pouvoir que l'Apollon rayonnant mène chaque jour victorieusement au nom de son roi, *Sol invictus ;* elle s'est retirée dans les profondeurs de notre conscience, dans la mer agitée de nos âmes, sur laquelle le courage et la folie ont planté leurs voiles ou rament désespérément sans trouver le port salutaire.

Kasda me guida jusqu'à l'extrémité d'un tuyau. Je pressai mon œil contre l'orifice et vis la Lune, belle et émouvante.

— Lilith prend le lion belliqueux entre les jambes, non pas pour se réjouir de son membre et de sa semence, mais pour l'émasculer avec sa faucille ; c'est son sang qui doit l'humecter.

Je sentis le souffle de la prêtresse dans ma nuque ; sa nudité, sous son habit de voiles, me revint à l'esprit avec autant de force que si elle s'était tenue toute déshabillée derrière moi.

— C'est la partie obscure, celle que nous devinons sans la voir, dit-elle.

Je m'attendais à ce qu'elle m'attrape entre les jambes, j'étais disposé à la laisser faire, eût-elle même un couteau à la main. J'attendais fébrilement l'entaille dans ma chair, et je compris tout d'un coup l'attitude incompréhensible de ces victimes de sacrifices qui ne se défendent pas et offrent leur cœur en sachant qu'on va le leur arracher de la poitrine. Je sentis un battement brûlant me remonter jusqu'au cou, mais mes reins étaient envahis par le calme froid et solennel de l'attente.

Mais Kasda se contenta de poser la main sur ma nuque, m'éloigna du tube pointé sur la Lune et tourna mon visage de telle sorte que je sois obligé de lever les yeux vers le disque d'argent, haut comme deux hommes, qui se dressait au-dessus de nos têtes. La « Lune d'Alamut ». Le disque, lui aussi, ne montrait qu'un croissant, tout comme celui que je venais de voir dans le tuyau. Devant le bouclier creusé comme une assiette, on avait installé un éventail de feuilles en forme de faux noires qui laissait paraître exactement autant de Lune que ce qu'il était donné de voir à l'œil humain à cette date du mois.

— Bientôt, le pouvoir noir et ténébreux de Lilith recouvrira toute la surface, me chuchota Kasda à l'oreille. Alors, tu m'appartiendras!

Était-ce vraiment ce qu'elle avait dit? Ou bien entendais-je la voix de mes désirs?

— Son règne est bref. Seuls les chiens y aboient après la pénombre de la Lune invisible. Pendant cette période, les hommes sont capables de se livrer à des actes terribles et se laissent guider par leurs instincts. Bientôt, l'éternelle Ishtar brillera de nouveau, et ce sera la renaissance du féminin, de l'élément conciliateur, de l'amour maternel et universel!

Elle me serra tendrement contre elle tandis que, toujours fasciné, j'admirais au-dessus de moi le mécanisme, ce grand disque animé par une rotation constante et presque imperceptible. La nuit, depuis le rebord de la Rose, je l'avais déjà souvent observé lorsqu'il achevait son parcours au terme d'une journée et continuait à briller, même par les nuits sans Lune. Je sais à présent que cet éclairage lui venait de l'huile qui brûlait dans la coupe de l'autel et dont les rayons focalisés lui étaient renvoyés par de nombreux petits miroirs de cristal.

— L'amour ne s'accomplit pas dans la lumière secrète, dit la prêtresse à voix basse, derrière moi, mais dans la clarté rayonnante de la déesse.

Elle attrapa une amphore et nous servit un liquide rouge rubis.

— Ishtar! appela-t-elle. C'est en ton nom que se donne ta servante. Reçois notre sacrifice amoureux!

Nous bûmes dans la même coupe. Comment aurais-je pu refuser? Et puis le goût était tellement suave. La prêtresse me poussa vers sa couche, mais, cette fois, d'un seul geste (je devinais que Zev, le génie, était passé par là), elle la déplia. Un croissant de lune argenté et brillant apparut alors, un hamac garni de draps damassés et de coussins de soie. C'était donc cela, le véritable lit de la chaste Kasda! Ses bras m'attrapèrent par derrière, et je te le jure, cette fois, elle était nue! Elle saisit habilement la boucle de ma ceinture et ouvrit mon pantalon, dans lequel mon membre se pressait contre le tissu. Je n'avais plus aucune volonté.

Une petite cloche se mit alors à sonner, doucement d'abord, puis de plus en plus fort. C'était un message. Pour la première fois, et à mon grand étonnement, j'entendis Kasda prononcer un juron, quelque chose comme « Trismégiste ! » Ses mains se détendirent sur mes hanches. Elle me fit de la peine.

— Tu vas me manquer, Roç, dit-elle tristement en écoutant la sonnerie. Un visiteur de la plus haute importance s'approche de la prêtresse.

Je me retournai vers elle. Évidemment, elle n'était pas nue.

— L'imam ? demandai-je.

Elle hocha la tête sans manifester d'inquiétude excessive.

— Il ne faut pas qu'il te voie ici !

Je le comprenais bien ; moi non plus, je n'y tenais pas. Mais je n'avais pas peur. Je regardai la sphère dans laquelle j'étais arrivé.

— Le mouvement de la chaîne te trahirait !

— Il y a forcément un escalier donnant sur la bibliothèque ! suggérai-je.

— C'est ce chemin que prend le souverain, tu te jetterais dans ses bras.

J'avais plutôt l'impression qu'elle faisait tout pour me garder auprès d'elle. J'avais raison !

— Couche-toi dans le hamac, ici, dit-elle. Je vais refermer la trappe. Personne ne viendra t'y chercher !

J'hésitais. Nous n'entendions pas encore la démarche de l'imam. La clochette avait cessé de tintinnabuler.

— Peut-être..., fis-je avec une lueur d'espoir, mais elle me fit un signe énergique de la main.

— Il nous punirait affreusement !

Cela suffit à me convaincre. Je m'enfonçai dans les draps et les coussins brillants, et Kasda me recouvrit. J'aperçus sa poitrine dans l'échancrure de son vêtement, puis elle m'enferma, et je me retrouvai couché dans un nid obscur et moelleux, recouvert par les coussins. À peine s'était-elle couchée (je sentis le poids de son corps) que des pas traînants approchèrent. J'entendis la voix du grand maître.

— Je sens l'homme en rut, Kasda. Ce gamin serait-il... ?

La prêtresse se redressa au-dessus de moi, ses fesses se pressèrent contre mon visage. J'osais à peine respirer, et j'avais de toute façon les plus grandes difficultés à le faire.

— De quoi parlez-vous, grand maître ?

Il avait certainement découvert la sphère.

— Comment se fait-il que l'œuf du plaisir soit ici ? Zev Ibrahim aurait-il partagé votre lit lunaire, prêtresse ? La petite porte rouillait-elle, avait-elle besoin d'être à nouveau huilée ? dit-il, riant de sa plaisanterie. Croyez-vous que j'aurais ignoré où l'ingénieur — qui n'a certes plus ses deux jambes, mais toutes ses autres parties — place sa tige et la fait coulisser ?

Il éclata d'un rire tonitruant lorsque Kasda répondit :

— Il a envoyé la sphère hier, pour vérifier son fonctionnement. Regardez, elle est vide ! Touchez-la, elle est froide !

— Renvoyez-la ! ordonna le grand maître, et Kasda se dressa au-dessus de moi.

Juste après, j'entendis la chaîne se mettre en mouvement dans un cliquetis métallique.

— L'élément masculin du couple royal a disparu, dit-il alors, toujours hilare. Votre sœur jure, et toutes les *houris* avec elle, qu'elles ne l'ont pas vu.

— Et vous avez donc pensé... (Kasda avait repris contenance)... que vous étiez autorisé à suspecter votre prêtresse ?

— À qui puis-je faire confiance ? grogna le grand maître.

Pour ma part, je me sentais dans un état étrange. Des taches, points et lignes colorés se mirent à tournoyer dans mon cerveau. Mon sexe s'érigeait, mes reins paraissaient anesthésiés, et mon pénis finit par devenir totalement insensible, sans revenir pour autant à son état normal. Je sombrais dans une sourde indifférence, une sorte de rigidité. Seule ma tête produisait encore des images de ce qui m'arrivait, ou bien était-ce le tronc de Zev, le cul-de-jatte, que l'on hissait depuis la sphère dans le hamac, avant qu'il ne glisse vers le bassin de Kasda et ne s'unisse à elle comme la roue dentée à son engrenage ? De ses cuisses, la prêtresse entoura mes hanches, son pubis se baissa vers le mien, elle m'entraîna en se balançant et me poussa pour que j'entre profondément en elle. Kasda dressa son corps mince comme une liane, me tira contre ses seins durs et pointus et me secoua tendrement.

— Réveille-toi, Roç, il faut que tu me quittes. Il fait grand jour !

J'ouvris les yeux et je vis le visage fatigué de la prêtresse. Elle était debout devant sa couche. Je sautai hors de ce croissant ensorcelé.

L'électrice et les élus

Le soleil brillait sur la lune métallique, au-dessus de moi. Le feu s'était éteint dans la coupe de l'autel, seul le planétarium faisait encore tourner doucement ses anneaux de fil de fer, et ses pierres précieuses s'illuminaient de temps en temps. J'étais confus et honteux, mais je voulais surtout quitter ce lieu au plus vite. Kasda sembla avoir deviné mes pensées. Elle poussa l'autel sur le côté, dévoilant le tuyau qui alimentait la flamme.

— Tu connais à présent les derniers secrets de la Rose, dit-elle avec tristesse, et pourtant, Roç, tu ne t'es pas montré digne d'elle, pas encore.

Elle me mena au trou dans lequel plongeait la grande tige, descendant vers les profondeurs.

— C'est l'issue de secours, en cas d'incendie. Je ne l'ai encore jamais utilisée. Zev dit qu'en se laissant glisser sur le tuyau on peut descendre tout en bas, jusque chez lui. Salue-le de ma part, et ne reviens que lorsque tu seras appelé !

Elle déposa un baiser glacial sur mon front. Je pris la tige, me collai contre elle et m'y laissai glisser comme sur un tronc d'arbre. Le tuyau se tortillait, il cherchait son chemin dans une forêt d'axes et de tiges ; peu après, il me jeta dans une chambre emplie de belles robes. J'écoutai. La lumière qui filtrait par les bords de la porte me permit de trouver rapidement entre les armoires et les bahuts le trou par lequel devait se poursuivre mon voyage. Mais la curiosité s'empara de moi à l'idée de faire enfin un pas dans le « Paradis » — car, selon mes calculs, c'est bien là que j'étais arrivé. J'ouvris prudemment la porte, et me retrouvai devant le lit de Pola. Elle était nue, je te prie de ne pas en douter, Guillaume. Tu aurais pris grand plaisir à ce spectacle. Contrairement à sa sœur Kasda, qui avait la peau claire et les cheveux presque platine, la maîtresse du harem était très brune. Sa chevelure crépue auréolait son visage d'un noir profond, couleur qui ornait aussi son pubis et ses aisselles. Elle fut aussitôt parfaitement éveillée, comprit la situation et tendit les bras vers moi.

— Je savais que tu viendrais, mon prince !

Je fis un pas en arrière, embarrassé, ce qu'elle prit pour une gêne stupide à l'égard de Yeza.

— Nous sommes seuls, Roç, fit-elle.

En un bond, je revins dans la garde-robe, sautai sur le tuyau salvateur et filai devant elle. *Al muchtara !* Il ne m'aurait plus manqué que ses faveurs pour parachever mon odyssée dans les entrailles de la Rose !

Après une brève glissade, qui me mena sans doute un étage en dessous, je me retrouvai dans une grotte sombre, ou plus exactement dans une excavation de la grosse muraille. Devant se trouvait une armoire. Par le fond du meuble, je pus distinguer de gros manuscrits. Peut-être Yeza était-elle en train de lire de l'autre côté, les tempes cramoisies comme chaque fois qu'elle faisait quelque chose avec ardeur. Mais peut-être s'inquiétait-elle aussi pour moi, peut-être était-elle en train de me chercher, moi, le faux frère ! Mais dans cette caverne du savoir secret, peut-être même ésotérique, on n'avait caché aucun parchemin apocryphe. Un morceau de cuir arrondi, bombé du côté de l'observateur, cachait en revanche un trou dans le mur, qui séparait sans doute la bibliothèque du « Paradis ». Il n'était pas assez grand pour laisser passer un homme. Une lueur tomba par une fente sur les jambes du visiteur secret. J'entendis des voix, des gloussements. « Ton tour n'est pas déjà revenu, Laila ! » La lueur disparut, le cuir se tendit et se dirigea vers moi, en prenant la forme d'un postérieur féminin ! Je compris, et ma main bondit plus vite encore que mon sexe dans mon pantalon. En tremblant, mon doigt tâtonna à travers la fente, une humidité brûlante le recouvrit, et je ne voulus pas me réserver plus longtemps. Il m'aurait sans doute fallu regarder la prude Kasda dans ses yeux gris, et sa sœur avide au plus profond de sa grotte. Mais ce croupion anonyme qui s'offrait à moi ne voulait qu'une chose : qu'on le réjouisse ! Et c'était exactement mon intention !

J'étais en train de défaire mes chausses lorsque l'armoire fut secouée derrière moi, une sorte d'orifice s'ouvrit d'un seul coup, et je vis surgir maître Herlin qui fronça les sourcils et se moqua aussitôt de moi, non sans familiarité :

— Jeune chair ? Boutons de chair ?

Sa tête de vieillard dodelinait. J'étais bien trop consterné pour répondre avec la même légèreté que lui.

— Viens-tu de chez Pola, la toujours moins *muchairra* ?

Je commençai par hocher la tête, mais protestai aussitôt.

— N'allez surtout par croire, maître...

— Tu te trompes, petit roi, dit-il. Son don est le fruit d'une inestimable expérience, et pas d'une curiosité idiote comme ces petites *houris* ! (Il réfléchit un moment en souriant.) Jadis, lorsque j'étais encore solide, j'étais capable de grimper tout en haut de la tige. (Ce souvenir excitant le fit tousser.) Aujourd'hui, nous en sommes réduits à cet échange très limité de tendresses ; mais les *houris* ont, hélas, découvert notre secret et cherchent à m'abuser, moi, le vieil homme, et à me séduire.

Il considéra l'état dans lequel il m'avait trouvé. Et sans jouer faussement au complice, il ajouta :

— Si tu aimes les fruits verts du figuier, alors sers-toi !

Puis il recula pour ne pas me retenir plus longtemps.

— Non, fis-je d'une voix virile en le suivant pas à pas. Je sais apprécier la maturité des fruits, et puis je suis fidèlement dévoué à ma promise !

— Yeza est mûre, me répondit Herlin. D'homme à homme : tu devrais bientôt récolter les fruits de son précieux jardin !

Nous repoussâmes l'armoire ensemble jusqu'à ce qu'elle ait retrouvé sa place.

— Elle te cherche partout.

Je quittai rapidement la « salle de la pondération ». En sortant de la bibliothèque, je tombai sur Hassan.

— Le grand maître te réclame ! déclara-t-il avec un malin plaisir.

— Où est Yeza ? répondis-je hâtivement.

— Peut-être à ta recherche, dans la cave, auprès de Zev Ibrahim !

Je décidai de ne pas faire déborder la coupe et me

rendis donc au palais par le pont le plus proche, accompagné par Hassan, qui put ainsi s'attribuer le mérite de m'avoir retrouvé.

Je découvris les Assassins en réunion solennelle, dans la salle d'audience. Sa Majesté Mohammed III, imam de tous les ismaélites orthodoxes, était assis sur son trône, la mine sombre. À côté de lui, ses dignitaires et les hérauts témoignaient de son pouvoir de vie et de mort : à sa droite, un *fida'i* portant les poignards en gigogne ; à sa gauche, un autre avec le linceul. Une délégation des Mongols était arrivée. Ses membres n'étaient pas de haut rang, tous étaient de jeunes guerriers qui servaient de messagers à leur grand khan. L'imam se fit traduire leur lettre par Herlin, appelé en toute hâte : « Nous, Maître suprême du Monde, nous t'ordonnons... »

Le grand maître avait déjà l'air sombre ; une tempête balaya alors le nuage noir qui semblait lui obscurcir le front, dévoilant une veine de colère gonflée.

— Ne m'ennuie pas avec les bavardages de ces bergers aux jambes arquées, avec leurs agneaux aveugles et leurs bœufs gras ! Que veulent ces éleveurs de bétail ?

Herlin parcourut le message.

— Ils exigent la livraison immédiate des enfants, et des cadeaux en abondance.

La fureur du grand maître éclata alors comme un orage, et ses éclairs s'abattirent sur les Mongols, restés immobiles parce qu'ils ne comprenaient rien à ce qui s'amassait au-dessus de leur tête. Obéissants, certains de leur immunité, ils sentirent simplement que leur message n'était pas accueilli avec bienveillance. Tous ceux qui connaissaient l'imam attendaient le coup de tonnerre de son verdict et l'annonce de la punition. Mais le souverain parla avec une amabilité inattendue.

— Je vais préparer au grand khan un cadeau qui lui siéra admirablement. Il est invité à venir le voir à Alamut. Traduisez cela, Herlin !

Celui-ci obéit, le cœur serré, et les visages des Mongols s'éclaircirent comme si le soleil perçait les nuages d'une tempête imminente. Ils hochèrent la tête, ardents et réjouis.

L'imam reprit, toujours aussi bienveillant.

— Je lui jalonnerai volontiers le chemin pour venir jusqu'à nous. À chaque lieue, j'installerai des indicateurs dont les doigts désigneront la Rose, et des pieds agiles indiqueront au souverain les cols et les gués. Traduisez, maître !

Pris d'une joyeuse impatience, il pressait son interprète. Herlin devinait un plan diabolique, et il se donna du mal pour ne pas montrer son inquiétude. Les Mongols n'étaient pas certains que leur grand khan se donnerait la peine de venir chercher le cadeau en personne, mais ils considérèrent cette offre comme un accord de principe. On aurait tout le temps de régler par la suite la question du transport des enfants. Les ambassadeurs n'étaient pas venus négocier, mais transmettre une demande précise. Après tout, si l'imam pensait que sa proposition était plus à même de satisfaire le grand khan, c'était une affaire entre les deux souverains. Les ambassadeurs hochèrent donc la tête, sans prendre garde que l'imam avait fait un signe à son fidèle Hassan et que la salle s'emplissait peu à peu d'hommes en armes. Ils ne s'approchèrent pas des Mongols, mais restèrent ostensiblement à l'écart. Hassan fit même reculer quelques hommes qui s'étaient approchés de trop près de la délégation.

— Mon cadeau saluera le grand khan depuis les créneaux : ce seront vos têtes, fit l'imam, en s'adressant directement à ses hôtes. On aurait dit qu'il les invitait à un repas. Vos pieds coupés le mèneront à coup sûr à Alamut ; quant à vos mains, elles lui indiqueront le long chemin qui mène ici.

De son regard souriant, il invita Herlin à décrire son cadeau aux Mongols. L'interprète ne parvint pas à traduire en souriant, il prononça le verdict tête baissée, d'autant plus qu'il avait remarqué que Zev Ibrahim était entré dans la salle, dans son fauteuil roulant, et s'était posté juste à côté de moi, contre l'un des piliers.

Les ambassadeurs avaient écouté la traduction, d'abord incrédules, puis effrayés et, pour finir, furieux. Ils se serrèrent les uns contre les autres, ignorant s'ils pourraient sauver leur vie en tenant un discours pacifique ou en menant une attaque désespérée à mains nues. Mais leur chef se mit tout d'un coup à hurler.

— Vous n'oserez pas... la vengeance sera effroyable...

Il n'acheva pas sa phrase : Zev venait d'actionner un levier dans le pilier. Le sol s'ouvrit en craquant, décrivant un vide en forme d'étoile à l'endroit précis où se tenait l'ambassade. Tous furent précipités dans l'abîme, emportant avec eux quelques Assassins trop curieux qui

allèrent s'écraser avec un bruit sourd au fond de la
« marmite ».

— Équarissez ces bœufs comme je vous l'ai
commandé! ordonna l'imam à Hassan. Avant le repas
de midi, je veux pouvoir apprécier l'ornementation des
créneaux. La Rose devra supporter ces parasites pendant quelques jours à la lisière de ses pétales.

Comme tu le vois, mon cher Guillaume, nous allons
bien, et nous ne vivons à Alamut que des heures belles
et joyeuses. « L'essence de la Rose est faite de ferveur
religieuse, exclusivement vouée au service d'Allah, à la
découverte des ultimes sagesses des étoiles et des saints
mystères, tel l'amour. »

Ton Roç, auquel tu ne manques absolument pas.
L.S.

À Guillaume de Rubrouck, O.F.M., de Yeza,
O.C.M.

Peut-on découper des êtres humains comme du
bétail? Guillaume, tu le refuserais sans ambiguïté,
même si ton indignation restait feutrée. Ils sont suspendus en bas, chez Zev, au plafond d'une chambre collée
au rocher, et ont vraiment l'air de cochons étripés, privés qu'ils sont de leur tête, de leurs mains et de leurs
pieds. Je ne mangerai pas de viande les jours qui
viennent. Lorsque je suis montée dans la cave pour voir
Zev Ibrahim, j'ai ouvert la mauvaise porte en cherchant
Roç. Ça n'était pas une vision édifiante, d'autant plus
que les bouchers, sur ordre du grand maître, avaient
sabré tout ce qui dépassait d'autre sur ces pauvres
Mongols. Je n'ai pas rencontré Roç, je crois qu'il me
fuit. L'ingénieur était occupé à mettre en œuvre le
mécanisme de ses rouages; pour ce faire, il se promenait à bord d'une coquille de noix dans l'un des nombreux bassins. Son centre de gravité plus bas que la
normale l'aidait dans sa lutte constante pour trouver
l'équilibre. Que peut bien penser « Zev sur roues » à la
vue de ces corps massacrés? Il a rejoint à la rame le
bord du bassin où se trouvait son véhicule. D'un geste
énergique et agile des mains, il a fait passer son tronc
par-dessus la rambarde, sans la toucher, et a atterri
dans son siège.

— Tu devrais mieux surveiller Roç, me confia-t-il tandis que je le poussais — ce qu'il aime bien lorsqu'on suit précisément ses consignes. Ce garçon est dans une phase difficile, ce n'est plus un enfant et, pourtant, il n'a pas encore été admis dans le monde des hommes. Je ne voudrais pas qu'il franchisse ce pas inconsidérément, par impatience !

— C'est sans doute justement la raison pour laquelle il m'évite, fis-je. Car il sait que notre destinée est de franchir ce cap ensemble. Moi, je suis prête, ajoutai-je d'une voix énergique.

— Tu le lui fais peut-être justement trop sentir, et il a peur de ne pas être à la hauteur, marmonna Zev Ibrahim tandis que je le poussais sur la rampe qui nous menait de plus en plus haut, hors de la « marmite ».

— Le monde n'appartient sans doute pas au courageux, mais la plupart des femmes lui céderont ! Celui qui hésite ne gagne rien !

Je me perdis dans les lieux communs, car cette conversation m'était désagréable. Roç et moi, nous nous connaissons depuis l'enfance ; à quoi nous sert donc notre langage, sinon à donner notre avis sur tous les sujets possibles ?

Je poussai Zev sur ses roues, jusqu'aux corbeilles qui menaient au palais. Ali avança alors vers nous et dit :

— Je ne trouve Roç nulle part. Le grand maître veut que nous assistions à la cérémonie et... (il prit un ton de conjuré)... Omar serait heureux de te revoir avant que...

Je lui coupai la parole, agacée (ses bavardages de bonne femme me paraissaient indignes), et je répondis d'une voix forte :

— Lorsqu'un de mes amis part au combat, j'accepte volontiers d'être la *damna* qui prend congé de son chevalier !

Je savais qu'Omar ferait partie de la prochaine troupe que le grand maître enverrait à l'extérieur « pour ensemencer la mort sans la redouter ». C'est vers sa mort personnelle qu'il partirait alors, il serait ainsi puni pour nous avoir fait venir à Iskenderun, Roç et moi. Cet idiot d'Ali avait fait capoter toute notre entreprise, pourtant soigneusement préparée, et Hassan avait obtenu de l'imam que la peine de mort encourue par Omar soit commuée en une « épreuve » qui n'offrait guère de perspectives de survie. Je devais donc être courageuse. Je pris la corbeille suivante, ne laissai pas Ali monter

avec moi et m'élevai vers le palais. Aurais-je seulement
la possibilité de dire encore un dernier mot à Omar ? Il
l'avait mérité, car c'est nous qui l'avions convaincu
d'organiser cette excursion à Iskenderun.

Un silence solennel régnait dans la salle d'audience.
Les quatorze *fida'i muchtarrat* étaient agenouillés en
deux rangées au pied de l'escalier qui menait au trône.
Celui-ci était encore vide. J'aperçus Omar au premier
rang et je tentai de lui faire remarquer ma présence par
des signes, mais il ne leva pas les yeux. Les jeunes
hommes priaient. Les dignitaires avaient pris position à
droite et à gauche du trône. Je vis mon maître Herlin,
ainsi que Zev Ibrahim, le seul à avoir le droit de rester
assis dans son fauteuil. Je regardai Omar, de l'autre
côté. Est-ce à moi qu'il pensait à cet instant ? Je me rappelai son corps viril, ces moments où nous nous passions entre les jambes, dans le lac d'Iskenderun. C'était
sa dernière nuit. Ne devais-je pas tout de même coucher avec lui ? Un roulement de tambour s'éleva alors,
d'abord sourd et bas. Le son des chalumeaux
l'accompagna bientôt. Par la porte qui donnait sur la
bibliothèque et le harem, Hassan entra, suivi par
l'imam tout de blanc vêtu, comme son fils Khur-Shah.
Son père l'avait envoyé pour de longs mois dans les
citadelles voisines des Assassins, pour qu'il y jette sa
gourme. Mais ce veau ne m'avait vraiment pas manqué.
Son père s'installa sur le trône, tous s'étaient proster-
nés, et Sa Sainteté Mohammed III parla :

— Le vent va où il lui plaît, la graine tombe au sol
lorsqu'est venu le temps de la maturité. Mais moi, je
suis la tempête qui sait où elle souffle, et je suis le
semeur qui jette la graine dans la tempête.

Il se tourna alors vers les quatorze *muchtarrat* agenouillés devant lui et leur fit signe de se redresser. La
musique devint plus forte, des timbales et des flûtes
stridentes rejoignirent le concert.

— Vous êtes ma semence de fer et d'acier. Je vous
envoie comme un orage qui court sans répit au-dessus
des montagnes et des vallées jusqu'à ce qu'il ait trouvé
son objectif. Tel un nuage noir, vous parcourrez les
étendues de la steppe jusqu'à ce que vous aperceviez
l'homme que ma foudre atteindra. Que vous vous faufil-
liez sans un bruit ou vous approchiez dans le fracas du
tonnerre, que vous gagniez sa stupide confiance ou que
vous vous jetiez vers lui dans une course folle : cela,

seule en décide la graine mûre qui se jette sur la terre et y germe lorsqu'elle sent que le temps et le lieu de s'unir à elle sont venus. Ainsi, vous plongerez vos poignards dans le cœur de l'homme qui a été désigné pour cela.

Les chalumeaux et les flûtes cessèrent de jouer. Khur-Shah m'avait découverte, et m'envoya un clin d'œil balourd de ses yeux de veau. Les timbales se turent à leur tour, seuls les tambours roulaient encore dans un staccato tendu.

— Möngke, le grand khan, est l'humus où lèvera la graine. Tuez le maître des Mongols !

Un coup de timbale résonna, les cors, jusqu'ici muets, rejoignirent l'ensemble, les chalumeaux piaillèrent de joie et les flûtes jubilèrent. Les quatorze *fida'i*, dont mon Omar, se donnèrent l'accolade deux par deux. C'est aussi par deux qu'ils iraient au combat et se précipiteraient dans la mort s'il le fallait. Et ce serait sans doute nécessaire, tout comme la scène qui se déroula ensuite. Derrière le trône, le mur s'était ouvert, une double porte qui n'était même pas cachée sous les lambris mais dont on distinguait mal les contours s'ouvrit comme une promesse séduisante. C'était, je le savais, l'accès direct au « Paradis ». Un rayon de lumière en jaillit, et ma Pola apparut sur le seuil avec ses belles *houris*. Elle était exagérément maquillée, chargée de bijoux, et le tulle qui entourait son corps était juste assez épais pour mettre sa nudité en valeur. Elles firent un signe aux *muchtarrat*. Le grand maître les encouragea. Sa voix était portée par la musique et les cris excités des spectateurs. « Le "Paradis" vous est ouvert. Le "Paradis" ! Les plus belles *houris* attendent les Heureux ! »

La plupart des *fida'i* ne se firent pas prier. Khur-Shah voulut se joindre à eux, mais son père s'en aperçut et le tira en arrière. Mon Omar hésita. Il fut le dernier à passer, mais il y alla ! Devais-je laisser son beau corps chaud et poilu à une *houri* ? Était-ce à elle de découvrir, sous mille baisers brûlants, quel trésor il portait sous son pagne ? Je me levai et me précipitai pour atteindre au moins les appartements de mon amie en empruntant, comme j'en avais l'habitude, l'escalier de maître Herlin. De là, je me débrouillerais bien pour accéder aux petites cellules où les *houris* attendaient leurs héros. Je tirerais la première venue par les cheveux, je l'enfermerais quelque part et me tiendrais prête à sa

place, dans la pénombre, sur sa couche. Forte de ces
intentions quelque peu sauvages — je te vois déjà sourire, Guillaume —, je me précipitai dans la bibliothèque. Mon Omar dans les bras de la grosse Laila ! Je
l'imaginais, je voyais ses gros seins clapoter et ses
cuisses s'ouvrir, mais je ne parvins pas à me représenter
Omar dans cette étreinte délicieuse. Je ne le voyais
nulle part. Il me cherchait, et je ne voulais pas le déce-
voir. Hors d'haleine, j'atteignis la pièce où dormait
Pola. Elle n'était pas là. L'insatiable ! L'impudente ! Je
bondis par la porte sur l'escalier en colimaçon, le seul
accès donnant vers le bas, dans les jardins du « Paradis ». Elle était fermée à clef ! Je la secouai. Pola, vipère
hypocrite ! Ne lui avais-je pas chanté les louanges
d'Omar ? N'avait-elle pas déjà jeté son dévolu sur lui à
Iskenderun ? Elle était descendue, allait vers lui comme
une *houri* ordinaire, ouvrait son sexe avide et accueillait le désir puissant du garçon, un désir qui m'appartenait, à moi et à moi seule ! Je donnai des coups de pied
contre la porte, me jetai dessus, tambourinai des
poings. Rien n'y fit. Sous les fenêtres, on gloussait et
l'on riait bien plus fort et avec bien plus de ferveur que
d'habitude. Des voix masculines, rauques et excitées, se
mêlaient au brouhaha. Je tentai de distinguer celle
d'Omar, mais sans y parvenir. Je ne voulais plus
l'entendre, ce traître. Je ne voulais plus jamais le revoir.
Je me laissai tomber sur le lit de Pola, cachai ma tête
dans les coussins et y plantai les dents, mais je ne pleu-
rais pas. Bien sûr, j'aurais pu me faufiler par l'une des
fenêtres et rejoindre les branches des arbres en
m'accrochant aux lianes qui poussaient sur le mur. Je
me serais ensuite retrouvée au « Paradis », les *houris* se
seraient moquées de moi ou m'auraient même arraché
les vêtements du corps ! Non, il était trop tard, c'était
fini. Les bruits m'indiquèrent que chacun avait trouvé
chaussure à son pied, et je ne voulais pas être le
deuxième choix. Omar était déjà allongé entre les
cuisses de l'insatiable Pola. Ou bien c'était elle, la maîtresse, qui était assise sur lui, qui avait pris possession
de ses reins et montait l'étalon. Ma main avait glissé en
bas de mon ventre brûlant, s'était glissée dans la porte
qui montait et descendait et trouva immédiatement la
clef du paradis. Mes doigts s'agitèrent, je pensais à
Omar, le sublime, et à Pola, la hideuse. Ma clef grandit
dans ma main trempée, je me retournai et la porte

s'ouvrit d'un seul coup. J'entrai, je courus, je me précipitai, je haletai, je fus paralysée, je soupirai, un frisson
parcourut mon corps, j'étais endormie.

Bonne nuit, Guillaume.

Ta Yeza, bonne à rien, même en amour, O.C.M.
L.S.

5. LES ÉCLAIRS

Un digne missionnaire

 Chronique de Guillaume de Rubrouck, Ostie, saints Anaclet et Marcellin, Anno Domini 1252.

L'hiver et le printemps s'écoulèrent avant que je ne puisse espérer échapper à l'hospitalité du cardinal-archevêque. Lorsque nous eûmes achevé la *Mappa Terrae Mongalorum*, messire Rainaldo demanda que nous autres, frères mineurs, lui rédigions une évaluation écrite de la future politique du grand khan. Mes frères d'ordre s'esquivèrent. Laurent d'Orta prétendit avoir des rhumatismes au dos et de la goutte aux doigts, et Bartholomée de Crémone affirma que des travaux importants dans ses archives l'empêchaient de s'atteler à cette nouvelle tâche.

C'est donc à moi qu'échut cette expertise : en devinant que Möngke avait été élu par le *Kuriltay*, j'avais prouvé que j'étais un spécialiste confirmé des questions mongoles

Et cette fois, je n'avais pas de Cimabue sous la main, l'*Ystoria* de mon frère d'ordre Pian del Carpine était mon seul secours. Ma fierté ne m'autorisa pas à en citer des extraits. Je mis donc à profit le faible de mon hôte pour le fondateur de l'empire, Alexandre le Grand. Je vantai ses campagnes et les comparai à la politique de conquête des Mongols. Mais j'affirmai aussitôt et à l'avance que, pour ce qui concernait ces peuples de la steppe, on ne pouvait parler de politique, tout au plus de stratégie militaire. J'osai rappeler avec une certaine audace que les Mongols avaient connu une excellente situation du temps de Gengis Khan. À cette date, ils avaient gagné du terrain avec leur cavalerie rapide et soumis ou détruit les royaumes avant de revenir sur leurs bases dans la steppe, sans jamais oublier leur origine de peuple nomade. Mais si Möngke mettait en œuvre les projets qu'il avait annoncés lors de son élection (pour autant qu'il ne s'agissait pas de pures promesses électorales), les prochaines conquêtes que mèneraient ses frères déboucheraient sur des occupations durables, et donc, tôt ou tard, sur des fondations de royaumes. Les nouveaux rois défendraient leurs propres intérêts, et le pouvoir central du grand khan en pâtirait nécessairement. Le khan de tous les khans serait donc affaibli et son titre grandiose de « Maître du Monde » se transformerait en simple formule creuse. D'autre part, dans les nouveaux royaumes, les ingrédients de la puissance mongole n'existeraient plus. La vie dans les villes ou dans des lieux fixes créerait une structure féodale aux formes orientales, dotée de hiérarchies administratives sédentaires qui ne fonctionneraient pas du tout selon le principe de l'abnégation. L'avantage que présentait le passage rapide d'une force d'attaque concentrée et aux dimensions inconnues, soumise au seul pouvoir de commandement du grand khan, serait compensé par la dépendance à l'égard des vassaux, des alliances, des négociations et des compromis. Au bout du compte, écrivis-je, la nouvelle extension du royaume des Mongols annoncerait nécessairement sa fin. J'utilisai la métaphore de la vessie de porc remplie qui commence par bien retenir le vin, mais ensuite, à cause du gonflement, devient tellement fine qu'une simple piqûre d'aiguille peut la détruire lorsqu'elle n'éclate pas d'elle-même. C'est à cette conclusion que je suis parvenu, et j'en suis même très fier. J'ai aussi rappelé la chute du royaume d'Alexandre lorsqu'il a été administré par les héritiers du Conquérant.

Le Cardinal gris a manifestement eu besoin de plusieurs jours pour assimiler mes thèses. Puis il m'a convoqué.

— Guillaume, a-t-il dit sans détour, il est possible que l'élection de Möngke au titre de grand khan annonce la fin de son royaume ; mais cela signifie aussi que, sous son règne, le royaume des Mongols connaîtra sa plus grande extension. Leurs légions sont déjà postées à nos frontières. Où peuvent-elles avancer, si ce n'est dans nos territoires situés sur les rivages de *Mare Nostrum*, déchirés par notre cupidité, affaiblis par nos querelles jusqu'à l'impuissance ? Qui pourrait les en empêcher ?

Je ne pris pas beaucoup de temps pour réfléchir et répondis simplement :

— Ils s'en empêcheront eux-mêmes !

Mais en voyant que cette réponse n'engendrait qu'un froncement de sourcils incrédule, j'abordai la question autrement.

— D'abord, nous avons seulement affaire au futur maître de l'Occident, c'est-à-dire à Hulagu. Celui-ci devra franchir des distances considérables en territoire ennemi avant de se retrouver face à nos côtes. Et ceux qu'il devra affronter ne seront pas les peuplades des steppes pour lesquelles la « soumission » est une question purement matérielle : il devra vaincre l'islam, un pouvoir spirituel qui tire sa force de sa foi, même s'il n'est pas près d'être uni.

— Une unité que les chrétiens ne leur ont jamais imposée, fort heureusement !

— Les Mongols seront en proie aux mêmes discordes s'ils menacent effectivement et durablement l'Occident.

C'était une affirmation audacieuse, j'en étais bien conscient.

— Les Mongols le savent-ils ? demanda, moqueur, Rainaldo di Jenna. Même s'ils se replient, je ne tiens pas du tout à ce que Rome soit livrée aux flammes avant que sire Hulagu ne sonne la retraite, chargé des trésors de l'Église.

— Il faut leur faire comprendre à temps qu'ils ne pourront jamais dominer le « Reste du Monde » s'ils ne...

La destinée du couple royal m'apparut tout d'un coup, comme une vision. S'ils donnaient la couronne de l'Occident à Roç et Yeza, ils pourraient peut-être... Je tentai de m'imaginer les deux adolescents en « khans de l'Oc », en « rois de l'Occident », tels que je les avais jadis présentés à Constantinople, vêtus de leur tenue mongole.

— Guillaume, dit le Cardinal gris, tu penses aux enfants !

Ce n'était pas une question. Je hochai la tête. Il resta longtemps sans dire un mot.

— Les Tatares ne les ont pas, et ne devront jamais les avoir !

Cela sonnait comme une menace. Je répondis donc rapidement :

— Ils ne savent rien de la destinée...

— Billevesées ! répliqua-t-il. De destinée, ces marmots du diable, ces bâtards du Hohenstaufen, cette couvée d'hérétiques n'en auront que s'ils tombent aux mains des Mongols, et si un homme dans ton genre leur livre le mode d'emploi !

Le grand homme d'Église était furibond. Je l'imaginais déjà communiquant à l'inquisiteur les arrêts de mort — le mien, mais aussi celui de Yeza et de Roç.

— Vous ne pouvez étouffer le secret du « grand projet » en mettant un terme à l'existence d'un seul franciscain insignifiant. — L'attaque était à présent ma meilleure défense. — Vous devriez plutôt faire en sorte qu'ils ne tombent pas en de mauvaises mains.

— Guillaume, puisque nous en sommes au point où tu me donne des conseils — il avait retrouvé son ton glacial et ironique —, alors expose-moi ton « grand projet », qui doit mieux valoir que ma conclusion toute simple : la mort des enfants est la meilleure manière d'empêcher qu'on en abuse. Vitus de Viterbe avait raison !

Il ne me manquait plus que celui-là ! Je fis un gros effort de réflexion, tout en riant pour ne rien en laisser paraître.

— Vous voulez empêcher les Mongols de venir faire rôtir leurs agneaux devant Saint-Pierre ? Alors faites-leur savoir que ce plaisir ne leur sera pas accordé sans les enfants. Ensuite, il faudra qu'un « homme dans mon genre » vienne leur livrer la recette miracle, l'unique potion qui leur permettra de dominer le « Reste du Monde », Rome comprise. Je leur ferai miroiter cette perspective en leur laissant croire que je suis un traître. Il faudra veiller, dans le même temps, à ce que les enfants soient en sécurité ! C'est la seule chose qui pourrait retenir les Mongols d'aller vérifier sur place si Saint-Jean-de-Latran ne ferait pas une bonne écurie. C'est que ses dimensions sont séduisantes...

Je me permettais le persiflage, à présent ; de toute façon, je jouais ma tête.

— Si les enfants meurent, alors le *Patrimonium Petri*, l'Occident tout entier, ne se distinguera plus en rien des pays qu'ils conquièrent ou qui se soumettent, de toutes ces contrées qu'ils pillent ou qu'ils ravagent. Vous avez le choix, Excellence !

Messire Rainaldo me dévisagea. Il ne paraissait pas particulièrement enthousiasmé, mais prit un air conciliant.

— Tu peux à présent passer à table sans crainte, Guillaume de Rubrouck, je ne t'empoisonnerai pas. J'ai imaginé à ton intention quelque chose de particulier, dit-il en souriant.

— Messire, soyez remercié pour les vivres et la boisson, répondis-je.

Quelques jours s'écoulèrent ensuite sans autre nouvelle. La table ne m'inspirait guère et mes nuits se passaient sans beaucoup de sommeil. Bartholomée de Crémone était resté dans ma mémoire sous le nom de Barth, empoisonneur au service du Cardinal gris précédent. Si on le lançait un jour à l'attaque, ce ne serait pas contre moi, mais contre les enfants, surtout si Yeza et Roç risquaient de tomber entre les mains des Mongols. Alors, les sbires, déguisés en missionnaires, en pèlerins ou en ambassadeurs, afflueraient par légions pour porter la mixture mortelle à Karakorom, et auraient toutes les audaces jusqu'à l'instant où leur très chrétienne besogne serait enfin accomplie. *Pax et Bonum. Amen.*

La lueur d'espoir fut l'arrivée de Créan de Bourivan. À cette époque, l'Assassin converti pouvait difficilement traverser tout l'Occident avec son escorte en tant qu'ambassadeur de l'imam des ismaélites. Il lui était encore plus impossible de voyager sous son nom, celui-ci aurait révélé qu'il descendait d'une famille d'hérétiques. Il se fit donc passer pour un marchand de Tripoli. Après les échecs qu'il avait essuyés, Créan avait changé de tactique. Il ne révélait plus sa qualité d'Assassin lorsqu'il se trouvait devant un interlocuteur, et ne demandait jamais d'aide pour Alamut menacé. Il offrait en revanche ses services d'intermédiaire, ce à quoi l'autorisait une lettre de mission signée par Mohammed III. Il avait déjà constaté, lors des audiences qu'il avait obtenues en vain à Antioche, Saint-Jean-d'Acre et Foggia, chez le roi Manfred, que rien ne pétrifiait autant le cœur des chrétiens que l'aveu du désarroi et de la détresse. Il avait un marché à proposer. Alamut détenait les enfants.

C'est Laurent, soudain guéri de toutes ses douleurs, qui me raconta la négociation. Le cardinal-archevêque savait pertinemment à qui il avait affaire. Barth ne s'était pas privé du plaisir de me prouver la perfection de son service d'information. « Le fils de John Turnbull peut bien se déguiser en métropolite de Novgorod, l'odeur de sa trahison religieuse le précédera toujours comme un pet de bouc ! »

Ça n'est pas une mauvaise idée, songeai-je ; les

traits de Créan rappelaient effectivement ceux d'un prêtre ascétique. Je lui recommanderais ce camouflage si je parvenais enfin à me retrouver avec lui en tête-à-tête.

Messire Rainaldo et son *adlatus* veillèrent à ce que je n'y parvienne pas. Ils laissèrent entendre à l'ismaélite que Charles d'Anjou pourrait peut-être lancer une croisade depuis la mer Noire, avec l'aide des rois d'Arménie et de Géorgie, ses frères de foi, auxquels il fallait également prêter assistance contre le joug des Tatares. Mais messire Charles devait d'abord se débarrasser, ici, de la couvée diabolique du Hohenstaufen. Une fois en possession de la Sicile, il serait tout à fait souhaitable que l'influence de l'*Ecclesia catolica* s'étende au-delà du sol grec. Cela soulagerait en outre sensiblement la *Terra Sancta* menacée de toutes parts. Il était tout à fait concevable de faire d'Alamut le fort le plus avancé de l'Occident. Mais la citadelle des Assassins ne pouvait plus être un lieu de séjour pour les enfants royaux, qui y courraient les plus grands périls.

— Messire Rainaldo a parlé de « nos chers petits enfants », et ça lui a glissé de la bouche comme de l'huile, me raconta Laurent avec un sourire. Et son renard, le Barth, a aussitôt repris en chœur : « Rien n'est plus cher à la Sainte Église sacrée que la sécurité de ce jeune couple convoité. » Les oreilles de Créan ont dû siffler devant tant de politesses hypocrites !

— Je l'espère ! dis-je. Que Créan ne laisse même pas Barth approcher de Roç ou de Yeza. Ce moine est semblable à ces serpents qui crachent leur venin comme une flèche, alors qu'on se croit à bonne distance.

— Le cardinal a alors très sérieusement proposé à Créan que les Assassins remettent d'ores et déjà les enfants au Saint-Siège. En échange, l'Église s'engagerait à mener à bien cette expédition préventive dans le Caucase chrétien.

— Créan va l'envoyer au...

— Exact, dit Laurent. Il a répondu que si messire Charles, d'ici un an, vient personnellement chercher les enfants à Alamut avec une armée chrétienne, on les lui remettra avec plaisir. D'ici là, a-t-il ajouté, il faut retenir les Mongols, qui ont déjà manifesté beaucoup d'intérêt pour les enfants.

— Messire Rainaldo a dû blêmir ? supposai-je, et Laurent me le confirma.

— Il a promis qu'il ferait tout pour accélérer le succès de l'Anjou en Sicile. Que les enfants tombent aux mains des Mongols serait une catastrophe qui, selon lui, livrerait Alamut à une destruction immédiate et toucherait l'Occident très profondément et très douloureusement, mais ne l'abattrait pas.

— Et comment a-t-il réagi ?

— Il a dit que les Assassins avaient l'habitude de regarder la mort en face. Qu'ils seraient capables, même en luttant contre la mort, de se rappeler avec amour ceux qui les auraient plongés dans cette situation. Si Alamut tombait, un essaim de poignards s'envolerait non seulement vers les vainqueurs, mais aussi vers tous les souverains de ce monde qui auraient refusé leur assistance aux ismaélites. Aucun n'en réchapperait. Si l'imam entrait au paradis, beaucoup de rois de l'Occident, et peut-être aussi le pape ou son vicaire, seraient là-haut pour l'accueillir.

— Le genre de menaces que le Cardinal gris n'aime guère à entendre, dis-je (et je ne me trompais pas).

— Mais elle a suffi à le convaincre de ne pas jeter Créan dans ses geôles et de ne pas l'importuner. Ce dernier a ensuite lui-même proposé, de manière très conciliante, que messire le cardinal-archevêque lui confie ou lui envoie le franciscain Guillaume de Rubrouck afin qu'il veille au nom de l'Église, pour une année, sur le bien-être des enfants.

— Et alors ? demandai-je, tendu.

— Messire Rainaldo a répondu que c'était impossible. « Ce frère mineur bien informé, et que nous estimons beaucoup, a été désigné par le roi Louis IX pour une nouvelle mission auprès des Mongols, en compagnie du frère Bartholomée » !

Le coup était rude ! Je dus m'asseoir.

— Tu ne plaisantes pas, Laurent ?

— Si tu ne veux pas me croire, Guillaume, demande confirmation à Gavin ! dit Laurent d'un air offusqué. Il vient juste d'arriver, et il était déjà au courant !

Mais Barth m'appelait dans la salle d'audience.

Monseigneur Rainaldo m'y attendait, cette fois solennellement entouré par tous ses diacres, les *camerlenghi* et les *capitani* de l'armée pontificale, sans doute rassemblés en toute hâte. Gavin, lui aussi, était apparu entouré d'un cercle de templiers qui correspondait à son rang de précepteur de l'ordre. Leurs longs manteaux blancs frappés de la croix griffue rouge leur donnaient une démarche exagérément solennelle — une impression atténuée, Dieu soit loué, par la troupe bigarrée de Créan. Un chœur d'enfant chantait.

> *« Virga Jesse virgo est Dei mater,*
> *flos filius eius est cuius pater. O !*
> *Huic flori praeter morem edito*
> *canunt chori sanctorum ex debito.*
> *Laus, laus, laus et iubilatio,*
> *potestas cum imperio*
> *et sine termino*
> *coelorum Domino. »*

Mon ventre se serra.

— Un grand honneur t'échoit, frère Guilhelmus de Rubrouck, lança le cardinal-archevêque avec sa voix de baryton bien tempérée. Le puissant roi de France, messire Louis, l'aimé de Dieu, t'a choisi pour aller transmettre son message au grand khan de tous les Mongols, dans la lointaine Karakorom.

Il fit une pause et me regarda d'un air tellement important que j'en eus le vertige.

— Pour garantir le succès de cette mission, nous avons décidé que tu ne te présenterais pas en ambassadeur devant le souverain des Mongols mais comme proclamateur de la Parole du Christ, comme simple missionnaire. Il en a été décidé ainsi, ajouta-t-il.

Il attendait visiblement que je m'agenouille en signe d'humilité. Mais il n'était pas du tout dans mes intentions d'accepter pareil fardeau.

— Je n'en suis pas digne, répondis-je avec une heureuse modestie. J'ai déjà pu faire une fois cet admirable voyage et parcourir ce pays aimable, j'ai fait la connaissance de ses habitants superbes et j'ai découvert l'hospitalité éblouissante du grand khan, qui m'a couvert d'honneurs. Et comment ai-je remercié l'Église ? Je me suis montré au-dessous de tout ! Je veux donc, cette fois, rester en retrait et laisser à d'autres... (je désignai Bartholomée qui me regardait, hagard, et Laurent qui, effrayé, secouait la tête) la possibilité de mériter la gloire et la gratitude de l'Église.

Puis j'inclinai à peine le chef, et repris ma place.

— Guillaume, dit messire Rainaldo d'un ton paternel appuyé, tu as le droit de quitter Ostie et de te lancer dans ce « merveilleux » voyage, comme tu le dis toi-même. Notre mère, Marie, te guidera !

Frère Barth ne me faisait pas précisément penser à la Sainte Vierge, ni à quelque autre créature moins chaste (ce que j'eusse préféré). Je persévérais donc dans mon refus.

— Je préfère rester à Ostie !

Un silence consterné régnait à présent. Mais Créan s'avança et annonça qu'il connaissait un moyen de me faire changer d'avis. Il m'attira dans un coin et me remit, à ma très grande joie, les lettres des enfants. Je les ouvris et commençai à les lire. Messire Rainaldo perdit patience et ordonna :

— Messieurs, à table ! Ce frère mineur n'est effectivement guère digne de sa mission !

Deux gardes, devant la salle, firent en sorte que je

puisse me consacrer exclusivement à la lecture de
mes lettres, malgré mon ventre qui me tourmentait.
Je me sentis faible. Créan, le seul à être resté près de
moi, me chuchota : « Les enfants ont besoin de toi ! »

Je réfléchis. Si j'acceptais la mission, on me laisserait quitter ces lieux. Si je faisais mine de me perdre
en route ou de rester, agonisant, au bord du chemin,
je pourrais au moins retrouver mon Roç et ma Yeza.
Barth porterait bien tout seul le message du roi de
France.

— Tu dois faire en sorte que je « m'égare » en
allant à Alamut !

Il hocha la tête et partit.

Je ne pus progresser dans ma lecture, Gavin, à
présent, me faisait l'honneur d'une visite. Le templier parla lui aussi très bas, d'une voix de conjuré.
Mais il n'avait rien perdu de ce ton arrogant que je
connaissais si bien :

— Ne va pas t'imaginer, moinillon, que tu vas
pouvoir t'ébattre joyeusement à Alamut avec les
enfants au cours des années qui viennent. Ils ne
peuvent pas rester là-bas ! Débrouille-toi immédiatement pour qu'ils échappent aux Assassins et qu'ils
soient ramenés en Occident. Nous couvrons tes
actes, tu as ma parole sur ce point. Créan, bien
entendu, ne doit rien en savoir, ajouta-t-il. Comme si
je ne m'en doutais pas ! Puis il quitta la salle en faisant cliqueter ses éperons.

Je voulus enfin terminer ma lecture : dès les premiers mots, les lettres des enfants m'avaient serré le
cœur. Ah, mes petits chroniqueurs ! Mais les gardes
crièrent que je devais venir immédiatement. Je
cachai anxieusement ces précieuses feuilles sur ma
poitrine. On me conduisit dans la salle de travail du
Cardinal gris. Messire Rainaldo m'y attendait, assis
et impatient.

— Guillaume, dit-il sans s'embarrasser de formules, l'Église te doit beaucoup pour l'injustice que
tu as subie. Elle te remerciera pour ta mission. Peu
de franciscains ont ton expérience et tes états de service. Le poste de ministre général sera bientôt libre.

Il avait prononcé ces mots avec une belle assurance ; mon cerveau fut traversé par l'image du ministre général en exercice, qui savourait sa soupe sans se douter de rien et tombait par terre tout d'un coup, raide mort.

— Cette haute fonction t'est garantie si tu oublies tout ce que l'on a pu te chuchoter ce soir. Fais sortir les enfants d'Alamut, remets-les à Bartholomée puis, comme si de rien n'était, poursuis et achève ta mission. Rien n'arrivera aux enfants. Bartholomée nous les amènera.

J'imaginai aussi Roç et Yeza manger gentiment leur petit potage, poser la main crispée sur leur cœur et dégringoler de leur siège. Quant à moi, je suppose que ce destin ne me serait réservé qu'après mon retour de chez le grand khan, mais certainement avant que j'aie pu mettre qui que ce soit dans la confidence. Barth, déguisé en mendiant, serait assis au bord de la route, et me ferait goûter un peu de son breuvage. Je répondis en parlant vite :

— Oui, Excellence, je vais terminer la soupe, comme vous me l'ordonnez !

Monseigneur Rainaldo me dévisagea, un peu décontenancé, mais hocha la tête avec satisfaction. J'étais congédié ! On me fit porter dans la salle d'audience une assiette de haricots au lard, et j'écrivis en toute hâte quelques lignes aux enfants :

« Mes chers, je serai bientôt près de vous et je vous libérerai. Ne posez pas de question, faites tout comme je vous le dirai. Soyez embrassés du fond du cœur par votre Guillaume, O.F.M. »

Je ne voulais pas confier cette lettre à Créan. Mais je savais par Laurent qu'il avait désigné dans sa délégation un homme qui devrait se rendre auprès de l'imam, chargé d'un rapport circonstancié. Créan y informait son grand maître qu'il n'avait rencontré jusqu'ici qu'oreilles sourdes, cœurs fermés et surtout esprits incompréhensifs, mais qu'il avait la volonté d'accomplir la mission confiée par son maître et qu'il poursuivrait sa pérégrination de cour en cour. Il ne reparaîtrait pas devant lui sans avoir réussi. Il savait comment il devait mourir en *fida'i*.

Pauvre Créan, songeai-je, tu peux sauter tout de suite dans les bras de la Faucheuse ! Moi, à sa place, je n'aurais pas prononcé pareil serment. Mais Créan avait déjà écrit sa lettre et son messager avait déjà sellé les chevaux. Je lui rendis visite avant que les autres ne soient revenus de déjeuner. Je lui demandai expressément de ne remettre ma lettre qu'aux enfants et en main propre. Il partit au galop. L'après-midi même, nous quittâmes le Castel d'Ostie. J'étais, moi, misérable vermisseau, escorté par son surveillant Bartholomée de Crémone, en mission officielle auprès des Mongols. Laurent d'Orta était sur le chemin d'Otrante ; Créan de Bourivan, avec son escorte, espérait pouvoir parler à Conrad, le roi allemand, dans le campement de l'armée de siège où il était attendu. Il est vrai que le frère bâtard de Conrad, Manfred, qui administrait le sud d'une manière passablement indépendante en tant que régent, avait déjà fait éconduire les Assassins. C'est Gavin Montbard de Béthune qui avait organisé notre voyage à la voile vers le sud ; nous l'entreprendrions sur un navire aragonais.

L.S.

Le pied dans la botte

Il pleuvait des cordes dans le massif du Khorassan. Les nuages se succédaient sans interruption au-dessus de la steppe, venus de la toundra sibérienne et de la mer Caspienne pour se vider sur les rochers ravinés. La délégation des Assassins, menée par el-Din Tusi, atteignit sur le chemin du retour le puits d'Iskenderun. Les Mongols qui surveillaient la caravane plus qu'ils ne l'accompagnaient, et qui marchaient sous les ordres d'Ata el-Mulk Dschuveni, demandèrent à y faire halte pour se rafraîchir.

Le chambellan de Hulagu savait que, s'il avait pu pénétrer sans obstacle au cœur des terres ismaélites, ce n'était ni grâce à ses vingt archers, ni à la demi-douzaine de « combattants secrets » que le Bulgai lui avait donnés, mais à la protection invisible et pourtant beaucoup plus efficace qu'Alamut avait fait accorder à el-Din Tusi. Plus les Mongols approchaient du « nid de l'aigle », plus la mission devenait dangereuse. Il n'avait pas besoin, pour le savoir, des signes annonciateurs de malheur qui s'accumulaient à présent : des pieds coupés étaient plantés au sommet de tumulus, au bord des cols balayés par le vent et devant les gués qui offraient un passage dans les rivières. Des mains étaient clouées aux arbres ou plantées sur des picux comme des araignées répugnantes. Toutes désignaient Alamut. Le chambellan pouvait encore considérer Tusi comme une sorte d'otage, voire une espèce d'amulette. Mais en ces lieux, à moins d'une demi-journée de cheval de la sombre citadelle, ce talisman humain ne valait pas beaucoup plus que la *chamsa* qu'il portait autour du cou. Le protégerait-elle contre le *âin al hasud* d'Alamut ?

Il fit venir auprès de lui Kito, le fils du général Kitbogha, et dit :

— Prends un peu d'avance et cherche à discerner autour de nous des groupes importants. Poste la moitié des archers sur les toits des maisons qui nous entourent, et place des gardes devant le village, aux quatre points cardinaux.

Kito était fier de pouvoir mettre ces ordres à exécution, mais surtout d'être désigné comme éclaireur. Il s'apprêtait à partir en courant lorsque Dschuveni se rappela la responsabilité qu'il avait envers le père du jeune homme et cria à la jeune tête brûlée :

— Mais ne t'engage dans aucune espèce de combat !

Kito brida son cheval, passa les consignes et contrôla leur exécution avant de partir surveiller les alentours.

L'un des anciens du village s'avança alors vers Ata el-Mulk Dschuveni et le salua :

— *Assalamu aleikum. Allah jahmik!* Pourquoi offenses-tu notre hospitalité, pourquoi te méfies-tu de ce village et de ses habitants pacifiques ?

Le chambellan répondit d'un regard sévère aux salutations de l'homme :

— Au bord du fleuve que nous devions franchir, nous avons trouvé un tas de pierres d'où dépassaient des restes de pieds humains.

L'homme, le père d'Omar, se dit qu'Allah avait été bien bon en lui suggérant d'ôter auparavant les bottes qu'il portait aux pieds. Les étrangers qui avaient pris possession d'Iskenderun d'une manière tellement menaçante portaient tous des bottes de ce type : elles étaient faites de cuir tendre, brodées et fourrées. Mais celles qu'il avait trouvées étaient trop petites, et il les avait données à sa fille Aziza. Il répondit donc tranquillement :

— L'homme qui a perdu ces pieds est allé trop loin sans connaître le bon chemin. Une avalanche de pierres l'a broyé. *Inch'Allah! Hadha ahdhar!*

La nouvelle du retour de la délégation des Assassins et de son escorte étrangère et belliqueuse était passée de sommet en sommet. Au terme de sa course, elle avait été recueillie par le miroir de la lune d'Alamut. La prêtresse la déchiffra au plus vite et l'envoya par la sphère à Zev Ibrahim.

Celui-ci comprit aussitôt qu'il s'agissait forcément d'une escorte mongole, et il porta lui-même au palais le message d'Iskenderun. Le grand maître était en tournée d'inspection dans des villages qui devaient payer leur tribut; dans de tels cas, c'est l'émir Hassan Mazandari qu'il fallait prévenir. C'est à lui, et non à Khur-Shah, son fils de dix-sept ans, que l'imam avait confié le commandement de la Rose.

Mais au moment où l'ingénieur sortait de la corbeille dans son fauteuil roulant, il rencontra le favori et le prince héritier.

— El-Din Tusi revient vers nous. Il est déjà arrivé au puits d'Iskenderun.

— Alors il sera ici demain, répondit froidement Hassan, et il lui prit le papier des mains sans y jeter un seul regard. Tu n'aurais pas dû faire tout ce chemin pour si peu.

— Mais notre ambassadeur n'est pas revenu seul, répliqua Zev. Une délégation mongole, placée sous la direction d'une haute personnalité, l'accompagne...

Le coup porta. Hassan devint livide et s'en prit à Khur-Shah, comme s'il était responsable des atrocités commises par son père :

— Faites immédiatement détacher ces maudites têtes des créneaux ! Je vais aller à la rencontre des Mongols, et essayer de les retenir !

Mais Khur-Shah résista. Il avala le « Fais ça tout seul » qui lui était venu aux lèvres, et répondit d'une voix geignarde :

— Donne l'ordre toi-même, moi, personne ne m'obéit.

Ils descendirent par la corbeille suivante. Hassan fit aussitôt sonner le gong. Les *fida'i* se précipitèrent hors de la « marmite » et Hassan leur ordonna non seulement d'ôter du haut des murs les crânes portant les bonnets mongols, mais d'évacuer aussi toutes les rapines qui pourraient rappeler le passage de la délégation d'Extrême-Orient, et de les déposer à la cave, chez Zev Ibrahim. Tout occupé à donner ces instructions, Hassan ne remarqua pas que Khur-Shah avait disparu juste après leur arrivée dans la « marmite ». Le jeune homme ne voyait pas du tout pour quel motif il devrait laisser au favori le soin de saluer les hôtes étrangers. C'est à lui que revenait ce droit, et il tenait à réjouir son effroyable père avec ce cadeau. Toute une ambassade ! L'imam ferait ensuite ce qu'il voudrait avec leurs têtes et leurs membres.

Khur-Shah leva donc une petite troupe de gardes à cheval, se fit apporter sa meilleure monture et ouvrir l'une des portes dérobées. Ils n'étaient que quatre lorsqu'ils franchirent le pont au-dessus des douves. Ils se dirigèrent aussitôt vers la montagne.

Au même instant, lorsque Kito lui avait indiqué que l'on ne voyait personne dans la vallée, Dschuveni s'était décidé à envoyer l'un des Assassins en éclaireur à Alamut. Il devait annoncer leur arrivée et veiller à ce que l'on prépare les enfants qui devaient leur être remis. Le père d'Omar courut alors vers eux et leur annonça :

— L'émir Hassan Mazandari vous présente ses salutations, vous souhaite *at-tarhib* au nom de l'imam Mohammed III, et vous demande d'attendre ici son arrivée. Il est déjà en route pour vous recevoir conformément à votre rang.

— Tu es sans doute au courant de tout ce qui se passe dans les airs, sur terre et dans l'eau ? fit le chambellan, moqueur.

Mais l'homme répondit avec franchise et naïveté :

— La Rose est au courant, et nous fait savoir, à nous, ses serviteurs, ce que nous avons à dire et ce que nous ne devons pas dire.

— Alors pourquoi nous caches-tu ce qui est arrivé à cette main clouée au montant du puits ? demanda Dschuveni, suspicieux.

— Un homme l'a perdue, qui avait tendu la main vers du bois étranger, dans la forêt. Un arbre s'est abattu et la lui a arrachée. *Inch'Allah ! Hadha ahdhar !*

À cet instant, une jeune fille apparut à la lisière du village. Elle avait quelque chose d'un chat sauvage ; sa chevelure noire, presque hirsute, lui tombait sur les épaules et ses yeux sombres trahissaient une passion incontrôlée. Mais ce qui sautait aux yeux, c'étaient les bottes, de fines bottes mongoles qui n'avaient pas assoupli son pas, mais qu'elle portait avec fierté. Aziza négligea les regards d'abord mécontents, puis menaçants que lui lança son père pour la faire partir, jusqu'au moment où il attrapa une pierre. Alors, la belle enfant s'en alla en courant.

L'incident n'avait pas échappé au regard de Dschuveni. Il fit signe à Kito de le rejoindre, et dit à voix haute, dans la langue de ses hôtes :

— Récupère-moi ces bottes ! Si cette jeune fille ne veut pas s'en séparer, rapporte-les-moi avec ses pieds dedans, ajouta-t-il en lançant un regard en direction du père.

Kito hésita, mais le chambellan expliqua froidement :

— Ces bottes étaient trop coûteuses pour qu'une fille de berger puisse les porter.

Kito comprit et tira son épée pour se mettre à la recherche d'Aziza. Mais c'est son père qui flancha. Il ne se prosterna certes pas, mais daigna tout de même donner une explication :

— Ma fille n'a rien fait de mal. Elle a sauvé un voyageur étranger perdu dans la montagne. Il lui a offert ses bottes en remerciement !

Dschuveni savait que le vieil homme mentait. Ce lieu puait comme les pieds qu'avaient recouverts ces bottes. Le chambellan profita de l'inquiétude du père.

— Faites venir tous les hommes du village, lui ordonna-t-il. Que ceux qui ont des bottes du même type en leur possession les remettent. Ensuite, tous ceux chez qui l'on aura trouvé des chaussures étrangères auront la tête tranchée !

Le père d'Omar se hâta d'exécuter cet ordre.

Aziza savait très bien quel effet elle produisait sur les hommes. Plusieurs fois, elle s'arrêta dans sa course pour s'assurer que Kito n'avait pas perdu sa trace. Comme il avait rengainé son épée, une fois hors de la vue de Dschuveni, la jeune fille ne pensait pas un seul instant que ce guerrier étranger la poursuivait pour ses bottes. Elle courut vers le portail ouvert de sa maison et, parvenue sur le seuil, se retourna encore une fois vers lui. Elle voulait lui indiquer où il pourrait l'attendre dans la pénombre. Mais sa mère l'attrapa fermement par les cheveux et la tira dans la maison. Sans dire un mot, elle poussa Aziza dans la chambre, avec une telle force que la jeune fille tomba sur le dos. D'un geste puissant, la mère lui ôta sa première botte et la cacha sous sa jupe, puis elle lui enleva la seconde et sortit dans la cour.

Kito avait aperçu la main de la mère et s'était arrêté net. Il ne faisait pas bon chercher noise à ce genre de femmes. Mais, d'un autre côté, la mission qu'on lui avait confiée était parfaitement claire : il ne devait pas revenir sans les bottes. Il était encore à la même place, indécis, lorsque la mère d'Aziza apparut au seuil de la maison et lui jeta un regard sombre, pour qu'il n'ose même pas chercher à franchir ce portail qu'elle était en train de fermer à clef.

Kito se reprit, avança vers elle et dit d'une voix ferme :

— Je dois reprendre les bottes avec lesquelles votre fille s'est montrée !

— Ma fille n'a pas de bottes ! répondit-elle en s'apprêtant à repartir.

Kito se demanda s'il devait la retenir par la force et l'obliger à rendre les chaussures. Son regard tomba alors sur les hommes qui, guidés par le père d'Omar, descendaient la colline en file indienne et se dirigeaient vers le puits : ils s'étaient arrêtés et le regardaient, l'air hostile. Il laissa courir la femme. Les hommes se remirent en marche. Kito attendit qu'ils aient disparu, puis il se rapprocha de la maison. Derrière la fenêtre grillagée de la chambre, Aziza apparut et lui fit signe de ne pas approcher. Kito lui cria :

— Je t'en prie, ôte tes bottes et passe-les-moi à travers la grille : comme ça, il ne t'arrivera rien et je n'aurai pas d'embêtements !

En guise de réponse, Aziza leva la jambe et passa son pied nu à travers les barreaux.

— Ma mère me les a prises, dit-elle d'un ton plaintif. Elle me les a sûrement brûlées, ce qui me fait beaucoup de peine.

Elle faisait pitié à Kito. Il chercha une issue.

— Tu ne peux pas les chercher ? Même un morceau me suffirait...

— Si seulement tu ne les avais pas convoitées ! C'était toute ma fierté, et elles réchauffaient si bien !

s'écria Aziza, qui sanglotait de rage. Tu ne penses qu'à toi et à tes instructions ! Oublie-les donc enfin, mes petites bottes !

Kito s'approcha de la grille et lui prit tendrement le pied, ce qu'Aziza toléra.

— J'ai pensé à toi, chuchota-t-il. Je pense tout le temps à toi et à ce pied ravissant que je devrais te couper pour ne pas revenir les mains vides.

Il le caressa et ne le lâcha pas lorsque Aziza, horrifiée, voulut le lui retirer.

— Ne peux-tu pas au moins chercher des restes dans la cheminée ? demanda-t-il de nouveau.

— Je suis enfermée, je suis prisonnière, répondit la jeune fille, soulagée en voyant qu'il ne prenait pas son épée. Mais je le ferai volontiers pour toi ce soir, lorsque les miens seront de retour.

— Veux-tu que je te libère ? proposa Kito.

Elle secoua la tête et répondit à voix basse :

— Cent yeux nous observent. Si tu franchis ce seuil, tout le village se soulèvera. Il y a déjà beaucoup trop longtemps que tu te tiens devant ma fenêtre.

— Je l'ai fait pour toi, dit Kito, et il libéra le pied de la jeune fille avant de s'éloigner.

Mais Aziza le rappela en chuchotant :

— Comment t'appelles-tu ?

— Kito.

— Je suis Aziza. Reviens ce soir. Si je trouve quelque chose, je te le donnerai. Et peut-être, aussi...

Elle n'acheva pas sa phrase, et il répondit :

— Je t'attendrai.

Elle se tut. Il ajouta :

— Toute la journée, car nous repartons demain matin.

Aziza baissa encore la voix. « Kito, ne va pas à Alamut ! » Comme si elle en avait déjà trop dit, elle se détourna brusquement de lui et revint dans la pénombre de la chambre. Kito comprit que cet avertissement était plus qu'une preuve d'amour et se retourna. Il ne voyait pas âme humaine aux portes des maisons qui l'entouraient, mais il sentait que cent paires d'yeux étaient dirigées vers lui, et il s'en alla lentement.

Le prix du veau

Hassan avait quitté Alamut une bonne heure après Khur-Shah, sans avoir eu vent de son initiative. Une fois encore, avant de parvenir à la Rose, l'émir avait été retenu ; un courrier lui avait apporté deux lettres scellées, l'une pour le grand maître, l'autre pour Yeza et Roç. Le messager voulait transmettre personnellement cette lettre signée par un certain Guillaume de Rubrouck, O.F.M., mais Hassan la lui prit. Comme il n'osait pas lire la lettre adressée à l'imam, il brisa le sceau du *Patrimonium Petri* qui refermait l'autre missive, lut les quelques lignes qu'elle contenait et se mit à rire, narquois. Il avait déjà entendu parler de ce moine, mais il ne l'aurait jamais cru assez stupide pour coucher en toutes lettres sur le papier un plan aussi audacieux que déloyal ! Ces franciscains n'étaient que des simples d'esprit, une bande d'écervelés ! Hassan s'assura encore une fois que toutes les têtes avaient bien disparu des créneaux, et renvoya le messager en lui ordonnant de ne rien dire aux enfants. Puis il reprit sa chevauchée jusqu'à ce qu'il arrive au pied de la montagne où l'attendaient déjà une équipe de muletiers et bon nombre d'animaux. Il arrêta son cheval, et ils commencèrent à remonter par la vallée. La pluie avait cessé, et le soleil de midi pointait à travers les nuages.

À Iskenderun, le père d'Omar avait rassemblé les hommes et avait marché avec eux vers le puits où les Mongols campaient avec la délégation des Assassins qu'ils tenaient en otages. Dschuveni, le chambellan, veilla à ce que les hommes du village ne puissent pas se mêler aux membres de l'ambassade, et les fit diriger vers un enclos à moutons où ils durent déposer les armes. Les hommes grognèrent. Le père d'Omar se campa devant le chambellan et dit :

— Ce n'est pas dans nos habitudes !

Dschuveni ne lui répondit pas, mais força le vieil homme à lever le regard vers les archers mongols, perchés sur les toits, qui pointaient déjà leurs armes, corde tendue.

Le père d'Omar annonça alors à el-Din Tusi, qui ne disait mot :

— Le Mongol pourra prendre son bain de sang. Mais ensuite, aucun de ces étrangers ne pourra puiser l'eau du puits d'Iskenderun pour nettoyer ses plaies.

— Déposez vos armes, répondit el-Din Tusi. Ata el-Mulk Dschuveni ne veut pas verser de sang. Il compte quitter rapidement ce lieu. Mais d'ici là, il veut se mettre à l'abri de tout incident déplaisant !

— Je partirai lorsque j'aurai accompli ma mission ! ajouta le chambellan d'une voix grinçante. Je n'ai pas besoin d'intermédiaire, el-Din Tusi, entre moi, ambassadeur du grand khan, et une poignée de gardiens de chèvres devenus fous !

Les hommes s'étaient regroupés devant le portail de l'enclos. Loin de crier pour exprimer leur mauvaise humeur, ils parlaient d'une voix sourde et lançaient aux Mongols des regards hostiles. Dschuveni sentit monter leur colère. Avec la délégation des Assassins, les bergers étaient plus nombreux que ses Mongols. Et ils connaissaient les lieux. S'il ne mettait pas rapidement fin à ce début de révolte, il aurait perdu la partie.

Kito revint discrètement, en faisant comme si tout allait pour le mieux et comme s'il ne sentait pas le danger.

— Où sont les bottes ? lui demanda le chambellan, furieux.

— Ce soir... peut-être, l'informa nonchalamment Kito.

— D'ici là, nous serons peut-être tous morts! s'exclama Dschuveni. Où est ce vieil insurgé, le père de la jeune fille? demanda-t-il à el-Din Tusi qui se contenta de hausser les épaules, l'air parfaitement indifférent.

Le père d'Omar avait disparu d'un seul coup.

— Qui est le doyen du village? hurla le chambellan.

On désigna un vieil homme, le premier à être entré dans l'enclos, où il s'était assis par terre.

— Prends les dix hommes du Bulgai avec toi, lança-t-il de nouveau à Kito, et coupe la tête de ce vieux! ordonna-t-il froidement.

— Moi? demanda Kito.

— Oui, toi! La prochaine fois, tu ne négligeras pas mes ordres, tout fils de Kitbogha que tu es.

— C'est bien pour cela, répondit Kito en serrant les lèvres.

Les soldats du Bulgai se frayèrent un chemin entre les hommes. Kito entra dans l'enclos, s'approcha du doyen étonné, lui coupa la tête et la jeta vers la foule amassée devant la porte; effrayés, les villageois reculèrent.

— *Inch'Allah!* s'exclama Ata el-Mulk Dschuveni. C'est un avertissement!

Le Mongol posté en aval annonça qu'un groupe de quatre cavaliers approchait du village. Peu après, un jeune seigneur et son escorte franchirent les limites de la bourgade et se dirigèrent droit vers le puits près duquel on avait parqué la délégation d'el-Din Tusi, semblable à un troupeau de moutons entourés par des chiens de berger mongols.

Ata el-Mulk Dschuveni comprit aussitôt qu'il s'agissait d'un ismaélite de haut rang, même si ses accompagnateurs ne portaient pas les insignes de son pouvoir. Il pensa qu'il s'agissait de l'émir Hassan, dont on lui avait annoncé l'arrivée, et il prit son temps pour le saluer. Il remarqua alors que les Assassins avaient commencé par se lever, puis s'étaient jetés au sol en voyant venir l'inconnu. El-

Din Tusi, lui aussi, s'était incliné. Le chambellan avait entendu parler de la position de favori qu'occupait l'émir. La soumission que l'on témoignait envers un tel parvenu l'agaçait.

— Le grand maître des Assassins semble ne guère accorder d'importance à notre visite, lança-t-il au jeune seigneur sans le saluer ni lui témoigner la moindre marque de respect. Sans cela, il ne nous aurait pas réservé un accueil aussi chiche.

Khur-Shah était embarrassé, il avait cru qu'apparaître en personne compenserait le manque d'étiquette et flatterait au contraire la vanité du Mongol. Il n'était pas disposé à accepter cette offense.

— Et dites-moi donc, étranger, ce que Sa Sainteté Mohammed III, souverain de tous les ismaélites, peut offrir de plus pour vous accueillir que moimême, son unique fils et héritier. Je suis Khur-Shah !

La mine de Dschuveni exprima d'abord un étonnement incrédule, puis la ruse du vieux loup. Il s'inclina profondément et répondit :

— S'il en est ainsi, Votre Royale Majesté, je suis profondément honoré et je me sais bien plus proche de l'accomplissement de la mission qui m'a été confiée par mon seigneur, Möngke, grand khan de tous les Mongols.

Il laissa glisser un regard dédaigneux sur la silhouette grossière du prince, et le dévisagea. Il ne lut sur son visage qu'une stupidité sans bornes. C'était peut-être précisément le piège où il devait tomber. Personne ne pouvait être aussi stupide que Khur-Shah en avait l'air ! Le chambellan resta sur ses gardes.

— Prince Khur-Shah, sage gardien chevaleresque du Graal, auquel nul mystère ne résiste, dit-il, flagorneur, vous savez certainement déjà que nous avons été envoyés pour prendre réception des « enfants du Graal » et les mener sains et saufs au trône du Maître du Monde.

Khur-Shah le regarda de nouveau d'un air tellement bête que sa réponse, fruit de la plus parfaite perplexité, pouvait aussi être comprise comme une ruse raffinée. Il se rengorgea et s'exclama :

— Quels que soient vos désirs, messire l'ambassadeur, je veux vous inviter cordialement à Alamut, où vous recevrez tous les honneurs et où vous devrez exposer à mon illustre père ce que vous désirez. Suivez-moi donc sans hésiter, vous pourrez ainsi respirer le parfum de la Rose avant la tombée de la nuit !

Ces mots rendirent Dschuveni encore plus méfiant, d'autant plus que Kito, qui s'était approché de lui, lui chuchotait à l'oreille :

— Je n'ai pu tirer que quelques mots de cette fille : « N'allez pas à Alamut ! » Les bottes que vous désirez, Dschuveni, c'est son père qui les a prises.

— Et il a disparu avec ! grogna le chambellan. C'est donc à tort que je t'ai accusé de désobéissance, Kito, ajouta-t-il, de meilleure humeur.

— Ce qui a coûté sa tête au doyen du village, et m'a fait gagner un rendez-vous avec la jeune fille, ajouta Kito en lui coupant la parole. Dès que la nuit sera tombée...

— Tu auras donc le plaisir d'une aventure amoureuse. Mais n'oublie pas : ce qui m'intéresse, ce n'est pas la manière dont tu cueilles les fleurs, mais de savoir à qui appartient la main qu'on a clouée au poteau et à qui étaient les pieds que réchauffaient les bottes avant d'orner les charmantes chevilles de ta belle bergère !

Khur-Shah admettait très mal la nonchalance hilare dont faisait preuve Dschuveni, qui n'avait toujours pas répondu à son offre. Il s'apprêtait à rebrousser chemin lorsque el-Din Tusi lui fit signe de s'approcher de lui et lui désigna sans mot dire les archers postés sur les toits, qui avaient tous leurs armes braquées sur les Assassins, y compris sur le prince héritier et sa petite escorte. Khur-Shah regretta alors de ne pas avoir laissé à Hassan l'honneur de recevoir la délégation. Il espérait désormais que celui-ci ne tarderait pas à arriver. Ou bien il serait seul, et l'émir mielleux se trouverait exactement dans la même situation que lui — une idée qui inspirait au prince un certain malin plaisir —, ou bien Hassan arriverait avec une troupe considérable. Cette perspective-là inspirait à Khur-Shah une peur effroyable. Si les Assassins devaient attaquer les Mongols, ceux-ci n'épargneraient certainement pas le fils du grand maître.

Khur-Shah envoya el-Din Tusi auprès du chef de la délégation mongole. Celui-ci revint en annonçant qu'il était trop tard pour reprendre la route. Les Mongols acceptaient volontiers son hospitalité, mais ils préféraient passer d'abord la nuit sur place.

Au début de l'après-midi, Hassan aperçut devant lui le village d'Iskenderun, qui lui sembla d'abord parfaitement paisible. Mais une pierre roula tout d'un coup devant les sabots de son cheval. L'émir leva les yeux et aperçut au-dessus de lui, dans les rochers, un berger d'un certain âge qui lui faisait signe de s'arrêter. Agile comme un cabri, le vieux descendit la montagne.

— Je suis le père d'Omar! s'exclama-t-il. Mon fils sert comme *fida'i* auprès de l'imam. Vous, vous êtes Hassan Mazandari, l'émir auquel il a donné sa confiance, ajouta-t-il en se réjouissant de voir le cavalier hocher la tête, étonné. J'ignore pourquoi vous avez fait avancer Khur-Shah en éclaireur, mais à présent il est pris au piège.

Cette nouvelle glaça l'émir. Elle réduisait d'un seul coup à néant tous les plans qu'il avait échafaudés pendant sa progression. Le père d'Omar avait encore quelque chose à ajouter, et il le fit avec un plaisir malicieux.

— Vous savez certainement ce que les Mongols vont exiger de vous.

Hassan paraissait ne pas vouloir y croire.

— Pouvons-nous libérer Khur-Shah par la force ? Le vieil homme secoua la tête.

— Vous libérerez tout au plus un cadavre criblé de flèches, privé de ses mains et de ses pieds !

— Je dois parler aux Mongols, dit Hassan d'une voix nerveuse.

— C'est ce que je pensais, répondit le père d'Omar. Je mets ma maison à votre disposition. Je vais vous y conduire sans que nous nous fassions voir.

El-Din Tusi se rendit auprès d'Ata el-Mulk Dschuveni et lui fit savoir que l'émir Hassan Mazandari était arrivé et souhaitait avoir avec lui un entretien à huis clos. Le chambellan maudit le manque de vigilance de ses gardes et ordonna aux hommes du Bulgai de sortir leur sabre et d'entourer Khur-Shah. Puis il suivit l'intermédiaire, accompagné du seul Kito.

Lorsqu'ils furent en vue de la ferme, Kito chuchota : « C'est là qu'habite la fille aux bottes ! » Le jeune homme resta en arrière avec el-Din Tusi, tandis que Dschuveni franchissait seul la porte de la maison. Personne ne le salua. Dans la cour intérieure, l'émir Hassan, assis sur un banc, fit signe à Dschuveni de le rejoindre. Sur une simple table de bois, on avait disposé une cruche de vin, un panier plein de fromage frais blanc et une corbeille de galettes de pain. Le chambellan avait faim ; il s'assit et mangea. Hassan, lui aussi, prit son repas tranquillement. Puis il s'essuya la bouche et dit :

— Vous voulez Yeza et Roç. Je ne peux pas vous les livrer ; ils ne sont ni nos prisonniers, ni nos otages. Je ne peux que leur présenter votre vœu sous un jour favorable et leur demander de vous rejoindre.

Dschuveni déglutit, ne serait-ce que pour ne pas parler la bouche pleine.

— Tant qu'ils ne sont pas, vivants, entre nos mains, ma mission ne sera pas remplie. Faites en sorte que je puisse quitter ce lieu avec eux pour les mener au grand khan, qui les attend déjà.

— Je vais m'y efforcer, répondit Hassan. Mais vous, permettez à mon grand maître de retrouver son f...

— Racontez ce que vous voulez aux enfants, mais ramenez-les ici! s'exclama Dschuveni en lui coupant grossièrement la parole, du fromage encore plein la bouche. Si vous y parvenez, nous laisserons Khur-Shah vous rejoindre. Nous vous donnons une journée et une nuit de délai. Ensuite, nous repartirons avec nos otages, et nous considérerons votre comportement comme « inamical ».

Hassan remplit deux timbales, et ils burent ensemble.

— Je partirai demain matin. À ce moment-là seulement, vous pourrez commencer votre compte à rebours. Je ne conseillerai pas aux enfants de traverser la montagne en pleine nuit.

— Mieux vaut partir tout de suite, répondit Dschuveni. Ma parole vaut à partir du moment où elle a été prononcée. Si vous vous pressez, vous pourrez arriver dans la vallée avant la nuit. Ensuite, que la Rose vous éclaire! Elle sera sans doute déjà informée de ce dont nous sommes convenus.

L'estime que Dschuveni portait à leur système de communication arracha un fin sourire à Hassan; la rapidité avec laquelle les Assassins transmettaient et recevaient les nouvelles du lointain tranchait tellement avec le mépris des Mongols pour tout ce qui n'était pas de leur monde! Il se leva et se fit donner par le père d'Omar un guide expérimenté pour la descente, qui devrait le ramener dans la vallée par le chemin le plus court. Ils partirent immédiatement, avec des chevaux frais et des muletiers du village.

Adieux à la Rose

Aucune excitation particulière ne s'était emparée d'Alamut. La plupart des Assassins n'avaient pas remarqué que Hassan et Khur-Shah avaient quitté la forteresse sans même nommer un commandant

pour les remplacer. Zev Ibrahim était le seul à
s'inquiéter, il savait ce qui avait incité les deux
hommes à se rendre à Iskenderun sans perdre une
seconde. Le grand maître pouvait revenir d'un instant à l'autre, et Zev devrait lui rendre des comptes.
L'infirme connaissait bien les accès de colère de
l'imam, elles valaient les crises d'un malade mental.
C'est la raison pour laquelle il alla demander conseil
à Herlin.

Roç avait appris par Ali qu'un messager de Créan
était revenu dans la Rose. Il avait voulu lui remettre
une lettre, à lui et à Yeza, mais celle-ci avait été
confisquée par Hassan. Roç demanda qui avait
envoyé la missive, mais Ali ne put dire qu'une chose,
elle portait le sceau du pape, qui l'avait beaucoup
impressionné. Roç exigea donc qu'Ali lui montre le
messager, mais celui-ci paraissait s'être volatilisé. Il
décida alors de rendre visite à Yeza, qu'il supposait
se trouver auprès de son amie Pola. Roç monta donc
au palais dans une corbeille et, sans se faire voir,
emprunta l'escalier en colimaçon qui s'élevait derrière le trône de l'imam.

En l'absence du grand maître redouté, les gardes
avaient relâché leur surveillance. Ils s'étaient habitués à voir Roç et Yeza se promener à leur gré dans
le palais vide. Roç atteignit la *quaât al musawa;* il
s'étonnait de ne pas avoir encore rencontré le bibliothécaire lorsqu'il aperçut, dans une sorte d'alcôve,
maître Herlin assis à côté du fauteuil roulant de Zev
Ibrahim. Les deux vieillards parlaient à voix basse et
avaient apparemment une discussion animée, si bien
que Roç osa se faufiler sur la pointe des pieds, malgré le plancher grinçant, jusqu'à l'endroit où se trouvait selon lui l'entrée de la « grotte des prophéties
apocryphes ». S'il en croyait la description de Yeza,
la grotte menait sans aucun doute aux appartements
de Pola. À peine avait-il franchi les premières
marches en tâtonnant qu'il entendit au-dessus de lui
la voix de Yeza.

— Je veux enfin savoir, à présent, qui a bien pu

arriver à Iskenderun. Qui peut être assez important pour y faire partir au grand galop à la fois le Veau et le Serpent ? Si tu ne veux pas me le dire, je vais demander à mon Herlin.

Une porte claqua, et les pas de Yeza approchèrent dans l'escalier en colimaçon.

— Une lettre ! cria Roç en la voyant s'approcher, après avoir renoncé à la belle idée de la faire sursauter dans la pénombre. Une lettre est arrivée pour nous...

— De Guillaume ! répondit Yeza en pressant le pas. De Guillaume, et pour nous ! compléta-t-elle, le souffle court. Et ce Hassan a brisé le sceau, alors même que le messager avait insisté pour nous la rcmcttrc cn main proprc.

Elle chercha dans l'obscurité le corps de son compagnon et le serra, tout excitée :

— Pola a convoqué le messager et nous l'avons interrogé. C'est tout ce que nous avons pu apprendre. L'autre lettre est de Créan, et elle est destinée à l'imam.

Ils descendirent ensemble les dernières marches et entrèrent dans la salle. Herlin et Zev éloignèrent leur tête l'un de l'autre en voyant arriver les enfants.

— Que s'est-il passé à Iskenderun, Zev ? demanda Roç de loin. Tu ne peux pas me le cacher ! Je sais que Hassan...

— Hassan vous le dira lui-même, il est déjà sur le chemin du retour. Attendez-le au palais ! dit Herlin. Nous n'en savons pas plus que vous !

Zev se dirigea sur ses roues vers la corbeille comme s'il n'y avait plus rien à dire, et disparut dans les profondeurs. Herlin ne semblait pas non plus souhaiter leur parler plus longtemps. Roç et Yeza, anxieux, descendirent donc dans le palais et s'installèrent dans la salle d'audience, devant le trône vide. Ils ne trouvèrent pas le moindre mot à dire et reprirent distraitement une partie d'échecs que l'imam avait commencée avant son départ. Après le repas, jusqu'à une heure avancée de la nuit, le maître de la Rose jouait volontiers avec Hassan; mais lorsqu'il risquait de perdre, il préférait le plus souvent suspendre la partie. De mauvaises langues prétendaient qu'il revenait plus tard déplacer les pièces pour l'achever victorieusement le lendemain. Yeza manipula les figurines avec tant d'audace que Roç ne put s'empêcher de dire :

— Même le Veau gagnerait contre toi !

Puis il se leva. Yeza avança sa reine et le suivit vers les créneaux, par l'une des passerelles suspendues. Ils y contemplèrent le spectacle enflammé du dernier rayon de soleil, avant que des nuages noirs ne cachent de nouveau le ciel et qu'il ne se mette à pleuvoir. Mais ils n'éprouvèrent pas la moindre envie de quitter leur poste d'observation au grand air; ils se réfugièrent au creux d'une meurtrière. En dessous d'eux se trouvait le calice de la Rose, le grouillement de la « marmite » où l'on était en train d'éteindre les lumières pour la nuit. Ils observèrent les escaliers et les échelles, les passerelles et les ponts qui menaient aux cellules d'habitation, ils virent le sombre palais, le « nid de guêpes » dans lequel seules brillaient encore, à intervalles réguliers, les lanternes des gardiens. Ils suivirent la relève de la garde aux portes de sortie et sur les ponts-levis, tout au fond. On changea aussi les veilleurs tout en haut, sur la couronne de créneaux. Les silhouettes des soldats se découpaient sur le ciel nocturne. L'intérieur de la Rose offrait le spectacle d'une fourmilière débordant d'activité, un tableau animé que les enfants ne se lassaient pas de regarder.

— Qu'en penses-tu ? demanda Roç. À ton avis, qui a construit la citadelle ainsi, qui a imaginé tout cela ?

Yeza le regarda de côté, amusée.

— Tu veux me mettre à l'épreuve ?

Mais en remarquant qu'il regardait en dessous de lui, dans la marmite, l'air sincèrement inquiet, elle chercha à le distraire.

— Je pense que « Zev sur roues » est le génial ingénieur ? dit-elle, achevant sa phrase sur un point d'interrogation, car elle n'en était pas convaincue du tout.

— C'est lui qui a créé la mécanique, l'arbre à cames, la lune rotative. Mais la Rose était là avant lui.

— Elle ne peut pas être l'œuvre d'un seul homme. Songe seulement à tous les trésors de savoir, à l'esprit qui l'habite, constata Yeza, songeuse. Même Herlin ne serait pas capable d'une chose pareille.

— Elle est peut-être beaucoup plus vieille que l'humanité.

Roç l'espérait, cette pensée le faisait délicieusement frissonner. Yeza, en revanche, réprimait des sentiments diffus et s'efforçait de regarder les choses objectivement.

— C'était peut-être déjà un lieu de culte dans l'Antiquité. Une chose est sûre : ce que nous voyons là est œuvre humaine ! Avant Zev déjà, il existait de hardis constructeurs, pense seulement à la grande pyramide...

— Tant de choses miraculeuses ne peuvent venir que de Dieu, répondit Roç avec respect. Pourquoi la bibliothèque, avec ses connaissances qui vont des prophéties à la révélation, n'est-elle pas le sommet de la Rose, mais ce lieu magique qui semble voler au-dessus d'elle ?

— Elle est peut-être tombée du ciel ? suggéra Yeza, incapable de brider son goût de la moquerie.

— Oui, dit Roç. C'est exactement ce que je crois. C'est un don d'Allah.

Yeza resta longtemps silencieuse, puis elle passa son bras autour de son ami et le tira contre elle.

— Elle est belle... c'est l'écrin où se pose notre amour, dit-elle.

Roç passa alors ses mains autour du cou de la jeune fille, et ses lèvres cherchèrent les siennes.

— Yeza, fit-il, elle est aussi belle et aussi terrible que notre amour. Parfois, j'ai peur que nous nous y consumions.

Elle lui posa les lèvres sur la bouche, et ils

s'embrassèrent avec cette passion et cette confiance qui ne sont données qu'aux amants.

— Un don d'Allah, soupira Yeza lorsqu'ils se détachèrent l'un de l'autre.

C'était un adieu, mais ils n'en prirent conscience qu'au moment où ils eurent quitté cet édifice chaleureux, plein de miracles célestes, de foi et de sagesse, de beauté et d'effroi, de plaisir et de mort. Le sabot d'un cheval irrespectueux les avait jetés hors de ce lieu des doctrines et de leurs contradictions, des prophéties et des révélations secrètes, du dernier savoir et des *houris* du « Paradis ». Ils se retrouvaient dans un monde nouveau, étranger et froid, sans magie, sans mystique, sans Dieu. À présent, ils n'éprouvaient plus que le chagrin de n'avoir pas entre les mains la réponse de Guillaume, qu'ils attendaient depuis si longtemps, et la colère que leur inspirait l'arrogance de Hassan. Comment avait-il pu, sans autre forme de procès, prendre cette lettre et la lire ?

Lorsque Ali vint les déranger, ils l'envoyèrent aux cuisines avec ordre de leur faire apporter le dîner. On leur servit trois espèces de *fatirit lahem mafrun* épicé : du faisan, du chevreuil et du sanglier, accompagnés de *thamar* confit dans le gingembre et le poivre, de citrouille, de figues, de canneberge rouge foncé, de sarrasin et de *rus binni* légèrement revenus dans l'huile avec des oignons. Ils burent avec Ali quatre cruches pleines de citronnade glacée. Vers minuit, leur colère s'était déjà dissipée. Ils entendirent alors du mouvement tout en bas, dans la « marmite ». Hassan était de retour. Ali, qui s'était dépêché d'aller aux nouvelles, revint et cria : « Rendez-vous tout de suite chez l'émir, il vous attend au palais ! »

Hassan, encore en sueur et couvert de boue après sa chevauchée, patientait dans la salle d'audience. Il pria les enfants de s'installer devant la table d'échecs. Les enfants craignirent des remontrances pour avoir déplacé les figurines. Mais l'émir se contenta de faire les cent pas devant eux, les bras derrière le dos. Il réfléchissait manifestement beaucoup, mais finit par demander d'un ton léger : « Voulez-vous vous rendre à Iskenderun ? »

Roç et Yeza, chacun pour des raisons différentes, ne furent ni impressionnés, ni particulièrement enchantés par cette proposition. Yeza n'avait aucune envie de voir Aziza, cette chatte sauvage, faire de nouveau la cour à son Roç, d'autant plus qu'Omar ne serait pas là pour rétablir l'équilibre. Quant à Roç, cette proposition ne lui paraissait avoir aucun intérêt si elle ne lui permettait pas de retrouver son ami. Ils répondirent donc d'une seule voix traînante : « Par ce temps-là ! Il pleut des cordes ! »

Hassan abattit alors son atout.

— Votre Guillaume est arrivé là-bas !

— Enfin ! s'exclama Roç, sincèrement enthousiasmé.

— Nous l'attendons avec joie ! ajouta Yeza, tout aussi heureuse.

Le plan de l'émir menaçait d'échouer. Il sortit donc la lettre de Guillaume de sa poche et s'en servit comme d'un éventail :

— Voilà une lettre du frère mineur. Il veut venir vous chercher ! Vous libérer !

— Fabuleux ! s'exclama Roç. Je suis prêt.

— Mais où devons-nous aller ? demanda Yeza. Il faudra qu'il me l'explique lorsqu'il arrivera.

Hassan prit une mine de conjuré.

— Voyons, vous savez bien comment le grand maître, qui peut revenir d'un moment à l'autre, traite les gens qui ont des idées aussi bêtes. Plus de mains, plus de pieds ! Guillaume ne doit pas entrer dans ces lieux.

Il avait laissé la lettre à Yeza. Elle y jeta un simple coup d'œil, puis la tendit à Roç, qui s'attarda sur le sceau.

— Papiste ! dit-il avec mépris. Qui sait si on ne l'a pas forcé à l'écrire sous la torture...

— Ce n'est pas l'impression qu'il m'a donnée ! objecta Hassan pour dissiper les soupçons. Il aurait

préféré venir avec moi ! J'ai eu bien du mal à l'en dissuader.

— Alors, nous le rejoindrons ! décida Roç.

— Si tu permets ? ajouta Yeza, diplomate.

— Cela m'est interdit, dit l'émir en souriant. Mais
je pourrais regarder ailleurs lorsque vous irez
prendre les meilleurs chevaux dans l'écurie de
l'imam...

Roç et Yeza bondirent et filèrent comme des
enfants. Hassan eut tout juste le temps de leur crier :

— Pensez aussi à emmener des bêtes de somme !
Et pressez-vous. Le grand maître peut arriver d'un
instant à l'autre !

Lorsque la pénombre s'abattit sur Iskenderun, Ata
el-Mulk Dschuveni, chef de la délégation mongole,
décida que, pour des raisons de sécurité, le fils de
l'imam passerait la nuit dans une maison en dur,
sous bonne garde. S'il avait choisi la maison du père
d'Omar et d'Aziza, c'est qu'il pensait (à juste titre)
que le vieil homme était le chef des Assassins du village ; et puisqu'il ne lui avait pas coupé la tête, le plus
rationnel paraissait de prendre ainsi possession de
sa maison. Il informa Kito de sa décision, sans se
rappeler que celui-ci y avait justement un rendez-
vous amoureux. Les six « combattants secrets » du
Bulgai accompagnèrent Khur-Shah dans la ferme
qui surplombait le village et l'installèrent au rez-de-
chaussée, dans la chambre d'Aziza, pourvue d'une
fenêtre à barreaux et d'une porte munie d'un verrou.
La jeune fille fut libérée et envoyée auprès de sa
mère dans la chambre conjugale, car le maître de
maison avait eu la sagesse de ne pas se montrer.

La mère se réjouit du grand honneur qu'on lui faisait en lui demandant d'héberger sous son toit le
futur imam, et chargea Aziza d'apporter dans la
chambre du fromage frais, des galettes de pain
chaudes, des fruits frais et une cruche de vin.

Roç et Yeza étaient partis la nuit même pour
Iskenderun. Comme il était impossible de se débar-

rasser d'Ali, ils l'avaient emmené avec eux. Le jeune homme voulait absolument rejoindre son père, ce dont Roç ne pouvait lui tenir rigueur. Yeza, elle, soupçonnait plutôt ce crétin de vouloir revoir Aziza, la chèvre.

Comme ils n'avaient rencontré Ali que sur l'autre rive du lac, « par hasard », au beau milieu de la nuit, ils durent monter à deux, alternativement, sur le dos des beaux destriers qu'ils étaient allés chercher dans l'écurie de l'imam.

Avec une joie maligne, Yeza se rappela comment Pola, lorsqu'elle avait pris congé d'eux, avait conseillé comme si de rien n'était de faire entrer cette stupide bergère d'Iskenderun au « Paradis », d'autant plus que son frère Omar n'aurait plus désormais l'occasion de la rencontrer dans son rôle de *houri*. Yeza devina, en regardant derrière elle, qu'ils ne reverraient pas de sitôt la Rose ; déjà, la citadelle ismaélite disparaissait peu à peu derrière les nuages filandreux. Pour Roç cette entreprise n'était qu'une distraction bienvenue à ses voyages exploratoires entre l'observatoire et la cave, les tuyaux de la sphère, les corbeilles ascensionnelles et cet arbre à cames qui tournait sans arrêt. La seule chose qui l'avait étonné avait été la vivacité douloureuse avec laquelle son vieil ami « Zev sur roues » l'avait serré contre lui lorsqu'il était venu lui dire au revoir. Ensuite, l'inventeur avait détourné le visage, farfouillé dans ses caisses et plongé la main dans un tas de roues dentées et de roues à couronnes, avant de lui remettre un morceau de métal grand comme une main d'enfant. Il lui en avait ensuite fourni le mode d'emploi : lorsqu'on appuyait sur l'une de ses extrémités, il en sortait un couteau droit à deux bords affûtés. Une pression du doigt sur l'autre bout faisait jaillir un anneau que l'on pouvait ouvrir et fermer grâce à un ressort. Si l'on tirait précautionneusement un côté avec les ongles, une scie apparaissait ; l'autre flanc abritait une lime.

— Avec cela, tu pourras sortir de n'importe quel

cachot et entrer dans n'importe quelle chambre de jeune fille, commenta Zev en souriant. C'est mon père qui l'a fabriqué.

Il donna une bourrade sur l'épaule du jeune garçon, qui avait hâte de prendre son cheval, et s'éloigna rapidement. Lorsque Roç se retourna pour crier « Merci, Zev ! » il vit que le vieil ingénieur pleurait.

La nuit dans la montagne

Au pied de la montagne, les enfants durent échanger leurs chevaux contre des mulets. Les muletiers étaient sortis de la nuit comme des brigands. La pluie recommença à tomber à seaux. Les animaux cherchèrent péniblement leur chemin entre les rochers, dans la pénombre complète. Les torches des accompagnateurs s'éteignaient sans arrêt. Il fut bientôt impossible de les rallumer. En revanche, des éclairs réguliers illuminaient le convoi, et le tonnerre répercuté par les parois rocheuses résonnait deux ou trois fois à chaque déflagration. L'eau qui tombait du ciel en cascade coulait dans les vêtements des enfants, malgré leurs capuches. Et elle posait de sérieux problèmes aux muletiers. Une fois déjà, ils avaient échappé de justesse à un glissement de terrain qui avait déclenché derrière eux une sorte d'avalanche. Les pierres qui dévalaient effrayaient de plus en plus souvent les bêtes. Les muletiers demandèrent aux enfants de mettre pied à terre et les menèrent sous des plaques rocheuses en surplomb, qui les protégèrent des éboulis. Ils continuèrent à monter sur le sentier à peine visible. Roç, Yeza et Ali avançaient au milieu du cortège. Ils arrivèrent devant le gué d'une rivière déchaînée et mugissante, qui n'était encore qu'un petit torrent lorsque Roç avait fait son premier voyage à Iskenderun. Ils durent suivre son cours et quitter le chemin qui traversait les rochers. Soudain, on entendit des cris dans le bouillonnement de l'eau et quelques appels au secours stridents, qui finirent par se perdre.

Roç attrapa la monture de Yeza par les rênes et chercha à reprendre le contact avec les muletiers, à la tête du convoi. Mais il avait beau presser le pas, il ne trouva personne, hormis un mulet sans maître. Alors, derrière les enfants, la paroi rocheuse s'affaissa vers la rivière dans un fracas apocalyptique accompagné d'un souffle violent. Désormais, ils étaient aussi coupés de l'arrière-garde, pour autant que celle-ci avait survécu à l'avalanche. Prudemment, mesurant chacun de leurs pas, ils continuèrent leur marche dans l'obscurité.

Kito attendit jusqu'à ce que le calme soit revenu dans le village. Les hommes enfermés dans l'enclos s'étaient fait apporter des couvertures par leurs femmes et dormaient sur la paille, les Assassins s'étaient allongés devant le portail et, en haut, sur les toits des maisons, les gardiens mongols attendaient sans pouvoir fermer un œil : de temps en temps, à tour de rôle, Kito ou le chambellan surgissaient et contrôlaient leur vigilance.

Dschuveni était installé près du puits avec el-Din Tusi. Cet intermédiaire bienveillant était le seul auprès duquel il pouvait se laisser aller à somnoler entre deux patrouilles sans craindre de se retrouver le lendemain au paradis, la gorge tranchée.

Kito grimpa sur la hauteur pour rejoindre la maison d'Aziza. La nuit n'avait rien d'intime, la pluie tombait à intervalles réguliers, et le tonnerre grondait dans les montagnes. Les gardes du Bulgai étaient à leurs postes, deux d'entre eux se tenaient devant la maison et surveillaient la porte et les fenêtres à barreaux, deux autres surveillaient la sortie vers la cour, et deux encore se trouvaient dans le vestibule d'accès à la chambre, l'oreille collée au bois de la porte. À leur sourire, on devinait qu'à l'intérieur, le détenu de haut rang prenait du bon temps.

Mais Kito, lui, ne se doutait pas du tout des occupations de Khur-Shah, et il répondit donc sans hésiter à l'invitation lorsqu'on lui proposa d'écouter lui-même le bruit derrière la porte. Ce qu'il entendit l'atteignit comme un coup de pied au bas-ventre : il était arrivé trop tard ! Un autre que lui s'était chargé d'éteindre le feu d'Aziza...

— Que faites-vous là, mon prince ! l'entendit-il gémir de plaisir. Oh, Khur-Shah, mon chéri !

Kito vit rouge, il écarta les gardes de la porte, souleva le verrou et bondit dans la chambre à peine éclairée. Khur-Shah était campé devant le lit d'Aziza, pantalon baissé. Il avait soulevé les jambes nues de la jeune fille, tandis que cette petite idiote avait pris entre ses cuisses les attributs du jeune prince. Effrayé, Khur-Shah laissa retomber les jambes d'Aziza, ce qui dénuda son sexe érigé. Le coup de pied de Kito ne le fit hurler qu'au moment où le poing du Mongol entre son nez et sa lèvre supérieure assourdissait déjà son cri de douleur. Khur-Shah se laissa tomber comme un sac humide. Mais Aziza, semblable à un chat feulant, fonça toutes griffes dehors sur le visage de l'homme qui lui avait ravi son bref instant de bonheur. Kito sentit les ongles de la jeune fille s'enfoncer dans sa joue et la repoussa brutalement.

— Les bottes ! dit-il d'une voix oppressée. Où sont les bottes ?

Aziza roula sur le lit, près du dos de son malheureux amant, et s'assit derrière le sac inanimé, les yeux étincelant de fureur.

— Les bottines ? répondit-elle, dédaigneuse. Je n'ai plus besoin de ces gros souliers ! Mon préféré m'en offrira de bien plus fines si je le désire !

Alors, Kito l'attrapa par les cheveux et la hissa au-dessus du corps de Khur-Shah jusqu'à ce qu'elle soit debout devant lui.

— Fais-le sortir ! ordonna-t-il en s'étonnant de sa froideur : son membre, lui, était chauffé à blanc.

Aziza comprit que ce n'était pas un jeu, et ouvrit

d'une main tremblante le pantalon, d'où jaillit le pénis du Mongol. Il ne lui laissa pas le temps de s'effrayer de sa taille, il la poussa sur le lit sans lui lâcher les cheveux et appuya son visage contre les fesses de Khur-Shah, toujours inanimé. Elle sentit un genou se glisser entre ses cuisses humides, et le Mongol était déjà en elle.

Les enfants, trempés jusqu'aux os, avançaient en titubant dans la tempête, franchissaient des amas d'éboulis glissants et des arêtes tranchantes qu'ils ne pouvaient discerner qu'au moment où brillaient les éclairs. L'eau se précipitait vers la vallée et emportait des roches entières en grondant.

Les coups de tonnerre finircnt par se raréfier, et les lueurs qui striaient le ciel s'éloignèrent très loin des voyageurs. La pluie fouettait le visage des enfants épuisés. Ali trébucha au-dessus d'une falaise, et des éclats de pierre blessèrent Yeza à la cheville. La douleur l'empêchait de marcher plus longtemps, mais s'asseoir aurait été trop dangereux.

— Roç, mon chéri, je suis prête à mourir avec toi, cria-t-elle sous le déluge de pluie, mais je voudrais le faire en te regardant dans les yeux. Attendons ici l'arrivée du jour.

Ils se glissèrent sous les plus proches rochers en surplomb; tant qu'ils seraient en place, ils les protégeraient contre les chutes de pierre. Et ils se blottirent entre les animaux pour se réchauffer. Ali découvrit alors que les sacs de selle du mulet sans maître, l'animal rescapé de la tête du convoi, étaient pleins de torches. La pluie diminuait, le vent, lui aussi, s'était calmé.

— Nous allons envoyer un porte-flambeau en éclaireur pour attirer l'attention sur nos difficultés, proposa Ali.

— Tu n'es pas aussi stupide que tu en as l'air! dit Yeza en gémissant.

Sa cheville avait beaucoup enflé. Roç prit en main le couteau que lui avait offert Zev et ouvrit, sur les deux côtés de la selle de l'animal, des entailles où il

passa et noua une torche. Avec l'aide d'Ali, il parvint
à faire du feu, et ils allumèrent les torches. Le mulet,
portant ces bâtons enflammés derrière les oreilles,
fut aussitôt pris de panique et disparut en hennissant. Ali gloussait comme une poule. Roç ne put
s'empêcher de lancer :

— S'ils suivent ton rire imbécile, ils nous trouve-
ront peut-être !

— Nous allons aussi allumer des torches ici, dit-il
d'un air malin.

Mais il leur fallut bien admettre qu'en laissant filer
l'animal ils avaient perdu toute sa réserve de flambeaux. Ali ne pouvait presque plus s'arrêter de rire.
Yeza gémissait de douleur. Roç descendit prudemment jusqu'au fleuve pour plonger dans l'eau froide
sa chemise, avec laquelle il comptait bander le pied
de la jeune fille. Il vit alors briller depuis les rochers
une unique lueur qui disparut rapidement. En tremblant, chargé de sa chemise imbibée d'eau, Roç
remonta vers Yeza et Ali.

— Ils nous cherchent ! dit-il. J'ai vu une lumière.
Ris, Ali, ris !

Ali sauta sur ses jambes et se mit à crier : « Hou-
hou ! Hé, hé ! » dans l'obscurité. Quelques pierres
dévalèrent, et il aperçut un jeune homme trapu qui
descendait la montagne pas à pas, une torche à la
main. Roç, occupé à bander la cheville de Yeza, leva
les yeux et sourit à l'étranger, qui, d'un dernier bond,
était arrivé entre les animaux.

— Je suis Kito, dit le jeune homme, et vous êtes le
couple royal. Il ne s'inclina pas, mais on sentit du
respect dans sa voix lorsqu'il poursuivit : Roç et
Yeza, les enfants du Graal.

— Tu n'as pas apporté de litière ? demanda Ali. La
princesse ne peut plus marcher.

— Dans ce cas, nous la porterons, répondit Kito,
impassible. Nous allons fabriquer un brancard avec
trois troncs d'arbre et ta cape. Dès que le soleil se
lèvera, tu iras chercher du bois dans le fleuve. Quant
à ton manteau, tu peux l'ôter tout de suite, la princesse a froid.

Ali se garda bien de résister aux ordres de l'étranger et tendit son vêtement à Yeza, toute tremblante. Il avait fini de rire. Il s'assit entre Roç et Kito, et ils attendirent en silence le nouveau jour.

L'aube pointait à peine entre les montagnes du Khorassan lorsque Dschuveni, qui avait passé une nuit blanche, ordonna de tirer Khur-Shah de son lit (il aurait d'ailleurs donné beaucoup pour aller s'y installer à son tour). Kito n'était pas venu le relever pour le dernier quart, mais il s'était rappelé que son jeune soldat comptait s'occuper des bottes, ou du moins des belles jambes qui s'y étaient nichées en dernier lieu. Maudissant les pulsions de la jeunesse, mais non sans compréhension, Dschuveni avait pris le quart de Kito. Mais le jour se levait, le jeune homme n'était toujours pas apparu et le chambellan perdait son calme.

— S'il est arrivé quelque chose au fils de Kitbogha, lança-t-il à el-Din Tusi, lui aussi ivre de sommeil, alors l'imam pourra chercher longtemps un village nommé Iskenderun. Il n'y trouvera qu'un tas de pierres recouvrant quelques crânes. Quant au puits, il sera empoisonné par les cadavres des enfants.

Il s'arrêta en voyant que les gardes amenaient le père d'Aziza.

— Si l'on ne me rend pas Kito sur-le-champ, criat-il au vieil homme, je vous ferai trancher la tête à tous avant de quitter ce village, avec Khur-Shah comme otage.

Il fit un signe aux gardiens, et ceux-ci forcèrent le berger à s'agenouiller.

— Je commence par vous...

À cet instant, on amena Khur-Shah au puits. Son visage était boursouflé, ses lèvres ouvertes, et son nez saignait encore.

— Je vous ai préparé le petit déjeuner, ô grand fils du sublime imam, fit le chambellan. La tête de votre hôte, sur un estomac à jeun !

Khur-Shah ne répondit pas et se dirigea vers le

puits. Mais le chambellan était décidé à lui gâcher ses ablutions matinales.

— Tant que le fils de votre grand maître aura la tête dans l'eau froide du puits, cria-t-il au père d'Omar et d'Aziza, la vôtre restera sur ses épaules ! Sauf si...

— Voilà justement Kito qui revient ! répondit le vieil homme, impassible.

De sa place, il pouvait voir ce qui se passait en aval, derrière le dos du chambellan. Il fut aussi le premier à remarquer les deux enfants.

— Roç et Yeza, le jeune couple de souverains du Graal ! cria fièrement Kito au chambellan, situé au-dessus de lui.

Dschuveni commença par les observer, incrédule : les deux silhouettes qui montaient péniblement le chemin n'avaient vraiment rien de majestueux. Puis il prit Kito dans ses bras :

— Tu es un bon chien d'arrêt, Kito. Je vois que ces faisans dorés ont passé un habit discret. Ils sont pourtant ce qu'il y a de plus précieux, le plus beau cadeau que je puisse faire au grand khan !

Kito sourit de cet éloge inattendu. Il sentit qu'il venait d'ôter un fardeau gigantesque des épaules du chambellan.

— S'il vous plaît, ne les recevez pas comme si vous vouliez les dévorer, fit-il en plaisantant. Prenez bien garde à eux. La princesse s'est blessée.

— Apportez de l'eau et des draps ! ordonna alors Dschuveni à ses hommes.

Lorsque Roç et Yeza arrivèrent au puits, sales et fatigués, ils avaient déjà perdu une bonne partie de leurs espoirs d'y retrouver Guillaume ; malgré leurs demandes pressantes et une description détaillée du moine, Kito n'avait rien pu leur dire sur la présence d'un personnage qui lui aurait ressemblé. Ils ne virent que Khur-Shah, défiguré, rafraîchir son visage boursouflé à l'eau froide du puits, gardé par plusieurs guerriers mongols portant des armes blanches. Sur les toits des maisons voisines, des archers debout avaient leurs flèches pointées sur lui. Le fils de l'imam ne tremblait pas à cause de l'eau froide, mais par peur de mourir. Lorsqu'il vit les enfants, un sourire illumina tout de même son visage bovin et il cria :

— Vous êtes ma rançon !

Comme Roç le dévisageait sans comprendre et avec une once de mépris, le fils de l'imam ajouta, moqueur :

— Hassan vous a piégés !

Yeza se reprit vite. Elle saisit la main de Kito et dit à Dschuveni, qui marchait vers eux :

— Vous nous avez sauvés, cette nuit. Non seulement de la montagne, mais aussi d'une existence forcée sous le même toit que des veaux imbéciles et des serpents perfides.

Le chambellan sourit. Yeza lui plaisait. D'un bras, elle s'appuya à Kito, tout fier et très heureux qu'on ne lui pose plus de questions sur les bottes.

Roç avait laissé Ali auprès de son père, el-Din Tusi, et rejoignait à présent le groupe qui entourait le puits.

— La Rose n'a pas mérité qu'un tel bestiau règne sur elle, dit-il à Dschuveni en désignant du bout du pied le postérieur de Khur-Shah, qui, par angoisse et perplexité, continuait à se laver. Vous pouvez laisser courir le Veau, à présent, nous vous accompagnerons et nous nous présenterons au grand khan de notre propre gré.

Puis il s'adressa à el-Din Tusi.

— Mais à vous, je donne un conseil du fond du cœur : prenez votre fils avec vous, décrivez un grand arc de cercle pour éviter Alamut, et ne gaspillez pas plus longtemps votre sagesse et vos efforts pour le destin de gens qui en sont indignes !

Et en s'inclinant, il fit comprendre qu'el-Din Tusi devait être libéré. Le chambellan n'y voyait aucun inconvénient, d'autant moins que le geste royal de Roç et sa manière de parler l'avaient beaucoup impressionné.

— Mon roi, répliqua-t-il en souriant, nous mène-
rons le Veau à la longe, derrière nous, jusqu'à ce que
nous ayons quitté les montagnes des Assassins et
regagné la vaste steppe où règne la *pax mongolica*.
Sa peau et sa chair grasse nous protégeront des
attaques, puisque son père passe pour un bourreau
sanguinaire et — vous le dites vous-même — son
favori, pour un dangereux serpent. Tous les autres
peuvent rentrer à Alamut et y annoncer cette décision. Pour autant que la Rose n'est pas au courant de
tout depuis très longtemps, ajouta-t-il en souriant.

— Nous partirons dès que nous aurons trouvé une
possibilité de faire voyager la princesse Yeza dans
des conditions acceptables, répondit Kito.

— Elle est ma reine! répondit Roç, et il ajouta à
l'intention de Dschuveni : et Kito est notre chevalier!

Ils prirent congé d'Ali et de son père, et les
prièrent, s'ils rencontraient Guillaume de Rubrouck
sur le chemin du retour, de l'informer que Roç et
Yeza étaient partis pour Karakorom et qu'il devait
les y rejoindre.

OTAGES DU GRAND KHAN

1. SAMARCANDE

La tour de Procida

 Chronique de Guillaume de Rubrouck, île de Procida, dans le golfe de Naples, saint Augustin, 1252.

Nous avions quitté Ostie en barque pour rejoindre le voilier venu d'Aragon. Il ne s'agissait pas de nous y faire monter clandestinement, mais le capitaine avait préféré ne pas jeter l'ancre précisément dans le port du pape et rester sagement à l'extérieur, devant la rade.

Notre groupe, placé sous la direction, voire sous la surveillance de Gavin, précepteur des Templiers, était composé de Créan de Bourivan, chef de la délégation des Assassins, et des trois membres de l'ordre de Saint-François : Laurent d'Orta, Bartholomée de Crémone, et mon humble personne. Hormis la bure noire, nous n'avions rien en commun. Laurent se considérait comme un frère mineur *sui generis* et passait aux yeux du Prieuré pour un esprit brillant, quoique non conformiste. S'il voyageait avec nous, c'était uniquement parce qu'il était en route pour Otrante, accomplissant une mission qu'il avait lui-même imaginée. Il voulait faire sortir le jeune comte Hamo l'Estrange de son château fort et l'attirer vers la mer, ou plutôt l'y entraîner. Mais ce n'était que la première étape du plan bizarre conçu par Laurent pour inciter Hamo, fils de la comtesse d'Otrante, à abdiquer le trône de Malte, sur lequel le Prieuré comptait « installer » Roç et Yeza. Tout cela me paraissait passablement absurde : dans cette entreprise, on avait manifestement fait ses calculs non seulement sans tenir compte de l'aubergiste, mais aussi en oubliant les fournisseurs, c'est-à-dire ceux qui avaient actuellement les enfants entre leurs mains. Les membres de la Fraternité, ce pouvoir mystérieux dont Roç et Yeza devaient assouvir les bouffées d'ivresse spirituelle, auraient mieux fait de rester à l'écart. Ceux qui, parmi ces chevaliers de la Table ronde, s'imaginaient qu'il suffisait de se soûler et d'échafauder un plan rocambolesque pour que le « grand projet » devienne réalité, comme si une fée avait touché toutes les puissances de ce monde avec sa baguette magique, bref, ceux-là connaissaient mal les enfants. Du moins pas aussi bien que moi.

Bartholomée ne portait sans doute son froc de frère mineur que pour couvrir ses manigances au service du Cardinal gris. J'en avais fait personnellement l'expérience ; Barth ne reculait ni devant le vol, ni devant le poison, et il n'avait qu'une seule idée en tête : se débarrasser de Roç et de Yeza à la première occasion. On nous avait accouplés, si j'ose dire, pour que nous menions à bien la mission du roi Louis auprès des Mongols. La marieuse avait sans doute été messire Rainaldo di Jenna, l'éminence grise de l'*Ecclesia catolica*, déguisé en cardinal-archevêque d'Ostie. Quant à moi, c'est certainement le roi de France qui m'avait choisi pour cette honorable mission, il a beaucoup d'estime pour moi. En revanche, il ne connaît pas du tout le Crémonais. Ils croient peut-être que Barth et moi-même allons bien ensemble. C'est vrai, mais pour une seule raison : nous ne pouvons pas nous sentir. Il me hait, je le méprise. La seule chose que nous ayons en commun, c'est que ni lui ni moi (mais nous ne nous le sommes pas dit) n'avons la moindre intention de nous rendre auprès du grand khan à Karakorom ; en fait, nous n'avons qu'un seul but, tous les deux, nous rendre à Alamut. Là-bas — c'est la mission que m'a confiée Gavin, et dont Créan ne doit rien savoir — il me faut emmener les enfants et les mettre en sécurité en Occident. C'est d'ailleurs aussi ce que m'a ordonné le cardinal, mais il n'a pas du tout la même interprétation du mot « sécurité ». Ensuite, c'est ce Crémonais perfide qui est censé prendre les choses en main.

Bartholomée et moi-même devons embarquer à Naples sur un navire à destination de Constantinople, pour y rencontrer un troisième larron, un prêtre répondant au nom de Gosset que nous ne connaissons ni l'un ni l'autre. Le Français vient directement d'Acre, où il se trouvait auprès du roi Louis. Il nous apportera les lettres de créance et surtout notre viatique, la cassette du voyage. Les choses ne suivent plus depuis longtemps le cours imaginé jadis par le fondateur de notre ordre — à l'origine, aucun frère mineur n'était autorisé à avoir un sou en poche, il ne pouvait porter que le quignon de pain obtenu pour la journée. Les Mongols feraient de drôles de mines si messieurs les ambassadeurs se rendaient tout d'un coup au premier coin de rue pour demander l'aumône aux cavaliers qui passeraient devant eux !

Et je me retrouvais là, moi, Guillaume de Rubrouck, membre encore non exclu de la Fraternité de saint François. Je l'avoue : depuis des années, je n'avais vu aucun de nos monastères de l'intérieur. Des autorités supérieures à celles des Frères mineurs me faisaient courir d'une mission à l'autre. Il s'agissait toujours de Yeza et de Roç, mes petits rois. Les puissances obscures savaient que, dès l'instant où il s'agissait d'eux, je ne pouvais refuser. Depuis très longtemps déjà, j'avais consacré ma vie à ces derniers héritiers du Graal, mon destin était lié au leur, j'aurais franchi pour eux les flammes de l'enfer. Être avec eux, être avec le couple royal, c'était pour moi le

paradis. J'avais accompagné leur évasion de Montségur, j'avais erré avec eux à travers l'Italie — non,
ils n'étaient pas là : c'était une fausse piste que j'avais
tracée pour induire en erreur ceux qui les poursui-
vaient ; parfois, il m'arrive de ne plus trop bien savoir
qui je suis !

Étais-je leur gardien ? Ou bien ma présence attentive les mettait-elle en danger ? Ils s'étaient réfugiés à
Otrante, où j'étais venu les tirer de leur abri illusoire
— mais ce jour-là, c'est peut-être moi qui les avais
mis en danger ? Nous sommes partis ensemble pour
Constantinople. La puissance de l'ombre, ce Prieuré
qui tient tous les fils (je suis sans doute moi-même
au bout de l'un d'entre eux, le plus fin, le plus insignifiant), décida la fuite en avant : le couple royal se
présenta à ses poursuivants, dans une superbe mise
en scène. Ce sont sans doute les mêmes persécuteurs
invisibles du « grand projet » qui ont fait en sorte
que cet événement se transforme en un désastre.
Lequel a du reste failli me coûter la vie.

Nous nous sommes échappés par la mer, nous
sommes tombés dans la glorieuse croisade du roi
Louis. Disons plutôt que j'y suis tombé, tandis que
mes petits protégés la vivaient dans l'autre camp,
celui de l'Islam. C'est en prison que nous nous
sommes retrouvés. Mais cela ne dura guère, car le
Prieuré voulut nous séparer. Roç et Yeza furent
envoyés à Alamut, la citadelle des Assassins dans la
lointaine Perse. Moi, je devais revenir au monastère.
Mais tout changea une fois de plus, et l'on eut besoin
de moi. Je me suis donc retrouvé sur le pont d'un
navire, et je voguais pour rejoindre une fois de plus
mes petits rois. J'étais heureux !

Le voilier aragonais, un navire de combat qui ne
dissimulait pas son statut, possédait à la proue un
puissant bélier et des passerelles d'abordage. Une
catapulte basculante était fixée sur la poupe surélevée ; située bien au-dessus du gouvernail, elle protégeait aussi le pilote. Gavin et Créan s'étaient installés
dans des espèces de cabines et ne se montraient pas.

Je rencontrai le capitaine sur la plate-forme, autour de laquelle courait un solide bastingage.

— J'ai lu en embarquant le nom de votre voilier, dis-je en guise d'entrée en matière. *Nuestra Señora de Quéribus*. Le vieux Lion serait-il par hasard le propriétaire de cette forteresse flottante ?

Le capitaine éclata de rire.

— Voulez-vous dire que vous connaissez mon seigneur, Xacbert de Barbera ?

— J'ai été son hôte voici des années. Il y a huit ans, pour être précis ! répondis-je, heureux d'avoir visé si juste. Mais l'allusion à la Sainte Vierge m'étonne beaucoup. Je ne me le rappelais pas comme un *catolicos* !

— Notre roi, Don Jaime el Conquistador, s'est permis cette plaisanterie (peut-être pour se moquer de ce cathare invétéré !) lorsqu'il a fait don à mon maître de ce fier navire jusqu'alors en possession de Rachid de Marrakech. Jacques le Conquérant lui a dit : « Tu penses que ce rafiot est mon remerciement pour ta participation à la conquête de Majorque ? Tu te trompes. Pour cela, je ne peux t'offrir que mon amitié, car sans toi les Baléares n'auraient jamais été miennes ! Ce navire doit t'aider à oublier ton cher château fort de Quéribus et devenir ton foyer permanent lorsque le roi Louis t'aura enfin chassé de ton nid. » « Quéribus ne tombera jamais, Don Jaime ! s'est exclamé mon seigneur. Voilà déjà quarante ans, presque toute ma vie, que cette forteresse défie les Français ! » « Aucune place forte n'est imprenable, Xacbert. En revanche, il est difficile de capturer un navire robuste, et puis un vaisseau conviendra mieux à un hérétique comme toi, a répondu le roi Jacques. Et pour que tu sois bien protégé, j'ai confié cette forteresse des mers à la Madone. Tu devrais toi aussi te recommander à sa grâce ! »

Le capitaine acheva son récit sur un nouvel éclat de rire.

— Mon seigneur, Xacbert, n'a jamais foulé le plancher de ce navire. Il croit que s'il le faisait, il trahirait et perdrait Quéribus. Il nous laisse ainsi, moi-même et l'équipage, servir sous la bannière d'Aragon, pour toutes les entreprises dirigées contre la France.

— Et vous êtes donc à présent en route pour rejoindre Manfred? demandai-je insolemment. Car l'Anjou est un Capet, lui aussi.

— Nous avons d'autres inquiétudes; messire Charles tente de tirer une chaîne à travers la Méditerranée, de Marseille à Palerme, et, de là, jusqu'à Tunis. Il coupera ainsi Barcelone, Tarragone, mais aussi Valence du commerce avec l'Orient.

— De nos jours, les ports comptent plus que les châteaux, affirmai-je d'un air de connaisseur.

Le capitaine se réjouit d'avoir trouvé un interlocuteur aussi compréhensif.

— L'Aragon doit également se préparer, me confia-t-il, à défendre la Sicile au profit des Hohenstaufen, à leur côté ou (s'il le faut) à leur suite. L'empereur Frédéric a pu défier le pouvoir des papes et de l'Anjou réunis. Il était empereur, bien qu'ils aient décidé sa déchéance. Mais désormais, il ne reste plus que deux rois, même si messire Conrad et messire Manfred clament leur amour fraternel et leur alliance.

— De fait, *l'unio regni ad imperium* n'existe plus! ajoutai-je, et le capitaine hocha la tête, l'air courroucé. Et seuls, ils sont vulnérables! Pourquoi l'Aragon n'intervient-il pas? laissai-je échapper.

— Nous attendons qu'on nous appelle, même si c'est la déesse de l'Histoire qui s'en charge!

Nous avions depuis longtemps contourné Ponza à la voile, nous étions passés à bonne distance de Gaeta et nous nous approchions à présent, par l'ouest, de la ville du Vésuve. La baie parsemée de petites îles grouillait de navires; mais il était difficile de discerner s'ils étaient amis ou ennemis.

— Les assiégeants (en l'occurrence, les Hohenstaufen) peuvent installer des garnisons sur ces îles, expliqua Gavin à Créan.

Tous deux venaient d'apparaître à la proue, non pas pour profiter de ce panorama unique, avec le volcan qui s'élevait à l'arrière-plan, mais pour mieux apprécier la situation militaire.

— Pourtant, les occupants sont parfaitement incapables d'interdire aux pêcheurs d'approvisionner avec leurs navires la ville cernée depuis la terre ; ils n'ont peur de rien, pas même de convoyer en plein jour des renforts en soldats et en armement !

— Ils attendent sans doute le roi Conrad pour se rendre, parce qu'il leur promet plus de douceur que le Bâtard.

— Ne parlez surtout pas comme cela lorsque nous aurons débarqué ! fit Créan. Ici, tout le monde place des mouchards à tous les coins de rue.

— Vous n'allez tout de même pas prêter aux Napolitains un sens quelconque de la réalité ? remarqua le capitaine. Chez eux, l'amour passe par le ventre. Maintenant que messire Conrad a enfin pu goûter aux joies de la paternité, les assiégés l'attendent ici avec ferveur. En revanche, son demi-frère Manfred ne le voit pas vraiment venir avec enthousiasme.

— Tiens, il a eu un fils ? Et comment s'appellera-t-il ? demandai-je.

Depuis Ostie, je n'avais pas entendu parler de la grossesse d'Élisabeth de Bavière, que l'Église n'avait d'ailleurs pas particulièrement saluée.

— Conrad, comme la plupart des Hohenstaufen lorsqu'ils ne s'appellent pas Frédéric, répondit Gavin, moqueur. Son père veut déposer la ville dans le berceau du petit Conradin !

— Qui ne s'en réjouira guère ! dit Créan. Parthénope est plus taciturne que n'importe quelle épouse !

— Une racaille dégénérée, une bande d'assassins ! lâcha l'Aragonais.

Gavin et Créan échangèrent un regard amusé et se turent. Nous approchâmes du port de l'île avancée de Procida et nous jetâmes l'ancre dans la baie, « pour que ces escrocs, ces escamoteurs, ces coupe-bourse ne montent pas si facilement que cela à bord », expliqua le capitaine. Il nous fit conduire à terre dans une barque. Gavin et Créan furent les premiers, suivis de moi-même et de mes deux frères d'ordre. Laurent voulut immédiatement trouver une possibilité de prolonger son voyage jusqu'à Otrante. Bartholomée ne souhaitait pas débarquer, mais il dut quitter le bord car le *Nuestra Señora de Quéribus* allait être utilisé comme navire de blocus. À ma grande surprise, je vis que Gavin et Créan m'attendaient. Sans doute pour que je ne leur file pas entre les doigts, ce que j'aurais facilement pu faire dans la foule qui grouillait sur le port. On chargea Bartholomée de chercher le navire qui devait nous mener à Constantinople. Et je suivis au petit trot le précepteur des Templiers et l'envoyé d'Alamut, qui ne se rendirent pas du tout à la citadelle de l'île, mais se dirigèrent vers une tour puissante dressée sur une falaise, solitaire, à la lisière du village de pêcheurs.

L'édifice paraissait inhabité. Un maquis de framboisiers et de ronces avait formé une muraille naturelle. Des figuiers y poussaient çà et là. Les fruits n'étaient pas encore mûrs. Gavin se fraya un chemin entre deux troncs et nous fit signe de le suivre. Nous étions à présent juste au bord de la falaise. En dessous de nous, la mer claquait contre les rochers. Un autre arbre avait poussé de guingois, dans la pierre, en contrebas. Gavin s'en servit comme guide dans l'abîme écumant, et sa tête disparut derrière l'arête de la roche. Je le suivis courageusement et atterris deux mètres plus bas, sur un plateau creusé dans la roche et couvert de rondins de chêne. Lorsque Créan nous eut rejoints, nous poussâmes tous les trois du même côté. La porte dérobée céda et nous ouvrit le passage dans une galerie basse. Derrière nous, la lourde porte se referma dans un soupir.

— Jadis, dit Créan en plaisantant, c'était la dernière issue, le saut dans la mer salvatrice. À présent, cela semble être l'unique accès au savoir secret de votre ordre.

Gavin n'était pas d'humeur à rire.

— Ce n'est pas un château des Templiers, mais l'accès aux nouvelles secrètes. Vous devriez deviner ce genre de choses, Créan. Si l'on pouvait les obtenir sans se donner de mal, tout le monde y aurait accès.

La lumière du jour tombait à l'extrémité de la galerie ; un escalier couvert de mousse menait vers le haut, dans la cour intérieure du château qui, de l'extérieur, donnait l'impression d'être une ruine. Dans cette cour aussi, on trouvait beaucoup de gravats, des pierres qui avaient dévalé des murs et des poutres pourries, le tout recouvert de buissons de framboisiers en fleur. Mais le donjon qui se dressait dans ce coin était encore bien conservé, à moins qu'il n'ait été rénové. Son unique entrée s'ouvrait au-dessus de nos têtes, et elle était fermée. Mais cette porte s'ouvrit dans un grincement, et l'on fit lentement descendre une échelle. La silhouette qui apparut alors me rappela quelque chose. C'était Jean, le médecin qui avait soigné Élie à Ostie jusqu'à ce qu'il soit suffisamment robuste pour revenir à Cortone. Jean descendit vers nous avec agilité. Il ne s'embarrassa pas de formules de salutation ou d'entrée en matière.

— Je n'ai pas de bonnes nouvelles pour vous. Pour aucun d'entre nous, d'ailleurs, ajouta-t-il.

— Élie est-il mort ? demandai-je sans attendre, cette nouvelle m'aurait fait de la peine.

Mais Gavin fit un geste agacé et me passa devant. Je me sentis tout d'un coup exclu du groupe.

— Les enfants, Roç et Yeza, sont tombés aux mains des Mongols, annonça Jean.

— Impossible ! s'exclama Créan. La Rose est imprenable !

— Ils sont déjà sur la route de Karakorom.

— Comment cela ? Et personne ne les a retenus ? s'exclama Créan qui, tellement froid et réfléchi d'ordinaire, était en train de perdre son calme. Il s'est forcément passé quelque chose à Alamut, l'imam n'aurait jamais accepté cela, au grand jamais ! ajouta-t-il, inquiet.

— Les nouvelles que je reçois ici n'entrent pas dans les détails, répondit Jean de Procida, impassible, et se soucient encore moins des affaires internes des ismaélites. Elles ne traitent que les faits qui ont une importance pour nous, ajouta-t-il en se tournant vers le précepteur. Ce message m'était déjà parvenu hier. Mais vous veniez de passer devant Ponza. J'ai donc attendu jusqu'à ce que l'on m'annonce depuis la Torre Gaveta l'arrivée du *Nuestra Señora* de notre ami Xacbert.

— Il n'y a aucune raison de mettre en doute la véracité de cette nouvelle, dit Gavin à ses compagnons, totalement abattus. Il faut nous adapter à cette nouvelle situation. Guillaume de Rubrouck, annonça-t-il solennellement, passant tout d'un coup le bras autour de mes épaules, tu dois à présent voyager *realiter et in personan* jusqu'à la résidence du grand khan, sans faire le moindre détour. Roç et Yeza doivent être arrachés aux mains des Tatares et restitués à l'Occident.

Voilà que vous vous mettez à songer au destin des enfants! me dis-je en moi-même. Alors que le Prieuré les avait laissés croupir à Alamut, les avait abandonnés comme l'écureuil met ses noisettes de côté, sans même se demander si les petits rois se plaisaient dans la sombre citadelle.

Créan enfonça le même coin.

— Quoi qu'il puisse être arrivé, dit-il en se raidissant, l'intérêt des Assassins, et donc de l'ensemble du monde occidental, ne peut pas être que le jeune couple de souverains, sur lequel repose notre espoir de réconciliation et de paix, se trouve chez ceux qui nous menacent tous. Roç et Yeza ne doivent pas devenir le jouet d'un pouvoir qui ne tolère aucun jeu entre des forces libres, mais veut nous soumettre à son joug ou nous éliminer!

— Pour l'instant, fit Gavin, moqueur, les grandes phrases nous servent tout aussi peu que les jérémiades. Alamut a manqué sa mission, et le Prieuré est coupable de ne l'avoir ni prévu, ni empêché.

Jean de Procida me parut être le seul d'entre nous à avoir un don naturel pour la conjuration. Toutes ces discussions paraissaient le laisser de marbre.

— Les enfants ne sont pas tombés dans le puits. Ils vivent et, si je ne me trompe pas sur les Mongols, on doit avoir pour eux tous les égards. Et surtout, un rempart de corps humains les met certainement à l'abri de tout désagrément.

Créan, lui, paraissait pris de panique.

— Notre Guillaume doit les tirer de ce réduit !

— En tant que missionnaire, il pourra sans doute entrer en contact avec eux, fit remarquer le templier. Mais nous devons laisser à son génie personnel le soin de déterminer la meilleure manière de les enlever et de les ramener, sur des milliers de lieues à travers le pays mongol, et sans se faire prendre !

Ah ! me dis-je. On lui en prête, maintenant, des dons et des qualités, à ce balourd de Flamand !

— Le plus urgent, fis-je d'un air supérieur, c'est de se débarrasser de Bartholomée de Crémone. Ce n'est pas seulement un gêneur, il pourrait aussi mettre notre entreprise en péril.

Je ne mentionnai pas le fait qu'il avait été chargé de commettre un double meurtre, je n'en avais aucune preuve. Il me suffisait qu'on l'empêche de nuire.

Le médecin reprit alors la parole :

— Laurent d'Orta voyage avec vous. Ne pourrait-il pas prendre le rôle du second missionnaire ? Pour les Mongols, un franciscain en vaut un autre. Ils ne vous connaissent ni l'un, ni l'autre !

— Ce n'est pas une mauvaise idée, admit Gavin. Une fois passé Constantinople, peu importe qui t'accompagne, m'indiqua le templier. Ne te fais pas de souci pour ce qui concerne la substitution de Bartholomée par Laurent. Nous nous en occuperons, Créan et moi-même.

— Et Laurent ? osai-je demander.

— Laurent d'Orta est lié par son serment. L'obéissance est la moindre des choses que nous attendions de lui.

— En réalité, il y a longtemps que j'aurais pu demander à être membre de l'Alliance secrète, fis-je, moqueur. Depuis des années vous faites appel à mes services...

— Lorsque tu seras revenu de cette mission, avec succès et, surtout, en vie, dit Gavin en plaquant ses deux mains sur mes épaules, alors je serai celui qui proposera ton admission, Guillaume de Rubrouck!

— Merci! répondis-je, impassible. Le deuxième point est que Laurent d'Orta doit être informé sans délai de sa nouvelle mission secrète. Autrement, il se sera embarqué depuis longtemps pour Otrante...

Je ne pus ni ne voulus réprimer un regard en biais pour celui qui m'avait donné le coup de pied de l'âne, le templier. Gavin fronça les sourcils, mais je continuai :

— ... et nous en serons pour nos frais.

— Cela, je m'en charge, confirma le précepteur, comme je l'espérais. Je sais aussi comment le trouver s'il est déjà en route. Et sa présence n'est pas nécessaire avant Constantinople. Je m'en porte garant : à l'heure et au jour dits, il apparaîtra, métamorphosé en « Missionnaire Bartholomée de Crémone, envoyé par le roi de France ».

— Qu'a-t-il donc de si important à régler à Otrante? demanda Créan sur un ton très désagréable. Il se contentera vraisemblablement d'y rendre visite à ce cher Hamo et à sa fière épouse, et de s'amuser avec les servantes!

Un démon s'empara de moi et me poussa à répondre avant Gavin.

— Il se fera servir les meilleurs plats et boissons à la cuisine et à la cave, et racontera à la jeune comtesse la vie douce et excitante que l'on mène à la Corne d'Or...

— Billevesées! m'interrompit Gavin, fâché. Ne vous souciez pas de Laurent! Je ne me porte pas garant du franciscain fantasque, mais de la personne fiable qui t'accompagnera auprès du grand khan, Guillaume!

— Eh bien, allons-y, proposa Jean de Procida. J'aimerais revenir parmi les hommes, et j'ai faim !

Nous quittâmes la tour par le chemin sinueux et escarpé que nous avions emprunté à l'aller, et nous redescendîmes en direction du port. Gavin attendit que je le rejoigne, tandis que Créan et le médecin marchaient devant nous d'un pas ferme.

— Si tu voulais me montrer, Guillaume, grogna-t-il, que tu as écouté aux portes à Ostie, tu as réussi. Je sais depuis longtemps pourquoi Barth doit être remplacé, et je peux seulement garantir que Laurent sera...

— Celui-ci me cause moins de souci que votre personne, Gavin ! fis-je en feignant de m'énerver car il devait avoir peur que j'élève la voix. J'ai eu vent de ce plan totalement aberrant à propos de Malte, c'est vous qui lui avez insufflé la vie, comme le sirocco qui gonfle de son souffle brûlant les voiles des pirates et pousse vers Otrante leurs navires chargés d'intentions malveillantes !

— Tu fais trop de poésie lorsque tu imagines tes drames, Guillaume ! répondit-il, sarcastique. Et tu fais trop de drame lorsque tu joues au poète ! Si tu veux devenir membre du Prieuré, prends l'habitude de ne pas demander d'excuses. Chacun est responsable de chaque acte, même s'il manque sa cible. Qu'une erreur soit commise, elle est neutralisée par une contre-mesure si l'on ne peut revenir dessus.

— Un joli jeu, aux dépens d'innocents !

— Qui donc est innocent ? rétorqua le templier.

Puis il rejoignit Créan et Gavin.

Sur le môle, nous trouvâmes un Bartholomée surexcité. Il avait déniché un navire susceptible de nous emmener à Constantinople. Mais le jeune comte qui l'avait loué ne comptait pas attendre plus longtemps les deux frères mineurs, il voulait prendre la mer le jour même.

— De qui s'agit-il ? demandai-je avec une curiosité justifiée, puisque j'étais son compagnon de voyage.

— Du comte Hamo l'Estrange ! m'informa, tout

fier, ce bavard de Barth. Il a rendu au Bâtard ses fiefs d'Otrante et de Malte pour entrer en possession d'un héritage à Constantinople à la demande de sa femme, qui vient de mettre une fille au monde. Elle le suivra avec armes et bagages dès qu'il y aura établi ses quartiers. Nous pouvons même habiter chez lui à Constantinople! ajouta-t-il, enthousiaste. Vous voyez! fit-il en s'adressant à Gavin, triomphant. Les derniers partisans de la cause du Hohenstaufen quittent comme des rats le navire qui sombre!

Le précepteur me regarda, pensif. Je m'abstins de sourire, me rappelant ses paroles à Ostie : chaque pensée devient un plan, et chaque plan, un acte.

— Où est Laurent d'Orta? demanda enfin le templier.

— Il était déjà parti pour Otrante. Quel dommage! Nous aurions pu le prendre avec nous et l'y déposer, car le comte veut s'y rendre une fois encore pour saluer sa femme tendrement aimée avant de reprendre sa route vers la Corne d'Or.

— Quel dommage! répéta Gavin en se moquant de lui-même, et me prenant à part. Maintenant, dépêche-toi, que Hamo ne parte pas sans toi.

Il posa une troisième fois sa grosse main sur mes épaules, et me dit en me regardant dans les yeux :

— Tu es encore jeune, et tu grandis avec les missions qui te sont confiées, Guillaume. Moi, en revanche, je deviens fragile et cassant comme du vieux fer, j'ai reçu trop de coups et j'en ai trop donné au service du « grand projet ». Mais je te garantis que Laurent sera à ton côté lorsqu'il le faudra. (Il me donna une petite bourrade pour m'encourager.) Maintenant, file!

Bartholomée nous pressait déjà, et nous partîmes tous deux à grands pas. Je compris que le templier ne voulait pas rencontrer Hamo, mais j'espérais secrètement qu'il nous suivrait pour mettre notre ami en garde, le prévenir que des pirates avaient été lâchés comme une meute contre la trirème. Sans cela, je m'en chargerais.

Nous nous frayâmes un chemin dans une foule de badauds, passâmes devant des portefaix qui déchargeaient rapidement des marchandises et de l'armement avant de les empiler sur le quai, et des soldats qui cherchaient leur unité. Nous vîmes tout d'un coup une escouade de gardiens de l'ordre avancer à notre rencontre, des Allemands, qui parlaient mal l'italien. Ils tendaient leurs lances vers nous.

— *Ke spiate kwi tutto tchorno per naves ?* Vous êtes des espions, *spie dell'Anchou ?*

— Non, nous sommes des ambassadeurs envoyés auprès du grand khan par le roi ! répondis-je

— Et moi je suis le sultan de Babylone ! fit le capitaine. En avant marche, en prison ! Nous allons vérifier si le nœud autour de votre petit cou supporte le poids de vos panses !

Cette perfidie m'était destinée : Barth était tout maigre. Mais lui aussi rentra la tête entre les épaules, horrifié, lorsqu'on nous attacha les mains dans le dos, lui d'abord, moi ensuite. Puis, ils nous poussèrent avec l'extrémité émoussée de leurs lances et nous menèrent vers une destination inconnue, mais certainement peu réjouissante.

L.S.

L'homme au mauvais œil

— Je les ai vus à Boukhara, dit entre ses dents l'homme au regard perçant qui se tenait devant le comptoir du riche Malouf, le commerçant le plus puissant de Samarcande.

Rien, chez ce marchand à la barbe hirsute, ne laissait paraître sa richesse. Ses vêtements étaient élimés et maculés de taches de graisse. Seule une lourde bague en or, au petit doigt de la main droite, pouvait susciter un certain étonnement. Malouf regarda fixement l'homme de Bagdad.

— Si vous êtes certain, Chaiman, que c'est avec des Mongols que voyage le couple royal, songea-t-il à voix haute, alors leur voyage chez le grand khan les fera inévitablement passer par Samarcande.

— C'est bien ce que je pense, dit l'homme qui commençait à s'échauffer. Je suis tout aussi certain que mon maître, le *dawatdar* Aybagh, ne se comporterait pas autrement. Il ne s'agit donc pas d'une indication spontanée fournie par ma misérable personne, mais de l'accomplissement d'un verdict secret — et pour vous, Malouf, il s'agit d'un *amir !*

Il se faufila vers la fenêtre pour voir dans l'obscurité. Il traînait d'une patte. Dehors, dans la grande cour du caravansérail, le feu dansait encore, mais la plupart des invités du commerçant s'étaient déjà retirés. Les chevaux et les mulets étaient étroitement serrés contre les barres de l'enclos, les chameaux étaient couchés ensemble et ruminaient. Il devait encore rester un quart de garde avant la prière du matin, le *salat al fajir*.

— Ils devront être tués au cours de la nuit prochaine. Pendant leur sommeil, de préférence, annonça le confident du *dawatdar*, le chancelier à la cour du calife.

C'est la protection de ce dignitaire qui avait fait la richesse de Malouf. Mais il craignait à présent pour son monopole, et cela le forçait à obéir.

— Il faudrait que cela ressemble à un meurtre commis par les Assassins, objecta le marchand.

— Nul n'en doutera, affirma Chaiman pour le tranquilliser, pour autant qu'il était capable de rassurer qui que ce soit avec son regard mauvais.

— Quelques Mongols pourraient en réchapper, naturellement, ne serait-ce que pour faire parvenir à Karakorom la nouvelle de cet épisode inouï.

Malouf n'était pas à son aise en entendant ses propres paroles. On n'aurait même pas besoin de ces messagers de malheur ! Le gouverneur mongol compétent transmettrait de toute façon la nouvelle à qui de droit. Mais auparavant, la justice s'abattrait

sur le marchand dont la maison aurait servi de cadre
à ce meurtre effroyable. Malgré les charbons de bois
ardents qui chauffaient le bassin, à ses pieds, Malouf
eut un frisson glacial.

— Le *dawatdar*, résuma Chaiman, impassible,
tient à diriger la colère des Mongols contre Alamut.
Cela évitera à Bagdad d'être victime de leurs appétits
territoriaux.

— Je vois..., soupira Malouf. (L'enjeu était décidé-
ment trop élevé pour lui.) Recevons donc nos hôtes
avec tous les honneurs, et nous aviserons!
grommela-t-il, ambigu.

— Laissons-les se précipiter dans le piège!

Le pied-bot aimait les choses claires et nettes.

Cher Guillaume, c'est Yeza qui te parle.

Ainsi, ô toi, grand libérateur, même lorsque tu écris
des lettres, on abuse de ton don pour te trouver au bon
moment au mauvais endroit — et encore! Tu étais plein
de bonnes intentions, comme toujours, mais Hassan, le
serpent, avait empoisonné la pomme! Nous sommes
chassés du paradis, non pas par un ange portant l'épée
de feu, mais par un veau nommé Khur-Shah. Les Assassins se sont fait mutuellement des crocs-en-jambe, et
grâce à ton aide perspicace, nous sommes libres. Même
ma cheville ne me fait plus mal. Je suis servie par un
nouveau chevalier, qui s'appelle Kito. Son père est un
grand général mongol, et tous deux sont chrétiens.
Mais surtout, il nous a rapporté, à Roç et à moi-même,
deux admirables chevaux du haras du grand khan, ce
qui me console de la perte de l'étalon que nous avions
volé dans l'écurie de l'imam et que nous avons dû laisser au pied de la montagne. Les Mongols sont de très
bons cavaliers, endurants, qui ne cessent de faire des
plaisanteries avec leurs chevaux — lesquels ont le garrot assez bas. Ils se mettent debout au grand galop ou
se laissent pendre presque jusqu'au sol derrière le corps
de l'animal, pour se protéger contre les flèches, qu'ils
peuvent aussi tirer en pleine course, et avec une grande
précision. Lorsque ma cheville me l'a permis, je leur ai
montré que je pouvais me tenir d'une seule jambe sur la
selle et que, même pendant une cavalcade rapide, je

pouvais moi aussi tirer et atteindre ma cible. Le bonhomme grognon qui dirige notre escorte et nous mène
auprès du grand khan, Ata el-Mulk Dschuveni, a ainsi
vu avec quelle maîtrise nous manions l'arc mongol. On
nous a confié des armes du même type, à Roç et à moi-
même, dès que nous avons atteint le khanat de la Horde
d'Or. Et, depuis, Roç s'exerce quotidiennement avec
Kito, qui a déjà vingt ans et a tué beaucoup d'ennemis.
Mon royal bien-aimé ne veut pas que je le surpasse
dans la pratique des armes.

J'ai du reste entendu dire que même les femmes mongoles peuvent assister leur mari, ce qui me réjouit beaucoup. Quant à Khur-Shah, nous l'avons laissé filer
après avoir quitté le territoire des Assassins, lorsque
nous pouvions être sûrs de ne plus être attaqués.
Dschuveni l'a confié à une caravane qui revenait de
Chine, afin qu'elle le rende à son père et en tire une
bonne récompense. Lorsque Roç (qui a toujours eu un
faible pour le Veau) a fait remarquer que les marchands pourraient tout aussi bien vendre le futur imam
au premier marché aux esclaves venu, l'*amin al chisana*
(c'est le titre de Dschuveni) a éclaté d'un rire tonitruant,
ce qui ne lui arrive jamais, et a répondu :

— Même s'ils le découpaient en quartiers et ven-
daient sa viande à la livre, ils n'obtiendraient jamais
autant pour cette bête que ce que donnera l'équarris-
seur d'Alamut !

— Et pourquoi ne l'emmenez-vous pas comme otage
auprès du grand khan ? ai-je alors demandé (je
l'admets : c'était assez malveillant).

Le chambellan m'a regardée, étonné :

— D'une part, parce que j'ai fait avec vous un bon
échange. D'autre part, parce qu'il faut aussi faire preuve
de goût dans le choix de ses otages. Mon seigneur, Il-
Khan Hulagu, *hakim al gharb*, pourrait m'en vouloir de
lui faire un tel cadeau.

— Et en troisième lieu, compléta Kito, je n'avais
aucune envie de traîner cette lavette grasse et geignarde
pendant le reste de notre long voyage !

— Je vous comprends, Kito, ai-je dit. Surtout que
vous lui avez déjà montré comment on fait entrer les
choses dans le crâne du bétail inexpérimenté.

Il se mit à rougir. Moi, j'éclatai de rire, j'avais
entendu raconter l'histoire de la fille aux bottes et
j'avais tout de suite compris que la créature dont il était

question était Aziza. Mon cher Roç, lui, n'avait pas saisi le rapport. Tant mieux car cela aurait peut-être assombri son amitié naissante avec Kito. Je chuchotai donc, au moment où Roç n'entendait pas : « Cette chèvre l'a bien mérité ! »

Je ne précisai pas si je voulais ainsi souligner ses prouesses de bouc ou mon mépris pour la femelle.

Roç est toujours gêné lorsque je me comporte de manière peu convenable. Il avait déjà trouvé malvenus mes petits morceaux de bravoure sur le dos du cheval, d'autant plus que j'avais beaucoup montré mes jambes à cette occasion. Je ne suis même pas autorisée à sortir mon poignard, sous prétexte que cela pourrait ébranler les guerriers mongols, certainement incapables de lancer une lame avec deux doigts aussi précisément que moi ! Lorsque tu me verras la prochaine fois, Guillaume, franciscain irrécupérable, garde-toi de chercher à m'attraper ! Mon postérieur mérite déjà ce genre de plaisirs, mais ma poitrine prend son temps. Cela dit, je ne tiens pas à avoir des pis de chèvre comme Aziza. Je les veux ronds comme des grenades, petits, avec des pointes comme des noisettes. Je ne le dis qu'à toi, moine, car mon roi les veut plus moelleux, plus « féminins », comme il dit. Il me traite d'amazone, parce que personne ne remarquerait s'il m'en manquait un entier. Et surtout, je pourrais tirer des flèches empoisonnées. Pauvres hommes !

Kito ne me regarde que de biais, effarouché, parce que je lui ai fait comprendre d'un ton frivole que je savais tout ce qui s'était passé sur le dos de Khur-Shah, et que j'avais aussi eu vent du renfort en « combattants secrets », après que Kito eut quitté la maison d'Omar et fut venu à notre rencontre comme un sauveur. Que s'imaginent les hommes, au juste, Guillaume ? Réponds à cette modeste question lorsque nous nous reverrons. Nous avons laissé derrière nous cette steppe désertique, et nous nous approchons des montagnes du Turkestan. Devant nous, Samarcande !

Je t'embrasse, ta Yeza, O.C.M.

P.S. : Cette ville a des couleurs uniques au monde ! Il y a d'abord la lumière, qu'aucune brume ne vient troubler ; elle est plus claire, mais aussi plus vive que n'importe où ailleurs. Et puis ces habits, ces tissus et ces tapis multicolores ! C'est par là que passent tous les

produits que l'on fait venir d'Inde et de Chine vers
l'Occident. Ici, les caravanes d'esclaves des Arabes, les
convois d'« ébène noire », croisent celles des marchands d'épices venus des îles lointaines. Ils échangent,
ils marchandent, ils lésinent et ils soldent, ils
escroquent et distribuent les aumônes, et tous se retrouvent toujours dans ce bazar, le plus grand du
monde. Un va-et-vient constant, jour et nuit.

Nous sommes descendus dans la maison du marchand Malouf, ce qui n'est d'ailleurs pas tout à fait précis, car d'une part ce Malouf est un maître négociant,
sans doute l'un des plus riches de cette ville, et en
second lieu sa maison mérite sans doute plutôt le nom
de palais, avec le caravansérail qui en dépend et qu'il
entretient. Dans sa cour brûlent au moins dix brasiers
au-dessus desquels des moutons tournent sur leur
broche. Sous les galeries, tout autour, on commerce
plus que dans toute la ville du Caire ou celle de Bagdad
— peut-être même les deux ensemble ! Dans les dortoirs
qui jouxtent ces arcades, on peut loger pour la nuit neuf
fois quatre-vingt-dix voyageurs. En fait, ils sont plus de
cent à dormir dans chacune de ces salles constamment
surpeuplées. Entre elles coulent des fontaines où l'on
peut se laver, et l'on fait ses besoins au *marahid*. Les
animaux sont installés dans la cour, on les y nourrit
aussi. Les chameaux boivent des quantités d'eau monstrueuses, mais portent cinq fois la charge tolérée par un
cheval, et sont aussi beaucoup plus paisibles. D'ailleurs,
ils aiment bien se coucher. Cela dit uniquement au cas
où tu aurais besoin de ce genre de détails pour ta chronique.

Nous sommes arrivés dans la nuit et nous avons pu
occuper tout de suite des lits dans l'un des dortoirs.
On témoigne beaucoup de respect, ici, au seigneur *amin al
chisana* de Hulagu ; et nous aussi, *al malik ual malika*,
nous représentons quelque chose pour les gens, j'ai
entendu les serviteurs de Malouk chuchoter nos noms
avec respect. En tout cas, nous avons été reçus avec la
plus grande hospitalité, on nous a offert une boisson de
bienvenue à base de fruits pressés, on nous a donné des
couvertures et un oreiller. Les lits sont en bois, il y en a
toujours trois superposés, et il faut une échelle pour
atteindre le dernier. C'est bien sûr celui-là que j'ai
choisi. En dessous de moi dort Roç, chargé de surveiller mon vertueux sommeil ; et, plus bas encore, Kito,

responsable de nous deux. Au-dessus de nous court une galerie de bois. Sous le toit se trouvent sans doute des greniers à marchandises ; dans la cave, en dessous de nous, on stocke du vin, de l'huile et des harengs en saumure. L'odeur de deux cents bottes enlevées est ainsi facilement recouverte par celles du safran et du poisson, du beurre rance et de la viande séchée. Je suis allée au lit immédiatement, raison pour laquelle j'arrête ici.

La même.

L.S.

Le muezzin avait appelé à la *salat ad-dhuhur*. La cour du caravansérail de Malouf chauffait tranquillement au soleil de mai lorsque le boiteux au regard perçant se fit annoncer au négociant.

Dans la véranda ombragée de sa maison, Malouf s'était incliné à plusieurs reprises vers La Mecque (c'était un musulman pratiquant et orthodoxe). À présent, il enroulait son tapis. Il n'aimait guère parler affaires en dehors des quatre murs de son comptoir.

— Lorsque les colis à expédier seront prêts et emballés, je me suis dit qu'il serait peut-être bon que Bagdad envoie à Karakorom quelques-uns des serviteurs qui en auront été chargés, pour qu'ils y reçoivent leur salaire.

Cette phrase plut à Chaiman lorsqu'il en eut compris le sens, et son regard se remit à briller comme celui d'un serpent qui vient de découvrir tout un nid d'oisillons.

— Nous devons donc d'emblée engager nos factotums au nom de l'imam, pour qu'ils sachent au profit de qui ils travaillent. Pouvez-vous renoncer à tant de monde ?

Le marchand leva les bras au ciel.

— Mais ce ne seront surtout pas mes gens à moi ! Cela me retomberait dessus !

— Dans ce cas, allez en chercher quelques-uns sur le marché, des portefaix payés à l'heure, des voleurs, des crève-la-faim !

— Impossible ! Ici, tout le monde me connaît. Je

paierai volontiers le salaire, mais il vous faudra trouver ces gens vous-même, Chaiman !

Malouf répondit au regard scrutateur par un sourire.

— Et faites le bon choix, car pour mener à bien ce travail-là, il faut des mains exercées. Nous avons affaire ici à une marchandise qui ne se laissera pas mettre en sac par quelques balourds.

— Est-ce cela, votre aide, Malouf ? (L'œil de Chaiman tressaillit, et son regard se fixa sur le cou de l'homme qui lui faisait face.) Croyez-vous que votre argent vous exonère de toute obligation ?

— Je vous donnerai aussi le nom d'hommes sûrs dont je connais le prix, répondit le marchand. Je mets ma maison à votre disposition, ainsi que les accès directs et secrets aux lieux où dort notre marchandise. Je ne peux faire plus pour vous. Moi, je vis ici, à Samarcande. Mais vous, Chaiman, vous repartirez une fois les colis emballés.

— Avant cela ! répliqua l'homme de Bagdad. Une fois que j'aurai trouvé notre personnel, je disparaîtrai !

— Et tout reposera sur mes épaules ! se lamenta le marchand. Il faut que le coup paraisse aussi dirigé contre moi, sans quoi je suis perdu !

— Pour ça, vous pouvez me faire confiance, Malouf, répondit Chaiman. À présent, montrez-moi les lieux. Nos deux colombes sont allées picorer au bazar. Nous pouvons inspecter en toute quiétude les orifices du pigeonnier par lesquels nos furets se faufileront cette nuit. Et maintenant, donnez-moi l'argent !

Lorsqu'il l'eut en poche, il fila sans même se retourner vers le maître de maison.

Roç à son cher Guillaume, Samarcande, troisième décade du mois de mai Anno Domini 1252.

Nous avons passé tout l'après-midi à nous promener dans le bazar. Tu ne te l'imagineras jamais assez grand :

un marché spécifique s'est formé devant chacun des caravansérails qui l'entourent. Il n'est pas non plus classé par quartiers selon les artisans, comme à Bagdad ou à Acre, où chaque corporation a sa propre ruelle. Non, il est organisé autour de ces caravansérails qui rivalisent les uns avec les autres; celui de notre hôte, Malouf, est le plus grand. Il nous a bien sûr donné un guide, sans doute chargé de veiller à ce que nous fassions tous nos achats chez lui, mais j'ai dit à Kito que nous voulions voir tous les autres étals, et nous avons donc repris notre indépendance, Yeza et moi.

Cela nous a valu quelques surprises, dont je ne suis pas certain qu'elles aient été un simple hasard. Le premier à avoir croisé notre chemin était ce pied-bot au regard perçant qui nous a conduits dans notre quartier puant à Bagdad après l'échec de l'audience chez le calife (et nous l'avons reconnu, ce qui lui a manifestement déplu). L'homme a le *âin al hasud* : le malheur lui colle aux chevilles (s'il ne le fomente pas lui-même) comme la pestilence aux rats, comme on dit. Il a d'abord essayé de se cacher. Et tout de suite après, il a disparu. Je n'ai rien dit à Kito, mais j'ai échangé avec Yeza un regard éloquent : elle aussi l'avait vu, et elle avait la même impression que moi. Je crois qu'il s'appelait Chaiman, ou quelque chose comme ça. C'était un homme du gros *dawatdar*. Cette rencontre a eu lieu sur le marché persan.

Ensuite, nous sommes entrés dans celui des Arméniens. Une caravane de tribut du roi Hethoum y faisait justement étape. Elle transportait surtout des esclaves destinées au grand khan et à sa cour. Toutes les femmes captives étaient gardées dans des cages. Les gardiens ne laissaient personne approcher de trop près. Des Tcherkesses aux seins en poire côtoyaient des Géorgiennes aux hanches fortes, des Bulgares au large postérieur, deux Polonaises blondes, et même une rouquine à la peau blanche et tachetée, venue des terres des Irlandais. Nous voyions à peine les femmes : nous n'entendions que les commentaires des gens qui se pressaient devant nous. C'est alors que Yeza a poussé un petit cri et m'a donné un coup de coude : « Shirat ! Je te jure que j'ai vu Shirat ! »

J'ai répondu : « Tu es devenue folle ! Comment la femme de Hamo, aujourd'hui comtesse d'Otrante, serait-elle tombée dans une caravane d'esclaves ? »

Mais Yeza me poussa énergiquement dans la foule et me tira vers l'avant. « C'était Shirat, enfin, je ne suis ni idiote, ni aveugle ! »

Les gardiens nous barrèrent le chemin avec leurs longs bâtons. La litière grillagée que désignait Yeza fut de nouveau soulevée et s'éloigna de nos regards en se balançant ; nous pûmes tout juste apercevoir la silhouette voilée dont Yeza affirmait dur comme fer qu'il s'agissait de sa vieille amie Shirat. Par la stature, cela pouvait être vrai. Les femmes étaient entassées à quatre dans la cage ; elle était la seule à se tenir debout. Elle serrait fort les barreaux, et nous ne pouvions plus voir son visage. Il est tout simplement invraisemblable que ce soit Shirat, tu ne penses pas, Guillaume ? Mais la prochaine fois que tu verras Hamo, demande-lui comment se porte sa petite femme. Yeza n'en dormira plus, autrement !

Nous avons continué notre chemin, sur le marché des Indiens : certainement le plus haut en couleur, le plus excitant, mais aussi le plus sale.

« Personne ne sait fabriquer d'aussi beaux saris ou imprimer de la soie brute et de la simple cotonnade », dit Yeza, qui se couvrit d'écharpes, de châles et de *shiroual*, comme si elle comptait ouvrir son propre bazar. Deux porteurs nous suivaient déjà car, avant même d'entrer sur le marché indien, elle n'avait pas pu résister : anneaux de chevilles, colliers, bracelets, éventails, amulettes, boucles, fermetures, peignes, flacons pleins d'élixirs huileux et d'eaux parfumées, dosettes remplies de poudres aux couleurs pastel, pâtes grasses et rouges pour les lèvres, poussière de charbon pour les cils et les sourcils, petites poudres aux reflets bleutés pour les paupières — cela te suffit-il, Guillaume ? Eh bien, cela ne suffisait pas encore à ma noble *damna* !

Alors, devant nous, au beau milieu de la foule, nous avons vu surgir Omar. Je lui ai vite fait signe de ne pas nous adresser la parole : Kito, le Mongol, nous accompagnait toujours. Yeza, pour sa part, était tellement pétrifiée, *alhamdulillah*, qu'elle aurait été incapable de prononcer le moindre mot susceptible de trahir le jeune Assassin. Omar passa donc devant nous sans nous regarder, mais j'avais compris qu'il avait un message à me transmettre. Je poussai Yeza et Kito dans les bras du premier joaillier venu et je chuchotai à ma princesse : « Distrais-le ! » Elle se couvrit le front et les oreilles de parures, et Kito dut donner son avis sur le résultat, d'ailleurs séduisant. Moi, je m'étais mis sur le côté en voyant qu'Omar, de l'autre côté de la ruelle, m'adressait discrètement des signaux de la main. Nous nous étions amusés à parler dans ce langage à Iskende-run, et j'étais toujours capable de le déchiffrer : « *Chiana*, trahison, épelai-je... *intuma ua murafikun bi chattar*, toi et tes accompagnateurs en danger, ... *al leila*, cette nuit, ... *jahrus*, rester sur ses gardes. »

Puis Omar disparut sans un regard de plus. J'avais l'impression que cette rencontre l'avait autant surpris que nous et qu'il ne nous avait pas du tout cherchés. Que faisait-il encore à Samarcande ? Les quatorze *fida'i* étaient partis dès la mi-mars — c'est-à-dire plus de deux lunes auparavant — pour assassiner le grand khan des Mongols à Karakorom. Et comme je connaissais la loi de la Rose, ce type d'ordres, lorsqu'ils étaient prononcés par l'imam, étaient respectés et exécutés. Omar était-il un déserteur ? Il fallait prendre son avertissement au sérieux, cela ne faisait aucun doute, et je devais aussi mettre Kito dans la confidence, toute autre attitude aurait été grossière légèreté.

J'annonçai à Yeza, sans prendre de gants : « Tu ferais mieux de t'acheter une cuirasse ou une cotte de mailles ! On a l'intention de nous tuer cette nuit ! » Kito me lança un regard réprobateur, comme si je venais de raconter une mauvaise blague. Je lui dis : « S'il te plaît, ne cligne pas les yeux et ne te retourne surtout pas. On nous observe. »

Kito redevint aussitôt le « combattant secret » qu'il était, il rassembla ses forces sans rien perdre de son allure décontractée. Il continua à sourire à Yeza, qui avait tout entendu mais continuait, impassible, à essayer ses bijoux. Une jeune fille intelligente ! Je lui résumai en mots concis la mise en garde que j'avais reçue d'un *sadiq al ladhi judahiin bi nafsihi min ajilina*, un ami qui traverserait le feu pour nous. « Il sera là cette nuit pour nous protéger, Yeza et moi ! » J'affirmai cela sans autre forme de procès, alors qu'Omar ne m'avait rien dit de tel. Je ne savais même pas qui était l'assassin pressenti, comment se déroulerait cet attentat perfide et qui l'avait commandité. D'ailleurs, cela m'était indifférent. Mais j'étais fermement convaincu du fait qu'Omar se battrait à nos côtés. C'est aussi ce que pensait Yeza. Kito voulut aussitôt informer Dschuveni, mais Yeza pensa que c'était inutile, il ferait beaucoup de bruit autour de cet attentat programmé, or elle ne voulait pas effrayer les meurtriers, mais leur réserver l'accueil qu'ils méritaient. J'expliquai : « Je veux voir nos ennemis dans les yeux et les reconnaître avant de les détruire ! » Comme j'avais un peu trop fanfaronné, j'ajoutai : « Pour leur donner une leçon qu'ils n'oublieront pas de leur vivant, les six « combattants secrets » suffiront. »

Kito se mit à rire : « Tu penses que nous pourrions nous en sortir avec une si grande différence de nombre ? Ce n'est vrai que si l'adversaire accepte le combat rapproché, au corps à corps ! »

« Et cela, nous n'en savons rien, dit Yeza. Mettons les archers en alerte. »

Nous quittâmes le bazar, suivis par trois porteurs chargés de gigantesques corbeilles. En nous voyant, les badauds devaient se dire qu'ils avaient rarement croisé voyageurs aussi joyeux !

Je te salue, impatient de voir comment tourneront les choses, et je te raconterai tout pour ta chronique — sauf si je perds ma jeune vie cette nuit. Dans ce cas, occupe-toi de ma promise. Avec le trousseau qu'elle vient de se constituer, c'est désormais un bon parti.

Ton Roç.
L.S.

Le repas du marchand

La taverne Babouchka se trouvait dans le quartier russe du marché de Samarcande. Elle était connue pour ses beuveries et ses bagarres, suivies de fraternisations arrosées à la boisson forte. C'est aussi la raison pour laquelle Omar et ses amis, s'ils n'y avaient pas pris racine, considéraient tout de même cette *chamara* comme une bonne école. Ici, à Samarcande, ils se trouvaient déjà dans la zone de pouvoir des Mongols, et ils avaient appris à s'y déplacer comme des poissons dans l'eau. Ils travaillaient par équipes de deux dans des quartiers différents. Ils s'étaient construit une nouvelle identité. Et c'est au bout d'un certain temps seulement qu'Omar leur avait permis de venir le trouver, si bien qu'aucun mouchard ne pouvait soupçonner qu'il s'agissait d'un groupe de combattants. Ils amenaient des amis, ne parlaient jamais d'Alamut, n'utilisaient même pas la langue arabe, avaient pris de nouveaux noms ; on aurait juré que ces hommes étaient rassemblés par le plus grand des hasards.

Omar était le chef reconnu de tous, même si chaque paire de *fida'i* avait le droit d'agir en toute indépendance. Tous avaient approuvé son plan consistant à s'intégrer d'abord à ce pays étranger. Chacun de ces jeunes garçons était très heureux de rester en groupe au lieu d'aller affronter seul la garde du corps du grand khan, dans la lointaine Karako-rom.

S'ils avaient une information à se communiquer secrètement, ils se retrouvaient à la taverne et commençaient par boire à deux, à trois ou à quatre ; puis ils se tapaient dessus et fraternisaient, séances au cours desquelles ils ne manquaient pas de s'accrocher au cou les uns des autres et de se chuchoter tous les mots nécessaires avant que leur hôtesse moscovite ou l'une de ses innombrables filles ne s'en mêlent et ne prennent les hommes dans leurs bras en leur resservant à boire — cela faisait marcher les affaires. On procéda de la même manière ce jour-là. Omar, un œil au beurre noir, le nez ensanglanté, couvert de baisers, apprit ainsi qu'un homme étrange, un *âaraj mâal âin al hasud*, avait cherché à recruter plusieurs d'entre eux pour un attentat dans le caravansérail de Malouf. Il fallait sans doute expédier dans l'au-delà quelques voyageurs indésirables, mais il fallait surtout liquider un couple princier bien surveillé, dont on avait mis la tête à prix pour une somme élevée.

Omar avait aussitôt compris qu'il s'agissait de Roç, de Yeza et de leur escorte mongole. Mais il commença par écouter la suite de ce qu'on lui racontait, récit qui correspondait d'ailleurs à ce qu'il avait lui-même vécu. Ce qu'il y avait d'étrange, avec cet agent de recrutement, c'est qu'il se faisait parfois passer pour un Assassin de Masyaf, en Syrie, ou laissait entendre qu'il agissait pour le compte de l'imam d'Alamut, mais qu'il ne réagissait absolument pas aux signes de reconnaissance secrets de la fraternité. Ou bien ce n'était pas un Assassin, et il essayait de faire croire le contraire sans savoir à qui il avait affaire ; ou bien c'était un mouchard qui avait quelques soupçons et tentait de les pousser à se démasquer. En tout cas, ils devaient être sur leurs gardes. Cet homme avait finalement recruté des exécutants : une flopée de mauvais bougres, fainéants, petits voleurs et coupe-jarret. Cela laissait penser que ce projet d'attentat était sérieux.

— Bien, dit Omar lors d'une nouvelle mêlée générale, je vous laisse carte blanche. Pour ce qui me concerne (car cet homme m'a contacté, moi aussi), je serai sur place.

— Moi aussi, moi aussi ! crièrent la plupart des autres — au cœur de la bagarre, cette exclamation n'avait rien de compromettant.

— Au début, poursuivit Omar en haletant, je me disais que c'était une bonne occasion de se coltiner une bonne fois avec les Mongols. Je suis toujours de la partie, mais de l'autre côté, je me bats pour la vie du couple royal ! Car je ne croirai jamais que la Rose a décidé leur mort ! Je me battrai donc au coude à coude avec les Mongols !

— Moi aussi, moi aussi ! s'exclamèrent de nouveau les autres. Nous retournerons l'épée ! Nous allons prendre son argent et fracasser le crâne à ses hommes.

Omar était épuisé et paraissait ivre mort lorsqu'il fonça de nouveau dans la mêlée, en titubant, mais avec l'air d'un possédé.

— Nous nous retrouverons ce soir, là où le boiteux nous a donné rendez-vous, au Colosse de Rhodes, chez le Grec !

— Un bon lieu pour une telle rencontre, chuchota Karim, qui faisait équipe avec Omar et s'appelait ici Aliocha. Seuls les tueurs et les gibiers de potence, les fines lames et les étrangleurs vont chez cet aubergiste à la panse grasse.

— C'est bien ainsi, marmonna Omar lorsqu'ils eurent quitté la taverne les uns après les autres, en riant, en jurant et en vacillant. Cela va nous permettre de prendre nos adversaires de court.

Il passa son bras autour des épaules de Karim, le quatorzième *fida'i*, le plus jeune de ceux qui étaient partis tuer le khagan.

— Reste à côté de moi ce soir ! Notre mission est d'offrir le rempart de nos corps à Roç et à Yeza. Pas de jouer les héros ni de salir la lame de nos poignards avec le sang du plus grand nombre possible de ces canailles.

— Je me modérerai, s'exclama Karim, les yeux brillant d'ardeur au combat. Mais le boiteux ne m'échappera pas !

— Sois sur tes gardes, Aliocha, *dhal âin al hasud !*

Et bras dessus, bras dessous, les deux hommes quittèrent l'antre de la Babouchka.

Dresse l'oreille, frère de saint François, c'est Yeza, ta chroniqueuse, qui s'adresse à toi !

C'est pour cette nuit ! J'ai une étrange sensation au creux de l'estomac. Mais « la guerre est dangereuse », c'est ce que je disais toujours quand j'étais petite fille, tu te le rappelles peut-être. Auparavant, nous sommes invités pour le dîner chez le maître de maison, le célèbre marchand de Samarcande. Et, deux précautions valant mieux qu'une, Kito a ordonné à ses guerriers mongols de ne toucher aucune des boissons, surtout pas de vin. Va savoir jusqu'où l'ennemi s'est infiltré, il se trouve peut-être déjà dans la cuisine ou dans la cave ! Ils doivent se comporter comme des Tatares, et, s'ils ne supportent plus la soif, boire l'eau des lave-mains ; celle-là ne sera certainement pas empoisonnée. Mais je crains aussi qu'on n'utilise un somnifère, pour que nous nous endormions dans nos lits sans la moindre défense. Dschuveni est le seul que nous n'ayons pas informé : c'est notre cobaye. Si le chambellan, qui est un grand buveur, roule sous la table, c'est certainement que quelque chose va de travers.

Nous sommes allés dîner. Le repas était servi dans le bâtiment principal, un palais au sol couvert de trois couches de tapis (Hérat, Boukhara et Tachkent) qui nous donnaient l'impression de marcher sur de la ouate chinoise, et aux murs tendus de tapisseries de Gand. Des lustres en verre de Venise pendaient au plafond. L'argenterie était de Londres, et les serviettes avec lesquelles on s'essuyait la bouche et les mains venaient des Flandres — comme toi, mon cher Guillaume !

Notre hôte nous a reçus vêtu de ces culottes bouffantes, les *bantalon fadfad* qui vous pendent entre les jambes comme si elles étaient déjà remplies. Pour ma part, je me sentais d'ailleurs déjà rassasiée. Messire Malouf est un homme rond et opulent. Il sourit sans arrêt comme s'il était en train de vous vendre un tapis. Du bout de sa main charnue, il m'a amenée jusqu'à la table basse. Il m'a appelée « *principessa* », et j'ai dû m'asseoir à côté de lui sur les coussins. Kito protégeait mon flanc ; Roç, lui, avait été placé en face de moi, à côté de Dschuveni. Malouf claqua dans ses mains, et l'on servit le repas.

Que puis-je te dire, Guillaume ? On nous apporta de tout ce qu'il avait en stock dans son entrepôt, sans grand raffinement, mais en abondance. Les entrées étaient un mélange anarchique : olives dénoyautées de Palmyre, fourrées aux amandes du Nil et cuites dans l'huile bouillante, puis roulées dans du millet de Médine ; boules de riz entourant des pommes de Syrie et des raisins secs de Jérusalem ; kebabs garnis de pois chiches épicés de coriandre ; magrets de canard et de caille mélangés à du jaune d'œuf — je n'ai pas retenu la provenance des cailles. Le tout arrosé de résiné du Péloponnèse, que je ne supporte pas. Mais en voyant que Malouf l'ingurgitait sans la moindre hésitation, je m'en suis fait servir une coupe. Il avait la même saveur que ce que j'avais gardé en mémoire depuis Chypre — un goût de pieds engourdis, mais ne contenait certainement pas de somnifère. Roç m'a lancé un regard réprobateur et j'ai dit : « En réalité, le Graal ne nous autorise pas, à nous, le couple royal, la consommation de boissons enivrantes. Je ne me permets cette exception (j'ai alors levé mon verre) que pour boire à votre santé, Malouf ! » J'avais ainsi repris l'initiative, et je n'eus aucun mal à refuser, d'une mine indignée, les boissons que l'on me proposa ensuite ; d'autant plus que Roç s'exclama aussitôt, tourné vers tous les Mongols : « La souveraine nous autorise ce geste unique, en l'honneur de notre hôte ! »

Et tous se levèrent, burent une gorgée, sourirent à Malouf et se rassirent comme de gentils soldats qui ne boivent pas avant la bataille. Le seul à ne pas comprendre ce qui arrivait à sa troupe, qui savait d'ordinaire apprécier la boisson, fut le chambellan. Il présenta presque ses excuses à notre hôte et, en signe de bonne volonté, tendit tout de suite son verre vide pour qu'on le remplisse.

Le plat principal était composé de pigeons chassés aux quatre coins du monde. Des doux-amers de Chine, d'autres marinés dans le vin rouge et le poivre, venus de Toulouse, d'autres encore, de Romagne, rôtis avec du laurier et du romarin, et d'autres enfin en croûte et saupoudrés de cumin, venus de Marrakech. On servit avec tout cela du vin rouge de Géorgie et de Trébizonde, que nous refusâmes en remerciant. Dschuveni, lui, buvait verre sur verre comme pour compenser notre comportement indigne, en peu de temps, il eut l'air extrêmement joyeux, ce qui n'est pas vraiment dans sa nature.

— Comment se fait-il, demanda-t-il à Malouf en gloussant, que vous ayez déjà renvoyé la caravane de notre ami Hethoum, le roi d'Arménie ? Ils comptaient pourtant entreprendre avec nous le dangereux voyage qui mène à Karakorom.

— Ma modeste maison, répondit le négociant d'une voix pleurnicharde, ne peut abriter deux délégations en même temps. Vous êtes plus proche de mon cœur, mon cher Dschuveni, que la relève de *houris* acheminée vers la yourte paradisiaque du grand khan !

Curieusement, la réponse parut satisfaire le chambellan, et il vida sa coupe d'un trait.

— Qu'Allah lui offre une longue vie, de la force virile et du temps pour les apprécier !

— Et comment est-il possible, demandai-je aussitôt, que j'aie aperçu aujourd'hui, dans la caravane qui passait devant nous, parmi des *houris* de tous les pays imaginables, la femme d'un prince de nos amis ?

— La princesse, expliqua Roç en tentant d'atténuer l'effet produit par ma sortie abrupte, pense avoir reconnu parmi les esclaves une Mamelouk, une vieille relation.

— C'était Shirat, la sœur de Baibars! m'exclamai-je, agacée. Aussi vrai que nous avons visité le marché de Samarcande aujourd'hui!

— Oh! fit Malouf, le souffle lourd et les yeux brillants. Baibars? L'Archer tant redouté? Le maître secret du Caire?

— Tout juste! Et il n'aimera pas apprendre que vous avez permis pareille infamie!

— Je l'ignorais, *principessa!* gémit notre hôte. Je vous jure que je ne le savais pas. J'aurais...

Il se rappela sans doute qu'il lui était difficile de dire en présence du chambellan tout ce qu'il aurait entrepris pour entrer en possession de ce trésor. Il se demandait certainement s'il ne devait pas envoyer immédiatement des messagers à cheval rattraper la caravane. Quant à moi, je regrettais déjà d'avoir tant parlé: j'avais révélé l'identité de Shirat, si c'était bien elle. La nouvelle allait se répandre, et le pauvre Hamo aurait de plus en plus de mal à retrouver sa petite épouse. J'aurais dû me débrouiller pour qu'on arrête et qu'on inspecte la caravane, j'aurais dû libérer Shirat par la force, ou la racheter. À présent, il était trop tard. Même le puissant Malouf ne pouvait plus rien y faire. La caravane avait déjà fait un bon chemin sur la Route des Seigneurs mongole, où régnait l'intangible *pax mongolica.* Ici, à Samarcande, c'étaient les mœurs frontalières qui étaient en vigueur — le droit du plus fort, et aucune morale! Pauvre Shirat!

On débarrassa alors les os des petits oiseaux, des pigeonneaux en pâte de fleurs, nappés d'une sauce au lait d'amandes, fourrés de noix et de pistaches ou farcis d'abats et d'œuf. Malouf, qui avait déjà abondamment rendu hommage au vin, se moqua de Kito:

— J'ai déjà eu à ma table beaucoup d'ambassadeurs du grand khan, mais je n'avais encore jamais vu un Mongol dédaigner mon vin. Préférez-vous de l'hydromel, du *kumiz*, ou bien...

— Merci, répondit Kito. Il ne vous a encore jamais été donné d'héberger un couple royal comme celui-ci. Estimez-vous heureux de cet honneur, et ne vous plaignez pas!

Le marchand que Kito venait de remettre à sa place claqua de nouveau dans ses mains grassouillettes, et l'on apporta les plats sucrés, l'*ashbisa*, de petits morceaux de viande en gelée de fruits préparée à base de grenades, d'abricots et de citrons, puis des petites galettes de millet cuites dans la graisse de mouton, et du *haïs*, des boules composées de dattes et de noisettes, saupoudrées de sucre et servies avec du *laban*, l'admirable lait caillé de Perse. Ensuite, Dschuveni s'affaissa lentement sous la table, moins sous l'effet d'un somnifère qu'emporté par une profonde ivresse. Nous profitâmes de l'occasion pour remercier le marchand de son hospitalité. Je fis un clin d'œil à Kito. Avant de prendre congé, nous assurâmes Malouf que nous aurions volontiers passé toute la nuit à boire avec lui, mais que, hélas, le Graal et notre départ très matinal, le lendemain, nous l'interdisaient !

Malouf m'embrassa la main avec un rictus. « Faites de doux rêves, *principessa* », dit-il comme s'il vendait des songes dans l'une de ses boutiques. Je répondis à son sourire et pris Roç sous le bras, tandis que Kito accrochait Dschuveni à son cou. Et nous rentrâmes ainsi dans nos quartiers. Bonne nuit, Guillaume. Toi, tu peux dormir tranquille. Mais nous, nous devons veiller !

Ta Yeza, O.C.M.

P.S. : Veille avec nous, et surtout protège mon Roç.

L.S.

L'attaque

 Roç à Guillaume, Samarcande, dans la troisième décade de mai 1252.

Mon cher Guillaume, nous avons fabriqué des poupées en couvertures, en coussins et en cordons, de la taille de Yeza et de la mienne, nous leur avons passé nos vêtements, nous les avons couchées dans les lits et recouvertes comme si nous dormions. Mais nousmêmes, nous avons dû nous faufiler sous le lit le plus bas, nous y cacher et attendre, car l'ennemi inconnu n'avait pas du tout l'intention de nous attaquer aussitôt. Tous les Mongols étaient couchés à leur place et faisaient semblant de dormir profondément, mais gardaient leurs armes prêtes sous les couvertures. Les archers n'étaient pas postés tout en haut, où on les aurait vus tout de suite, mais en bas. Le dortoir était divisé en trois blocs. Nous nous étions regroupés dans un coin, car nul autre que nous n'y dormait. Sur ordre de Kito, les Mongols s'étaient installés en cercle autour de nous, les archers à l'extérieur, les « combattants secrets » à l'intérieur. On avait aussi préparé des seaux d'eau et des linges trempés : nul ne savait si la perfidie de notre ennemi n'irait pas jusqu'à nous faire tous brûler vifs dans le dortoir. En ce cas, il était prévu qu'une troupe de choc ouvrirait la porte de force afin que Yeza et moi-même puissions quitter notre espèce de crypte. Mais, je te l'ai dit, rien ne se produisit dans un premier temps. J'étais couché, blotti contre Yeza, ce qui ne nous était plus arrivé depuis longtemps, et je dois te l'avouer, Guillaume, elle m'excite toujours plus que n'importe quelle autre femme. Mon membre fut plus rapide à se raidir qu'elle ne le fut à mettre sa main dans mon pantalon, et elle chuchota en l'attrapant : « Si tu sors un jour cette arme secrète pour une autre dame, je te la coupe avec mes dents ! » Et pour souligner cette féroce menace, elle me mordit au cou. J'étais sûr que je saignais (tout se déroulait dans la pénombre), car elle lécha ensuite la blessure de sa langue râpeuse, avec tant d'ardeur que je souhaitais un instant que nous soyons couchés dans la même position que les étoiles du Cancer — ce qui n'était naturellement pas possible, parce que les Mongols, comme le veut la bienséance, nous avaient installés tête contre tête. Il n'était pas question de se retourner, nous étions juste sous le sac de paille sur lequel était couché Kito ; il ne nous restait donc que très peu d'espace pour bouger. Mais Yeza l'utilisa (elle est passée maître en la matière) pour faire glisser mon membre dans son poing creusé, comme si c'était l'un des arbres de Zev Ibrahim. Mais cette fois, elle était plus pressée que d'habitude, plus excitée, et elle m'embrassa sur la bouche comme elle ne l'avait encore jamais fait. Sa langue s'introduisit en moi comme pour me dire ce qu'elle attendait. Je glissai ma main (ce qu'elle m'avait toujours farouchement interdit) entre ses cuisses et trouvai son petit jardin trempé. Elle ne se défendit pas, au contraire, elle me poussa vers la petite porte — ô Guillaume, c'était le paradis ! Nous étions en parfaite harmonie, de moins en moins réservés, de plus en plus déchaînés. Je remerciai secrètement Madulain pour les leçons qu'elle m'avait données — je ne te l'ai jamais dit, mais elle m'a appris les secrets de l'excitation du clitoris, et je pouvais à présent offrir mon savoir-faire à Yeza. Je n'avais qu'une légère angoisse à l'idée d'y parvenir trop bien. Mais cela lui procura tant de jouissance qu'elle me mordit de plaisir. Je suis parvenu à faire exploser en elle le « feu grégeois » à l'instant précis où, dans sa main, ma batte crachait de la lave chaude, le Vésuve, comme tu nous l'as raconté. Et nous avons ensuite connu le destin des gens de Pompéi : ils ont été recouverts de cendre brûlante, leurs mouvements se sont figés dans la fournaise, ils sont devenus mous et ternes, j'ai embrassé Yeza sur les yeux, sur les ailes du nez, et j'ai enfin trouvé le repos sur ses lèvres tendres.

Ah, Guillaume, pourquoi est-ce que je l'aime autant ? Je voudrais mourir du bonheur de pouvoir la tenir dans mes bras, je mourrais si quelqu'un me la prenait. Yeza et moi, nous devons enfin coucher l'un avec l'autre comme mari et femme, elle le veut, je le veux. Mais cela doit être de véritables noces, il ne faut pas que cela se passe sous un sac de paille, dans la pénombre, à proximité immédiate de Kito et entourés d'ennemis voulant notre perte. Mais dis-moi, mon ami : des noces dans la liberté et le plaisir, faites de tendresse et de confiance, de compréhension et de connaissance de l'autre sont-elles au moins la garantie d'un amour éternel ? Je ne pourrais pas supporter d'avoir le cœur déchiré. L'amour fait peur, connais-tu cela, Guillaume ? Conseille-moi, que puis-je faire ? Je suis assis au bord d'une rivière, je laisse pendre les jambes, je sais nager mais je me contente de clapoter avec les pieds parce que j'ai peur du courant qui pourrait m'emporter, me lancer dans les rapides et me noyer dans les profondeurs. Si je ne saute pas, tout cela me sera épargné, mais je ne saurai jamais ce que signifie être porté par les flots. La peur, un sentiment que je ne connaissais pas, me noue la gorge. Ce n'étaient pourtant pas les ennemis que je redoutais. Il devait être minuit passé. Yeza dormait comme un petit animal au creux de mon bras. Je l'aime, je l'aime, je l'aime.

— Roç ? demanda Kito d'en haut, à voix basse. Penses-tu qu'ils viendront encore ?

Je lui répondis en chuchotant :

— Mon ami ne m'aurait pas mis en garde si...

À cet instant précis, il y eut un craquement au-dessus de nous, dans la charpente, et je vis une échelle se dessiner dans la clarté du ciel nocturne, à travers la haute fenêtre, tandis que de l'autre côté de la salle, où une galerie courait sous les petites arches, c'est-à-dire au-dessus du toit des arcades, des ombres sautaient à l'intérieur et bondissaient par-dessus la balustrade.

— Cachez-vous ! chuchota Kito.

Je rentrai la tête, mais pas assez pour ne pas entendre le sifflement des premières flèches et le son des cordes des arcs après le tir. Il y eut un cri étouffé et un corps précipité dans le vide s'abattit je ne sais où. D'autres hommes passaient par les rambardes de la fenêtre haute, et j'entendis leurs pas rapides en haut, sur la galerie. Les Mongols tiraient sans un mot, et les autres attaquaient sans pousser le moindre cri de bataille. Ils étaient beaucoup plus nombreux que je ne me l'étais figuré. Çà et là, on en était déjà au combat au corps à corps. La vague suivante ne cherchait plus, bien sûr, à nous prendre par surprise. Pour distinguer entre ennemis et amis, les assaillants étaient armés de torches, ce qui en faisait d'excellentes cibles pour les archers ; chaque fois que l'un d'eux était atteint en haut, sur la balustrade, les flambeaux tombaient au sol en crachant des étincelles. Mais la lumière nous montra aussi que nous étions dans une terrible infériorité numérique : j'estimai à soixante ou soixante-dix au moins le nombre de nos agresseurs. Leurs lumières meurtrières brillaient de partout et s'approchaient lentement.

Yeza était réveillée depuis longtemps, je pouvais sentir son souffle contre mon visage. Kito, au-dessus de moi, frappait comme un possédé mais ne quittait pas sa place. Dschuveni (je ne m'y serais pas attendu !) était auprès de lui, armé d'un arc, et tirait avec précision sur chacun des porteurs de flambeau qui s'approchait de nous. Mais ils se rapprochaient sans cesse, et nos rangs se clairsemaient peu à peu.

Yeza me donna un coup dans le flanc et me fit signe de suivre son regard : devant nous, dans le sol, une trappe s'était ouverte. Dans la lumière vacillante, nous découvrîmes le visage tatoué, gros comme une citrouille, d'un Asiate chauve qui se pressait hors du trou, un géant gras et nu qui tenait dans ses pattes

gigantesques de petites massues de fer presque gro-
tesques pour sa stature. Un autre le suivit, maigre et criblé de cicatrices, armé d'une hache qui brillait aussi
méchamment à la lueur des torches que ses yeux incandescents. Mais lui non plus ne nous avait pas découverts, couchés à sa hauteur. Le troisième était noir et
borgne. Ses muscles huilés brillaient. Il tenait à la main
un instrument terrible, une faux, et son œil unique
nous aperçut. Il poussa ses compagnons du coude, en
souriant. Ils prirent tout leur temps. Leur mission était
sans doute de ne s'occuper que de nous, ou bien ils voulaient empocher la prime qu'on avait offerte pour nos
têtes. Yeza et moi-même sortîmes de notre caverne sur
le ventre, à reculons : si nous étions restés à notre place,
ils nous auraient fracassé le crâne aussitôt, ou bien
nous auraient coupé la tête avec plaisir, d'un coup de
serpe ou de hache. Ils approchèrent. Nous avions mis le
lit entre eux et nous, et nous nous relevâmes. Kito les
avait vus venir, mais pas Dschuveni. La massue du
géant lui effleura la nuque : un coup de pied venu des
airs avait dévié sa trajectoire. Je levai alors les yeux et je
fus pris de terreur : des silhouettes suspendues à des
cordes descendaient droit vers nous, depuis la charpente de la salle. Ces hommes-là aussi portaient des
torches, et je reconnus Omar parmi eux.

Le Noir avait sauté sur Kito et lui pressait sa faucille
mortelle contre le cou. Omar lâcha l'extrémité de la
corde et, en tombant, chercha à atteindre l'œil qui restait à l'attaquant. Ils roulèrent tous les deux au sol.
Lorsque mon ami se redressa, le Noir était couché.
Omar éclata de rire pour m'encourager.

— Derrière toi, Omar ! m'exclamai-je.

La massue toucha Omar à l'épaule, avec une telle violence que je crus entendre ses os se briser. En tout cas,
il perdit connaissance et tomba le buste sur le lit, hors
de portée du chauve. Ma compagne, toujours attention-
née, voulut venir à son aide, mais la canaille aux traits
émaciés avait déjà levé sa hache contre Yeza et moi-
même. Nous sautâmes tous deux en arrière sur le lit,
près de Kito, et le fer fit éclater le bois des poteaux. Kito
envoya dans les testicules du balafré un coup qui le fit
gémir de douleur. D'un geste ferme, le géant ôta une
flèche de son bras tatoué et fit rouler Kito — il avait
buté sur Omar —, c'était Dschuveni, en réalité, qu'il
voulait abattre. Sa tête trempée de sueur toucha ma

jambe, une impression désagréable. Je sentis son souffle et voulus lui donner un coup de pied, mais Yeza me tira en arrière. Le chauve était si près de nous qu'il aurait pu nous attraper par les dents. Mais il se reprit et, de sa force de titan, se hissa sur le lit où nous nous étions plus recroquevillés que cachés. Nous nous laissâmes glisser de l'autre côté comme des scarabées sans défense, ce que l'émacié remarqua aussitôt, mais il ne courait plus aussi vite car Dschuveni lui avait tiré une flèche dans la cuisse. En revanche, nous étions menacés par le géant qui ne voulait pas nous laisser filer.

Alors, un jeune Assassin descendit au bout d'une corde, il s'appelait Karim, je m'en souvenais. Il voulut venir à notre secours, mais une flèche l'atteignit entre les omoplates, et il tomba, agonisant, sur la nuque du géant, auquel la surprise fit lâcher sa massue. La montagne de muscles tituba un instant, bloquant le passage à son maigre complice armé d'une hache. Il la souleva de nouveau pour nous frapper, mais, une fois encore, c'est le bois des poteaux du lit qui éclata. Omar se releva et prit aussitôt un coup de poing nu en plein visage. Je pus quant à moi attraper la massue de fer. Lorsque le géant se précipita sur Yeza, je l'atteignis à la tempe. Il tomba tête la première sur le lit et s'embrocha sur le poignard de Yeza.

Dschuveni, lui, tira à bout portant une flèche dans le ventre du balafré, et Kito lui coupa la tête avec une fureur de dément. Le jeune Mongol décapita aussi le géant, à peine Yeza lui avait-elle sorti son couteau de la gorge. Les derniers assaillants jetèrent leur torche et s'enfuirent comme ils étaient venus, par la galerie, les fenêtres et la trappe. Quelques-uns essayèrent de s'échapper par les portes, mais celles-ci avaient été verrouillées de l'extérieur. Ils furent abattus sans exception.

Les Mongols comptèrent leurs morts. Leurs pertes n'étaient pas aussi élevées que je l'avais pensé, mais aucun des *fida'i* qui nous avaient sauvés n'était encore en vie. À moins qu'ils n'aient préféré disparaître *incognito*, aussi discrètement qu'ils étaient venus à notre aide.

Omar s'agenouilla auprès du jeune Karim, qui ne donnait plus aucun signe de vie. La flèche s'était enfoncée dans son cœur. Je dis à Kito :

— Voici Omar, mon ami. Je veux que ce soit aussi le

tien. Désormais, il doit demeurer auprès de nous pour veiller sur notre vie.

— Nous le lui devons sans doute, dit Kito à Dschuveni, et celui-ci hocha la tête.

Dschuveni avait au moins une bonne raison pour accepter : la flèche qui avait atteint le jeune ami de notre sauveur inattendu avait été tirée par son arc.

— Cette attaque, réfléchit Dschuveni à voix haute, n'a pas seulement été perpétrée par des gens qui connaissaient précisément les lieux. Elle l'a aussi été avec l'accord, sinon avec les encouragements de notre hôte. Ramène-le ici, Kito !

Les Mongols avaient couché leurs morts sur les lits et soignaient leurs blessés. On n'entendait plus une plainte. Ils se laissèrent panser leurs plaies les uns les autres sans desserrer les dents, comme ils s'étaient battus. Puis ils aidèrent Omar à chercher ses amis parmi les assaillants couchés au sol tout autour d'eux. Ils étaient sept, et tous étaient morts. On les installa sur des lits, comme les Mongols tués au combat. Puis ils décapitèrent tous les agresseurs qu'ils trouvèrent encore vivants, souvent cachés sous les lits où ils gémissaient et geignaient.

Kito poussa à travers la porte fracturée un Malouf en chemise de nuit, qui s'égosillait à force de protestations. Mais le marchand se mit à trembler de tout son corps lorsqu'il découvrit le tableau qui s'offrait à lui. À la tête de chaque lit, une torche éclairait nos morts, et sur les montants de chaque lit, on avait planté trois ou quatre crânes des meurtriers. Tous semblaient accuser le marchand.

Dschuveni ne prononça pas un mot. Il eut sans doute d'abord l'intention de tuer Malouf sur-le-champ et d'une manière atroce, mais il se maîtrisa, rangea l'épée qu'il avait sortie, et ordonna d'une voix tendue :

— Quiconque a levé la main contre une délégation du grand khan doit partir pour Karakorom recevoir la peine qu'il mérite.

Malouf fut ligoté et emmailloté dans des couvertures, il ne dépassait plus que sa tête. Puis il fut jeté dans une litière que l'on avait fait apporter, et nous partîmes.

L'aube pointait déjà. Dehors, dans la cour, se tenaient tous les invités et serviteurs du grand seigneur de Samarcande. Ils étaient tous réveillés depuis longtemps, mais aucun n'osa nous barrer le passage.

Lorsque le dernier d'entre nous eut quitté le dortoir, Kito passa entre les lits et coupa l'extrémité des torches enflammées, qui incendièrent aussitôt les sacs de paille.

Yeza et moi-même chevauchions au milieu du cortège que menait Dschuveni, la mine impénétrable. Omar avançait à nos côtés. La litière portant Malouf avançait devant nous. Lorsque nous atteignîmes la porte de la ville, les gardes demandèrent : « Tout va bien, Malouf ? » et la tête du marchand qui sortait du sac comme une larve de son cocon se dodelina, couverte de sueur : un cordon tirait sur ses cheveux, et il avait un gros oignon dans la bouche. Derrière nous, les flammes sortaient des fenêtres du caravansérail, et un nuage de fumée s'élevait. *Allah iughfur anfusuhum, lil salehin ual malehin*, Puisse Allah avoir pitié de leurs âmes, les bonnes comme les mauvaises ! Et nous quittâmes Samarcande.

L.S.

2. L'HÉRITAGE DE LA CORNE D'OR

Des mendiants au palais

Chronique de Guillaume de Rubrouck, Constantinople, saint Joseph 1253.

Sept mois et treize jours s'étaient écoulés, sans compter les nuits, lorsque les portes de la prison se rouvrirent devant nous. Entre-temps, le roi Conrad était arrivé d'Allemagne et avait reconquis Naples. Là-dessus, Charles d'Anjou — au grand déplaisir du pape — avait rapidement renoncé au fief du « royaume des Deux-Siciles ». Notre vieil Élie était mort à Cortone. Auparavant, il avait eu le temps de se réconcilier avec l'Église. C'est ce jour-là seulement que je revis Bartholomée. On nous avait — Dieu soit loué ! — enfermés dans des cellules différentes.

Tout aussi arbitrairement que les Souabes balourds nous avaient jetés au cachot à Procida, on nous remit un beau jour à l'air libre. Quelqu'un nous braillа : « Amnistie en l'honneur de l'anniversaire de Conrad de Hohenstaufen, successeur du trône ! » et l'on nous chassa de la forteresse. C'était le 25 mars, je m'en souviens encore. Barth n'avait pas été interrogé, lui non plus ; on ne nous avait même pas demandé notre nom. Ainsi, outre moi-même, qui en avais certes beaucoup vu mais ne pesais pas grand-chose, ils laissèrent échapper Bartholomée de Crémone, un homme à la mauvaise réputation dont les doigts crasseux portaient sûrement encore du sang séché des Hohenstaufen, ces ennemis de l'Église.

Comme il nous était fort pénible, à lui comme à moi, d'avoir failli près d'une année durant à la mission que nous avait confiée le roi, nous fîmes comme si rien ne s'était passé et nous profitâmes de la première occasion qui se présenta à nous pour partir en direction de l'Orient. À Messine et en Crète, il nous fallut chercher un nouveau navire. Mais nous finîmes par arriver à Constantinople, proprement dépenaillés. En réalité, ceux qui nous voyaient nous prenaient pour deux frères de saint François, un rôle que nous n'avions plus tenu depuis longtemps et auquel nous ne parvenions plus à prendre goût. Il ne nous vint donc pas non plus à l'esprit de prier dans la rue. Nous nous rendîmes au contraire tout droit au palais Kallistos, où nous mènerions certainement une existence de prince — mieux, de prince-évêque.

Je me rappelais encore très bien le chemin qui y menait. Je profitai de notre parcours pour expliquer à Barth comment un homme du monde devait se comporter dans des lieux pareils. Je lui brossai un tableau exalté du luxe de la résidence épiscopale, des serveurs et, surtout, de la table débordant de victuailles ; depuis des jours, nous n'avions eu en pitance que du pain moisi et de l'eau croupie.

Puis nous nous retrouvâmes devant le portail en fer forgé. Personne ne vint nous saluer, aucun garde ne demanda ce que nous voulions. La porte était ouverte, de l'herbe poussait sur l'escalier de pierre.

— C'est bien ici ? demanda Barth, atterré.

Je fis étalage de ma science :

— Aussi vrai que j'ai pris quartier ici après ma première mission chez les Mongols !

Mais comme tout cela me paraissait bizarre, à moi aussi, j'ajoutai :

— L'ancien propriétaire, l'évêque Nicola della Porta, était un seigneur excentrique. Il est possible qu'il ait — *respiciendum finem* — laissé le parc revenir à l'état sauvage.

Nous remontâmes donc le chemin de gravier. Il nous fallut passer entre des herbes folles qui s'élevaient à hauteur d'homme, et enjamber des *putti* renversés au sol. Les escaliers de marbre donnant sur le hall d'entrée n'avaient manifestement pas été utilisés depuis longtemps, et je commençais à me demander si Hamo était vraiment arrivé ici avant nous. Peut-être avait-il renoncé à son projet de reprendre cet héritage à l'abandon ? Je criai :

— Au nom du roi de France, c'est Guillaume de Rubrouck qui parle !

Mais nul ne me répondit ; je n'entendis que la porte d'entrée battue par le vent.

— Ce lieu m'inquiète..., chuchota Barth. (Et pour un homme comme lui, de telles paroles n'étaient pas anodines.) L'esprit de Vitus de Viterbe pourrait bien hanter ces murs, reprit-il, puisque c'est ici que...

Il se rappela sans doute que le tristement fameux sbire de la curie avait survécu à l'attentat, et que c'était seulement des années plus tard qu'il avait été envoyé à la mort par les Assassins. Il songea donc à notre malheureux frère Benoît de Pologne, auquel un poignard empoisonné avait effectivement coûté la vie, en haut, dans la grande salle.

— S'il n'y a rien à manger ici, il n'y a pas d'esprits non plus ! répondis-je.

Et j'ouvris la porte d'un seul coup. Un tapis de feuilles fanées recouvrait le sol. Quelques pigeons s'envolèrent à tire-d'aile et disparurent par les fenêtres borgnes. L'image qui s'offrait à nous était une allégorie de l'abandon. Le palais avait été vidé de tous ses meubles, jusqu'au dernier. Les rideaux et les tapis avaient disparu aussi. Vides, les niches, vides, les piédestaux qui, jadis, avaient offert un abri surélevé aux dieux et aux nymphes grecs. Moi non plus, je n'osais pas monter dans la salle de marbre noir et blanc équipée d'une estrade, sur laquelle nous avions jadis mis en scène avec les enfants du Graal mon « heureux retour de voyage auprès du grand khan ». C'est là que j'avais ensuite vécu ma mort putative. C'est là que Roç et Yeza avaient connu leur premier grand triomphe, avec la mise à l'abri de mon « cadavre ».

Ah, mes petits rois, si vous étiez avec moi ! Au lieu de cela, j'ai ce braillard de Bartholomée qui me colle aux talons. Lui aussi, certainement, souhaiterait que les enfants soient là, mais il voudrait surtout quelque chose à manger.

Sur ce point, je partageais ses soucis. J'ai dit : « Nous pouvons toujours aller voir en cuisine », et j'ai entraîné mon accompagnateur récalcitrant vers la cave.

En bas, il faisait passablement sombre.

— Non, attends ! chuchota Barth, je préfère mourir de faim ; j'ai vu une lueur vacillante qui se déplaçait !

— Balivernes ! m'exclamai-je. S'il y a quelqu'un dans la cuisine, alors...

Mais je vis la lumière à mon tour. Elle s'approcha, et je restai pétrifié. Pourquoi aurais-je été plus courageux que Barth ?

Alors, dans la galerie en dessous de nous, se découpa une silhouette courbée portant une lanterne. Et je découvris le visage de Hamo, livide comme un cadavre, auréolé d'une chevelure hirsute.

— Guillaume, dit-il avec une infinie tristesse, il ne me manquait plus que toi !

Il se retournait déjà pour s'éloigner, mais je criai :

— Hamo, nous sommes venus pour t'aider !

— Personne ne peut m'aider, et surtout pas toi, Guillaume de Rubrouck !

La voix résonna, lugubre, dans la galerie obscure. On aurait dit le cri rauque d'un animal blessé à mort.

— Si, jusqu'ici, je pouvais encore espérer que ma trirème arriverait avec Shirat et ma fille, je sais à présent qu'il lui est arrivé malheur. Sans cela, tu ne serais pas ici ! Le navire a disparu depuis des mois. Il a certainement coulé dans la tempête, à moins qu'il n'ait été capturé par des pirates.

— Quand l'as-tu vu pour la dernière fois ? demandai-je.

Hamo sortit de la pénombre et apparut au pied de l'escalier.

— À l'époque, rappela-t-il d'une voix saccadée, vous avez demandé à embarquer tous les deux sur mon navire, à Procida. Mais vous n'êtes pas venus. C'est Laurent d'Orta qui s'est présenté. Je lui ai demandé où il voulait se rendre. Il a dit : « À Otrante, pour admirer votre fille ! » Alors, j'ai eu une idée pour laquelle je me suis maudit mille fois depuis. J'ai invité Laurent à accomplir son voyage, en lui demandant, une fois sur place, d'aider ma chère épouse Shirat à préparer ses affaires et de l'accompagner sur la trirème à Constantinople. J'aurais pu ainsi, sans faire le détour, me rendre dans cette ville avec le navire que je possédais, et tout préparer pour son arrivée.

Je me rappelai le plan funeste, pour ne pas dire stupide, que Laurent avait imaginé à propos de Malte, et la malédiction de Gavin sur le « mot devenu chair ». Mais je dis tout de même d'un ton léger :

— Ces lieux ne donnent pourtant pas l'impression d'avoir été préparés avec soin pour une réception !

— Exact, dit Hamo, et il monta les marches pour nous rejoindre. À peine arrivé, des doutes ont commencé à m'accabler, des cauchemars me hantaient toute la nuit et me paralysaient pendant la journée, j'étais incapable d'entreprendre quoi que ce soit !

— Mais à présent, je suis là ! fis-je pour le consoler. Guillaume, l'oiseau de malheur ! Désormais, tu peux enfin te ressaisir et reprendre ton destin en main, Hamo l'Estrange !

— Mais que dois-je faire, Guillaume, pour que ma femme et mon enfant...

— Fais enfin les préparatifs promis ! m'exclamai-je d'une voix de pédagogue. Si Shirat voyait
cette porcherie, elle préférerait vraisemblablement
passer aussi l'été prochain à croiser en mer Égée plutôt que de s'installer dans ce trou à rat !

Hamo me regarda fixement sous ses boucles
décoiffées.

— Soit, grogna-t-il. Mais tu me promets que tu
ramèneras Shirat...

— Je te promets que je t'aiderai à la chercher dès
que je serai revenu de ma mission auprès du grand
kh...

— Aucun époux et père aimant ne peut attendre
aussi longtemps. Mais cela, tu ne peux le
comprendre, moine !

Il se retourna et cria :

— Philippe ! Mon serviteur, expliqua-t-il.

De l'autre côté de la galerie qui mène au labyrinthe, un gamin arriva en courant. Beau comme un
ange, pensai-je. Innocent et corrompu comme un
angelot, rectifiai-je.

— Nous avons des invités ! annonça Hamo. Rassemble un peu de feuillage pour qu'ils puissent y
dormir, et capture un rat ou quelques cafards pour
leur dîner. Ce sont des franciscains, des gloutons
gâtés, mets donc de l'eau fraîche sur la table. Au jardin, tu trouveras peut-être encore des fruits de
l'automne dernier.

Il ajouta, en guise d'explication :

— Comble de malheur, juste après notre arrivée
ici, nous sommes tombés entre les mains des brigands qui habitaient sur place, et qui ont été extrêmement heureux de nous voir porter tous nos biens
dans leur caverne.

— Et où sont-ils passés ? demanda Barth, intéressé.

— Le jour, ils volent dans le port ou pillent dans
les rues. Et lorsqu'ils ne gaspillent pas leur butin, la
nuit, au bordel, nous informa Hamo, impassible, ils
reviennent ici de mauvaise humeur pour aller se
coucher dans les pièces jadis réservées au seigneur.

— Belles perspectives, dit mon compagnon. Nous devions rencontrer ici un prêtre nommé Gosset. Il était censé nous apporter nos lettres de créance, et surtout notre cassette de voyage. Est-il déjà venu ?

— Oh, oui ! Cela fait des mois, déjà, qu'il vous a demandés ! répondit Hamo.

— Et où est-il passé ?

— Il n'a plus reparu, dit Hamo.

— Les brigands l'auraient-ils aussi...

— Non, il ne possédait rien, mais comme c'était un prêtre, ils l'ont entraîné au bordel. Depuis, nous n'avons plus eu de nouvelles de lui. Pas vrai, Philippe ?

L'ange, rayonnant, inclina la tête.

— Je crois, me dit Barth, que nous devrions nous aussi rendre visite à cette maison de plaisirs. Nous n'avons rien à y faire, mais ils jetteront peut-être quelques miettes à deux pauvres franciscains ! ajouta-t-il en me tirant énergiquement par la manche.

— Philippe, ordonna Hamo, mène ces messieurs aux putains ! Dis-leur de tout mettre sur l'ardoise du comte d'Otrante.

Et nous quittâmes le palais épiscopal.

— Ton Hamo me paraît avoir l'esprit un peu troublé par la perte de son épouse Trirème !

Je me contentai de hocher la tête, mais j'aurais de loin préféré dodeliner du chef, ou bien me planter les pouces dans les oreilles en tirant la langue et en roulant des yeux.

Menés par Philippe, nous descendîmes les marches qui, passant devant le haut cimetière des Angeloi, menaient par le plus court chemin dans la vieille ville, au-dessus du port. À peine arrivés dans les ruelles étroites, nous retrouvâmes l'animation familière des tavernes ouvertes, des boutiques des commerçants et des arrière-cours agitées. Des enfants tendaient la main vers nous, des ivrognes nous bousculaient, lorsqu'il ne s'agissait pas de détrousseurs qui profitaient de la mêlée pour tâter le

contenu de nos poches. Nous n'avions rien sur nous.
Par conséquent, Barth l'avait bien compris, nous
n'avions rien à perdre, si ce n'est, peut-être, notre
vie. C'est qu'on avait le couteau facile, ici. Un
homme nous le prouva, qui se tenait assis devant
une porte mais tomba face contre terre au moment
précis où nous passions devant lui, une lame brisée
entre les omoplates. Philippe s'arrêta, mais uniquement pour nous montrer le bâtiment, derrière le portail voûté, de l'autre côté de la rue. Il avait dû, jadis,
servir de ferme. La basse maison principale, à
l'extrémité de la cour, portait encore les traces d'un
passé seigneurial. Les anciennes écuries, reconnaissables à leurs portes de bois qui s'arrêtaient à mi-
hauteur, étaient groupées autour de la cour carrée.
Au milieu, on avait allumé un feu. Des hommes
s'étaient assis autour. Ils étaient une bonne cinquantaine, et ils attendaient.

— Et c'est dans cette porcherie qu'attendent,
concupiscentes, les servantes de l'amour vénal à bon
marché ?

Bartholomée cachait la montée de son désir derrière cette question rhétorique, et Philippe, dont la
bouche était pleine d'aphtes, hocha aimablement la
tête.

— Combien de temps allons-nous devoir
attendre ? reprit mon frère d'ordre. Tout de même
pas jusqu'à ce qu'ils aient tous...

Philippe secoua la tête et nous fit signe de rester
debout. Je compris, et l'expliquai à Barth, qui manifestait sa mauvaise humeur :

— Si nous nous asseyons, nous prenons notre
tour dans la file.

Nous laissâmes notre serviteur entrer dans le bâtiment du seigneur, et il revint en compagnie d'un
homme maigre qui avait manifestement hâte de
nous saluer. Il paraissait aussi très joyeux, ce qui
m'étonna plus que son impeccable soutane. C'était
Gosset.

— J'ai enfin l'honneur de pouvoir saluer mes

célèbres frères dans l'esprit du Christ, que mon roi m'a adjoints pour cette mission tellement importante auprès du grand khan de tous les Mongols. Entrez et réjouissez mes sens avec les dons du cœur de Sa Sainteté notre pape, dont nous avons un si grand besoin! s'exclama-t-il en français, comme si nous arrivions en retard à un concile.

J'eus un mauvais pressentiment lorsqu'il nous fit pénétrer à l'intérieur de la maison, en nous abreuvant de compliments bavards. Quand une deuxième porte et un lourd rideau se furent ouverts, nous nous retrouvâmes au milieu d'un antre de brigands.

Au premier regard, les lieux ressemblaient fort à une chapelle de palais. Cela tenait au fait que les biens religieux y dominaient : trois autels complets à écrins d'or et ostensoirs précieux, des icônes et toutes sortes d'instruments ornés de joyaux, des reliquaires et des crucifix rivalisaient avec d'innombrables bassins de baptême, candélabres, encensoirs et ciboires. Tout cela laissait tout juste un peu de place pour les divans éventrés sur lesquels les draps d'autel et les étoles couvraient à peine le rembourrage foisonnant. Nous étions seuls et éclairés par quelques grosses bougies votives.

— Asseyez-vous, mes frères, fit d'une voix de flûte cet infidèle serviteur de l'Église.

Seul le dégoût manifeste que m'inspirait l'idée de poser mes fesses sur les draps qui portaient d'ordinaire le corps du Seigneur l'incita à écarter d'un geste nonchalant quelques-uns de ces tissus consacrés. Barth eut moins de scrupules, ce qui lui permit d'entrer plus vite dans la conversation.

— Où sont nos pouvoirs, et où est l'argent? grogna-t-il à l'intention de Gosset.

La réplique, à laquelle je m'attendais secrètement depuis un certain temps, fut immédiate :

— Quel argent? Le pape ne vous a donc pas...?

Nous secouâmes la tête; nous pensions exactement la même chose au même moment.

— Nous savons, dit Barth avec une colère contenue, que le roi Louis, qui a personnellement conçu cette mission et tient beaucoup à sa réussite, vous a confié la cassette du voyage...

— ... pour que vous nous la remettiez ici, précisai-je, et pour que vous vous placiez sous nos ordres, puisque nous sommes chargés de la mission.

Gosset nous regarda, d'un air qui n'avait rien de maussade, juste un peu mélancolique.

— Votre arrivée regrettablement tardive m'a contraint à utiliser ces maigres ressources pour m'assurer un niveau de vie conforme à mon rang, répondit-il sans le moindre remords. La vie est chère, dans cette Babylone du péché, ajouta-t-il en guise d'explication, mais pas du tout pour s'excuser. Ce que vous appelez « cassette de voyage », mes chers frères, n'aurait pas mené trois personnes plus loin qu'en Crimée. Je l'ai dépensée depuis longtemps et je vis depuis à crédit, attendant avec confiance les subsides pontificaux qui auraient dû vous être remis à Rome.

Pareille impertinence me laissa sans voix, mais Barth conserva la sienne, et se mit à aboyer de fureur.

— Prêtre abandonné de Dieu, tu veux que nous acquittions les dettes que tu as contractées en vivant parmi les putains ? C'est ce que tu avais imaginé ? Pour ce qui me concerne, tu peux macérer en enfer jusqu'au Jugement dernier, pour avoir gaspillé aussi légèrement les moyens de notre mission !

— Dieu n'a pas été si éloigné que cela de mon action en ces lieux, lui répondit Gosset, impassible. Voilà longtemps déjà que je dispense à ces dames ma bénédiction en compensation de mes faibles besoins corporels, et si vous ne rachetez pas mes dettes, je continuerai à vivre dans cette symbiose. Ce n'est pas l'enfer, constata-t-il, étonnamment serein. Et je sers aussi la curie romaine, car je négocie à des conditions favorables le rachat des biens volés de l'Église.

— Receleur ! cracha presque Barth au visage de Gosset.

— Non, répondit-il, expert !

À cet instant, la porte et le rideau s'ouvrirent, et deux brigands entrèrent. Pour être précis, ils arrivèrent à trois, car ils traînaient derrière eux un saint Michel grandeur nature. Ils le redressèrent devant monseigneur Gosset, en gémissant. Ils devaient garder la statue debout, c'était un personnage à cheval sur une monture, et il ne tenait pas l'équilibre.

— Du beau travail, dit monseigneur Gosset admiratif, et où est le dragon ?

— Plus tard, fit l'un des bandits à voix basse. Il faut attendre l'obscurité, autrement, les gens s'effraieraient.

Le prêtre claqua deux fois dans ses mains, et quatre dames apparurent sur l'escalier donnant à l'étage supérieur. Elles étaient vêtues comme des nonnes, si ce n'est que leurs robes fendues laissaient apparaître une bonne partie de leurs jambes nues. Elles restèrent dans la pénombre, à mon grand regret comme à celui de Barth. Mais nous ne pouvions de toute façon plus espérer profiter de leurs services, surtout pas sans payer, puisque mon frère d'ordre avait gâché toute relation avec monseigneur Gosset. Les deux brigands montèrent avec les dames. Arrivée sur le palier, l'une d'entre elles se retourna.

— Philippe ! cria-t-elle, informe le comte Hamo qu'il peut préparer l'argenterie et faire bouillir de l'eau. Ce soir, nous avons un sac plein de homards de Sinope et trois amphores de vin précieux en provenance de Nicée. Nous allons nous taper un gueuleton royal !

Puis elle rejoignit les autres épouses du Christ et disparut. Philippe esquissa une révérence et eut un sourire de conquérant, ce qui n'avait rien d'étonnant à l'annonce de pareil festin. Moi aussi, l'eau me vint à la bouche, et je me rappelai les instructions de Hamo. Je demandai donc :

— Philippe ! De quelle mission t'a chargé le comte Hamo ?

— Ah oui, dit en rougissant notre angélique serviteur, les dépenses de messieurs les frères mineurs
doivent être mises sur son ardoise.

— Pourquoi ne l'avez-vous pas dit tout de suite?
répondit en souriant monseigneur Gosset. Sans rancune, j'espère!

Il s'apprêtait déjà à claquer de nouveau des mains,
mais je lui tombai dans les bras.

— Payez-nous l'oraison jaculatoire en nature,
dis-je sans demander son avis à Barth. Affamés
comme nous sommes, nous ne passerons pas cette
nuit.

Monseigneur Gosset plongea alors la main dans
un reliquaire doré et me glissa quelques pièces dans
la main avant de faire apparaître deux rouleaux de
parchemin scellés.

— Vos lettres de créance et une missive du roi au
grand khan Möngke, au cas où vous compteriez
encore vous y rendre.

— Bien entendu! grogna Bartholomée. Et certainement sans vous, escroc, qui vivez dans le péché
permanent!

— Le plus grand péché, répliqua Gosset, sur
lequel toute offense glissait manifestement comme
une goutte d'eau sur l'olive, c'est de se tromper soi-
même en toute piété. Tout le reste, par comparaison,
est admissible.

Pendant ce temps-là, j'avais vérifié les sceaux.
C'étaient ceux du roi de France, apposés à Saint-
Jean d'Acre, en Terre sainte.

— Tous mes hommages au comte Hamo, déclara
en nous raccompagnant le prêtre, qui avait de l'éducation. Le Pénicrate Taxiarchos et moi-même
serions honorés que vous veniez partager nos crustacés ce soir.

Je rangeai les deux rouleaux, et nous partîmes.
Philippe nous mena à la taverne la plus proche, et
nous avalâmes quinze maquereaux tout juste frits
dans l'huile, une douzaine d'œufs en saumure, deux
terrines de sardines en gelée et d'*oktopi* fortement

épicées, une botte d'oignons pimentés, trois miches de pain, beaucoup de saucisses, de lard et de charcuterie fumée, le tout arrosé de quatre grandes cruches de vin du pays.

Une manière de jouer aux échecs

Lorsque nous revînmes au palais Kallistos, il s'était métamorphosé. Une chaîne de lumières, composée de petites lampes à huile, ourlait les escaliers depuis la maison du portail jusqu'au perron impressionnant qui menait dans la grande salle de marbre du premier étage, au « Centre du Monde ». C'est ici que jadis, les courtisans et les princes de la lignée impériale byzantine jouaient sur un gigantesque échiquier dont ils interprétaient eux-mêmes, en costume, les différentes figurines.

Les masses du continent européen y figuraient en relief, si bien que sur la Méditerranée, l'Égée et le Bosphore, on avait de l'eau jusqu'aux chevilles ; ce qui augmentait bien entendu l'attrait du jeu. C'est là que, grâce à moi ou plutôt à cause des enfants, les troupes levées par les Templiers et l'Église, Otrante et les Français s'étaient affrontées, que les soufis avaient dansé et que les Assassins avaient frappé. À présent, sur la tribune impériale, c'étaient les *lestai*, les bandits de grand chemin qui tenaient banquet. Ils avaient amené leurs femmes, sans doute toutes venues du bordel, sur le port, et le chef de la bande tenait cour, flanqué de notre prêtre félon, monseigneur Gosset. Hamo était assis face à eux, seul, sur la galerie des princesses. Il se fit découper par Philippe le homard qui lui avait été servi, avant de grignoter les pinces sans le moindre plaisir ; il négligea les beaux morceaux de chair blanche et tendre. Je le remarquai aussitôt, j'avais pourtant la panse remplie au point que nul n'aurait parié un denier sur ma

faculté d'avaler une bouchée de plus. Barth et moi-
même étions en effet restés quelque temps dans la
taverne. Philippe, lui, nous avait précédés au palais.
Gosset nous présenta le chef de la bande, le Pénicrate Taxiarchos. Il n'avait pas du tout l'air d'un
capitaine de brigands, mais plutôt d'un général très
ascétique, avec sa tête anguleuse, ses cheveux blancs
coupés court et sa toge sévère et sobre en soie grise.
Il mangeait avec des manières remarquables, en
gourmet, et paraissait être un corps étranger au sein
de sa bande. Gosset, en revanche, lui allait comme
un jumeau.

— J'ai entendu dire que votre mission est dans
l'ornière, fit le Pénicrate en s'adressant à moi.

Je retins Barth, qui allait redevenir grossier. Il me
paraissait absurde de me comporter en procureur,
puisque l'accusé était assis à côté du président du tribunal.

— C'est la réalité, messire Taxiarchos, confirmai-je, et abstraction faite des conséquences politiques ou, pis, des échecs de notre mission, nous
avons à mener une enquête cléricale pour soustrac-
tion...

— Pour malversation ! s'exclama Barth en me coupant la parole.

Le visage du Pénicrate s'éclaira d'un fin sourire.

— Si condamnable que soit la conversion de la
bourse à sonnette en salaire de putain (mais on en
reparlera le jour du Jugement dernier), cet acte
d'autorité est bien peu de chose si l'on songe au but
de votre mission. Le roi vous envoie chez les Mongols pour qu'ils attaquent la Syrie, la Terre sainte et
peut-être l'Égypte, et pour qu'ils les soumettent. Et
pourquoi ? Non pas pour apporter la foi chrétienne à
cette terre de civilisation, oh non ! Il s'agit uniquement et exclusivement de garantir les monopoles
commerciaux de l'Europe et de consolider la pré-
minence occidentale. De cela, et de rien d'autre !

— Encore une forme de brigandage !

Je ne pus m'empêcher cette plaisanterie, mais le

Pénicrate ne se laissa pas détourner de son propos, un plaidoyer pour la juste redistribution.

— De ce point de vue, monseigneur Gosset a commis une bonne action, dit-il pour conclure sa conférence. Et à présent, messieurs les missionnaires, à table! Chez le grand khan, vous ne trouverez ni homards, ni flacons de boissons aussi nobles!

Et d'un geste de mécène, il nous envoya de l'autre côté, chez Hamo qui continuait à picorer son crustacé, la mine grise. Nous nous assîmes près de lui — il ne nous salua pas — et nous nous attaquâmes à la montagne de chair défaite que nous tendit Philippe, en la saupoudrant d'oignons roussis dans le beurre. Gosset claqua dans les mains, les membres de la bande se levèrent, obéissants comme des écoliers, et descendirent sur le terrain de jeu avec leurs dames, mâchant et rotant encore.

— Est-ce qu'ils comptent danser? demanda Bartholomée, effaré.

— Non, dit Hamo. Le Pénicrate et monseigneur font une partie d'échecs. Cela peut durer toute la nuit.

Je vis ce tas de brutes se scinder en deux groupes. Les deux adversaires choisirent leur *basileus* et leur *basilea*; les tours étaient campées par les hommes les plus puissants, des lutteurs au visage de meurtrier. Les cavaliers étaient joués par des mendiants à jambe de bois ou à moignons de bras, des coupe-bourses et des voleurs à la tire jouaient le rôle des fous. Chacun put cependant conserver sa putain, et ils prirent ainsi leur place sur les zones de marbre qui leur étaient attribuées et se trouvaient presque toutes sous l'eau. Ceux qui n'avaient pas de chance, comme la plupart des simples pions, devaient s'installer au milieu du *Mare Nostrum* dans la mer Ionienne ou dans l'Égée, car les points de départ étaient l'ouest et l'est de Rome, et personne ne devait rester les pieds au sec.

— Allons-nous-en, dit Hamo. Autrement, nous serons trempés. C'est cela, le véritable but du jeu!

De fait, à peine nous étions-nous levés que les premiers ordres retentissaient déjà, un cavalier malingre tomba de son cheval à grosse croupe, faisant gicler l'eau autour de lui. Nous entendîmes un rire tonitruant, mais il ne nous était pas destiné. J'avais secrètement espéré que le Pénicrate nous annoncerait nonchalamment qu'il rembourserait les dommages que nous avait causés monseigneur, et qu'il nous pourvoirait abondamment pour la suite de notre voyage. Mais il n'en fut pas question. En vérité, j'enviais les *lestai* et je serais volontiers resté auprès d'eux au lieu de me casser la tête, avec Hamo et Barth, pour savoir comment on pourrait rétablir cette situation passablement bancale.

Nous nous rendîmes dans la cave, où l'on n'entendait plus les criaillements des femmes. Hamo se moquait de nos soucis comme du reste. Il passait son temps à soupirer et à gémir à propos de sa trirème, de Shirat et de sa fillette. J'avais une idée, mais, pour en faire part à Hamo, il me fallait d'abord me débarrasser de Barth. Mon frère d'ordre me collait aux jambes comme une teigne. Je m'étais rappelé que l'évêque décédé, Nicola, le cousin de Hamo, avait tout de même disposé d'une chambre au trésor considérable. Celle-ci était si bien cachée dans les fortifications du palais que je doutais fort que Hamo ou un autre l'y ait déjà découverte. Cela étant dit, je n'avais pas, moi non plus, la moindre idée de la manière dont on pouvait la trouver. L'accès se situait certainement dans l'une des nombreuses galeries qui couraient sous le palais Kallistos et le reliaient au port. Cette réflexion me fit penser à « l'entonnoir », ce tuyau en forme de cône qui, jadis, avait fermé ma prison. Si je parvenais à y attirer Bartholomée, nous serions débarrassés de lui, et c'est bien ce que nous avions prévu. Je me mis donc à lui parler du trésor légendaire de l'évêque et de l'entonnoir qu'il fallait désormais trouver pour accéder à ces richesses. J'oubliai de mentionner qu'on pouvait seulement entrer, mais pas en sortir, à cause des lames encastrées dans le mur et cachées derrière des morceaux de cuir, qui rendaient tout retour impossible. Et je ne parlai surtout pas du fait que ce tuyau, loin de déboucher dans la chambre au trésor, donnait en fait sur un sombre réduit. Hamo ne s'y intéressa pas. En revanche, comme je m'y attendais, Barth dressa l'oreille. Je lui fis aussitôt une proposition :

— À présent, séparons-nous et explorons, chacun de notre côté, une partie de la cave. Nous perdrons moins de temps ainsi.

Hamo déclina l'invitation et nous informa que les trésors de ce monde ne l'intéressaient plus, il préférait aller se coucher. Philippe l'escorta.

J'envoyai Bartholomée droit vers l'entonnoir. Sa cupidité l'y mènerait de toute façon à coup sûr. Je lui décrivis son emplacement avec tant de précision qu'il ne pouvait pas le manquer. Nous suivîmes donc chacun notre chemin. Il partit aussitôt et je me faufilai de nouveau dans la salle, car j'avais remarqué sous les « tabourets » une petite putain qui me plaisait bien. Monseigneur Gosset m'aperçut immédiatement.

— Guillaume de Rubrouck, voulez-vous servir le Pénicrate, ou vous battre sous mon étendard ? me cria-t-il.

— Chez moi, il y a une tour à occuper, désertée pour cause de soûlerie ! s'exclama Taxiarchos.

Je vérifiai rapidement pour qui jouait la petite putain, mais elle avait déjà été chassée de l'échiquier. Je répondis alors insolemment au Pénicrate :

— Si vous me donnez cette demoiselle, je vous servirai volontiers à la citadelle !

Il fit signe à la jolie fille pour qu'elle s'approche et me la confia. Nous courûmes rapidement à la tour en planches de bois, et nous nous y dissimulâmes. J'avais certes deux pieds dans l'eau, mais ma troisième jambe pénétra aussitôt dans la forteresse, et nous dûmes prendre garde à ce que l'ardeur de la bataille ne provoque pas l'effondrement de notre tour. Elle vacilla et trembla, mais personne ne s'en soucia. Seules nos têtes dépassaient au-dessus des créneaux. Tout occupés à nous bécoter, nous ne remarquâmes pas que monseigneur avait fait avancer un cavalier vers notre flanc, si bien que nous nous retrouvâmes bientôt couchés tous les deux dans l'eau, enfermés dans notre édifice. C'est Philippe qui m'en tira, en m'attrapant par les épaules.

— Frère Bartholomée est tombé dans un trou, et il a disparu !

J'embrassai la petite, la remerciai pour ce bon moment et courus dans la cave avec le serviteur.

Hamo nous attendait près de la trappe.

— Elle mène dans la petite citerne, dit-il, grognon. Tant qu'il ne pleut pas, un homme peut y tenir debout sans se noyer.

— On peut même nourrir le poisson, ajouta Philippe, d'ordinaire moins loquace. Dans le jardin, il y a une fosse fermée par des barreaux, trop étroite pour s'échapper, mais assez large pour faire passer une petite corbeille de victuailles.

— Il reste du homard, dis-je en attrapant Hamo par le bras. Je crois qu'à présent je connais le chemin de la chambre au trésor ! dis-je à voix basse, tout excité. C'est évident, il faut venir d'en bas ! L'accès se trouve quelque part dans la grande citerne.

— Nous verrons cela demain, répondit Hamo. Je ne suis pas pressé. Et puis nous sommes débarrassés de Barth. C'est bien ce que tu voulais, Guillaume ?

Tout cela me convenait. Je venais certes de me faire à l'idée de passer les jours et les semaines à venir parmi les prostituées et les voleurs, en tenant le rôle du « mendiant du palais ». Mais cela serait encore plus agréable si je disposais d'un trésor en sous-main.

L.S.

Le manteau du chaman

    Au lointain Guillaume, aussi proche que les étoiles sous la voûte céleste nocturne, d'un grain de poussière cosmique nommé Yeza, sorti du néant où il retournera rapidement brûler en une fraction de seconde, une poussière qui est pourtant aussi une météorite dont la chute brûle les forêts avec leurs hommes et leurs souris, et creuse des trous sur cette terre.

Te manquerais-je, Guillaume ? T'agenouillerais-tu, prierais-tu pour moi si ma pauvre âme avait rejoint les étoiles ? Dans l'infinie solitude de l'Altaï, j'ai cessé de le craindre. Mon existence est tellement coupée de la vie telle que tu la mènes et que je l'aie menée ! J'en suis à me demander si je n'ai pas quitté le monde des vivants depuis une éternité.

Je suis seule. Arslan, le chaman, monte une fois par jour m'apporter à manger dans ma grotte. Je n'ai aucune idée de ce qu'il me sert, mon goût ne fonctionne plus ; d'ailleurs, je ne tiens pas à le savoir. Je dois boire beaucoup — je peux puiser de l'eau toute seule lorsque je ne suis pas trop faible. Ce brave homme allume un feu et transforme mes aliments en une soupe qu'il me fait boire. Puis il danse pour moi, afin que les mauvais esprits s'éloignent. Si je guéris, je deviendrai chamanesse. J'ai aux parois de ma grotte de nombreux *onggods* qui sont censés m'aider. Ce sont de petites poupées, mais faites d'un matériau très particulier, surtout pour le rembourrage. Ils chassent les mauvais *ada* qui volent dans les airs et qui n'attendent qu'une chose, l'instant où je cesserai de me battre.

Je ne peux te décrire les souffrances que j'endure, Guillaume. Il me semble que l'on réduit en miettes l'intérieur de moi-même pour le donner en pitance aux esprits. Arslan a pourtant dit que ce ne sont pas les *ada* qui me vrillent et semblent me dévorer les entrailles, mais de bons démons qui me mettent à l'épreuve et qui me serviront si je franchis ce cap. Selon lui, même les tressaillements et les crampes, ce tremblement permanent qui me permet à peine de tenir ma plume et rend mon écriture si gauche, prouvent seulement que les bons esprits des *onggods* sont entrés en moi et que la

bataille fait rage. Parfois, je crierais de douleur; en ces
instants-là, Arslan chante pour moi, et je chante avec
lui. Mais il pense que je dois mener le combat avec mes
propres forces, et il me laisse bientôt de nouveau toute
seule.

Lorsque le temps n'est pas aux trombes d'eau ou à la
neige, il me porte devant la grotte avec ma couche en
peaux de bêtes, et j'y dors à la belle étoile. La fièvre et
même les frissons sont plus supportables à l'air libre
que dans la caverne, où je suis hantée par des cauchemars dont je me réveille trempée de sueur. Sous le *tengri*, le ciel bleu qu'Arslan vénère comme le plus élevé
des dieux, il m'arrive souvent de ne pas savoir si je rêve
ou si mon âme se détache véritablement de mon corps.
En tout cas, elle part pour des contrées d'où elle me
revient chargée d'images sublimes aux couleurs lumi-
neuses. Planant dans le temps et dans l'espace, je rentre
dans le ventre obscur de ma mère, belle, toute vêtue de
blanc; je franchis les flammes qui l'ont dévorée lorsque
Roç et moi-même avons quitté Montségur en ta compagnie; je franchis les eaux montantes du *balaneion* à
Constantinople, avant que nous ne t'ayons ramené à
bord de la trirème, toi, Guillaume, notre héros
« défunt ». Je traverse la nuit noire de la pyramide dans
laquelle je suis devenue femme; je m'éloigne de la Rose,
sous l'orage, je traverse les déserts et les steppes avec
Roç et nos deux chevaliers, Kito et Omar, jusqu'à me
retrouver au pied de l'Altaï. Dschuveni, le chambellan,
voulait ne pas perdre de temps, mais nous ne cessions
de rencontrer d'étranges vieux hommes et des créatures
féminines mystérieuses et voilées qui insistaient pour
que nous prenions un chemin donné — c'était toujours
le bon. Je sais aujourd'hui que tous ces personnages
n'étaient que différentes apparences du chaman. Si
Dschuveni ne voulait pas se conformer à ces ordres, son
cheval se cabrait, ou bien un arbre gigantesque s'abattait soudain en grand fracas et lui barrait le sentier qu'il
voulait prendre. Les torrents de montagne gonflaient
et, sous nos yeux, précipitaient les ponts dans le
gouffre, nous ramenant sans cesse vers ces massifs que
notre chambellan obtus aurait si volontiers quittés.

La nuit, nous apercevions des lueurs énigmatiques
aux sommets des montagnes, ce qui inquiétait épouvantablement les Mongols. Anxieux, ils se disaient en
chuchotant que c'étaient les « lumières des esprits », et

nous trouvions sur le chemin des tas de pierres sur-
montés de branches mortes ornées de petits rubans
multicolores qui battaient au vent comme des fanions.
Ces tas de pierres étaient de plus en plus grands ; à la
fin, ils étaient constitués de blocs rocheux qu'aucun
être humain n'aurait pu soulever. Ils nous menèrent de
plus en plus haut, jusqu'au moment où nous vîmes la
grotte qui s'ouvrait dans la paroi nue de la montagne.
Mais une crevasse s'ouvrait devant elle, si profonde que
le mugissement de l'eau, dans les profondeurs, ne nous
parvenait pas, et si large qu'aucun cheval n'aurait pu la
franchir. Un tronc d'arbre, dont nul n'aurait pu dire
comment il était arrivé là, était coincé entre les rochers,
et formait un passage étroit sur l'autre rive.

De l'autre côté, le chaman sortit de la grotte et, d'un
signe, arrêta Omar qui s'apprêtait, intrépide, à traverser
la ravine. Kito, lui aussi, manqua être précipité dans le
vide : le bois s'était mis tout d'un coup à bouger. Il
comprit juste à temps que le pont ne lui était pas destiné.

— Ne nous retiens pas, Arslan ! Le grand khan attend
le couple royal ! s'exclama Dschuveni.

— Sans cette halte, le khagan attendrait en vain !
répondit le chaman.

Tout en prononçant ces mots, il nous fit signe, à Roç
et à moi, de le rejoindre en passant sur le tronc.

— Quand le souverain verra-t-il en personne le
couple royal, comme il l'exige ? s'exclama Dschuveni,
agacé, car il avait compris qu'il n'était pas en son pouvoir de nous retenir.

— Je le ferai savoir au khagan, répondit Arslan. Il
comprendra, puisqu'il est le souverain !

Nous étions déjà sur le tronc. Roç avançait devant
moi, et je me rappelle que je regardais sans crainte dans
le vide, sachant sans doute que nous ne ferions pas de
faux pas, et que nous n'aurions pas non plus le vertige.
Les Mongols nous observaient en retenant leur souffle,
et furent profondément effrayés lorsque le tronc tomba
dans le précipice alors que je venais tout juste de le
franchir. Ensuite, ils se retirèrent en silence.

Le chaman ne nous parlait pas beaucoup. Après nous
avoir montré notre grotte, il nous laissa faire ce que
nous voulions. Elle se trouve au-dessus de la sienne,
mais elle est beaucoup plus petite et, surtout, dispose

d'une entrée protégée. Nous vîmes par la suite qu'elle
préservait la fraîcheur lors du bref été, lorsque le soleil
impitoyable chauffe les rochers à blanc, et qu'elle
conservait la chaleur du feu, indispensable en tout
autre saison. Lorsque nous sommes arrivés, elle était
froide, la neige recouvrait encore toute la région. Nous
pûmes nous laver à une source glacée qui jaillissait de
la roche.

Lorsque le soleil disparut, lançant d'abord des
flammes rouge et jaune, puis baignant tout dans une
lueur rose et jetant au finale des notes violettes et
bleues enchanteresses, nous descendîmes à la grotte du
chaman et nous assîmes sans mot dire devant Arslan.
Soyons précis : pour ma part, je restai silencieuse et
tentai de remettre de l'ordre dans mes pensées et de retrouver mon calme. Mais Roç, lui, était très excité et
cribla le vieil homme de questions.

Le chaman répondit que Roç, avant chaque interrogation, devait se demander si elle était véritablement
nécessaire ou s'il ne pourrait pas y répondre lui-même
au bout de quelque temps, en y ayant réfléchi profondément. Puis il passa une veste particulièrement lourde.

Si elle pèse autant, c'est qu'elle est ornée, de haut en
bas, des objets les plus étranges. Il faut plusieurs cro-
chets pour pouvoir la suspendre, et on la passe avec
beaucoup de précautions. Ce manteau hirsute reste
ouvert devant. On y a fixé des miroirs d'argent, des
plaques de métal, de petits arcs avec des flèches et des
pointes en bronze, mais aussi des ailes d'oiseaux
entières, des serres et des os d'animaux presque identiques à des os humains. Deux grands serpents de tissus
colorés s'y enroulent ; leur tête est composée de cauris,
et une langue rouge sort de leur gueule. J'avais pris au
sérieux l'avertissement d'Arslan à Roç, et je me mis à
réfléchir au sens de ces attributs. Le chaman a besoin
de l'aide des *onggods* : c'est ce que symbolisent les
petites poupées qu'il porte cousues sur les épaules.
Elles sont semblables à de petites créatures, entourées
de clochettes qui sont sans doute là pour invoquer les
bons esprits et repousser les mauvais. Mais les miroirs ?
À quoi servent-ils, Guillaume ? Je n'ai pas voulu jouer la
maligne qui a tout deviné tout de suite. Arslan me l'a
expliqué laconiquement, un peu plus tard. Ils servent à
se défendre contre les *ada*. Ces esprits-là sont en principe invisibles, mais lorsqu'ils regardent dans les

miroirs, ils se voient eux-mêmes et s'effraient de leur
propre laideur.

Je connais aussi, à présent, la signification des serpents. Ils indiquent au chaman le chemin du monde
souterrain, parce qu'ils peuvent disparaître dans le sol
ou glisser à travers l'eau. C'est très important pour tout
ce qui a trait à la mort : cela lui permet souvent de
ramener une âme ou, lorsque l'on ne peut plus rien
faire, de l'accompagner sur son chemin. Mon Roç
aurait pu deviner lui-même une bonne partie de tout
cela, mais cela ne correspond pas à sa manière d'apaiser sa soif de savoir. Il veut tout découvrir tout de suite.

Entre-temps, Arslan avait mis une sorte de casquette.
Il l'appelle sa « couronne », et c'est aussi un objet
pesant. On y a fiché une ramure, il est surmonté d'une
touffe de plumes d'aigle et de chouette, ce qui est
important dans l'obscurité où les démons peuvent le
plus facilement commettre leurs méfaits. Puis il a pris
son tambour, sa « monture « , comme il dit, car ses poignées sont sculptées en tête de cheval et ses maillets lui
servent de fouet. Il a commencé sa danse autour du feu,
dans la grotte. Ses mouvements étaient lents, il avançait le dos courbé.

J'ai peine à te le décrire, Guillaume, il faudrait que tu
y assistes toi-même un jour. Il avait entrepris un voyage
spirituel vers le surnaturel et l'inconscient — et de cela,
on ne peut pas parler.

Le chaman avait commencé à chanter. Dans un premier temps, je compris encore quelques mots. Mais
ensuite, ses phrases devinrent de plus en plus inco-
hérentes. Il s'agissait sans doute de nous, Roç et moi-
même, et de notre destin. Le bon Arslan dansait de plus
en plus vite ; manifestement, il n'avait pas la tâche facile
avec nous. Il se mit à lutter contre des ennemis invisibles, il battit des bras comme un oiseau prenant son
vol, ses rubans et ses plumes s'agitaient tellement qu'on
s'attendait à le voir s'envoler. Il fit avec son lourd manteau des bonds dont on n'aurait jamais cru un homme
capable. C'est sans doute qu'il avait trouvé les forces
dont il avait besoin pour nous défendre contre les mauvais esprits. Il sautillait dans les flammes, et la braise ne
pouvait rien lui faire. Pendant tout ce temps, il frappait
le tambour sans interruption, tantôt sur la peau, qui
résonnait d'un bruit sourd, tantôt sur le cadre. Il paraissait pris de frénésie, et finit par plonger dans une véri-

table crise de démence. Il était furieux, le combat faisait rage autour de nous. Il mit du temps pour revenir à lui. Ses mouvements devinrent plus calmes, plus tranquilles et plus harmonieux. Puis il finit par se recroqueviller et referma le manteau : seule sa couronne en dépassait encore. Il resta longtemps ainsi, immobile, et même Roç demeura silencieux un certain temps. Enfin, il nous dévisagea longuement et nous chassa de la grotte, d'un geste de la main, presque grossièrement.

Nous nous couchâmes sans rien nous dire, mais la main de Roç chercha la mienne, je la pris, et nous nous endormîmes ainsi.

Voici déjà deux lunes que Roç est parti, et je me rappelle toujours les images des premiers jours. Le lendemain matin, Arslan ne nous a rien dit, et même Roç s'est bien gardé de lui poser des questions. Je ne tenais pas non plus du tout à savoir quelles découvertes le chaman avait faites. Notre destin de couple royal ne peut être facile ou simple, et si nous ne voulons pas lui échapper en nous réfugiant dans l'anonymat d'une vie ordinaire, il ne nous reste qu'à nous y préparer constamment. À prendre des forces pour répondre aux exigences qui naissent de notre vocation, et pour pouvoir livrer les combats virulents qui semblent devoir les accompagner visiblement. Nous ne pouvons rien faire d'autre, Guillaume !

Je sais, moi aussi, je me suis posé la question : Roç ne serait-il pas au moins autant heureux s'il devenait ingénieur, s'il vivait chez lui, avec moi, son épouse, et quelques enfants ? Il n'a certes jamais rien dit de tel, d'autant plus qu'il prend très au sérieux le rôle que lui assigne le « grand projet ». Mais il m'arrive de croire qu'il ne verrait aucune objection à ce qu'on l'envoie, demain, étudier la géométrie et l'algèbre à l'université d'Alexandrie. Il pourrait entrer en apprentissage auprès d'un architecte, qui lui enseignerait comment on construit les cathédrales et tout ce qu'il admirait tant chez son ami « Zev sur roues ». Il serait certainement heureux. Moi, non. Je sais pourquoi nous sommes ici, chez Arslan. Ce n'est ni un hasard, ni une lubie du chaman. Cette période auprès de lui est une partie de notre destinée, un tronçon du parcours que je veux accomplir.

Arslan, patient et amical, nous a enseigné la méditation. Il ne s'agit pas de se concentrer ou de se laisser
envahir par la fièvre, mais de se vider, de décharger ce
que nous avons en trop. Je suis profondément convaincue que pour Roç et moi-même, rien n'est plus important que de puiser de la force et de la clarté dans ce que
nous avons de divin. Mais Roç n'y voit sans doute pas
un chemin pour lui, il n'a pas même essayé de
l'emprunter.

— Si nous devons rester coincés dans ce désert, m'a-
t-il dit, je veux au moins renforcer mon corps et faire
mes preuves en répondant à des défis extraordinaires,
jusqu'à ce que je maîtrise mieux que quiconque tous les
arts chevaleresques. Si je n'y parviens pas, j'aurai
l'impression d'être inutile, et je ne verrai aucun sens à
ma vie.

— Mon chéri, ai-je répondu, que sais-tu donc du sens
de la vie? Pourquoi ne cherches-tu pas d'abord à le
découvrir, avant d'essayer de dépasser les cabris et les
mouflons à la course?

— Tu es une fille, Yeza, a-t-il répliqué. Tu es rapide
et agile, c'est vrai, mais tu n'as pas l'ambition d'être la
plus rapide. C'est ce qui nous distingue.

— Cela et bien d'autres choses encore, ai-je rétorqué,
agacée.

Et Roç a commencé à escalader les rochers abrupts
sans s'aider de son poignard ou d'une corde. Les mains
et les pieds nus, il grimpait sur la pierre lisse, souvent
en surplomb. Il s'accrochait du bout des doigts aux plus
petites failles, cherchait et trouvait un appui sur des
élévations que l'on ne discernait pratiquement pas. Il
revint le soir, exténué et écorché, se laissa tomber sur
notre couche en peaux de bêtes et s'endormit aussitôt.
Son corps ne cessait d'embellir, bruni par le soleil et
tendineux. Je léchai sur sa peau la sueur salée et le sang
coagulé de ses innombrables blessures, remerciant
Dieu, chaque fois, de me l'avoir rendu vivant.

Roç s'est aussi remis à tirer à l'arc. Kito lui en a offert
un. Pendant des heures, il tirait flèche sur flèche dans la
crevasse où était encore coincé, à mi-hauteur, le tronc
d'arbre qui nous avait permis de la franchir. Roç savait
qu'il devait considérer comme irrémédiablement perdue chaque flèche qui manquerait le bois, et il faisait
tout pour réussir. Lorsque son carquois était vide, il
descendait dans la ravine pour ôter les flèches plantées

dans le bois. Autant d'instants où je retenais mon souffle, aux aguets, tout en sachant fort bien qu'il ne crierait pas s'il était précipité dans le vide, et que tout appel au secours serait de toute façon étouffé par le mugissement de l'eau.

Avec le temps, les blessures de Roç s'aggravèrent. De profondes entailles sanguinolentes s'étaient creusées sur son corps, il était sale, l'odeur de sa peau m'était étrangère. Je lavais ses plaies en silence. Arslan me donna une pâte à base d'herbes et de minéraux qu'il avait chauffée au-dessus du feu. Je courus la presser sur les bords des entailles, et couvris de morceaux de drap le corps de mon bien-aimé.

Un jour, Roç m'avoua qu'il avait enfin vaincu et tué l'ours avec lequel il se battait depuis des semaines. Comme si c'était un joyau particulièrement précieux, il m'accrocha autour de la taille l'une des pattes de l'animal fixée à un ruban de cuir. Je le serrai fort dans mes bras, je désirais mon chasseur avec la rage d'une mère ourse. Mais il se mit à gémir : j'avais appuyé sur l'une des déchirures ouvertes par les griffes de l'animal. Je relâchai mon étreinte.

Arslan nous regardait faire et attendait. Je pense que lui non plus n'était pas satisfait de moi : je restais des journées entières immobile sur une roche, m'exerçant à « l'introspection ». Je ne mangeais pratiquement plus rien et mon corps s'affaiblissait à un point tel que la maladie pouvait s'emparer de lui à tout moment.

Roç s'asseyait souvent face à moi, quelque part sur la paroi rocheuse, et m'observait fixement, comme un animal blessé, triste à vous fendre le cœur. Je l'entendais gémir au plus profond de lui-même, gémir de désir et d'amour insatisfait. Mais j'étais une prêtresse sévère. Je ne cédais pas, je n'allais pas vers lui, je ne le faisais pas venir à moi, je poursuivais mes voyages dans l'au-delà et, surtout, dans les profondeurs de moi-même. J'étais fière de ma capacité à oublier toute chose matérielle, tellement fière que je reniais et méprisais mon corps. Il s'est amèrement vengé depuis, Guillaume.

Mais, dans un premier temps, Roç a rendu Arslan coupable de mon comportement. Mon roi a demandé au chaman de reconnaître les performances qu'il arrachait à son corps. Mais je faisais la sourde oreille, et le chaman se contentait de sourire doucement. Se sentant provoqué, Roç a commencé à le défier. Lorsqu'il a voulu montrer comment il tirait, Arslan s'est remis à sourire.

— Vise mon cœur! ordonna-t-il à Roç, épouvanté. Si tu es certain que tu peux m'atteindre, tu es forcément en mesure de tirer.

— Mais je ne le peux pas, bredouilla Roç, tu ne m'as rien fait!

— Si tu me considères comme ton ennemi, tu le peux certainement! Je suis sûr que tu le peux.

Il excita Roç jusqu'à ce que celui-ci bande son arc et tire une flèche dans sa direction. J'ignore s'il avait bien visé; d'une main, Arslan attrapa le projectile en vol, sans cesser de sourire. Alors, Roç jeta son arc et se précipita sur le chaman pour le forcer à se battre. Mais celui-ci se contenta de tendre vers lui la paume de sa main, comme pour le mettre en garde, et Roç se retrouva au sol sans même l'avoir touché. Roç se releva, haletant.

— J'avais oublié que tu n'es pas un chevalier, criat-il, méprisant, mais que tu as recours à la magie. Il est pourtant un de mes dons contre lequel tous tes artifices ne te seront d'aucun secours.

Il désigna un cône parfaitement lisse qui surmontait la crevasse, semblable à une main pointée vers le ciel, l'index dressé.

— Celui-là, tu ne l'escaladeras pas!

Et sans se retourner vers nous, il commença à grimper. J'en avais, comme toujours, le souffle coupé, d'autant plus que je savais qu'il n'avait encore jamais vaincu ce rocher et que, à chacune de ses tentatives précédentes, il était tout au plus parvenu à mi-hauteur avant de redescendre en glissant : la pierre était trempée et polie comme un miroir. J'étais captivée. Je le vis monter pas à pas, collant sa poitrine nue contre la pierre pour avoir plus de prise, tandis que ses doigts cherchaient une faille. Son dos luisait, recouvert par les gouttes de sueur et par le fin crachin qui montait de l'eau bouillonnant dans la crevasse. Roç était parvenu à accéder à la plate-forme, en haut de la roche. Au-dessus, il ne restait plus que le « doigt », dressé comme un pilier. Arrivé là, mon bien-aimé se dressa et me fit signe, l'air fier. Mais, derrière lui, Arslan était assis en lotus au sommet du doigt rocheux. Le chaman descen-

dit et prit Roç dans ses bras. Il me sembla que mon chevalier pleurait, et j'eus honte de ne pas faire de même.

Kito et Omar arrivèrent peu après. Ils accompagnaient Ariqboga, le plus jeune frère du grand khan, un
garçon de leur âge. Le chaman reçut le jeune Gengis
dans la caverne, mais ils ne discutèrent pas longtemps.
Les trois hommes avaient apporté un cheval et des
armes. Ils demandèrent à Roç s'il voulait les accompagner.

Mon chevalier ne me regarda pas : c'est Arslan qu'il
dévisagea pour obtenir son accord, et celui-ci hocha la
tête. Alors, Roç me prit dans ses bras d'un geste hâtif,
comme s'il s'apprêtait à me trahir, et il murmura : « Je
reviens te chercher bientôt. »

Puis ils s'en allèrent.

Peu après, la maladie dont je t'ai parlé, Guillaume,
s'est abattue sur moi de toutes ses forces. Mais je sais à
présent que je vais la vaincre, parce que je vais me
vaincre.

Hier soir, Arslan m'a fait ingurgiter une boisson brûlante, tellement amère, avec un tel goût de bile que j'ai
failli ne pas pouvoir l'avaler. Puis il m'a apporté son
manteau de chaman et m'en a recouverte. Il a allumé le
feu dans ma grotte et a dansé autour de moi ; ses battements d'ailes à la lueur des flammes projetaient sur les
murs et au plafond l'ombre d'un ballet démoniaque.

Je sombrai dans un rêve éveillé où je me vis moi-
même traverser en dansant un foyer enflammé :
c'étaient les tas de pierres qui nous avaient menés ici,
ils brûlaient comme des forges ; des étincelles en jaillissaient, des bottes de paille de riz flambaient en déga-
geant autant de clarté que le soleil, les flammes me
roussissaient et je criais de douleur et d'angoisse. Je tra-
versai la braise, pieds nus, et je sentis peu à peu les douleurs m'abandonner, les flammes dardantes se transformèrent en un chaud manteau qui m'enveloppait. Les
tas de pierres s'éteignirent lentement, devinrent noirs
puis passèrent au gris avant de devenir blancs comme
toutes les roches de l'Altaï. Je marchai sur les cailloux
pointus et aiguisés, sans ressentir la moindre douleur.
Les tas de pierres devinrent de plus en plus petits et
furent au bout du compte tellement minuscules que je
ne savais plus vraiment s'il s'agissait d'un amas de
pierres, ou simplement de quelques cailloux posés les

uns sur les autres. Je glissai, portée par une brise agréable. Lorsque je m'éveillai, j'étais devenue toute légère.

Mon premier geste a été pour mon front. Pour la première fois, il était frais et sec. J'ai eu soif et j'ai senti que j'étais guérie. J'étais trop heureuse pour me lever, et je suis restée sous le lourd manteau jusqu'à ce qu'Arslan me rejoigne. Il m'a apporté une boisson. Je n'avais rien bu d'aussi savoureux depuis longtemps.

Le chaman m'avait cousu un manteau en chaude laine, et l'avait orné comme le sien : avec des flèches et des arcs, des plumes de faucon et de hulotte, des rubans taillés dans la peau de chevreuils, de renards, de marmottes et de loutres. Il y avait aussi accroché deux clochettes et des petits disques d'argent. Je me lavai dans la source et me glissai dans cette tenue. Elle était bien plus légère que je ne l'aurais cru, et ne me gênait pas pour marcher.

— Tu as été rendue à la vie, me dit le chaman, pour la vivre conformément à ton destin.

Arslan me mena sur l'autre flanc de la montagne, là où elle descend en pente douce, et me montra le monde. Je vis de sombres vallées et, derrière elles, la vaste plaine de la steppe, encadrée par des sommets dentelés et couverts de neige. Et au-dessus de tout cela, le *tengri*, le grand ciel bleu. Je voyais les montagnes de nuages filer dans la lumière changeante, je les voyais se défaire et se couler de nouveau les uns dans les autres, et je sentis que Roç revenait auprès de moi. Mon maître l'aperçut bien avant moi. Ce n'était qu'un point minuscule, très loin à l'horizon. Nous attendîmes encore son arrivée pendant toute une journée. Je savais qu'avant d'atteindre le pied de la montagne, il lui faudrait traverser beaucoup de rivières, des torrents déchaînés et des forêts profondes jonchées de ronces.

Mon Roç était en sang, exténué par sa montée dans les rochers, comme le jour où il s'était mesuré à l'ours. Mais il était de nouveau près de moi. Je le lavai, passai de l'onguent sur sa peau nue, le déposai sur la couche pour qu'il s'y repose. Mais Roç se redressa. Je laissai alors mon manteau tomber de mes épaules et montai sur son ventre. Il me pénétra autant que je le pris en moi. Je m'étais attendu à ressentir une vive douleur lorsque mon hymen se déchirerait, mais après toutes les souffrances que j'avais subies, cette petite piqûre me parut ridicule, et j'éprouvai un frisson de délice. Roç resta silencieux, et notre union s'accomplit d'elle-même, lentement. Nous écoutions notre cœur, car nous étions étroitement serrés l'un contre l'autre, les yeux dans les yeux. Nous restâmes ainsi enlacés, dans un sentiment de grande paix. Nous nous donnions, mais nous ne nous prenions pas. La seule chose importante était le fait que nous nous appartenions l'un à l'autre. Nous étions un, un seul esprit, une seule chair. Et de la même manière que Roç s'abstenait de tout mouvement, je détendis aussi tous mes petits muscles. Ce n'était pas un renoncement, nous n'avions pas à nous y forcer. C'était au contraire une preuve de notre capacité d'aimer, et j'en fus tellement reconnaissante que le bon-heur m'inonda comme un fleuve doux et infini. Et je vis dans les yeux de mon bien-aimé qu'il ressentait exacte-ment la même chose que moi. Nous restâmes ainsi col-lés l'un à l'autre.

Même lorsque nous plongeâmes dans la fraîcheur de la nuit, même lorsque nous nous blottîmes sous la cou-verture, nous ne prononçâmes pas le moindre mot. Roç fut le premier à s'endormir, et je pus ainsi l'embrasser sur la bouche, ce que j'avais évité jusque-là, sachant dans quel état d'excitation cela nous mettait tous les deux. Nous avions encore beaucoup de chemin à faire, mais il y avait une chose dont nous pouvions être sûrs : la force de notre amour.

Vers midi, une petite troupe d'hommes apparut de l'autre côté de la crevasse. Ils portaient des étendards, et les flammes de leurs lances battaient au vent. Le cha-man nous fit descendre, Roç et moi-même, sur un sen-tier rocheux que nous n'avions encore jamais vu, jusqu'à ce que nous soyons tout près de l'eau bouillon-nante. Là, deux écueils se penchaient si près l'un de l'autre que l'on pouvait franchir le cours d'eau d'un petit bond. Le chaman nous embrassa tous les deux et dit : « Je vais vous faire mes adieux ici, et non lors de votre remise solennelle au général Kitbogha, qui a voulu vous rendre hommage en acceptant de faire lui-même ce long voyage. »

Arslan ne montra pas que ces adieux lui étaient pénibles ; il poursuivit en souriant : « J'ai considéré comme un cadeau immérité de *tengri* le fait d'avoir pu bénéficier de tellement de temps pour vous enseigner à

trouver votre amour. L'amour aussi est un cadeau.
Maniez-le soigneusement, en sachant ce que vous
faites ! »

Arslan sauta devant nous et je le suivis d'un pas ailé,
tout comme Roç, derrière moi. Nous grimpâmes sur
l'autre côté de la crevasse et nous nous retrouvâmes
tout d'un coup derrière les Mongols, ce qui troubla un
peu la cérémonie qu'ils nous avaient préparée. Le général, un homme à l'air digne et à la barbe blanche,
menaça le chaman en dressant l'index avec un sourire
amusé, mais Arslan avait déjà disparu. Effrayés, les soldats qui escortaient le général, dont Kito et Omar, que
je remarquai seulement à cet instant, regardèrent au-
dessus de la ravine ; les embruns montaient de plus en
plus haut, ils finirent par tirer un voile entre nous et la
montagne où se trouvait la maison d'Arslan. Alors, une
silhouette cuirassée des pieds à la tête sortit de la
caverne.

— Gengis Khan ! Grand Temudjin ! s'exclamèrent
quelques hommes, épouvantés. *Er-e boyada !* Et tous,
saisis, s'agenouillèrent. Je regardai rapidement en
direction de Roç et vis à son clin d'œil qu'il pensait la
même chose que moi. Mais nous avions beau nous
efforcer de reconnaître le chaman dans son déguisement, la créature n'avait aucune ressemblance avec
Arslan. Même la voix me parut être celle d'un autre. Je
ne compris pas ce qu'elle criait, mais ils se jetèrent tous
au sol. Le général à barbe blanche s'agenouilla lui aussi
après un instant d'hésitation. Roç et moi-même, nous
mîmes un genou au sol et nous inclinâmes la tête un
bref instant. La brume disparut et le spectre s'évanouit
aussi vite qu'il était venu. Le trou de la caverne était à
présent obscur et béant.

— Bienvenus, mes jeunes souverains ! (La voix de
basse du général nous avait arrachés à nos pensées.)
Comme nous venons juste de l'apprendre, les esprits de
nos ancêtres se soucient beaucoup de notre bien-être.

Ses yeux brillaient, amusés, sous ses sourcils brous-
sailleux, mais ses hommes ne purent le voir.

— Nous n'allons donc pas les importuner plus longtemps, mais nous consacrer à l'avenir du royaume. Et
cet avenir, c'est vous, ô mon roi et ma reine !

Ce vieux grognard avait de l'humour. Cela me plut.
Mais Roç répondit à voix haute :

— L'avenir appartient à ceux qui reconnaissent à

temps leurs limites. Nous sommes venus servir ce royaume.

Cette réponse parut satisfaire le vieil homme. On amena nos animaux, et nous partîmes pour un avenir inconnu. *Allah jakun bi'annina!* Je t'embrasse et te salue, Guillaume.

Ta reine Yeza.

L.S.

Le trésor de l'évêque

Chronique de Guillaume de Rubrouck, Constantinople, jour de la Saint-Isidore 1253.

Deux semaines au moins s'étaient écoulées. J'avais sondé l'intérieur et l'extérieur des murs du palais Kallistos, à la recherche de la chapelle de l'évêque Nicola, laquelle — je m'en souvenais vaguement — était aussi le lieu où il conservait ses trésors amassés. Hamo, indifférent, m'accompagnait dans mes inspections ; loin de me soutenir, il passait son temps à se moquer de moi. Je comparais le nombre des marches dans les escaliers à leur degré d'ascension, pour déterminer où l'on avait pu installer des étages intermédiaires. Le bâtiment était tout en angles, et les différents niveaux n'avaient pas la même hauteur. Il existait d'innombrables galeries situées derrière des cloisons et des panneaux de bois ; des escaliers hélicoïdaux se cachaient dans chacune des grosses colonnes. La cage d'escalier était un véritable casse-tête. Elle avait beau paraître parfaitement symétrique, elle décrivait en fait à travers le palais trois cercles imbriqués, disparaissait derrière des cintres de portes ou s'arrêtait sur des postes d'observation surélevés. Mais elle réapparaissait ensuite, dans des lieux ahurissants. Sa hauteur, elle aussi, changeait constamment. Je ne m'ôtai cependant pas de l'impression qu'il s'agissait de deux escaliers différents : ils communiquaient sans doute ici et là, mais constituaient tout de même deux systèmes séparés l'un de l'autre. Et l'on avait de toute évidence voulu dissimuler cette réalité. Je me retrouvais parfois devant des œilletons à travers lesquels je croyais voir la suite des marches et de la solide rambarde à piliers. Puis je comprenais que j'avais été abusé par un trompe-l'œil. Il m'arrivait souvent de devoir monter pour parvenir à descendre et, plus d'une fois, je me retrouvai à l'endroit d'où j'étais parti. C'était à désespérer! Je serais aussi entré dans le labyrinthe souterrain, quitte à m'offrir quelques frissons, mais depuis que Bartholomée y croupissait après être passé par une trappe que je n'aurais certainement pas vue moi non plus, je ne m'y hasardais plus. Je ne tenais vraiment pas à partager son destin. Tel un triton des profondeurs, il apparaissait deux fois par jour derrière sa grille au fond du puits, le visage livide, et Philippe lui faisait descendre une petite corbeille de vivres. Il semblait basculer peu à peu dans la folie. Parfois, il nous brandissait un crâne grimaçant, un autre jour, c'est avec la main osseuse d'un squelette qu'il attrapait les vivres. La nuit, il hurlait comme un loup ou effrayait les mendiants dans la cuisine toute proche en lançant des rires stridents.

C'est qu'en plus des *lestai* au premier étage, Hamo avait aussi des invités à demeure dans le souterrain. C'étaient des loques, des fainéants qui trouvaient beaucoup trop pénible d'aller courir chaque jour au port et à la ville, notamment parce qu'il fallait remonter un sentier escarpé sur le chemin du retour. Ils se contentaient donc des reliefs qui revenaient aux cuisines après les festins du Pénicrate. La journée, lorsqu'il faisait beau, ils se tenaient à l'extérieur, devant le mur du palais Kallistos, et demandaient l'aumône aux passants, le plus souvent des fidèles de Saint-Georges ou des visiteurs du cimetière des Angeloi. Contrairement aux brigands, ils ne prêtaient aucune attention à leur aspect, ils ne se taillaient pas la barbe et puaient affreusement.

Le bienveillant Philippe avait fait descendre de quoi écrire à Barth, enfermé dans sa citerne, afin qu'au moins le dimanche il puisse se commander quelque chose de particulier pour le repas. Cela nous valut, à Hamo et à moi-même, d'être submergés de sinistres chantages aux punitions, de terribles malédictions et d'étranges menaces de suicide, toujours dans le même ordre, du reste. Ces billets atteignirent leur apogée lorsqu'il annonça qu'il mettrait fin à ses jours en cessant de s'alimenter, puisqu'il y avait trop peu d'eau dans la citerne pour pouvoir se noyer. Et il ajouta que son virus cadavérique s'abattrait sur nous à la première averse.

— Il oublie les rats, commentai-je froidement.

Ce à quoi Hamo répondit que nous ne pourrions tout de même pas le laisser éternellement là-dedans.

— Mais il est plus dangereux maintenant qu'auparavant, lui fis-je remarquer. Le serpent a eu suffisamment de temps pour concentrer le venin dans ses dents. Et il sait à présent qui il doit mordre ! Je me garderais bien de le libérer !

— Il n'en est pas question, dit Hamo pour me tranquilliser. Je pensais à un transfert dans un terrarium où nous aurions Barth bien en vue.

— « Le pavillon des erreurs humaines » ? laissai-je échapper.

Je la connaissais bien, cette petite demeure située dans le parc ; à l'époque, c'est là qu'on avait enfermé les enfants, et cela ne les avait pas empêchés de me rendre visite chaque jour dans la cave.

— Ça n'est pas un lieu vraiment sûr !

À cet instant, Philippe arriva en courant.

— La trirème ! cria-t-il. Comte Hamo, votre trirème est entrée dans le port !

— Comment peux-tu le savoir ? demanda Hamo, bouleversé. Tu ne l'as jamais vue !

— Messire Taxiarchos la connaît, lui ! Il a dit : « Voici la trirème de l'Abbesse, c'était la plus fameuse pirate de la mer Égée. Ensuite, elle est devenue comtesse d'Otrante et la mère de notre Hamo, ou l'inverse ! »

— Le Pénicrate sait tout cela ? demandai-je, dubitatif.

Philippe, rayonnant, hocha la tête et s'apprêta à poursuivre son récit, mais Hamo était convaincu depuis longtemps. Il voulut partir aussitôt pour aller serrer dans ses bras son épouse et, surtout, sa petite fille. Philippe parvint tout juste à ajouter :

— Le Pénicrate a aussi vu tout de suite que la trirème était aux mains des pirates !

— Quoi ? s'exclama Hamo. *Ma* trirème ? Et où sont Shirat, ma femme, et...

— Nous devrions nous en assurer, mais en prenant toutes les précautions, proposai-je. Allons d'abord en délibérer, à tête reposée, avec messire Taxiarchos. Il n'est peut-être pas judicieux de sauter tout seuls à bord et de poser des questions stupides.

— Des précautions ? cria Hamo. À tête reposée ! Mon cher Guillaume ! Je n'ai pas la tête reposée ! Quant à ces questions stupides, je vais aller les poser, et tout de suite !

— Tu devrais au moins emmener une escorte respectable, l'implorai-je. Attends jusqu'à ce soir. Ensuite, le Pénicrate et ses hommes se mettront certainement de bon cœur à ton service.

— Il n'en est pas question ! hurla Hamo.

Il se précipita dans la cave, secoua les gros mendiants et les voleurs barbus et leur ordonna de l'accompagner. C'est avec ce tas de loques qu'il se rendit tout droit vers le port.

J'envoyai aussitôt Philippe auprès de Gosset et du Pénicrate, et leur fis savoir qu'ils devaient me retrouver au port. Depuis la taverne, on pouvait surveiller le point d'ancrage de la trirème. Philippe partit en courant. Je descendis moi aussi le sentier, aussi vite que mes pieds pouvaient me porter. Mon instinct me disait que, pour une fois, je n'aurais pas à tenir le premier rôle.

Lorsque je parvins à l'auberge, Gosset et Taxiarchos n'étaient pas encore arrivés. Mon regard se porta sur la trirème, de l'autre côté. On avait cer-

tainement déjà posé la question stupide : les pirates
étaient en train de chasser du bord, à coups de pied,
Hamo et ses acolytes en haillons. Quelques-uns de
ses hommes pataugeaient même dans l'eau saumâtre
du port. Hamo fut le dernier à dévaler la passerelle
comme un jeune chien battu, sous une pluie de
déchets de poisson. Le capitaine des pirates le suivit
du regard, la mine sombre. Il venait de comprendre
qu'il valait mieux empêcher définitivement de parler
un homme qui pose des questions aussi gênantes.
D'un geste rapide, il sortit son couteau d'abordage de
sa ceinture et leva la main pour l'envoyer dans le dos
du jeune comte, mais il resta figé dans cette position.
Une flèche avait cloué sa main au grand mât, le couteau lui glissa des doigts et il leva les yeux, effaré,
vers le projectile qui le retenait. Il dut faire quelques
contorsions pour retirer la flèche et sa pointe de fer
sans agrandir encore la blessure.

Lorsqu'il me rejoignit à la taverne, sans Gosset, le
Pénicrate portait une arbalète. Peu après, Hamo
arriva lui aussi. Il n'avait rien remarqué de ce qui
s'était passé derrière son dos.

— Je vais avoir besoin de votre aide, Taxiarchos,
fit-il en haletant avant même de s'asseoir.

— Ce sera avec plaisir, répondit-il. Pour de
l'argent sonnant et trébuchant, tout est possible.
Mais en l'occurrence, la dépense me paraît bien
supérieure au profit que l'on peut attendre. Si nous
la reprenons en combat ouvert, cela coûtera quelques hommes, et en combat caché beaucoup
d'argent. Avons-nous tant de combattants ou tellement de pièces d'or?

Hamo le regarda tristement.

— Je pensais que vous étiez devenu un ami, dit-il,
déçu.

— C'est bien possible, comte, mais c'est une autre
affaire. Pas de gesticulations absurdes ! Je ne suis
pas un bouffon !

— Viens, Guillaume, grogna Hamo. Dans ce cas,
nous nous débrouillerons tout seuls.

Il jeta une pièce sur la table, et je le suivis. J'aurais préféré rester auprès du Pénicrate pour discuter avec lui. Mais Hamo était tout de même mon hôte.

— Que t'a répondu le pirate ? demandai-je d'abord, lorsque nous nous proposâmes de remonter vers la vieille ville.

— Rien, concéda Hamo, si ce n'est que je ne devais pas salir les planches de son navire briquées de peu, avec mes chaussures sales !

— Et pas de trace de Shirat ?

— Il ne m'a même pas permis de regarder. Pas un mot sur la propriété du navire, ni sur les circonstances dans lesquelles il est entré en possession de la trirème — ma trirème ! Je vais...

— Il faut coûte que coûte trouver la chambre au trésor ! m'exclamai-je en lui coupant la parole.

Hamo s'arrêta net et me toisa.

— Tu es un véritable ami, Guillaume ! On peut se fier à toi. Là-bas (il dirigea discrètement mon regard sur un bâtiment en ruine, de l'autre côté de la rue), dans la cour, il existe une sortie secrète des égouts de la ville. De là, on peut arriver dans la citerne de Justinien. C'est ainsi que jadis, lorsque tu étais « mort », Guillaume, j'ai mené les enfants à bord de la trirème.

Ce souvenir me fit rire. Mais à l'époque, je n'avais guère le cœur à cela, sans doute pas plus que Hamo. Je ne lui révélai pas que c'était en empruntant ce chemin que j'avais, la première fois, pénétré dans le palais avec Roç et Yeza. La puanteur me revint elle aussi en mémoire, mais cela ne me rendit pas plus maussade. Hamo ne se laissa pas contaminer par ma gaieté. Je m'efforçai de lui redonner au moins un peu de courage.

— Eh bien, cette fois, nous allons essayer autre chose. Depuis la grande citerne, nous arriverons certainement à entrer dans la chambre au trésor. Nous allons la dénicher !

Hamo se dirigea vers l'ancien entrepôt, installé sur des pilotis pourris. Pour trouver, sous plusieurs dizaines de centimètres de gravats, la trappe donnant accès au sous-sol, il nous fallut suivre les rats qui s'enfuyaient. Hamo descendit le premier. La saleté et la puanteur ne paraissaient pas le déranger. La vase nous montait jusqu'aux chevilles. Juste à côté de nous, le cloaque gargouillant se dirigeait vers le Bosphore. La lumière du jour se faisait de plus en plus rare, ce qui nous épargna la vision détaillée de ce sous-sol marécageux. Nous dûmes tout de même nous pincer le nez. Enfin, Hamo obliqua dans une galerie latérale remplie d'eau claire, qui décrivit rapidement une fourche.

— Si nous prenons à gauche, dis-je à la grande surprise de Hamo, nous descendrons dans le *balaneion!*

— Ne me rappelle pas cela! chuchota Hamo. Je me sens mal rien qu'en y pensant.

— Alors allons à droite, nous devrions y rencontrer l'aqueduc.

Il accepta ma proposition. Le tunnel, qui montait en pente douce, était parfaitement sec. À chaque tournant, un mince rayon de lumière pénétrait par une ouverture éloignée. La galerie s'ouvrait sur une grotte et prenait, pour monter, la forme d'un large escalier. Une sorte de grue dépassait de la paroi au-dessus de nous. Elle était assez forte pour supporter plusieurs tonnes de matériel. On entendait le bruit de l'eau qui coulait.

— Nous sommes déjà à proximité du chef-d'œuvre de l'empereur Justinien, chuchotai-je, ému. Cette grue sert à la maintenance de la forêt de piliers.

Je gardai pour moi ce qui me vint ensuite à l'esprit : ce mécanisme pouvait aussi servir à transporter en toute quiétude de lourdes caisses pleines de trésors. Arrivés en haut du tunnel, nous nous trouvâmes devant une petite crique ; un gros radeau y flottait, assez large pour porter un élément de pilier. L'eau coulait rapidement dans le canal attenant, ce qui permettait de conclure que l'on y avait aménagé une pente bien calculée.

— Ici débute le voyage vers l'incertain, dis-je à Hamo pour l'encourager. Nous atterrirons ou bien sous le palais, ou bien dans la canalisation d'eau publique.

— Ou bien dans la citerne, d'où nous ne ressortirons jamais !

Hamo avait de nouveau perdu le peu de courage que je lui avais redonné.

— En sortir, nous le pourrons toujours, répondis-je.

Il fut le premier à monter sur le radeau qui pencha à peine et que nous dirigeâmes avec des perches vers le courant du canal. Nous glissâmes bientôt rapidement (le dos courbé, car la galerie était basse) sur notre vaisseau. À l'extrémité du tunnel, nous nous retrouvâmes à la lumière, et nous passâmes tout d'un coup au-dessus de la forêt de piliers de la citerne. C'était un spectacle impressionnant ! D'en haut, cette vision était parfaitement stupéfiante et inconcevable, même pour des hommes dotés d'une imagination débordante. Les piliers étaient plantés dans l'eau où ils se reflétaient. Mais depuis le haut, je pouvais aussi voir le fond, ce que le reflet des colonnes interdisait depuis toute autre perspective. Nous découvrîmes ainsi le spectacle des huit cents pilastres mobiles. Le canal ne s'ouvrait que par une seule fenêtre dans chacun des chapiteaux ; d'en bas, les non-initiés ne pouvaient donc le voir.

— Bien, dis-je, satisfait, nous n'aboutissons pas à la citerne, car nous nous trouvons dans le canal surplombant l'aqueduc auquel la citerne sert de réceptacle.

— Il va falloir descendre à temps, marmonna Hamo. Sans cela, nous aurons fait tout ce chemin pour rien.

Le problème se résolut de lui-même : le canal s'arrêta dans une grotte en forme de port, et notre radeau s'immobilisa. Nous sautâmes à terre, si je puis dire, et nous regardâmes autour de nous. L'unique issue se trouvait dans la grotte, et elle était

fermée par des barreaux. Derrière, de l'eau bouillonnait dans un bassin. C'est donc là qu'arrivait le canal
d'évacuation.

— Plongeons ! proposa Hamo, impassible.

Je sentis pour ma part mon cœur flancher et le
contenu de mon estomac me remonter à la gorge. Je
regardai une fois encore vers le bas. Le rayon du
soleil déposait sur le bassin une lumière claire et
aimable, comme pour nous inviter.

— C'est sans doute une sorte de tuyau, dit Hamo.
Le mieux est d'y entrer tête la première, les bras tendus.

Et il sauta. Je regardai fixement l'eau sombre dans
laquelle je devais jeter mon existence. D'en bas,
j'entendis résonner la voix de Hamo :

— Allons, Guillaume, viens donc !

Je joignis les mains : quitte à mourir, je préférais le
faire en paix avec Dieu et être accueilli au ciel. Puis
je me laissai tomber en avant. Un courant puissant
et inattendu m'emporta et me poussa dans un trou.
J'étais dans un tuyau. Il allait vers le haut et j'aperçus
aussitôt la lumière du soleil. Je fus alors saisi par la
peur que la sortie soit trop étroite pour ma panse
grasse. Je me voyais déjà coincé, gigotant, la tête
recouverte par l'eau bouillonnante et lumineuse. La
pression ne me permettrait pas de repartir en
arrière. Ainsi, semblable à une grasse carpe gobant
pour attraper de l'air — encore quelques dernières
petites bulles ! Sainte Vierge, aie pitié de moi ! — je
remis mon âme à Dieu et, jaillissant comme un bou-
chon de liège, je remontai dans la cuvette de pierre
écumante, je vis le soleil hors de l'eau, et je n'étais
pas mort ! Hamo me tira à l'extérieur. Je levai les
yeux. Nous nous trouvions dans une cathédrale
rocheuse, mais la main de l'homme y avait laissé sa
trace. Au-dessus de nous s'élevait une sorte de galerie que l'on avait sculptée dans le rocher, et qui y disparaissait de nouveau. C'était une partie de l'escalier
du palais. Je le reconnus aussitôt à la forme de sa
rambarde : j'avais assez souvent monté et descendu

ses marches. Mais elles ne m'avaient jamais mené
ici.

— Nous sommes sous le Kallistos? demandai-je
en frissonnant.

— Nous n'en sommes pas loin, en tout cas, répondit Hamo. Mais cela ne signifie pas encore, loin s'en
faut, que nous approchions de notre but.

Nous trouvâmes rapidement le petit accès creusé
dans la roche, et nous entreprîmes notre ascension,
certains (au moins pour ce qui me concernait) de
nous trouver dans la cage d'escalier du palais. Mais
le spectacle qui s'offrait à nous était de plus en plus
étrange. Une fois, nous vîmes l'escalier juste devant
nous, à portée de main, et nous aperçûmes Philippe
qui descendait derrière la rambarde. Mais l'ouverture par laquelle nous le distinguions était trop
étroite pour qu'un être humain puisse s'y faufiler.

Puis nous regardâmes vers le bas : nous nous trouvions au-dessus d'une sorte de cellule ouverte. Nous
étions en train de compter ses ouvertures très basses
— on dénombrait six petits arcs, grands comme des
trous de four — lorsque la tête de Bartholomée surgit de l'un des trous. Il regarda prudemment autour
de lui et sortit en rampant, un bras couvert de
bijoux. Des chaînes en or, des barrettes et les pierres
précieuses d'une coupe brillèrent dans la lumière.
Nous étions repassés dans l'ombre pour qu'il ne nous
vît pas. Il fila comme une souris à travers la salle
ronde, s'agenouilla et disparut dans un autre trou.

— Note bien cela! chuchotai-je à Hamo.

Sur la pointe des pieds, nous regagnâmes l'autre
côté de l'escalier, et nous nous penchâmes pour voir
s'il réapparaissait ailleurs. Mais il ne nous fit pas ce
plaisir. Nous montâmes prudemment les marches.
L'escalier étroit décrivait une forte courbure,
presque un cercle entier. Nous nous trouvions désormais juste au-dessus de la cellule ronde. Des chaînes
étaient suspendues tout autour et plongeaient dans
le mur circulaire. Six chaînes au total!

— Une pour chaque trou de souris! songea Hamo

à mi-voix. Il ne faudrait pas que ce lascar me vide toute ma chambre au trésor !

— Attends, chuchotai-je, le voilà qui revient déjà !

Barth surgit de nouveau, les mains vides, avant de redisparaître dans le trou. Hamo voulut détacher la chaîne qui se trouvait au-dessus, mais je le retins.

— Ne l'enferme pas à l'intérieur, empêche-le d'y entrer !

Nous attendîmes, longtemps. Puis il réapparut, sa bure relevée pleine de pièces d'argent. Cette fois, il ne nous échappa pas. Nous allions faire descendre la chaîne suspendue au-dessus du trou, lorsque nous aperçûmes le moine de l'autre côté, dans une salle triangulaire ; en son centre, on distinguait un puits entouré d'un mur. Bartholomée y jeta son butin et se retourna. Mais Hamo avait déjà détaché la chaîne de son crochet. Elle fila en cliquetant vers le bas — mais elle ne parcourut pas plus de trois pieds.

— J'espère seulement que le volet ne lui est pas tombé sur la tête, dis-je.

— Si cela ne tient qu'à moi, ce rat peut bien rester dans le trou...

Il s'interrompit : Bartholomée revint à quatre pattes, en marche arrière, secoua la tête, courut au puits, se hissa sur le rebord du muret, se boucha le nez et sauta à l'intérieur... Il ne remonta pas.

— Voilà qu'il s'est noyé ! regretta Hamo.

— Celui-là ne se noie jamais ! répondis-je.

Nous redescendîmes le large escalier. Nous nous retrouvâmes tout d'un coup devant un mur à deux portes, où l'escalier décrivait une nouvelle fourche. La première branche paraissait mener vers le bas, l'autre vers le haut. Je compris aussitôt que nous devions emprunter celle qui montait. Et de fait, au bout d'environ vingt marches raides, nous fûmes au sommet d'un toboggan de marbre poli qui menait vers les profondeurs. Nous nous y laissâmes glisser comme des gamins et nous atterrîmes sur la partie la plus charnue de notre individu, juste dans le réduit aux six trous.

— As-tu noté quelle porte il a utilisée? demandai-je à Hamo avec un brin d'angoisse. Des surprises désagréables nous attendent sûrement derrière les autres!

— Celle-là!

Hamo était parfaitement sûr de lui. Il me précéda. Le couloir était étroit et décrivait des zigzags brutaux : les angles se succédaient comme dans un terrier de renard. Hamo ne se laissa pas troubler, et à l'instant précis où je sentais mes genoux endoloris par cette partie de glissade inhabituelle, nous sortîmes du boyau. Je crus d'abord que nous nous trouvions dans la salle où Barth avait sauté dans l'eau. Mais cette salle-ci comptait trois puits. Je me redressai péniblement. Hamo était déjà assis au bord de l'un des puits et regardait vers le bas, dans l'eau claire. Il me sourit, et avant même que je puisse prononcer le moindre mot pour le mettre en garde, il se laissa tomber. Pareille légèreté d'esprit m'épouvantait. Mais, d'un autre côté, nous ne pouvions plus questionner Barth, qui avait manifestement trouvé le bon chemin. Cela ne fut d'ailleurs pas nécessaire : la tête de Hamo apparut dans le deuxième cercle. Mon compagnon s'accrocha au rebord du puits, en s'ébrouant. Je le rejoignis en toute hâte.

— Hamo, dis-je, pris d'une extrême inquiétude, ne saute pas dans le troisième, je t'en prie. C'est forcément un piège.

— Sous l'eau, fit-il en reprenant son souffle, il y a un labyrinthe semblable à celui d'en haut. Si tu me déconseilles de plonger dans le troisième puits, il ne me reste plus que ce chemin-là...

— Peut-être le chemin inverse mène-t-il à notre but.

Hamo se préparait à plonger.

— Si je ne remonte pas, ce sera à toi de décider si tu veux me suivre ou si tu sautes dans le troisième... ou bien si tu préfères chercher, d'une manière ou d'une autre, à ressortir d'ici.

Sur ces mots, il sauta tête la première vers le fond

du puits. Je parvins tout juste à apercevoir ses
jambes avant que l'eau sombre ne l'avale. Il ne revint
pas. Dans les trois puits, l'eau était immobile et ne
reflétait que mon visage anxieux. Plus le temps passait, moins j'avais confiance en moi. Hamo ne s'était
peut-être pas du tout trompé, il avait peut-être enfin
découvert l'accès à la chambre au trésor, et voulait
juste me semer ! J'aurais dû le suivre tout de suite.
Désormais, j'étais maître de mon sort. Attendre
n'avait aucun sens. Même si je ne voyais pas autour
de moi des squelettes d'hommes morts de faim, je ne
pouvais m'attendre à ce que quelqu'un me trouve ici,
d'ailleurs, qui viendrait m'y chercher ? Je me sentais
littéralement mort de fatigue lorsque je décidai enfin
de prendre le chemin du retour, ou plutôt d'y ramper. Je négligeai mes propres mises en garde : un
chemin n'est jamais identique à l'aller et au retour.
Nec spe nec metu : ni espoir, ni crainte, cette devise
était sans doute le meilleur reflet de mon état
d'esprit à cet instant précis. Indifférent et triste, je
remontai le couloir en tâtonnant, les mains devant.
Alors, une plaque de pierre dans le sol céda d'un seul
coup. Je fus précipité dans un trou, tête la première,
perdis conscience… Lorsque je recouvrai mes
esprits, j'étais revenu à côté de la cuisine.
    Le visage d'ange qui se penchait vers moi m'an-
nonça :
    — Un riche marchand de Beyrouth est arrivé.
    Je n'étais donc pas au ciel !
    — Nous vous cherchons depuis quelque temps
déjà, frère Guillaume.
    Je remis de l'ordre dans mes pensées.
    — Hamo, le comte, est-il déjà revenu ?
    — Depuis longtemps, répondit Philippe, confir-
mant mes soupçons. Le dîner est déjà servi. Il est
offert par le marchand.
    Le serviteur de Hamo avait donc trouvé cette solu-
tion pour éviter que cette richesse subite ne suscite
l'étonnement !
    — Ces messieurs prennent leur repas sur la ter-
rasse.

J'étais presque sec, et je n'étais pas plus sale que d'habitude. J'étirai mes membres engourdis, me redressai et laissai Philippe me conduire à la terrasse. Je fus passablement ahuri lorsque j'aperçus le prétendu marchand de Beyrouth; jusqu'ici, je ne l'avais jamais vu que dans l'austère tenue monacale de l'ordre des Assassins. Déguisé en marchand levantin, vêtu d'un cafetan de soie, les doigts ornés de grosses bagues, un turban tissé de cordons de perles sur son crâne anguleux, Créan de Bourivan n'avait plus rien de l'homme que j'avais connu. Seul son regard était, comme toujours, perdu et mélancolique. Ses serviteurs, tous des Assassins sans aucun doute, servaient à table le contenu des corbeilles et des plateaux d'argent qu'ils avaient apportés. Il y avait même des « couverts » : des fourchettes à deux pointes avec lesquelles il fallut nous donner la peine de piquer soigneusement les cailles et les bécasses rôties, les petits canards et les perdreaux, avant de les manger avec les doigts. Le tout était accompagné de raisins, de pommes et de citrons qui furent ensuite épluchés et découpés par les serviteurs. Attraper les morceaux à la fourchette était une prouesse. On ne nous força tout de même pas à utiliser cet instrument pour harponner le pain aux amandes et les boulettes de dattes, de raisins secs et de riz. On ne buvait que de l'eau : sur ce point, l'ismaélite orthodoxe était inflexible. Elle était cependant parfumée d'un nuage d'essence de rose.

— Guillaume, dit Créan, je suis venu pour entreprendre à ton côté le voyage vers la Mongolie.

Il me fallut d'abord avaler la dernière bouchée — ce qui me laissa suffisamment de temps pour réfléchir à la situation financière dans laquelle nous avait placés Gosset. Je ne voulus pas lui avouer ce fiasco, et me contentai de lui répondre :

— J'ai ma lettre de créance et la missive du roi au grand khan; nous avons libéré ta place, celle du nouveau Bartholomée de Crémone. Le vrai se trouve à la cave, sans doute en train d'y perdre la raison; il ne manque que Laurent d'Orta, qui ne s'est pas encore présenté.

— Nous y suffirons bien tous les deux, répondit Créan. Je ne veux pas perdre une minute pour tirer Roç et Yeza des griffes des Tatares. Nous pouvons partir immédiatement.

— Je vous en prie, je vous implore, en tant que père et époux fidèle! s'exclama Hamo en lui coupant la parole. Ayez un cœur, et commencez par m'aider à reprendre possession de la trirème, ma trirème, celle que vous avez vue ancrée au port. Je me moque bien du navire, mais je veux enfin savoir ce que sont devenues Shirat et ma petite fille.

Hamo était au bord des larmes. Ou bien c'était un excellent comédien.

Créan, cet homme rude qui avait lui-même perdu sa femme et ses filles, se laissa attendrir, et Hamo dévoila son plan.

— En tant que marchand fortuné, tu pourrais être intéressé par une possibilité de rentrer à Beyrouth avec une grande quantité de marchandises. Tu affréterais donc leur navire. Les pirates ne résisteront pas à la perspective de te tuer en haute mer et de s'emparer de tes biens.

— Agréables perspectives! répondit Créan, moqueur.

— Tu feras porter dès demain à bord les caisses et les bahuts qu'ils lorgneront avec cupidité..., reprit Hamo d'une voix forte.

— Je comprends, fit Créan. Je veux bien m'en charger. Mais après-demain, nous voguerons tout droit à travers la mer Noire, jusqu'à l'embouchure de ce fleuve qu'ils appellent le « Don », si je ne m'abuse.

Hamo tenta de prendre l'initiative, ce qui m'étonna.

— Je vous mènerai jusqu'en Crimée, jusqu'à Césarée.

— Non, répondit froidement Créan. Tu nous accompagneras plus loin sur le fleuve, dans le royaume du Qiptchak, tant que l'eau sera suffisamment profonde pour la trirème. Ensuite, tu nous déposeras.

— Les Tatares confisqueront mon navire, objecta Hamo.

— Guillaume est en mission officielle, répondit Créan du tac au tac.

— Eh bien soit, mon ami, dit Hamo sans rien laisser paraître de son amertume. Tu affréteras le bateau demain.

— Rassemble déjà les hommes qui se cacheront dans les caisses, ajouta Créan. Il serait bon qu'ils entendent aussi quelque chose au métier de matelot. Mes hommes à moi constitueront mon escorte pompeuse, un homme riche doit avoir une armée de valets à sa suite. D'ailleurs, ils n'ont aucun don pour jouer les rats de mer !

— Mais pour jouer les Assassins et s'emparer du navire..., voulut répondre Hamo.

— ... ils resteront à ma disposition, en réserve, si tes hommes n'arrivaient pas à se débarrasser des pirates tout seuls.

— Bien, répondit Hamo, laisse-moi m'en charger. Tu n'as qu'à me faire signe dès que le navire sera entre tes mains, et après-demain, nous lèverons les voiles dans la direction que tu auras choisie.

— Pas les voiles, les rames, corrigea Créan. Je suis fatigué. Demain, nous devons être parfaitement reposés.

Il se leva. Les serviteurs lui avaient dressé une tente dans le jardin.

— Dans ce cas, ce sera sans doute ma dernière nuit passée dans le lin fin et les coussins damassés.

— Ensuite, fis-je en plaisantant, le missionnaire ne dort plus que sur la paille, voire sur le sol nu et froid. Bonne nuit !

J'étais resté seul avec Hamo. Les serviteurs de Créan débarrassèrent la table basse, ainsi que les coussins sur lesquels nous étions assis.

— Encore un verre pour la nuit, Guillaume, me proposa Hamo, et il fit signe à Philippe de lui donner deux coupes.

Il m'en tendit une et porta l'autre à ses lèvres en me félicitant.

— Ton intuition m'a permis de trouver le trésor. (Je levai ma coupe, honoré par ce compliment.) C'est ce qui m'a donné les moyens de recruter suffisamment d'hommes du Pénicrate pour remplir les caisses destinées au bateau.

Je me demandai si c'était vraiment une bonne idée de remplacer des pirates par des voleurs de grand chemin, mais Hamo paraissait convaincu par son plan.

— Demain, je te conduirai dans la chambre au trésor de l'évêque, m'annonça Hamo, l'air aimable. En remerciement, tu pourras y prendre tout ce qui te plaira.

Je bâillai. Je me vis déjà enveloppé de pourpre, armé d'une crosse dorée, d'un anneau épiscopal et... mes pensées n'allèrent pas plus loin. Une étrange somnolence s'empara de moi, je flanchai dans les bras de Philippe et m'endormis.

L.S.

3. CONTE D'UN CAMP D'ÉTÉ

Aux ordres d'une section

 Roç à Guillaume, quelque part en Mongolie-
Extérieure, deuxième décade d'avril 1253.

Mon cher Guillaume, tu serais fier de moi si tu pouvais me voir. Les Mongols sont toujours persuadés
d'être plus forts, meilleurs et plus rapides que n'importe
quel étranger. D'ailleurs, ils méprisent ceux qui ne sont
pas de leur peuple, et pensent par conséquent devoir
leur transmettre une petite partie de leur savoir-faire.
Mais devant Yeza et moi-même, ils sont dans la plus
grande confusion. Je m'en tiendrai à nos accords, Yeza
et moi-même nous exprimons chacun pour soi, si bien
que ma *damna* pourra t'écrire elle-même ce qu'elle
pense de la vie chez les Mongols.

La plupart du temps, cette existence me paraît admirable : chaque jour sur le dos d'un cheval sauvage, toujours au grand galop, occupé à tirer à l'arc ou à jeter des
lances sur des cibles mobiles ! Mais elle me semble parfois insupportable. Chaque jour, courir, nager, se
battre, sauter, tirer des pierres ou des lances, ferrailler
au sabre ou au bouclier, se battre au poignard ! Mon
unique consolation est de savoir que mes compagnons
admirent beaucoup ma maîtrise dans toutes ces disciplines.

On m'a accueilli dans le clan du général Kitbogha.
Son fils Kito, chef de ma section, est en fait mon supé-

rieur et celui d'Omar, qui m'accompagne constamment.
Kito l'a ordonné pour que je ne reste jamais sans garde
du corps. Yeza, que je vois rarement parce qu'elle habite
chez les femmes, bénéficie elle aussi d'une protection de
ce type, ce qui me tranquillise beaucoup : nous devons
passer nos journées et surtout nos nuits éloignés l'un de
l'autre. L'embêtant, c'est que Kito ne semble rien avoir
d'autre en tête que les chevaux et les armes. Le tout
rythmé, avec une régularité désolante, par l'absorption
ou plutôt l'ingurgitation de boissons enivrantes.
Ensuite, le plus souvent ivres morts, ils chassent la
femme, ce sont des séances de rut bestial. Le plus
souvent, ils s'en prennent aux esclaves kitai, qui sou-
rient gentiment pendant l'opération. Mais il leur arrive
aussi de bécoter stupidement les filles mongoles.

Kito, mon modèle, mais aussi mon rival, ne s'est
encore jamais directement mesuré à moi, et il a de
bonnes raisons pour cela. En revanche, il a donné aux
hommes de sa section l'ordre de me défier, l'un après
l'autre. C'est que je chevauche aussi bien que lui. Mais
je saute plus haut et je tire bien mieux, du moins
lorsque je suis assis, avec le grand arc. D'autre part, je
cours beaucoup plus vite, ne serait-ce que grâce à mes
jambes plus longues, et je nage plus rapidement, car j'ai
mis au point une technique (que je veux cependant
encore améliorer) consistant à garder à chaque brasse
la tête sous l'eau pendant trois longueurs. Or les Mongols ne savent absolument pas plonger ; un homme
comme Hamo, capable de rester plusieurs minutes
durant sous l'eau, leur ferait peur. Je les dépasse aussi
sur le terrain où ils sont le plus fiers, au corps à corps
avec ou sans poignard ; j'ai appris chez un maître asia-
tique l'art de vaincre l'autre en utilisant sa force mal
employée. Bref, je me conduis d'une manière totalement inhabituelle pour un non-Mongol. Comme ils ne
parviennent pas à me dépasser par le combat, ils
tentent de le faire par la boisson et m'invitent sans arrêt
à des concours de beuverie, qu'il s'agisse de *terracina*,
une bouillie de riz, de *balk*, une sorte d'hydromel, ou de
kumiz, du lait de jument fermenté. Cela m'est toujours
épouvantablement pénible : ils ne veulent pas
comprendre qu'à toute autre boisson, je préfère l'eau de
source claire et fraîche. Et ils se moquent volontiers de
moi, pour autant que Kito le leur permet. Je sens qu'il
préférerait que je participe à ces soûleries. Jusqu'ici, je

me tire d'affaire en réclamant du vin, qu'ils connaissent mais auquel ils ne comprennent pas grand-chose. Je réclame ainsi des sortes de vin qu'ils ne peuvent pas se procurer, et je me moque d'eux à mon tour. Récemment, je leur ai demandé un cru de Joinville, ce qui les a plongés dans une jolie perplexité.

Pour ce qui concerne les histoires de femmes, les choses sont plus simples : sur ce point, je me tire d'affaire en rappelant que j'ai juré fidélité à Yeza — ce qui est d'ailleurs la réalité. Et lorsque l'on m'a proposé de le faire avec une esclave, ce qui ne compte pas, je leur ai dit que, dans ce cas, ce serait seulement avec des femmes noires du pays de la reine de Saba. Le noir mêlé de quelques gouttelettes de lait, c'est-à-dire une couleur difficilement descriptible. Ces femmes ont, paraît-il, une poitrine pointée vers l'extérieur, une taille très mince, des fesses rondes et élevées, mais pas trop rebondies, et de très longues jambes. J'espère que ces indications précises me protégeront s'ils devaient un jour traîner une esclave noire jusqu'à moi. Mais si cette description parvient aux oreilles de Yeza, je risque de passer un mauvais quart d'heure. Elle pensera certainement que j'ai déjà possédé au moins l'une de ces filles de Salomon.

Ces moqueries sur mon abstinence, lors de leurs beuveries — Yeza ne les connaissait pas encore à l'époque —, ont été aussi l'un des motifs de la première querelle. Les quelques « combattants secrets » du Bulgai et la douzaine d'archers qui nous avaient accompagnés depuis le puits d'Iskenderun jusque dans l'Altaï avaient suffi à propager le nom de Yeza : tous parlaient désormais de sa beauté et de son audace. Mais ils me critiquèrent aussi pour avoir laissé Yeza seule auprès d'Arslan. Les chamans, racontèrent-ils en ricanant, étaient des amants particulièrement doués, aussi endurants que Gengis Khan. Ce magicien pouvait faire grandir sa queue comme un serpent pourvu d'écailles, ce que les femmes appréciaient particulièrement, et la faire grossir comme celle d'un étalon.

Gengis Khan est particulièrement vénéré par les Mongols, y compris dans son rôle d'amant. Chacun sait pourtant que sa jeune épouse Börke, que l'on avait enlevée, portait déjà son premier fils dans le ventre lorsqu'il parvint enfin à la libérer. Mais j'avais désormais suffisamment de motifs de tourner le dos à mes accompagnateurs, et je leur échappai pour rejoindre l'Altaï. Ils peuvent en effet être effroyablement jaloux, méchants et agressifs, une bande d'ivrognes en rut, stupides et répugnants, qui croient en outre indispensable de chanter du matin au soir. Ils braillent, ivres morts, s'amusent avec des plaisanteries stupides et rient de n'importe quelle saleté, sauf d'eux-mêmes et de leur indigence intellectuelle.

J'ai quitté la grotte du chaman parce que j'estimais ne pas pouvoir y devenir chevalier. Lorsque ensuite, au camp d'été, j'ai participé aux exercices de la section de Kito, j'ai rapidement compris qu'ils n'avaient rien à m'apprendre, si ce n'est à manier le sabre au grand galop et à planter la lance dans des mannequins de paille. J'ai donc travaillé avec Omar, afin d'améliorer mes performances selon mes propres conceptions. Il fallait d'abord travailler au combat à l'épée longue, auquel un chevalier ne peut jamais assez s'exercer. Mais j'avais aussi une autre idée : m'entraîner à sauter en hauteur, par exemple au sommet des murs, à l'aide d'une canne de bambou. Imagine-toi une tige longue comme une lance ; tu cours la tige tendue en avant ; à pleine course, tu plantes la pointe dans la terre, et tu laisses la violence du choc te soulever jusqu'à ce qu'elle soit à la verticale. À cet instant précis, tu l'abandonnes, et tu te retrouves tout d'un coup en haut du mur, ou bien tu sautes sur l'ennemi, derrière les créneaux. Comme il n'existe pas de ville ni de château, et donc pas de véritable mur dans la steppe, je me suis exercé avec Omar, lorsque nous trouvions un arbre qui convenait. Omar devait monter sur la première branche solide et la défendre contre moi. Il y avait tout de même un problème : l'assaillant doit tenir la tige des deux mains, et donc arriver en haut totalement désarmé. J'ai résolu la difficulté en installant des lames circulaires sur un bouclier rond semblable à celui qu'utilisent les Mongols. Cette arme terrible au bras, je m'envole dans les airs, avec un sabre attaché dans le dos ; je laisse dépasser sa poignée afin de pouvoir tirer et utiliser l'arme d'un seul geste rapide. J'ai donc placé mon Omar dans une situation très délicate, car ainsi équipé, c'est l'assaillant qui bénéficie de l'effet de surprise. Les Mongols ont commencé par nous regarder en secouant la tête, puis ils se sont énervés et nous ont expliqué que seuls les singes sautaient sur les arbres. Ils ne se rendaient pas

compte qu'il s'agissait d'un succédané de murs. Lorsque
je suis enfin parvenu à le leur faire comprendre, ils ont
répondu que, de toute façon, des murs ne seraient
d'aucune utilité à leurs ennemis : ils les auraient déjà
abattus en rase campagne. Tant d'incompréhension me
mettait au désespoir ! Acharné, j'ai continué mes expériences. Mais un matin, j'ai trouvé ma lance de bambou
brisée et mon bouclier piétiné. Je n'avais pas envie de
me plaindre auprès de Kito, je n'étais même pas certain
qu'il ne fût pas déjà au courant et qu'il n'eût pas donné
son autorisation. Évoquer l'incident devant Kitbogha
me paraissait trop facile, d'autant plus que je jouissais
de sa bienveillance et qu'il aurait certainement puni très
sévèrement les coupables. Je décidai donc d'émettre un
signal soulignant autant mon agacement que mon indépendance, et je disparus sans prendre congé.

Lorsque le général vint me chercher en personne, en
compagnie de Yeza, j'entendis dire que, sur ordre de
Kito, les responsables avaient été rossés par toute la
section avec les restes de la lance en bambou.

Cela me fait penser à ce qui est arrivé à Malouf, le
faux marchand de Samarcande. Dschuveni l'avait livré
au grand juge. Celui-ci l'interrogea en toute quiétude,
mais ne lui donna rien à manger ni à boire. Chaque fois
que Malouf criait, on en découpait un morceau. Je crois
qu'ils ont commencé par un bras. Pour arrêter le sang,
on plongeait le moignon dans l'huile bouillante, puis on
y faisait frire le morceau découpé, et on le lui servait.
On ne lui donnait à boire que sa propre urine. On sut
ainsi rapidement que Bagdad avait ourdi l'attentat du
caravansérail, et que les Assassins n'y avaient rien à
voir, contrairement à ce que l'on avait voulu faire
croire. Bien au contraire, l'acte héroïque d'Omar prou-
vait que c'était les ismaélites, au péril de leur vie, qui
étaient venus à notre secours et nous avaient sauvés.
Cela impressionna beaucoup le grand juge, et il interrompit la torture de Malouf, auquel il ne restait plus
qu'un bras et une jambe, pour que le grand khan puisse
décider personnellement de ce qu'il adviendrait du
reste. Avec les os rongés, le juge envoya aussi au khan
un récit du comportement étrange des hommes de
l'imam, qui ne concordait pas du tout avec la caricature
que la cour mongole se faisait d'Alamut.

C'est Dschuveni qui m'a raconté tout cela ; il lui arrive
parfois de m'initier aux affaires politiques mongoles. Il

essaie notamment de nous gagner à l'idée d'un empire mongol — nous, puisqu'à ma demande Yeza prend désormais part, elle aussi, à ces discussions. Cela me permet au moins de voir ma chère dame et reine, et le chambellan est heureux que nous écoutions ses longs discours — du reste mortellement ennuyeux — sur la soumission, l'administration et l'exploitation. Il tient absolument à nous présenter aussi vite que possible au grand khan — deux singes savants et leur dompteur !

Je préfère encore la compagnie du tas de sauvages qui entoure Kito. Avec eux, les conversations sont simples : faire du cheval, planter son épée, se battre, tirer, lancer, boire, boire et boire encore. Hier, je me suis laissé convaincre de boire avec eux, ils ont apporté, tout fiers, un tonneau de vin rouge prétendument venu de Crimée. Cela dit, je ne sais pas comment les gens de la mer Noire survivent à la consommation de ce sirop d'oseille rougeâtre ; il m'a serré le gosier et ravagé l'œsophage, noué les entrailles et, aujourd'hui encore, j'ai l'impression que des forgerons ont utilisé ma tête comme enclume. Mais ma section n'a pas arrêté de boire à ma santé ; elle m'a même offert une nouvelle perche, avec beaucoup de rubans de couleur et un très beau bouclier de cuir garni de pièces de cuivre ciselé. Il n'est pas seulement pourvu d'une couronne de lames, on l'a aussi orné d'une pointe piquante en son milieu. Un cadeau splendide. Et ils ont chanté une chanson. Elle raconte les exploits du héros qui saute sur les plus hautes tours et découpe ses ennemis à coups de sabre avant de libérer sa princesse Yeza et de repartir sur sa longue lance. La chanson était certes pleine d'allusions scabreuses, mais elle était chantée avec cœur. Je levai donc mon verre à leur santé et les remerciai chaleureusement. À la tienne, Guillaume !

Ton Roç.

L.S.

 À Guillaume de Rubrouck, O.F.M. Rapport de Yeza, ta chroniqueuse secrète.

Voici plus d'un an déjà que nous sommes auprès des « Maîtres du Monde », si l'on compte le temps passé chez Arslan, le chaman. Mais depuis Samarcande, nous n'avons plus croisé aucune ville qui mérite ce nom. seulement de temps en temps quelques misérables hameaux, des regroupements de cabanes. Lorsque je songe que dans ce « Reste du Monde » d'où nous venons et que les Mongols méprisent tant, n'importe quel comte ou émir peut étaler plus de richesses que ne le font ici les chefs de dix ou même cent légions de mille hommes, je me dis que ce n'est sans doute pas un hasard. Nul, ici, ne peut devenir indépendant, chaque vie est accordée et révocable sur ordre du grand khan. Tous habitent dans des yourtes pratiquement identiques. On peut tout juste se distinguer de la masse par la manière dont on les décore, mais ces fantaisies ne semblent guère recommandées, ne serait-ce qu'en raison des montages et démontages permanents de ces maisons qui poussent comme des monticules de taupes sur le sol de la steppe, dès qu'ils s'arrêtent quelque part. De l'extérieur, il est aussi difficile de distinguer les yourtes les unes des autres que les visages ronds de ce peuple au nez plat. Cela étant dit, elles sont très pratiques à habiter et finalement agréables. On se sent comme un escargot, on se promène avec sa maison sur le dos. Ces fils de la steppe n'ont cependant rien de limaces, ils chevauchent tous à une vitesse incroyable.

Cela vaut aussi pour leurs femmes, du moins lorsqu'elles tiennent à savoir monter, ce qui n'est pas toujours le cas.

Le bon général Kitbogha m'a installée à la cour de Dokuz-Khatun, l'épouse chrétienne du Il-Khan Hulagu. C'est à lui que Möngke, son frère aîné, a attribué l'Occident. J'en fais aussi partie. On me rend hommage comme si je représentais le « Reste du Monde ». Et l'on semble considérer que sa conquête est une simple formalité. Je ne veux pas être injuste envers Dokuz, c'est une femme maternelle qui s'efforce de ne faire que du bien, elle me traite avec douceur et compréhension. Mais je suis certaine que ma nature lui est aussi étrangère qu'un franciscain roux et gras des Flandres. Elle me soupçonne, moi, la « fille du Graal », princesse sans territoire connu, de disposer tout de même d'un royaume secret, quelque part entre Babylone et l'Atlantide, au « Bout du Monde » ou même dans l'Océan. En tout cas, elle me demande assez souvent si l'on y vénère aussi le Messie et la Vierge. Je lui raconte alors les histoires de la Table ronde du roi Arthur, et je les mélange, en toute mauvaise foi, avec celles du noble Perceval, dont j'ai fait mon grand-père. Je passe soigneusement sous silence le fait que c'est l'Église chrétienne qui l'a tué parce qu'il refusait d'adorer la Vierge Marie : j'attribue toute la responsabilité au souverain de France, avide de territoires. Car, malgré tout le respect que je lui dois, c'est tout de même le roi Louis qui a fait prendre Montségur d'assaut, même si c'est bien le pape qui porte la responsabilité du bûcher sur lequel ma mère a brûlé vive. Les femmes trouvent cela monstrueux, surtout que la querelle portait sur la foi authentique, une idée que les Mongols ne comprennent absolument pas. Chez eux, les nestoriens (que le pape ferait d'ailleurs certainement brûler comme hérétiques) peuvent pratiquer tous les rituels qu'ils veulent dans leurs églises, de même que les musulmans dans leurs mosquées ou les idolâtres dans leurs temples ; l'essentiel est qu'ils obéissent au grand khan et paient correctement leurs impôts. En tout cas, c'est ce qu'elles disent ; pour ma part, je n'ai pas encore aperçu le moindre édifice en l'honneur de Dieu. Je dois sans doute patienter jusqu'à Karakorom, la capitale. Et nous n'y entrerons qu'à la fin de l'automne.

Princesse kereït, Dokuz-Kathun est nestorienne ; elle va chaque jour à la messe que l'on donne dans une yourte qui suit le campement d'été. Dokuz, au début, m'a aussi emmenée avec elle, mais c'est uniquement parce que je ne bois pas le vin tendu par le prêtre. Or cette boisson est le principal motif de sa présence régulière à l'église. Maintenant, je m'abstiens d'y aller. Les femmes s'y soûlent comme il faut, Guillaume !

Comme il convient à mon rang, on m'a attribué une suivante, *alhamdulillah*, pas une vieille demoiselle, mais une superbe jeune fille âgée de dix-sept ans déjà. Je ne traite pas Orda comme une servante, mais comme une amie, d'autant qu'elle est de sang noble. Les Mongols ont exécuté ses parents et l'ont enlevée alors qu'elle était toute petite. Nous avons donc un destin analogue, mais personne n'a de grands projets pour elle. Elle sera un jour donnée au chef d'une section de cent hommes ou, si elle a de la chance, d'une brigade de mille guerriers, et ce sera toute son histoire. Orda aura cependant du mal à trouver un homme qui la veuille, car elle est forte et mesure une bonne tête de plus que la plupart des Mongols. C'est en outre une cavalière passionnée — soit dit entre nous, Guillaume, elle ressemble un peu à un cheval. En tout cas, nous galopons chaque jour ensemble. Elle sait aussi très bien tirer, mais pas les yeux fermés. Je dois encore lui apprendre à lancer le poignard et à atteindre sa cible. En échange, elle m'enseigne le maniement de la lance et surtout du sabre. Lorsque nous sommes suffisamment éloignées du campement d'été, nous combattons comme deux lionnes.

Je dois la garder à bonne distance, car elle est forte comme un ours, et je ne veux pas faire usage de mes connaissances secrètes dans l'art de l'autodéfense, car je n'ai pas oublié ce que mon maître m'a dit à l'époque : « Si l'autre sait de quoi tu es capable, tu auras déjà perdu la moitié de ta supériorité : l'effet de surprise ! »

C'est pour cette raison que je la laisse gagner à la lutte. En fait, je préférerais chevaucher avec Roç dans la section de Kito, mais ce n'est pas prévu.

Orda est amoureuse de Kito. Mais c'est Omar, cette canaille, qui est fou d'elle. Je ne veux plus entendre parler de lui comme homme, maintenant que Roç a évolué à pas de géant. Je conseille à Orda de choisir Kito. Fils de général, il a un avenir assuré, et si nous partons un jour pour l'Occident, comme on ne cesse de le murmurer, elle sera du voyage et nous pourrons rester ensemble. Elle mise à part, je n'ai pas d'amie. Mais en me promenant dans la steppe infinie — de l'herbe, partout de l'herbe, on ne trouve ici et là qu'une colline ou une rivière —, j'ai rencontré à ma grande joie une vieille relation, l'orfèvre Guillaume Buchier, de Paris ! Te rappelles-tu, c'est lui qui, jadis, à Antioche, avait bâti ma réplique en poupée mécanique pour tromper Yves le Breton et nous permettre de fuir. Le maître allait alors rejoindre le grand khan, pour lequel il devait construire un « arbre à boire », et se rendait à Karakorom avec sa forge mobile. Roç te décrira certainement avec précision le chef-d'œuvre technique qu'il a réalisé, car je lui ai immédiatement parlé de ma « découverte ». Mon prince est bien sûr accouru sur-le-champ — lui qui, d'ordinaire, ne quitte jamais sa bande de soudards lorsqu'il s'agit de me tenir compagnie ! Ainsi, je peux au moins l'attraper, l'embrasser et sentir si tout est encore bien en place. La yourte de maître Buchier, sombre et couverte de suie, est le lieu idéal pour un rendez-vous secret entre amants. Ces rencontres sont toujours trop courtes, quoique virulentes, car la curiosité de Roç pour le travail de l'orfèvre nous ravit une partie de notre temps, et nos surveillants nous en volent eux aussi, estimant que nous ne devons pas rester autant ensemble — nous sommes encore « beaucoup trop jeunes », comme dit le général. Et nous devons « apprendre à maîtriser nos instincts », comme le dit Dokuz-Khatun, cette très chrétienne alcoolique.

Je soupçonne Orda de fouiner dans ma chronique. Un jour, elle m'a demandé stupidement : « Qui est au juste ce Guillaume ? » Elle a donc certainement lu ton nom dans mes papiers. Peu après, alors que nous faisions une séance de lutte, je l'ai plaquée au sol en quelques secondes. Elle a commencé par me regarder d'un air bête. Mais ensuite, elle a senti mon poignard sur sa gorge et je lui ai demandé : « Pourquoi trahis-tu notre amitié, Orda ? »

Elle m'a alors avoué qu'elle était membre des « Services secrets » du grand juge, et que c'est lui qui l'avait désignée pour me servir de garde du corps.

— Elle est belle, la garde du corps ! répliquai-je.

Elle m'expliqua alors qu'il était tout de même possible que je sois une espionne de l'Occident, puisque je prenais toutes ces notes à l'attention de Guillaume. Je me suis mis à rire affreusement, je lui ai parlé de toi, et elle a eu honte d'avoir obéi aux ordres et de m'avoir espionnée.

J'en tirerai la leçon, je l'ai d'ailleurs aussi dit à Roç : à l'avenir, j'écrirai certaines choses sous forme codée. Car s'ils me collent aux trousses une malheureuse orpheline, va savoir qui d'autre, à la cour de Dokuz-Khatun, espionne encore pour les Services secrets !

Je t'embrasse et je prierai pour toi, car je dois revenir à l'église aujourd'hui.

Ta Yeza, O.C.M.

L.S.

Roç à Guillaume, camp d'été des Mongols, dernière décade du mois d'avril 1253.

Mon cher Guillaume, comment nous appelons-nous au juste ? Le chambellan du Il-Khan Hulagu, messire Ata el-Mulk Dschuveni, vient d'attirer énergiquement mon attention sur notre absence de nom, qui lui causerait des problèmes, pour ne pas dire des désagréments, s'il devait nous présenter au grand khan. J'ai plaisanté : « Mais lui aussi, il s'appelle simplement Möngke ! » Il m'a répondu, l'air sévère, que je pouvais être ce que je voulais, mais que je n'étais sûrement pas un Gengis. Or seuls les descendants de Gengis Khan ont le droit de ne porter qu'un prénom. Bien sûr, le monde leur appartient, et au-dessus d'eux il ne reste plus que *tengri*, la voûte céleste éternellement bleue. Moi, par contre, je peux décliner trois prénoms, Roger-Ramon-Bertrand. C'est d'ailleurs aussi le cas de Yeza : Isabelle-Constance-Ramona. Dans mon cas, il est assez simple de comprendre de qui je les tiens, au moins pour deux d'entre eux : Perceval s'appelait comme ça, et Bertrand me vient de ma mère, c'est Gavin qui me l'a dit un jour sans me donner plus d'explications. Pour Yeza, comme toujours, les choses sont plus compliquées. Ramona est peut-être, là encore, une allusion à la lignée des Trencavel, ce qui ne signifie pas pour autant que nous soyons frère et sœur, ni même demi-frère et demi-sœur. Je ne peux cependant pas écarter d'un revers de la main son côté grande sœur; le plaisir charnel que nous éprouvons l'un avec l'autre est certainement lié, lui aussi, au fait qu'en réalité nous ne devrions pas le faire. Notre relation me vaudra peut-être un jour un héritier mâle, mais pas encore, loin s'en faut, une participation à une dynastie renommée.

En tout cas, le mot « Trencavel » devrait figurer dans notre nom, ne serait-ce que pour assurer la descendance de la famille des Gardiens du droit. D'autre part, nous sommes censés porter du sang des Hohenstaufen. Mais je n'aimerais pas m'appeler « von Hohenstaufen ». Je préférerais « d'Hauteville », d'après Constance, la mère normande de Frédéric. Mais je voudrais aussi rendre hommage au Montségur. Que dirais-tu de « Trencavel du Haut-Ségur » ? En mettant devant un « *princeps* » ; tant que je suis encore jeune, je pourrais me faire appeler « prince », et ensuite « Votre Altesse ». L'année prochaine, si mes calculs sont bons, je serai majeur. Qui m'adoubera ? Et Yeza ? Elle sera alors la « princesse Trencavel ». Mais peut-être le Prieuré désirerait-il, lui aussi, être immortalisé dans notre nom ? Nous pourrions ajouter « du Mont », derrière le nom de Yeza, si bien que, malgré toutes leurs similitudes, le sien serait tout de même un peu différent du mien. Le vieux Turnbull s'appelait ainsi, lui non plus ne savait pas vraiment d'où il venait. Si cela ne plaisait pas à ma *damna*, éventualité dont je dois toujours tenir compte,

nous pourrions aussi échanger. Fais-moi savoir ce que
tu en penses! En tout cas, désormais, tu recevras les
nouvelles de R.T., Roç Trencavel.

La première de ces informations est qu'ils ont mis
Malouf en boîte : ils l'ont placé dans un tonneau pour
qu'il reste frais s'il ne devait pas survivre à son voyage
chez le grand khan, après s'être dévoré lui-même
comme il l'a fait jusqu'ici. La deuxième, ce sont mes retrouvailles avec maître Buchier. Il a reçu mission de
construire un grand distributeur d'où quatre boissons
différentes couleront vers la table du grand khan.
Celui-ci en a assez, en effet, que l'on voie les cuves ou les
tuyaux auxquels les serviteurs remplissent leurs
cruches. Ou bien les cuves sont à l'entrée, et la tente de
gala est rapidement trempée, ou bien elles sont trop
éloignées, les serviteurs mettent trop de temps pour
aller chercher la boisson demandée et ils en renversent
la moitié par terre. La mission que Möngke a confiée
personnellement au maître est d'installer un système de
tuyaux et de le conduire en un point précis de telle sorte
qu'il puisse transporter suffisamment de vrai vin, de lait
de jument fermenté, d'hydromel et de vin de riz, et que
l'on n'ait plus qu'à tendre la cruche lorsqu'on désirera
l'une de ces boissons. Maître Buchier a dessiné un arbre
dans lequel les tuyaux d'acheminement arrivent par les
racines, courent dans le tronc et se prolongent ensuite
comme des branches d'argent courbées. L'une de ces
branches, où coulent les boissons, se déploie à chaque
point cardinal et se ramifie encore une fois à son extrémité, si bien que douze serviteurs peuvent remplir leur
cruche à la fois. Les feuilles d'argent, sur les branches,
servent de robinets à languette, et s'il en coule tout de
même un peu en trop, le liquide est recueilli dans des
récipients en argent en forme de feuilles. Quatre serpents en or s'enroulent autour de l'arbre et soutiennent
les branches. Les boissons recueillies reviennent dans le
tronc par un tuyau installé dans le corps des reptiles et
aboutissent dans des cuves où les serviteurs et le peuple
sont autorisés à se servir. Ces cuves ont la forme de
lions couchés au pied de l'arbre. Au milieu de la couronne, un ange se dresse avec une trompette d'argent.

En utilisant l'arrière-train des lions, le maître a prévu
entre les racines une excavation assez grande pour y
faire entrer un homme assis. De là part une tige qui
monte jusqu'en haut de l'arbre et permet de manipuler

la trompette pour l'approcher de la bouche de l'ange. Un autre tuyau fin prend naissance dans la grotte creusée entre les racines, traverse l'arbre et l'ange pour s'arrêter entre les lèvres tendues du personnage. Si l'homme caché dans l'arbre souffle fort dans son tuyau, la trompette sonne tout en haut, signal, pour les serviteurs, qu'il est temps de verser au plus vite des réserves supplémentaires dans les magasins, au bas de la tuyauterie.

— Il existe un signal spécial pour chaque boisson, m'a confié maître Buchier. À l'origine, je voulais que tout fonctionne mécaniquement, avec des soufflets, mais ils ne font pas assez de vent.

— Ou bien l'air perd de sa force en montant ? suggérai-je.

— C'est sans doute cela, confirma le maître. Je trouverais ça joli, si l'on produisait une note différente pour chaque message de l'écuyer tranchant...

Je ne voulais pas paraître arrogant. J'ai donc déguisé ma proposition en question.

— On pourrait peut-être faire en sorte d'utiliser l'autre bras de l'ange et de pourvoir l'instrument de différents trous qu'il fermerait en laissant glisser sa main...

— Magnifique ! s'exclama le maître. L'ange pourrait peut-être même, de la sorte, jouer des mélodies ! (Il me prit dans ses bras.) Prince Roç, mon cher Trencavel, quelle misère que la vie vous ait destiné à de plus hautes missions ! Je serais heureux de collaborer avec un esprit comme le vôtre.

— Si l'on pouvait résoudre le problème des notes de la trompette à l'aide d'un bras (on ne m'arrêtait plus !), c'est-à-dire avec un coude articulé et différents angles dans la position de l'instrument par rapport au corps, l'autre main pourrait tenir un *glockenspiel* qui permettrait à l'ange d'annoncer l'arrivée des différentes boissons.

— Et il devrait peut-être aussi danser en tournant sur une jambe ! répondit le maître en plaisantant. Mon prince, vous oubliez que ce n'est pas Votre Altesse qui s'installera en bas, dans la grotte, mais un simple Mongol ! Il se soûlera de désespoir et mélangera tout.

— Dommage, dis-je, que la médiocrité entrave constamment la naissance de grandes œuvres d'art. On pourrait peut-être donner à la cavité des dimensions suffisantes pour que deux Mongols puissent se partager les rôles : lever la trompette, souffler et manier le *glockenspiel* ?

— Laissez-moi donc faire, Maître, fit Buchier en prenant congé de moi avec un sourire. Voilà votre *damna* qui vient, et elle n'est pas disposée à vous partager avec un ange.

Yeza n'entra pas dans la yourte noircie de suie de l'orfèvre, mais elle envoya son « cavalier », Orda, m'informer que messire Dschuveni nous attendait impatiemment.

L'apparition de ce centaure féminin fit tressaillir Omar, mon ombre qui assure ma protection, assis devant la yourte. Il bondit sur ses jambes, mais elle ne lui laissa pas le temps d'entrer à sa place dans la sombre salle, et accomplit personnellement sa mission. Elle tenait, elle aussi, à jeter un coup d'œil sur l'atelier, l'arbre d'argent et le célèbre maître. Et elle prit tout son temps, ne serait-ce que pour tourmenter le pauvre Omar qui, à l'extérieur, l'attendait avec impatience. Lorsque Yeza et moi-même nous rendons ensemble quelque part, il a la possibilité de discuter avec Orda, car nos deux gardes du corps ont pour consigne de nous suivre partout à trois pas de distance.

L'ivresse du souverain

Dschuveni nous révéla qu'en raison de nos remarquables performances à l'exercice, le général Kitbogha avait accepté de nous admettre dans la garde personnelle du grand khan, moi-même ainsi que mon ami et protecteur Omar. Le chef de notre section, Kito, avait plaidé pour cette décision. Elle ne me causa aucune joie, car elle impliquait un transfert rapide dans la capitale, Karakorom, et me forcerait à me séparer à nouveau de Yeza. Kito avait sans doute monté toute cette affaire pour éloigner Omar, son rival auprès d'Orda.

Yeza vit les choses autrement : « Valeureux messire chambellan, déclara-t-elle d'une voix agacée mais ferme, je ne pense pas que le puissant seigneur de tous les Mongols, le khagan des khans, nous ait fait quitter la protection de l'imam et venir d'Alamut, nous, le couple royal, pour admettre dans sa garde du corps le prince Roger-Ramon-Bertrand Trencavel du Haut-Ségur ! Si nous allons à Karakorom, ce sera comme deux vassaux qui lui feront allégeance pour jouir ensuite de son hospitalité à la cour. J'ai bien dit, deux vassaux, car on ne nous sépare pas. Et ce sera en compagnie de nos gardes du corps, auxquels nous tenons beaucoup. »

Ma *damna* était furieuse. Mais Dschuveni n'accepta pas si facilement de renoncer à son idée, même s'il changea de sujet et souligna que servir dans la garde personnelle du khan était un honneur, que j'occuperais naturellement un poste d'officier et que Yeza, cela allait de soi, entrerait à la cour avec sa servante, comme moi avec mon écuyer. Comme Yeza n'en démordait pas, il laissa vite tomber le masque et demanda d'une voix tranchante : « Au nom de quel pays voulez-vous faire allégeance, où est votre tribut, où sont les cadeaux ? » Il ne se moquait pas de nous, mais il était vexant tout de même.

« Je ne déposerai pas le Graal à tes pieds », songeai-je, et c'est Yeza qui répliqua : « Le cadeau, c'est nous. »

Puis, suivie par Orda, elle quitta, furibonde, la yourte de Dschuveni. Il ne me resta d'autre solution que de répondre :

— Même si votre offre ne peut que me faire honneur, je ne puis l'accepter. Notre destin n'est pas de servir dans la garde personnelle du grand khan, si plaisante que puisse être l'idée de consacrer ma vie à protéger la sienne. Oubliez donc votre idée, et laissez à messire Möngke le soin de décider de notre sort !

Je fis un signe à Omar, et nous partîmes nous aussi. Je suis cependant certain que Dschuveni ne s'est pas avoué perdant. Il s'est mis en tête de nous déposer comme un butin fraîchement conquis aux pieds de son souverain, ou du moins de nous présenter comme des Barbares qu'il aurait réussi à soumettre. Mais ce qui, secrètement, me plonge dans la panique, est le souvenir du serment de la « Rose », qui m'est revenu tout d'un coup.

L'histoire du roi Dragon

Mon cher Guillaume, comme j'ignore si quelqu'un ne lira pas cette lettre tout de même, je vais te raconter une histoire en espérant que tu en comprendras le sens.

Dans le lointain Jardin des Roses régnait un souverain qu'on appelait le roi Dragon. Il haïssait et redoutait l'empereur du Ciel éternel, parce que celui-ci lui avait enlevé sa fille Dragane, alors qu'elle était encore une enfant, pour la garder en otage. Il avait en outre invité le roi apatride Grial d'Occitanie et son épouse, la reine Grailine, à fuir le Jardin des Roses et à le rejoindre, lui, le puissant empereur du Ciel. C'est la raison pour laquelle le roi Dragon fit jurer à quatorze de ses cavaliers choisis parmi les plus capables qu'ils se rendraient au Ciel et tueraient l'empereur, sous peine de ne plus le revoir, lui, le roi Dragon.

Le roi Grial et son épouse Grailine prirent la fuite et errèrent dans ce vaste pays. Ils escaladèrent une montagne et trouvèrent dans une grotte un grand trésor qu'avaient caché Ali Baba et ses quarante voleurs. Lorsque la bande trouva dans la grotte le pauvre Grial et sa Grailine, les mauvais bougres voulurent tuer les deux rois. Un seul chevalier vint à leur secours. C'était Tundri, le fils de l'empereur, que celui-ci avait envoyé à la rencontre des fugitifs. Mais une épée ne pouvait pas suffire à vaincre les brigands, bien supérieurs en nombre. Alors, dans la plus grande détresse, quatorze cavaliers masqués accoururent et menèrent un combat furieux contre Ali Baba et ses quarante gredins. Toutes ces canailles furent abattues, mais il ne restait plus qu'un seul des quatorze cavaliers courageux : Drake, le fils du roi Dragon, dont le nom n'était connu que du roi Grial et de sa femme, la belle Grailine. À eux, Tundri avait aussi révélé qu'il était le fils de l'empereur. Les fils des deux pères ennemis, Drake et Tundri, ne se connaissaient pas, et le roi Grial ne les présenta pas non plus l'un à l'autre, ce qui n'empêcha pas les trois cavaliers survivants de conclure un pacte du sang. Le roi Grial, le prince Drake et le prince Tundri jurèrent de servir en chevaliers la belle *damna* Grailinde, et chevauchèrent ensemble vers le pays du Ciel éternel.

L'empereur retenait toujours en otage à sa cour la

fille du Dragon, Dragane, c'est-à-dire la sœur de Drake. Elle était entre-temps devenue une beauté, et elle était promise à Tundri.

L'empereur du Ciel éternel, réjoui par l'arrivée du couple royal, Grial et Grailine, envoya des messagers à leur rencontre. Il leur fit savoir qu'il se réjouissait de pouvoir accueillir rapidement à son côté le roi, avec ses amis et protecteurs. Il l'accueillerait comme son propre fils, et la reine Grailine comme une fille. Le roi Grial fut alors épouvanté, car il se rappela que les quatorze cavaliers du Jardin des Roses avaient juré de tuer l'empereur. Le prince Drake, que nul ne connaissait ici, au Ciel, était l'un d'entre eux. S'il m'a sauvé d'Ali Baba, songea Grial, c'est vraisemblablement parce que je suis le seul chemin lui permettant d'arriver auprès de l'empereur, que nous n'avons pas encore vu jusqu'ici. Assis entre moi et le souverain, Drake n'aura aucun mal à tirer son épée et à la planter dans le cœur du roi. Les anges l'écartèleront sans doute, mais il aura atteint son but. Quant à moi et à mon épouse Grailine, ils nous rendront la vie infernale, nous reprochant d'avoir fait entrer le loup dans la bergerie.

Le roi Grial songea en frissonnant à tout ce dont sont capables les anges, notamment les archanges, et se vit déjà dans le vestibule de l'enfer, au purgatoire qui lui était assuré s'il se rendait à la cour avec Drake. En parler sans détour avec le fils du Dragon n'avait aucun sens. Même si Drake promettait à Grial de ne jamais lever la main contre l'empereur, Grial ne pourrait pas être certain qu'il ne s'agirait pas d'un mensonge. Il n'était pas non plus question de livrer le prince Drake aux anges au motif qu'il avait prêté ce serment.

Un soir où la conscience du roi Grial le tourmentait particulièrement, le prince Drake entra dans sa tente et dit : « Mon cher frère Grial, l'empereur de ce pays, auquel je ne veux aucun mal, retient en otage ma sœur Dragane. Aide-moi à la libérer. Alors, je reviendrai chez moi, au Jardin des Roses, et je la ramènerai à mon père, Dragon. Ainsi, j'aurai accompli l'objectif de mon voyage. »

Le roi Grial réfléchit longuement, il n'arrivait pas à croire à ce revirement de Drake. Il était fermement convaincu que Drake voulait juste se servir de lui pour accéder au palais. Il finit par répondre : « Ce ne sera possible, mon frère, que si tu passes la tenue de l'archange, semblable à celle des templiers. Revêts une longue tunique blanche marquée d'une croix rouge et coiffe ta tête d'un heaume, alors, tu pourras être sûr de ne te heurter à aucune résistance. Tu pourras ainsi enlever ta sœur, et elle te suivra de bon cœur. »

« Alors fais-moi entrer au palais », demanda Drake à Grial. Mais celui-ci lui répondit qu'il lui faudrait attendre dans une tente, devant les portes, et veiller avec la reine Grailine que Dragane parvienne à s'échapper. Le prince Drake s'en contenta et lui adressa des remerciements débordants.

Le roi Grial accepta l'invitation de l'empereur, se rendit avec Grailine et Tundri à son palais et pria que l'on excuse l'absence de son ami et sauveur : le prince Drake était indisposé et les suivrait d'ici quelques jours pour prendre avec joie la place qu'on lui faisait l'honneur de lui accorder à côté du souverain. « Pour parler sincèrement, chuchota le roi Grial à Tundri, il s'est gâté l'estomac et sent si mauvais de la bouche qu'il est gêné à l'idée d'embrasser le roi, comme il se doit. » Le prince Tundri ne s'en souciait guère.

— Confidence pour confidence, répondit-il, mon père, l'empereur, détient un otage au palais. Elle s'appelle Dragane, et je compte la faire mienne dès que possible, sans même attendre que mon père m'ait solennellement marié avec elle. Peux-tu, toi-même ou ta chère épouse, Grailine, lui faire savoir que je l'attendrai l'une des nuits qui viennent, dès demain de préférence ?

Le roi Grial fit mine de réfléchir longtemps et répondit :

— Je te viendrais volontiers en aide, mon frère, mais pour éviter les confusions de la nuit ou d'autres désagréments, tu devrais convenir d'un signal avec Dragane. Que dirais-tu de lui envoyer une tenue semblable à celle que tu porteras ? Le mieux serait un long pourpoint blanc brodé d'une croix rouge, comme celui des templiers. Tu devrais aussi te coiffer d'un heaume, pour qu'aucun des hommes de ton père ne te reconnaisse et que ta bien-aimée sache aussitôt qui elle a devant elle. Une fois uni à elle, tu pourras ôter le heaume, s'il ne dérange pas pour faire le galant.

— Cela me plaît beaucoup, répondit le prince Tundri. Je sais jouer du luth et j'ai une bonne voix. Dis-lui que je...

— Un luth... Je ne sais pas si c'est une bonne idée...,

objecta le roi Grial. Tu pourrais réveiller les anges.
Mieux vaut lui chanter doucement à l'oreille lorsque
vous serez seuls !

— Tu es un véritable ami, dit Tundri. Je me dépêche
de te donner la tenue pour Dragane, et j'y ajouterai
aussi quelques lignes d'explication. Ah, mon cœur
déborde !

Le roi Grial avait honte, mais avait-il d'autre solution ? Il voulait protéger du malheur ce bon empereur
qui l'aimait comme son fils, et sauver la vie de Drake,
son frère de sang qui, sans cela, aurait été perdu. Il fallait aussi éviter tout désagrément à lui-même et à sa
chère épouse, ce dont nul ne pouvait lui tenir rigueur.
Mais il tuerait l'amour de son frère Tundri et de la charmante Dragane. Comment l'histoire s'achève-t-elle ? Tu
le sauras, mon cher Guillaume, lorsqu'elle aura eu lieu.

Ton Roç.

P.S. : Je ne le sais pas encore, moi non plus !
L.S.

Rêves d'or et de pierres précieuses

Tout était calme et inondé de soleil, en cette journée d'été, dans l'ancien palais de l'évêque de
Constantinople. Le dernier habitant de ces lieux, un
évêque despotique répondant au nom de Nicola della
Porta, les avait quittés des années auparavant, et le
palais Kallistos était resté vide jusqu'à ce qu'un lointain parent, Hamo l'Estrange, se décide à entrer en
possession de son héritage et à y élire domicile. Midi
était déjà passé, mais presque tout le monde dormait
encore dans le long bâtiment planté sur la colline qui
dominait la ville, devant la Corne d'Or.

Le comte Hamo et son serviteur Philippe s'étaient
affairés toute la nuit dans la chambre au trésor
secrète. Ils avaient transporté les grandes caisses
dans une salle qu'ils pouvaient fermer à clef, en passant par un toboggan de marbre semblable à une
grande rampe d'escalier. Enfin, au petit matin,

Hamo avait enveloppé une cassette pleine de pièces d'or dans un vieux sac et s'était rendu dans la vieille ville à dos d'âne. Parvenu devant la tristement fameuse maison de joie, il avait réveillé monseigneur Gosset et lui avait remis la cassette afin qu'il la donne au Pénicrate. Ensuite, il était allé à la taverne et avait lancé un regard inquiet vers le port, en dessous de lui. Mais il avait constaté avec satisfaction que sa trirème y était encore ancrée. Une fois revenu au palais, il s'était couché pour dormir : il n'y avait plus rien à faire jusqu'au soir — du moins pour lui.

En fin de matinée, supposant que les pirates avaient dormi tout leur soûl, Créan de Bourivan s'était rendu au port avec une escorte nombreuse, en se faisant passer pour Mustafa Ibn-Daumar, marchand de Beyrouth. Il y avait observé les navires qui mouillaient, en veillant à ce que tout le monde le remarque, et avait échangé avec certains de leurs capitaines quelques mots laissant entendre qu'il comptait rentrer dans son pays avec une quantité importante de marchandises précieuses. Puis il était arrivé à la trirème.

La nouvelle avait précédé le prétendu négociant comme un nuage de parfum, et tiré de sa paillasse le capitaine des pirates. Vêtu d'un peignoir beaucoup trop raffiné, celui-ci attendait sur le pont, plein d'espoir, l'arrivée du poisson doré qu'on lui avait annoncé. Il invita le grand seigneur à monter à bord avec son escorte. Ce dernier ne s'intéressa absolument pas aux créatures décavées qui l'entouraient, mais examina avec une mine de connaisseur la voilure, le gréement et l'état des rames. Il se fit montrer la cahute installée à la poupe, dans laquelle il pensait séjourner pour la durée du voyage. C'est là que le capitaine habitait encore une heure plus tôt, et il pria cent fois de suite qu'on veuille bien l'excuser pour le désordre. Monsieur Mustafa sourit et fit semblant de regarder ailleurs lorsque le capitaine chassa brutalement du lit en bataille quelques femmes en tenue légère. L'affaire fut vite conclue, d'autant plus que

monsieur Mustafa tenait aussi à acheter lui-même
les vivres et le vin. Il avait, dit-il, le palais gâté, et
aimait que tous à bord aient à manger et à boire.
Cela réjouit beaucoup le capitaine, il ne cessa d'ailleurs de le répéter, et l'on convint que les marchandises seraient portées à bord le soir même. Monsieur
Mustafa annonça qu'il désirait se reposer avant que
l'on entreprenne le voyage, à l'aube suivante. En s'en
allant, il déposa dans la main du capitaine un petit
sac de pièces, en guise d'acompte, et exprima le désir
que l'équipage se trouvât à bord au grand complet
lorsqu'il arriverait, afin de pouvoir offrir un cadeau à
chacun des marins. Cette attention plut au capitaine,
même s'il fit remarquer que tant de générosité n'était
nullement nécessaire. On se quitta donc dans les
meilleurs termes. Créan s'assura tout de même que
personne ne le suivait lorsqu'il rentra par un chemin
sinueux au palais Kallistos. Il se coucha dans sa
tente, et recommanda à ceux qui l'accompagnaient
de l'imiter. Mais on plaça des gardes devant le cellier
où se trouvaient les caisses.

Les mendiants fainéants dormaient eux aussi au
soleil, devant les murs. Les brigands se reposaient en
haut, dans la grande salle.

Le Pénicrate était couché sous le baldaquin, dans
le lit d'apparat de l'évêque, sans se douter qu'il se
trouvait juste au-dessus de l'un des accès à la chapelle privée. Afin de marquer son statut, il avait
réquisitionné pour son usage personnel la plus belle
des chambres, et il était tellement fier de son lit
somptueux que l'idée de regarder en dessous ne lui
était jamais venue. Il aurait sans doute été pris d'apo-
plexie si quelqu'un lui avait montré les trésors au-
dessus desquels il lézardait depuis des années, à longueur de journée. Il fut donc très étonné lorsque
Gosset vint le réveiller pour lui annoncer que Hamo
était arrivé de bonne heure — de l'arrière-pays, apparemment — et lui avait offert une caisse entière de
pièces d'or pour que, le soir venu, lui-même et vingt
hommes choisis par Taxiarchos montent dans des

caisses, se laissent charger à bord de la trirème, en sortent à un signal convenu, maîtrisent les pirates et s'emparent du navire.

— Il faut que j'entre dans une caisse... ?

— Oui, lui confirma le prêtre avec une once de sadisme. Hamo désirerait que vous dirigiez vous-même l'entreprise.

— Combien d'or ? demanda le Pénicrate, toujours ivre de sommeil.

— Tellement, répondit Gosset, que vous passeriez volontiers toute une semaine dans chacune des caisses.

Taxiarchos fut soudain parfaitement éveillé. D'où ce loqueteux tenait-il autant de pièces d'or, tout d'un coup ?

Le seul qui dormit toute la matinée, y compris pendant le déjeuner (lui qui ne laissait jamais passer ce repas !), fut Guillaume de Rubrouck. En fin d'après-midi, le franciscain rondouillard ronflait toujours dans un coin de la cuisine, où le serviteur de Créan l'avait déposé sur un tas de sacs entre quelques mendiants. Avec le somnifère puissant que Hamo lui avait administré, il ne pouvait en être autrement. Le jeune comte, devenu riche, craignait que Guillaume ne révélât l'existence du trésor avec ses bavardages stupides. C'est la raison pour laquelle il avait fait taire son complice (du moins l'espérait-il), jusqu'à ce que tout se soit déroulé conformément à son plan. Et Dieu sait que ses projets à lui n'avaient rien à voir avec ceux de Créan et de Guillaume ! Il était déjà bien assez difficile d'utiliser le Pénicrate et sa bande de brigands sans qu'ils comprennent à quel point sa situation s'était transformée. Ils pouvaient bien se prétendre ses amis, il suffirait de quelques secondes pour que les *lestai* se transforment en loups affamés s'ils devinaient quels trésors gisaient sans protection à portée de leurs mains. C'est la raison pour laquelle Hamo trouvait l'idée des caisses doublement géniale. Avec l'aide de Philippe, il les avait toutes remplies de vieilles couvertures et de vêtements posés sur un

tapis de pièces d'or — une sorte de double fond. Une
fois qu'un homme armé du Pénicrate y serait assis,
personne ne remarquerait la différence de poids :
ainsi, les brigands eux-mêmes porteraient à bord,
sans s'en douter une seule seconde, tout ce qu'il avait
pu prendre dans la chambre au trésor. Créan et Guillaume se satisferaient bien du reste ! Le comte Hamo
ne doutait pas un instant qu'à la première occasion le
frère mineur irait de nouveau chercher le chemin de
la chapelle épiscopale. Mais pourquoi ne pas le laisser faire ? Hamo y avait abandonné bien assez de trésors pour le moine.

D'ailleurs, Guillaume, au creux de ses rêves, était
déjà parti à la recherche des splendeurs promises.
Les images de son songe s'assemblèrent tout d'un
coup en un ensemble limpide, et la solution lui apparut, toute simple. Le palais Kallistos n'avait jamais
été qu'un gigantesque réservoir d'eau pour la ville du
Bosphore. Vitruve l'avait conçu ainsi. La chapelle
servait de vase d'expansion au système, une tentative
novatrice, mais erronée, de l'ingénieur byzantin
Nikomène, l'un des maîtres du célèbre Villard de
Honnecourt. Après la prise de Constantinople, le
constructeur avait émigré à la cour de sainte Élisabeth de Hongrie, et le dernier compartiment à eau
avait été décoré pour ressembler à une chapelle.
Lorsque Guillaume l'eut compris (même dans les
rêves, on regrette ses bêtises et ses défaillances !), il
fut facile d'avancer par l'imagination jusqu'au lieu
qu'il recherchait. Guillaume sauta dans le troisième
puits — pourquoi n'avait-il pas compris tout de
suite ? — et plongea dans un lac au milieu duquel se
dressait un minaret. Il était composé de quatre
colonnes de marbre entrelacées comme une tresse et
qui disparaissaient dans le plafond de la grotte. Il
pataugea dans l'eau (elle lui montait jusqu'à la
hanche) et atteignit le socle de la tour qui se dressait
comme une cloche au-dessus de la voie d'écoulement
circulaire dans laquelle l'eau affluait. Dans la tour,
un gigantesque baquet était accroché à une corde qui

menait vers le haut, dans l'escalier en colimaçon de marbre auquel pendait une deuxième corde attachée au baquet. Guillaume fit descendre un côté de la corde (tandis que l'autre remontait dans sa main) jusqu'à ce que l'eau qui tombait commence à remplir le récipient. Il dut se cramponner, car lorsque le poids du baquet dépassa le sien, son corps fut hissé d'un seul coup vers le haut. Guillaume fila à travers un trou, sauta, et se retrouva au milieu de la chambre au trésor de l'évêque. Mais elle était vide! Hamo avait tout emporté. La déception était telle qu'elle aurait pu faire sortir Guillaume de son rêve. Mais la drogue agissait encore si fortement dans ses veines qu'il décida de considérer cette salle ornée de mosaïques d'or jusqu'au plafond et dépourvue de fenêtre comme une erreur de parcours, et de refaire encore une fois le chemin, mais cette fois-ci correctement. Après tout, Hamo, lui, avait sauté dans le deuxième puits, et il était arrivé à ses fins. Le regard de Guillaume tomba alors sur le sol de marbre de la chapelle. Devant lui, finement incrusté dans la pierre, s'étalait le plan horizontal du palais, avec tous ses accès secrets et ses échappatoires. Quel crétin il avait fait! Il n'y avait pas plus simple! Et Guillaume se dépêcha de replonger dans son rêve.

Comment on enlève un pirate

En début de soirée, à l'heure dite, les brigands se rassemblèrent sous la direction de Gosset dans la grande salle du palais Kallistos. Le Pénicrate choisit avec soin les hommes suffisamment habiles et insensibles pour maîtriser un adversaire en un instant, ou pour lui régler définitivement son compte. Ils devaient en outre tenir dans les caisses de Hamo. Les autres furent désignés comme porteurs. Gosset mena un par un les hommes choisis dans la cave, où Hamo

et Philippe les placèrent dans les caisses et leur expliquèrent, avant de les refermer, comment on pouvait
les ouvrir de l'intérieur. Lorsque tous les brigands
furent installés, les porteurs entrèrent en action. Ils
soulevèrent les caisses et les apportèrent jusqu'à la
porte où Créan, avec ses serviteurs, attendait déjà
que l'on charge ses bagages sur les mulets disponibles.

Le Pénicrate souleva encore une fois le couvercle
de son abri et exhorta le faux marchand.

— Faites en sorte, précieux seigneur, que nos amis
les pirates aillent rapidement dormir, car je ne tiendrai pas longtemps là-dedans!

— Je m'y efforcerai! répondit Créan et il referma
le couvercle.

Le cortège se mit en mouvement. Hamo et Gosset
l'avaient précédé pour attendre dans la taverne le
signal convenu. Taxiarchos et Créan avaient tous
deux chargé le prêtre de veiller à ce que Hamo, dans
un accès compréhensible d'impatience, ne gâche pas
le plan à la dernier minute, mettant ainsi en péril la
vie de tous les participants. Philippe suivait le marchand, dont il jouait le serviteur. On lui avait confié
une mission bien précise. Il portait deux tonnelets de
vin précieux de Falerne, dont Créan espérait qu'il
plairait au capitaine et à son équipage, mais on avait
ajouté à l'un des récipients certains ingrédients assez
peu naturels. En accord avec Hamo, le serviteur avait
testé, la veille, sur Guillaume, l'effet rapide et fiable
d'une poudre insipide qu'on lui avait confiée. Voyant
le résultat, il n'avait versé qu'une petite fraction de la
dose dans l'un des deux : il n'avait aucun besoin
d'endormir tout le monde pour vingt-quatre heures.
Et par précaution, Philippe avait versé dans le
second tonnelet un contre-poison qui avait un effet
roboratif rapide.

La caravane du marchand Mustafa Ibn-Daumar,
de Beyrouth, passa lentement devant Saint-Georges
et devant le cimetière des Angeloi avant de descendre
vers la vieille ville pour se frayer un chemin jusqu'au
port.

Guillaume rêvait encore de puits dont l'eau coulait vers le haut et passait dans le plafond par des trappes, qui s'ouvraient et se fermaient comme les mâchoires d'une tête de mort. Il se vit dans un réduit, en dessous de l'eau, et sentit la main osseuse de Barth sur sa gorge, tandis que le visage blême et boursouflé du noyé poussait un rire bêlant qui le fit sursauter. Il regarda une grille de fer dans la paroi du cellier. Bartholomée, implorant, lui tendait quelques chaînes en or : « Je te donne tout, frère, mais laisse-moi sortir ! »

Guillaume ferma de nouveaux les yeux et se tourna sur l'autre flanc pour chasser Barth de ses rêves. Mais un effroyable juron finit par tirer définitivement le moine de son sommeil. Il se retrouva sur un tas de vieux sacs. Un trou noir béait derrière des barreaux. Où était-il ? Un silence sépulcral régnait dans la salle. Il lui sembla reconnaître la cuisine. Son crâne bourdonnait. Guillaume de Rubrouck rentrait à tâtons dans la réalité. Avait-il dormi toute une journée ? Hamo, misérable canaille !

Lorsque Guillaume, en titubant un peu, eut quitté la cuisine et la cave, il se retrouva seul dans le palais désert. Même les mendiants paresseux avaient filé.

Une lampe-tempête à la main, le moine monta dans la chambre à coucher, jusqu'au lit de l'évêque. Il enleva les draps, les couvertures, les édredons et les tapis et fouilla dans la paille jusqu'à ce qu'il trouve, dans le cadre du lit, le levier qui permettait d'ouvrir la trappe. Il l'actionna, la porte s'ouvrit sur un escalier de bois. Le franciscain descendit en toute hâte. À la lueur de la petite lampe, il vit tout de suite que Hamo avait fait du bon travail. Mais il en restait suffisamment : Guillaume aperçut des tenues d'évêque, des calices, des crucifix et d'autres coffres sans doute vides, mais d'une grande valeur. Il revint en courant dans la cuisine, puis rapporta dans le sous-sol les sacs sur lesquels il avait dormi. Il les remplit à ras bord, tout en prenant garde à envelopper tous les métaux précieux dans des étoles et des tuniques, afin que rien ne tinte et que l'on ne sente aucun angle pointu. Il remplit ainsi un sac après l'autre. Il découvrit encore plus d'un bijou qui avait échappé à Hamo, et même quelques bourses pleines de besants d'or, cachées sous des encensoirs, des bénitiers et des monstrances.

Puis le scintillement d'une bague attira son regard. C'était un grand camée rouge dans lequel on avait joliment gravé le sceau de l'évêque. Respectueusement, le moine passa à l'index de sa main gauche le symbole de la plus haute dignité religieuse. Cela lui allait bien.

Les sacs de la cuisine ne suffisant pas, il alla découper les édredons du lit épiscopal et, pour finir, il noua même les draps pour en faire des ballots. Il trouva la rampe glissante qui menait à la cave et se démena comme un possédé pour tout faire descendre.

— *Assalamu aleikum!* s'exclama gracieusement le capitaine des pirates lorsque le marchand tant attendu arriva à bord. Soyez le bienvenu, noble seigneur, considérez ce navire comme le vôtre et moi-même comme votre humble serviteur!

Ce long discours de bienvenue lui laissa le temps de jeter un bref regard cupide sur les caisses que les hommes du marchand installaient l'une après l'autre sur le pont. Que de précautions on prenait pour les déposer! Leur contenu était certainement d'une valeur inestimable, même un observateur naïf s'en serait douté. Vingt caisses! Sans compter les petits bahuts et surtout les bourses, qui étaient vraisemblablement la propriété personnelle de ce riche seigneur!

Mustafa Ibn-Daumar claqua des doigts, et son valet ouvrit l'une des bourses pour payer les portefaix et les muletiers.

— Je peux à présent vous montrer l'endroit où vous séjournerez pour le voyage, annonça fièrement le capitaine. Vous n'allez pas le reconnaître.

Il s'apprêtait déjà à conduire son invité à la poupe, mais monsieur Mustafa déclina l'invitation :

— Merci, répondit-il, nous avons le temps. Je voudrais d'abord vous offrir un petit cadeau, à vous-même et à votre équipage.

Et une fois encore, Philippe remit à chacun un grand besant d'argent — mais le capitaine, lui, reçut une pièce en or pur.

— Comment avons-nous mérité tant de bonté ? s'exclama ce dernier, peut-être même sincère pendant un instant. Nous exaucerons chacun de vos vœux avant même que vous ne les ayez prononcés ! dit-il en guise de remerciement.

— Pour cela aussi, nous avons le temps d'ici demain matin ! répondit Mustafa d'une voix forte et affable. À présent, je peux vous inviter à fêter notre arrivée en buvant d'un vin tellement admirable que le Prophète fermera l'œil, une fois n'est pas coutume, pour ne pas priver mon palais d'une pareille joie !

Il fit signe à Philippe de déposer le premier tonnelet et d'y enfoncer le tire-vin. Le liquide rouge coula du robinet, Philippe y passa discrètement les doigts et les lécha, les yeux roulant de plaisir. Le capitaine l'avait vu, cela ne faisait aucun doute. D'autres serviteurs apportèrent des gobelets, et une coupe précieuse pour le seigneur et le capitaine.

Lorsque tous furent servis, Mustafa Ibn-Daumar leva sa coupe et s'exclama : « Aux vents qui porteront notre traversée ! » Et il avala une bonne gorgée. Aucun ne voulut le laisser boire seul. Le capitaine répondit : « Puissent la tempête, la canicule et la maladie nous être épargnées ! » Et une fois encore, tous portèrent leur coupe à la bouche. Entre-temps, avec une grande agilité, Philippe avait ouvert le second tonnelet et resservait les matelots. Le contenu du premier fût commençait à faire effet, les hommes bâillaient, et Philippe dut se dépêcher. Le marchand leva encore une fois sa coupe.

— Que nous soient épargnés les Templiers, les chevaliers de Saint-Jean et les pirates !

— Cul sec! s'exclama le capitaine, et tous ava-
lèrent d'un trait le vin qu'on venait de leur servir.

D'un seul coup, le capitaine tomba à côté du marchand, qui s'écroula lui aussi. Tous les pirates qui
avaient participé aux libations se mirent à tituber et
à se renverser comme des dominos. Ceux qui avaient
fait preuve d'abstinence ou s'étaient présentés plus
tard sur le pont le payèrent cher : les serviteurs du
marchand les poignardèrent sur-le-champ. Les
caisses s'ouvrirent, le Pénicrate et ses brigands en
sortirent et passèrent la trirème au peigne fin. Il n'y
avait pas la moindre trace de Shirat ni d'aucune
autre créature féminine. On fit monter les pirates qui
dormaient dans la cale, mais on n'en tua plus aucun :
messire Taxiarchos n'était pas amateur d'épanche-
ments de sang inutiles. L'équipage fut ligoté, on
l'entassa tant bien que mal dans le réduit qui se trouvait à la proue. Mais le Pénicrate prit soin d'installer
le capitaine à part. On coucha Créan dans la cahute,
et l'on envoya Philippe chercher Hamo et Gosset.
Puis le chef des brigands se rendit, sur la pointe des
pieds, dans la cabine où dormait Créan.

— Si j'ai bien compris ce seigneur qui se nomme
Mustafa Ibn-Daumar, mais dont les serviteurs sont
aussi rapides au couteau que les Assassins du « Vieux
de la montagne », la bêtise doit être punie, murmura-
t-il d'abord, à voix plus haute ensuite, lorsqu'il se fut
convaincu que le dormeur ne feignait pas
l'inconscience. Il ôta les bagues des doigts de Créan.
La méchanceté reçoit son salaire. Notre jeune ami
Hamo aura bien le temps de vous faire entrer dans la
partie, ajouta-t-il, et il donna encore une petite tape
sur la joue du dormeur, tandis que l'autre main saisissait la précieuse agrafe qui ornait le turban de
Créan. Mieux vaut, mon seigneur, que vous passiez le
reste du temps à dormir.

Le Pénicrate inspecta la cahute et découvrit ce
qu'il cherchait : un grossier jeu d'échecs de bord,
composé d'un drap carrelé de rouge et de vert et de
figurines à ficher que la pire des houles ne pouvait

faire basculer. Puis il se tourna encore une fois vers Créan endormi.

— Je vous aurais volontiers servi, monseigneur, chuchota-t-il, mais c'est celui qui paie qui commande, et cette fois, c'est le jeune comte qui a payé.

Il s'inclina et sortit. Dehors, il cria à ses hommes : « Maintenant, amenez-moi le capitaine ! »

Ils le traînèrent comme un sac détrempé, le jetèrent ventre contre terre, sur le couvercle de la plus grosse des caisses et lui nouèrent les mains et les pieds à des anneaux accrochés aux planches. Les membres du pirate étaient ainsi étirés aux quatre points cardinaux, et son corps tellement tendu qu'il ne pouvait plus bouger. Ils lui déchirèrent sa chemise et lui dénudèrent le dos. Ceux qui s'attendaient à une séance de flagellation furent déçus, on se contenta de lui jeter de l'eau sur la tête. Mais celle-ci continuait à pendre et il ne leur fit pas le plaisir de se réveiller.

À cet instant, Hamo monta à bord transporté de fureur. Il était suivi par Philippe et, à bonne distance, par monseigneur Gosset qui avançait avec une lenteur ostentatoire. Le comte se jeta aussitôt sur l'homme attaché en criant : « Où est ma femme ? » Mais le pirate ne broncha pas.

— Réveillez-le ! hurla Hamo, hors de lui. Réveillez-le, ou c'est moi qui le ferai revenir à lui, à coups de poing et pour la dernière fois !

— Le somnifère est puissant, il faut du temps, objecta le Pénicrate.

— Mais je ne veux pas attendre plus longtemps ! gémit Hamo, en frappant la nuque du pirate qui gémit sans reprendre conscience pour autant. Où est Shirat ? Où est ma fille ? répétait Hamo, haletant, en déversant un nouveau baquet d'eau au visage du capitaine. Je vais te tuer...

— Si vous faites cela, vous ne saurez rien du tout ! dit Taxiarchos en le poussant doucement sur le côté. Laissez-le-moi, et veillez plutôt à ce que votre ami, le riche marchand Mustafa Ibn-Daumar se réveille, sans quoi vous aurez encore à votre bord, demain, ce noble ismaélite.

Philippe entreprit de mener son maître vers la proue.

— Appelez-moi dès que ce lascar ouvrira la bouche ! cria encore Hamo au Pénicrate, avant de se laisser tomber sur une chaise dans la cahute et d'enfouir son visage dans les mains.

Le Pénicrate fit apporter deux tabourets avant d'inviter son « conseiller », monseigneur Gosset, à s'installer en face de lui.

— Il reste une autre question à éclaircir, dit-il tranquillement, tout en étalant le drap carrelé du jeu d'échecs sur le dos nu du pirate.

— Posez-la, répondit Gosset. Jusqu'ici, j'ai toujours trouvé une réponse.

— Non, répondit Taxiarchos, en commençant à planter les figurines des échecs dans le dos du capitaine, couché sur le tonneau, entre eux deux.

Le pirate tressaillait chaque fois qu'on épinglait l'un des pions, mais ne montrait aucun signe de douleur consciente.

— Faisons une partie !

Il acheva de disposer les pièces. Gosset le scrutait, un peu méfiant.

— Dites-moi auparavant si le gagnant sera le vainqueur ou le vaincu.

Le Pénicrate avança aussitôt de deux cases le « socle » de son roi rouge.

— Nous sommes devenus de si bons amis, monseigneur, fit-il pour accompagner cette étrange ouverture, que nous pouvons échanger nos informations en toute franchise.

Gosset répondit à ce premier coup par un bond de son cavalier droit. Son partenaire hocha la tête.

— Mais cela n'a de sens, Taxiarchos, que si vous vous en servez pour agir, fit prudemment Gosset.

— Exact, répliqua le Pénicrate en faisant avancer de quatre cases le fou du roi. Et nous devons donc aussi nous avouer qu'il n'y a pas de place pour deux personnes à la tête de la bande, ici, sur la Corne d'Or.

— Vous comptez m'éliminer? demanda monseigneur Gosset avec un sourire tourmenté. Cette ouverture est dite « du barbier », elle mène à une fin rapide.

— Mat en quatre coups, lui confirma le Pénicrate. L'un de nous deux doit partir. Ou bien il va au diable, ou bien il devient capitaine de cette trirème.

— Dites-moi ce que vous voulez! rétorqua Gosset, agacé, sur un ton de défi. Je suis à votre disposition pour n'importe quelle partie! (Puis il poussa les « pieds » de sa reine une case en avant.)

— C'est exactement cela! s'exclama le Pénicrate. Je veux de nouveau jouer seul, commettre des erreurs...

— Vous en faites une en acceptant de diriger ce navire sous les ordres de cette jeune tête brûlée, dit doucement Gosset.

Le Pénicrate souleva sa reine d'un geste vif et alla la planter trois cases plus loin sur la droite. Gosset renonça à toute contre-attaque et déplaça son pion pour qu'il ne dérange pas, il lui fit faire deux pas absurdes en avant. Satisfaite, la reine rouge frappa l'écuyer vert du fou royal.

— Échec! dit le Pénicrate. Quelle que soit la personne que je serve, elle a déjà trouvé son maître.

— Pareil orgueil m'est bien étranger, Taxiarchos, dit monseigneur Gosset avec un rien de tristesse. Je veux bien administrer votre héritage, mais vous allez me manquer.

— Vous me manquerez aussi, répondit le Pénicrate en se levant. C'est la raison pour laquelle je veux me séparer de vous.

Il prit sa dame, renversa le roi vert et l'enfonça si profondément dans la chair que le pirate poussa un cri.

— Eh bien, voilà! s'exclama-t-il en riant. Faites venir le comte! Mon prédécesseur voudrait soulager sa conscience.

Puis il se fit tendre une torche, tint son couteau dans la flamme, attendit que Hamo apparaisse et le fit lentement glisser dans le pantalon du capitaine, côté fesses, jusqu'à ce que celui-ci crie de douleur.

— Où est passée la dame qui se trouvait à la tête de ce navire et portait une fillette sur sa poitrine ?

— Allez au diable ! grogna le pirate, serrant les dents.

Hamo l'attrapa par les cheveux.

— Qu'avez-vous fait de Shirat ? Est-elle en vie ? cria-t-il. Allez, répondez !

Il tira la tête du pirate vers le haut pour voir son visage, mais celui-ci se contenta de lui cracher à la face.

— Je vais vous le faire parler, dit le Pénicrate, et il replongea son couteau incandescent dans l'arrière-train du pirate, mais en s'approchant, cette fois-ci, de ses parties génitales. Le tissu roussit, la puanteur était ignoble, et tous entendirent la peau crépiter.

— Quand on s'approche des testicules, tout le monde se met à chanter, fit Gosset pour consoler le pirate qui gémissait.

— Vous pouvez bien me percer le cul, tout ce que vous en tirerez, c'est un pet ! répondit celui-ci en hurlant.

Le Pénicrate fit chauffer son couteau pour la troisième fois. L'un de ses hommes s'approcha alors de lui.

— Nous avons un homme en bas, parmi les prisonniers, qui est d'une telle insolence qu'ils l'avaient attaché à un boulet de fer, dans la cambuse. Il prétend ne pas être un pirate, mais un franciscain !

— Laurent d'Orta ! cria Hamo. Faites-le monter tout de suite !

Les hommes du Pénicrate coururent à la proue, ouvrirent le réduit où l'on avait entassé les prisonniers comme des sardines, et en tirèrent le petit frère mineur. Comme il n'avait pas bu une goutte de vin, il était parfaitement éveillé, mais son visage était émacié et livide. Deux hommes traînèrent le boulet et la chaîne qu'on avait soudée autour de sa cheville, tandis qu'un autre suffisait pour porter Laurent à bout de bras. Gosset lui laissa aussitôt sa place, et Hamo tomba au cou du moine.

— Dis-moi ce qui s'est passé ! Où est Shirat ?

— Elle est vivante, répondit Laurent. Mais donnez-moi d'abord une gorgée de vin !

Philippe se hâta de lui servir un verre puisé dans le tonneau revigorant. Laurent l'avala d'un coup et tendit la jambe pour que les hommes du Pénicrate puissent commencer à frapper sa chaîne à coups de marteau et de ciseau.

— Ils nous ont attaqués la nuit, dans la brume de la côte, juste après notre départ.

Laurent lança un regard haineux au capitaine, que le Pénicrate travaillait toujours avec sa lame chauffée à blanc. Le supplicié jetait sauvagement la tête d'un côté et de l'autre.

— Il est encore temps d'apporter votre contribution, mon fils, fit Gosset en le consolant. Ensuite, vous ne vaudrez même pas le pet que vous nous avez promis.

— Ils n'ont pas fait de prisonniers, reprit Laurent, dont les mots se bousculaient. Je n'ai survécu que grâce à ma tonsure, et parce qu'ils ne m'ont trouvé qu'au moment où la boucherie avait cessé et où ils avaient dormi tout leur soûl, ivres de sang.

— Qu'est-il arrivé à Shirat ? insista Hamo.

— Je ne l'ai revue qu'une fois, chuchota Laurent comme s'il avait honte de son témoignage. Elle quittait la cahute du capitaine après de nombreuses journées passées devant la côte de la Petite Arménie, où elle a été remise à un marchand d'esclaves.

Il avait encore baissé la voix, et évitait désormais de regarder Hamo.

— Ce chien galeux a...

Hamo prit le couteau des mains de Taxiarchos, mais Gosset s'interposa et empêcha Hamo de se jeter sur le pirate.

— Et mon enfant, ma fille ? demanda le comte, implorant.

— Elle, elle..., bredouilla Laurent tandis que les derniers coups faisaient sauter l'anneau de fer sur sa cheville... Euh... elle l'avait avec elle. Je dois encore boire quelque chose, je me sens si mal, murmura-t-il. Il tira le Pénicrate par la manche : Menez-moi à terre, à présent, pour que je...

Il s'interrompit : Créan venait d'apparaître avec ses serviteurs.

— Ces messieurs se connaissent ? interrogea le Pénicrate

Créan hocha la tête, fatigué.

— Dans ce cas, ils peuvent rentrer ensemble au palais pour y dormir jusqu'à demain, reprit-il.

Puis il se tourna en lançant un regard sévère à Hamo, toujours debout devant Gosset ; le comte trépignait comme un taureau énervé et ne semblait pas disposé à abandonner le capitaine à son sort.

— Nous prendrons le large un peu plus tard.

Tout cela convenait à Créan. Il se sentait abattu. Il aurait voulu soutenir Laurent, mais celui-ci tira le Pénicrate vers la passerelle. Là, le franciscain chuchota :

— Le capitaine a arraché l'enfant à la jeune femme et l'a jetée à l'eau parce que le marchand d'esclaves n'en voulait pas. Je n'ai pas le courage de le dire à Hamo.

— La petite avait-elle une chance de survivre ? demanda Créan.

— Peut-être, répondit Laurent. Nous étions ancrés tout près du port, et des femmes lavaient du linge sur le môle.

— Dans ce cas, inutile d'en dire plus, décida Créan. Elle a certainement été confiée à une nourrice.

— Ce pirate n'a pas mérité une mort rapide, dit le Pénicrate, même si je veux m'en débarrasser aussi vite que possible.

— Et que faisons-nous avec son équipage ? demanda Créan.

— Faites le tri et gardez ce qui est utilisable.

— Et le reste ?

— Il partagera le destin du capitaine. Nous l'offrirons aux poissons par petits morceaux lorsque nous serons en haute mer.

Ce n'était pas une plaisanterie, Taxiarchos était un homme sérieux.

— Nous nous reverrons demain, dit Créan, fatigué mais sûr de lui. Mes serviteurs peuvent rester ici ; ils viendront me chercher demain. Mais Philippe doit nous accompagner et nous montrer le chemin.

— Volontiers, dit le Pénicrate en appelant le serviteur de Hamo.

Ils disparurent tous les trois dans la pénombre du port, et Taxiarchos revint sur le pont. Il envoya Hamo dans la cahute de la proue.

— Allez vous coucher à présent, mon maître, car demain...

— Cette nuit même, dit Hamo en lui coupant la parole, mon capitaine lèvera l'ancre, et nous prendrons le large. Direction l'Arménie !

— Et la mission auprès du grand khan des Mongols ?

— Je m'en moque, répondit sèchement Hamo. Et mon capitaine ne m'en reparlera plus, compris ?

— À vos ordres, Hamo l'Estrange ! répondit le Pénicrate, ironique.

— Je dois pouvoir me fier à vous, Taxiarchos ! insista Hamo en lui prenant la main.

— Alors traitez-moi comme un ami !

— Et vous m'aiderez à retrouver mon épouse, Shirat, et mon enfant ?

— Je le ferai volontiers, mais faites-moi confiance, et laissez-moi prendre les mesures que je jugerai utiles.

— Vous êtes mon capitaine, le navire est sous votre commandement. Dites-moi ce que vous voulez.

— Pendant notre absence de Constantinople, laissez Gosset résider dans le palais Kallistos, vous ne trouverez pas meilleur administrateur.

— Avec plaisir, répliqua Hamo. Un autre souhait, capitaine ?

— Que vous alliez vous coucher immédiatement, Hamo l'Estrange !

Hamo s'en alla sans accorder un regard supplémentaire au pirate ligoté.

Taxiarchos s'approcha de Gosset.

— Nous devrions nous faire nos adieux. Hamo vient de vous nommer Grand *Domestikos* du palais Kallistos. Ainsi, je saurai où trouver un ami si je devais revenir un jour.

Ils se donnèrent l'accolade, et Gosset disparut dans la pénombre du port avec les brigands qui ne partaient pas avec le Pénicrate. La trirème reposait paisiblement sur l'eau, mais ses amarres gémissaient et grognaient comme un animal sauvage, inquiet et impatient, qui attend l'instant où il pourra bondir.

La promesse de la bague à sceau

Chronique de Guillaume de Rubrouck, Constantinople, fête de saint Léon Ier, 1253.

Lorsque Créan et Laurent sont arrivés au palais Kallistos, le récit détaillé de mon frère d'ordre a commencé par me distraire. Je ne me doutais pas du tout, à cet instant, que Hamo était prêt à partir, même si je savais qu'il avait trouvé un stratagème pour charger ses trésors à bord de la trirème. J'avais rangé ma part dans une bonne quantité de sacs ; je n'avais rien à craindre, surtout pas le retour de Hamo. Le fait qu'il avait envoyé Philippe, son serviteur, avec les deux autres, me confirmait que tout se passait comme prévu. Mais lorsque monseigneur Gosset est apparu, tard dans la nuit, et a mentionné de manière tout à fait accessoire que Hamo l'avait nommé, le temps de son absence, administrateur du palais, cela m'a paru étrange : l'aller et retour en Crimée, même si l'on devait, comme je le pensais, remonter et redescendre un peu le Don, n'était qu'un

saut de puce pour un navire rapide comme la trirème. J'ai réveillé Créan, qui s'est aussitôt montré
très suspicieux. Nous avons interrogé Gosset, et il a
répondu froidement.

— Ah, mais ces messieurs se sont mal compris. Le
jeune comte n'a pas choisi la Crimée, mais l'Arménie,
ce que l'on peut comprendre, même s'il est sans
doute plus facile de trouver une aiguille dans une
botte de foin qu'une jeune esclave sur les marchés du
Levant !

Gosset a voulu aller se coucher dans le lit de
l'évêque, qui lui revenait à présent. Créan l'a retenu.

— Où sont donc passés mes serviteurs ? a-t-il
demandé, méfiant.

— Je suppose qu'ils sont restés à bord, a répondu
Gosset en secouant la tête. Pourquoi ne les avez-vous
pas emmenés avec vous, Mustafa Ibn-Daumar ?

— Parce que j'étais encore trop hébété, monseigneur, par cette boisson sacrificielle que j'avais ava-
lée avec la docilité d'un agneau.

Créan, à son tour, n'a pu s'empêcher de secouer la
tête, mais c'est sa propre attitude qui le consternait.
La trirème est-elle vraiment partie ?

— Je lui ai fait signe lorsqu'elle a quitté le port, a
répondu monseigneur Gosset, comme si c'était une
consolation pour celui qu'on avait abandonné à
terre.

— Hamo nous a dupés, a constaté Créan, furieux.
Il m'a laissé lui tirer les marrons du feu. Maintenant,
je n'ai qu'à trouver tout seul un moyen d'arriver en
Mongolie.

— Ah, Créan, ai-je dit pour l'apaiser, comprends
donc, que représentent Roç et Yeza pour Hamo,
lorsque la chair de sa chair est en jeu ?

— Si tout le monde pensait ainsi, a grogné Créan,
nous pourrions enterrer tout de suite le « grand projet ». Il n'y aura jamais de royaume de la paix sur
terre, parce que personne ne voudra se battre pour
lui.

— Ils sont nombreux à s'engager, a dit Laurent

avec amertume. Chacun défend ses propres intérêts. Toi, Créan, par exemple, tu dis « nous », et tu penses aux Assassins.

Cela me suffisait.

— Et toi, Laurent, qui as fait s'abattre le malheur sur Hamo, même si tu n'as peut-être pas voulu qu'il perde femme et enfant dans cette affaire, tu agis pour le Prieuré, qui n'a plus aucune légitimité dès lors qu'il ne peut se targuer d'avoir les enfants sous son contrôle. C'est pour cette raison, et pas du tout pour le bien de Roç et Yeza, que nous devons partir pour Karakorom et risquer notre vie pour aller les y récupérer. Moi, au moins, je le fais par amour pour les deux enfants. Et je le ferai à condition qu'ils ne veuillent vraiment pas rester là-bas.

— Ils ont été enlevés à Alamut ! a répliqué Créan, indigné.

Mais j'en avais autant à son service.

— Vous ne vous êtes jamais demandé s'ils se plaisaient chez vous ; peut-être ne voulaient-ils pas du tout demeurer dans la Rose ?

— Cette dispute est oiseuse, a estimé Laurent à juste titre. Nous l'entendrons de leur bouche, qui n'est plus aujourd'hui une bouche d'enfant, lorsque nous serons enfin parvenus à les rejoindre. Mais des milliers de lieues nous séparent encore d'eux...

— Et nous n'avons plus les moyens de faire le voyage, a songé Créan à voix haute, déçu.

Je me suis bien gardé de dire que des moyens, j'en avais désormais plus qu'il n'en fallait, et me suis contenté de répondre :

— En revanche, nous avons la lettre et le sceau du roi, une lettre nous donnant pleins pouvoirs et une lettre de créance au grand khan. Et à présent, nous sommes au complet : toi, Laurent, tu voyageras sous l'identité du frère « Bartholomée de Crémone » ; toi, Créan, sous celle du prêtre « monseigneur Gosset », et nous emmènerons Philippe comme s'il était notre serviteur.

— Il ne manque plus que l'interprète promis, a

objecté Laurent, celui que nous devions rencontrer
ici, à Constantinople.

— C'est le cadet de mes soucis, a répondu Créan.
La seule chose importante est que nous quittions ces
lieux au plus vite. Gavin, qui voulait prendre congé
de nous, devrait lui aussi être arrivé depuis longtemps. Je déteste perdre du temps !

— Si tu continues à subvenir à tes besoins, Créan,
et si Gavin ouvre sa bourse de templier pour Laurent,
je financerai volontiers mon propre voyage et celui
de mon serviteur Philippe, ai-je déclaré froidement.
Plus rien, ainsi, ne s'oppose au début de notre voyage
de mission. À présent, nous devrions aller nous coucher.

— *Al lâna*, a maugréé Créan, que je n'avais pas du
tout l'habitude d'entendre jurer. Ma tente, mes coussins et mes couvertures, tous mes biens sont restés à
bord de cette trirème du *cheîtan* !

— Eh bien, mon cher Créan, tu t'habitueras ainsi
sur le tas à la vie austère d'un missionnaire ! Je te
souhaite un bon repos ! a dit joyeusement Laurent.

Et, après avoir lancé un « Bonne nuit, mes
frères ! » je me suis moi aussi retiré dans la cave,
pour dormir sur mes sacs.

Constantinople, à la Saint-Jean

Messire le précepteur Gavin Montbard de Béthune
nous a laissés macérer encore un bon bout de temps,
mais j'en ai profité. J'ai convaincu monseigneur le
Grand *Domestikos* qu'il serait plus convenable, pour
lui, prêtre lié à l'*Ecclesia católica* par un serment irré-
vocable, de faire retrouver la lumière du jour à notre
triton de Barth, ou du moins de l'installer dans un
terrarium pratique, par exemple le pavillon du parc,
jusqu'à ce que notre voyage soit arrivé à son terme et
à son objectif. Cela lui parut aller de soi, et nous
avons mené dans les sous-sols du palais une chasse à
courre en bonne et due forme pour capturer un
Barth affolé et qui n'avait sans doute plus toute sa
raison.

Les brigands restants (les mendiants étaient trop paresseux pour cela, même si les rires épouvantables de Barth ne cessaient de troubler leur sommeil) sont entrés dans les grottes et les galeries secrètes du labyrinthe constitué par le réseau hydraulique, armés de cordes et de filets. Roulements de tambours et trilles de flûtes stridents ont fini par le pousser à se faufiler dans « l'entonnoir » et à chercher refuge dans le « pavillon des erreurs humaines ». C'est là qu'il se trouve désormais. Philippe le nourrit à travers les barreaux. Pour ma part, j'ai pris un filet et une canne, et je suis revenu au puits dans lequel il avait jeté les bijoux volés dans la chambre au trésor. J'ai ainsi pu remplir un petit sac supplémentaire, et je dois dire que c'est mon préféré, car Barth avait choisi avec beaucoup de goût.

Gavin est enfin arrivé. Il est accompagné de l'interprète, qu'il a trouvé à Trébizonde. Ce Timdal est un vrai balourd, mais les Mongols l'ont envoyé tout de même, et ils savaient sans doute pourquoi. Le premier échantillon de sa bêtise : s'étant mis en route pour rejoindre la « ville impériale », il n'était pas arrivé à la Corne d'Or, mais chez les Grecs exilés, sur la côte de la mer Noire. Là, il avait demandé avec insistance où se trouvait Guillaume de Rubrouck. D'ailleurs, beaucoup m'y connaissaient, a-t-il dit, ce qui m'a profondément touché. Et ça lui a permis de trouver Gavin.

Pour ne pas semer la confusion dans l'esprit de Timdal plutôt que pour ne pas éveiller ses soupçons, Gavin nous a ordonné à tous de ne plus nous adresser la parole, désormais, que par le nom du personnage que nous sommes censés jouer. Et il m'a instamment recommandé de ne pas procéder différemment dans ma chronique. Si elle devait tomber entre les mains du service secret des Mongols, qu'il ne faut pas sous-estimer, l'échange des rôles pourrait nous valoir bien des désagréments. J'ai compris le message. Je n'ai guère de mal à donner à Créan le nom de monseigneur Gosset, au moins oralement (sous ma plume, cela reste à voir). Mais j'ai quelques difficultés, pour ne pas parler de réticences, à appeler Laurent « Bartholomée » ou même, simplement, « Barth ». Nous avons fini par nous mettre d'accord pour l'abréviation « Barzo », qui m'est plus agréable et amuse aussi Laurent. Mais le templier, lui, est tout à fait sérieux ; il nous soumet à de rigoureuses vérifications aux moments où nous nous y attendons le moins. Il dit ainsi à table, d'une voix aimable : « Ah, Créan, donnez-moi donc encore un peu de sauce. » Ou encore « Laurent, je vous avais complètement oublié ! » Malheur, si l'un de nous réagit alors ! On le prive de dessert, comme un mauvais garnement.

Le jour du départ est enfin arrivé. Gavin s'est fait un peu violence (ces templiers sont avares !) avant de puiser dans sa cassette personnelle pour équiper Laurent d'Orta et lui remettre une bourse avec de l'argent pour le voyage. Comme tous deux sont membres du Prieuré, Gavin pourra se faire rembourser ses dépenses sur la caisse de l'Alliance — en tout cas, c'est ce que je me suis dit pour apaiser ma mauvaise conscience. Elle me rongeait, parce que je possède beaucoup plus que mon frère d'ordre, et que je n'ai pas songé un instant à partager avec lui.

Pour nous mettre enfin en marche, Gavin s'est en outre déclaré disposé à nous accompagner jusqu'en Crimée avec un voilier rapide de la flotte des Templiers. Nous avons dû aujourd'hui porter notre paquetage à bord, et messire le précepteur est resté bouche bée en me voyant arriver avec une caravane de mulets qui portaient mes caisses et mes sacs. Abasourdi, il a demandé à Philippe ce que cela signifiait, d'où venait cette richesse subite et pourquoi nous voulions nous charger de tant de bagages pour la suite du voyage à terre, qui serait certainement très pénible. Philippe a répondu, comme je le lui avais demandé, qu'il ne s'agissait pas des bagages personnels de l'émissaire royal Guillaume de Rubrouck, mais d'un équipement conforme à son rang et de présents que le roi Louis lui avait fait parvenir à l'intention du grand khan en même temps que la lettre de créance. Ainsi, le légat, bien qu'il soit un simple franciscain, pourrait tout de même faire honneur au roi, et surtout réjouir et conquérir le cœur des Mongols. J'avais fait apprendre ce discours d'explication par cœur à mon serviteur, et il l'a tenu avec brio, car le templier ne m'en a même pas parlé lorsque nous nous sommes assis ensemble pour un dernier dîner sur la terrasse du palais Kallistos.

C'est l'ancien monseigneur Gosset, grand *domestikos* et, à ce titre, diacre de la chapelle du palais, qui invitait. On nous a servi les premiers melons, coupés par moitiés et remplis d'un jus froid de menthe, de citron et de miel. On les a arrosés, en guise de petit hommage à notre prochain objectif, d'un vin blanc perlé de Crimée, que je préfère au résiné du Péloponnèse. Puis on a apporté un pâté d'anguille et une salade de chair de crabe aux pommes amères et aux noix pralinées. Ensuite, on est passé au vin rouge de Hongrie, accompagné d'une sorte de dauphin macéré dans le lait d'amandes, qu'ils appellent ici la « vierge de la mer ». Il était saupoudré de mûres, de cerises et de raisins secs, et garni d'hippocampes grillés à point, de champignons revenus et de petits poulpes cuits dans leur encre. Le repas s'est achevé sur un gâteau de riz au safran avec de la cannelle, accompagné d'un vin de Pergamon doré, légèrement collant mais extraordinairement suave.

Notre hôte nous a souhaité bon vent, et je me suis secrètement demandé s'il n'avait pas choisi le meilleur rôle en prenant du bon temps ici, à la Corne d'Or, et en envoyant le pseudo « prêtre Gosset » à Karakorom. Trop tard, Guillaume, me suis-je dit, ta place a toujours été du côté le moins confortable. Nous prendrons la mer demain matin, le 7 mai.

P.S. Cette fois, pour sceller, j'utilise ma nouvelle bague, celle de la chambre au trésor de l'évêque. Je dois dire qu'elle orne considérablement la chronique d'un vulgaire frère mineur.

4. VIA TRIUMPHALIS

Un rendez-vous lourd de conséquences

 Roç Trencavel à Guillaume de Rubrouck, depuis le camp d'été, première décade de mai 1253.

J'y suis arrivé! À présent, je peux aussi t'écrire en toutes lettres, mon cher Guillaume, comment tout s'est déroulé. Comme je m'y attendais, Dschuveni, l'intrigant, a obtenu de son maître Hulagu, dont il est le chambellan, que je sois intégré avec Omar dans la garde du palais, c'est-à-dire la garde personnelle du grand khan. Il m'a présenté cette charge comme un grand honneur pour moi-même et mon ami et gardien, si je puis dire. Car l'éducation du couple royal dans l'idée impériale mongole, m'a expliqué le chambellan non sans satisfaction, exige aussi que nous acceptions la séparation dans l'espace et dans le temps lorsque le service l'exige. Tel est justement le cas. Je pourrai revoir Yeza, m'a-t-il dit, lorsque l'illustre Dokuz-Khatun se rendra dans la capitale avec ses femmes, c'est-à-dire à la fin de l'automne. Je dois me préparer pour notre départ imminent en direction de Karakorom. Il m'a été facile d'attiser l'ardeur d'Omar, qui se consume pour Orda, l'amazone de Yeza. Il était fou à l'idée de monter encore cette somptueuse jument avant notre départ, et je lui ai encore échauffé un peu plus les sangs en lui affirmant qu'Orda ne rêvait que de lui. Je savais en fait par Yeza qu'elle était résolue, depuis longtemps, à offrir ses faveurs à Kito.

J'allai donc voir Kito et lui fis savoir qu'Orda était disposée à satisfaire à sa demande, mais ne souhaitait pas que l'on sache qu'il était son amant. Elle lui demandait donc de tout son cœur de se présenter devant elle revêtu du clams, la longue tenue blanche des templiers, et de passer l'un de ces heaumes qui dissimulent tout le visage, à l'exception d'une mince fente pour les yeux. Il pouvait ainsi prouver qu'il voulait préserver son honneur. Kito me demanda s'il était vraiment nécessaire de faire tant de manières, et je lui répondis que dans le « Reste du Monde » c'était un procédé tout à fait courant, et considéré comme hautement chevaleresque. L'honneur d'une dame justifiait toutes les dépenses et tous les efforts. La récompense n'en était que plus belle !

Kito m'assura qu'il n'en doutait pas un instant, mais qu'il devait d'abord trouver, ou faire réaliser, pareil attirail. Fort de cet accord, je mis Orda au courant au moment où Yeza se trouvait avec Dokuz-Khatun dans l'église chrétienne. Je la préparai à ce rendez-vous avec Kito et lui annonçai que celui-ci viendrait la voir habillé en templier, afin de préserver son honneur. Je proposai que cette rencontre secrète se déroule dans la yourte-atelier de maître Buchier. Elle était vide la nuit : l'artiste disposait d'une yourte supplémentaire destinée à l'habitation (un luxe !). Mais on avait tout de même installé un lit près de l'arbre à boire, dans le cas où le maître aurait besoin d'une pause créative pendant son travail.

Orda fit certes la moue à l'idée d'utiliser cette forge pleine de suie comme jardin d'amour, mais elle était tellement excitée que tout lui convenait. J'aurais aussi bien pu la convaincre d'apparaître sellée avec un bridon dans la bouche. Tout était prêt lorsque Yeza se dirigea vers moi.

— Cette idée de faire le galant en portant la chaste tenue des templiers vient-elle de toi, mon cher Trencavel ?

Je répondis à ma *damna*, en rougissant :

— Que conseillerais-tu à un gamin mongol qui veut se sentir comme un chevalier ?

Et elle ne put s'empêcher de rire.

— Messire Kito d'Iskenderun a chargé Omar de lui

procurer une tenue de ce type, avec un heaume.
Celui-ci est à présent en train de fouiller dans les
coffres qui contiennent les butins, car lui, à la différence des Mongols, sait à quoi ressemble ce qu'il
cherche.

Cela ne pouvait pas mieux se passer, songeai-je, et je
dis :

— Peut-être un émir tributaire a-t-il un jour ôté les
vêtements d'un templier abattu afin de les envoyer au
grand khan, comme de précieuses reliques ?

— Espérons-le, pour que ce jeune bonheur n'échoue
pas, dit ma bien-aimée en souriant. Ce sera un beau
couple. Kito est un grave garçon, il ira loin, et Orda à
ses côtés... pour ma part, j'offre ce bonheur à cette
jeune fille !

— Elle peut parler de bonheur ! fis-je à mon tour,
tout heureux de m'être sorti d'affaire. Si Kito était assez
bête pour charger Omar, justement, de lui procurer sa
tenue de noces !

Je pouvais ainsi m'en laver les mains. Et cette impu-
nité me plaisait, même si je pouvais m'attendre à
essuyer la colère de ma *damna* si elle apprenait ce que
j'avais ourdi. L'idée des clams n'avait jusqu'à présent
rien de répréhensible. Si Yeza apprenait la fin de l'histoire je prendrais un air désolé et je nierais toute participation.

La nuit vint. Je fis même entrer ma *damna* dans le
jeu : elle annonça à Orda qu'elle devrait se rendre dans
la yourte de l'orfèvre aux alentours de minuit. Elle se
chargea aussi d'envoyer Kito auprès de son père, en lui
faisant porter la nouvelle par Omar. Lequel eut ainsi la
voie libre. Il avait effectivement passé une tunique
blanche. C'était certes celle d'un chevalier Porte-Glaive
allemand, reconnaissable à la croix noire, et elle provenait d'un lot que le prince Alexandre Nevski avait
envoyé comme hommage au grand khan. Le butin
contenait aussi un bon nombre de casques cylin-
driques, ces horreurs typiques de l'ordre des Chevaliers
teutoniques. Dans cet équipage, mon Omar se rendit
donc au rendez-vous avec celle qu'il convoitait si
ardemment. Avec quel plaisir aurais-je joué la petite
souris ! Mais la prudence me l'interdisait. Je me mis au
lit. Mais le sommeil du juste ne voulut pas venir. Il
devait être une heure du matin lorsque des braillements

réveillèrent le camp. Je tirai ma couverture sur la tête et fis mine de dormir. Les piaillements indignés d'Orda recouvraient un brouhaha d'injures et d'exclamations. Puis on m'ôta ma couverture sans ménagement, et je vis devant ma couche Kito, debout, tremblant de fureur.

— Pourquoi ne m'as-tu rien dit ?

— Quoi ? marmonnai-je, ivre de sommeil. Ah, ton rendez-vous ? J'ai envoyé Omar te chercher...

— Comment as-tu pu choisir justement ce faux...

— Comment ? dis-je, indigné et à présent tout à fait éveillé. C'est mon ami, ton ami, celui que tu as envoyé, comme me l'a raconté Yeza, avec une mission de confiance..., fis-je en jouant l'offensé.

— Il m'a roulé ! s'exclama Kito, furibond, comprenant sans doute que sa responsabilité valait au moins la mienne.

— Et où est-il passé, au juste ? Il devrait être couché ici, devant mon lit, et surveiller mon sommeil !

— Un bel ami ! fit Kito, moqueur. Mais c'est moi, le véritable crétin... (Il s'assit au bord de mon lit et plongea la tête dans ses mains.) Dschuveni l'a fait arrêter par les gardes, pour que je ne le frappe pas ! Demain matin, le Bulgaï statuera sur son sort.

— Mais qu'est-ce qu'Omar a bien pu faire pour vous mettre tous dans un tel état d'excitation ? demandai-je, hypocrite.

— Il m'a trompé !

— Avec Orda, c'est cela ?

— Il l'a trompée aussi ! rugit Kito.

— Comment ça ? demandai-je. Allez, raconte !

— Omar a passé lui-même la tenue blanche, s'est coiffé avec le casque et s'est rendu à ma place auprès d'Orda.

— Et elle n'a rien remarqué ? m'étonnai-je, ne pouvant plus m'empêcher de rire.

— Seulement quand il a été trop tard ! Alors qu'elle s'était déjà donnée à ce débauché, lorsqu'il a cru pouvoir montrer son véritable visage après l'avoir conquise.

— Elle s'est laissé triquer par un homme qui portait un seau sur la tête ? Et elle n'a pas remarqué que la trique ne correspondait pas à la tête à laquelle elle aurait dû s'attendre ? C'est trop drôle pour que ça te fâche vraiment, Kito ! m'exclamai-je, secoué par le rire. Admets que tu n'aurais pas laissé passer l'occasion, toi non plus, si tu avais été à la place d'Omar! Je t'en prie, ne transforme pas cette plaisanterie en un crime passible du tribunal! Et surtout, ne te transforme pas toi-même en cocu! Raconte que cela ne te disait rien et que tu as, par conséquent, envoyé un représentant. Sans cela, en plus, tout le campement va se moquer de toi, Kito!

— Tu as raison, Roç. J'accepterai donc d'un air joyeux ce jeu dont je suis la dupe.

— Quand on est le perdant, mieux vaut ne pas chercher les moqueries!

— Et que faisons-nous d'Omar?

— Libère-le dès cette nuit, avant que le grand juge n'organise une audience qui ne te vaudra que des ennuis. Donne-lui un cheval, et chasse-le d'ici! (J'avais gagné la partie, et je ne pouvais plus que donner des conseils à bon marché.) Car il ne faudrait plus que tu l'aies entre les pattes dans ta section. Si l'on vous voit encore ensemble ce matin, on va bavarder et rire dans ton dos. Mieux vaut éviter cela!

— Roç, tu es un véritable ami. J'aurais dû venir te demander conseil tout de suite.

— La prochaine fois! répondis-je en lui tapant sur l'épaule.

— Et Orda, qu'est-ce que j'en fais?

— Tu peux lui pardonner et rattraper cette nuit manquée, avec ou sans seau sur la tête. C'est une jeune fille convenable!

— Elle l'était! grogna Kito en sortant d'un pas lourd.

Le lendemain matin, je fus réveillé par Yeza.

— Tu as fait du beau travail, me dit-elle aussitôt. Orda ne veut plus faire un pas à l'extérieur et elle pleure toutes les larmes de son corps.

— Parce qu'Omar est parti? demandai-je, bien préparé. Qui l'eût cru?

— Non, parce que Kito ne la regarde plus!

Yeza m'apprit que Kito avait pu obtenir de son père, la nuit même, qu'Omar soit libéré malgré l'ordre d'arrestation lancé par le chambellan, et qu'il soit chassé du camp et du pays avec son équipement pour rejoindre Samarcande par le chemin le plus court. On lui donna un mauvais cheval, on ne l'autorisa pas à prendre congé de ses amis, ni même à se justifier.

— À bien y réfléchir, me confia Yeza, c'est peut-être

une bonne chose. C'était tout de même l'un des quatorze qui avaient juré de...

— Pas un mot de plus, Yeza! Les parois des tentes
ont des oreilles. Nous ne savons rien, ni toi, ni moi!

— Cela t'arrange sans doute beaucoup, mon Trencavel! fit-elle, moqueuse. Intègre ta dernière phrase à ton
nouveau blason, mon seigneur du Haut-Ségur, elle te
servira de devise! Ton comportement n'a vraiment rien
eu de chevaleresque!

— Ma vénérée *damna*, il a fallu attendre ce matin
pour que tu te rappelles qui était véritablement Omar
— et qui il est certainement resté. À cette heure, il
aurait déjà été en route pour Karakorom, à mon côté,
afin d'être admis avec moi dans la garde personnelle du
grand khan. J'étais forcé d'agir!

Elle me prit dans ses bras et éclata de rire.

— Mon cher intrigant! Je découvre un nouveau Roç,
qui échange les purs idéaux de la chevalerie contre les
attitudes d'un souverain.

— Je serai toujours ton chevalier, répondis-je, piqué
au vif. Mais l'épée ne suffit plus à te protéger!

— Surtout pas ici, dans la steppe, où règnent
d'autres lois. Nos hôtes entretiennent sans doute certaines vertus fort prudes, mais l'esprit chevaleresque
leur est totalement étranger!

— Ma très fortunée *damna*, dis-je en m'agenouillant
devant elle. Pourrez-vous me pardonner encore une
fois?

Elle me tendit la main pour que j'y dépose un baiser,
mais je me faufilai agilement sous Yeza et l'attrapai
entre les cuisses. Elle se détourna de moi en riant.

— Adieu, mon chevalier de bonnes manières!

Puis elle s'en alla.

L.S.

Le scandale eut lieu tout de même, Dschuveni y
veilla. Il tenta de traîner Kito devant le grand juge,
Bulgai, mais le chauve tant redouté se contenta de
sourire et lança:

— Ce sont des gamineries! Si l'honneur d'une
Mongole en avait souffert, la tête du gredin aurait
roulé à mes pieds. Mais tel n'est pas le cas. Le bannissement de l'étranger qui a abusé de notre hospitalité est une juste mesure.

Toujours souriant, il baissa les yeux vers le chambellan.

— Cela étant dit, je lui aurais donné dix coups de verge pour la route.

Kito bondit.

— Vous pouvez me les donner à moi, fit-il, la mine sombre. Je les ai plus que mérités.

— C'est bien possible, reprit le Bulgai, dont le sourire se dissipa. Mais vous appartenez par votre père à la proche famille des Gengis, et vous le savez, en tant que juge suprême, je ne peux admettre que l'on porte la main sur vous. Seul le grand khan peut lever votre immunité. Mais votre erreur, si c'en était une, ne mérite certainement pas le tapis.

L'audience était close. Au moment où le juge prononçait ces derniers mots, Yeza, hors d'elle, s'était précipitée dans la yourte.

— Dis-moi, Kito, pourquoi n'adresses-tu plus le moindre regard à Orda ? C'est à toi qu'elle s'est donnée, sans se douter de rien !

L'attaque plongea Kito dans l'embarras.

— Je n'arrive pas à admettre qu'elle ait satisfait les désirs virils d'Omar comme si c'étaient les miens. C'est certainement injuste, mais qui donc aime être comparé à un autre homme ? J'aurais dû l'abattre !

— Cela n'aurait rien changé, Kito, au contraire : l'épée d'une ombre reste toujours hors de portée.

— Pour moi, le fourreau est mort, grogna Kito, buté.

Yeza s'abstint de lui faire remarquer qu'Omar, sans le savoir, s'était contenté de lui rendre la pareille. Après tout, quelque temps plus tôt, à Iskenderun, Kito n'avait-il pas pris d'assaut la sœur d'Omar, Aziza ? Mais Kito ignorait naturellement ce lien familial, et il ne fallait pas le lui révéler. L'idée aurait pu lui venir qu'Omar était un Assassin d'Alamut, et pas seulement un étranger secourable venu de Samarcande.

Yeza changea donc de sujet. Ah, les hommes et leur fierté saugrenue d'être le premier à conquérir une femme !

— Mais qu'est-ce que cette histoire de « tapis » ? demanda-t-elle.

Kito la regarda, embarrassé.

— Ça ne vous concerne en rien, princesse !

— Mais je veux le savoir ! répondit Yeza. Est-ce une punition ?

— Oui et non. C'est un honneur réservé aux membres de la lignée des Gengis qui ont, selon le jugement du grand khan, perdu le droit de vivre. Comme aucun homme (même le bourreau) ne peut porter la main sur le coupable, on le couche sous un tapis et l'on fait galoper dessus les chevaux d'une section de cent hommes.

Yeza ne dit plus rien. Elle mit beaucoup de temps avant de pouvoir chasser cette image de son esprit.

Le chambellan convoqua Roç et Yeza.

— Qui était votre ami, cet Omar ? demanda-t-il. Le connaissiez-vous déjà avant de le rencontrer à Samarcande ?

— Absolument pas, répondit Roç. Il s'est approché de moi sur le marché de Samarcande, et m'a prévenu que nous courions « un risque ». C'est tout !

— Pourquoi ne m'en avez-vous pas informé ?

— Parce que nous voulions savoir qui souhaitait attenter à vos jours, et qui osait vous attaquer.

— Il faut reconnaître ses ennemis ! ajouta Yeza.

— Quelle légèreté d'esprit ! fit Dschuveni en renâclant. Savez-vous au moins qui c'était ?

— Vous avez Malouf dans son tonneau pour vous répondre ! repartit Yeza, moqueuse. Pour moi, c'était le bras armé du calife. Les meurtriers étaient à la solde de Bagdad.

— Et d'où tenez-vous cette prétendue information ? demanda Dschuveni, soupçonneux. Le marchand de Samarcande préfère se laisser tailler en pièces plutôt que de desserrer les dents.

— Il l'a dit à Omar ! fit Roç, qui n'en pouvait plus.

— Mais on devait avoir l'impression que l'imam d'Alamut était derrière l'opération afin que la colère du grand khan se retourne contre les Assassins, ajouta rapidement Yeza.

— Si vous m'aviez confié cela plus tôt, princesse, je n'aurais pas laissé ce gaillard filer d'ici à cheval.

— Vous pouvez encore le rattraper, répliqua Yeza, mais je doute que vous tiriez d'Omar plus que ce qu'il nous a déjà dit. Il ne sait rien de plus précis, affirma-t-elle audacieusement, tout en poussant Roç du pied, au moment où le chambellan leur tournait le dos pour regarder à l'extérieur de sa yourte, alerté par le bruit.

Le camp était de nouveau en grand émoi.

— En tout cas, annonça Dschuveni en s'adressant à Roç, j'ai décidé de revenir sur ma recommandation. Je ne souhaite plus vous envoyer dans la garde personnelle du grand khan.

Cette fois, c'est Roç qui envoya un coup dans le tibia de Yeza, pour exprimer sa joie secrète. Mais il parvint tout de même à prendre une mine assombrie et à articuler, honteux :

— Je ne méritais pas cet honneur...

Il n'alla pas plus loin, Kito venait de se précipiter dans la tente.

— Orda a pris une carriole et une paire de bœufs, y a chargé ses affaires et a quitté le camp !

Cette histoire avait tellement ému Kito qu'il ne savait pas s'il devait saluer l'attitude de la jeune femme ou la condamner.

— Tenez (il tendit à Yeza une lettre scellée), elle a laissé cela pour vous, sa « maîtresse et amie ».

Yeza l'ouvrit et ne vit aucune raison de ne pas la lire à voix haute : « Je pars à la poursuite de l'homme qui m'a connue, après avoir dû constater que celui auquel je vouais mon amour ne fait plus attention à moi. Vous, ma reine, vous me comprendrez et me pardonnerez de quitter votre service avec tant d'ingratitude. »

— Ce n'est pas convenable ! Ramenez sur-le-champ cette servante infidèle ! ordonna le chambellan à Kito.

Celui-ci faisait déjà mine d'obéir lorsque Yeza intervint.

— Jusqu'ici, c'est à cette jeune fille que l'on fait porter toute la responsabilité ! s'exclama-t-elle, indignée. Elle a autant souffert de cette supercherie que de vos réactions masculines et de votre sens de l'honneur ! À présent, laissez-la partir ! Je souhaite qu'elle atteigne son but et qu'elle soit heureuse. Je vous ordonne, Kito, fit-elle à l'attention du chef de section ahuri, de ne rien entreprendre pour la poursuivre !

Puis, avec une attitude qui tenait plus de la déesse enflammée que de la majesté royale, elle s'adressa à Dschuveni :

— Je vous conseille, chambellan, de ne pas chercher à circonvenir mes ordres ! Dans le cas contraire, je me verrais forcée de me plaindre auprès du grand khan de la manière particulièrement nonchalante avec laquelle vous avez jusqu'ici frayé et assuré notre chemin vers la Couronne du Monde ! Elle ne lui laissa pas la possibilité de répondre, et ajouta : Et de la légèreté avec laquelle vous avez choisi les serviteurs qui étaient censés garantir notre sécurité, et protéger de leur propre corps la vie du couple royal ! (Et en le voyant s'incliner joliment devant elle, elle en rajouta encore un peu.) Qu'en ont-ils fait, de leur corps ? Vous en restez sans voix ? Vous avez raison !

— Je propose, fit Roç pour calmer un peu le jeu, que nous ne mettions pas d'obstacles à la marche du destin. Les témoins de cet incident déplaisant nous ont abandonnés, nous ne devrions rien faire pour les ramener par la force.

Ni Kito, ni Dschuveni ne purent s'empêcher de hocher la tête et d'approuver cette sage proposition. Yeza conclut donc, conciliante :

— Nous nous sommes tous un peu énervés. Eh bien, puisque nous sommes tous d'accord, oublions cette histoire !

— Vos désirs sont des ordres !

Le chambellan paraissait avoir appris sa leçon, et tous se séparèrent.

La revalorisation

Peu après, on entendit dire, dans le camp, que Malouf avait mis fin à ses jours dans le tonneau. Certains racontèrent qu'auparavant il avait fait des aveux à Dschuveni, et que celui-ci, en contrepartie, lui avait épargné un nouvel interrogatoire par le Bulgai. En tout cas, les chiens auxquels on avait jeté ses restes étaient morts dans d'atroces convulsions. Yeza alla chercher Roç, craignant que Kito ne le ramène aussitôt dans sa section ; elle le trouva bien entendu chez maître Buchier et son arbre à boire en argent. L'œuvre d'art faisait des progrès évidents, mais cela n'intéressait pas Yeza. Elle tira son chevalier devant la forge.

— Nous nous sommes donné un peu d'air, mon cher Trencavel, dit-elle, l'air soucieux. Mais nous sommes encore loin d'avoir trouvé la position qui nous rendra la vie supportable ici et correspondra à notre destin. J'ai beau considérer avec plaisir ton amitié avec Kito, tout ce que nous a rapporté jusqu'ici ton savoir-faire en matière d'équitation et de tir à l'arc, c'est une nomination dans la garde personnelle de messire Möngke, auquel nous n'avons toujours pas été présentés.

— Entrer dans cette garde est le plus grand honneur que puisse connaître un jeune Mongol, fit Roç, fâché de devoir aborder ce sujet désagréable. Kito est furieux contre moi : en tant que chef d'une section, il est responsable de chacun de ses hommes. Il perdrait sa tête si l'un d'eux désertait au combat. Pour lui, le fait que l'on ait renoncé à m'envoyer à Karakorom est une grande honte.

— Ce n'est pas mon problème, dit Yeza. Il faut que tu te sépares de lui et de sa bande de sauvages, même si tu te sens très bien parmi eux. Nous devons arriver enfin à Karakorom, devant le trône du grand khan, avant que les Mongols ne se mettent à nous considérer comme des volatiles ordinaires, puisque les oiseaux de paradis commencent à perdre leurs plumes. Nous sommes des aigles royaux, et nous n'avons rien à faire dans cette cage, même si elle a l'air d'un enclos où nous pouvons voler librement. Ces confrontations avec le chambellan ne sont pas dignes de nous.

— Qu'as-tu en tête, reine des airs ? Je te connais, tu n'es sûrement pas venue sans avoir un plan en poche !

— Je veux m'adresser seule, sans toi, au général Kitbogha, parce que cela doit être une conversation sans témoin. Je vais lui révéler que j'ai découvert qu'Omar était un Assassin !

— Mais tu joues notre vie !

— J'en prends la responsabilité, répondit Yeza froidement. Je préfère le faire moi-même avant que Dschuveni ne lui ait confié ce qu'il sait. Car celui-ci n'a sûrement pas envoyé Malouf au diable sans lui arracher cet aveu auparavant, tu peux en être sûr.

— Et si Malouf n'a rien dit ?

— Alors notre situation sera toujours meilleure si je lui dis la vérité...

— Et de qui la tiens-tu... pourquoi seulement maintenant ?

— Je la tiens d'Orda ! répliqua Yeza. Je viens de trouver dans ses affaires une amulette qu'elle a sans doute dû laisser glisser de ses ballots : le signe de reconnaissance secret des Assassins d'Alamut !

Elle montra à Roç une étoile de cuivre qu'Omar lui avait offerte, jadis, à Iskenderun. Ses cinq branches entouraient avec art un bouton de rose où l'on avait gravé les mots « *Al uafa hatta al maut* ». Elle avait soigneusement gardé ce gage d'amour, et elle avait de la peine à l'idée de le sacrifier.

— Tu n'es au courant de rien ! ordonna-t-elle à son compagnon. À présent, laisse-moi faire !

Yeza savait que le général visiterait le camp à la tombée du soleil, accompagné par le grand juge Bulgai. Elle demanda donc un cheval à son ami maître Buchier. Elle voulait éviter que la pieuse Dokuz-

Khatun ne lui impose un passage à l'église pour les vêpres. Elle chevaucha à la rencontre des deux hommes, la présence du Bulgai, ce magistrat tant redouté, la faisait certes un peu frissonner, mais augmentait le plaisir que lui procurait ce jeu dangereux.

Yeza aperçut de loin la troupe de Kitbogha. Le général et son hôte, le grand juge, avançaient rapidement devant les autres. Lorsqu'ils virent Yeza seule dans la steppe, le vieux soldat brida son cheval.

— Salut à vous, princesse! s'exclama-t-il à sa manière tonitruante. Vous venez certainement me parler du transfert de votre jeune époux, ajouta-t-il, comme pour l'encourager. Nous ne sommes pas des monstres!

Il jeta un regard interrogateur au chauve, et celui-ci, d'un hochement de tête, lui donna son accord.

— Vous pouvez considérer que ce transfert est annulé. Vous pourrez ainsi jouir à deux, comme par le passé, de votre jeune amour et de notre bel été!

Il était certainement aussi sincère que le laissait penser la force de sa voix. Yeza dirigea son cheval entre les deux vieux hommes.

— Cela n'est pas donné à une jeune reine, elle n'a aucune prétention à ce type de bonheur. Je suis pressée de vous révéler une découverte qui m'a effrayée et me paraît d'une grande importance politique. Puis-je parler franchement?

Une fois de plus, le regard interrogateur se tourna vers le Bulgai. Celui-ci observa Yeza, étonné, et répondit :

— Je vous en prie, parlez sans crainte!

Yeza surmonta sa peur.

— Les hommes qui nous ont attaqués à Samarcande n'étaient pas des Assassins, dit-elle, meurtriers à la solde de Bagdad. En revanche, ceux qui ont sacrifié leur vie pour venir à notre secours étaient des hommes de la Rose, des *fida'i* de l'imam d'Alamut. Je peux le prouver à présent.

— Et cela vous a effrayée? questionna le Bulgai, attentif.

— Oui, répliqua Yeza avec ferveur. Bien que cet Omar n'ait commis aucune faute, mis à part le mauvais tour qu'il a joué à ma gardienne, Orda.

— Pourtant, fit-il en lui coupant brutalement la parole, il s'en est fallu de peu pour que nous l'envoyions comme garde du corps à Karakorom. Je n'ose pas imaginer...

Cette fois, c'est Yeza qui l'interrompit.

— Au contraire, s'exclama-t-elle hardiment, il aurait vraisemblablement prouvé que tous les Assassins ne sont pas des meurtriers perfides, et il aurait protégé de son corps la vie du grand khan, j'en suis certaine. Car s'il avait eu d'autres intentions, ou même une mission, il l'aurait exécutée et ne se serait pas laissé entraîner dans une aventure aussi bête.

— Qu'est-ce que nous en savons ? marmonna le général.

Mais Yeza ne se laissa pas décontenancer.

— Nous savons à présent que les Assassins sont des amis.

— Vous n'en savez rien du tout, jeune reine, répliqua le Bulgai qui souriait de lui voir tant d'ardeur. Vous le supposez parce que cela vous arrange. Je suis heureux que nous n'ayons pas eu à le vérifier sur le corps du grand khan. Mais soyez remerciée pour votre vigilance, celle-là même dont d'autres que vous auraient dû faire preuve. Ce n'est pas de votre fils que je parle, général.

Yeza jugea bienvenu de prendre la défense du chambellan.

— Personne ne pouvait le deviner, dit-elle. Cela me prouve que *tengri*, le ciel éternellement bleu, tient sa main protectrice au-dessus du grand khan : à lui seul, il a fait en sorte que tout se passe bien. Notre cœur ne devrait pas être à la vengeance ou à la rancune, mais à la gratitude.

Les deux hommes échangèrent un regard qui exprimait un mélange d'étonnement et d'amusement.

— Vous avez fait preuve de lucidité et de clair-

voyance, ma reine, mais aussi de perspicacité et de
discrétion. Il était bon que vous nous informiez
avant les autres de ce que vous avez découvert, dit le
grand juge, et je propose que nous en restions là.

Avant que Yeza ne puisse répondre, le général
ajouta :

— Demain, je vous mènerai à mon maître. Le seigneur Hulagu souhaiterait délibérer avec vous, le
couple royal. Il s'agit du « Reste du Monde ».

— Je sais, répondit Yeza avec un sourire patient,
nous attendions ce moment depuis longtemps, mais
nous désirons encore plus ardemment être enfin présentés au grand khan Möngke. C'est pour lui que
nous sommes venus, car il nous a appelés.

— Nous avons tous souhaité votre venue, répliqua
le général, ému. Arslan, le chaman, nous a fait savoir
que vous étiez promis au peuple des Mongols.

— Tout comme le « Reste du Monde » ? ajouta
Yeza, piquante, et elle ne manqua pas d'adresser au
Bulgai l'un de ses « regards étoilés » auquel nul ne
pouvait résister.

Celui-ci fini par s'avouer vaincu.

— Vous verrez le grand khan Möngke. Le khagan
vous attend déjà depuis longtemps et il sera extrêmement réjoui si je lui annonce dans quel esprit royal
vous vous apprêtez à lui faire allégeance.

Après avoir ainsi atténué les déclarations effron-
tées de Yeza, les deux hommes rentrèrent avec elle
dans le camp.

      Roç Trencavel à Guillaume de Rubrouck, dans
le camp d'été, dernière décade de juillet 1253.

Yeza et moi-même chevauchions, accompagnés de
Kito, vers l'endroit où son père nous avait invités pour
une « rencontre très importante ». Il ne pouvait nous en
dire plus. Et cela nous convenait : l'essentiel était qu'un
événement quelconque fasse enfin évoluer notre situation, qui commençait peu à peu à devenir lassante. Jour
après jour, je faisais du cheval avec la section, dont
Yeza continuait à parler comme d'un « tas de sauvages ». Pure jalousie : elle aurait aimé être en selle

avec nous, au lieu de se rendre à l'église trois fois par jour. Mais on ne cessait de nous bercer de belles promesses.

Kito, qui avait déjà manifesté des signes de déception en constatant que sa mystérieuse révélation ne nous arrachait pas des cris de joie, tournait manifestement autour du pot.

— Qui est au juste ce Guillaume de Rubrouck, laissa-t-il finalement échapper, auquel vous ne cessez d'écrire sans lui envoyer vos lettres ?

Il se racla la gorge, confus, avant d'ajouter en hâte :

— C'est le grand juge qui vous pose cette question. Ce n'est pas que cela l'inquiète. C'est juste une affaire d'ordre.

Kito était manifestement embarrassé. Mes papiers, eux aussi, avaient donc fait l'objet d'une fouille ! Je m'y attendais depuis que Yeza m'avait informé qu'Orda espionnait pour le compte du Bulgai. Mais cela m'agaçait tout de même. Je lançai un regard à Yeza pour lui indiquer (nous étions rodés comme deux vieux comédiens) que je me chargeais de la première réplique.

— Comment cela, le chef suprême des Services secrets de tous les Mongols ne connaît pas Guillaume de Rubrouck ? m'exclamai-je. Mais c'est impossible !

Je feignais l'effarement. D'une voix lourde de reproche et teintée de moquerie, j'ajoutai :

— Guillaume est le plus célèbre franciscain vivant, le membre le plus important de l'ordre mondial des Frères mineurs depuis son fondateur, saint François d'Assise.

— Guillaume de Rubrouck, familier de l'empereur, conseiller des rois ! Que savez-vous du « Reste du Monde » si vos informateurs sont passés devant une personnalité d'un tel rang sans même la remarquer ? intervint Yeza.

— On pourrait dire qu'il vient juste après le pape, ajoutai-je pour apporter une nouvelle pierre à ta gloire. Il se tient à côté de lui et dirige en secret le destin de l'Église du Christ.

— Les initiés chuchotent que c'est lui, le Cardinal gris, compléta Yeza.

Kito rassembla ses esprits pour poser une autre question :

— Se trouve-t-il au-dessus du pape, dont l'Église de Rome affirme qu'il est le représentant du Messie, et ce

dernier un fils naturel d'Allah et de cette Miriam, du
pays des Juifs ?

— Le Cardinal gris décide, invisible, en coulisses, ce
que doit dire chacun des élus sur le fauteuil de Pierre,
ce qu'il doit faire et laisser faire. Il est le pouvoir...

Yeza laissa échapper un soupir extasié qui ne manqua pas d'impressionner Kito.

— Vous le connaissez personnellement ? demanda-
t-il avec un respect presque incrédule, avant de
répondre lui-même à sa question. Certainement, sans
cela vous ne lui écririez pas... Mais pourquoi n'envoyez-
vous pas les lettres ?

— Nous lui écrivons pour réjouir son cœur, qui bat
d'amour pour nous. Il n'a pas besoin des récits que
nous lui faisons. Guillaume de Rubrouck sait tout de
nous. Nous ne les envoyons donc pas. Un jour, il nous
rejoindra, alors nous lui offrirons nos lettres, un cadeau
venu du fond de notre cœur, afin qu'il voie que nous
n'avons jamais cessé de penser à lui.

Pendant ce sermon, je baissai la voix ; l'idée de ta
sainteté m'inspirait une émotion terrassante, Guillaume.

— Et ce grand prince de l'Église va venir vous rendre
visite ? demanda Kito, lui aussi ému, à présent.

— Nous l'espérons, dit Yeza. Si l'empereur et le roi le
lui demandent instamment, il acceptera les fatigues de
ce long voyage et nous fera l'honneur de sa visite, à
nous et au grand khan, qui nous a si noblement accordé
son hospitalité.

— Ce sera une grande joie ! fis-je avant que Kito ne
puisse poser la question aussi pénible qu'inévitable :
Ferais-tu, toi aussi, allégeance au grand khan ?

Mais Yeza proposa aussitôt la meilleure solution au
jeune homme décontenancé :

— Guillaume de Rubrouck s'est pris d'amitié pour
les Mongols ; de la manière dont il aime et vénère le
grand khan, celui-ci l'accueillera les bras ouverts, et
avec joie.

Ce qui me donna le courage d'apporter la conclusion
audacieuse :

— Si nous sommes, nous, le couple royal, la clef du
« Reste du Monde », alors Guillaume de Rubrouck en
est la serrure !

Nous étions arrivés devant une yourte isolée dans la
steppe, mais plus grande et plus somptueuse que toutes

celles que j'avais vues jusqu'ici. Une section au moins
formait autour d'elle un cordon infranchissable. Au
seuil, nous aperçûmes les cheveux blancs du général
Kitbogha qui nous souhaita la bienvenue. Kito dut rester à l'extérieur. La yourte était éclairée par de nombreuses torches; au milieu brûlait un feu, alimenté par
de la bouse de vaches et des branches aux odeurs déli-
cieuses. Je vis dans la pénombre, sur le côté surélevé,
un petit homme assis, flanqué du grand Bulgai et du
chambellan Dschuveni, qui s'inclina profondément à
notre arrivée.

— Le Il-Khan Hulagu est ravi, annonça solennellement le général, que vous lui présentiez enfin votre
hommage.

Je voulus me prosterner devant lui, mais Yeza me
retint.

— Nous saluons le Il-Khan et nous sommes très heureux de paraître devant lui, car nous avons dû attendre
longtemps cet instant de bonheur.

Et elle fit une révérence parfaite, ce qui me permit au
moins de plier un genou.

— Pardonnez-moi de rester assis, dit Hulagu d'une
voix claire, je suis affligé par une douleur entre le dos et
les jambes. Je tomberais avant d'avoir pu vous serrer
dans mes bras. Asseyez-vous près de moi, je vous prie.

Dschuveni fit signe aux serviteurs d'apporter deux
coussins, et nous nous installâmes aux pieds du Il-
Khan; mais dans cette position, il lui fallait courber le
dos pour se faire comprendre. Yeza eut une idée de
génie, et nous nous levâmes.

— Nous ne voulons pas accroître votre douleur,
illustre Il-Khan, expliqua-t-elle tout en avançant au
bord du trône où se trouvait aussi, à présent, le général
Kitbogha, ce qui força le chambellan à reculer.

Je m'installai de l'autre côté, près du Bulgai, le
chauve redouté.

— Vous me parlerez du « Reste du Monde » une
autre fois, lorsque je pourrai me tenir debout ou couché. Aujourd'hui, cela me demande trop d'efforts. Je
voulais seulement vous voir, dit le petit homme aux
traits tendres et à la voix de petit garçon. Ma première
impression (il lança au Bulgai un regard éloquent et
hocha la tête, tandis que celui-ci inclinait son crâne
brillant pour exprimer son accord) me confirme que
mon choix, une fois encore, a été le bon.

Il tapota la main de Yeza, reçut en remerciement un
« regard étoilé » et se tourna vers moi.

— Je suis heureux de votre présence, ô enfants du...

Il hésita et se tourna, perplexe, vers le général, qui
vint à son secours en ajoutant rapidement « du Graal ».

— C'est cela, du Graal !

Il prit aussi ma main, et la posa sur son ventre légèrement proéminent, où il la joignit à celle de Yeza, avant
d'y déposer ses doigts charnus.

— Ensemble, nous ferons de grandes choses !

Il regarda autour de lui, cherchant l'approbation, et
tous ceux qui l'entouraient s'empressèrent de hocher la
tête.

Yeza, d'une voix basse et discrète, répondit :
« Merci. » Je me raidis, sentant tous les yeux braqués
sur moi, et dis à voix haute : « Nous sommes prêts. »

Hulagu leva la main qui reposait sur les nôtres, et
nous crûmes un instant que nous pouvions repartir.
Mais le chambellan bondit alors en avant :

— Le Il-Khan souhaite que le couple royal parte d'ici
avec lui pour rejoindre la capitale. Il tient à présenter le
couple royal à son illustre frère, le grand khan Möngke.

On percevait bien, dans sa voix, à quel point Dschuveni était déçu d'avoir été privé de cet honneur.

— Cette nuit, vous devrez vous contenter de ma
misérable cabane, ajouta Hulagu en oubliant totalement le protocole, ce qui me plut. Mais à Karakorom,
vous aurez votre propre palais, en pierres dures,
comme vous y êtes habitués. Ces yourtes ne valent que
des maux de dos.

— Nous appelons cela « la flèche de la sorcière » !
répliqua Yeza en riant. Pour la faire passer, il faut des
herbes et des coussins chauds.

— Avez-vous entendu ? dit d'une voix geignarde le
futur maître de l'Occident. La jeune reine sait aussi soigner. Des herbes et des coussins chauds ! Tout simplement, des coussins chauds, marmonna-t-il, soutenu par
son chambellan, en passant derrière les rideaux qui
délimitaient son appartement privé.

Nous sortîmes pour prendre congé de Kito.

— Si Guillaume de Rubrouck vient à Karakorom
vous rendre visite, j'aimerais être à vos côtés.

— Qu'il en soit ainsi, Kito, répondit Yeza avec émotion. Toi, notre ami et protecteur, nous te présenterons
volontiers au célèbre franciscain.

Je restai longtemps debout devant la yourte avec Yeza, et nous leur faisions encore signe lorsqu'ils disparurent sur la steppe, au soleil couchant. Puis je me retournai vers ma dame. « Karakorom... », dis-je simplement, tout retourné à l'idée de parvenir enfin au centre du pouvoir sur ce monde. Yeza me sourit.

Ah, Guillaume, comment te décrire ce que j'éprouve lorsqu'elle me regarde ainsi? Elle a véritablement les yeux comme des étoiles brillant au ciel du soir! Que *tengri* la protège et me préserve son amour.

Éternellement, ton Roç.

L.S.

Cadeaux involontaires

Chronique de Guillaume de Rubrouck, au camp de Sartaq, saint Sixte II, 1253.

Me voici donc enfin en route pour rejoindre le grand khan, même si tout se passe différemment de ce qu'avait imaginé le roi, avec sa foi un peu simple dans la bonté du monde, et de ce que j'étais moi-même en droit d'espérer.

Nous avions quitté la mer Noire et atteint le premier port dans l'embouchure du Don. Nous avions pénétré dans le domaine de souveraineté des Mongols. Nous sentîmes déjà que tous nous attendaient avec curiosité. Enfants, maîtres de poste, doyens de village ou gouverneur de province : tous savaient qui nous étions, et nul n'ignorait que nous nous rendions auprès du grand khan. Sans vouloir me flatter, c'est mon nom qui était dans toutes les bouches, et cela ne déplut pas à mes accompagnateurs; ainsi, nul ne se soucia de leur véritable identité. La nouvelle de l'arrivée du fameux « Guillaume de Rubrouck » se propagea sur les routes militaires mongoles à la vitesse d'un feu de steppe. Il arrivait souvent que des centaines de personnes nous accompagnent en battant des mains comme des

enfants et en nous acclamant. Le revers de cette glorieuse médaille était qu'ils nous dévoraient nos provisions et quémandaient sans aucune gêne la
moindre pièce que nous portions sur nous.

Nous traînions à présent quatre voitures chargées
à ras bord ; il nous fallait désormais approvisionner
trois caravaniers et une petite armée de valets,
guides d'attelage, garçons d'écurie et chameliers. Ils
étaient plus nombreux à chaque étape. Ils nous
volaient tous, et leurs exigences atteignaient des
degrés inconcevables. Les seuls mots que je pronon-
çais encore étaient « oui » et « amen », car le
modeste « *pax et bonum* » de saint François n'était
vraiment plus de mise. Un véritable essaim d'interprètes incapables, de serviteurs insolents et de
guides ignorant leur chemin s'abattit sur nous
comme des mouches sur un tas de merde, si bien
que nous progressâmes lentement et de manière
aventureuse. Mais au bout du compte, cela m'était
indifférent : j'étais fermement décidé à me débarrasser de toute cette racaille juste après notre arrivée
chez Sartaq, le premier prince ; l'autorité du souverain y suffirait sans doute.

Nous atteignîmes son camp le soir, et mes guides
se dépêchèrent d'annoncer notre venue au *jam*. Un
jam est un haut fonctionnaire dont la mission est de
recevoir les ambassadeurs étrangers, de veiller sur
eux et de leur ménager une audience auprès du
khan. Cela suppose une vérification minutieuse. Au
bout du compte, c'est le *jam* qui décide de l'opportu-
nité de l'audience, en fonction de sa propre opinion
sur le visiteur.

Mon guide m'informa que le *jam* était disposé à
nous recevoir. Comme je ne faisais pas mine de lui
préparer un gros cadeau, il se mit à lancer
d'effroyables jurons qui concernaient mon ingratitude. Je ne me laissai pas décontenancer. Barzo et
moi-même entrâmes dans la somptueuse yourte du
jam, vêtus de la simple bure des frères mineurs.
Monseigneur portait quant à lui l'habit noir du

prêtre. Un homme d'une incroyable obésité trônait devant des musiciens rythmant la danse chaloupée de quelques danseuses. Je le priai aussitôt d'excuser la pauvreté du moine, qui ne possédait ni or, ni argent, toutes choses que nous lui aurions volontiers offertes. Nous ne détenions que des livres saints et des ornements destinés au culte. À mon grand soulagement, le *jam* passa sur ce détail avec un sourire, et me fit dire, par son interprète, que nous avions raison de prendre au pied de la lettre notre vœu de pauvreté. Il ne voulait pas recevoir des cadeaux d'hommes dénués de moyens, c'est lui, au contraire, qui nous en offrirait si nous en avions besoin. Je refusai à mon tour modestement, et lui demandai uniquement de nous débarrasser des quémandeurs et autres importuns qui nous avaient suivis jusqu'ici contre notre volonté.

Un sourire gigantesque éclaira alors le visage du *jam* : nous ne devions pas être si pauvres que cela, nous dit-il, puisque nous avions repoussé son offre, c'est donc que nous avions au moins le nécessaire. D'ailleurs, personne ne nous aurait suivis si loin si nous n'avions pas de tout, et plus qu'il ne nous en fallait. Il nous congédia ainsi sans autre information.

Je fouillai avec Philippe dans les coffres au trésor et, dès la fin de la soirée, je fis parvenir au *jam* un ciboire orné de pierres précieuses. Je chargeai mon serviteur de le présenter en ces termes au surveillant de tous les ambassadeurs : « Mon maître Guillaume vous laisse ce précieux récipient, dont il ne dispose pas d'exemplaire de rechange, afin que vous compreniez que donner est plus important que prendre. Priez désormais chaque jour pour les âmes de tous ceux qui sont plus pauvres que vous ne l'êtes, car désormais mon maître Guillaume ne peut plus le faire. Mais il vous bénit, vous-même et ce calice de la Sainte Cène. Amen ! »

Minuit était déjà passé lorsque Philippe revint, complètement ivre, m'annoncer que le *jam* nous attendait dès le lendemain après-midi pour nous

conduire auprès de Sartaq. Il nous priait d'apporter
nos livres, ainsi que les vêtements et objets nécessaires à notre rite, et de nous présenter en grande
tenue : son maître désirait voir tout cela. Il nous rappela aussi de ne pas oublier nos lettres de créance.

Cela ne me causa pas le moindre souci ; à Constantinople, j'en avais fait réaliser une traduction cor-
recte dans toutes les langues des Mongols, et le
notaire de la cour les avait frappées du sceau officiel.
En revanche, je me sentis mal en pensant au nombre
d'objets et de robes précieuses qu'il allait me falloir
sortir de mon trésor et montrer au grand jour. Le
risque d'éveiller les convoitises d'un Mongol, même
aussi haut placé, me paraissait considérable. Si
l'homme devant lequel il nous fallait paraître avait
été le grand khan, le succès de notre voyage aurait
compensé la perte éventuelle de ces richesses. Mais
celui-là n'était que le fils de Batou, et de nombreuses
épreuves nous séparaient encore de notre objectif
final. Je ne pourrais pas jouer chaque fois à ce jeu du
chat et de la souris.

Le lendemain matin, la mine compassée, je rassemblai autour de moi tous mes pensionnaires, serviteurs, guides et valets, et je chapitrai Timdal
jusqu'à ce qu'il traduise mon allocution enflammée
avec un ton et une mimique suffisamment éloquents
pour produire un effet. J'avais entendu dire, leur
annonçai-je, que Sartaq traiterait comme des
convives indésirables tous ceux qui n'appartenaient
pas à mon escorte et s'étaient faufilés dans son
camp. Il y eut alors des gémissements et des grincements de dents : chacun savait fort bien ce que cela
signifiait. Il me fut donc facile de jouer le seigneur
bienveillant, et tous acceptèrent avec joie de revêtir
des robes épiscopales. Je vis en outre mon Philippe
encaisser auprès de chacun d'entre eux, en contrepartie, un don en argent — au total, nous récupé-
râmes ainsi bien plus que la contre-valeur de ce qui
avait jusqu'ici « disparu » lors de notre voyage. Je
transformai cette bande de parasites en une magni-

fique procession d'enfants de chœur, de servants de messe, de diacres et de prieurs. Puis je chargeai Barzo, qui avait aussitôt compris ma stratégie (la meilleure défense, c'est l'attaque) et avait du mal à s'empêcher de rire, de répéter avec eux le « *Veni Creator Spiritus* » jusqu'à ce que l'hymne des pèlerins paraisse dans leur bouche sinon mélodieux, du moins puissant.

Créan-Gosset, qui supportait toutes mes entreprises avec une véritable mine de pénitent, distribua des encensoirs et des crucifix précieux aux hommes qui lui inspiraient le plus confiance. Lui-même resta seul à porter l'habit sombre. Je le nommai donc mon confesseur, tandis que je bombardai « Bartholomée de Crémone » du titre de provincial et que je m'élevai moi-même au rang de diacre-cardinal de notre ordre, pourvu du bâton d'évêque et de la tiare. Philippe portait quant à lui une bannière tissée d'or montrant la Sainte Vierge avec l'agneau de Dieu.

Notre procession se mit ainsi en marche, au milieu d'une foule qui ne cessait de croître. Le *jam* était sorti devant sa yourte. Après s'être incliné pour saisir ma bague, tendue pour qu'il la baise, il écouta de bon cœur les explications de Barzo. Il s'intéressa surtout aux livres que nous avions apportés et aux objets de culte qu'il contemplait avec une cupidité évidente.

— Comptez-vous offrir tout cela à notre seigneur Sartaq ? demanda-t-il, aux aguets.

Je dissimulai mon effroi et répondis d'une voix ferme :

— Nous lui apportons un message, le message du salut, que seul Jésus-Christ peut lui adresser. Il lira la lettre de notre roi, et saura alors pourquoi nous sommes venus le voir. Nous nous remettrons volontiers entre ses mains, mais ces objets et ces vêtements sont sacrés, et seuls les prêtres sont autorisés à les toucher.

Le *jam* fut très effrayé par mes paroles, et il se dépêcha de remettre discrètement à Philippe la

coupe qu'il nous avait extorquée. Je fis sur son front
le signe de croix, et nous partîmes lentement, au son
de l'hymne, vers la tente du prince. C'était la Saint-
Pierre, raison pour laquelle Barzo et moi enton-
nâmes encore le « *Salve Regina* » lorsque s'ouvrit le
rideau de l'entrée. On trouvait derrière elle, comme
toujours, un banc et des pots de lait de jument où
chacun pouvait se servir, aussi beaucoup de Mongols se ruèrent-ils dans la yourte en même temps que
nous. J'étais heureux de cette mêlée : elle était si
dense que nul ne remarqua certains servants de
messe de mon « escorte » qui n'avaient pu, eux non
plus, résister à l'attrait du kumiz.

Messire Sartaq était un homme sans signe particulier, au milieu de la quarantaine. Il se tenait
courbé, et on lisait sur son visage une once d'amertume, comme chez presque tous les fils de pères
tout-puissants qui, comme Batou-Khan, ne veulent
pas abandonner le pouvoir. Il me fit signe d'approcher. Il avait immédiatement remarqué mon rang ;
contrairement à mon escorte, je ne m'étais pas prosterné, mais juste un peu incliné.

Il voulait voir de près le superbe psautier (que la
reine m'avait offert personnellement, lui fis-je aussitôt savoir). Je lui fis remettre par Barzo la lettre du
roi. Sartaq donna le pli à son interprète, et me
demanda de lui expliquer le contenu de mon livre.

— Il s'agit des Textes saints, répondis-je.

Ma réponse parut le satisfaire, et il feuilleta le précieux ouvrage, orné de nombreuses enluminures.
Puis on nous renvoya dans notre yourte.

Le soir, nous vîmes se présenter chez nous le *jam*
et quelques prêtres nestoriens qui ne jugèrent pas
nécessaire de nous saluer. Le Mongol nous annonça
— Timdal était tout d'un coup devenu capable de
traduire couramment — la décision prise par le seigneur Sartaq : seul son père Batou-Khan avait la
légitimité de répondre à la lettre de notre roi Louis.
Il nous faudrait donc partir le lendemain en direction du camp de Batou. Cela me parut lumineux,

mais il ne s'arrêta pas là. Il ajouta qu'il nous faudrait lui confier, à lui, le *jam*, les tenues et les objets de culte que nous avions présentés à son seigneur, le prince souhaitait les contempler encore une fois, notamment le livre aux peintures dorées.

Je n'en crus pas un mot et répondis :

— Comment votre seigneur peut-il demander une chose pareille, lui qui sait pertinemment que nous partons chez son père et que nous devrons y passer nos tenues ? Quant au psautier, je ne puis vous le remettre, c'est un cadeau de la reine.

Il secoua alors la tête et répliqua sèchement :

— Eh bien, il s'agit désormais d'un digne cadeau à Sartaq, qui y a pris plaisir. Quant aux vêtements, vous les avez déjà portés devant Sartaq. Vous ne comptez tout de même pas vous présenter devant Batou dans la même tenue ?

Pendant ce temps-là, les nestoriens avaient déjà emballé un encensoir et le ciboire. Ils avaient aussi pris ma tenue d'apparat épiscopale, et celle de mon frère Barzo.

— Maintenant, poursuivez votre route ! lança le *jam* en guise d'adieux, et il m'arracha le précieux psautier.

Je renonçai à me défendre. Nous ne pouvions plus accéder à la yourte de Sartaq, et qui d'autre aurait pu nous rendre justice ?

— Et n'osez surtout pas vous plaindre auprès de Batou-Khan, ou affirmer, par exemple, que notre seigneur Sartaq est un chrétien, comme votre roi pense le savoir. Notre prince n'est pas un chrétien, mais un Mongol !

Au bord de la Volga, le jour de l'Ascension de Marie, 1253

Le pillage auquel s'est livré le *jam* a au moins eu un bon côté : il nous a débarrassés de notre escorte de parasites. Tous ont pensé que nous étions tombés en disgrâce et que, si l'on nous envoyait tout de même chez Batou, c'était pour y subir un sort tragique. Nous avons donc aussi trouvé un nouveau guide et d'autres valets ; ils ne nous ont laissé que notre Timdal. J'aurais pourtant volontiers profité de l'occasion pour me débarrasser de cette poule mouillée naïve.

À peine arrivés hors de vue du camp, je fis arrêter notre convoi et distribuai à frère Barzo, à mon serviteur Philippe et à nos guides de nouvelles tenues d'apparat tirées des sacs de l'évêque Nicola della Porta, qui avaient encore de la ressource. Dieu prenne soin de son âme !

— Vous continuez donc à croire, Votre Excellence, se moqua Créan-Gosset, auquel le rôle de petit prêtre austère seyait à merveille, que ce n'est pas la modestie et l'humilité qui serviront le mieux notre mission, mais un faste provocateur ?

— Ah, mon père, lui rétorquai-je, de toute façon, les Mongols jettent sur tout étranger un regard méprisant. Si, en plus, l'étranger se présente à eux soumis, ils laissent libre cours à leur mépris et le traitent comme un esclave.

Comme nos chars à bœufs n'avançaient que lentement, les accompagner sur nos chevaux n'avait guère de sens. Nous accrochâmes nos montures aux charrettes et nous marchâmes à pied à leurs côtés.

> *« Alma Redemptoris Mater*
> *quem de coelis misit Pater*
> *propter salutem gentium. »*

Bientôt, des curieux s'assemblèrent de nouveau autour de nous et nous regardèrent avec étonnement. Lorsque le soir commença à tomber, ils étaient de nouveau aussi nombreux qu'auparavant. Je chargeai Timdal de demander à notre nouveau guide de bien vouloir les chasser, je n'étais disposé ni à leur faire des cadeaux, ni à les nourrir à nos frais. Mais mon *homo Dei* me transmit une réponse négative. Furieux, je le menaçai de le rosser, si bien qu'il retourna auprès du guide pour tenter de lui faire la leçon. Celui-ci répondit en le frappant, et Timdal revint vers moi en geignant.

— Le guide dit qu'il est heureux et reconnaissant pour chaque homme qui nous accompagne ; cette nuit, nous traverserons le territoire des brigands.

Je parvins à comprendre (difficilement, car le pauvre bougre était tellement saisi par la peur et l'effroi qu'il arrivait à peine à prononcer un mot) qu'un grand nombre d'esclaves évadés vivait dans ce *no man's land* entre le territoire du fils et celui du père. Des Russes, des Hongrois, mais aussi des Bulgares sarrasins. Ils se rassemblaient la nuit et attaquaient les voyageurs. Ils ne faisaient pas de prisonniers, par crainte d'être dénoncés aux Mongols. Notre guide espérait qu'à la tombée de la nuit notre cortège aurait suffisamment enflé et paraîtrait assez puissant pour que les brigands renoncent à une attaque.

Je fis aussitôt servir du vin à tous les accompagnateurs, et leur promis qu'ils recevraient une pièce dès que le soleil se serait levé au-dessus de nous. Ma proposition était tout à fait raisonnable : à ce moment-là, soit nous serions tous morts, et la rémunération n'aurait plus lieu d'être, soit nous nous en serions tirés sains et saufs, et la dépense aurait été justifiée. À la lueur de la première lune, une caravane impressionnante traversa ainsi la steppe en implorant l'assistance de la Vierge.

> *« Audi Mater pietatis,*
> *nos gementes pro peccatis*
> *et a malis nos tuere. »*

Nous atteignîmes la Volga sans être inquiétés. À la hauteur du fleuve, nous rencontrâmes de nombreux hameaux de musulmans qui observaient rigoureusement leurs rites mais vivaient sous le pouvoir des Mongols, ce qui m'étonna beaucoup : il faut plus de trente jours pour rejoindre la Perse, là où la « Porte

de fer » marque en général les limites de la propagation de l'islam. Ces « Sarrasins » nous traitèrent sans
aucune hostilité et ne nous rançonnèrent pas du
tout, contrairement à leurs maîtres mongols. Ils
nous accueillirent dans leurs grandes barques et
nous transportèrent jusqu'au camp de Batou, situé
juste au bord du fleuve.

Ils me firent même le plaisir de n'accepter à bord
de leurs bateaux que ceux des membres de notre
immense escorte que je leur avais indiqués. À chacun de ceux qui restèrent sur la berge, je donnai
autant d'argent que ce que m'aurait coûté leur traversée, et je fus très touché, presque ému, de voir la
plupart d'entre eux louer une embarcation pour
nous suivre. Ils m'adressaient des vivats et chantaient, sur la mélodie de l'hymne à Marie que nous
avions répété pendant toute la nuit :

> « Nous suivons ta bannière
> partout sur cette terre,
> Guillaume, grand prince de la paix,
> toi qui prépares le bonheur,
> Guillaume, grand prince de la paix. »

C'est en tout cas ainsi que me le traduisit Timdal,
et je lançai à mes compagnons le fin sourire du
triomphateur.

Le camp de Batou-Khan ressemblait à une gigantesque ville, qui s'étendait sur des lieues. Ce n'étaient
cependant pas des maisons, mais des yourtes qui s'y
alignaient. Le campement de la cour se trouvait en
son centre, et conformément à l'usage, personne ne
pouvait s'installer au sud de ce camp central, si bien
qu'une grande place dégagée s'y était formée. Le
vieux souverain de la Horde d'Or y avait fait dresser
une gigantesque tente d'audience, sa propre yourte-
palais ne pouvait contenir la masse des gens qui s'y
pressaient. Le jour de notre arrivée, nous ne la vîmes
que de loin, on attendit le lendemain matin pour
nous laisser passer.

Lorsque nous nous fûmes installés dans nos quartiers, mon confesseur Créan-Gosset (il se figurait sans doute que j'avais mauvaise conscience!) me demanda une nouvelle fois s'il ne serait pas plus judicieux de se présenter devant Batou en simple habit de moine.

Je me rappelai d'un seul coup que notre frère d'ordre et prédécesseur Pian del Carpine, celui que j'étais censé avoir accompagné, était déjà passé en ces lieux. Je savais que lui avait revêtu une tenue de fête des Mongols. Je dis donc :

— Vous, les prêtres, vous pouvez y aller vêtus comme d'habitude. À mon frère aussi, je laisse le libre choix de la tenue. Pour ma part, je m'en tiendrai à l'attitude que j'ai respectée jusqu'ici.

— La modestie ne paie pas, si ce n'est à la rigueur après la vie sur cette terre! fit Barzo qui, cette fois, me soutenait. Je ne suis ni ismaélite, ni cathare, je vis ici et maintenant, et ce pour peu de temps!

À ces mots, Créan-Gosset se signa comme s'il avait été toute sa vie un prêtre de l'*Ecclesia romana*.

L.S.

Dans le camp de la Horde d'Or

Il fallut attendre l'après-midi pour que les franciscains soient enfin reçus en audience. Leur guide vint les chercher et les critiqua parce qu'ils ne marchaient pas pieds nus.

— C'est pourtant bien la coutume des frères mineurs! affirma-t-il.

Mais si Barzo accepta aussitôt de passer au moins des sandales, Guillaume protesta et expliqua à l'homme que cela transgressait la règle lorsque l'on portait la tenue d'apparat. Lui était tout simplement trop paresseux pour changer de chaussures. Et puis aucune paire de sandales n'aurait été assortie à la précieuse robe d'évêque qu'il avait passée.

Sur le chemin menant à la tente de Batou, on leur rappela à plusieurs reprises qu'ils ne devaient en aucun cas ouvrir la bouche avant que le khan ne les y invite. L'avertissement le plus rigoureux concernait la corde de la tente. Quiconque se prenait les pieds dedans accomplissait l'équivalent du pas sacrilège sur le seuil, un crime passible de l'exécution immédiate. Après les avoir ainsi intimidés, on les mena devant le souverain de la Horde d'Or. Le gros Batou était assis sur un trône aussi long et aussi large qu'un lit, couvert de dorure de part en part. Des marches menaient jusqu'à lui. Batou observa attentivement les visiteurs. Barzo, intimidé, baissa les yeux, tandis que le hardi Flamand regardait fixement le souverain. Le khan était d'une corpulence extraordinaire, un véritable Moloch. Il fit longtemps attendre les franciscains. Ses petits yeux, nichés entre des paupières débordant de graisse et des sacs lacrymaux considérables, allaient et venaient de l'un à l'autre de ses visiteurs, comme s'il examinait impitoyablement les trophées d'une chasse trop maigre. Puis il se fit tendre un gigantesque hanap, but, essuya ses lèvres charnues et donna la parole à Guillaume en termes peu courtois :

— Parle !

Le guide lança entre ses dents : « À genoux ! » ce que l'interprète traduisit à voix haute. Mais Guillaume se contenta de plier un genou, ce qui lui paraissait suffisant pour ce seigneur laïc.

— Prosternez-vous devant le grand Batou-Khan ! s'exclama Timdal d'une voix nouée par l'angoisse.

Guillaume allait céder pour éviter des querelles, mais le monstre fit un geste négatif. Guillaume prit alors courageusement la parole : « Celui qui croit et sera baptisé, celui-là sera sauvé. » Le traducteur était déjà sur les charbons ardents. Guillaume continua tout de même : « Mais celui qui ne croit pas est condamné ! » Et il recommanda son âme à Dieu et à la grâce de Batou-Khan. Celui-ci se contenta de sourire nonchalamment, tandis que sa cour masculine applaudissait, narquoise. Ses femmes se mirent à rire, confuses, lorsque Timdal eut bredouillé la traduction, en hésitant et en toussant comme s'il avait avalé une tortue. C'étaient sans doute des chrétiennes.

— Lève-toi ! ordonna Batou, et il interrogea Guillaume sur son roi et sa famille.

Le cœur de Timdal recommença à battre la chamade. Il était toujours à demi prosterné, si bien que sa traduction parvenait par saccades.

Mais Batou-Khan fit consigner toutes les réponses. Il nota surtout contre qui le roi de France faisait la guerre, qui il avait vaincu et contraint à payer un tribut. Guillaume tenta de lui expliquer que les croisades n'avaient pour but ni de soumettre des peuples, ni d'enrichir le royaume, mais uniquement de reconquérir Jérusalem et d'assurer la victoire de la foi chrétienne.

— Et le roi a-t-il remporté cette victoire ?

Le missionnaire fut bien forcé de répondre par la négative, en précisant toutefois :

— Mais il n'abandonne pas !

— Et les légions de l'Islam ?

— Elles sont désunies, dit Guillaume, mais elles non plus ne cèdent pas !

Batou-Khan secoua alors la tête. « Les chrétiens sont-ils au moins unis entre eux ? » demanda-t-il sur un ton qui ne laissait aucun doute, il connaissait la réponse depuis bien longtemps. Guillaume secoua lui aussi la tête, l'air soucieux, mais Batou continua son interrogatoire.

— C'est la raison pour laquelle vous souhaitez que je devienne chrétien, et c'est pour cela que vous portez cette lettre avec vous.

Guillaume était embarrassé, et Barzo dit rapidement :

— Le vœu de notre roi n'est que le fruit du souci que lui inspire le salut de votre âme.

Et il le regarda droit dans les yeux, autant qu'il put le faire.

Batou-Khan offrit alors un siège à ses invités et leur donna à boire de son kumiz dans sa coupe en or — ce qui constituait un grand honneur, comme le leur fit savoir leur interprète d'une voix tremblante. Batou commença par boire lui-même, et tous battirent deux fois des mains avant qu'il ne porte sa coupe aux lèvres et ne la repose. Alors seulement, les invités et toutes les personnes présentes purent boire. À l'entrée de la tente, là où se trouvaient les grands récipients, ce fut la mêlée. Guillaume leva la coupe et s'exclama :

— Je bois à la santé, à la sagesse et au bonheur du grand Batou-Khan !

Lorsque l'interprète le traduisit, il devint évident qu'il était déjà ivre.

Batou eut un sourire bienveillant et but de nouveau, accompagné, encore une fois, par les battements de mains rythmés de ses sujets. À peine le hanap était-il vide qu'on le lui remplissait de nouveau. Guillaume ressentit l'effet enivrant du lait de jument fermenté, mais il n'avait aucune intention d'être le premier à rouler sous la table. Des applaudissements saluèrent les buveurs : à présent, c'est Guillaume que l'on applaudissait à son tour. Le visage rouge de Batou reluisait. La beuverie paraissait lui réjouir le cœur. C'est à cet instant-là que son regard tomba sur le prêtre.

Parmi la joyeuse foule des Mongols, Créan-Gosset paraissait figé et regardait fixement le sol. Timdal expliqua en bredouillant que Batou-Khan ne pouvait pas supporter que l'on regarde ailleurs ou que l'on ait la mine chagrine. Monseigneur devait donc, si possible, lever la tête et trinquer avec lui. Créan, qui avait été présenté comme le confesseur de Guillaume, se leva, s'inclina profondément devant Batou et quitta la tente sans dire un mot.

— Au contraire de vos nestoriens, les prêtres de l'Église romaine du pape ne boivent pas de boissons enivrantes ! Monseigneur prend son vœu très au sérieux, s'exclama Guillaume, légèrement éméché, avec un petit clin d'œil.

— Très bien, répliqua Batou, mais qu'il ne nous embête pas avec ses problèmes !

Tous se mirent à rire, y compris Guillaume, et quelqu'un demanda :

— Est-il vrai que le pape est âgé de plus de cinq cents ans ?

— La papauté existe sans doute depuis aussi longtemps, répondit Barzo, mais une centaine de papes différents se sont succédé sur le trône !

Les Mongols trouvèrent cela ahurissant, pour eux, l'éternel Gengis Khan et sa descendance sur trois générations étaient sans doute des réalités plus tangibles.

Au bout d'un moment, Batou-Khan se fit transporter dans ses appartements. Frère Barzo avait été acheminé depuis longtemps dans la yourte des invités. Timdal était sous la table et balbutiait des phrases sans queue ni tête. Mais Guillaume, lui, buvait, tapait dans ses mains et buvait encore, et tous venaient lui taper sur l'épaule et boire avec lui. Un petit coup, et cul sec ! Lui-même ne savait plus, le lendemain, comment et quand il était rentré dans sa yourte et avait trouvé sa couche. D'ailleurs, il n'était pas allongé sur son lit, mais affalé à son pied, en grande tenue, la mitre sur la tête et la crosse au creux du bras, semblable à ces évêques sculptés dans la pierre que l'on voit dans le déambulatoire des cathédrales françaises.

Lorsqu'il ouvrit les yeux, il crut d'ailleurs un instant qu'il était mort, et ne bougea pas. Timdal ronflait sur son lit. Cela ramena aussitôt le missionnaire au pays des vivants. Il jeta l'interprète hors de la tente et cuva son kumiz jusqu'à midi.

C'est l'heure à laquelle arriva le guide. Il s'inclina profondément devant le franciscain et lui annonça :

— Guillaume de Rubrouck a tellement bu qu'il s'est fait une place dans le cœur de tous les Mongols. Vous êtes véritablement un homme célèbre. C'est la raison pour laquelle Batou-Khan ne veut pas empiéter sur les prérogatives de son neveu, le grand khan

Möngke. Vous devez à présent vous diriger vers son palais, pour que le khagan fasse lui aussi votre connaissance. Vous pouvez emmener votre interprète. Mais vos compagnons doivent revenir au camp de Sartaq et y attendre votre retour.

Cela mit en rage le petit frère Barzo. Il jura qu'il préférait se faire couper la tête plutôt que d'y retourner. Guillaume expliqua au guide qu'il n'avait pas l'intention de se séparer de ses accompagnateurs. Il ne pouvait pas non plus renoncer à ses serviteurs, à l'exception, tout au plus, du prêtre. Le guide fit grise mine, mais il revint chez Batou et lui rapporta ce qui lui avait été dit.

La nouvelle qu'il rapporta ensuite d'une voix hésitante était la suivante : « Le prêtre Gosset retourne chez Sartaq, le fils de Batou. Les deux frères mineurs partent pour Karakorom avec leurs serviteurs et leurs interprètes. Batou souhaite à Guillaume de Rubrouck santé, sagesse et bonheur. »

Comme monseigneur venait tout juste d'arriver, Guillaume fit comme s'il désirait garder son confesseur, mais cette fois-ci le guide lui coupa la parole :

— Inutile d'insister. Batou a pris sa décision, et je n'oserai pas me rendre une fois encore dans sa tente !

Guillaume se rendit à la raison, mais cela le mit en colère, contre lui-même : c'est lui, à présent, qui allait devoir tirer les marrons du feu (c'est-à-dire les enfants) pour le compte de Créan-Gosset. Mais il remarqua alors que le guide voulait ajouter quelque chose : « Batou mettra à votre disposition un autre guide que moi. C'est lui qui vous mènera jusqu'au grand khan. » Il le regrettait manifestement.

Guillaume lui offrit généreusement un anneau d'or et une croix accrochée à une chaîne, mais il n'en voulut pas : on y voyait le corps dénudé du crucifié. Or il avait été éduqué par des nestoriens, traduisit Timdal, et ceux-ci, comme les Arméniens, refusent la représentation du corps du Christ parce qu'il leur répugne de vénérer un cadavre. Guillaume lui donna donc de l'argent.

Créan-Gosset n'avait pas compris tout ce qui avait été dit.

— Vous êtes certainement heureux de vous débarrasser de moi, Guillaume, fit-il, moqueur. Connaissant votre caractère, j'ai cependant quelques doutes sur la manière dont notre mission sera remplie.

Guillaume envoya Timdal et Philippe chercher loin de la yourte des provisions suffisantes pour la suite du voyage. Puis il s'adressa à Créan à voix basse :

— Monseigneur, je ne suis certes pas membre de l'Alliance secrète, et si je voyage pour retrouver les enfants, c'est d'abord parce que mon cœur me le commande...

— Ne viens pas me raconter d'histoire sur ton cœur pur, répondit Créan. Tel que je te connais, tu ne trahiras pas notre plan : tu l'oublieras, par simple commodité.

— Il me reste encore frère Barzo, qui me le rappellera constamment, répliqua l'accusé. Par ailleurs, je voudrais te dire que pour ce qui concerne le véritable objectif de notre voyage auprès du grand khan, devoir renoncer à ton aide ne m'arrange pas du tout. Dès que j'y serai, et lorsqu'il sera devenu difficile de repousser l'un de mes vœux, je ferai en sorte qu'on te fasse venir. Non pas par tendresse pour toi, vieux grincheux, mais parce que je n'ai vraiment aucune envie d'aller tirer tout seul les marrons du feu pour le compte du Prieuré !

— J'attendrai donc ce jour dans le doux camp de Sartaq, auprès de mes collègues prêtres au grand cœur !

— Estime-toi heureux qu'il ne s'agisse pas de religieux de l'Église officielle, dit Barzo, ils se rendraient compte tout de suite que tu n'es même pas capable de réciter ton credo, espèce d'hérétique.

Nous embrassâmes Créan. Il repartit dès le lendemain matin, en compagnie de notre guide. Les « restants » commencèrent à préparer la suite de leur voyage, qui devait se dérouler le jour de l'Exaltation

de la Sainte Croix, le 15 septembre Anno Domini
1253.

Le maître des Services secrets

Rapport des Services secrets au puissant
Bulgai, grand juge de tous les khanats mongols.

Vénérable Gardien de la Loi, nous avons suivi cet
étrange Guillaume de la Libation. Il doit avoir
dépassé la trentième année ; sa chevelure est consti-
tuée d'une maigre couronne de boucles rou-
geoyantes. Comme il mène une existence confortable, il est assez gras, si bien qu'une monture
ordinaire ne le porte pas volontiers. Il vient d'un
bourg nommé Rubrouck, dont il a pris le nom parce
qu'il n'appartient pas à une lignée de haut rang ou
parce qu'il veut dissimuler sa véritable origine. Ce
Rubrouck ou Roebruck se trouverait dans un pays
que l'on appelle « les Flandres » ou « Flamingia »,
qui jouxte le vaste Océan et dont nul ne sait vraiment
s'il appartient au roi des Francs ou à l'empereur
romain. Il est moine d'un ordre qui se réfère à un
certain François, considéré comme un saint. Nous
vous rappelons que Jean de Pian del Carpine était
déjà issu de cet ordre, tandis que les frères de Longjumeau était de la tribu des *Canes Domini*.

Guillaume a été envoyé par le roi des Francs,
même si le moine affirme que c'est Jésus-Christ qui
lui a confié cette mission. En fait, tout le monde sait
bien que celui-là a été exécuté depuis longtemps. Il
n'affirme pas, en revanche, que le pape l'ait chargé
de venir ici, alors que celui-ci se considère comme le
chef de tous les chrétiens dans le « Reste du Monde »
et que ces ordres lui sont soumis, ainsi que tous les
moines ou prêtres qui en font partie. Dans nos
recherches, nous avons découvert qu'au-delà des
pays où s'appliquent la loi du *Jasa* et les commande-

ments de notre grand khagan, il n'existe pas de direction homogène. Il règne sur ces territoires un capharnaüm d'idées que l'on peut considérer comme faibles. Les chrétiens y font en effet une différence entre le « pouvoir de l'esprit », attribué aux différentes Églises, et le « pouvoir sur terre », pour lequel elles se querellent. Mettre un terme à ce désordre sera l'une des premières missions à remplir lorsque les projets de notre grand khan seront mis en œuvre. Nous considérons cela comme une impérieuse nécessité.

Pardonnez-nous cette digression, mais vous nous avez vous-même répété que tout indice pouvait avoir son utilité.

Guillaume de Rubrouck est en toute certitude une personnalité plus haut placée que le « missionnaire » qu'il prétend être. Il suffit pour s'en convaincre d'étudier sa position à l'égard du roi et sa relation avec le pape, qu'il dépasse par la renommée et qui ne lui donne pas de consignes. Mais cela découle surtout d'autres informations que nous avons collectées, selon lesquelles il serait, lui et nul autre, le confident du couple royal. Il a sans doute été envoyé par le Graal, ce qui expliquerait aussi les mystères qui entourent sa vie et son origine. Ses compagnons sont Bartholomée de Crémone, un autre adepte de François, et un prêtre du nom de Gosset, que Batou n'a cependant pas jugé digne de paraître devant les yeux du grand khan Möngke. À cela s'ajoute encore un serviteur grec répondant au nom de Timdal, qu'ils appellent « *homo Dei* », en méconnaissant totalement ses véritables facultés.

Le fils du chef de brigade que Batou leur a donné comme guide a mis la volonté de cet homme à l'épreuve et leur a annoncé un voyage qui durerait quatre lunes. Il leur a aussi décrit les effets du froid qu'ils rencontreraient sur leur route, un froid qui fait éclater les arbres et les pierres.

On lui a répondu : « La confiance dans la force de Dieu nous permettra d'y résister ! »

Guillaume de Rubrouck se fie donc à ses pouvoirs de magicien. Notre homme lui a rétorqué : « Si vous n'y résistez pas, je vous laisserai sur le sol, en chemin ! »

Mais le moine a simplement dit : « Vous ne le ferez pas, car votre mission n'est pas de revenir les mains vides chez le grand khan, mais de nous mener auprès de lui. »

Notre homme leur a alors donné tout ce qui pouvait leur servir de vêtements pendant le voyage — tuniques de peau, molletières et bottes en fourrures ; eux ne transportaient que de précieuses tenues d'apparat et, sans doute pour se camoufler, de minces bures et des sandales dans lesquelles ils comptaient marcher pieds nus. Leurs nombreux bagages ont été chargés sur plusieurs chevaux de somme.

Ils sont ainsi partis vers l'est et ont chevauché chaque jour sans se plaindre les longs parcours que le guide leur imposait, même s'il devenait de plus en plus difficile de trouver des chevaux suffisamment solides pour porter Guillaume.

Chaque fois que la troupe arrivait quelque part, elle avait été précédée par l'extraordinaire renommée de Guillaume. Les gens se tenaient debout dans les rues et lui faisaient signe comme si un roi passait devant eux. Lorsqu'on s'arrêtait pour la nuit, les gens invitaient ce moine dans leur yourte comme s'il s'agissait d'un célèbre chaman, lui préparaient un repas de choix et buvaient avec lui.

Vous devez savoir que nos sujets dans cette région ne possèdent pas grand-chose, et que Guillaume est un gros mangeur et un buveur de premier ordre. Mais contrairement à tous les ambassadeurs précédents, c'est un seigneur incroyablement généreux. Il laisse toujours à ses hôtes des dons en argent qui compensent largement ses consommations et celles de son escorte. Il paie en pièces d'or qu'il porte sur lui, sans la moindre crainte. Cela aussi permet de conclure qu'il n'est pas celui qu'il prétend être. Il doit avoir dans l'Église un rang très proche de celui du pape. Cela expliquerait aussi les paroles audacieuses qu'il a adressées à Batou-Khan lors de leur première rencontre. Seul celui qui est sûr de son rang ne connaît pas la peur. Nous nous permettons de demander à quoi vous reconnaîtriez le pape s'il voyageait en secret, déguisé en simple moine, et se rendait auprès du khagan sous prétexte de vouloir remettre une lettre et de témoigner de Jésus, son dieu crucifié? Nous ne savons pas à quoi ressemble le pape, si ce n'est qu'il est très vieux; ce ne peut donc pas être Guillaume. Mais son grand courage, sa sagesse et son savoir le distinguent. Il a parlé à notre agent de l'infinité des océans et a pourtant affirmé qu'un homme guidé par Dieu pourrait, dans son pays, les Flandres, lever les voiles dans la mer et, en voguant toujours vers l'ouest, arriver un jour sur la côte des Kitai. C'est incroyable, c'est effrayant, c'est sûrement aussi de la magie, mais Guillaume l'a dit en ces termes.

Nous étions déjà en octobre lorsque la délégation a atteint la ville de Kinchak, habitée par des Sarrasins. Le doyen a apporté à Guillaume de l'hydromel et du vin, bien que celui-ci ait brandi un bâton portant l'image du Crucifié. Car au-delà de toutes les querelles religieuses, cette visite était pour lui un grand honneur. Guillaume a bu chacune des coupes qu'on lui tendait, et s'est entretenu avec le doyen dans la langue du Prophète, ce qui a profondément réjoui les gens de la ville. Il en est allé de même dans ce hameau de prisonniers allemands que l'on avait jadis implantés dans la région pour extraire de l'or et du minerai et en tirer des armes. Là encore, Guillaume leur a parlé dans la langue de leur pays, les a gratifiés de cadeaux généreux et a prié avec eux. Beaucoup en ont pleuré de bonheur. Vous comprenez peut-être à présent, vénérable, ce que nous avons pris aussi, jusqu'alors, pour une exagération du secrétaire royal: le fait que même le roi des Francs s'inquiète de savoir si messire Guillaume est arrivé sain et sauf et si nous l'avons bien accueilli. Nous devrions faire en sorte que le moine ne manque de rien, même s'il est de plus en plus vraisemblable que Guillaume ait effectivement l'intention de baptiser le grand khan, ce que nous avons toujours pris pour une plaisanterie de ce secrétaire. Le moine semble s'adonner beaucoup au vin : c'est sur une allusion à son goût excellent que s'achève la lettre du comte Jean de Joinville à Guillaume de Rubrouck. Nous ignorons ce que vous en pensez, mais si vous ne souhaitez pas que notre grand khan Möngke se convertisse à la doctrine des chrétiens, nous vous mettons en garde.

Guillaume a une manière étonnante de propager le christianisme. Le risque est que l'on ne remarque pas sa magie, et l'on devient chrétien sans même s'en apercevoir ! Les gens l'applaudissent lorsqu'il croise leur route, et il les bénit. Cela s'est même passé ainsi chez les Perses d'Equius et sur le marché de Caialic, dans la région d'Organum. Ici, notre homme a fait une pause de douze jours pour attendre, comme convenu, l'un de nos messagers qui, en jouant le rôle de « secrétaire », devait assister le guide pour toutes les affaires à régler à la cour du grand khan.

Le nom de la région d'Organum provient d'*organa*, parce qu'il y a eu ici, jadis, beaucoup de bons joueurs de cithare, a expliqué Guillaume, l'omniscient. Mais lui non plus ne comprenait pas le langage dans lequel on tient encore ici les cultes nestoriens. Il y a aussi visité les temples des idolâtres, mais, si Timdal a bien compris, ils lui déplaisent beaucoup, notamment les tenues jaune safran des prêtres qui se rasent le crâne, tiennent en permanence un chapelet dans les mains en marmonnant « *Om mani padme hum* », ce qui n'a rien de méchant, nous le savons, mais signifie simplement « Dieu, tu le sais ». Cela a profondément énervé Guillaume.

Novembre était déjà arrivé lorsque le cortège est reparti et s'est dirigé vers le nord, en franchissant les montagnes. Bien que Guillaume et ses accompagnateurs aient passé des vêtements de fourrure et se soient bien emmitouflés, les bergers gardant leurs troupeaux, tous les paysans, tous les marchands qu'il rencontrait le reconnaissaient. Ils le saluaient avec respect, car il portait sa fourrure comme un prince. Nous avons demandé au guide d'accélérer considérablement leur progression : les montagnes étaient déjà couvertes de neige, et des flocons commençaient aussi à tomber dans les vallées. À cela se sont ajoutées des difficultés supplémentaires parce que les troupeaux avaient quitté cette région depuis longtemps, que les *jams* ne disposaient plus de beaucoup de réserves dans les étapes que vos prédécesseurs avaient déjà aménagées pour approvisionner les courriers et les légats, et que la relève ne venait pas non plus. Guillaume, qui jeûnait sans se plaindre (au contraire de son accompagnateur, qui se lamentait sans arrêt) et paraissait pourtant infatigable, a fait la bonne proposition de voyager jour et nuit et de multiplier ainsi par deux le chemin parcouru. Ce qui a été fait. Guillaume avait pris la direction des opérations, car notre homme ne s'est pas montré à la hauteur. Franchissant un goulet entre des rochers, un passage qui inspirait une effroyable peur au guide, ce que nous comprenons puisque les mauvais esprits hantent ces lieux, il a demandé à Guillaume de les chasser en priant. Car il est déjà arrivé que des hommes y disparaissent sans laisser de trace. Parfois, ces *ada* se contentent de voler les chevaux, mais il est aussi arrivé qu'ils arrachent leurs entrailles à des êtres humains. Si l'on en croit les souvenirs de Timdal, Guillaume chantait avec son compagnon « *Credo in unum Deum* », ce qui pourrait être un appel à un dieu protecteur particulier. En tout cas, tous ont passé sain et sauf le « goulet de l'effroi ». Le guide leur a demandé de lui écrire ces paroles magiques, ce serait une lettre de protection qu'il porterait désormais sur la tête. Mais Guillaume a refusé de lui confier son secret. Il lui a en revanche appris une prière qui en aurait fait un chrétien si Timdal ne l'avait pas compris et empêché en refusant de la traduire.

Vous voyez donc de quelles facultés surhumaines et de quelle rouerie est doté ce Guillaume.

Fin décembre, la caravane a quitté les montagnes et atteint la plaine dans laquelle se dresse la tente du grand khan. Il ne restait plus que cinq jours de voyage, mais lorsqu'ils ont changé leurs chevaux épuisés à une nouvelle étape, le *jam* a voulu les mener au camp par un détour, en passant par le pays d'origine de notre grand Gengis Khan. Guillaume en a été particulièrement courroucé. « Et nous devrions tourmenter ces animaux quinze jours de plus pour cela ? Vous pouvez être certain, a-t-il lancé au *jam* habitué à ce que l'on exécute ses ordres sans broncher, que j'ai eu suffisamment de temps pour me faire une impression de la taille de votre pays ! »

La dispute a duré une demi-journée, mais c'est l'homme aux grands pouvoirs qui s'est imposé. Le 27 de ce mois, Guillaume de Rubrouck est arrivé dans le camp. Il est ainsi passé sous votre tutelle, très vénérable Bulgai. Nous vous saluons, profondément dévoués.

L.S.

 Chronique de Guillaume de Rubrouck, dans le camp du grand khan, in Circumcisione Domini 1254.

Nous avions été reçus en grande pompe, si je compare mes prétentions à ce que les Mongols réservent en général aux étrangers. On ne nous avait certes pas dressé un arc de triomphe, on n'avait pas non plus tendu de guirlandes ou de calicots portant les mots : « Bienvenue, frère Guillaume, lumière de l'Occident ! » Mais une vaste yourte nous attendait, et l'on avait fait cuire à notre intention, sur un feu bien chaud, un bouillon de viande revigorant. Les lits étaient faits, et l'on avait réservé à chacun de nous l'une de ces bouteilles de vin de riz au goulot étroit qui, fleur mise à part, ne les distingue pas d'un bon cru d'Auxerre. C'était déjà le paradis en terre mongole !

Le premier bémol à la joie que m'inspirait la fin du voyage fut l'instant où, en réponse à l'une de mes questions, le greffier qui avait chevauché à notre rencontre jusqu'à Caialic m'apprit une triste nouvelle : Roç et Yeza ne se trouvaient pas dans le camp de Möngke, mais étaient partis pour Karakorom avec son frère Hulagu, le Il-Khan. Ce secrétaire de la cour évoqua aussi le fait que, dans la lettre de Batou à Möngke, on affirmait que mon roi Louis avait demandé à Sartaq une armée et un nouveau soutien contre les Sarrasins. Je commençai alors à nourrir quelques soupçons, je connaissais, moi, le contenu de cette lettre. Je savais qu'on n'y mentionnait rien de tel, et qu'elle adressait simplement une exhortation à Sartaq pour qu'il soit un ami de tous les chrétiens, et par conséquent un ennemi de tous les adversaires de la Croix. Je me souvins alors que Gosset avait mentionné, en passant, le fait que les traducteurs étaient des Arméniens. Lesquels, on le sait, nourrissent une profonde haine contre tout ce qui est musulman. Leur amertume leur aura sans doute inspiré l'idée d'ajouter une suggestion de ce type. Je me contentai donc de hausser les épaules, car je ne tenais pas à contredire les paroles de Batou. Mais l'affaire n'en resta pas là. À peine nous étions-nous restaurés, Barzo, Philippe et moi, que l'on vint nous chercher pour la première audience.

À en croire la décoration de la yourte, c'est certainement un haut fonctionnaire de la cour qui nous reçut, froidement mais sans inimitié. C'était un grand homme au crâne totalement chauve. Il était vêtu d'un long manteau de cuir noir sans ornement, dont la précieuse fourrure était tournée vers l'intérieur. Il avait l'air sombre. Tous l'appelaient Bulgai.

— Guillaume de Rubrouck, demanda-t-il sans détour, qui vous a envoyé ?

Je me rappelai que je ne devais pas me présenter comme un ambassadeur, même si j'en étais un *de facto*. Je pris donc tout sur moi et répondis :

— Nous avons entendu dire que Sartaq était chrétien. C'est la raison pour laquelle nous avons voyagé jusqu'à lui. Nous lui avons aussi porté une lettre scellée que le roi de France lui avait adressée lors de ce voyage missionnaire que nous avons entrepris en simples frères d'un ordre qui propage la parole de Dieu et prône l'amour de...

— Je sais ! fit le chauve en me coupant la parole. Vous-même et Bartholomée de Crémone êtes des franciscains, *Ordo Fratrum Minorum*.

— Sartaq nous a envoyés auprès de son père Batou, et celui-ci, à son tour, nous a envoyés ici. Il en aura sans doute donné la raison à son neveu, le khagan Möngke, dans sa lettre d'accompagnement.

Il ne devait surtout pas croire que je ne connaissais pas la lignée des Gengis.

— Êtes-vous donc venu conclure la paix avec nous ?

C'était une question piège, et je répondis :

— Notre roi a adressé cette lettre à Sartaq en croyant que celui-ci était chrétien. S'il avait su qu'il ne l'était pas, il ne l'aurait jamais écrite. Quant à la conclusion d'une paix, je ne peux que vous donner ma propre opinion : il n'y a jamais eu de motif de guerre entre le peuple des Mongols et celui des Francs. Mais si votre roi et son peuple voulaient faire la guerre sans raison, Dieu le Juste nous assisterait, je l'espère.

— Vos paroles sont téméraires, Guillaume de Rubrouck, mais ça ne les rend pas convaincantes, dit-il brutalement. Pourquoi êtes-vous donc venu, si ce n'est pour conclure une paix ?

Comme tous les Mongols, le chauve, dans sa fierté, était lui aussi persuadé que le monde entier voulait « conclure une paix » avec eux, ce qui signifie tout simplement, dans leur esprit, se soumettre pour le meilleur et, plus encore, pour le pire. Je répondis donc :

— Guillaume de Rubrouck est venu parce que Dieu l'a envoyé à vous. La parole de Dieu est la paix qu'il veut conclure avec vous. Je vous l'offre.

Il sembla vouloir y réfléchir, ou bien informer le grand khan : en tout cas, on nous renvoya dans notre yourte.

Nous ne manquions de rien, mais nous étions en quelque sorte assignés à résidence.

Dans le campement de la cour, la veille de
l'Épiphanie

Comme on nous a informés, le matin, que l'audience était de nouveau reportée, j'ai décidé d'exprimer ma mauvaise humeur en sortant seul, sans guide, sans interprète et sans serviteur devant la yourte, puis en traversant le camp. À mon grand étonnement, personne n'a cherché à m'en empêcher. Au contraire, tous m'ont salué avec respect et amabilité, et j'ai pu les entendre parler de moi dans mon dos, intrigués. J'avais choisi la plus chaude des tenues de l'évêque. Au-dessus, je portais encore un mantelet à capuche couleur bordeaux, richement orné d'or et garni d'hermine. J'avais aussi en main la canne au crucifix. On ne pouvait pas me reprocher d'avoir cherché à quitter discrètement les lieux !

À l'extrémité orientale du camp de la cour, mon regard s'arrêta sur un petit édifice dont le toit était orné d'une croix. Supposant qu'il s'agissait d'une petite église chrétienne, j'entrai en confiance et trouvai un autel joliment décoré. Dans son drap tissé d'or, on avait brodé des images du Sauveur, de la Sainte Vierge, de saint Jean-Baptiste et de deux anges, que l'on avait ourlées de perles. Au-dessus, on trouvait une croix garnie d'émeraudes et de nombreux objets religieux précieux, éclairés par un candélabre à huit branches. Devant l'autel, un moine arménien tout maigre était agenouillé. Il avait les joues creuses. Il portait un manteau de soie, noir et fourré, sur une grossière tenue de pénitent attachée

par une ceinture de fer. Avant même qu'il ait pu me
saluer, je me jetai au sol et chantai le « *Ave Regina
Coelorum* », que le moine reprit aussitôt avec moi
d'une puissante voix de basse. Puis nous nous
levâmes et il me salua par mon nom, mais sans
fausse humilité. Il se présenta sous le prénom de
Sergius. Il avait vécu en ermite aux environs de Jérusalem, me raconta-t-il ; là-bas, Dieu lui était apparu
trois fois et lui avait demandé de se rendre auprès du
souverain des Tatares. Comme il avait hésité à
répondre à cette invitation, Dieu l'avait jeté à terre et
menacé de mort. Il s'était donc mis en route.

— Et avez-vous vu le grand khan en personne ?
m'enquis-je aussitôt.

— J'ai parlé à Möngke, dit-il, et je lui ai promis
que, s'il se faisait baptiser, il maîtriserait le monde ;
alors, les rois et les papes lui feraient allégeance.
C'est ce que vous devriez aussi lui dire courageusement et ouvertement, vous, Guillaume de Rubrouck,
ambassadeur de Dieu, qui êtes plus grand que tous
les hommes !

D'une part, je ne croyais pas que ce Sergius eût
jamais vu le grand khan en personne — il avait vraisemblablement rêvé cette rencontre, il me paraissait
fébrile. Et d'autre part, je ne souhaitais pas procéder
ainsi.

— Mon cher frère, répondis-je avec douceur, je
l'exhorterai volontiers à devenir chrétien, c'est pour
cette raison que je suis venu ici. Je veux aussi l'assurer qu'une telle démarche serait saluée avec joie par
les rois et par le pape. Mais je ne lui promettrai
jamais qu'ils deviendront ses sujets et qu'ils lui paie-
ront leur tribut comme d'autres peuples le font. Je ne
pourrais en prendre la responsabilité devant ma
conscience !

Il plongea alors dans un silence obstiné. Il ne
répondit pas non plus lorsque je pris congé de lui.
C'était bien un Arménien.

Je retournai dans nos quartiers. Philippe m'y
attendait, et m'informa que le grand khan était parti

pour Karakorom. Fou de rage, j'injuriai mon frère Barzo, tout en sachant que je commettais une injustice.

C'est à cet instant que le Bulgai entra dans notre yourte avec une grande escorte. Le chauve à la sombre mine est le grand juge de tous les Mongols. Il apportait avec lui des cadeaux précieux, deux superbes manteaux de fourrure taillés dans la peau d'un animal rare que les Russes appellent la zibeline; il y en avait un pour moi et un pour Barzo. Avec cela, deux bonnets épais et hauts dans la même fourrure, et un plus bas, en peau de loup, pour mon serviteur. On compléta notre équipement avec des bottes, des gants et des couvertures cousues dans le même matériau, mais très légères parce qu'on les avait remplies du duvet de jeunes oies. Timdal nous expliqua tout cela avec une voix tremblante de respect, ou simplement de peur, parce que le grand juge a le pouvoir de faire décapiter les interprètes pris de boisson.

Pour ma part, en tout cas, je ne craignais rien et je dis :

— Nous vous remercions pour ces cadeaux superbes. Mais signifient-ils que nous devions nous préparer à un long hiver avant de pouvoir paraître devant le grand khan ?

Il sourit et, de son menton charnu, désigna la somptueuse tenue que je portais cette fois sur moi.

— Je vois que vous vous êtes préparé au grand événement, Guillaume de Rubrouck. Le grand khan ne veut pas être en reste. Il est donc parti en avance, afin de vous organiser dans la capitale l'accueil solennel qui vous revient.

C'était trop de raillerie.

— La réalité est sans doute aussi que le souverain ne veut pas renoncer à Roç et Yeza, car ils sont la clef de l'Occident; moi, je ne suis que le trou de serrure par lequel vous pouvez jeter un coup d'œil sur ses promesses..., répondis-je.

— Je n'en ai pas besoin, dit le Bulgai, il me suffit de vous regarder en face.

Et il m'observa fixement. Je me sentis transpercé par un rayon glacé, et je posai malgré moi la main sur ma nuque.

— Vous allez nous ouvrir la porte du « Reste du Monde ». Quant au couple royal, que vous avez certainement vu pour la dernière fois alors qu'ils n'étaient tous deux que des enfants, vous l'installerez sur un trône taillé dans le bois mongol. Les rois de la paix doivent incarner la *pax mongolica*, et c'est dans cet esprit que nous les éduquons. Lorsque vous viendrez à Karakorom, vous pourrez rendre vos hommages au couple que vous trouverez aux pieds du grand khan.

— Je les prendrai avec joie dans mes bras, mes petits...

Je m'étais laissé emporter par mes sentiments envers les enfants, mais le Bulgai m'empêcha de poursuivre mon éloge.

— Abstenez-vous de pareilles familiarités, Guillaume de Rubrouck ! Roç et Yeza sont les souverains mongols de demain. Témoignez-leur plus de respect, ou vous ne reverrez plus le couple royal !

Puis il nous quitta, et je n'osai pas demander quand auraient lieu ces retrouvailles — si elles avaient lieu un jour !

L.S.

5. PATRIARCHE DE KARAKOROM

Extrait du journal de bord du Pénicrate

Taxiarchos, capitaine de la trirème *Contessa d'Otranto*, sous les ordres de Hamo l'Estrange, comte d'Otrante. Ayas, Arménie, 25 mai 1253.

Nous avons quitté Constantinople en toute hâte à la fin du mois d'avril, sous la pression urgente de l'armateur du navire, après que le moine Laurent d'Orta nous a raconté que la jeune épouse du comte Hamo avait été vendue à un marchand d'esclaves sur la côte arménienne.

Nous avons suivi la route la plus rapide, voguant jour et nuit pour rejoindre Ayas. Pour moi qui dirigeais un navire pour la première fois, ce parcours a été une épouvante : la mer Égée est pleine de petites îles rocheuses, si minuscules que, souvent, on ne les remarque même pas.

Dans le port d'Ayas, lors de la vente de Shirat, le répugnant capitaine des pirates avait jeté à l'eau la fillette de la jeune comtesse pour ne pas en faire baisser le prix. Hamo espérait y trouver encore une piste menant à son enfant et à sa chère épouse.

Bien malgré lui, le capitaine des pirates nous a servi de pilote. Il m'a fallu lui arracher chaque information par les coups, la lame ou le feu. La nuit, nous l'attachions à l'avant du navire comme une figure de proue, afin qu'il se mette à crier si nous risquions de nous échouer sur un récif. Il était tellement obstiné qu'il ne l'a même pas fait. Nous avons pourtant atteint Ayas, un misérable village de pêcheurs. Ce personnage repoussant a fait mine de ne pas reconnaître les lieux. La population nous a réservé un accueil inamical. Les hommes s'étaient retirés dans les montagnes. Quant aux femmes, qui lavaient le linge sur la rive, elles n'étaient qu'un mur de silence impénétrable. Aucune ne se rappelait une jeune femme qu'on aurait enlevée, ni un enfant qu'on aurait éventuellement sorti de l'eau Et aucune n'a reconnu le visage du capitaine, même lorsque je lui ai coupé la tête et l'ai brandie sous le nez de chacune de ces lingères muettes. Elles n'ont même pas bronché. Il nous a fallu renoncer. Alors que nous nous apprêtions à revenir en barque vers la trirème, une jeune estropiée s'est approchée discrètement de nous et a chuchoté :

— C'était Abdal le Hafside !

Mais elle n'en a pas dit plus, les femmes l'ont chassée en lui lançant des pierres.

Mahdia, émirat de Tunis, 7 juillet 1253

« Abdal le Hafside » était un renseignement à peu près inutilisable : le territoire de la dynastie des Hafsides s'étend, sans délimitation précise, depuis la Grande Syrte, c'est-à-dire depuis la frontière occidentale du sultanat mamelouk du Caire, jusqu'aux terres du souverain de Marrakech. Et là-bas, un homme sur deux s'appelle Abdal, fils d'Allah.

Le comte Hamo ne perdit cependant pas courage. Nous ne pouvions pas caboter au large des côtes de la Terre sainte, où une bataille navale acharnée entre Venise et Gênes paraissait imminente. En tout cas, les deux parties et leurs alliés avaient mis leur flotte en marche, et il était plus prudent de décrire un grand arc de cercle autour des belligérants. Il nous a

donc fallu près de six semaines pour apercevoir la
garde des côtes de Carthage.

Lorsque nous avons hissé le fanion impérial sici-
lien, les fonctionnaires se sont montrés très
aimables, ont fait l'éloge du roi Manfred et nous ont
remis une lettre qui nous permettait de pousser dans
le golfe jusqu'au port de Mahdia, où se trouve le
marché aux esclaves de Kairouan, la ville impériale.

Lorsque nous y avons demandé le marchand
Abdal, le surveillant a pris une mine très renfrognée :
les Angevins avaient mis à prix la tête d'Abdal, et à sa
connaissance, le marchand avait transféré ses activités dans l'Aragon. Nous devrions, nous a-t-il dit,
nous renseigner à Tanger. C'était un long trajet, mais
nous y trouverions plus facilement l'homme que
nous cherchions qu'à Mahdia, où il ne s'était plus
montré depuis des années.

J'ai expliqué au comte Hamo qu'au lieu de mettre
le cap sur le djebel al-Tarik, il serait plus rationnel de
faire demi-tour et de ne plus chercher le marchand,
mais Shirat elle-même. Nous savions qu'elle avait été
emmenée vers l'intérieur des terres depuis le port
arménien d'Ayas. C'est donc là-bas que nous devions
chercher sa piste. Mais le comte Hamo n'a rien voulu
savoir, et nous avons repris le large vers l'ouest, en
restant à bonne distance de la côte des Berbères, qui
grouillait de pirates.

*Ceuta, sur la côte des Mouwahides, 2 septembre
1253*

Ici, à l'extrémité occidentale du Monde, là où
commence le grand Océan, les souverains se sont
donné le titre de calife et se comportent d'une
manière que nous n'avons jusqu'ici observée que
chez les Tatares de l'est. Ils n'ont pas voulu nous laisser accéder à Tanger, qui se trouve au bord de
l'océan de l'Atlas, et nous n'avons pas pu non plus
passer par la montagne du même nom. Les autorités
sont devenues extrêmement méfiantes lorsque nous

avons affirmé que nous ne voulions pas nous rendre à Marrakech, mais à Fez. On nous a répondu qu'il n'y avait pas de marché aux esclaves dans cette ville, et que la capitale n'était pas ouverte aux chiens chrétiens, sauf si l'on venait les y vendre. On ne nous a même pas laissés débarquer, on a accroché la trirème à une longue et lourde chaîne de fer. Puis ils ont envoyé des messagers à leur « *amir al-mumin* », comme s'appelle leur calife pour souligner le fait qu'il ne reconnaît pas la souveraineté de Bagdad. Ces messagers devaient demander ce qu'il fallait faire de nous, et si l'empereur et roi de Sicile était un ennemi avec lequel ils étaient en guerre. Il nous a fallu un certain temps pour obtenir que le gouverneur de Ceuta autorise des marchands à nous apporter en barque des vivres et de l'eau fraîche. Après plus de deux mois d'attente absurde, on a détaché notre chaîne sans explication.

Hamo a fait un beau cadeau aux gardiens du port qui étaient venus jusqu'à nous en canot. En contrepartie, on lui a indiqué qu'aucun « Abdal le Hafside » ne s'était encore jamais montré ici. Nous pouvions en être sûrs, car chaque marchand était enregistré lors de son entrée et de sa sortie par la mer ou par la route côtière de Tlemcen — à moins qu'il ne soit venu du désert avec une caravane, au sud. Mais ces marchands-là n'apportaient que des esclaves noirs. Nous commettrions une erreur en nous rendant là-bas, nous devions faire demi-tour, sans quoi l'on nous prendrait pour des espions. Il existait à Alger un marché gigantesque, le plus grand du monde : c'est là que nous devions tenter notre chance.

À la hauteur des Baléares, vers Noël

Nous avons parcouru la plus grande partie du trajet à la rame, les vents ne nous étaient guère favorables. J'ai cherché à maintenir notre trirème au milieu de la mer, car les navires des pirates de Carthagène, reconquise par le christianisme, sont tout

aussi dangereux que les boutres de ceux d'Oran.
Nous pensions déjà avoir quitté sans encombre ces
eaux peu accueillantes lorsqu'une nuit, d'un seul
coup, nous nous sommes retrouvés cernés par un
essaim de ces petits navires agiles. En temps normal,
j'aurais fait hisser toutes les voiles, mis tous les
hommes aux rames et semé l'adversaire. Mais nous
étions en pleine bonace, et les rameurs exténués dormaient. J'ai donc aussitôt entrepris une manœuvre
audacieuse en faisant sortir le bélier et en fonçant
sur le plus gros regroupement de boutres, mais ils
nous ont évités et nous ont gratifiés d'une pluie de
flèches. Entre-temps, mon équipage s'était réveillé et
avait rejoint en courant les postes de combat. Mais
j'avais beau faire toutes les manœuvres imaginables,
les assaillants ne se laissaient pas distancer et
s'approchaient de plus en plus près, se faufilant
entre nos rames. Par le nombre, nous leur étions à
coup sûr inférieurs. Ils donnaient déjà des coups de
hache sur nos redoutables faux. Lorsque le temps est
à la tempête, ces armes déchiquettent n'importe
quelle voile ennemie. Mais dans cette mer d'huile,
elles ne faisaient que nous gêner, elles s'accrochaient
aux gréements des boutres, mais n'avaient pas la
force de les détruire.

Hamo m'avait rejoint, et se contenta de lancer,
méprisant : « Le fier scorpion est pris dans une fourmilière ! » Il avait raison de m'en rendre responsable : c'était bien moi, le capitaine !

J'ai fait charger en toute hâte du feu grégeois sur
la catapulte. Je n'ai cependant pas fait tirer, j'ai
donné l'ordre de placer de biais, vers l'extérieur, les
pots incandescents. Puis j'ai ordonné que l'on rentre
toutes les rames d'un côté, et j'ai envoyé tous les
hommes de l'autre. Nous avons ainsi décrit un arc de
cercle tellement étroit que le feu s'est mis à couler
des récipients et s'est abattu sur les agresseurs tout
autour de nous. En un instant, beaucoup des boutres
qui s'étaient collés à nous ont été la proie des
flammes. Les pirates se sont mis à crier, certains ont

sauté à l'eau, mais les autres ont tenté de pousser leurs embarcations incendiées contre la coque de notre navire et de monter à bord à la faveur de l'obscurité. La puissante trirème pouvait bien se cabrer dans tous les sens, nous n'avions aucune chance. Comme les boutres éloignés continuaient à nous cribler de flèches, nous avons perdu beaucoup d'hommes. Désespérés, nous nous sommes préparés pour un dernier combat — après avoir résisté comme nous l'avions fait, nous ne pouvions plus espérer de quartiers. Seul un vent puissant pouvait encore nous éviter de servir de pitance aux poissons. Mais, d'un seul coup, tous les boutres s'éloignèrent dans toutes les directions, sauf un, si profondément encastré dans notre trirème qu'il ne pouvait plus s'en aller.

Mes hommes, eux aussi, avaient aperçu la flotte aux couleurs d'Aragon qui approchait au loin, sans doute attirée par la lueur des flammes. Armés de leurs haches d'abordage, ils sont descendus par les rames pour se jeter sur l'équipage du boutre.

« Ne les tuez pas ! » a crié Hamo avant de sauter dans la mêlée en se laissant glisser à une corde. Il est parvenu à sauver trois des pirates. On les a fait monter jusqu'à moi, à la poupe. L'escadre de quatre navires de guerre a glissé devant nous dans la pénombre. J'ai lu à la proue de l'un des vaisseaux le nom *Nuestra Señora de Quéribus*. À bord, quelqu'un a crié :

— L'amiral vous demande si vous avez encore besoin d'aide. Aragon est allié à l'empereur et roi de Sicile !

— Merci ! répondis-je. Le comte Hamo l'Estrange salue Xacbert de Barbera ! (J'avais ainsi montré que je connaissais bien le propriétaire du voilier de combat aragonais.) Merci pour votre proposition. La *Contessa d'Otranto* se débarrasse seule de cette vermine !

Les navires aux voiles gonflées ont ensuite disparu en direction de Majorque, et je suis allé m'occuper des trois pirates. Ils venaient d'Oran. Hamo les a interrogés sur Abdal le Hafside. Ils n'ont rien voulu dire. J'ai pris la parole :

— Vous avez gâché votre vie, mais je vais vous l'offrir et j'y ajouterai même de l'or si vous utilisez votre tête pour réfléchir et si vous fatiguez un peu votre cerveau.

Ils ont cédé. C'est finalement le plus âgé qui a pris la parole.

— Il y a tout juste trois ans, une puissance secrète nous a confié une mission. Croyez-moi, seigneur, je ne sais pas qui se trouvait derrière ; ce n'était pas l'un des partis qui se combattent ici, en Méditerranée. Je me rappelle que nous avons reçu l'ordre inquiétant d'attaquer Otrante et d'emmener votre trirème, la *Contessa*. C'est la raison pour laquelle nous nous sommes aussi jetés sur vous aujourd'hui, tout en craignant que le diable ne soit de la partie. Car en réalité, cette trirème n'aurait pas dû voguer sous le fanion de la Sicile et de l'empereur. Nous avions raison ! C'est bien le diable qui a fait apparaître les Aragonais au cœur de cette nuit, sans cela, à présent, c'est vous qui comparaîtriez devant moi.

— Le diable est tantôt d'un côté, tantôt de l'autre, fis-je pour le consoler. Lorsque vous avez arraisonné la trirème sur le chemin de Constantinople, dans la mer Ionienne, il était dans votre camp. Vous avez capturé une femme et un enfant, les avez-vous vendus au marchand Abdal le Hafside ?

— Je n'étais pas sur le navire qui a accueilli la femme et l'enfant, mais nous vendons toujours notre butin à Abdal.

— Et où le trouverai-je à présent ?

Il se tut tout d'un coup, ses deux compagnons avaient fixé sur lui un regard hostile. Je m'adressai alors à eux :

— Jusqu'ici, vous n'avez encore rien fait pour sauver votre tête. Si vous ne me dites pas maintenant où nous trouverons le marchand, vous le paierez de votre vie.

Cela ne les fit pas parler. L'un d'eux cracha même aux pieds du vieux pirate. Je fis un signe à mes hommes ; un instant plus tard, le cracheur ne pouvait plus que tirer la langue, tant la corde était serrée autour de son cou. Il dodelinait le long du mât, une salutation destinée à encourager son complice. Celui-ci finit par nous dire la vérité.

— À Ascalon ! laissa-t-il échapper. Mais si le Hafside apprend que je l'ai trahi, je préfère que vous me pendiez vous-même.

— Nous le ferons volontiers, ai-je répondu, dès que vous nous aurez menés à Ascalon et montré le Hafside. Ensuite, le reste sera notre affaire, et vous pourrez tous deux quitter le bord en hommes libres.

— En cibles vivantes ! a grogné le vieux. Mais soit, du moment que vous nous promettez de ne pas nous débarquer à Ascalon, mais au premier port que vous rencontrerez ensuite.

— Ce pourrait être un port chrétien, l'a prévenu Hamo.

Mais le vieux ne s'en souciait guère :

— Cela vaudra toujours mieux que de nous retrouver entre les mains d'Abdal...

Nous avons ainsi continué notre route vers l'est.

Entre Tunis et Malte, jour de l'Épiphanie

Nous avons fait une halte à Carthage, pour réparer les avaries causées à la trirème par l'attaque des pirates. Le comte Hamo, que notre équipée plongeait de plus en plus souvent dans la mélancolie, voire dans un profond désespoir, a retrouvé la vie lorsque la *Contessa d'Otranto* a été remise à l'eau et a repris sa traversée, les voiles fièrement gonflées, les rames étincelantes. Mais arrivés au sud de Malte, nous avons été pris dans une mauvaise tempête d'hiver qui nous a causé plus de dégâts que ne l'avaient fait tous les pirates auparavant. Nous n'avons pas voulu mettre le cap sur les îles, en effet Hamo n'était pas certain que les hommes du roi Manfred, sur l'archipel, savaient que ce roi lui avait offert le navire de sa mère. En tout cas, la trirème y était toujours connue comme le navire amiral de son père, le comte Henri de Malte.

— En fait, l'amiral de l'empereur n'est pas du tout mon géniteur, m'a confié Hamo l'Estrange alors que nous tentions de sauver notre vie dans la tempête.

Nos nouvelles voiles étaient déchiquetées, et les rames se dispersaient dans l'eau comme des copeaux; il m'avait fallu les utiliser pour que la trirème ne prenne pas sur le flanc les creux gigantesques, ce qui aurait sonné sa perte certaine, et la nôtre. La tempête ne s'est apaisée qu'au moment où nous avons franchi le golfe de Syrte et fait route vers le delta du Nil.

À Alexandrie, il m'a fallu prendre le risque d'entrer dans le port, nos réserves d'eau fraîche étaient épuisées. Mais le commandant du port s'est montré fort aimable lorsque le comte Hamo s'est présenté comme un parent de l'empereur. Le grand Hohenstaufen jouit encore de la vénération de tous les Égyptiens. J'ai d'autre part entendu dire qu'un traité a également été négocié avec le roi Louis, à Saint-Jean-d'Acre; celui-ci serait très profitable au commerce, et donc au port, de la ville de Ptolémée. La trirème a été remise en état, une fois de plus, et l'on nous a donné tout ce dont nous avions besoin, notamment un sauf-conduit pour tous les ports égyptiens. Le commandant du port a rédigé pour son collègue d'Ascalon une lettre de recommandation particulière, ce qui m'a paru nécessaire : la ville, qui a fait l'objet de combats fréquents et n'est rentrée que récemment en possession du sultan, est considérée comme un avant-poste extrêmement menacé du royaume des mamelouks, et accueillera forcément avec méfiance les navires de combat chrétiens.

Terra Sancta, 21 février 1254

Lorsque nous avons passé Gaza et nous sommes approchés des fortifications qui protègent le port d'Ascalon contre les attaques des flottes ennemies,

nous avons été arrêtés par les tirs précis de catapultes installées sur les toits. Nous avons hissé le
pavillon de l'empire, mais il a fallu que nous arbo-
rions un pavillon blanc de parlementaires pour que
l'on nous autorise à envoyer un canot. J'ai convaincu
le comte Hamo de ne pas s'exposer inutilement au
danger que pourrait lui faire courir son naturel
impétueux. La confrontation avec l'homme qui avait
livré la jeune comtesse Shirat à un destin incertain,
mais certainement funeste, devait être menée avec
circonspection et sans désir de vengeance. Je savais
ce que j'avais à faire, et Hamo l'Estrange a fini par
accepter de me laisser y aller tout seul.

J'ai présenté ma lettre de recommandation au
commandant mamelouk, et l'on m'a aussitôt
accueilli pour le mieux. Alors que je venais d'obtenir
que l'on baisse la chaîne du port pour laisser entrer
la trirème et qu'on l'approvisionne en vivres de première nécessité, un messager est arrivé et m'a
informé qu'Abdal le Hafside désirait me voir. Cela a
plus impressionné le commandant que ne l'avait fait
le fanion impérial.

J'ai suivi le messager dans la vieille ville d'Ascalon,
pour rejoindre le palais du marchand, un gigantesque édifice qui dépassait les maisons basses
comme une citadelle. J'ai appris qu'il s'agissait de
l'ancien siège du précepteur des Templiers. Dans la
cour, on avait installé un caravansérail, avec des
réduits pour loger les esclaves. Abdal lui-même résidait dans le donjon. Lorsque je suis entré, il m'a indiqué une place sans se lever. C'est un grand homme,
de belle allure, dont le menton anguleux, quoique
caché par une barbe coupée court, révèle la dureté et
la confiance dans sa propre force.

— Je vous connais, a-t-il constaté. Vous êtes
Taxiarchos, le Pénicrate de Constantinople.

— Exact, répondis-je en m'asseyant.

— Vous me cherchez à cause d'une esclave ? a-t-il
demandé comme s'il ne voulait pas vraiment croire
qu'un homme comme moi puisse parcourir les mers
pour une femme.

— Il s'agit de la comtesse d'Otrante, ai-je dit, une femme qui n'aurait pas dû connaître un tel destin. Vous vous êtes placé dans une situation politiquement périlleuse. Car même sans compter le fait que le jeune comte Hamo l'Estrange vous en veut à juste titre d'avoir vendu sa femme, Shirat est la sœur de Baibars, l'Archer.

Le coup a porté. Az-Zahir ed-Din Baibars, dit « al Bundukdari », est, avec le sultan, le plus puissant de tous les émirs mamelouks. Son influence est plus grande que ne le laisse croire son titre de commandant de la garde du palais du Caire. C'est l'éminence grise de la nouvelle caste des gouvernants.

Abdal a rentré le menton et s'est mis à réfléchir.

— Je ne pouvais pas le savoir à l'époque, a-t-il marmonné. Je l'admets : ce tas de pirates d'Oran qui, en temps normal, commettent leurs rapines le long des côtes du Maghreb faisaient bien partie de mes fournisseurs habituels du temps où, à Mahdia, je m'occupais essentiellement de vente d'esclaves.

— Et vous avez eu quelques problèmes avec Charles d'Anjou, ai-je fait pour rafraîchir ses souvenirs. Alors que l'on continuait à se battre pour le pouvoir en Sicile, vous avez fait commerce d'engins de guerre et de soldats, ce au profit des Hohenstaufen.

— Vous êtes bien informé, mais je n'en attendais pas moins du Pénicrate, répondit-il avec respect. Quand j'étais gamin, déjà, j'étais un ardent admirateur de l'empereur Frédéric, et lorsque cette « Lumière du Monde » nous a quittés, j'ai reporté mes sympathies sur Manfred, son génial bâtard. Cette prise de parti m'a valu d'être chassé de Tunis, ce que j'ai accepté de bon cœur. Et depuis, je me suis installé ici.

— Venons-en au fait. Il ne s'agit pas de votre bien-être, mais du sort d'une jeune femme, et de son enfant.

— Je n'ai jamais entendu parler d'un enfant. (Il mentait effrontément.) À l'époque, j'étais en train de transférer mes activités dans la mer Ionienne et la mer Égée. On m'avait chargé de rassembler un choix d'esclaves pour Hethoum, le roi d'Arménie Mineure. Lorsque je les ai déchargées à Ayas, le port le plus proche de la capitale, Sis, mes pirates sont arrivés d'Oran, à ma plus grande surprise, je vous le jure. Ils m'avaient sans doute suivi après l'avoir pêchée en eaux étrangères, car, en principe, ils n'ont rien à faire dans le détroit d'Otrante, à la pointe méridionale de l'Apulie. Leur terrain de chasse s'arrête au plus loin au large de Malte. Le *cheîtan* sait qui leur a ordonné d'aller traîner là-bas! Ils ne m'en ont rien dit non plus : ils m'ont seulement demandé d'intégrer une jeune femme, une seule (c'est la raison pour laquelle je m'en souviens si bien), dans la caravane d'esclaves que j'avais rassemblée. Et ils me la cédaient à un bon prix — il faut vous dire que c'étaient de vieux clients.

— Vous ne pourrez plus compter sur eux, lui ai-je fait remarquer d'un ton sec. Je les ai donnés en pâture aux poissons, non pas pour avoir enlevé la comtesse, mais à cause de l'enfant. (J'ai fait une pause, pour lui laisser le temps de réfléchir.) Ne m'obligez pas à utiliser la même méthode avec vous, uniquement parce que vous ne voulez pas réveiller votre mémoire!

La hardiesse de mon langage l'étonna. Il se sentit tout d'un coup pris au piège.

— Eh bien, soit, c'était un nourrisson dont je ne voulais pas. Je n'ai pas porté la main sur lui, et, si je me rappelle bien, les femmes du village l'ont immédiatement sorti de l'eau. Il...

— ... *Elle*, fis-je en lui coupant la parole, c'était une petite fille.

— L'enfant a sûrement survécu à sa chute dans l'eau, j'en suis tout à fait certain.

— Bien que vous ne vous en soyez pas soucié!

— Taxiarchos, vous connaissez les affaires, et vous-même, vous n'avez pas la réputation d'un bon Samaritain. Que voulez-vous que je fasse d'une esclave que je n'étais pas allé chercher et qui, par-dessus le marché, nourrissait un petit au sein ? Vous le savez bien, ça fait baisser le prix. Il m'était aussi utile qu'un goitre ou un furoncle aux fesses ! s'exclama-t-il en s'échauffant... Je devais remplir mon contrat avec la cour d'Arménie, et je voulais leur fournir des marchandises de première catégorie.

— Ça ira, ai-je fait en interrompant sa conférence sur les avanies du grand commerce. Mais ça ne m'avance pas beaucoup.

— Il y a une chose qui pourrait peut-être vous aider, reprit-il. À l'époque, je n'ai pas eu l'impression que le roi Hethoum comptait garder pour lui les femmes que je lui ai livrées. Il leur a accordé trop peu d'attention personnelle pour cela. Pour moi, il s'agissait d'un cadeau, un tribut destiné à un autre souverain. Tiens, un autre incident me revient en mémoire : le frère du roi, le connétable Sempad, s'est justement beaucoup intéressé à la prisonnière que vous appelez Shirat. Il voulait la prendre pour ses appartements privés. Le roi le lui a refusé brutalement, et a demandé à son frère : « Que pensera notre souverain de notre cadeau, s'il entend dire que nous en avons d'abord ôté les meilleurs morceaux ? »

— Et de quel « souverain » pouvait-il être question ?

— Lorsque je réfléchis à la situation en Arménie, plusieurs noms me viennent à l'esprit, mais ils sont d'emblée exclus par manque de dispositions : c'est le cas du pieux roi Hethoum, mais aussi du jeune prince d'Antioche, qui venait de se fiancer avec la fille de ce dernier. Vatatsès est exclu. Il ne reste qu'An-Nasir de Damas, le calife de Bagdad... et le grand khan des Mongols.

C'était une conclusion accablante. J'ai compris que nous ne pouvions en apprendre plus qu'en nous rendant à Sis, auprès de Hethoum, en espérant que le roi serait disposé à nous parler des « cadeaux » qu'il faisait à d'autres souverains, plus puissants que lui. Comment pouvais-je le dire à Hamo sans qu'il force les portes de Sis et qu'il mette son poing dans la figure du roi ?

— Je vois à votre silence, Pénicrate, que vous êtes fermement décidé à ne pas laisser cette affaire en l'état. Je ne suis pas coupable, mais l'attachement dont fait preuve votre comte Hamo me touche. Comme vous aurez du mal à mener des bêtes de somme dans le misérable port de la côte arménienne, permettez-moi de faire à votre maître un petit cadeau. Je vais vous envoyer sur la trirème un superbe étalon arabe et cinq remarquables chameaux de somme.

Il toussota deux fois, et un gigantesque Noir glissa jusqu'à nous, sans faire de bruit. Sur son buste nu, il portait en croix deux poignards aussi grands que des cimeterres. Abdal lui chuchota quelques mots, et le gardien disparut.

— Je vais encore vous confier quelque chose. Cette tour, ici, est équipée d'un miroir, qui date de l'époque de mes prédécesseurs. Il y a dans cette ville des hommes qui viennent parfois me voir et qui l'utilisent pour recevoir ou émettre des messages. Je ne les en empêche pas, et je ne leur demande pas qui ils sont...

— Des templiers ? Des Assassins ?

— Tout juste, a dit le Hafside, heureux que j'aie prononcé le mot à sa place. Je suis ainsi relié à un réseau qui va très loin à l'est. Si votre maître devait se lancer dans cette entreprise démente, aller libérer sa petite femme du harem de l'un des souverains que j'ai cités, il pourra toujours compter sur mon aide, s'il me fait connaître ce vœu. J'espère simplement qu'il ne s'agit pas de l'imam des ismaélites, à Alamut : nous l'avons totalement oublié dans notre énumération. Si tel était le cas, je ne vois aucun espoir...

— ... en tout cas aucun espoir d'obtenir votre aide, ai-je répondu en souriant, et je me suis relevé.

— J'aurais bien du mal. En tout cas, donnez-moi des nouvelles lorsque vous aurez appris chez

Hethoum dans quelle direction sont parties ces dames. Mais menez votre enquête avec beaucoup de précautions, car ce seigneur est colérique et imprévisible. Quant à son frère Sempad, c'est un lourdaud et un rustre !

Lorsque j'ai quitté les lieux, mon regard a monté vers la balustrade, au-dessus de nos têtes. J'y ai vu au moins cinq arbalétriers bien installés qui avaient pointé leurs armes sur moi.

La vieille ville était agitée, en partie par la joie, en partie par l'amertume. Lorsque le commandant du port m'a de nouveau reçu pour m'accompagner à la trirème, il m'a appris que le roi Louis, à Saint-Jean-d'Acre, avait conclu avec le sultan ayyubide An-Nasir de Damas un pacte de non-agression pour une période de deux ans, six mois et quarante jours.

— Il a enfin compris, ai-je noté, que la Syrie est tout à fait à portée des Mongols.

— Ou bien il s'efforce d'avoir enfin les mains libres pour s'occuper de nous, m'a répondu le mamelouk, soucieux. Car An-Nasir n'a pas encore renoncé à ses ambitions sur le trône du Caire, loin s'en faut.

— L'Égypte devrait, elle aussi, faire la paix avec le royaume de Jérusalem...

— ... et commencer, en gage de bonne volonté, par rendre Ascalon ?

— Dans ce monde, on n'a rien sans rien, dis-je pour le consoler.

J'ai d'ailleurs prononcé les mêmes mots devant Hamo, lorsque je suis revenu à bord de la trirème. Nous avons levé les ancres et mis le cap droit vers le nord, afin de franchir la côte orientale de Chypre pour revenir en Arménie.

La fille perdue

Sur la côte d'Arménie, mars 1254

Lorsque nous avons de nouveau croisé au large du
pauvre petit port d'Ayas, je n'avais pas le sentiment
qu'une année ou presque s'était écoulée depuis notre
première tentative de découvrir une trace ici. Il m'a
semblé que les mêmes femmes taciturnes lavaient le
même linge. Hamo ne s'est pas soucié de leur hostilité affichée, qui était forcément due à la peur : elles
n'avaient aucune raison de nous haïr.

Dès que la côte avait été en vue, mon maître avait
constitué une équipe pour l'accompagner. Comme il
n'était plus seulement détenteur des trésors de
l'évêque, mais aussi du legs de « Mustafa Ibn-Daumar, marchand de Beyrouth », que son bienveillant
ami Créan de Bourivan lui avait involontairement
cédé, il pouvait choisir de se présenter comme
l'évêque Hamo, comme le comte Hamo l'Estrange,
d'Otrante, ou comme un négociant du Proche-
Orient. Je lui ai conseillé de choisir sa véritable identité, mais il a cru devoir se glisser dans les vêtements
d'Ibn-Daumar.

À peine notre quille s'était-elle enfoncée en cris-
sant dans le sable, ce qui a fait fuir les femmes dans
un concert de glapissements, que Hamo a débarqué
avec sa caravane chargée de cadeaux. Je lui avais fait
comprendre que, s'il ne voulait pas (de noble à
noble !) faire appel aux dignes sentiments du roi ou à
la chevalerie de Sempad, parce qu'il était trop fier
pour demander quelque chose, il allait devoir acheter des hommes. Un marchand n'a pas d'honneur, il
n'a que de l'argent, et il devrait l'utiliser en le distri-
buant abondamment. Je l'ai accompagné sur une
partie du chemin avec ses cinq chameaux.

— Mon cher Taxiarchos, m'a-t-il ordonné au
moment de notre séparation, rendez-vous avec la trirème auprès de mon ami Bohémond, le jeune prince
d'Antioche. Il vous accueillera en invité et vous auto-

risera à mouiller notre navire dans le port de Saint-Siméon jusqu'à ce que je sois revenu de mon voyage.

— Donnez-moi de vos nouvelles par l'intermédiaire de vos amis, les Assassins, lui ai-je demandé, pour que je puisse me préparer à votre retour. J'accourrai à votre rencontre là où vous m'en donnerez l'ordre, Hamo l'Estrange !

— Je ne reviendrai pas, a-t-il répondu, la mine sombre, avant d'avoir trouvé et libéré la comtesse Shirat. Écoutez-moi bien, Pénicrate. Si, dans vingt lunes, je n'ai plus donné de mes nouvelles, le navire sera à vous — sauf si vous trouvez ma petite fille : alors, la princesse pourra reprendre son héritage. Vous serez dans ce cas son ami paternel et son tuteur !

Nous n'étions pas assez intimes pour nous donner l'accolade. Il est parti dans les montagnes avec son escorte, et je l'ai longtemps suivi du regard.

En revenant au môle, j'ai constaté que les femmes avaient repris leur activité habituelle. Elles ne m'ont pas accordé le moindre regard. Je suis monté à bord et j'ai fait mettre un canot à l'eau, côté mer. Avec une douzaine de nos hommes, nous avons contourné les laveuses, nous avons accosté derrière leur dos et nous les avons encerclées sans qu'elles s'en rendent compte. Elles étaient tellement effrayées qu'elles n'ont même pas crié. Mes hommes sont restés à distance pour ne pas les affoler. Je me suis approché d'elles et me suis adressé à la plus âgée.

— Brave femme, vous me devez encore un renseignement sur un enfant, une petite fille qui tétait encore au sein de sa mère lorsque vous l'avez repêchée dans l'eau. Je vous paierai grassement pour cette information.

J'ai renversé sur leur linge le contenu d'une bourse emplie de besants d'or. Les lèvres se sont enfin déliées, et elles se sont lancées dans une discussion très animée.

J'ai appris que la pauvre petite avait été adoptée par une certaine Xenia, une jeune femme qui ne pouvait avoir d'enfants. Juste après notre arrivée ici, une année plus tôt, elle était partie avec la petite, par crainte que nous ne l'emportions. « Elle l'aime comme si c'était son propre sang, c'est une bonne mère, et vous ne devriez pas la rendre malheureuse ! » Leurs mots s'abattaient sur moi comme des grêlons. J'ai répondu aimablement : « Pourquoi lui ferais-je de la peine, alors qu'elle a fait preuve de tant d'amour pour cette enfant ? Au contraire, je veux trouver Xenia et lui offrir une récompense princière, car l'enfant est une princesse de sang dont la mère a disparu ! »

Ces paroles ont excité l'imagination des femmes et attendri leur cœur, et elles ont fini par m'indiquer où elles pensaient que nous pourrions trouver l'enfant. Xenia avait un frère à Antioche, qui était palefrenier auprès du roi, et s'appelait... Mais même avec la meilleure volonté, elles ne se rappelaient plus son nom. Je leur ai demandé :

— Comment s'appelle donc l'enfant ? Vous l'avez certainement baptisé, ce pauvre petit ver ?

— Oh, oui ! a répondu la vieille, qui commandait sans doute les autres femmes. Nous l'avons baptisée « Alena », parce que c'était une étrangère, et nous l'avons appelée « Elaia », parce que sa peau était aussi noire que celle d'une olive.

— Et aussi fripée, en plus ! s'est exclamée une autre.

Une troisième a cru devoir rétablir l'honneur d'Alena Elaia.

— Mais n'allez pas croire que c'est un enfant laid, oh, non ! Sa peau est comme du velours, les cils de ses yeux sont soyeux, et ses prunelles sombres comme du cobalt !

Fort de cette description, je me suis mis en route.

Devant la côte de Chypre, fin avril 1254

J'étais certain de trouver à Antioche la princesse Alena Elaia et sa mère adoptive, Xenia. Où celle-ci aurait-elle pu se réfugier, sinon dans cette ville ?

Aucune n'est plus somptueuse, à cent lieues à la ronde vers Le Caire ou Bagdad, que le siège du patriarche. Même Damas ne peut rivaliser avec elle.

Le parcours me paraissait bien peu de chose. Mais des vents violents, tels qu'ils se lèvent souvent dans le ciel clair, avec des orages et des grêlons aussi gros que des œufs de pigeon, nous ont poussés vers le large et les écueils de Chypre. Nous avons lutté toute la nuit pour ne pas nous ensabler ou nous écraser contre un des récifs. Nous étions devenus le jouet des vagues, qui s'élevaient d'autant plus que nous nous éloignions de la terre ferme.

Lorsque le soleil s'est levé, j'ai vu que nous n'avions pas été les seuls à connaître ce sort. Nous avions été poussés à une proximité effrayante de l'île, et la mer autour de nous était pleine de navires : toute une flotte paraissait en avarie. J'ai reconnu la bannière de la France et le pavillon royal, le fameux *Montjoie*, qui avait dérivé sur un banc de sable, juste devant nous. J'ai fait riser les voiles, donner prudemment de la rame pour nous approcher du navire, et j'ai hissé l'étendard impérial de Sicile.

Le roi Louis en personne était à bord avec son épouse, Marguerite. Elle avait quitté Acre le 24 avril, pour revenir définitivement dans sa patrie, la France. Je l'ai appris par le sénéchal de Champagne, le comte Jean de Joinville, qui nous a fait traduire ses propos et nous a demandé courtoisement si nous avions des plongeurs dans notre équipage, car le roi aurait aimé constater les dommages subis par la quille de son navire, et savoir s'il pouvait prendre le risque de continuer sa route.

— Si nous arrivons à le tirer de là, ai-je fait remarquer. Mais nous parviendrons peut-être à faire sortir le *Montjoie* du sable si vous nous envoyez des rameurs supplémentaires.

— Je connais votre navire, dit le comte. C'est la trirème de la comtesse Laurence d'Otrante.

— Il y a quelques années, c'est son fils Hamo l'Estrange qui en a hérité. Il rend en ce moment une visite au roi Hethoum d'Arménie, tandis que nous devons l'attendre à Antioche.

— Oui, oui, marmonna le sénéchal. Comme le temps passe! Il y a six ans, j'étais prisonnier de « l'Abbesse » sur ce navire de pirates. Ensuite, pendant un an, nous sommes restés dans le port de Limassol. Nous étions devenus bons amis, et nous avions secrètement passé alliance. C'était avant le début de cette funeste croisade de Sa Majesté. Et aujourd'hui, alors que nous allons la conclure en revenant chez nous, Dieu renvoie la trirème sur notre route...

Il a balancé sa tête, légèrement grisonnante bien qu'il n'ait guère plus de trente-cinq ans.

— Si ce n'est pas une volonté de la Sainte Vierge...!

— Nous sommes à la disposition du roi, ai-je lancé en coupant court à ses réminiscences.

Les plongeurs étaient prêts. Je tins à les accompagner personnellement. Nous avions aussi pris de longues cordes épaisses. Les vagues continuaient à gonfler et menaçaient de briser le navire royal immobilisé. Il nous a fallu plusieurs tentatives avant de pouvoir le prendre sur le flanc et de nous faire hisser à bord.

Le *Montjoie* était surchargé. Le connétable et d'autres membres de la suite du roi l'ont exhorté à quitter le navire et à se faire déposer à terre. On m'a présenté au roi, et il m'a demandé mon avis. J'ai répondu : « Dès que mes plongeurs m'auront remis leur rapport, je vous donnerai mon opinion, Majesté. »

Les hommes venaient tout juste de remonter. Ils nous ont crié que l'arbre de quille était éclaté sur un tiers de sa longueur, mais qu'il pourrait tenir si nous parvenions à remettre rapidement le navire à l'eau.

— Essayons donc, ai-je proposé au roi. Ensuite, vous aurez le temps de décider!

Là-dessus, le connétable Gilles Lebrun a fait approcher les autres navires, et tous les hommes du navire amiral ont dû quitter le bord, ce qui était une manœuvre dangereuse. Quelques-uns se sont noyés, mais nous n'avions pas le choix, le *Montjoie* devait être aussi léger que possible pour s'arracher au banc de sable. Seuls le roi et la reine sont restés à bord. Dame Marguerite ne montrait pas la moindre crainte, mais je l'ai entendue prier à voix haute et promettre à saint Nicolas de Varangeville une chapelle en argent s'il les tirait de ce mauvais pas et les ramenait en France sains et saufs.

J'ai distribué les cordes que nous avions apportées sur les plus puissants des bateaux-longs, et j'en ai gardé deux pour la trirème. Lorsque toutes ont été bien arrimées à la quille du *Montjoie* et aux navires qui lui servaient de remorque, j'ai fait signe aux hommes de ramer à tour de bras. Les cordes se sont tendues ; nous avons perçu autour de nous des craquements et des grincements effroyables, mais d'un seul coup, nous avons été dégagés.

— Soyez remerciée, Madame, a dit le roi à sa femme, en souriant. Mais où donc allez-vous trouver une chapelle en argent massif ?

— C'est vous qui me donnerez l'argent, mon cher époux, a-t-elle répondu pleine d'entrain, même si vous devez faire fondre tous vos couverts pour cela. Le travail sera réalisé par maître Buchier, lorsqu'il sera enfin revenu chez nous après sa mission chez les Mongols.

Alors seulement, le roi s'est adressé à moi. Il a ôté une bague de son doigt et a parlé :

— Il m'aurait paru plus juste qu'en remerciement pour votre aide avisée et puissante, vous receviez, vous, la chapelle, et que je donne l'anneau au saint, mais...

Il a sans doute préféré garder pour lui les pensées peu gracieuses que j'aurais pour ma part résumées en cinq mots : « Les femmes sont comme ça ! »

J'ai souri d'un air entendu, et j'ai répondu :

— Que ferais-je d'une montagne d'argent dont le poids ne ferait que me gêner ? Cette bague, je pourrai toujours la garder sur moi, et elle me rappellera le jour où je Vous ai rencontré !

— Vous m'avez tant fait confiance, seigneur Taxiarchos, a conclu le roi, que j'ai décidé de poursuivre le voyage sur mon navire abîmé.

Et il a ordonné au connétable de ramener les hommes à bord pour que l'on puisse quitter ce lieu aussi vite que possible. Entre-temps, la tempête s'était apaisée. Le comte de Joinville, sans doute l'un des plus proches confidents du roi, m'a raccompagné et m'a fait ramener en barque à la trirème, en compagnie de mes hommes. Nous avons aussitôt levé les voiles pour atteindre enfin Saint-Siméon, le port d'Antioche.

Antioche, en mai 1254

À Saint-Siméon, on nous a certes permis de jeter l'ancre dans le port avec la trirème, mais il nous a fallu aller demander au prince, à Antioche, l'autorisation d'y mouiller plus longtemps.

Le pays tout entier était en liesse. On annonçait d'innombrables festivités : le jeune prince Bohémond ramenait justement dans la capitale la fille du roi Hethoum d'Arménie, Sybille, qui était désormais son épouse.

J'ai laissé l'équipage dans le port artificiel et me suis rendu tout seul dans la capitale. Les célébrations nuptiales ne m'ont pas permis d'obtenir une audience rapide auprès du fonctionnaire compétent, et encore moins d'être reçu en personne par le prince. J'ai profité de cette attente pour me mettre en quête de Xenia, la femme d'Ayas, et j'ai commencé mes recherches dans les écuries du palais. C'est là qu'était censé travailler son frère, dont je ne connaissais même pas le nom.

Il y avait des centaines de valets d'écurie, et j'avais autant de chances de trouver parmi eux un Arménien d'Ayas qu'une aiguille dans une meule de foin. De toute façon, mes questions ont vite éveillé les soupçons, et avant même de m'en rendre compte, je me suis retrouvé en prison pour « espionnage ». Mais j'ai finalement pu profiter de l'incident. Mon geôlier m'a informé qu'au cours des jours à venir, en l'honneur de son épouse, le prince comptait visiter les prisonniers pour offrir la vie à ceux dont le délit lui paraîtrait anodin. Tous les autres seraient pendus pour la fête du jour, afin que le peuple ait aussi quelques distractions. On m'a consolé en me disant que les espions n'avaient que peu de chances d'être classés dans le premier groupe, mais qu'une exécution rapide m'épargnerait d'autres souffrances au fond de mon cachot.

Lorsque le jour est venu et que le prince est passé devant nos barreaux, j'ai protesté de mon innocence, comme tous les autres. Mais j'ai ajouté en criant : « C'est Hamo, le fils de la comtesse d'Otrante, qui m'a envoyé auprès de vous. »

Le jeune prince — il devait avoir dix-sept ans — s'est arrêté net et a eu l'air songeur. Il m'a fait sortir du cachot, a demandé ce que l'on me reprochait et m'a interrogé.

— Qu'alliez-vous faire près des chevaux ?

Je me suis mis à rire, parce que cette question semblait déjà annoncer ma libération, et j'ai fait cette réponse parfaitement absconse :

— Parce que nous n'avons pas pu mener la trirème à la rame jusqu'à Antioche, pour trouver la princesse Alena Elaia, la fillette de votre ami Hamo, âgée de trois ans, qui lui a été enlevée et que la sœur de l'un de vos palefreniers garde cachée.

Il m'a alors immédiatement fait enlever mes chaînes et m'a invité auprès de lui dans le palais, où il m'a fallu tout lui raconter.

La seule chose qui le décevait était le fait que je sois incapable de lui dire quoi que ce soit de Roç et Yeza, les « enfants du Graal », comme il appelait ses jeunes amis, « les rois sans royaume ». Je me suis alors rappelé ce que Hamo m'avait raconté : Guillaume de Rubrouck s'était mis en route pour rejoindre le grand khan des Mongols, chez qui ils séjournaient sans doute à présent. Lorsque le prince Bohémond a entendu le nom du moine, il n'a pu s'empêcher de rire, surtout lorsque je lui ai dit que le franciscain, envoyé en mission par le roi, était en route pour Karakorom.

Entre-temps, l'administration des écuries avait découvert l'écuyer arménien, et les gardiens du palais avaient arrêté et amené Xenia, avec sa fille de trois ans. On nous les a présentées. La femme, une personne simple au visage débonnaire et un peu rustre, aux mains usées par le travail, pleurait toutes les larmes de son corps. La fillette était une tendre créature à la grâce extraordinaire et aux traits raffinés. Elle a passé ses petits bras autour de la femme et a dit : « Je veux rester avec toi. »

L'enfant ne pleurait pas, elle se contentait de nous regarder avec angoisse.

— Permettez-moi, mon prince, dis-je, de faire une proposition. L'enfant a besoin d'une mère qui l'aime. Or, nous le voyons, tel est bien le cas ici. Qui sait quand mon seigneur reviendra, et si ce sera avec sa jeune épouse...

— Inutile d'en dire plus, mon cher seigneur Taxiarchos, répondit le prince en me coupant la parole. J'accueille à ma cour la fille de mon ami, pour qu'elle ne manque de rien, mais aussi cette brave femme, qui doit rester auprès d'elle.

Xenia se jeta alors aux pieds du prince et le remercia en pleurant. Elle ignorait, expliqua-t-elle, quel enfant elle avait tiré de la mer, jadis, mais elle avait toujours senti qu'Alena Elaia n'était pas une créature ordinaire.

— Vous aussi, cher seigneur Taxiarchos, dit Bohémond, profitez de mon hospitalité tant que vous le voudrez. Je regrette seulement que Hamo ne se soit pas adressé à moi. Je l'aurais présenté comme un ami au roi Hethoum. À présent, je me fais du souci, car je connais le caractère de mon beau-père. J'espère seulement, ajouta-t-il, que tous ceux que

nous connaissons reviendront bientôt sains et saufs
de chez les Mongols.

— Je l'espère aussi de tout mon cœur, répondis-je.
Mais vous devriez peut-être faire parvenir au roi
Hethoum une recommandation pour qu'il écoute
avec bienveillance le comte d'Otrante.

Mais les pensées du prince étaient ailleurs.

— Le temps est venu pour Roç et Yeza d'accomplir leur destin royal et de monter sur le trône de
Jérusalem. Nous venons d'apprendre la mort du roi
Conrad, le Hohenstaufen. D'ici à ce que le trône
puisse être repris par son jeune fils Conradin, âgé de
deux ans seulement, il aura été balayé depuis longtemps par les mamelouks. J'espère donc que Guillaume ne commettra pas l'erreur de ravir Roç et
Yeza aux Mongols, mais que ceux-ci arriveront vite
pour placer sur ce trône mes amis, les rois de la paix.
Dans le cas contraire, le christianisme se retrouvera
bientôt en fâcheuse posture en Terre sainte, et la
chrétienté y perdra son plus ancien territoire. Tout
disparaîtra, a-t-il annoncé, la mine sombre. Y
compris Antioche !

Et sur ces mots, il a pris congé de moi.

À la princesse Alena Elaia, dont le comte Hamo a
confié la tutelle à la bonne Xenia et à moi-même, on
a attribué de vastes appartements dans le palais. La
reine Sybille, extrêmement heureuse de constater
qu'Alena Elaia parle l'arménien, s'occupe avec
amour de la fille de mon maître. Pour ma part, je fais
en sorte que la fille très éveillée de Hamo soit préparée au jour où elle rencontrera son père et sa mère
véritable. Je l'emmène parfois au port, je lui montre
la trirème, son navire, et je lui parle de Shirat, sa
jolie mère. Lors des fêtes qui ont suivi la noce, j'ai
aussi rencontré une délégation des Assassins de
Masyaf. Je leur ai demandé d'envoyer à leur « miroir
d'Ascalon » un message pour Abdal le Hafside : je
séjourne jusqu'à nouvel ordre auprès du prince
Bohémond, et Hamo est parti pour le pays du roi
Hethoum. Au grand *domestikos*, monseigneur Gos-

set, j'ai adressé à Constantinople, au palais Kallistos, la nouvelle suivante : selon mes prévisions, notre maître Hamo sera vraisemblablement envoyé, depuis Sis, la capitale de l'Arménie, jusqu'à Karakorom et au grand khan. C'est aussi ce qu'a supposé le prince Bohémond. À qui d'autre le roi Hethoum pourrait-il faire cadeau de belles esclaves ? Dans le cas où Hamo l'Estrange réapparaîtrait d'abord sur les rives du Bosphore, j'ai prié Gosset de m'en prévenir et d'informer le comte que, comme convenu, le capitaine de sa trirème *Contessa d'Otranto* attend les instructions de son maître.

Guillaume l'ensorceleur

 Yeza à Guillaume.

Un parfum plane dans l'air, de doux nuages passent, le vent souffle si doucement, et des langues d'anges chuchotent : il approche ! Cela sent la bouse de vaches et les os calcinés, un grondement parcourt le pays et les idolâtres tremblent, les chamans se cachent ! La glace fond, les plaques de terre se brisent, la tempête sépare les nuages, et les cloches sonnent : *Guillelmus ante portas* ! Voilà ce que tu aimerais, malin Flamand ! Et moi, la reine Yeza, et le Trencavel, nous tomberions à genoux de joie et de bonheur ! Et cela se passe bien ainsi, frère Guillaume, de l'*Ordo Fratrum Minorum*. On ne parle plus que de toi, ici, à Karakorom. Les gens racontent tes actes miraculeux et prédisent ton arrivée immédiate. Roç et moi-même, nous nous postons à la fenêtre de notre palais de ville et nous regardons vers la porte des Bœufs, au sud. Nous avons peine à attendre le jour où nous n'y apercevrons plus un Mongol, mais un frère de saint François rondouillard aux boucles rousses et clairsemées, avec lequel nous pourrons parler *lingua franca*, si tu vois ce que je veux dire. Mais les jours passent et passent... Les Mongols n'ont aucune idée de ce qu'est l'attente. Pour l'heure, même Möngke, le grand khan, n'est pas encore arrivé. Le Il-Khan

Hulagu, qui nous a amenés ici, est parti à sa rencontre à cheval, avec le général Kitbogha.

Nous ne manquons de rien, nous avons des serviteurs à foison, qui nous volent. À l'entrée de notre maison (elle est même pourvue d'un étage, et c'est là que je dors) se trouve un baquet de lait de jument fermenté qui permet à nos gardes de s'enivrer en permanence. Mon Trencavel dort en bas. Chaque jour, les femmes de la cour de Kokoktai-Khatun viennent me chercher pour aller à la messe, dans l'église. Kokoktai est la « Première épouse » de Möngke. Roç, au moins, est autorisé à aller se promener (avec une escorte) dans la « capitale », qui n'est pas aussi grande qu'Otrante, et encore beaucoup plus ennuyeuse. Peut-être pas pour mon Trencavel, car toutes les jeunes filles lui font les yeux doux. Il m'a tout raconté sur Karakorom : la ville a deux quartiers réservés (Acre en avait sept !), l'un aux Sarrasins, où s'installent les commerçants et où habitent les ambassadeurs, ce que je peux comprendre, et l'autre aux Kitai, le plus souvent des artisans. Leur peau est encore plus jaune que celle des Mongols, et leurs yeux ne sont plus que des fentes. Le palais du grand khan et les résidences des hauts fonctionnaires de la cour se dressent devant les portes. Dans ce que l'on appelle la « ville », Roç a dénombré douze temples idolâtres différents, dont deux mosquées et une église que je ne connais que trop bien. Un mur de glaise entoure cet amas de cabanes et de yourtes. Seules de rares maisons sont bâties en pierre comme la nôtre. Que d'honneur ! À la porte orientale, on vend du millet, parfois aussi du blé ; à l'ouest, des moutons et des chèvres ; au sud, ce sont des bœufs, et des chevaux à la porte du nord. Malheureusement, l'église est au sud.

Le jour de l'Épiphanie, j'ai forcé mon Trencavel à m'accompagner à l'église, qui plus est à une heure peu chrétienne ; j'avais entendu dire que, pour la fête des Rois Mages, tous les prêtres nestoriens s'y rassemblaient avant même le lever du jour.

Lorsque nous arrivâmes avec nos gardiens encore à moitié endormis, les prêtres ouvraient déjà le lutrin et chantaient solennellement la chorale du matin. Ensuite seulement, ils passèrent leur habit sacerdotal et préparèrent l'encensoir. Dirigés par Jonas, leur archidiacre, un bon vieux monsieur d'apparence très fragile, nous attendîmes par un froid pinçant sur le parvis de l'église.

Alors, Kokoktai-Kkatun et ses enfants apparurent enfin. Ils se jetèrent tous au sol et touchèrent la terre avec le front. Nous les imitâmes. Mais nous nous abstînmes, Roç et moi-même, de toucher avec les doigts toutes les icônes présentées par les prêtres et de nous embrasser la main après chaque contact, comme le faisaient les Mongols.

Kokoktai-Khatun et ses enfants saluèrent toutes les personnes présentes en les tapant avec la main, encore un rite épouvantable, mais auquel on ne peut échapper. Les prêtres chantaient :

> *« Salve Regina, Mater misericordiae,*
> *vita, dulcedo et spes nostra salve. »*

Nous entrâmes dans l'église, qui n'est certes ni grande, ni somptueuse, mais qui paraissait tout à fait intime avec les draps brodés d'or au plafond bas et les nombreux lustres qui brûlaient de tous leurs feux et diffusaient une lumière éclatante.

L'archidiacre donna à Kokoktai un peu d'encens qu'elle jeta au feu (l'épouse du khan est déjà très vieille ; Möngke a dû la recevoir en héritage, ou bien il n'y en avait pas de plus jeune disponible dans son clan). Puis elle ôta sa coiffure, découvrant son crâne chauve. On lui apporta un lit de repos doré sur lequel elle put s'asseoir, juste en face de l'autel. Puis elle distribua des cadeaux. Il me fallut lui présenter Roç, elle le dévora des yeux et lui offrit une bague. À moi, elle donna une épingle à cheveux, joliment travaillée en jade vert pâle.

Puis on apporta des boissons, de l'hydromel, du kumiz et du vin rouge que nous fûmes autorisés à savourer. Celui d'Otrante était moins râpeux ! Kokoktai en prit une coupe pleine, se pencha sur son lit et demanda la bénédiction. Les prêtres durent chanter à voix haute :

> *« Eia ergo Advocata nostra,*
> *illos tuos misericordes*
> *oculos ad nos converte. »*

L'épouse de Möngke vida sa coupe d'un seul trait et la fit remplir aussitôt. Elle procédait ainsi après chaque strophe.

« *O clemens,*
o pia,
o dulcis Virgo Maria ! »

Lorsque tous furent déjà bien éméchés — Roç et moi-même n'avions fait que plonger nos lèvres dans le vin —, on nous apporta des plats : de la viande de mouton. Nous quittâmes alors l'église sur la pointe des pieds. Du mouton au petit matin !

À l'extérieur, on trouvait du poisson grillé, des carpes, mais sans pain ni sel. Tandis que nous en mangions, nous fûmes abordés par un étrange personnage qui s'appelait Theodolus et affirmait qu'il avait, en Terre sainte, été au service d'un évêque sanctifié. Lorsque nous l'interrogeâmes, il nous dit qu'il s'agissait de l'évêque Nicola della Porta, à Constantinople, auquel Dieu avait envoyé du ciel une lettre écrite en caractères d'or. Le Seigneur le chargeait de la transmettre au seigneur des Tatares : celui-ci était en effet destiné à devenir le maître de tous les pays de cette terre.

Je regardai mon Trencavel de côté et demandai :

— En quelle langue la lettre était-elle rédigée, messire Moïse ?

Cette question le plongea dans une profonde confusion ; il bredouilla :

— Mon saint évêque a dit que je devais convaincre tous ceux que je rencontrais de conclure la paix avec le khan !

Roç eut du mal à refréner son amusement.

— Mais le khagan a dû en être extrêmement heureux !

— Ah ! fit Theodolus d'une voix plaintive, celui-là ne croit en rien ! « Si tu as apporté cette lettre reçue du ciel, tu seras le bienvenu chez moi ! » m'a-t-il lancé comme si j'étais l'un de ses coursiers.

— Et alors ? dis-je.

— La lettre était dans mes bagages, que j'avais chargés sur un mulet, mais entre-temps, l'animal a disparu, et j'ai perdu tout ce que j'avais.

— Je comprends, fit Roç avec un rictus, il faut bien tenir son cheval, lorsqu'on est forcé de mettre pied à terre sur la route.

— Et alors ? demandai-je, impitoyable.

— À présent, je sers parfois de traducteur au seigneur Möngke, parce que je parle huit langues, dont le mongol et le kitai. Mais cette activité ne me satisfait pas beaucoup, et je souhaite entrer au service du grand prince de l'Église Guillaume de Rubrouck, qui doit déjà être arrivé à Karakorom. Alors je me suis dit, Altesses Royales, que puisque vous connaissiez ce saint, cet homme de Dieu, vous pourriez peut-être dire un mot en ma faveur...

Il nous fallut faire beaucoup d'efforts pour ne pas éclater de rire. Et Roç répondit :

— Guillaume de Rubrouck ne prend pas conseil auprès de nous, c'est plutôt l'inverse. C'est nous qui cherchons son précieux secours intellectuel, car il n'existe personne au monde qui atteigne sa grandeur d'esprit et, surtout, sa piété. Mais nous plaiderons tout de même en ta faveur. Un secrétaire en relation épistolaire avec le Tout-Puissant, il ne lui manquait plus que cela !

Theodolus ne comprit pas que nous nous moquions de lui, et laissa libre cours à son enthousiasme.

— Ce serait l'accomplissement d'un rêve. Je suis aussi très habile pour préparer des cérémonies, dire l'avenir, je sais même mettre en scène de petits miracles sans que cela ressemble à de la magie. Son Excellence trouvera en moi un serviteur aux multiples talents.

— Nous n'en doutons pas, affirmai-je pour mettre un terme à cette conversation.

Je le laissai me baiser la main. Il avait les ongles noirs. Roç fit signe à nos gardiens, et ils le repoussèrent. Au moment précis où nous repartions, Kokoktai-Khatun sortit de l'église avec sa suite. Elle était totalement ivre. Elle monta dans sa voiture et repartit sous les chants, ou plutôt sous les braillements des prêtres.

« *O clemens,*
o pia,
o dulcis Virgo Maria ! »

Une fois revenus chez nous, on nous annonça que le grand khan était arrivé à Karakorom. Nous ne voulûmes pas y croire. Mais ensuite, Dschuveni vint nous présenter ses hommages et nous confirma la nouvelle. Tout fut préparé pour la réception somptueuse que le maître des Mongols comptait nous réserver, à nous, le couple royal. Des femmes viendraient nous préparer nos tenues au cours de l'après-midi.

— Cela témoigne d'une perspicacité de souverain, et d'une bonne compréhension des fastes de ce monde, dit dignement mon Trencavel. Mais nous tenons absolument à ce que notre soutien spirituel soit aussi présent lors de cette cérémonie solennelle. Nous souhaitons que l'on fasse venir à temps notre grand prêtre et confesseur, Guillaume de Rubrouck. Où se trouve-t-il, au juste ?

— Il suit le grand khan à distance respectueuse. Il ne serait pas convenable qu'il arrive avant le souverain. Mais le..., voulut encore expliquer Dschuveni.

— Il n'y a pas de mais ! répliqua Roç au chambellan. Hâtez-vous, si vous ne voulez pas attirer sur votre tête la colère du grand khan !

Dschuveni nous quitta, l'air accablé. Il lui serait certainement difficile de faire apprécier à son seigneur l'idée d'un ajournement inéluctable de cette cérémonie. Ou bien il allait faire en sorte que notre très cher franciscain soit acheminé à Karakorom sur des chevaux de course éperonnés. Pauvre Guillaume !

Roç Trencavel du Haut-Ségur salue Guillaume de Rubrouck, Karakorom, deuxième décade de janvier 1254.

Nous t'avons vu sortir de la nuit à toute vitesse, devancé par une bannière portant l'image de l'agneau qui brandit une fine croix avec son sabot de devant, joliment dressé — est-ce toi, Guillaume, qui joue le mouton ? Dans le rôle de l'*alfiere*, nous avons reconnu le petit Laurent d'Orta, sauf erreur de ma part ! Et tu es apparu ensuite dans toute ta plénitude, revêtu des habits d'évêque. Quelle garde-robe es-tu allé dévaliser ? À moins que tous les frères mineurs ne se promènent désormais dans cette tenue ? Tu as bonne mine, avec ta pourpre et ton manteau blanc garni d'hermine, la mitre enfoncée de travers sur la tête, le tout au grand galop ! Mais tu ne devrais pas tenir comme une lance le bâton doré avec le pauvre Crucifié. De toute façon, il va te falloir entreprendre une descente de croix : les nestoriens, ici, n'apprécient pas que l'on représente le corps du Christ. La souffrance du Messie leur est pénible. Juste derrière toi chevauchait un moine noir, une sombre figure. C'était « Sergius l'Arménien », chuchotaient les gens qui avaient accouru à ta rencontre malgré la nuit et le froid. Avec vous sont arrivés au triple galop le général Kitbogha avec son fils Kito et sa section — une vision à la fois sublime et terrible. Le Il-Khan Hulagu est entré ensuite dans la ville, nonchalamment, bien que lui et son escorte aient dû, eux aussi, se livrer à une longue cavalcade. Leurs chevaux avaient le souffle lourd, et de la vapeur montait de leur corps dans l'air froid de l'hiver. Les guerriers portaient des torches : de loin, le cortège ressemblait à un essaim de vers luisants.

Il fallut attendre le lever du jour pour qu'arrivent les charrettes portant les yourtes, les biens et les femmes de Hulagu — je veux parler de sa cour puisque le Il-Khan n'a qu'une épouse, Dokuz-Khatun. Celle-ci est chrétienne et exige que soit respecté le principe de la Bible : « Tu ne dois pas avoir d'autre femme à côté de moi ! » Ce que Yeza exige aussi de moi, bien qu'elle ne soit pas chrétienne, enfin, du moins, pas une vraie. Le grand khan, lui, a plusieurs épouses, au moins une de chaque religion.

Alors que je me tenais là avec ma *damna*, Theodolus s'est de nouveau approché de nous. C'est un pot de glu, mais l'un de tes grands admirateurs, Guillaume. Pour ne pas manquer ton arrivée, il a couru jusqu'à la porte de la ville. Il te proposera ses services. Je ne le prendrais même pas avec des pincettes. Sauf si elles sont restées longtemps dans la braise incandescente.

On dit que tu as soigné la deuxième femme, dans la hiérarchie des épouses du khagan, Koka, l'idolâtre, en la forçant à prier la Croix. J'ai aussi entendu dire qu'elle se trouve désormais à Karakorom, mais qu'elle est toujours malade et alitée. En tout cas, tu es passé devant nous à cheval sans nous remarquer. Nous avons pourtant crié ton nom ! Mais nos cris ont peut-être été étouffés par les applaudissements de la foule. À moins que tu ne répondes plus au nom de Guillaume et que tu te fasses appeler « Éminence » ? Nous ne pouvons pas nous débarrasser de Theodolus, d'autant plus qu'il nous a fait savoir, d'un air mystérieux, qu'il savait où tu te rendrais en premier : au chevet de Koka, qui luttait contre la mort. Si le grand khan t'avait fait venir si vite, nous expliqua-t-il, c'est parce que tu étais son seul espoir. Cela m'a beaucoup déçu, j'avais cru que c'était nous, en te réclamant, qui avions provoqué cette hâte extrême. Mais après tout, les deux éléments ont peut-être joué un rôle. « Les invocations des serviteurs des idoles n'ont servi à rien », nous a raconté notre Theodolus en essayant de nous traîner vers la maison de Koka, laquelle, paraît-il, n'est pas loin de la nôtre. Je n'en avais aucune envie, mais Yeza a dit : « Je veux voir Guillaume ! » et l'affaire était réglée.

Nous allions entrer dans la maison lorsque nous avons rencontré Dschuveni, qui fut horrifié d'apprendre que nous comptions t'observer, Guillaume, dans ton rôle de guérisseur miraculeux.

— Si cette femme meurt, nous expliqua-t-il, aucune des personnes présentes ne pourra se présenter devant le grand khan, et ce pendant toute une année. Je vous implore...

— Cette règle ne vaut pas pour nous, lui répondit ma *damna*, qui aime bien s'opposer au chambellan. Si Guillaume s'occupe de la pauvre femme, il la sauvera ! ajouta-t-elle en franchissant le seuil.

Theodolus fut aussi autorisé à entrer, uniquement parce qu'il faisait mine d'appartenir à notre escorte.

Une foule considérable se pressait dans la maison, car la rumeur s'était répandue que le grand Guillaume s'était rendu auprès de la mourante. Malgré les coups de canne donnés par mes gardiens, il fut impossible de passer. Les gens paraissaient possédés, des femmes geignaient et criaient, les prêtres idolâtres au crâne rasé étaient assis par terre dans leurs tenues jaune safran et ne jouaient pas de tambour. Ils chantaient toujours les mêmes mot d'une voix monotone : « *Om mani padme hum* », leur prière à leur Dieu, Bouddha. Ils ne paraissaient pas s'intéresser au décès ou à la survie de la malade, et acceptaient aussi que les curieux les bousculent, passent au-dessus d'eux ou les piétinent.

Je lançai alors à Yeza : « À quoi bon nous frayer un chemin jusqu'à Guillaume ? Il n'aura certainement pas une seconde à nous consacrer. Je n'ai pas envie de saluer ainsi notre vieil ami. »

Elle rejoignit mon opinion, et nous repartîmes sur nos pas. Nous laissâmes Theodolus sur place. Il ne se priverait pas du plaisir de tout nous raconter.

Sur le chemin du retour, je dis à Yeza :

— À présent que Guillaume est enfin revenu auprès de nous, nous ne devrions plus avoir à lui envoyer de rapports.

Ma compagne hocha la tête et me regarda, en attendant la suite.

— Mais la rédaction de la « Chronique » me fait désormais tant de plaisir que je veux la poursuivre.

— Et puis Guillaume pourra aussi la lire tranquillement et l'intégrer à sa propre chronique si elle lui plaît.

Dans les bonnes grâces du grand khan

L'après-midi, des femmes vinrent habiller Yeza. Elles lui apportèrent une tenue de fête en provenance de Mongolie occidentale, une tenue bleue en soie brute richement ornée de fils d'or qui lui tombait jusqu'aux chevilles, avec un petit col rouge et des manchettes de la même couleur. Les boutons étaient des broches d'argent décorées de coraux. Au-dessus, on lui mit une sorte de pardessus sans manches aux épaules larges et rembourrées. Il était en soie grise, ourlée de perles. Cela ne suffisait pas encore, on y ajouta un châle violet semblable à ceux que portent les prêtres à la messe. Celui-là était garni de turquoises et de *toli* richement ciselés, de petits disques d'argent faisant miroir, censés effrayer les mauvais esprits. Tout comme sa *toorcog*, un bonnet fourré avec des protège-oreilles relevables et des motifs porte-bonheur. Autour de la taille de Yeza, les femmes nouèrent une corde de soie noire, et elle dut passer de petites bottes elles aussi garnies de turquoises, de coraux et de perles. Cette tenue va fabuleusement bien à ma mince reine, et ses couleurs s'harmonisent admirablement avec ses cheveux clairs. Je ne cachai pas mon admiration. Kito et quelques hommes de ma section m'imitèrent ; ils avaient pour leur part été chargés de me vêtir et de former mon escorte.

On me remit une tenue du clan de Toluy, qui me plut immédiatement. Du lin vert roseau, un haut col raide avec des applications de brocart qui se prolongeaient de biais sur la poitrine et se répétaient sur les manchettes. Une gigantesque écharpe de soie jaune clair la maintenait. Sur la tête, ils me posèrent une casquette en peau de loup, qui descendait très bas vers l'arrière, mais que des liens gardaient levée à l'avant. Puis ils me tendirent un poignard au fourreau d'argent, avec une pierre à feu et une petite dose pleine d'amadou. Je regardai dans le miroir, et me trouvai très audacieux et viril. Les hommes me donnèrent l'accolade, et nous attendîmes que Yeza descende l'escalier avec ses femmes. Ma reine !

Dehors, devant notre porte, beaucoup de personnes s'étaient assemblées. Elles nous acclamèrent. Suivis d'une escorte considérable, nous traversâmes la ville à cheval et franchîmes la porte du sud, car le palais se trouve en dehors des murs. Lorsque nous fûmes arrivés à portée de flèches, nous poursuivîmes notre chemin à pied. On avait recouvert de tapis la totalité de notre parcours, pour que nous ne nous crottions pas.

La résidence du grand khan est un amas de bâtiments en briques rouges, rehaussés de tours et de bulbes et entouré par une muraille spécifique. Lorsqu'on franchit l'une des trois portes — celle du milieu est réservée au khagan —, on se retrouve sur une grande place pavée autour de laquelle se dressent les principaux bâtiments. Le plus important est la salle d'audience, dans laquelle se déroulent aussi toutes les fêtes. À en croire les piliers et le puissant pignon, elle est certainement gigantesque. Mais notre regard a surtout été attiré par le cortège qui faisait son entrée par la porte située de l'autre côté. C'était toi, notre Guillaume. Devant toi avançaient les enfants de chœur, tenant des bougies dans les mains ; ils étaient suivis par des servants de messe qui brandissaient des encensoirs et faisaient tinter des clochettes. Puis un *alfiere* (c'était bien Laurent) portait la bannière de l'Église. Et tu les suivais, toi, Guillaume, sous un baldaquin. J'ai poussé Yeza du coude, cela me paraissait vraiment exagéré, presque comique. Toi, tout de blanc vêtu, tu portais un livre serré contre ta poitrine et un bâton d'évêque en or, et tu chantais, d'une voix particulièrement fausse et forte, le « *Vexilla regis prodeunt* ». Les Sarrasins, c'est ainsi qu'ils appellent, ici, tous les musulmans, étaient très étonnés en entendant cet hymne qui proclame que « les drapeaux du roi marchent en avant », dans le sens de « se montrent virils », ce qui vaut manifestement pour le roi des Francs. Ils semblent mieux connaître le texte que toi, espèce de saint à la petite semaine — à moins qu'il ne te soit déjà arrivé d'aller jusqu'à la cinquième strophe ? En connais-tu le texte ?

> « *Beata, cujus brachiis*
> *saecli pependit pretium,*

statera facta corporis,
praedamque tulit Tartari. »

Tu te vaudrais ainsi l'inimitié mortelle du grand khan. Car si je devais le traduire, voilà ce que donnerait ce chant : « Salut à la croix, dont les bras donnent l'équilibre au corps. Elle fixe le prix pour la rédemption des hommes et arrache leur butin aux Tatares. »

Derrière toi avançait de nouveau ce moine vêtu d'une tenue noire et austère, Sergius l'Arménien. Il regardait le sol d'un air sombre, et l'on avait pourtant l'impression qu'il allait te pousser vers l'avant.

Devant le portail principal, nous nous arrêtâmes sous le hall aux colonnes : on nous palpa tous pour vérifier l'absence d'armes. Mon poignard d'apparat suscita l'intérêt. Kito chercha à le présenter comme un simple décor, mais les gardiens étaient inflexibles. Il me fallut le laisser à l'entrée. Je me demandai tout d'un coup si Yeza portait comme toujours dans les cheveux son arme favorite, et lui lançai un regard interrogateur. Mais elle ne broncha pas, et ils ne trouvèrent rien sur elle. Nous t'attendions encore, afin de pouvoir te saluer d'un mot gentil, ou du moins te faire un signe. Mais tu gardais les yeux fixés dans le vide, devant toi, comme si nous n'existions pas — même pas un clin d'œil ou un hochement de tête entendu.

— Étrange, a chuchoté Yeza. Nous ne pouvons tout de même pas lui être devenus étrangers au point qu'il ne nous reconnaisse plus ?

La procession est entrée devant nous dans la salle. Les frères du khan, Hulagu et Ariqboga, marchaient derrière, chacun avec ses femmes et son escorte. Je te suivais toujours des yeux.

— Soit il est fâché contre nous, chuchotai-je à Yeza, soit il n'a pas le droit de montrer à quel point il nous aime.

— C'est sûrement ça, murmura-t-elle. Il nous réserve certainement une surprise, une fois de plus.

Nous ne pûmes continuer nos messes basses, car Dschuveni nous fit signe que notre tour était venu. Ce fut un grand moment : au même instant, depuis une galerie, des cors et des timbales résonnèrent, et toute l'assistance se leva pour nous applaudir, nous, le couple royal.

Möngke était allongé sur une sorte de large lit en
or. Ses yeux agiles balayaient la salle sans jamais
dévisager ses invités. Roç n'était pas disposé à accepter pareil mépris du couple royal. Il s'arrêta et, à la
stupéfaction de tous, adressa la parole au moine en
vêtements sacerdotaux.

— Guillaume de Rubrouck, dit-il à voix haute en
se délectant de l'effroi qui avait saisi le Flamand,
c'est à toi qu'il revient de nous présenter, avec le respect qui nous est dû, au plus haut souverain de cette
terre, aussi loin que *tengri* étire sa tente éternellement bleue et couverte d'étoiles. Car il ne semble pas
nous connaître !

Prendre la parole sans y avoir été invité par le khan
était un crime inouï. Guillaume parut pétrifié. Plongé
dans une confusion totale, il entonna le « *Gloria* » :

> « *Gloria in excelsis Deo*
> *et in terra pax hominibus*
> *bonae voluntatis.* »

Le grand khan s'était redressé et faisait mine
d'écouter attentivement. Son regard tomba alors sur
le couple royal, qui se tenait toujours au milieu de la
salle. Guillaume, désespéré, continuait à chanter.

> « *Laudamus te, benedicimus te,*
> *adoramus te, glorificamus te,*
> *gratias agimus tibi*
> *propter magnam gloriam tuam,*
> *Domine Deus, Rex caelestis*
> *Deus Pater omnipotens.* »

Möngke se releva d'un seul coup. Cela bloqua la
voix ténue de Guillaume, qui crut un instant être à
l'origine de ce geste. Mais le grand khan ouvrit grand
les bras, ce qui incita Roç à s'agenouiller. Yeza
l'imita, mais elle toucha à peine le sol et se redressa
aussitôt, comme un ressort. Möngke s'adressa à tous
les deux.

— Le couple royal se rend au trône en silence, annonça un interprète invisible, d'une voix tellement hésitante qu'on le comprit à peine.

Roç regarda Yeza, et elle hocha la tête dans sa direction. Un chaman porta trois omoplates de mouton calcinées devant le khan. Möngke regarda longuement et en détail les os noircis. Tous attendaient le résultat. Roç et Yeza savaient, par Arslan, que le khagan ne prenait aucune décision et ne recevait jamais personne sans interroger au préalable l'oracle des os. Il fallait que la fournaise les ait fendus sur leur longueur. S'ils éclataient ou se fragmentaient, c'était mauvais signe, et il n'entreprenait rien. Ces trois ossements-là parurent le satisfaire au plus haut point. Il les montra à ses frères et fit un signe cordial au jeune couple, afin qu'il le rejoigne.

Roç et Yeza coururent alors vers le grand khan. Les gardes du corps brandirent leur sabre, mais Yeza s'était déjà jetée aux pieds de Möngke. Il la souleva, embrassa aussi Roç pour lui éviter de se prosterner, et leur souhaita la bienvenue. Comme il parlait un arabe acceptable, on put désormais renoncer aux services de l'interprète effaré.

Roç et Yeza furent autorisés à s'installer à la droite et à la gauche du grand khan.

— Je vous fais mes corégents, plaisanta-t-il timidement, avant de se tourner vers Guillaume. Je te dois bien des remerciements, moine, dit-il. Tu possèdes des talents prodigieux : tu as ramené à la vie ma petite épouse Koka alors que les *ada* voulaient déjà l'entraîner au royaume des morts. On dit que tu es la serrure du « Reste du Monde », et tu es venu à moi parce que tu savais que j'en détenais la clef !

Sur ces mots, il posa ses bras autour des épaules de Roç et de Yeza, comme pour en prendre possession.

— Grand khan, dit Guillaume, je suis venu parce que je veux propager la parole du Christ et que je porte une lettre du roi à laquelle vous seul pouvez apporter une réponse. Le fait que Dieu vous ait aussi confié le couple royal me renforce dans ma croyance, vous êtes dans sa grâce toute particulière, et il a de grands projets pour vous. Je ne suis qu'un serviteur.

Le khan lui ordonna de se lever, car Guillaume s'était agenouillé devant lui, et répondit :

— C'est vrai, j'ai de grands projets pour ces jeunes rois, et je te prendrai volontiers à mon service... si tu le permets ?

Puis il se tourna vers Roç et Yeza. Voyant qu'ils hochaient la tête en souriant, il reprit :

— Dis-moi, Guillaume, ce que je puis faire pour toi-même et pour ton Dieu.

— Je voudrais construire des églises dans votre pays, à commencer par une cathédrale, ici, dans votre capitale, pour la gloire de Dieu et pour votre plus grand honneur ! répondit le moine.

Ces mots plurent au khan. Il répondit :

— Cela tombe bien : j'ai à ma disposition l'un des meilleurs artistes de votre pays, maître Buchier, qui a déjà créé pour moi un ouvrage admirable.

Et son regard glissa sur le somptueux arbre à boissons en argent qui se dressait au milieu du passage vers la cour intérieure.

— Adresse-toi à cet orfèvre ! Il réalisera tout selon tes vœux.

Guillaume le remerciait avec une génuflexion lorsque Yeza reprit la parole.

— Mais ton honorable nomination au titre de « premier maître menuisier du pays », Guillaume, ne doit pas t'empêcher, pour autant qu'il vous plaira, illustre khagan... (Möngke, qui avait depuis longtemps succombé à son charme, hocha la tête avant même qu'elle ait fini sa phrase), ... de remplir ta charge de confesseur. Nous t'attendons dans notre maison.

Elle avait ainsi habilement balayé tout obstacle éventuel à des retrouvailles en tête-à-tête : la parole du grand khan avait force de loi. Guillaume comprit aussitôt ce coup de maître et parut s'épanouir soudain.

— Je recueillerai volontiers le poids de vos péchés, répondit-il, rayonnant.

Il embrassa les mains des enfants, se jeta sur son gros ventre aux pieds du khan, puis s'éloigna en s'inclinant sans arrêt. Revenu auprès de son escorte, il entonna un « *Alléluia* » dont il assuma courageusement la première voix :

« *Alléluia, Alléluia !*
Beatus homo, qui audit me, et qui vigilat ad fores
[meas cotidie,
et observat ad postes ostii mei. »

« *Alléluia, alléluia, alléluia !* » bêlaient les enfants de chœur et les servants de messe lorsque le cortège se dirigea vers la porte de la salle. Mais Möngke envoya chercher Guillaume.

— Que l'homme pieux nous tienne compagnie ; sa religion ne lui interdit pas de savourer l'hydromel et le vin !

Guillaume revint à petits pas, tout effrayé à l'idée qu'il était peut-être subitement tombé en disgrâce. Mais le grand khan lui désigna aimablement une place et lui tendit une coupe de kumiz. Guillaume but à la santé de Möngke et à celle de ses femmes, lui souhaita une longue vie et espéra que le monde entier connaîtrait le bonheur de son juste règne.

Lorsque les femmes quittèrent la salle, Yeza profita de l'occasion pour prendre congé avec dignité. Möngke l'aurait volontiers gardée encore à son côté. Roç resta courageusement sur place, espérant juste ne pas être forcé de boire à la file toutes les boissons qu'on lui proposait. Quant à Guillaume, il vidait sans sourciller toutes les timbales que lui tendait le khan, qu'elles soient remplies de kumiz, d'hydromel ou de vin de riz.

— Un de ces jours, annonça le grand khan à Roç, tu partiras à la chasse avec moi. Alors, nous parlerons avec mon frère Hulagu, qui règne sur la Perse, des projets que je nourris pour l'Occident.

L'idée de conquérir un nouveau pouvoir l'avait dessoulé. Guillaume adressa à Roç un sourire encourageant (ou bien teinté de malin plaisir?) et répondit rapidement :

— Quels que soient vos projets, illustre souverain, vous trouverez le couple royal disposé à les servir.

Alors, le khan tendit une fois encore sa coupe à Roç. Tous frappèrent trois fois dans leurs mains lorsqu'il porta le récipient à ses lèvres. L'écuyer siffla dans une flûte en direction de l'arbre à boire, et l'ange leva sa trompette.

— Avec votre aide, le « Reste du Monde » est nôtre !

Et tous applaudirent de nouveau lorsque Roç posa la coupe vide et regarda Möngke, tout heureux.

Chronique de Guillaume de Rubrouck, Karakorom, Sexagésime 1254.

À moi-même et à mon escorte, on a attribué une très belle et vaste yourte, ce qui a incité Sergius, le moine arménien, à s'y installer avec nous sans poser beaucoup de questions.

Je suis parti très vite rendre visite à Roç et à Yeza, dans l'espoir silencieux que l'on me donnerait, chez eux, quelque chose à manger. Mais ils s'apprêtaient à partir pour une chasse à laquelle Möngke les avait invités.

— Cela tombe bien, dit Yeza après que nous nous fûmes serrés furtivement dans les bras (furtivement, car la menace du Bulgai me pesait encore sur la nuque). Tu peux nous accompagner. Le khagan ne tarit pas d'éloges sur toi.

— J'ai entendu dire que tu l'as soûlé jusqu'à ce qu'il roule sous son trône, Guillaume, dit Roç avec un sourire.

— Dommage que tu n'en aies rien vu, répondis-je. Il voulait te faire pape. Mais c'est à moi qu'il a fait cet honneur, lorsque je lui ai expliqué que le représentant romain du Christ sur cette terre était

contraint au célibat. Alors il t'a nommé empereur de
la Rome occidentale, de la Rome orientale et du
Saint-Sépulcre.

— Mais si, dit Roç, je me rappelle. Il t'a demandé
de lui construire dans la zone de souveraineté des
Mongols un État religieux avec, en pleine steppe, des
cathédrales comme le monde n'en a encore jamais
vu, un clocher toutes les mille lieues, plus haut et
plus pointu que les montagnes.

— À ce moment-là, tu étais déjà bien éméché,
objectai-je tandis que nous chevauchions lentement
vers le palais du grand khan.

— Mais nous, reprit Yeza, il compte très sérieusement nous envoyer en Perse avec Hulagu. Avec une
armée qui ressemblera à un essaim de sauterelles.
Nous devons nous créer un royaume qu'il appellera
le « Graal », parce qu'il a entendu dire que nous en
venions.

— Grandiose ! commentai-je prudemment, car
cette perspective semblait accabler Yeza.

Entre-temps, nous nous étions tellement approchés de la résidence qu'il était prudent de mettre
pied à terre : la règle de la « portée de flèche » voulait
que tout cavalier qui s'aventurait plus loin soit
immédiatement criblé de flèches. On prenait plus de
précautions avec les invités de haut rang. Un sifflement strident résonna et une flèche à pointe d'argent
se planta devant nous dans le sol ; le projectile était
pourvu de trous, et c'est lui qui avait produit en
volant ce bruit désagréable. Nous bridâmes les chevaux.

— Lorsque j'entends ce beau mot de « Graal », j'ai
toujours un pincement au cœur, se plaignit Yeza. Je
ressens une douleur nostalgique en pensant à l'Occitanie, que je me rappelle à peine. Qu'avons-nous à
faire du pouvoir sur un territoire large de cent mille
heures de chameau au carré, ou de dix mille étapes
de *jam* pour changer les chevaux ? Montségur me
suffisait bien, et le roi Louis nous le donnerait sans
doute en fief, mon Trencavel.

Ces mots étaient destinés à Roç. J'étais ému. Il sourit à Yeza.

— Je partage vos sentiments, ma *damna*, mais je vous demande de ne pas perdre courage !

Ils avaient la nostalgie d'un monde qui les avait toujours chassés et combattus ! J'admirais la clairvoyance du Prieuré qui m'avait envoyé chercher mes petits rois, les enfants du Graal. Mais cela, je ne voulais pas encore le leur avouer, cela n'aurait été qu'une charge supplémentaire. Je me rappelai en revanche que mes compagnons, ceux qui m'escortaient dans cette entreprise dangereuse, séjournaient ici sous un faux nom. Je leur dis donc :

— Par ailleurs, Laurent d'Orta ne voyage pas ici sous son nom, mais sous l'identité du missionnaire chrétien « Bartholomée de Crémone ». Je l'ai baptisé « Barzo ».

— Et qui était le prêtre qui t'accompagne mais qu'on a renvoyé dans ses appartements ? demanda Roç.

Cela me fit éclater de rire.

— C'est votre vieil ami Créan de Bourivan. Je l'ai introduit chez les Mongols sous le nom de « monseigneur Gosset ». Ne vous trahissez donc pas si je parvenais à le faire entrer à notre suite.

Tous deux avaient accepté que je ne les accompagne pas à la chasse. Ils prirent leurs animaux par les rênes et se mirent en chemin, d'autant plus que des cavaliers sortis du palais couraient déjà dans notre direction et criaient pour que nous pressions le pas.

— Laisse le prêtre où il est ! me lança encore Roç. Il n'a qu'une seule idée en tête, nous ramener à la Rose.

« Pour que vous y bourdonniez au cœur de la fleur, reine des abeilles et son époux, songeai-je. C'est aussi peu souhaitable que d'être promenés par les Mongols sur le vaste échiquier du monde, comme un couple royal itinérant. »

— Guillaume trouvera bien une idée, dit Yeza

pour le consoler. En tout cas, je suis heureuse que nous ne soyons plus tout seuls. La prochaine fois que tu nous rendras visite, me lança-t-elle encore, prévois un peu de temps, car tu dois lire tous les rapports que nous t'avons rédigés, nous, tes fidèles chroniqueurs.

Je leur fis signe et oubliai de leur faire présenter mes excuses au grand khan, et de délibérer avec eux pour savoir comment on pourrait se renseigner habilement, c'est-à-dire discrètement, sur le sort de Shirat, qui devait être retenue comme esclave quelque part dans la ville.

Des cathédrales dans la steppe

Quinquagésime 1254

Mon frère Barzo m'a raconté que le moine Sergius s'est rendu avec sa croix auprès du grand khan Möngke afin de le baptiser, à la demande urgente du souverain. Lui, Bartholomée de Crémone, avait proposé à l'Arménien de l'accompagner comme témoin. Mais « Sergius le Baptiste » l'a refusé avec colère. Peu après, le moine est revenu avec quelques prêtres nestoriens et avec sa croix, qu'il avait accrochée à la pointe d'une lance, sans doute pour rivaliser avec ma crosse d'évêque. Il portait un encensoir et mon évangéliaire, qu'il m'avait « emprunté » sans me demander mon avis. Je ne lui ai pas fait le plaisir de l'interroger sur la manière dont s'était achevé le baptême : je savais que ce jour-là, le grand khan avait donné un festin. Il le faisait chaque fois que l'une des communautés religieuses représentées à sa cour lui signalait un jour de fête. Et, chaque fois, le khagan fait bonne chère avec ses épouses et sa cour.

Le moine Sergius affirme dur comme fer que le grand khan Möngke ne croit que les chrétiens, mais il veut que tous prient pour lui. C'est un mensonge qui n'est pas très pieux ; en réalité, le khan ne croit en personne. Mais chacun pense jouir de sa faveur particulière, et comme cela constitue au bout du compte une condition indispensable, la possibilité de pouvoir séjourner dans les parages de la cour, tous lui prophétisent un avenir radieux.

Pour ma part, il s'était sagement abstenu de m'inviter à ce spectacle, et je ne m'étais pas présenté : car on n'apparaît devant le grand khan que si l'on a été appelé.

Quelques-uns des nestoriens ont voulu me faire croire que Möngke avait effectivement reçu le baptême, à la demande de sa Première épouse Kokoktai-Khatun. J'ai répondu que cette nouvelle me réjouissait profondément, mais que je souhaitais l'entendre personnellement de la bouche du grand khan.

Samedi des Rameaux 1254

Pour soulager sa mauvaise conscience et charger la nôtre, l'Arménien, qui nous suivait toute la journée comme un inquisiteur en nous proférant des ordres, nous rappela qu'au cours du carême, il nous fallait nous abstenir de toute nourriture. C'était une singulière outrecuidance, pendant toute la période de jeûne, sous sa « direction spirituelle », nous avions déjà renoncé à toute viande et ne nous étions nourris que de bouillie, de lait aigre et de pain azyme. Le moine ne nous autorisa même pas cette maigre pitance. Nous vivions de galettes dures comme de la pierre, cuites dans de la cendre, et de décoctions d'herbes sales à base de glace fondue. Lui-même ne paraissait pas en souffrir le moins du monde. Il mangeait sans doute « à l'extérieur », lors des visites qu'il faisait à la ronde chez les épouses du khan. Roç, qui inspectait notre yourte avec une certaine curiosité, a fini par trouver la solution de l'énigme. Sous l'autel domestique que Sergius s'était installé dans son coin, on avait caché une caisse pleine d'amandes, de raisins de Corinthe, de prunes séchées et autres confiseries. Comme son propriétaire était hors des murs, nous avons avalé le plus grand nombre possible de ces gâteries et bu de son vin. Roç a pu en boire, lui aussi : après tout, c'est déjà un jeune homme et un guerrier. Égayés par l'alcool, nous avons décidé que nous effectuerions sans le faux moine notre procession et notre passage à l'église pour le dimanche des Rameaux. Nous nous amusions de cette plaisanterie comme des gamins lorsque mon serviteur annonça la visite de ce Theodolus qui réclamait depuis des semaines déjà la possibilité de me présenter ses hommages.

— Il veut entrer à ton service ! s'exclama Roç. Il affirme avoir déjà travaillé comme secrétaire pour l'évêque Nicola, lorsqu'il était à Constantinople.

— Fais-le entrer, ordonnai-je à Philippe. Nous allons l'écouter présenter sa candidature.

Lorsque j'aperçus le visiteur, je sus que j'avais déjà souvent vu son visage ; partout, il m'avait regardé depuis le second rang. Ce petit homme sec s'inclina gracieusement, refusa modestement le verre de vin qu'on lui proposait et annonça :

— Je vous transmets une invitation pour le dîner parmi les intimes de Kokoktai-Khatun. Elle vous attend très impatiemment.

Ce n'était pas une mauvaise introduction pour ce monsieur Theodolus : depuis notre première rencontre à l'église, juste après notre arrivée, je n'avais plus vu la Première épouse du khagan. Le moine nous avait interdit de lui rendre visite, bien qu'elle fût une chrétienne ; mais l'Arménien la considérait sans doute comme son domaine réservé, et pour éviter une querelle, nous avions respecté ses ordres. Je n'étais pas certain non plus qu'il fût conseillé de négliger à présent le rigoureux commandement du moine. Mais Barzo était d'humeur à provoquer le courroux de Sergius. Mes hésitations disparurent rapidement, car Yeza apparut et nous fit savoir que nous devions nous rendre immédiatement à la maison de Kokoktai.

— Guillaume, une jolie surprise t'attend là-bas !

Pour rien au monde elle ne voulut me révéler de quoi il s'agissait. Mais comme elle riait et lançait des clins d'œil à Roç, ça ne pouvait pas être une mauvaise surprise. Je répondis donc :

— Eh bien, dans ce cas, nous n'allons pas faire attendre cette éminente dame !

— Je vous en prie, implora Theodolus, prenez-moi comme votre *secretarius*. Je me tapirais dans un coin comme une souris et je me réjouirais des restes de plats et de boisson que vous me jetteriez de la table. Je n'ai rien mangé depuis des jours, mais même aujourd'hui je renoncerais à toute nourriture pourvu que je puisse vous servir !

Il m'avait pris par les sentiments.

— Aujourd'hui, vous serez mon *secretarius* et vous vous assoirez avec moi à table, fis-je, fort jovial. Et d'ici à demain, nous verrons bien si je sais apprécier vos services.

Il en conçut une joie extraordinaire et ôta mon bâton des mains de Philippe afin de le porter derrière moi. Nous arrivâmes ainsi à la maison de Kokoktai, toute proche de celle des enfants.

La Première épouse disposait d'un petit palais qu'un architecte sarrasin avait conçu pour elle. Nous arrivâmes à l'étage par un escalier à perron sur lequel se tenaient des porte-flambeau. Il y avait une salle entourée de charmants piliers ; un feu gigantesque brûlait en son milieu, sous une grille de fer. De nombreux cuisiniers y faisaient cuire des pièces de viande. Des vapeurs bien agréables sortaient aussi des marmites. Le repas en petit comité se révéla être une assez grande fête. Lorsque nous entrâmes, les invités se levèrent et m'applaudirent. La maîtresse de maison me présenta sa belle sœur Dokuz-Khatun, l'épouse du Il-Khan. Elle me fit faire la connaissance de Jonas, l'archidiacre des nestoriens, que j'appréciais particulièrement pour son allure calme et son intelligence. D'autres prêtres de la communauté étaient présents, ce qui ne m'étonna pas. Tous me saluèrent d'une petite tape, extraordinairement

aimables et très respectueux à la fois. Je chuchotai à
Yeza, un peu déçu :

— Mais où est donc la grande surprise ?

Elle se mit à rire, l'air goguenard :

— Il va te falloir rôtir encore un peu dans la
graisse de ta curiosité, Guillaume !

Avant que je ne puisse me plonger plus profondément encore dans la graisse en question, la maîtresse
de maison me prit à part et m'entraîna dans un
appartement voisin. Seul mon *secretarius* me suivit
comme un petit chien. Les femmes y cousaient une
tenue d'apparat. Elle était en damas vert olive, avec
des galons d'or et une traîne garnie de fourrure. Le
rochet était en très fine mousseline vert tilleul, et
orné de perles. Quant à la cape de velours violet
sombre, elle était tissée de soie mauve et sertie
d'améthystes et de jade. La haute mitre était taillée
dans le même damassé que le vélum, mais d'un
blanc lumineux et orné d'applications en brocart
d'or.

— Demain sera le jour de votre fête, dit la princesse avec un sourire grave, comme s'il me fallait
assister à ma propre canonisation. À cette occasion,
ajouta-t-elle, les femmes de notre paroisse chrétienne vous verront volontiers dans de nouveaux
habits.

Je la remerciai, profondément réjoui, même si
j'avais quelques scrupules à recevoir d'une manière
aussi naturelle la coiffe d'un évêque. Ce qui ne
m'empêcha pas de tendre la main à chacune de ces
couturières zélées, et les dames l'embrassèrent avec
bonheur. Puis Kokoktai fit servir du vin, et je trin-
quai avec chacune d'entre elles. Ensuite, on nous
appela à table.

Il y avait de l'agneau au menu — qu'aurait-il pu y
avoir d'autre ! On en proposait sous toutes les
formes, rôti, calciné, bouilli, nageant dans le lait
caillé ou cuit dans un bouillon de viande. Avant
qu'ils ne se jettent tous dessus (j'étais quant à moi
affamé comme un loup et tout à fait disposé à sur-

monter ma répugnance), la princesse me demanda de bénir le repas. Les derniers invités arrivèrent, et je pris la parole :

— *Panem nostrum quotidianum da nobis hodie.*

Mais dès la deuxième phrase *(« Panem accipiam et nomen Domini invocabo »)*, le sourire de plus en plus large de Yeza et de Roç me fit perdre contenance. Et à la dernière, je ne savais plus ce que je disais. La tête baissée, les mains jointes, j'avais vaguement remarqué que maître Buchier s'était installé face à moi, à table, avec une femme. C'est alors que mon regard se porta sur cette personne, et j'eus les plus grandes difficultés à prononcer le « *Amen* » final. Devant moi se tenait Ingolinde de Metz, ma très chère putain du bon vieux temps !

« Coucou, bel étranger ! » semblaient dire ses lèvres, et elle me souriait d'un air chaste. J'étais le seul à savoir quelles impudences lui passaient alors par la tête, bien qu'elle baissât sagement les yeux. Ingolinde ! Elle n'avait certes pas rajeuni, mais elle n'avait pas pris de graisse, ô plaisir de la chair ! J'avalai tout ce que l'on me tendait, j'arrachai la viande sur les os à pleines dents, j'aspirai la moelle chaude.

Maître Buchier me présenta sa belle voisine de table.

— Madame Pacha, de Lorraine, dit-il, presque une compatriote pour un Flamand comme vous !

— Oh, oui ! m'exclamai-je. Un peu de ma vieille patrie, pleine de charmantes collines et de vallons, cultivée par le paysan travailleur, avec ses sombres forêts et ses galeries creusées profondément dans la terre chaude pour y trouver du minerai précieux.

Je m'arrêtai, voyant que l'orfèvre accueillait mon emphase avec un sourire. Mais Ingolinde, elle, avait compris.

— Comme vous êtes sensible, frère Guillaume ! J'étais mariée à un ingénieur des mines russes. À présent, je suis veuve, et je m'occupe du foyer de maître Buchier, fit-elle d'une voix de flûte.

Ses beaux yeux parurent transpercer ma tunique

et mes chausses. Elle le connaissait trop bien, ce vieux solitaire des galeries, ce mineur qui s'enfonçait et poussait dans les profondeurs. La pointe du pic me parut être en fer rouge. Je pris volontiers le verre plein que me tendait l'orfèvre.

— Si vos nombreuses obligations spirituelles vous en laissent le temps, Guillaume de Rubrouck, venez donc manger chez nous un jour, vous aurez une autre cuisine, dit-il aimablement en claquant la langue de plaisir. Madame Pacha est une excellente cuisinière !

— Volontiers ! répliquai-je avec componction. Je regarderai les chaudrons de madame, et je jouirai de tout ce qu'elle me réserve.

Yeza me tira alors par la manche pour m'éloigner d'Ingolinde et de sa proximité excitante.

— La surprise te plaît ? chuchota-t-elle. Ingolinde, la putain !

— Chhhut ! fis-je. C'est une personne honorable. Et une veuve, en plus.

— Je veux bien croire le dernier point, dit insolemment Roç, qui s'était approché de nous.

Mais la princesse lui coupa la parole. Elle semblait se tenir à sa coupe, un serveur restait en permanence derrière elle pour la resservir. Elle trinquait avec tous ses voisins.

— Où en est la construction de ma cathédrale ? demanda-t-elle, toute joyeuse, à maître Buchier. Notre évêque a le plus grand besoin d'un édifice qui honorera Dieu et sera digne de sa propre personne !

Santa Kokoktai, songeai-je.

— Mais elle ne doit pas être en bois ou en pierre, répondit l'orfèvre. Elle doit être bâtie en fer, en argent, en or ! (Il quitta sa mécène des yeux pour s'adresser à moi, son chanoine.) Cela permet des hauteurs vertigineuses, des arcs et un système de contre-boutants en filigrane, légers comme les ailes d'une libellule !

— Admirable ! fis-je en guise de bénédiction.

Mais mes pensées étaient toutes tournées vers la

chair. Mon sang chaud pulsait comme un volcan, prêt à cracher dans le giron céleste d'Ingolinde sa lave incandescente.

— Cela permettrait aussi de démonter ce précieux édifice du Christ, en le chargeant sur de grandes et solides charrettes tirées par vingt ou cinquante bœufs, on pourrait toujours emporter avec soi la maison de Dieu, même au campement d'été.

— Je veux guider les bœufs! s'exclama Yeza.

— Et chaque élément devrait être numéroté, ajouta Roç, pour que l'on puisse la remonter chaque fois en un rien de temps.

— Splendide! lança la princesse d'une voix énergique.

Il nous fallut alors tous lever notre verre à la cathédrale, puis à l'architecte et enfin à moi, l'évêque, sous la glorieuse égide duquel tout cela devait être réalisé. On but aussi à Jonas, l'archidiacre des nestoriens; après avoir trinqué deux fois avec nous tous, celui-ci frappa de sa croix d'argent la coupe de la princesse, qui était vide à cet instant et sonna comme une cloche, ce qui imposa un silence attentif. Ses prêtres entrèrent à leur tour.

— Au nom de la communauté chrétienne de Nestor, qui n'était pas un moindre apôtre que Pierre et Paul, saint dans sa vie et bienheureux dans sa mort de martyr...

C'est l'Église catholique qui l'a tué, songeai-je. J'étais un peu embrumé.

— ... j'invite cet homme remarquablement pieux, que le roi, le pape, et tout récemment notre illustre grand khan et sa Première épouse ont tellement distingué, j'invite notre frère Guillaume de Rubrouck à accepter la fonction et le titre d'*episcopus*. Cela servirait beaucoup la cause du christianisme dans ce vaste pays.

— Et cela permettrait de l'établir comme Église d'État, ajouta à l'improviste mon *secretarius* Theodolus, dont les intrigues discrètes auprès de toutes les personnes concernées m'avaient sans doute valu cette offre.

— Peut-être que, dans ce cas, le khagan se ferait baptiser ? chuchota Kokoktai-Khatun, pleine d'espoir.

— Pâques serait la meilleure date pour cela, dit modestement Theodolus. La fête de la Résurrection, après l'étreinte mortelle des païens et des Sarrasins.

Des applaudissements éclatèrent. Je ne devais surtout pas commettre d'erreur.

— Cet honneur me terrasse, répondis-je. (Je m'efforçai de prendre un regard qu'ils ressentiraient comme « lumineux », moi qui songeais à la grotte infernale qui m'attendait dans la blanche chair de ma putain !) Mais il ne m'appartient pas d'anticiper les plans et la décision du khagan. N'oubliez pas (je désignai fièrement Yeza et Roç) que le couple royal est encore parmi nous aujourd'hui. Mais demain, peut-être, le grand souverain l'aura déjà envoyé soumettre le « Reste du Monde ». S'il me place à leur côté, je ne pourrai le refuser, et je devrai renoncer au bonheur de vous servir et de servir l'église de Karakorom. Je me rangerai à sa sage décision.

Cela atténua un instant l'enthousiasme, mais pas la beuverie. Theodolus fit lever un ban aux « souverains de l'Occident, au couple royal ! » et tous burent de nouveau. Tout d'un coup, il y eut du mouvement à l'entrée de la salle. Une bonne partie des invités se prosterna : le grand khan était arrivé sans prévenir. On apporta une grande litière en forme de lit, et on l'installa face à nous. La maîtresse de maison, Kokoktai, alla en toute hâte saluer son souverain et époux. Möngke descendit de son trône, prit la coupe dans les mains de sa femme et fit signe à Roç et à Yeza de le rejoindre sur le lit d'or. La princesse lui présenta ses principaux invités, mais c'est moi que cherchaient ses yeux. Je le sentis et j'attendis. Kokoktai-Khatun lui parlait avec émotion, tout en me désignant du doigt. Je m'inclinai et marchai jusqu'au trône, suivi par mon frère Barzo et par mon nouveau *secretarius*.

— Guillaume de Rubrouck, me dit le khan en

m'observant attentivement. Ils veulent te faire
évêque !

Il se mit à rire, et je craignis d'être allé trop loin

— Cela nous semble peu pour la capitale de mon
royaume, lorsque je pense au nombre de cardinaux
qui entourent le pape à Rome. Nous allons te rendre
transportable comme ta cathédrale.

— Tant que vous ne me découpez pas en petits
morceaux..., parvins-je à répondre craintivement.
Mais ma plaisanterie lui plut.

— Ne crains rien, tu es un ami, et nous comptons
te préserver dans toute ton opulence et toute ton
intégrité à l'éclat de notre soleil impérial. Mais nous
voulons pouvoir t'envoyer partout comme un rayon
de soleil pour illuminer le cœur de nos peuples, afin
qu'ils puissent se réchauffer dans l'amour pour leur
souverain. Sois notre lune, celle qui tournera autour
du monde dont nous sommes le centre.

— Vous voulez donc me couper en deux ? Comment pourrais-je vous servir ici et...

Il ne me laissa pas finir ma phrase.

— Si nous te donnons au couple royal pour
l'introniser là où il nous plaira, cela ne signifie pas
du tout qu'au bout de ta course, toi, notre messager
rayonnant, tu ne reviendras pas vers nous, le soleil
qui réchauffe, tout comme le couple royal... (il posa
ses mains sur les épaules de Roç et de Yeza, d'un
geste paternel, mais qui marquait aussi sa propriété)... la constellation des Gémeaux...

Qui avait bien pu lui rédiger ce discours ? Ou bien
était-ce Theodolus qui traduisait en les embellissant
les paroles simples du khan ?

— ... doit constamment rayonner de notre seule
lumière, et se savoir toujours protégé contre notre
poitrine. C'est ainsi que nous voulons gouverner le
monde, et au-dessus de nous s'étend la voûte céleste
éternellement bleue. *Tengri !* Priez-le !

Cette invite était destinée à moi-même et aux
prêtres. Je repris la parole :

— Dieu tout-puissant, protège notre souverain et

tous ceux auxquels il accorde son amour. Donne-lui
la force de tout faire selon ta volonté, car tu es le ciel,
car c'est à toi qu'appartiennent le royaume, le pouvoir et la splendeur dans l'éternité, amen !

Il se fit traduire ma prière mot à mot par Theodolus. J'avais parlé lentement : je savais qu'il soupesait
mes paroles comme de l'or et que notre destin
dépendait de son appréciation et de sa décision. Il
n'était pas facile, pour lui, de s'accommoder d'un
dieu qui faisait tourner le monde au-dessus de lui.
La représentation de *tengri* était plus commode :
celui-là se tendait pour former la tente céleste du
matin au soir, puis le firmament au cours de la nuit,
et laissait le khan prendre les décisions qui lui conve-
naient. Mais je ne voulais pas lui rendre la tâche
aussi facile, même s'il nommait Roç et Yeza rois de
Jérusalem et moi-même patriarche. Oui, c'était cela !
Je devais devenir patriarche, indépendant du trône
de saint Pierre à Rome. Car comment une église
chrétienne (nestorienne !) des Mongols pourrait-elle
s'épanouir si le conflit entre le pape et le souverain
laïc devait aussi se dérouler dans ces lieux ? Un
« patriarche de Karakorom », c'est cela que Möngke
avait en tête, et je m'inclinai profondément.

Le grand khan me regarda longtemps.

— Demain, nous assisterons à votre rite, à l'église.
D'ici là, nous aurons délibéré pour savoir quelle
fonction et quel rôle nous paraissent le plus utiles
pour nous-même et pour l'empire de tous les Mongols. As-tu un souhait ? ajouta-t-il après une hésitation.

Je n'osai pas lui faire part de mes réflexions de
haute politique. Il devait y venir de lui-même.
Quelqu'un pouvait sans doute le mettre sur la bonne
voie, mais cela ne devait pas être moi. Je songeai à la
pauvre Shirat, mais ce n'était certainement pas le
moment. La seule autre personne qui me vînt à
l'esprit était Créan. Je répondis donc d'une voix
modeste :

— J'ai dû laisser à Sartaq mon confesseur personnel, le prêtre Gosset, lorsque je suis venu vous rejoindre, illustre khan. J'en ai aujourd'hui grand besoin.

Möngke sourit.

— Je vais envoyer des messagers, et je te ferai porter tes biens, que tu as aussi dû laisser là-bas. Ton absence de besoins et ton humanité en témoignent : tu es l'homme que nous souhaitions pour occuper cette fonction.

Et sur ces mots, tous les invités furent congédiés.

Les prêtres nestoriens me raccompagnèrent à ma yourte. Ils me lançaient constamment des vivats dans les rues obscures, tellement joyeux qu'on aurait dit des *studiosi* célébrant une réussite à leurs examens. Nous étions tous ivres. Ingolinde et son maître Buchier étaient partis avant l'arrivée de Möngke. En guise d'au revoir, elle m'avait encore lancé un long regard nostalgique. Elle attendait nos retrouvailles.

Celui qui trébuche

Dimanche des Rameaux 1254

Le moine, qui, par principe, dormait à même le sol de notre yourte, m'avait cette nuit-là reçu d'une manière très désagréable. Il me reprocha de troubler son repos nocturne, d'avoir un comportement indécent et de consommer des boissons enivrantes. Mais il ne laissa pas échapper le moindre mot révélant qu'il connaissait tout : l'invitation de Kokoktai-Khatun et l'honneur qui m'avait été proposé.

Lorsque je m'éveillai, le matin, la place où il dormait était vide. C'était une bonne chose, car les couturières zélées apparurent dès l'aube et me portèrent ma nouvelle tenue. Elles ne se laissèrent pas ôter le plaisir de m'habiller. Mon habit m'allait admirablement. Philippe m'avoua qu'il leur avait donné une autre de mes tenues pour qu'elles puissent réaliser leur patron. Avec l'inépuisable contenu de mes sacs épiscopaux, j'habillai aussi frère Barzo, Philippe et Timdal, qui étaient arrivés avec les femmes. Devant ma yourte attendait déjà une délégation des prêtres nestoriens. Nous partîmes en cortège vers l'église, fanion au vent, en traversant le quartier endormi des Sarrasins.

Devant la porte de l'église, Sergius l'Arménien m'attendait, le regard noir. Il voulut m'interdire le passage.

— Tu ne peux communier, Guillaume de Rubrouck, dit-il d'une voix forte en brandissant vers moi sa croix d'argent, comme s'il lui fallait repousser Belzébuth. Tu n'es pas à jeun. Vous avez tous bu, vous êtes voués au diable !

Les nestoriens lui rirent au nez et l'écartèrent.

Dans l'église, l'archidiacre Jonas avait déjà tout préparé avec soin pour la messe. Nous attendîmes l'apparition du khan. Ce n'est pas lui qui arriva, mais, totalement hors d'haleine, mon secrétaire Theodolus, qui avait passé une tunique rouge semblable à celle des templiers, mais il ressemblait, là-dedans, à un ange tombé du ciel. Il annonça que le grand khan était parti à la chasse avec Roç et Yeza. Il ne pouvait pas entrer dans l'église, car l'Arménien lui avait fait savoir qu'on y conservait aussi les morts.

— Et le khan n'entrera pour rien au monde dans une salle pareille, expliqua Theodolus, de la même manière qu'on ne laisse jamais approcher de lui quiconque a assisté un agonisant à l'heure du trépas.

— Hum..., dis-je. Dans ce cas, il mettrait aussi à la porte la Vierge Marie, qui a assisté Notre-Seigneur Jésus-Christ lors de son agonie, sur le Golgotha.

— Non, mon cher frère, le Seigneur est ressuscité d'entre les morts, c'est la raison pour laquelle le khagan peut célébrer la fête de Pâques avec nous, dans son palais, que nous allons transformer en église.

J'en fus tellement heureux que je lui donnai l'accolade et lui laissai dire la messe.

Mon interprète, Timdal, me fit passer un billet à la dérobée.

— Je ne peux pas le lire, dit-il à voix basse. Et en fait, je ne devrais pas vous le donner.

— Ordre du Bulgai, dis-je en plaisantant.

— Je ne puis vous le dire, se défendit Timdal, mais comme il est envoyé par une femme, j'ai pensé...

— Une fidèle ! fis-je pour apaiser sa conscience.

Sur le billet, on lisait en français : « *Il faut battre le fer tant qu'il est chaud.* » Je m'en chargerais volontiers.

Je pris Theodolus par la manche et l'attirai vers moi.

— Trouve une idée quelconque, ô mon *secretarius* (et il rayonna de fierté), une bonne raison pour que je puisse m'éloigner immédiatement. Je ne veux pas commettre le péché de recevoir le corps du Christ sans être à jeun, comme le veut la règle.

Theodolus hocha la tête d'un air entendu. J'étais un digne prince de l'Église qui prenait les principes au pied de la lettre et la servait avec joie et ardeur.

Ensuite, Kokoktai-Khatun, Dokuz-Khatun, mais aussi le général Kitbogha et maître Buchier (je ne vis madame Pacha ni à côté de lui, ni parmi les femmes de la paroisse, ce qui me donna des palpitations) exigèrent que je célèbre la Cène. À cet instant, mon *secretarius* apparut et me chuchota, mais si fort que tous entendirent forcément, que le grand khan, après avoir quitté la ville dès le matin, m'avait fait convoquer dans son palais. À son retour, je devrais lui présenter, à lui et au couple royal, les bénédictions de l'Église, et prier avec eux.

Tous ceux qui étaient assemblés autour de moi se réjouirent. On murmura que je parviendrais certainement, avant Pâques, à convaincre le souverain de prendre sa place au sein de l'Église. Je laissai mes nestoriens dans leur croyance, emballai une coupe pour le vin de messe dans le fanion portant l'agneau et la croix, et quittai l'église sous les bénédictions. J'avais redouté que le sombre moine ne se trouve encore devant la porte. Mais Sergius l'Arménien avait décampé.

Je savais où il me fallait me rendre, et le plus vite possible. Mais je le fis en décrivant quelques détours, afin d'être certain que personne ne me suivait. « Il faut battre le fer tant qu'il est chaud » était une indication précise sur le lieu : la yourte qui servait de forge à maître Buchier. On m'aurait certainement remarqué si j'avais essayé de m'y faufiler discrètement. Dieu soit loué, elle était située à la lisière du quartier sarrasin, pour que la fumée n'importune pas les grands seigneurs du quartier des ambassades. Je pris mon goupillon à eau bénite, en aspergeai la porte et prononçai une bénédiction. Puis j'entrai et je refermai derrière moi, en sorte que nul n'y pouvait plus entrer.

Lorsque mes yeux se furent habitués à la pénombre, je vis Ingolinde nue, allongée sur la couche du maître. Il flottait une odeur de cendre froide. Elle était inanimée, les paupières closes. La terreur s'empara si profondément de moi que je ne pouvais plus bouger. Quelqu'un devait m'avoir précédé ! On avait deviné mes intentions lubriques et étranglé ma pauvre Ingolinde. Quel monstre pouvait avoir... Sergius, le moine ! Et c'est moi qu'on allait trouver à côté du corps...

Mais à cet instant, elle ouvrit les yeux et susurra :
— Bonjour, bel étranger !

Je me jetai sur elle, descendis mes chausses jusqu'aux chevilles et me mit à trépigner sur place, parce que je n'arrivais pas à dégager mes pieds. Ingolinde accompagnait mes efforts en gloussant doucement. Je soulevai ma soutane, jetai mon mantelet ; quant à la mitre et au vélum, je les avais déjà accrochés à un clou, sur la porte. Ingolinde ouvrait ses cuisses tendres, elle attrapa avec ferveur le marteau du ferronnier et le plongea dans la braise. Avec elle, je n'avais pas à me comporter en amant raffiné. Elle me prenait tel que j'étais, balourd et brutal. Je la martelai, elle était le soufflet et la cheminée, elle était le feu, et j'avais le fer incandescent. J'étais le forgeron, je la tournai, la retournai et la frappai consciencieusement sur toutes ses faces. Elle me mordait le cou, plongeait ses ongles dans mes fesses, sous la soutane, et m'aspirait en elle. Lorsque mes forces furent épuisées, j'étais semblable à une pièce de fer qui siffle dans l'eau froide, elle m'embrassa, en larmes, et dit :

— Ah, Guillaume, tu n'as pas changé d'un poil !

Je la caressai doucement avec les mains (mon fer était redevenu mou et lourd comme du plomb), et je répondis, satisfait :

— Et tu es toujours la même source de délices.

— Tu lui as longtemps manqué, à ta putain, s'exclama en riant ma dame de Metz, et tu me donnes toujours du plaisir, lubrique frère mineur !

— Je serai bientôt évêque, peut-être plus encore, dis-je, soucieux qu'un peu de ma fierté retombe sur elle.

— J'espère que tes fonctions te permettront d'avoir une concubine, fit-elle en gémissant, et en tentant de transformer à nouveau le plomb en épée d'acier, mais je repoussai sa main.

— Avant que la messe ne soit achevée, je dois être pieusement installé dans ma cellule d'ermite. Et puis ton employeur pourrait lui aussi remarquer ton absence.

— Le dimanche, je ne travaille pas. Le maître non plus. D'autre part, tu devrais savoir que je n'ai encore jamais gagné mon pain avec mes mains. Célébrons donc cette fête comme il nous plaît.

Je couvris son corps de baisers avant de me lever en grinçant.

— Je vais trouver une idée, madame Pacha, pour vous servir comme il vous « plaira ».

— Mais je ne veux pas être forcée de rester couchée sous la couverture sans votre chair ferme, Éminence ! répondit-elle avec son bon rire de putain.

J'avais remis ma garde-robe dans un ordre qui me permettait de me montrer de nouveau à mes partisans, dans la rue, si je devais tomber dans leurs bras après la messe.

— Je ferai de temps en temps un petit tour chez vous, dis-je pour la consoler. Vous avez tant besoin de direction spirituelle.

— Merci, Votre Dignité, dit-elle avec une petite génuflexion, et commençant à recouvrir sa nudité. Sortez donc déjà, ajouta-t-elle tristement. Ici, je veillerai au grain et je garderai mes distances.

Je pris une dernière fois Ingolinde dans mes bras, me faufilai par la porte, décrivis trois signes de croix de l'extérieur et m'en allai, l'allure digne, en traversant le quartier des Sarrasins.

Ultimae Cenae 1254

Comme ni mon compagnon Barzo ni le moine ne se trouvaient sous la tente, et comme Philippe, mon serviteur, était lui aussi parti au marché, je mis mon *secretarius* dans la confidence. Theodolus avait jusqu'ici fait ses preuves, même si sa servilité me causait des soucis. Je considérais Barzo comme un pur et simple serpent amateur d'intrigues. Le moine haïssait mon *secretarius* autant qu'il me méprisait.

— Cette nuit, j'ai fait un rêve, lançai-je pour éveiller la curiosité de Theodolus. J'ai aperçu une église. Elle se dressait dans la steppe, puissante comme le téton de la Hagia Sophia, des lances ciselées tendues à la verticale dans le ciel éternellement bleu. Des anges planaient au-dessus d'elle et portaient un ruban où l'on avait inscrit « *Nova Ecclesia Mongalorum* ».

— C'est un signe de Dieu, que seul peut recevoir un saint homme comme vous !

Mon Theodolus avait mordu à l'hameçon. Je commençai à ramener la ligne.

— Les seigneurs de tous les peuples affluaient vers cette cathédrale rocheuse pour vénérer la sainteté, la plus haute chose sur cette terre, et rendre hommage à son protecteur, l'illustre khan.

— Vous devriez raconter cette vision au grand khan, elle mérite le titre de prince de l'Église.

Voilà, je tenais mon poisson.

— Ah! fis-je avec humilité (j'étais du reste déjà agenouillé devant notre autel de fortune), je ne suis pas digne de devenir patriarche, mais j'offrirai volontiers toutes mes forces au khan si cela permettait une renaissance complète et la fondation d'une nouvelle Église chrétienne. Le souverain pourra s'épargner la peine de débarrasser les nestoriens de leurs usages parfois franchement païens. *Ex novo!* Une jeune Église comme un bouton de rose, comme le peuple des Mongols! Vous pouvez le lui dire! Mais il faudra continuer à tolérer les adeptes de Nestor, s'ils ne préfèrent pas s'intégrer à la *Nova Ecclesia Mongalorum*. De la même manière, nous devrons accueillir toutes les Églises et toutes les sectes qui voudront trouver un abri sous notre toit.

— Si vous me le permettez (Theodolus était tout excité par les perspectives qui s'ouvraient à lui), je vais me rendre immédiatement auprès de Möngke et l'informer de ce message de Dieu. Avez-vous une recommandation sur le visage et l'attitude que devrait prendre l'*Ecclesia* à fonder?

Mon Theodolus comprenait vite et agissait rapidement.

— Je recommande, dis-je d'une voix solennelle, de choisir saint François d'Assise comme patron de l'Église, et de s'en tenir aussi strictement que possible à la *regula* qu'il a édictée.

Je passai la main sous le drap de l'autel et lui remis un livre que je conservais comme une relique, consacré à la vie du saint et portant le titre apocryphe *Secundum Memorandum*, écrit par son évêque, le pieux Guido.

— Étudiez bien tout cela, pour que vous puissiez apporter une réponse claire à toutes les questions de l'illustre khagan, ordonnai-je à mon *secretarius*, qui trépignait d'impatience. La piété de saint François ne fait aucun doute, sa simplicité et sa sobriété sont comme un écho de l'âme mongole. Son obéissance, sa fidélité aux lois et son renoncement rigoureux à

toute propriété personnelle iront très bien au souverain, parce qu'il n'y aura plus de dépenses pour le
faste inutile des prêtres, plus de quête du pouvoir
laïc. La nouvelle Église servira à Dieu, et ses
membres au khan.

— Je bous d'impatience à l'idée de déposer tout
cela aux pieds du grand khan ! jubilait Theodolus.
Mais ne m'en veuillez pas si je fais valoir dans mon
récit le rôle du *spiritus rector*, le trop modeste Guillaume de Rubrouck, car cela devrait suffire à vous
valoir la mitre du patriarche. Laissez-moi faire :
pourquoi croyez-vous que l'on vous ait donné Theodolus comme secrétaire !

— Allez avec Dieu, mon fils, fis-je avec un soupir
tourmenté, mais allez-y ! — Je joignis les mains pour
la prière. — Ne nous soumets pas à la tentation,
mais délivre-nous du mal. Car c'est à toi qu'appartiennent le règne, la gloire et la puissance pour les
siècles des siècles. Amen.

Pâques 1254

Lors de la nuit de Pâques, nous nous sommes rendus, Theodolus, mon serviteur Philippe et moi-
même, au palais du grand khan, où l'on nous avait
invités pour la réception de minuit. Nous ne sommes
pas passés devant l'église où je devais (c'est du moins
ce dont nous étions convenus) prendre au passage
mon pesant frère d'ordre et l'ignoble moine pour les
emmener chez Möngke.

Je marchais, sûr de moi, dans la pénombre, après
m'être donné du courage en avalant plusieurs godets
de vin. Une excitation délicieuse m'envahissait peu à
peu. Si je parvenais à amener les Mongols au christianisme, moi, le pauvre petit Guillaume de
Rubrouck, risée des grands de ce monde, humilié
par l'Église de Rome, par son clergé vaniteux, ses
ordres de chevalerie arrogants. Tirer, pour son plus
grand bien, le plus grand peuple et le plus puissant
de la terre dans le camp de la chrétienté ? En faire le

protecteur de la vraie foi, celui qui combattrait ses
ennemis? Cette nuit, comme mon Theodolus me
l'avait garanti en rayonnant de bonheur, le khan pro-
clamerait-il la foi chrétienne religion d'État, et fon-
derait-il une Église? Qu'il se fasse lui-même baptiser
ou me nomme patriarche ne me paraissait pas
essentiel, face à cet événement qui transformerait
l'histoire de l'humanité! Le vertige me prit face à
cette gigantesque cathédrale de l'esprit dont j'étais
sans aucun doute l'architecte. Devant pareille illumi-
nation, une pâmoison aurait été du meilleur effet.
Un frère mineur balourd, un Flamand roué, Guillaume l'oiseau de malheur tourne la roue de l'histoire avec son bec! C'était trop de bonheur! Je
m'arrêtai, soulevai ma bure et lâchai un jet libérateur dans la ruelle obscurcie par la nuit. Peu importait que j'entre dans l'histoire comme premier
patriarche de la « Nouvelle Église des Mongols »,
même si c'était un rôle enviable et agréable. Mon
secretarius considérait ma nomination à ce titre
comme un fait acquis.

Il me raconta que mon unique rival, celui qui
aurait pu, lui aussi, prétendre à ces fonctions,
l'archidiacre des nestoriens, s'était fait mon avocat
auprès du khan. « Guillaume Ier, patriarche de Karakorom! » je croyais rêver. Mais Theodolus me confia
autre chose : les seuls à avoir élevé certaines objec-
tions étaient Roç et Yeza, notre couple royal. « Guillaume va perdre le nord! aurait affirmé Yeza. Il
réclamera un harem pour le patriarche et introduira
la polygamie chez les chrétiens! » Les Mongols,
selon Theodolus, avaient alors ri à gorge déployée et
le khan avait demandé à Roç s'il avait un argument
pour s'opposer à la nomination de Guillaume. « Tant
que vous nous évitez, illustre khan et protecteur, la
perspective de voir le patriarche devenir *in pectore*
chancelier de notre futur royaume, et tant que nous
sommes autorisés à l'appeler "Guillaume", nous
saluons cette élection d'un cœur joyeux. »

— Ah, mes petits rois! murmurai-je dans un

souffle. Si je pouvais avoir un peu de leur franchise rafraîchissante et de leur don pour les paroles intelligentes prononcées au bon moment !

Lorsque nous fûmes arrivés à la porte du palais, le moine s'y trouvait déjà. Il me lança de sombres regards.

— Je te maudis, Guillaume de Rubrouck, marmonna-t-il d'un air lugubre. Sois trois fois maudit, toi et tous ceux qui se laissent séduire par toi. Que le diable vous emporte tous !

Nous ne le regardâmes même pas, et j'entonnai la deuxième strophe du « *Da laudes* » :

> « *Est Deus, quod es homo, sed novus homo,*
> *ut sit homo quod Deus, nec ultra vetus.* »

J'entrai ainsi dans la salle ornée et illuminée par mille lampes à huile.

> « *O pone, pone, pone, pone veterem,*
> *o pone veterem, assume novum hominem !* »

J'entendis alors du désordre derrière moi. Je ne me retournai pas et marchai vers le trône sur lequel était assis Möngke, flanqué, à sa droite et à sa gauche, de Roç et de Yeza. Ils étaient vêtus d'habits de fête et ressemblaient à des poupées mongoles. Un événement grave devait s'être produit à la porte, car tous regardaient fixement dans cette direction, l'air effrayé, et chuchotaient à mon passage. Le calme revint enfin. L'archidiacre Jonas se tenait de biais derrière le grand khan. À ses côtés avaient pris place les frères du khan, Hulagu et Ariqboga. Le troisième, Kubilai, se trouvait en Chine. Leurs épouses, Kokoktai-Khatun et Dokuz-Khatun, chrétiennes pratiquantes, étaient réunies à l'église pour cette célébration de minuit, tout comme le général Kitbogha et son fils Kito. Un chœur de nestoriens entonna le psaume d'une voix puissante :

« *Laudate Dominum in sanctuario eius,*
laudate eum in augusto firmamento eius. »

Mon regard allait et venait sur les invités d'honneur. Sur les marches du trône, aux pieds de Roç, était assis maître Buchier, le créateur de l'arbre à boire en argent. Pour célébrer cette journée, son œuvre avait été ornée de verdure fraîche et d'une multitude de chandelles. Ingolinde était assise dessous, comme un ange de Noël. On ne servit rien à boire cette nuit-là. Aux pieds de Yeza se tenait la deuxième épouse du khan, Koka, qui portait encore les stigmates de sa maladie et qu'on avait transportée sur une litière. Le prêtre idolâtre Gada Sami, qui était aussi son diseur de bonne aventure, la soutenait. L'archidiacre poursuivit avec une voix pure comme une cloche :

« *Laudate cum tympano et choro,*
laudate eum chordis et organo. »

— Theodolus ! me chuchota Philippe. Il a marché sur le seuil...

Je secouai brutalement la tête : qu'il ne vienne pas me déranger à cet instant avec des histoires aussi stupides !

Le chœur chantait : « *Alléluia, alléluia, alléluia !* »

La salle était remplie jusqu'au dernier banc de Mongols en habits de fête qui observaient toute la scène avec beaucoup d'attention. Je vis aussi nombre d'ambassadeurs. Mon regard tomba alors sur les femmes installées derrière les trois frères du khan, qui, à l'instar de Koka, n'étaient pas adeptes du christianisme. Derrière Ariqboga se trouvait une jeune femme dont le visage était voilé, à la manière des Sarrasins. Elle me regardait fixement, et je crus m'évanouir de honte. C'était Shirat. Je tentai de lui indiquer, par des regards, que je l'avais reconnue, mais elle demeura comme pétrifiée. Je sentis pourtant qu'elle m'implorait sans un mot, du fond de sa détresse. Ne pouvoir l'aider me mettait à la torture.

J'avais d'abord prévu de m'incliner, mais je décidai spontanément de m'agenouiller. Je joignis les mains et courbai la tête, mais sans quitter le khan des yeux.

Möngke et ses frères souriaient. Yeza me lança un clin d'œil, Roç fut le seul à rester digne. Lorsque la dernière note eut cessé de résonner, le Il-Khan Hulagu fit un signe à son chambellan, qui avança d'un pas. L'archidiacre Jonas se courba et lui tendit un rouleau de parchemin dont Dschuveni lut le texte.

— Comme le soleil diffuse partout ses rayons, illumine le monde et réchauffe les hommes, tel est le pouvoir de Gengis Khan. C'est Möngke, son troisième successeur sur le trône, qui vous parle et vous fait connaître sa volonté. (Le chambellan se racla la gorge.) Nous fondons une Église !

Un murmure étonné parcourut la salle.

— La *Nova Ecclesia Mongalorum Ritus Orientalis* doit unir tous les prophètes et tous les apôtres : Jésus de Nazareth et Jean Apocryphe, Nestor de Constantinople et François d'Assise, Mahomet pour l'islam de la *sunna* et de la *shi'a*, et Parsifal du Graal pour les manichéens, Jean-Baptiste pour le judaïsme mosaïque, et Matreya, la réincarnation de Bouddha qu'attendent les peuples des rives de l'Océan.

Dschuveni fit une pause pour laisser cette nouvelle extraordinaire produire son effet, et parce que les prêtres idolâtres au crâne chauve faisaient tous tinter leurs clochettes.

— Cette Église sera dirigée par un « patriarche du ciel éternellement bleu ».

Le chambellan regarda au-dessus de ma tête, mais je sentis que les yeux du grand khan étaient dirigés vers moi.

— L'acte de fondation est fixé pour la fête de l'Esprit saint de *tengri*, le jour de la Pentecôte, cinquante jours après celui-ci. Le premier patriarche Aerinokratos, du ciel éternellement bleu, prendra ses fonctions le jour de la fête de notre accession au trône. Décrété le 12 avril de l'an 1254 du décompte

chrétien, en l'an 652 après que le prophète Mahomet
a quitté La Mecque, et dans la troisième année de
notre règne, lut encore Dschuveni sur sa feuille.

Je m'imaginais à quel point il devait être peu
agréable pour lui, un musulman, de déclamer un
texte pareil; l'archidiacre l'avait manifestement
rédigé à la demande du khan.

Ma nomination n'aura donc lieu qu'une semaine
après la Saint-Grégoire, songeai-je avec regret. Je me
mis à genoux, comme si j'avais été assommé, et je
tins mon visage contre le sol pour que personne ne
vît mes larmes de joie. J'entendis ensuite Jonas
m'appeler.

— Levez-vous, mon cher frère!

Je regardai au-dessus de moi : le grand khan
m'invitait à me redresser, d'une voix où je décelai
presque des reproches. Yeza parut extrêmement
amusée; mes jambes me faisaient faux bond, et
j'arrivais à peine à me relever.

— Le nom de celui qui sera choisi n'est pas un
mystère, déclara l'archidiacre, qui avait fait un pas
en avant et libéré Dschuveni de son rôle peu appré-
cié. L'élu est notre cher frère Guillaume de
Rubrouck, *Ordo Fratrum Minorum!* Nul, mieux que
lui, n'a vocation à occuper ces hautes fonctions!

Jonas me serra dans ses bras et me fit le salut
oriental de Pâques.

— Christ est ressuscité!

Et je lui répondis :

— Oui, il est vraiment ressuscité!

Il m'embrassa, et je n'eus pas plus longtemps
honte de mes larmes. Le grand khan et ses frères
sourirent, l'air heureux, et leur cour se dépêcha de
venir me serrer la main. Ingolinde l'embrassa sans
me regarder, mais sa langue, en un éclair, courut
entre mes doigts engourdis.

Je passai devant Roç et Yeza (Möngke et ses frères
s'étaient levés et étaient partis) et je voulus m'agenouiller devant eux. Mais Yeza s'empara rapidement
de ma main et la pressa contre ses lèvres. Elle me

montra insolemment qu'elle avait très bien remarqué le baiser de la putain, et Roç me dit : « Inutile de
t'agenouiller devant nous, Guillaume. Mieux vaudrait dissimuler ton visage, pour que personne ne
voie à quel point tout cela te plaît! »

Je bénis Koka et je fis aussi un signe de croix
rapide sur Gada Sami, ahuri, qui me regarda comme
si je lui avais jeté un crapaud sur le ventre. Il bondit
sur ses jambes et se secoua. La pauvre Koka, qui
souffrait encore, me demanda de lui poser la main
sur la tête, et je le fis. Ensuite, Timdal me prit par la
manche et me félicita, tandis que Philippe me tirait
parmi les invités qui bavardaient : tous s'étaient
levés et me poussaient vers la sortie.

— Alors, dis-je, lorsque j'eus franchi le seuil, que
se passait-il avec Theodolus, où se cache-t-il donc?

Philippe, sans dire un mot, désigna une tache de
sang frais sur le sol de terre, devant le palais.

— Ton Église a déjà son premier martyr!

La voix de Sergius, haineuse, avait résonné derrière moi : il nous avait attendus devant la porte. Je
me sentis mal à l'idée que l'on avait décapité mon
malin *secretarius* au moment où je savourais mon
triomphe à l'intérieur. Je n'avais pas entendu son
appel au secours désespéré. Abasourdi, je rentrai en
titubant à notre yourte, soutenu par Philippe.

— L'Arménien lui a fait un croche-pied, dit Philippe. Je l'ai parfaitement vu! Mais les gens du Bulgai ne s'en sont pas souciés.

— Pourquoi ne m'as-tu rien dit? fis-je en gémissant, et Philippe ne répondit pas.

L.S.

LA ROSE DANS LE FEU

1. DES ESPRITS, SAINTS ET MOINS SAINTS

Un bourreau conciliant

À eux seuls, le précieux filet de son cheval, la selle de cuir richement ornée et les étriers en argent qui ornaient les chevaux de la caravane de Mustafa Ibn-Daumar témoignaient de la fortune du marchand de Beyrouth. Les gardiens des portes de Sis renoncèrent à jeter un regard dans les coffres, les ballots et les caisses portés par cinq chameaux de somme chargés de toutes parts. Ils firent descendre sans amabilité le jeune marchand. Que venait-il faire dans leur ville chrétienne? Hamo pesa chacun de ses mots. Il se trouvait, dit-il, en route pour Melitene et avait entendu parler de la richesse de la ville de Sis, si bien qu'il avait fait le détour pour acheter quelques marchandises supplémentaires sur le marché. Les gardiens de la porte ne se satisfirent pas de cette réponse, et ne montrèrent aucune clémence. Ils firent payer un droit d'entrée considérable à celui qu'ils prenaient pour un musulman et envoyèrent un messager porter la nouvelle au palais.

Hamo se rendit au marché et prit ses quartiers dans l'auberge la plus proche. À ses hommes (c'étaient surtout des Assassins qui avaient accompagné Créan, et quelques *lestai* du Pénicrate), il ordonna de rester sur place et de surveiller la marchandise. Il n'emmena avec lui que le doyen des hommes d'Alamut, un certain Agha qui, durant tout le voyage, s'était révélé à la fois fiable et silencieux.

La ville de Sis se trouvait dans les montagnes. Les maisons en pierres grises et dures surplombaient les ruelles étroites, et les galeries ou chemins de ronde jalonnés de piliers étaient recouverts de grosses poutres. C'est ici que se tenait le bazar. Il y manquait la foule anonyme que l'on trouve couramment en Orient. L'étranger était aussitôt reconnu comme tel et regardé avec méfiance, surtout s'il s'agissait d'un musulman.

Le jeune marchand de Beyrouth, avec sa tenue voyante, traînait avec son vieux compagnon devant les ateliers des artisans, sans manifester d'intérêt particulier pour leurs travaux. Hamo chargea Agha de se renseigner sur l'existence d'un marché aux esclaves, une question qui suscitait l'étonnement et des hochements de tête. On finit par envoyer l'étranger dans une cour obscure aux fenêtres grillagées. De lourds anneaux et chaînes de fer scellés dans les piliers y rappelaient les malheureux qui avaient été traînés ici. Mais on ne pouvait pas parler d'un marché.

Quelques surveillants étaient plongés dans une partie de dés. L'enjeu n'était manifestement pas la possession d'une belle esclave, mais tout au plus le paiement du prochain cruchon dans la taverne voisine. Les dés roulaient et les hommes levèrent les yeux un bref instant, l'air impatient, lorsque le jeune étranger les dérangea.

— Les caravanes d'esclaves passent-elles souvent à Sis ? questionna prudemment Hamo.

— Tu es marchand ? demanda l'un des hommes sans relever les yeux.

Hamo jeta une pièce d'or sur la planche.

— Je cherche une esclave, dit-il.

À cet instant seulement, on lui accorda un véritable regard.

— Il va falloir être patient, seigneur. La marchandise fraîche ne s'égare ici que deux ou trois fois par an, au maximum.

— À quoi doit ressembler la jeune chose? Blanche, brune, noire, puissante, avec des grosses fesses et des tétons comme des courges mûres? Je pourrais..., dit l'autre, flairant une possibilité de faire affaire avec Hamo.

— Non, fit Agha en lui coupant la parole. Mon seigneur cherche une esclave bien précise, passée ici il y a trois ans...

— Ah, une vieille, alors!

Le gardien devint nettement moins aimable. Il secoua les dés.

— Une jolie jeune femme, expliqua patiemment Agha, et Hamo jeta une nouvelle pièce sur la planche. Blanche, et d'origine noble. Vous ne vous rappelez pas? C'est Abdal le Hafside qui l'a amenée.

— Ça n'était pas une livraison pour le roi? fit l'un d'eux, avant d'ajouter en toute hâte : Nous n'avons rien à voir avec ça.

— Je veux savoir si la « marchandise » est restée ici à Sis, dans le harem du roi, ou si elle a été envoyée plus loin.

Hamo, tentateur, fit sonner ses pièces d'or dans sa bourse.

— Lorsque quelqu'un se sert au palais, ce n'est pas le roi Hethoum, mais à la rigueur son frère, Sempad, le connétable! répliqua le premier en riant, mais ses camarades attendaient sans rien dire qu'une nouvelle pièce d'or tombe sur leur planche à dés. Je me le rappelle très bien : les femmes du Hafside ont poursuivi leur route. Elles n'étaient pas destinées à la cour, c'était un cadeau...

Son partenaire attentif lui donna un coup de pied dans la jambe. Il se tut et ne reprit son récit que lorsque Hamo eut jeté une pièce supplémentaire.

— ... un cadeau pour le grand khan des Mongols!

— Il y en avait une dans le lot..., reprit l'autre, mais il s'arrêta net.

Deux personnages étaient entrés dans la cour et

s'étaient immobilisés sans rien dire. Ils avaient l'air de soldats, ou plutôt de chasseurs. Un poignard court et un couteau de chasse étaient coincés dans leur ceinture. Sans qu'ils aient fait le moindre signe, les deux surveillants se levèrent et s'approchèrent d'eux en toute hâte. Les chasseurs parlèrent à voix basse, rapidement, et disparurent de nouveau

L'un des gardiens revint et s'inclina devant Hamo.

— Il faut nous excuser, grand seigneur, mais nous, simples serviteurs du roi, nous ne savions pas jusqu'à quel point nous devions vous délivrer des informations sur la personne que vous cherchez.

Le visage de Hamo s'éclaira. Une lueur d'espoir ?

— Il semble que la jeune femme se trouve parmi les personnes dont nous avons la garde. Si vous voulez jeter un coup d'œil ?

L'autre avait déjà déverrouillé la lourde porte et allumé une torche, le soir commençait à tomber.

— Suivez-nous, je vous prie, chuchota-t-il, et lorsque vous aurez trouvé celle que vous cherchez, ne le faites pas remarquer. Faites-nous juste un signe pour que nous la laissions sortir...

— Autrement, il y aurait une mutinerie qui nous compliquerait la tâche, ajouta le plus bavard. Qui n'aimerait pas en effet être rachetée par un jeune et riche seigneur comme vous ?

Hamo venait de lui glisser deux pièces d'or supplémentaires.

Ils franchirent le portail et descendirent un large escalier de pierre pour parvenir dans la cave à la lumière des torches. L'odeur d'humidité et de moisissure coupa le souffle à Hamo, et son cœur se serra à l'idée qu'il allait retrouver Shirat dans un cachot aussi immonde. En bas, ils arrivèrent dans une cave voûtée depuis laquelle des portes aux grilles de fer permettaient d'observer les cellules. Derrière les barreaux s'entassaient des silhouettes émaciées aux visages fanés, presque tous des gens âgés.

— Ça ressemble plutôt à une prison, murmura Agha en se retournant vers le surveillant qui les éclairait. À cet instant, une grille de fer s'abattit derrière eux. La lueur de la torche, dans l'escalier, s'éloigna et finit par disparaître. En haut, la porte se referma avec un bruit sourd, et ils plongèrent dans une pénombre totale.

Les prisonniers, qui avaient commencé par passer les mains à travers les grilles pour attraper les visiteurs en poussant des cris sauvages, se mirent alors à rire des deux étrangers, mus par un malin plaisir qui laissa cependant bientôt place à un profond accablement. Le silence s'installa dans les geôles de Sis. Ils entendirent juste une voix anonyme qui leur expliqua :

— On vous a laissés sous la voûte parce que, de toute façon, vous serez pendus demain matin.

— Je déteste tous les Sarrasins, dit le connétable aux allures de taureau. Chaque fois que je peux pendre l'un de ces chiens, cela me procure une profonde satisfaction chrétienne.

Sempad et son visiteur se tenaient sur un étroit balcon du château, avec vue sur une cour étroite entourée de hauts murs. En dessous se trouvait la potence, une solide construction de bois qui offrait bien assez de place pour au moins douze condamnés à la fois. Mais, ce jour-là, les auxiliaires du bourreau n'avaient jeté que deux cordes au-dessus de la poutre transversale. Une porte s'ouvrit dans le mur, et l'on mena Hamo et Agha vers la potence, les mains liées dans le dos. Le bourreau leva les yeux vers le balcon en attendant les ordres. Sempad prit le temps d'informer son invité.

— Celui-là, fit-il en désignant Hamo d'un geste haineux, avec son petit menton, c'est un espion. Il a eu l'insolence de chercher une concubine que nous avions achetée en bon argent il y a trois ans — vous vous rendez compte, il y a trois ans ! — et que nous avions ajoutée au tribut payé par le roi.

Sempad éclata d'un rire rauque qui monta dans son cou de soûlard comme l'aboiement d'un braque.

— Et voilà ce fils de putain circoncis qui vient...

— D'abord, répondit tranquillement Gavin, le templier, ce n'est pas un musulman mais un chrétien. C'est le comte d'Otrante, un parent de l'empereur et un ami intime de votre neveu Bohémond...

Pendant ce temps-là, le bourreau avait noué d'un geste de professionnel les cordes autour du cou des délinquants, et regardait de nouveau le balcon pour pouvoir mener la procédure à son terme. Comme Sempad était trop atterré pour le faire, c'est le templier qui lui fit signe d'attendre un peu. Hamo leva les yeux vers lui en constatant que les choses ne suivaient pas leur cours normal. Gavin ne put réprimer un sourire.

— Deuxièmement, dit-il au connétable, la femme qu'il cherche n'est pas une concubine, mais sa propre épouse. Le roi Louis...

Il n'en fallut pas plus. Sempad, cramoisi, envoya ses deux chasseurs et gardes du corps libérer le prisonnier et son accompagnateur. Le bourreau secoua la tête en constatant que les deux seigneurs, au-dessus de lui, avaient renoncé à admirer son savoir-faire, et qu'ils avaient abandonné le balcon. Mais il se garda bien de poursuivre l'exécution sans avoir reçu l'ordre ultime. C'est l'erreur qu'avait un jour commise son prédécesseur.

Hamo se présenta devant Sempad.

— Lors de mes voyages, on m'a déjà tant parlé de votre énergie, connétable, dit-il d'un ton léger. Mais la réalité dépasse toutes les légendes.

Puis il s'adressa à Gavin.

— Existe-t-il un seul lieu sur cette terre, précieux précepteur, où il me sera épargné de vous rencontrer?

— Vous ne l'avez pas encore découvert, Hamo l'Estrange. (Gavin souriait toujours. La colère du jeune comte ne le touchait pas.) Mais si vous continuez à risquer votre vie sous différents déguisements, je vais finir par le chercher, ce lieu béni!

— Vous feriez mieux de partir chercher Shirat! fit Hamo dans un souffle. Avant que je n'essaie de

savoir qui a lâché cette bande de pirates sur la
Contessa d'Otranto!

— Où avez-vous donc laissé la trirème?

Gavin s'efforçait de calmer cette conversation trop
agitée.

— Après que vous vous êtes laissé séduire par la
glorieuse idée de vous faufiler dans les vêtements de
notre ami Créan de Bourivan, notre ami « Mustafa
Ibn-Daumar » vous aurait volontiers brisé le cou!

— Mon cœur est brisé, dit Hamo. Que vaut encore
ma tête stupide?

Cela fit rire Sempad.

— Je peux comprendre le jeune comte, dit-il,
jovial. Son épouse, si nous parlons bien de la même
chatte sauvage, vaut toutes les folies, même si je n'ai
pour ma part expérimenté que ses griffes lorsque j'ai
voulu caresser sa petite fourrure.

Hamo s'était jeté sur le connétable avec un cri de
rage, mais Gavin lui fit un croche-pied, et l'attaque
s'acheva, pour le comte, par une chute sur le sol
lisse.

— À présent, le grand khan se réjouit de vos dons,
reprit Sempad, moqueur, qui n'avait pas même
reculé d'un pas, alors que ses gardes du corps
avaient tiré leurs couteaux des fourreaux.

Gavin passa son bras autour de Hamo et le retint
fermement.

— Vous ne pouvez pas continuer comme ça, dit-il.
Or il vous faut continuer, car vous ne pourrez pas
vous abstenir de vous rendre à Karakorom, Hamo
l'Estrange. Quant à vous, Sempad, réservez maintenant à notre jeune tête brûlée les honneurs qui
reviennent à un invité, et gardez pour d'autres, je
vous prie, les colères que vous inspirent les plaisirs
que vous avez laissés passer.

Le connétable regarda Hamo, l'air sombre, avant
de se tourner vers Gavin.

— Lorsqu'un époux protège si mal sa femme
qu'on parvient à la lui voler, il a perdu son droit sur
la dame. Il doit la reconquérir. Ce droit revient aussi
à tout autre homme qui s'est enflammé pour elle.

— C'est moi, et pas vous, connétable, qui ramènerai cette dame de l'endroit où vous l'avez offerte ou
donnée en paiement comme une marchandise,
comme une tête de votre bétail ! Mais vous estimez
peut-être que cet acte de noblesse vous confère un
droit de cuissage ?

La dispute s'acheva ici, le bruit d'une fanfare
annonçait le retour du roi.

Hethoum était un homme grincheux, exténué par
les soucis que lui procurait son royaume menacé de
toutes parts. Au nord, c'est le sultan des Seldjoukides
qui lorgnait sur ses terres ; à l'est, les Mongols. À
l'ouest, il y avait la mer, dans laquelle tous les ennemis auraient volontiers noyé le peuple des Arméniens après les avoir repoussés jusqu'à la côte en traversant l'Asie Mineure. Au sud, uniquement, il
existait une liaison fragile avec les États chrétiens
des croisés de Syrie, raison pour laquelle il avait
marié sa fille au prince Bohémond d'Antioche et de
Tripoli. Mais même cela n'apportait aucune sécurité.
Se soumettre à temps au grand khan et se retrouver
sous la protection de la *pax mongolica* était la seule
alternative, si pénible qu'elle fût. Autrement, son
peuple serait balayé de la surface de la terre.

Son beau-fils avait envoyé au roi des messagers à
cheval pour lui demander de recevoir un hôte non
invité, le jeune comte d'Otrante, qui s'était rendu
dans sa capitale, Sis. Hethoum y était disposé
lorsque son frère et connétable vint à sa rencontre
pour l'accueillir.

— Que fait donc chez nous ce Hamo l'Estrange ?
demanda-t-il comme si de rien n'était.

Sempad prit un plaisir secret à présenter à son
souverain le « désir » du jeune comte.

— Il n'est pas venu vous offrir ses hommages,
Majesté, il n'apporte pas non plus de cadeaux en
abondance. Il veut simplement récupérer son
épouse.

— Quelle épouse, Sempad ?

Lorsque son frère abordait le sujet des femmes,
Hethoum était toujours très inquiet.

— Qu'as-tu encore manig...

— Pas moi, vous, Majesté, rétorqua le connétable, tout heureux de pouvoir prendre, pour une fois, son frère en défaut. Vous avez acheté son épouse il y a trois ans à Abdal le Hafside, et vous l'avez envoyée vers Karakorom.

— C'était elle?

— Tout juste, celle-là! s'exclama Sempad, qui triomphait. Si vous me l'aviez laissée, nous pourrions encore la lui rendre... même trois ans après.

— Il est venu me faire des reproches?

— Il veut la serrer de nouveau dans ses bras; il voyagera avec nous — ou sans nous — pour rejoindre le grand khan.

— Cela, je n'y tiens pas, répondit le roi. Nous en reparlerons.

Il se fit présenter le jeune comte et lui proposa aimablement de se considérer comme son invité tant qu'il lui plairait.

Ce retournement heureux tranquillisa Gavin Montbard de Béthune, le précepteur de l'ordre des Templiers, et il partit après avoir une fois encore rappelé à Hamo qu'il ne devait pas importuner son hôte avec des plaintes permanentes sur la mère disparue de son enfant, et *a fortiori* l'accabler de reproches. Il devait au contraire se faire apprécier à la cour, pour que les Arméniens l'emmènent dans leur délégation, qui s'apprêtait à partir pour Karakorom. S'il n'avait pas le statut d'ambassadeur, il n'aurait aucune possibilité d'approcher le grand khan. Gavin espérait que ce point était clair.

Hamo hocha la tête. Le templier eut l'impression d'avoir parlé à une cuirasse, celle qui protégeait le cœur de Hamo (mais aussi, hélas, son entendement) contre toute attaque de la raison.

— Et n'oubliez pas, lui avait rappelé Gavin en prenant congé, de réjouir le roi par des cadeaux précieux, qu'il n'ait pas à calculer ce que vous lui coûtez. Montrez-lui que vous pouvez effectuer ce long voyage à vos propres frais et que vous voulez le faire, même si l'on vous admet dans l'escorte de l'ambassade. Les Arméniens ont des âmes d'épiciers, mais ce sont les plus rusés que j'aie jamais rencontrés.

— Dans la bouche d'un templier, dit Hamo en le remerciant, c'est un compliment remarquable.

Le précepteur ne se soucia guère de savoir s'il devait prendre cette remarque comme un compliment ou un reproche. Une seule chose l'intéressait, les circonstances qui avaient provoqué la rupture du couple du jeune comte d'Otrante. Pour lui, le Prieuré (dont il faisait partie) était allé trop loin. Quels rapports Hamo pouvait-il bien avoir avec le destin du couple royal, mis à part le fait que son orgueilleuse mère, Laurence, avait pris Roç et Yeza sous sa protection dix années plus tôt, à Otrante, après que les enfants eurent réussi à s'évader de Montségur ?

Le templier venait de passer la ville de Sis et se dirigeait vers la haute cité d'Antioche, pour rejoindre le prince Bohémond. Devant ses yeux défilaient les images de cette évasion, à laquelle il avait prêté la main.

Tout ce qui était survenu depuis dans la vie des différents protagonistes de cette fuite avait été lié, d'une manière ou d'une autre, aux enfants du Graal.

Mais pour l'heure, ils étaient arrivés là où nul — et surtout pas lui — ne voulait qu'ils se retrouvent : chez les Mongols ! Gavin éclata de rire. Il était amer. Jadis, à Constantinople, le Prieuré avait mis en scène en grande pompe un spectacle totalement invraisemblable qu'on aurait pu intituler « Le couple royal revient de la cour du grand khan ». À cette époque, Roç et Yeza n'avaient jamais franchi le cap de la Corne d'Or : ils avaient paisiblement passé leur enfance à Otrante.

Le malheur de Hamo avait-il un rapport avec la tristement fameuse trirème de l'Abbesse ? C'est à son bord que les enfants, à cette époque, avaient échappé à la débâcle et s'étaient retrouvés au beau milieu de la flotte de Louis, qui se rassemblait à Chypre pour la croisade. Gavin, fort heureusement, dirigeait à cette époque le Temple de la ville et avait pu faire disparaître les enfants. Pour finir, on les avait hébergés chez les Assassins, des alliés. Ce n'était pas non plus une bonne idée, on l'avait vu à l'usage. Les Templiers auraient peut-être dû, tout de même, engager plus de forces pour les derniers descendants du Graal... L'ordre aurait-il dû prendre la responsabilité d'introniser Roç et Yeza, sinon en Occident, du moins à Jérusalem, et sous sa protection ? Mais d'un autre côté, était-ce vraiment à lui, Gavin, d'assumer ce rôle de gardien du Graal et de ses héritiers ? Comme d'habitude, on ne lui avait pas demandé son avis.

L'amulette

Hamo passait son temps entre le palais et le logis où il avait installé son escorte. Il se rendait chaque jour au château avec un nouveau cadeau pour le roi, car il craignait que Hethoum ne parte sans lui chez les Mongols. Hamo eut l'impression d'encercler la forteresse dans l'attente d'une sortie, et il était fier d'avoir soutenu ce siège, jusqu'ici, sans prononcer la moindre plainte à propos de Shirat. Il était aimable avec tout le monde. Il souriait même à chaque fois à Sempad, le connétable au cou de taureau, lorsqu'il le rencontrait pendant ses longues promenades dans les jardins du château. Le comte les inspectait pour être prévenu à temps si l'on se lançait dans des préparatifs annonçant un départ imminent.

Mais il se laissa peu à peu gagner par l'idée que les Arméniens n'entreprendraient jamais ce voyage. Il commença à dire à mots couverts qu'il ne voulait plus les importuner plus longtemps et qu'il était pleinement en mesure de faire la route par ses propres moyens. À partir de cet instant, on le submergea de manifestations d'amitié. Chaque jour, les chasseurs et gardes du corps de Sempad venaient voir Hamo dans son logement pour s'assurer qu'il n'allait pas quitter le château sans prévenir.

— Nous courons le risque, fit le connétable en implorant son frère, le roi, que le grand khan punisse notre retard en nous ôtant sa bienveillance. Möngke n'aime pas qu'on le fasse attendre.

— Mais nous ne pouvons pas emmener ce Hamo l'Estrange, grogna le roi. Ou bien il offensera le souverain suprême des Mongols en l'interrogeant à propos d'une esclave que nous lui avons offerte, ou bien une fois là-bas, il deviendra aussi importun...

— ... qu'il l'est aujourd'hui pour nous, ajouta Sempad, qui savait attiser le feu.

— Ou encore, reprit Hethoum, énervé, ... il trouvera chez le souverain une oreille attentive, un cœur pour les amants, si bien que le grand khan lui rendra son épouse. Mais, dans les deux cas, on nous considérera comme les responsables, notre cadeau n'aura plus aucune valeur, et l'on nous enlèvera la faveur des Mongols comme un tapis sous les pieds.

— Ça n'est pas bien fameux pour notre prestige : le roi très chrétien d'Arménie n'envoie pas sa propre fille, comme il aurait fallu...

— Je n'oserai jamais demander cela à aucune de mes filles, lança Hethoum en lui coupant la parole. Ne viens pas m'apprendre les bonnes manières !

— Les bonnes manières, ça n'est certainement pas d'acheter une cousine de l'empereur ! répliqua Sempad, cinglant, ce qui déclencha la fureur de Hethoum.

— C'est toi, espèce de buse, qui me l'as conseillé ! Si j'avais su...

— Ne nous disputons pas, mon frère, pour savoir qui prend les décisions ici, répondit Sempad. Ce Hamo ne doit pas non plus se rendre seul chez les Mongols pour y colporter sa tragédie familiale, que ce soit avant ou après nous !

— Il doit disparaître, conclut le roi.

Sempad pressentit enfin sa victoire.

— Le poison ?

— Pas ici, pas au palais ! Il ne me manquait plus que cela ! Le roi... Non ! Rien qui puisse permettre d'établir une relation entre nous et sa disparition.

— Je vais prendre l'affaire en main, si vous...

— J'attends vos propositions, connétable, mais ne commettez pas d'acte précipité. Nous sommes-nous bien compris ?

Sempad s'inclina et quitta la salle. Il appela ses deux gardes du corps, qui lui étaient fidèles comme deux chiens, et leur transmit ses ordres :

— Personne ne doit nous soupçonner ne fût-ce qu'une seule seconde !

Hamo fut le premier à entendre dire que les deux hommes de Sempad en voulaient à ses jours. Comme il les rencontrait quotidiennement et « par hasard », ils lui étaient devenus si familiers qu'il les connaissait même par leur nom. Léo et Ruben avaient tenté d'embaucher des Assassins au bazar et dans toutes les tavernes et ceux-ci en avaient immédiatement informé Agha. Le nom de la victime n'avait certes pas été prononcé, mais la description de la cible et celle de son cheminement quotidien, de l'auberge au château en passant par le bazar, ne laissait aucun doute, c'est bien du comte qu'il s'agissait. Il était prévenu, mais n'en laissa rien voir.

Le roi fut le deuxième à avoir vent du plan ourdi par le connétable. Ses hommes, parmi lesquels se trouvaient aussi les gardiens de la prison, lui firent savoir que les Assassins refuseraient d'accepter cette mission meurtrière, même en leur offrant trois fois plus, on ne pourrait pas les recruter.

— Splendide ! fit le roi, moqueur. Les projets que tu as pour le comte d'Otrante sont déjà l'objet des ragots du bazar !

Sempad devint cramoisi.

— Mais voilà, personne ne t'a encore raconté que le chancelier des Assassins de Masyaf a bercé le comte sur ses genoux lorsqu'il était gamin !

— Vous devriez vous fier à moi, Majesté ! laissa échapper le connétable en grinçant des dents.

Sempad voulut sortir de la pièce aussi vite que possible, mais le roi lui cria :

— Il n'en est pas question ! Dès que l'escorte mongole que j'ai réclamée pour justifier les reports successifs de notre voyage sera arrivée à Sis, nous partirons. Peut-être auras-tu encore, en chemin, l'une de tes idées géniales !

Sempad se rendit à l'auberge avec ses deux gardes du corps et se fit annoncer chez Hamo.

— Mes fidèles serviteurs, expliqua-t-il au comte, ont appris que les Assassins en voulaient à votre vie. Soyez sur vos gardes ! Léo et Ruben vous protégeront, ils suivront le moindre de vos déplacements.

Après que le connétable eut exprimé son inquiétude « loyale », il prit un ton léger, comme s'il voulait papoter un peu.

— Le roi vous invite demain à la chasse au cerf que nous donnons chaque année pour les ambassadeurs. Emmenez votre escorte avec vous, du moins tant que nous n'aurons pas quitté la ville. Dans les forêts, vous n'aurez rien à craindre. Je viendrai vous chercher moi-même, et je rejoindrai la chasse avec vous.

— C'est très aimable de votre part, connétable, mais poursuivre le gibier n'est pas l'une de mes activités préférées, et c'est dans la ville que je me sens le plus en sécurité, d'autant plus que je cours des risques dont vous m'avez vous-même averti, ce dont je vous suis reconnaissant.

— Les Assassins, on en parle beaucoup, répondit Sempad en riant, mais je n'en ai encore jamais vu à Sis. Chaque fois qu'un meurtre a lieu quelque part, on dit tout de suite que ce sont les Assassins ! Ne décevez donc pas le roi en déclinant son invitation !

Hamo ne voulait pas froisser son hôte. Il finit donc par hocher la tête.

— Informez le roi que j'accepte son invitation avec joie et que je bous d'impatience à l'idée de parcourir la verte forêt pour capturer enfin un cerf à douze cors.

Il n'eut pas à achever son éloge, Sempad et ses deux ombres étaient déjà partis. Hamo s'adressa à Agha :

— Demain, ne quittez pas ces deux canailles des yeux ! Il est certain qu'au début on voudra vous avoir comme alibi, mais ensuite, ils essaieront de nous séparer !

— Au contraire, je vous collerai à la peau comme une tique ! répondit Agha en souriant finement. Il n'y a pas d'Assassins ici !

Le lendemain matin, le connétable apparut aux premières lueurs du soleil avec son équipage, botté, les éperons aux talons. Hamo avait lui aussi rassemblé son escorte. Les deux groupes sortirent ensemble de la ville.

Les deux chasseurs de Sempad, Léo et Ruben, étaient armés jusqu'aux dents : chacun d'entre eux portait, en plus de son poignard, de son stylet et de son épée, un faisceau de pointes à lancer.

Hamo les observa, amusé, lorsqu'ils le rejoignirent.

— Vous ressemblez plus à des tueurs de cochons qu'à des chasseurs de cerf, dit-il en plaisantant.

Les deux hommes ricanèrent stupidement et ne répondirent pas.

Ils quittèrent la route et entrèrent par des sentiers de berger dans les forêts profondes de la montagne. C'était un charmant matin de printemps ; l'air ensoleillé, le bourdonnement des abeilles et le gazouillis des oiseaux ne s'accordaient pas du tout avec les sombres pensées de certains des participants. Agha et les Assassins, sur les dents, ne parvenaient pas non plus à se donner l'air joyeux, même si Hamo leur avait affirmé qu'il n'avait aucune crainte. Bien sûr, on connaissait l'ennemi, mais où et quand allait-il frapper ? Le jeune comte n'était pas un vieux combattant expérimenté, doté de la malice du renard et du flair du loup au point qu'aucun piège ne

puisse plus lui faire courir de risque. Il était certain
que la première chose que tenterait le connétable
serait de séparer Hamo de son escorte. Dans ce cas,
on avait prévu qu'Agha et deux hommes qu'il avait
désignés colleraient aux talons des deux chasseurs
de Sempad, car il était aussi évident que Léo et
Ruben avaient été chargés de l'assassinat.

La chasse avançait dans la forêt. Les oiseaux se
dispersaient à leur passage, et le petit gibier disparaissait dans les fourrés. Ici et là, on plaisantait
joyeusement, des rires mugissants retentissaient.
Mais on s'épiait, et l'on guettait les failles de la victime, pour y enfoncer l'acier meurtrier. Il n'était plus
question de rencontrer le roi Hethoum.

Sempad s'arrêta près d'une clairière et laissa les
chasseurs attendre tranquillement à l'ombre des
arbres. De sa main gantée, il désigna un cerf qui sortait tout juste du bois comme si on l'avait poussé
dans la clairière, où il stoppa sa course, affolé. « Il
est à vous, valeureux comte Hamo », fit Sempad
entre ses dents. Le connétable avait manifestement
du mal à brider son envie de chasser, même si le
gibier qu'il comptait poursuivre n'était pas le même.

Hamo ne s'était pas imaginé que son ennemi choi-
sirait un procédé aussi grossier. Il fit un signe à Agha
et lança à son hôte, d'une voix narquoise : « Soyez
remercié pour votre attention, vous pouvez lâcher
l'appât, maintenant ! » Puis il s'en alla en riant. Les
deux chasseurs lui emboîtèrent le pas, mais lorsque
Agha voulut les suivre, les hommes du connétable
attrapèrent les rênes de son cheval ; tout le reste de
l'escorte du comte fut elle aussi cernée. Pas un seul
mot ne fut prononcé, mais les épées sorties de leur
fourreau étaient suffisamment éloquentes. Si Hamo
l'Estrange ne revenait pas, eux non plus ne quitte-
raient pas la forêt en vie. Et si le comte réapparaissait, on expliquerait qu'il s'agissait d'un malentendu.
Les étrangers ne connaissaient pas les règles de la
chasse organisée par le connétable. Agha fit signe à
ses hommes de rester calmes et dociles. En combat

rapproché, au corps à corps, ils n'avaient pas grand-chose à craindre. Il était donc important de rester près de l'ennemi.

Lorsque Hamo surgit du feuillage, le cerf rentra dans le bois. Hamo se précipita derrière lui, après s'être assuré que Léo et Ruben le suivaient bien. Ils n'oseraient pas l'attaquer ouvertement : il avait ses flèches, son arc, son épée et une lance. Ils attendraient qu'il soit descendu de cheval, et s'il ne s'était pas trompé, ils le feraient au plus tard lorsqu'il aurait tué le cerf. Il allait leur offrir ce plaisir. Il allait l'abattre, ce gibier — et ses deux poursuivants avec. L'animal filait à grands bonds dans la forêt, et Hamo poussa son cheval, un étalon arabe. Il avait d'abord refusé avec indignation le cadeau du Hafside. Mais il remerciait le Pénicrate, à présent, de n'avoir eu aucun scrupule et d'avoir accepté le présent du marchand d'esclaves.

Loin derrière lui, Hamo vit les deux sbires, qui avaient bien du mal à le suivre. C'est le cerf qui dictait l'allure. Hamo riait. Devant lui, la forêt s'ouvrit sur une ravine ; au fond, dans un bruit de tonnerre, un torrent cherchait son chemin dans la roche. L'animal hésita, mais lorsque son poursuivant approcha, il sauta. La pente, de l'autre côté, était trop raide, il suivit donc l'eau vers l'aval en bondissant d'une pierre à l'autre. Hamo parvint à le dépasser au fond de la ravine. Il sauta de cheval, tendit son arc et attendit que le cerf se présente face à lui. Sa flèche atteignit l'animal dans le cou, mais ne le tua pas. Sautant furieusement dans l'eau, il tenta d'échapper à son chasseur, mais la roche s'arrêta brusquement devant ses sabots. Une chute d'eau se précipitait dans les profondeurs, et le cerf se coucha pour mourir. Hamo l'avait suivi, à couvert des arbres. Il avait totalement oublié ses deux poursuivants. Lorsque les pattes de l'animal fléchirent, il ne ressentait plus que le plaisir sauvage du chasseur devant sa proie. Il tira son poignard et se laissa glisser dans le lit du fleuve en se tenant à une jeune branche. Hamo savait qu'il devait donner à la bête le coup de grâce pour se sentir vainqueur. Il approcha de sa proie et attrapa sa ramure pour lui plonger sa lame dans la nuque. L'animal blessé se cabra une fois encore et poussa de toutes ses forces l'homme qui l'avait atteint. Hamo sauta en arrière, glissa et manqua dévaler la roche. Son poignard lui échappa. Lorsqu'il releva les yeux, il vit l'animal prêt à frapper. Mais un tremblement parcourut son corps et sa tête tomba sur le côté, toute molle. C'est alors que Hamo remarqua la lance qui s'était plantée dans le flanc de l'animal, à l'endroit précis où il avait voulu se pencher pour lui porter le coup de grâce. Il n'eut pas le temps d'y réfléchir, une deuxième lance vola vers lui. Il leva les yeux et aperçut, au-dessus de lui, les deux chasseurs de Sempad, dont l'un prenait déjà son élan pour le prochain coup. Hamo n'avait pas eu beaucoup de temps pour évaluer la hauteur de la chute d'eau, mais il se rappelait bien le bassin que l'eau avait creusé en bas, dans le roc. Il vit la troisième lance arriver vers lui, mais ne put éviter sa pointe. Le coup le jeta de dos vers le vide et le précipita dans la chute d'eau. Il parvint à voir un nouveau projectile filer au-dessus de lui. C'était un plongeur expérimenté, il parvint à s'orienter pendant sa chute, et se laissa glisser comme une truite dans l'eau bleue et sombre du bassin. Ses poursuivants prirent son saut extraordinaire pour une chute mortelle et coururent au bord de la falaise, triomphants. Ils attendirent patiemment de voir si son corps allait réapparaître à la surface, le dos brisé, les membres broyés. Mais ils virent que l'eau quittait ensuite le bassin de la cascade pour redescendre en bouillonnant vers la vallée. Ils se tranquillisèrent donc : il était inconcevable que Hamo ait pu se sauver à la nage en se faufilant à travers les rochers qui, sous les pieds des chasseurs, constituaient une grotte voilée par le rideau de perles de la cascade. De toute façon, ils ne savaient même pas nager. Ils attrapèrent le cheval de Hamo et regagnèrent la vallée en passant entre les arbres, au-dessus du fleuve, sans cesser de chercher du regard le cadavre du comte, qu'ils espéraient découvrir à un moment ou à un autre entre les roches de la rivière. Ils se mirent ensuite d'accord pour affirmer qu'il s'était noyé, et revinrent vers leur seigneur et maître pour le lui annoncer.

Le connétable attendait dans la forêt. Ses hommes tenaient nonchalamment en respect l'escorte du comte, qui se montrait d'une lâcheté lamentable. Chacun de ces condamnés à mort s'était rapproché de son bourreau pour l'implorer en silence. Il ne s'en serait pas fallu de beaucoup pour que ces pleutres de Sarrasins les prennent dans leurs bras avant de recevoir le coup mortel qu'ils avaient mérité. C'est en tout cas l'impression qu'ils donnaient au connétable. Mais celui-ci voulait attendre que Léo et Ruben lui aient rapporté la tête du comte, c'était le signe convenu pour déclencher le massacre.

Or les deux chasseurs ne revenaient pas : c'est une troupe du roi qui apparut et ordonna au connétable de rentrer immédiatement à Sis. Il dut donc abandonner la dernière partie du plan. Sempad se consola en se disant qu'on pourrait toujours vendre comme esclaves les serviteurs de Hamo l'Estrange.

Lorsque l'équipage eut repris la route de Sis, Léo et Ruben le rejoignirent. Ils se lamentaient : en poursuivant le cerf, le comte avait fait preuve d'une témérité et d'une légèreté d'esprit incroyables ; il avait été précipité dans une ravine et s'était noyé dans les eaux glacées. Le lac profond qui se situait sous la chute n'avait pas rendu le corps du jeune comte.

Messire Sempad prit une mine profondément affligée et demanda à ses hommes de cesser leurs plaisanteries, qui avaient repris depuis leur départ. Agha, lui, avait été effrayé en voyant les deux hommes revenir seuls. Mais lorsqu'il entendit leur récit, ses yeux se mirent à briller. Il aurait volontiers éclaté de rire.

Arrivés dans la capitale, les Assassins rentrèrent

immédiatement dans leur quartier. Ils y trouvèrent Hamo trempé, une blessure sanguinolente à l'épaule. Il n'échangea que quelques mots avec Agha et se rendit tout droit au château, sans chercher à masquer sa blessure.

Sempad avait chargé ses deux chasseurs de faire leur rapport au roi, qui s'était montré consterné. Puis il les avait renvoyés, car il n'était pas si satisfait que cela de leur prouesse. Un meurtre sans cadavre ce n'était pas satisfaisant.

— Ils auraient dû retrouver le corps, d'autant plus qu'on aurait pu le montrer en toute quiétude : pas la moindre trace de blessure mortelle — *aquis submersus !* On ne peut rien souhaiter de mieux !

C'étaient les mots du roi, et il avait raison. Sempad s'abstint donc de répondre.

— Quoi qu'il en soit, nous sommes débarrassés de cet individu gênant. Et puis cela tombe bien, la délégation des Mongols est arrivée pour nous escorter jusqu'à Karakorom. Je vais la recevoir immédiatement. Tu devrais te changer, dit Hethoum en jetant un regard désapprobateur sur la tenue de chasse de son frère.

Sempad se retira dans ses appartements pour délibérer avec ses chasseurs ; il se demandait encore s'il ne fallait pas, tout de même, retourner sur les lieux le lendemain avec un nombre d'hommes suffisant pour retrouver le corps du comte.

Le connétable, énervé, appela ses deux sbires, mais ils ne répondirent pas. Il ouvrit la porte de sa chambre à coucher. Son regard s'arrêta alors sur un petit pain brun que l'on avait posé bien en évidence sur sa couverture. Sempad sentit un frisson lui parcourir le dos. Il n'eut même pas besoin de le toucher pour savoir qu'il était encore chaud. Il le fit tout de même, et lorsqu'il se baissa pour le prendre dans la main, quelque chose lui coula sur la nuque. Il leva le regard, effrayé, sur le montant du baldaquin, et découvrit, droit devant lui, les yeux crevés de Léo. La tête de Ruben était plantée sur l'autre bois. Son sang frais coulait sur le lit.

« Les Assassins ! » hurla le connétable, et il repartit aussi vite que possible dans la salle d'audience du roi. Il repoussa les gardes et ouvrit la porte d'un seul coup pour exprimer sa fureur à son frère, le roi, sans faire grand cas de leurs invités. Mais le cri — un mélange d'angoisse et de rage — lui resta coincé dans la gorge.

Hethoum n'accorda pas la moindre attention à son connétable. Il était assis sur son trône, et Sempad constata avec stupéfaction que la délégation mongole tout entière s'était prosternée, non pas devant le roi, mais devant Hamo l'Estrange. Le jeune comte d'Otrante était là, les vêtements trempés. Ses chausses étaient déchirées, sa chemise lui collait à la poitrine, une manche défaite sur toute sa longueur laissait apercevoir le sang qui coulait encore d'une blessure superficielle en haut du bras. Sous la chemise grande ouverte, on voyait une amulette, un simple porte-bonheur oriental, taillée dans du jade vert pâle et accrochée par une lanière de cuir au cou de Hamo. C'est cela que regardait fixement le plus haut gradé parmi les Mongols — à en croire sa bannière, c'était un chef de brigade. Il chuchota, avec un respect profond : « Tu es un fils des Dschagetai, la lignée perdue ! Tu es *kungdaitschi*, le sang du Grand Forgeron coule en toi ! »

Hamo, tellement épuisé qu'il tenait encore à peine debout, dirigea son regard vers Hethoum comme pour s'excuser. Mais le roi, qui avait mauvaise conscience, était heureux que Hamo ne l'accuse pas de tentative de meurtre devant les Mongols. Il bondit de son trône, descendit vers Hamo et cria :

— Éternelle amitié avec les héritiers du grand Gengis Khan !

Il voulut serrer fraternellement dans ses bras son hôte indésirable. Mais Hamo ne l'entendait pas de cette oreille. Il recula et les bras de Hethoum se resserrèrent dans le vide. Hamo se pencha et releva le chef des Mongols avant de lui annoncer :

— Je vais partir avec vous pour le pays de mes pères.

Alors, les Mongols se levèrent tous et se mirent à crier d'enthousiasme : « Gengis Khan ! *Er-e boyda !* » Ils applaudirent jusqu'à ce que Hamo les arrête d'un geste impérieux.

— Vous serez mon escorte !

Il s'était ainsi habilement placé sous la protection des Mongols. La question de son statut ne se posait plus. Il allait partir pour Karakorom, annonça-t-il, et les Arméniens pouvaient l'y accompagner, le roi comme le connétable. Sempad grinça des dents, mais son frère lui adressa un regard de compassion qui finit de le décourager.

— Ne vous avais-je pas prié, connétable, dit Hethoum d'une voix mielleuse, de vous vêtir d'une tenue d'apparat pour recevoir nos amis ? Quelque chose s'y oppose-t-il ?

Et l'on congédia Sempad.

— Désormais, vous n'avez plus besoin de votre escorte, Hamo l'Estrange, dit le roi. Vous pouvez...

— Je l'emmènerai avec moi, rétorqua Hamo, jusqu'à ce que j'aie trouvé à la frontière du royaume de mon peuple un endroit où elle pourra attendre mon retour. Je pense que cela vous conviendra ?

Ce fut au tour de Hethoum de grincer des dents. Mais il se maîtrisa, sourit et murmura d'un ton mutin :

— Comme il vous plaira !

Puis ils se séparèrent afin de préparer le départ pour ce grand voyage.

Le pouvoir de l'intrigue

 Chronique de Guillaume de Rubrouck, Karakorom, pour la fête de saint Marc 1254.

Monseigneur Créan-Gosset avait surgi dans notre yourte, mine grave et lèvres pincées : une incarnation du reproche. Allah soit loué, le moine n'était pas présent, mais la double ou triple identité dudit seigneur ne lui aurait sans doute pas sauté aux yeux, car Créan se comportait effectivement comme s'il était mon confesseur, ou plus exactement mon ange tutélaire. Il n'avait même pas ôté son manteau de pluie, et m'exhortait déjà à ne pas oublier la tâche qui était la mienne à l'origine. Le Prieuré, me rappela-t-il, ne m'avait pas envoyé à Karakorom pour régler les problèmes internes de l'Église mongole. Je devais en revanche faire en sorte que les enfants (« les enfants » : c'est ainsi qu'il continuait à appeler Roç et Yeza !) reprennent au plus vite le chemin de l'Occident. Mon frère Barzo enfonça le même coin, oubliant soigneusement le fait que Créan, lorsqu'il parlait de « l'Occident », ne pensait pas du tout à l'Occitanie du Prieuré, mais à la Rose d'Alamut — laquelle, comme chacun sait, est située au cœur de l'Orient le plus profond. Tous deux m'implorèrent littéralement de réfléchir à la manière dont on pourrait enlever les enfants.

Je répondis d'une voix très basse et posée (car les yourtes ont des oreilles !) que cette entreprise irait de pair avec mon élection au titre de patriarche. Et tous deux s'exclamèrent d'une même voix : « Ah, ah ! » Ce qui signifiait à peu près : c'est ce que nous voyons !

Il me fallut donc leur présenter mon point de vue sans laisser la moindre part d'ombre.

— Si j'obtiens la fonction et le titre de patriarche, il sera inutile d'utiliser la ruse et les machinations : j'aurai aussi un siège et une voix au Conseil des Mongols, et je pourrai contribuer à décider du destin du couple royal. Il ne fait aucun doute que, de toute façon, on le mettra en route tôt ou tard en direction de l'Occident.

— C'est précisément la raison pour laquelle nous n'avons plus de temps à perdre, répondit Créan. Que le couple royal s'abatte sur le « Reste du Monde » à la tête des Mongols, ou qu'il y constitue le symbole de la résistance, de la couronne légitime d'Occitanie, voilà deux choses bien différentes ! Si cela peut entrer dans ton crâne étriqué de frère mineur...

— Tiens donc, fis-je, l'air malin, nous en venons au fait ! Il ne s'agit donc plus de ce qu'incarnent Roç et Yeza, mais de qui les mettra sur ce trône de feu, de qui leur pressera sur la tête cette couronne d'épines ! J'ai toujours pensé que le « grand projet » désignait un objectif, et non un chemin. Or cet objectif, nous savons tous que les Mongols sont la seule puissance capable de l'atteindre. Eux seuls sont capables de mettre en œuvre le « grand projet » !

— Il existe certainement toutes sortes de raisons, Guillaume de Rubrouck, expliqua Créan en contenant son impatience, pour lesquelles le Prieuré a jusqu'ici omis de t'appeler dans ses rangs. L'une d'entre elles pourrait être ta tête de mule flamande. Je m'épargnerai donc aussi la tentative absurde de te faire comprendre à quel point le chemin et l'objectif agissent l'un sur l'autre. Ta conception du « succès » peut suffire, gros finaud, à te hisser jusqu'à la fonction et la dignité de patriarche de la *Nova Ecclesia Mongalorum*. Mais le Prieuré se passera très certainement de recevoir le couple royal par ta grâce !

— Mais de mes mains, sûrement que si ! répondis-je, furieux de le voir aussi buté et arrogant.

Et Créan, à mon grand étonnement, répondit froidement :

— Mais bien entendu ! C'est ce que nous attendons de toi, cela et rien d'autre !

— Vous croyez donc qu'à l'instar du homard furieux, je vais découper à la dernière minute ce filet finement tissé qui me donne une fonction et une dignité tellement élevées que je vais être en mesure de mener les Mongols sinon dans le giron de notre *Ecclesia catolica*, seule source de la félicité, du moins dans la communauté des Églises chrétiennes ? Alors que cela nous permettra de transformer la *pax mongolica* en une *pax Christi*, d'instaurer une véritable paix mondiale, la grande réconciliation à l'issue de laquelle notre couple royal pourra aussi occuper sa place, c'est-à-dire le trône !

Ce sectaire invétéré me mettait en rage.

— Pourquoi devrais-je nous jeter, moi-même et les enfants, comme tu aimes à les appeler, dans une aventure grotesque dont l'issue est incertaine mais le déroulement sans aucun doute risqué ? Dans une entreprise irréfléchie et stupide qui témoigne d'un mépris humain monstrueux !

— Nous ne te demandons pas de porter un jugement sur les mesures qui ont été prises, Guillaume de Rubrouck. Nous te demandons de remplir une mission. Tu ne crois tout de même pas sérieusement que le Prieuré a imposé ton envoi comme légat...

— ... comme missionnaire !... m'exclamai-je.

Mais il fit un geste de dénégation impérieux et reprit :

— ... a imposé au pape et au roi ton envoi comme légat pour que tu succombes ici, dans la steppe, à une crise de mégalomanie due à une mitre volée et à un excès de kumiz ! La mission qui t'a été confiée n'a pas changé. Tu as été victime d'un obscurcissement mental dangereux et absurde, Guillaume ! s'exclama Créan pour conclure son sermon.

Mon Barzo, ce faux frère, en rajouta un peu :

— Une crosse d'évêque en or et du lait de jument fermenté !

Ils voulurent me laisser sur ces mots, comme un pauvre fou isolé dans sa yourte, mais je parvins à leur crier dans le dos :

— Si mon cerveau est embrumé, alors mieux vaut que vous vous torturiez tout seuls les méninges pour déterminer comment vous comptez mettre en œuvre vos plans démentiels. Pour ce qui me concerne, ma personne étriquée, comme vous dites, ne discerne pas la moindre possibilité !

Ils sont partis. Ils feraient tout pour m'imposer leur volonté, j'en étais bien conscient. Le Prieuré n'était pas habitué à ce que l'on résiste à ses ordres. Même si je l'avais voulu, je ne voyais effectivement aucun moyen d'enlever les enfants de Karakorom. D'ailleurs, ce n'étaient plus des enfants, et je doutais beaucoup que Roç et Yeza aient la volonté de quitter les Mongols si ceux-ci ne le désiraient pas. Je m'étonnai aussi que le Prieuré ait donné à Créan et à Barzo le pouvoir de prendre à sa place pareilles décisions. En l'espace de quatre ou cinq semaines, des transformations de portée mondiale et historique allaient se produire ici. Face à cela, des lubies aussi égoïstes que la volonté de « déterminer le chemin à prendre » (ainsi que les chaussures et la canne, qu'il s'agisse de sandales ou de bottes, du bâton de mendiant, de la crosse d'évêque ou du sceptre de patriarche !) devaient s'effacer et pâlir !

Une fois proclamée la naissance de l'Église officielle des Mongols, Roç et Yeza, devenus de véritables rois de la paix, seraient portés en triomphe en direction de l'Occident. Et ces aveugles ne le voyaient pas, ne discernaient pas cette chance unique ! Je ne devais surtout pas les laisser m'intimider, même s'ils continuaient à m'accuser de vanité grotesque et d'orgueil imbécile. Mon objectif était à portée de main. Ils étaient aveugles, forcément aveugles. Je ne voulais pas quitter le chemin par leur faute — et surtout pas trébucher, voire marcher sur le seuil !

L.S.

 De la chronique secrète de Roç Trencavel, Karakorom, première décade de mai 1254.

Ma reine Yezabel et moi-même nous sommes rendus avec Guillaume dans la yourte-ferronnerie de maître

Buchier. Madame Ingolinde de Metz était présente, elle aussi, et Guillaume fit comme si elle n'avait jamais été sa putain attitrée. Il l'appelait « Madame Pacha » chaque fois qu'il lui adressait la parole. Elle tient le foyer de l'orfèvre et regarde constamment le moine de travers, comme si elle ne trouvait pas ça drôle du tout. Maître Buchier semble ne rien remarquer. Il discute avec Guillaume du projet de cathédrale transportable en fer, en argent et en or. Comme pour l'arbre à boire, il a déjà réalisé à cette fin une maquette de bois peint en couleurs, bien entendu beaucoup plus petite, « à l'échelle », comme il dit. Chaque morceau de mur porteur, de pilier ou d'arc mesure exactement un dixième de la taille prévue. Mais même ainsi, l'édifice est beaucoup plus haut que l'arbre à boire. Ce qui pose problème, c'est l'accrochage des différents éléments, dont chacun ne peut être ni plus long, ni plus lourd que ce que peut tirer la charrette la plus puissante, attelée à vingt-quatre bœufs.

J'étais assis avec ma *damna* dans la grotte, la partie inférieure de l'arbre à boire, là où ses racines et l'arrière-train des lions forment une caverne dans laquelle un homme peut se cacher. Le maître avait commencé par faire cuire un modèle en argile de cette petite grotte, dont il avait ensuite fait une forme moulée. La caverne était notre lieu préféré. Le matériau la réchauffait, et nous y étions étroitement serrés l'un contre l'autre. Comme deux petits écureuils, nous pouvions tout voir et tout entendre lorsque nous sortions la tête, et disparaître de nouveau en un éclair si nous voulions ne pas être vus. Nous suivions attentivement la discussion, et lorsque je voulais parler, j'attirais l'attention en sifflant, sans quitter ma cachette.

— Les longs piliers devraient eux-mêmes former les timons, et les parties démontées de la cathédrale, la charrette.

Le maître jugea qu'il s'agissait d'une idée géniale, et Yeza estima que l'on pourrait même donner aux roues une si belle forme que, suspendues entre les arcs, elles puissent avoir l'aspect de rosettes. Guillaume était stupéfait qu'une idée aussi pratique nous soit venue à l'esprit. Ma reine se leva et annonça, d'une voix posée :

— La forme doit se conformer aux possibilités de construction, et celles-ci se plier à une exigence : l'ensemble doit être démontable et transportable !

— Le monde n'aura encore jamais vu pareille église ! fit le maître avec enthousiasme.

Madame Ingolinde apporta très modestement sa contribution : puisque tout était taillé dans un métal tellement lourd, les murs et les fenêtres pourraient être tendus de tissus de couleurs avec de jolies représentations des saints et des anges. Sur quoi ma *damna* s'exclama :

— Et le Saint-Esprit planera sous forme d'un gigantesque pigeon au-dessus de l'autel, semblable à un aigle surgissant du ciel éternellement bleu : voilà qui réjouira les Mongols ! Avec un rameau d'olivier dans le bec, une croix rouge sang sur sa blanche poitrine et dans ses serres une sphère qui représentera le monde !

— Tailler ces bandes de tissu aux mesures précises, les coudre et les broder sera l'affaire des femmes. Mais mon bon génie à moi, Ingolinde, m'a donné une idée excellente. Il faudrait appliquer le principe de construction de la yourte à la cathédrale : un cadre aussi léger que possible, et tendu de tissu.

Je sortis alors de la grotte pour soulever une objection :

— Avec les vents qui soufflent dans la steppe, pareille structure offrirait beaucoup trop de résistance ! La cathédrale s'envolera, et si elle n'est pas emportée par la tempête, c'est que la structure de fer sera trop lourde. Il me semble que l'on ne devrait tendre de tissu que dans la partie inférieure, au-dessus de la salle basse qui abritera les croyants et les invitera à la méditation, pour que les coups de vent puissent passer sur la yourte sans conséquences.

À cet instant, Créan, suivi de Barzo, entra dans la forge. Le sire de Bourivan, que nous devions appeler « monseigneur » Gosset, nous découvrit avant que nous ayons pu disparaître. Il avait sans doute entendu ma dernière phrase, car il s'exclama aussitôt d'une voix moqueuse :

— Ainsi, le couple royal se cache dans une yourte mongole jusqu'à ce que les tempêtes se soient éloignées, au lieu de se livrer à son destin !

Yeza répliqua du tac au tac :

— Nous ne répondrons pas à vos provocations, monseigneur. Et notre destin n'est certainement pas de revenir à Alamut !

— Nous ne nous laisserons pas non plus chasser de

la tente des Mongols, qui sont nos amis et qui nous accordent une hospitalité dont Yeza et moi-même leur sommes reconnaissants. Épargnez-vous donc toute tentative de nous persuader du contraire !

— *Apage, Satanas !* lança ma délicieuse *damna* au tentateur.

Elle me tendit la main d'un air qui ne tolérait pas de réplique : « Viens, Roç, nous partons ! »

Et, sans accorder un regard de plus à Créan, nous nous glissâmes hors de notre grotte et quittâmes la yourte, main dans la main.

L.S.

Créan sourit finement de son échec et envoya Barzo courir après les enfants pour tenter sa chance à son tour. Maître Buchier et sa bonne Ingolinde étaient très impressionnés par le départ irrévérencieux des enfants et tentèrent d'en effacer le souvenir.

— Les mots du petit roi témoignent d'une grande intelligence, dit-il. La forme de la construction doit tenir compte des forces de la nature, en cas de neige, de pluie et de vent. J'ai toujours dit, fit-il en s'adressant à Guillaume, que je vous construirai une maison de Dieu unique en son genre. Mais qu'il est triste que ces deux adolescents royaux soient destinés à porter la couronne des souverains, et qu'ils ne puissent développer leurs talents uniques d'ingénieurs, d'architectes et de créateurs d'œuvres prodigieuses ! Grâce à leurs idées, le grand khan, avec ses moyens financiers et humains gigantesques, pourrait couvrir ses steppes, ses déserts et ses montagnes d'œuvres dont l'Occident ne peut que rêver — s'il réveillait l'imagination qui sommeille en Roç et Yeza, héritage d'un monde peuplé de merveilles et de mythes, et depuis longtemps disparu.

Maître Buchier était devenu très lyrique. Guillaume l'encouragea sur cette voie :

— Ah, maître, pourquoi la couronne les empêcherait-elle de mener tout cela à bien ? Le règne est une promesse incertaine. Ils travailleraient volontiers avec vous pour créer ces splendeurs. Roç et Yeza, ajouta-t-il, restent chez vous jusqu'à ce qu'ils sachent où il leur faudra aller. Ils peuvent utiliser tout ce temps pour...

Mais Créan lui coupa brutalement la parole :

— Ne te mets pas dans ton tort, Guillaume de Rubrouck, en soutenant pareille fantasmagorie. Le destin des enfants ne s'accomplira pas dans une yourte mongole. Garde-toi de tomber sous le glaive du destin, puisque tu ne veux pas lui prêter ta main. La puissance céleste ne tolérera certainement pas que tu places tes pitoyables ambitions au-dessus du destin du couple royal !

— Ah ! fit Guillaume, moqueur. Voilà que le long bras du Prieuré se considère déjà comme un pouvoir céleste !

— Le Prieuré saura t'écarter par des moyens terrestres si tu persistes. Même ici, tu es entouré par le Prieuré...

Le franciscain, stupéfait, regarda Ingolinde et le maître. Ni l'un ni l'autre ne baissèrent le regard, ils hochèrent la tête, tout disposés à admettre qu'ils étaient eux aussi au service de cette conjuration mondiale.

Guillaume n'en revenait pas. C'était exact, Buchier avait déjà placé une fois son savoir-faire artisanal aux services du Prieuré en permettant la fuite de Roç et Yeza à destination d'Alamut. Il se le rappelait, maintenant. Mais Ingolinde, sa putain ? Comme on se fait des illusions ! La société secrète des gardiens du Graal le tenait de nouveau dans ses serres !

— Et quelle est ton idée ? demanda Guillaume, toujours fermement résolu à ne pas se laisser mettre en laisse. Comment puis-je contribuer à la mise en œuvre de vos projets ?

Créan avait une réponse toute prête :

— Guillaume de Rubrouck, prince de l'Église *in pectore*, va se rendre insupportable à la cour. Dans le même temps, les enfants doivent disparaître. Mettre cela en œuvre ne sera pas ton travail. Mais une fois que Guillaume aura été déchu et chassé du pays, il devra faire sortir Roç et Yeza avec lui, clandestinement.

— Rien n'est plus facile ! fit Guillaume, moqueur. Le plan est littéralement génial dans sa simplicité. Mais vous avez fait votre compte sans l'hôte — et sans les enfants. Vous avez bien entendu dire qu'ils ne sont nullement désireux de...

— Laisse-nous régler ce problème. Fais seulement ce qu'il te revient de faire.

Le chef de la conjuration mit un terme à sa conférence à demi-mot : à la porte de la forge apparurent deux Mongols en qui le franciscain reconnut des hommes du Bulgai. Ils ordonnèrent à monseigneur Gosset de se présenter pour un interrogatoire. Oh certes, ils appelèrent cela une « demande d'entretien », et celui qui l'émettait n'était pas le grand juge mais Dschuveni, le chambellan. Il n'empêchait...

Guillaume en fut plus effrayé que Créan, qui suivit les hommes sans broncher. En réalité, le moine aurait dû ressentir une sorte de malin plaisir, mais comme il s'agissait de son confesseur, il envisagea avec inquiétude les conséquences que cela pourrait avoir pour lui. On les avait certainement espionnés. À moins que Buchier ou la putain n'aient en réalité travaillé pour les Services secrets. Mais lui, Guillaume, n'avait rien à se reprocher. Si l'on avait rapporté leur projet d'évasion, ses mots à lui prouvaient en tout cas qu'il avait refusé d'entrer dans le complot. Rien de ce qu'il avait dit ne pouvait être retourné contre lui. Le franciscain quitta la yourte de l'orfèvre immédiatement après le malheureux Créan. Ses adieux à Buchier et à sa putain furent assez brefs.

Le chambellan attendait Créan dans sa propre yourte, située juste à côté de celle de son maître Hulagu. Pour la durée de son séjour, le Il-Khan était l'invité de son frère Möngke au palais, devant les portes de la ville. Le logement de Dschuveni était d'une sobriété monacale. Au tapis de prière déroulé, Créan reconnut immédiatement un musulman. Le

chambellan reçut « Monseigneur » sans grande cérémonie.

— *Allahu Akbar*, fit-il pour le saluer. Je pars du
principe que vous savez aussi honorer Dieu comme
nous le prescrit l'enseignement du Prophète.

Puis il s'agenouilla de nouveau pour faire sa prière
en direction de La Mecque. Créan l'imita sans dire
un mot. Il aurait été absurde, dans ces circonstances,
de nier son appartenance à l'islam. Lorsqu'ils se
furent inclinés, Dschuveni enroula de nouveau son
tapis et celui de son invité. Mais il resta assis et fit
servir du thé.

— Le fait qu'un musulman voyage au sein de
l'ambassade du roi prouve qu'il s'agit d'une personnalité et que sa mission n'a sans doute pas grand-
chose à voir avec la volonté d'inculquer aux Mongols
le christianisme de l'Église romaine...

Il attendit une réponse de Créan, mais celui-ci
resta sur ses gardes. Le chambellan continua donc :

— Il ne peut donc pas s'agir d'une escorte d'honneur pour Guillaume de Rubrouck, mais d'une autre
mission secrète. Si j'écarte la possibilité que vous
soyez un Assassin camouflé désireux de tuer notre
grand khan, c'est le couple royal qui est le motif de
votre voyage.

Créan persista dans son impénétrable silence.

— Pas de réponse, c'est aussi une réponse, dit
Dschuveni en souriant.

Et il servit lui-même à son hôte du thé brûlant
sorti d'une verseuse en laiton. Il y ajouta quelques
feuilles de menthe fraîche et quelques gouttes de
miel avant de remuer, l'air pensif.

— Comme Roç et Yeza sont bien installés chez
nous, le but de votre visite ne peut être que de les
enlever d'ici.

Créan se tut, et Dschuveni soupira.

— Maintenant que j'ai ôté les voiles qui cachaient
vos objectifs comme les pétales d'une rose, je vais en
faire autant pour moi, annonça-t-il, presque amusé.
Le problème de mon seigneur, Hulagu, est le fait que

son frère Möngke lui a promis le Il-khanat de Perse, mais hésite à y envoyer l'armée. Je peux comprendre le grand khan : d'une part, il y a la loi naturelle qui contraint à maintenir une armée en mouvement en la faisant aller de conquête en conquête. D'autre part, il y a une réalité politique : n'importe quelle autre expansion, arrivée à son terme, débouche nécessairement sur la formation de khanats fragmentés, qui, à un moment ou à un autre, prendront tout aussi nécessairement leur indépendance à l'égard du pouvoir central...

— Exact, fit Créan, en brisant enfin le silence. Batou-Khan et sa Horde d'Or sont un exemple redoutable de ce que peuvent provoquer ces forces, une fois qu'on les a déchaînées...

— Exactement ! confirma le chambellan. Mais mon maître Hulagu souhaite lui aussi disposer d'un khanat de ce type. Sous l'autorité du grand khan, mais suffisamment éloigné pour pouvoir gouverner sans être dérangé un royaume comme la Perse.

— Et qu'est-ce qui en empêche le puissant seigneur Hulagu ?

— Les menées de Guillaume de Rubrouck pourraient le gêner, finit par avouer le chambellan. Une Église d'État chrétienne pour les Mongols pourrait rencontrer un consensus général et unifier l'empire, voire, à l'aide de ses prêtres, le dominer jusque dans le dernier de ses recoins. Si on les unit en plus avec les autres Églises chrétiennes, où pourra-t-on encore annoncer la parole du Prophète ? L'intolérance chrétienne est réputée. J'ai entendu parler d'une institution que l'on nomme l'Inquisition...

— Et que l'on a bien raison de craindre, soupira Créan, pour autant que l'on ne se trouve pas de son côté. Mais sa rigueur implacable ne concerne pas les « païens », ni nous autres, adeptes du Prophète : elle frappe ceux qui sortent de ses propres rangs. Il y a un risque bien plus sérieux : ce brouet gluant qu'est l'amour chrétien de son prochain. Celui-là pourrait bien étouffer tout ce qui constitue aujourd'hui la force des Mongols...

— Entre autres la campagne de mon maître Hulagu !

Dschuveni hochait la tête avec ardeur, et Créan reprit :

— Il faut donc bloquer la fondation de la *Nova Ecclesia Mongalorum* en empêchant Guillaume d'accéder au siège de patriarche ?

— Exactement ! répondit le chambellan. Si le gros franciscain perd la faveur du grand khan et ne l'enivre plus avec ses idées, s'il cesse de lui faire croire à l'apparition d'églises géantes dans la steppe, Möngke oubliera rapidement son rôle de nouveau Dieu le Père, et en reviendra à ses os de mouton calcinés !

— Et comment comptez-vous chasser ce soudard du trône du patriarche ? demanda Créan, aux aguets.

Mais Dschuveni se contenta de hausser les épaules, désemparé.

— Je vais vous le dire, moi, répondit Créan. Vous n'y parviendrez pas avec la grande catapulte de la politique mondiale, mais en tirant de petites flèches pointues dans l'environnement quotidien du grand khan. Guillaume, fondateur d'Église, deviendra un trublion...

— ... il le deviendra forcément, confirma Dschuveni. Nous pourrions organiser une dispute comparative entre les religions, sous les yeux du grand khan. Soit Guillaume se ridiculisera jusqu'aux os...

— ... soit il triomphera et s'attirera la haine des idolâtres et des chamans. Ils lui creuseront sa tombe...

— ... ou bien ils ne le feront pas, objecta le chambellan, et il sera plus fortement ancré qu'auparavant dans la faveur du khagan !

— Alors, nous devrons utiliser d'autres moyens, répondit Créan d'un ton léger.

Dschuveni regarda son vis-à-vis, songeur, et scruta son visage grêlé de cicatrices et ses yeux tristes.

— On pourrait croire, monseigneur Gosset, que vous ne vous contentez pas d'avoir un penchant secret pour l'islam. On pourrait imaginer que vous êtes aussi un adepte de l'hérésie ismaélite propagée par cette maudite secte des Assassins.

— Lorsque les mots de la conviction ne suffisent pas, le poignard peut apporter une contribution efficace à la solution, fit Créan en s'inclinant profondément pour prendre congé.

Sur le chemin de la yourte de Guillaume, Créan rencontra Ingolinde Pacha, la femme à la vie dissolue. Elle lui rapporta que messire Guillaume Buchier, l'orfèvre, était subitement tombé gravement malade. Guillaume et Barzo n'étaient trouvables ni l'un, ni l'autre. Mais on avait déniché le moine arménien. Créan se proposa d'aller aussitôt visiter le malade, et suivit la jeune femme.

La maîtresse du cadet

La résidence du plus jeune frère du khan se trouvait dans la zone du palais située en dehors des murs de Karakorom. Le grand khan Möngke tenait à savoir qu'Ariqboga était près de lui : c'est à lui qu'il avait transmis le gouvernement du khanat central, c'est lui qu'il considérait comme son successeur. Mais proximité ne signifiait pas promiscuité. Il suffisait pour s'en convaincre d'observer les murs et les tours qui séparaient les deux édifices, et la porte gardée, le seul accès qui menât de la grande place à la résidence du prince héritier. Les invités officiels ne pouvaient emprunter que ce chemin. S'ils étaient menés auprès d'Ariqboga par les accès arrière, ceux des offices, les hommes du Bulgai communiqueraient aussitôt l'information ; cela permettrait de conclure à l'existence d'une conjuration. Roç et Yeza, pour lesquels Barzo avait demandé une audience, avaient été menés avec tous les honneurs auprès d'Ariqboga, car le prince héritier, lui aussi,

tenait beaucoup à pouvoir se mettre en bons termes
avec le couple royal.

Roç et Yeza voulaient en fait uniquement arracher
des informations sur ce qu'ils pourraient entreprendre pour Shirat, dont la libération leur tenait
d'autant plus à cœur que du temps s'était écoulé où
ils ne s'étaient nullement occupés du destin de leur
amie en esclavage. Ils étaient chez les Mongols
depuis deux ans déjà, Shirat depuis plus longtemps
encore, et même s'ils n'avaient pas relégué dans un
coin perdu de leur mémoire le destin de la princesse
mamelouk, qu'auraient-ils pu faire pour que Hamo
puisse de nouveau serrer sa petite femme dans ses
bras ? Elle s'était en outre accoutumée à la notion du
temps qui était celle des Mongols, lesquels aimaient
à ajourner les décisions importantes — de la même
manière que Möngke repoussait le départ de l'armée
qu'il avait promise à Hulagu pour soumettre la Perse
et peut-être encore le « Reste du Monde ». Mais cette
hésitation donna à son tour du courage à Ariqboga :
lui aurait volontiers profité de l'« invitation » lancée
par ce roi franc répondant au nom de Louis pour
aller porter secours aux chrétiens en Terre sainte.
Car bien que ses frères aînés, tous deux par intérêt
personnel non dissimulé, aient toujours repoussé ses
projets, Ariqboga puisait son espoir à des sources
insondables. Les enfants étaient l'une d'elles.

La salle d'audience du jeune khan n'avait rien de
pompeux. L'utilisation de bois au lieu de la pierre et
du marbre lui donnait une chaleur toute domestique. La place où il siégeait n'était pas non plus
surélevée jusqu'à devenir inapprochable, mais se
trouvait au centre d'une série de trois estrades en terrasse : on y trouvait bon nombre de couches confor-
tables qu'Ariqboga partageait avec ses épouses et ses
amis. Pour régler ses affaires gouvernementales, il se
rendait dans le palais limitrophe, celui de son frère,
si bien que sa propre résidence avait conservé son
caractère privé.

Avant qu'il n'entre dans la salle, on fouilla rapidement Barzo pour vérifier qu'il ne portait pas d'armes. Les gardiens s'en abstinrent en revanche avec le couple royal. Puis tous trois furent menés en haut des marches, et on les pria de prendre place à côté du khan, sur une banquette en fer à cheval. Depuis quelque temps déjà, Roç et Yeza ne faisaient plus appel à un interprète. Ils avaient acquis suffisamment de notions en mongol, et Barzo, lui aussi, savait s'exprimer dans cet idiome — même si c'était d'une manière très chaotique.

Au centre de la salle, en contrebas, un grand feu brillait sous une grille ; il chauffait en permanence une marmite de soupe. Les boissons froides, elles, se trouvaient près de l'entrée, dans des cruches et des coupes. Barzo réclama et obtint du vin rouge ; les enfants préférèrent du bouillon de viande.

Ariqboga n'entama pas la conversation en évaluant la situation à l'Ouest ou en précisant ce qu'il espérait de l'Occident, mais en demandant au couple royal de lui expliquer ses propres projets pour le « Reste du Monde », une fois que les Mongols en auraient pris possession.

À son grand étonnement, c'est Yeza qui prit la parole :

— Je suis étonnée, et mon seigneur et maître (elle désigna Roç, qui hocha la tête) l'est sûrement tout autant, du naturel avec lequel les Mongols parlent de la « possession » de l'Occident. Je ne dis pas « conquête », vous pouvez la réussir en peu de temps, dans un bain de sang et au prix de ravages épouvantables. Mais « possession » ? (Yeza regarda fixement le jeune khan.) Vous êtes jeunes, un peuple dans la fleur de l'âge, plein de force. Mais c'est une force purement guerrière, qui n'a jusqu'ici soumis que d'autres peuples nomades, vos semblables. Dans le « Reste du Monde », vous rencontrerez des gens qui sont installés depuis mille ans dans leurs royaumes. Je ne veux pas vous parler de la chevalerie ni de l'ordre des commerçants, des châteaux des ordres et des ports maritimes, de l'Église du pape et

La Couronne du Monde

de ses cardinaux, de leurs cathédrales dans les villes, de leurs abbayes dans le pays, des empereurs et des rois avec leurs palais, leurs palatinats et leurs fêtes. Je veux en revanche vous parler du royaume de l'intellect, un monde dans lequel règnent les grands esprits et l'esprit tout court. Ils enseignent dans les écoles et les universités, et leurs connaissances sur le monde sont conservées dans de grandes bibliothèques. Une légion d'étudiants, de *professores* et de moines qui, dans les collèges et les monastères paisibles, ne servent que l'esprit : c'est cela, le véritable Occident ! s'exclama Yeza, enflammée, et elle se dressa comme une prêtresse. Et c'est de cela que vous voulez « prendre possession » ?

Les femmes d'Ariqboga l'applaudirent. Yeza remarqua que Shirat avait été la première à battre des mains.

Ariqboga se retourna et s'adressa à ceux qui l'entouraient :

— Ainsi parle une reine ! C'est un grand bonheur qui nous est échu. Je remercie *tengri*, le seigneur éternel de la voûte céleste bleue, de m'avoir accordé la faveur d'entendre d'une bouche autorisée des paroles aussi belles et aussi grandes sur la partie du monde qui ne s'est pas encore soumise à notre pouvoir : le pays de l'Occident ! Et ce pays-là ne m'inspire que plus de convoitise, à présent !

Il dévisagea Yeza et Roç, rayonnant, comme s'il attendait qu'ils exaucent immédiatement son vœu et lui déposent aux pieds, avec leurs hommages, toute la partie occidentale de l'Europe.

Mais Roç éclata de rire au visage du jeune khan.

— Cela sonne déjà mieux ! s'exclama-t-il. Vous pouvez faire la cour à l'Occident comme on courtise une fiancée ; si vous la prenez comme esclave, vous ne serez certainement pas content d'elle !

Ayant prononcé ces paroles, il lança à Shirat un rapide regard qu'Ariqboga remarqua fort bien. La mamelouk réagit en secouant la tête, et Roç reprit, embarrassé :

— Il est vrai que l'Occident possède des armées qui pourraient vous affronter et des châteaux qui vous résisteraient. Mais il n'en a pas besoin pour vous vaincre. Si ses maîtres, l'empereur et les rois, sont avisés, ils ne vous résisteront pas, bien au contraire : ils vous recevront en invités. Si vous entrez dans ce pays, vous succomberez à sa magie. Vous ne serez plus des Mongols, votre force s'amollira comme les ailes d'un oiseau monté trop haut dans l'air léger de la voûte céleste. Vous ne vous débarrasserez plus des esprits dont a parlé la reine, vous oublierez la steppe, vous renierez vos dieux et même, pour finir, votre appartenance à la nation mongole ! C'est cela, le grand danger, et il augmentera au fur et à mesure que vous progresserez en Occident.

Quand Roç eut prononcé ces mots, personne ne riait plus, et Ariqboga se taisait, consterné. Le jeune khan laissa passer un certain temps avant de se reprendre et de répondre :

— Jusqu'ici, aucune puissance du monde ne nous a encore résisté. Qu'est-ce donc qui rend l'Occident invincible, si ce que vous dites est vrai, ô mon roi ?

— Jusqu'ici, vous n'êtes encore jamais entrés sur les terres des grands esprits. Je sais que personne ne peut vous empêcher de faire ce pas-là. Mais lorsque vous l'aurez accompli, rappelez-vous mes paroles.

— Voulez-vous dire que les Mongols ne peuvent achever victorieusement cette campagne ?

— J'ai dit cela, mais en ajoutant une condition, répondit Roç, prudemment. « Si le roi et l'empereur sont avisés. » Ils ne le sont pas, autrement, ce seraient eux, et non les Mongols, qui domineraient le monde. Ils se querellent, ils sont bien loin d'être unis comme vous l'êtes, sous le commandement d'un seul souverain. On peut aussi redouter qu'ils ne continuent à se diviser, mais qu'ils ne décident tout de même de vous résister. Alors, l'Occident sera réduit en cendres et les esprits seront chassés de leur royaume, aussi effrayés que des chauves-souris.

— Or même dans ce cas, fit Yeza en coupant la parole à Roç, vous pourrez sans doute remporter victoire sur victoire, mais vous ne vaincrez jamais l'Occident. Ses esprits lui survivront ; eux, vous ne pourrez pas les soumettre, parce que l'on ne peut pas soumettre les grands esprits. Au contraire : ils vous domineront, ils gouverneront chacun de vos actes.

— Vous nous déconseillez donc d'agir ?

— Nous vous recommandons seulement la prudence, ce qui ne veut pas dire la peur ou la lâcheté ! répondit Roç d'un air grave. Rapprochez-vous de l'Occident comme on avance la nuit, en pleine campagne. Faites la différence entre ceux que vous rencontrerez. Lorsque le grand khan me parle, c'est la voix des Mongols qui s'élève. Mais l'Occident, lui, ne parle pas d'une seule voix. Vous allez rencontrer des amis, des ennemis, et d'autres qui prétendront être vos amis et ne le seront pas. Vous serez forcés de chercher des alliés. Vous ne pouvez pas vous attendre à ce que tous les souverains vous fassent allégeance — ce ne sera certainement pas le cas du pape, ni celui de l'empereur. Quant aux rois qui se seront soumis, tous ne vous témoigneront pas de l'amitié.

— Mais le roi des Francs, celui qui nous a envoyé son prince-évêque, ce Guillaume de Rubrouck... ?

La vision du monde qu'avait Ariqboga avait été si fortement ébranlée qu'il avait accroché son dernier espoir au franciscain rondouillard. Barzo crut alors nécessaire de prononcer quelques mots :

— L'intention du roi Louis, roi de France sacré par Dieu, n'est certainement pas de faire allégeance à qui que ce soit. Même prisonnier et menacé de mort, il s'est refusé à le faire devant le sultan du Caire. Et pourtant, je vous conseillerais de chercher son amitié. (Barzo voyait la possibilité de tenter sa chance.) Et pour cela, vous devez utiliser Guillaume de Rubrouck. Vous pourriez le renvoyer avec une offre d'assistance, avant de vous précipiter dans une aventure incertaine en Occident. Si vous partiez, il faudrait le faire en étant certain que vous avez sur place un fidèle allié.

— Nous avons déjà le roi d'Arménie, éclata Ariqboga, et il nous a même fait allégeance !

Barzo sourit, l'air supérieur.

— Nous parlions des *grands* souverains, dit-il doucement, de ceux qui siègent au conseil des esprits et savent s'y faire entendre, ceux dont les mots comptent plus que leur force militaire. Il n'y en a pas beaucoup, de ceux-là.

— Il me semble, fit Yeza d'une voix forte, que vous devriez, sans armée, mais avec une délégation fastueuse correspondant à votre rang, entreprendre un voyage en Occident et vous convaincre vous-même, sur place, que tout ce que nous vous avons dit est exact, même si cela ne correspond pas à votre première impression. Nous, enfants du Graal, couple royal du royaume invisible, nous savons de quoi nous parlons. Nous ne sommes que des intermédiaires. Vous devez vous rendre compte vous-même de ce qui vous attend en Occident.

— Et comment me recevra-t-on ?

— Avec prudence ! répondit Roç. Que voulez-vous qu'on fasse d'autre ? Mais aussi avec amabilité et beaucoup de curiosité.

— Mais..., fit Ariqboga qui avait l'air passablement inquiet, je ne devrai faire allégeance à personne ?

— Non ! répliqua Yeza. Personne ne le demandera. À quoi bon, d'ailleurs ?

Ariqboga secoua la tête.

— Vous m'avez troublé l'esprit, avoua-t-il franchement. Laissez-moi seul, à présent ! Je dois réfléchir à tout cela.

Roç et Yeza se redressèrent et firent un signe à Barzo.

— J'aimerais vous reparler, dit Ariqboga en descendant les marches pour rejoindre Roç et Yeza, qui se trouvaient déjà au milieu de la salle. Je souhaite approfondir ces réflexions. Vous m'avez ouvert les yeux sur un autre monde. Je dois à présent affiner mes sens. Faites-moi vite l'honneur d'une nouvelle visite !

Il n'avait pas encore repris contenance, et raccompagna personnellement ses invités à la porte. Il ne s'en serait pas fallu de beaucoup pour qu'il s'incline en prenant congé de Roç et de Yeza.

De la chronique secrète de Roç Trencavel, Karakorom, deuxième décade du mois de mai 1254.

Nous sommes rentrés en ville à cheval, accompagnés de Barzo. Je le soupçonnais déjà depuis quelque temps de caresser les mêmes projets que Créan, à une petite différence près : lui ne tenait pas particulièrement à nous ramener à Alamut. Il voulait seulement nous éloigner des Mongols. Lorsque Yeza, comme on pouvait s'y attendre, annonça que nous devions absolument tenter quelque chose pour libérer Shirat, il s'opposa fermement à tout projet de ce type. Il redoutait sans doute que la situation ne se complique encore. Mais lorsqu'il eut compris que rien ne ferait dévier ma *damna*, avec son noble esprit, dans sa détermination à réunir le couple formé par Hamo et son épouse, le franciscain se lança tout d'un coup et fit des propositions parfaitement insensées, et même absurdes.

— Avez-vous remarqué à quel point les Mongols ont peur des esprits ? Vous devriez vous introduire dans le palais déguisés en chamans blancs, personne ne vous ferait obstacle, conseilla-t-il à Yeza.

Celle-ci lui lança un regard qui le pétrifia.

— Je ne pense pas que ce soient les Mongols qui m'ont comprise de travers, mais vous, messire Barzo, lorsque vous songez à des fantômes quand je parle du *spiritus Occidentis*. À force de jouer aux masques, vous ne saurez bientôt plus vous-même lequel de vos visages vous voulez vraiment présenter aux Mongols.

Le petit moine ricana. Il n'éprouvait pas le moindre sentiment de culpabilité.

— Mon apparence est soumise à des métamorphoses, mais mon cœur vous reste acquis. Vous êtes mes maîtres. Si vous voulez emmener avec nous la jeune comtesse d'Otrante, cette mission sera aussi la mienne.

— Qui a dit que nous voulions partir ? demanda aussitôt Yeza, suspicieuse. Créan doit s'extraire du cerveau l'idée de faire tourner en arrière la roue de notre histoire. Alamut est derrière nous ! La Rose est une partie de notre passé, pas notre futur, et surtout pas notre destinée.

— Quel est alors votre destin ? demanda Barzo, sans se laisser impressionner. Serait-ce par hasard de quitter le chemin prescrit par le « grand projet » pour cueillir une fleur fanée au bord de la route et la rapporter à Otrante ?

Je ne parvenais pas à me défaire de l'idée qu'il était en train de nous défier. Yeza tomba des deux pieds dans le piège.

— Nous ne pouvons pas nous laisser passer sur les épaules le manteau royal si nous cessons de prêter l'oreille à l'appel au secours d'une jeune femme et d'une mère, au seul prétexte que cela ne convient pas aux puissants de ce monde. Si les Mongols ne libèrent pas Shirat, injustement maintenue en esclavage, je ne veux pas non plus être intronisée par leur grâce. Que signifie la Couronne du Monde, si elle ne peut rien apporter de bon et si nos yeux se ferment devant l'injustice ?

Barzo me regarda en soupirant, comme s'il voulait dire : oh, ces femmes ! Mais je ne lui permis pas de faire ainsi appel à la solidarité masculine.

— Si vous voulez servir la reine, fis-je pour le remettre à sa place, alors échafaudez un plan rationnel pour libérer et ramener chez elle la comtesse d'Otrante. Et un plan qui ne prévoie pas l'irruption de fantômes en draps blancs !

Cela ne convenait pas au franciscain.

— Si vous voulez mon avis, me contredit-il d'une voix douce, il serait plus simple que vous commenciez par vous faire couronner. Ensuite, vous pourrez ordonner, du haut de votre dignité royale...

— Savez-vous... Non, vous ignorez, moine, quelles souffrances représente pour Shirat chaque jour de séparation supplémentaire ! rétorqua Yeza. Seuls peuvent parler ainsi les eunuques ou de pauvres vieux religieux qui ont banni l'amour de leur existence. Tenez-vous donc à l'écart de cette aventure. La libération des nobles dames est une mission réservée aux chevaliers, et je convoque le mien !

Ma reine me regarda, toute fière, et je ne pus que hocher la tête, contrit.

Barzo avait raison, naturellement : pour une joute, il faut deux chevaliers volontaires et animés par le même esprit, qui se soumettent aux règles. Ces règles, les Mongols ne les connaissaient même pas. Mais lorsque ma *damna* s'est mis quelque chose dans sa jolie tête brûlée, il ne reste plus qu'une chose à faire : baisser la visière et galoper. Sans cela, c'est elle qui monte en selle !

L.S.

Ariqboga avait renvoyé de la salle toutes ses femmes, concubines et dames de compagnie. Il avait en revanche demandé à Shirat de rester. Elle ignorait si c'était un bon ou un mauvais présage : le plus jeune des khans était parfois pris de terribles colères impromptues. Elle savait qu'il avait remarqué son échange de regards avec Roç. Ariqboga était maigre et avait les hanches très étroites pour un Mongol, au moins par rapport à ses frères, tous assez corpulents. Il avait aussi le front plus haut et les mains plus fines qu'eux. Le dernier-né de la princesse Sorghaqtani était un être assez instable. Aucun des quatre fils n'avait l'esprit gai et irréfléchi, mais Ariqboga avait une certaine tendance à la mélancolie.

Ni la maternité, ni la séparation avec son jeune mari et sa fille tout juste née n'avaient fait perdre à Shirat une once de sa grâce de jeune fille. L'enlèvement et la captivité ne l'avaient pas marquée ; elle avait grandi dans un harem, et depuis que les Mongols l'avaient prise, elle ne se considérait pas comme une esclave, mais avait juste l'impression d'avoir remonté le temps. Avec sa grâce féminine et sa froide raison, elle tirait toujours le meilleur de sa situation, parce qu'elle avait appris de bonne heure à séparer le corps du cœur. Pour Ariqboga, elle n'était donc pas du tout une esclave parmi d'autres, qu'il pouvait appeler dans son lit avant de la renvoyer, c'était une amie à laquelle il pouvait confier ses soucis.

— Tu m'as beaucoup parlé de tes amis Roç et

Yeza, le couple royal, Shirat, fit-il avec un brin d'ironie. Mais eux ont fait comme s'ils te connaissaient à peine.

— Ils ne savaient pas comment se comporter, dit Shirat, qui défendait plus ses deux amis qu'elle-même. Ils sont habitués à me saluer sans se poser de question. Ici, ils craignent sans doute que votre mauvaise humeur ne se retourne contre moi.

— Comment pourrais-je refuser au couple royal la possibilité de te saluer ?

— Vous savez pertinemment que Roç et Yeza ressentent et pensent différemment. Pour eux, je suis la femme de leur ami, le comte Hamo, et ils se sentent obligés de faire quelque chose pour moi. Il est vraisemblable qu'ils préparent des plans pour me libérer.

— Tu le supposes... ou tu le souhaites ? demanda Ariqboga, préoccupé.

— Je le sais, dit Shirat, car je sais ce qu'ils ressentent et comment ils réfléchissent. Tous deux ont beau connaître l'Orient, ils sont toujours demeurés attachés aux idéaux chevaleresques de l'Occitanie. Ils symbolisent l'Occident sous sa forme la plus pure. Roç et Yeza sont les rois du Graal, mais ce sont aussi les enfants de ses *Lais d'amor,* des lois de la galanterie qui règlent librement le rapport entre un chevalier et sa dame. Je suis mamelouk par mon origine, et seule une chance singulière et fort brève m'a permis de connaître cette liberté de jeune femme...

— Mais tu aspires à la retrouver.

Ariqboga ne lui laissa pas le temps de formuler une réponse qui lui aurait déplu.

— Je vais te rendre heureuse, dit-il, résolu. Je vais faire de toi ma femme !

S'il s'était attendu à ce que Shirat baisse les yeux en rougissant, ou manifeste au moins par un petit signe le triomphe que lui inspirait l'idée de devenir *khatun,* l'épouse d'un khan, il fut déçu. Elle ne fondit même pas en larmes, mais se maîtrisa parfaitement. Elle avança vers lui, adoptant presque une démarche de séductrice.

— Très cher, dit-elle à voix basse, c'est un honneur qui revient à une princesse de sang mongol. Gardez-le pour établir des liens qui vous permettront de renforcer la puissance de votre khanat. Laissez-moi rester une bonne conseillère pour vos réflexions, une tendre amie pour votre cœur et une délicieuse *houri* pour votre corps.

Elle passa les bras autour de lui et le serra longtemps contre elle jusqu'à ce qu'elle sente que le corps du jeune homme obéissait à sa volonté. Mais Ariqboga s'arracha à elle :

— Je ne veux pas que tu me quittes et que tu t'en ailles parce que le couple royal t'aura offert la liberté.

Shirat ne se laissa pas repousser.

— La liberté de vous aimer, Ariqboga (elle s'était de nouveau emparée de lui, sa main glissa vers le bas, il s'abandonna), cette liberté-là, je l'ai toujours prise. Je n'ai besoin pour cela ni d'un mariage, ni de l'intervention du couple royal...

— Tu ne veux donc pas m'épouser? fit Ariqboga en soupirant.

Shirat le tira vers elle, sur la couche installée au pied du trône.

— Je ne veux pas perdre le penchant que j'ai pour vous en adoptant un statut que notre amour ne supportera pas... (Elle le prit entre ses cuisses et se laissa tomber sur les coussins.) Je vous aime, chuchota-t-elle d'une voix rauque qui attisa encore l'excitation du prince. Et vous devez m'aimer chaque fois comme si c'était la première et la dernière fois. Je suis votre femme, fit-elle en gémissant sous ses poussées, vous ne devrez plus jamais me demander de vous accorder ma main si vous voulez continuer à me posséder...

— Je te veux! hurla Ariqboga en se cabrant. Tu peux tout, tout avoir de moi. Mais reste auprès de moi!

Épuisé, il s'écroula sur elle.

— Mais je suis auprès de toi, chuchota doucement Shirat, en lui caressant les cheveux sur son front trempé de sueur.

Le philtre magique

Chronique de Guillaume de Rubrouck, Karakorom, à la Saint-Venatius 1254.

L'état de maître Buchier, qui souffrait d'une affection des voies respiratoires, ne parvenait pas à s'améliorer. Ingolinde me pria instamment d'aller rendre visite au malade. Lorsque je vins le voir dans son foyer, je le trouvai très épuisé et très triste, mais ses poumons ne ronflaient plus. Je lui demandai ce que madame Ingolinde entreprenait pour le fortifier, et il m'avoua que le moine lui avait conseillé de jeûner et lui avait donné de sa boisson. Croyant qu'il s'agissait d'eau bénite, il en avait bu deux coupes pleines. Fou de rage, je jetai le reste de cette décoction de rhubarbe — un parfait vomitif ! — et ordonnai à Ingolinde de ne plus laisser le moine mettre un pied dans la maison, et de préparer à son maître un puissant bouillon de viande.

Le jour même, je mis l'Arménien à la question, en présence de frère Barzo.

— Soit tu te conduis en apôtre et tu accomplis des miracles par la force du Saint-Esprit, soit tu te présentes comme un médecin, et tu agis selon les règles de l'art médical ! fis-je sans prendre de gants.

J'étais furieux, et mon attaque avait coupé la voix à Sergius. Il me dévisagea, haineux, mais je ne flanchai pas d'un pouce.

— Si je te prends encore, charlatan, à jouer au médecin alors que tu n'es même pas prêtre, je te fais soigner par le Bulgai !

Je savais que je devais moi-même prendre garde : grâce à ses mixtures magiques, Sergius jouissait d'un grand prestige auprès des Mongols. On le considérait presque comme un chaman doté du pouvoir de

donner la vie et la mort. Personne ne tenait particulièrement, ici, à savoir s'il avait réellement été
ordonné prêtre. Barzo me regarda en fronçant les
sourcils lorsque l'Arménien, livide de fureur, disparut de la yourte sans dire un mot.

— Guillaume de Rubrouck, dit-il avec sa sérénité
habituelle, mais sans cacher son opinion, se fait des
ennemis partout où il le peut. Très intelligent, à la
veille de la grande dispute religieuse qu'a organisée
le grand khan. Ainsi, messire le patriarche *in spe*
pourra être certain d'être aussi attaqué par le camp
chrétien, dans lequel l'Arménien se compte sans
aucun doute, qu'il soit prêtre ou charlatan ! ricana-
t-il avec un brin de malin plaisir. Comme si les représentants du Coran, les adeptes de la doctrine de
Bouddha et les idolâtres ne représentaient pas un
nombre suffisant d'adversaires acharnés et inconci-
liables !

J'avais presque oublié cette dispute. Möngke, qui
portait sur les différentes confessions un regard
impartial, avait sans doute d'autres intentions que de
faire de ce débat une comparaison commode entre
des religions. Comme un client au bazar, courtisé de
tous, il se ferait encore une fois étaler les différentes
marchandises proposées avant de choisir les ingrédients à utiliser pour sa *Nova Ecclesia Mongalorum*
et de me les transmettre à moi, son maître queux,
pour que j'en assure la préparation. Cette image me
vint à l'esprit avant même que Barzo ne m'en parle,
et je lui répondis :

— *Unam sanctam !* L'important, c'est d'imposer la
foi chrétienne chez les Mongols, ce n'est pas le rite.
Je vais tout faire pour me heurter aux nestoriens, et
j'affronterai aussi fraternellement Sergius s'il obtient
une autorisation de parler au nom de son Église. Au
bout du compte, même les musulmans et les crânes
rasés croient à un seul et même Dieu. Seuls les
prêtres idolâtres s'égarent dans la vénération de divinités différentes.

— Tu peux aussi te rapprocher d'eux, grand bonimenteur! objecta Barzo. Vends-leur donc la Sainte Trinité, le Père, le Fils et le Saint-Esprit, comme si c'étaient trois divinités différentes, sans compter Marie, une fois en Vierge, une fois en *mater dolorosa*. Voilà de quoi assouvir aussi leurs besoins d'adulation!

— Ta haine m'est étrangère, répliquai-je. Que la tolérance soit le suprême commandement de l'Église mongole — je suis, sur ce point, d'accord avec le grand khan. Nous devons préparer pour tous des mets spirituels, et n'exclure personne des bénédictions.

Ces mots déclenchèrent pour de bon les railleries de mon frère Barzo.

— Prenez un os de mouton calciné préparé par les chamans, faites-le revenir dans le bouillon des jaunes-safran, assaisonnez-le avec de l'ail islamique et faites trois signes de croix sur l'ensemble! s'exclama-t-il. On donnera à ce brouet le nom de « nouvelle cuisine des Mongols »!

Ce fut à mon tour de faire le signe de croix contre le mauvais Barzo. Comme il ne s'en allait pas, je quittai notre yourte en emmenant Philippe.

La nuit était déjà bien avancée. Je me rendis à l'église, ne serait-ce que pour m'assurer du soutien de Jonas, l'archidiacre, et de ses prêtres. Je trouvai les nestoriens en proie à une grande excitation. Jonas avait eu une attaque et avait craché du sang. Comme ils ne pouvaient expliquer ce phénomène, ils avaient envoyé chercher un diseur de bonne aventure sarrasin, qui leur avait révélé, passablement anxieux : « Un homme maigre qui ne boit ni ne mange, et qui ne dort pas dans son lit, éprouve de la colère envers l'archidiacre. Seul celui-ci, en levant cette malédiction et en lui accordant sa bénédiction, pourra guérir Jonas. »

Il était clair aux yeux de tous que cette description correspondait parfaitement au moine arménien. L'épouse de l'archidiacre, sa sœur et son fils étaient donc allés lui rendre visite, bien qu'il fût déjà minuit passé. Quelqu'un avait vu Sergius entrer dans la maison de Koka. Ils l'avaient prié de sortir et imploré de sauver l'archidiacre en le bénissant. Il avait commencé par refuser, mais s'était finalement rendu auprès du malade. À présent, tous attendaient dans l'église pour assister Jonas avec leurs prières. Je redoutais un mauvais coup, mais lorsque Sergius apparut devant l'autel, il paraissait animé de bonnes intentions. Alors que tous l'entouraient et lui posaient des questions, il se tourna vers moi avec l'air le plus amical qui soit, comme si rien ne s'était produit entre nous.

— L'archidiacre réclame votre bénédiction, frère Guillaume. J'ai dû lui promettre de vous demander de le visiter immédiatement. Sa guérison en dépend, ajouta-t-il encore.

Je ne pus m'abstenir de me mettre en marche immédiatement, bien que je ne me sois pas senti très à mon aise : je n'avais aucune confiance dans ce moine.

— Savez-vous, me demanda Philippe alors que nous marchions rapidement dans la pénombre, ce qu'a encore dit le devin ? C'est vous, monseigneur, la raison pour laquelle le moine en veut tant à Jonas ! L'archidiacre doit mourir parce qu'il est votre ami. Car vous êtes l'Antéchrist, c'est ce qu'a dit le moine !

— Quelles balivernes ! fis-je, indigné. Ce type est un criminel ! Je parie qu'il a aussi donné de son breuvage à Jonas.

— Vous pouvez en être sûr ! me confirma Philippe. Et je parie quant à moi qu'il mourra à l'instant précis où vous vous trouverez près du malade !

— Pour que je ne puisse plus, une année durant, reparaître devant le grand khan ! conclus-je.

Mais cela ne m'importait guère à cet instant. Je pouvais peut-être encore sauver la vie de Jonas. Je pressai le pas. Nous courûmes à la maison de l'archidiacre et trouvâmes sa famille en grande conversation avec des voisins et quelques membres de la communauté, devant l'entrée.

— Est-il vivant ? criai-je alors que j'étais encore loin, et tous me regardèrent avec une once d'étonnement.

— Oui, Jonas est en vie, me répondirent-ils. Grâce au Ciel et à la bénédiction du moine. Il a juste besoin de repos !

Ils voulurent me retenir, mais je passai devant eux et me précipitai dans la chambre du malade. Jonas, livide, me souriait.

— Ah, chuchota-t-il d'une voix douce. À présent, je puis mourir en paix, puisque vous ne me refusez pas l'assistance de l'Église.

— Mais rien ne vous force à mourir ! répondis-je, tout en regardant autour de moi.

— Si, répondit Jonas en désignant la coupe contenant le breuvage. Le moine a dit que je dois boire cela.

À cet instant seulement, je remarquai que la coupe était encore pleine.

— Je sais qu'il va me tuer. Si je la vide, je mourrai sur-le-champ. Et même si je n'y touche pas, la mort m'emportera tôt ou tard — si ce n'est pas cette nuit, ce sera demain.

— Absurde, dis-je pour le tranquilliser. C'est lui qui vous a mis ça en tête. Vous allez dormir, à présent. C'est le meilleur moyen de guérir. Crachez-vous encore du sang ?

— Non, frère, cela a cessé. Je me sens mieux.

— Eh bien, vous voyez, dis-je en dessinant avec mon doigt une croix sur son front glacé. Je reviendrai vous voir demain. Il vous faudra alors boire quelque chose de plus vigoureux. Je vais jeter ce poison !

J'avais déjà attrapé la coupe, mais Jonas m'arrêta :

— Laissez-la ici, insista-t-il. Elle me prouve que je suis encore maître de mes décisions. Je vous remercie d'être venu, Guillaume. Je sais ainsi que notre communauté sera en de bonnes mains si Dieu devait me rappeler à lui.

Il prit ma main et l'embrassa ; ses lèvres étaient froides.

— Dieu sera avec vous et vous gardera en vie pour votre communauté. J'en suis certain.

Je pressai sa main contre mes lèvres et sortis.

— Cette canaille de moine a perdu la première manche, dis-je à Philippe alors que nous nous dirigions vers l'église pour transmettre la bonne nouvelle aux nestoriens en prière. Jonas était encore vivant et, avec l'aide de Dieu, il survivra à la maladie.

— La deuxième aussi ! répondit Philippe en riant, pour nous détendre un peu. Vous avez quitté la maison alors que l'archidiacre était encore vivant. Ce calcul-là non plus n'a pas fonctionné ! À présent, vous devriez aller vous coucher. Je vais aller prévenir, à l'église, que monseigneur l'archidiacre se porte mieux.

Cela me convenait. Arrivé à ma yourte, nous nous séparâmes. Sergius n'était pas encore revenu, et Barzo dormait déjà à poings fermés.

L.S.

 De la chronique secrète de Roç Trencavel, Karakorom, dans la dernière décade de mai 1254.

Ariqboga nous a fait demander si nous lui accorderions encore une fois l'honneur de notre visite. Yeza a expliqué au messager qu'elle seule pourrait venir, car j'étais souffrant et alité. La nouvelle était tout à fait vraisemblable, compte tenu des graves maladies qui sévissaient dans le camp chrétien de Karakorom — et même si maître Buchier se portait mieux, désormais. En réalité, c'est ce que m'avait confié ma dame, elle tenait à se rendre sans moi au palais d'Ariqboga, elle comptait y rester très tard et demander ensuite qu'on la laisse passer la nuit avec les femmes pour ne pas avoir à rentrer chez elle. À la demande de ma reine, je me rendis ainsi dans le hammam en pierre de notre maison, afin d'y soigner ma maladie par la transpiration. Nous, le couple royal, nous comptions parmi les quelques privilégiés à disposer d'une coûteuse installation de ce type.

À peine m'étais-je remis entre les mains de mon maître du bain, dans la vapeur sudative, que Créan surgit des nuages de brouillard. Ce vieil ami (aussi pesant qu'il ait été désormais dans ce rôle) n'avait certes pas besoin de mon invitation pour venir me tenir compagnie. Mais il attendit tout de même que je l'appelle près de moi, avec un sourire fin qui parcourut son visage criblé de cicatrices. C'est que la situation avait changé. Nous ne dépendions plus de l'homme qui nous avait sauvés, enfants, en nous tirant de la citadelle de Montségur en flammes : c'est lui, l'Assassin, qui pouvait désormais redouter que je révèle son identité aux Mongols. Nous parlâmes en langue d'oc, l'idiome de notre patrie commune : nous étions sûrs, que nul ne pourrait nous comprendre. Créan en vint immédiatement au fait, tandis que le maître des bains me pétrissait le dos.

— Roç, commença-t-il d'une voix grave, votre intention ne peut être de vous abattre, à la tête d'un paquet de soudards tatares, sur les pays que Yeza et toi-même avez découverts au cours de votre fuite depuis dix ans déjà. Des royaumes qui vous ont acceptés en leur sein, et dont la culture est la vôtre !

— Justement, Créan, répondis-je. Dix années de fuite, c'est tout ce que vous nous avez rapporté, toi et tes amis de l'Alliance secrète. Et tu proposes à présent que nous reprenions notre fuite ? Les Mongols sont les premiers à nous avoir offert la sécurité, les premiers qui se soient montrés disposés à nous introniser, à transformer le couple royal en couple souverain, c'est-à-dire à accomplir ce destin dont le Prieuré n'a jamais fait que parler.

Créan courba le dos sous les flots que déversaient les serviteurs du bain.

— Votre destin n'est pas d'être portés en épouvantails à l'avant de l'effroyable rouleau exterminateur des Mongols, semblables à deux poupées de tissu au manteau d'un chaman. Votre destin n'est pas de marcher ensuite sur les ruines de villes ravagées où flottera encore la puanteur des cadavres de leurs habitants étranglés, ni de monter sur un trône qui ne sera rien de plus qu'un siège de gouverneur supplémentaire dans le royaume sans âme du khan. Si vous agissez ainsi, vous n'apporterez pas le royaume de la paix promis, mais la terreur et la destruction !

— Promis ! répétai-je, railleur, mais ses mots avaient vidé ma moquerie de toute signification. Rien ne dit que cette terreur aura lieu. C'est désormais aux gouvernants mal avisés de l'Occident qu'il revient de l'éviter. S'ils se soumettent, je me porterai garant que le sang ne sera pas versé inutilement, que les villes ne seront pas incendiées...

— Tu ne le peux pas, Roç, répliqua Créan. Il est vraisemblable qu'aucun homme ne le peut. La nature d'une armée en marche veut que ce genre de choses arrive. Sans cela, elle ne marche pas.

— Mais le grand khan..., répliquai-je d'une voix beaucoup plus discrète car j'avais compris la justesse de ses visions effroyables. Le grand khan nous a promis...

— Même lui ne pourrait l'empêcher, dit Créan. Une fois mises en mouvement, les hordes écraseront tout sur leur passage. Elles sont faites pour cela, et rien ne les en empêchera. Aucune main ne peut contenir une lame de fond qui jaillit de l'Océan. Il faut attendre qu'elle coure sur le sable et se brise en écume sur les rochers. Tout ce qui a croisé son chemin auparavant est recouvert et mis en morceaux. Et ce qu'il y a d'effroyable, c'est que si Möngke ne laisse pas libre cours à la vague, elle restera à claquer et à gargouiller au cœur de son royaume, elle sèmera le désordre dans la steppe et mettra à bas l'ordre de son gigantesque empire...

— Cela se passera donc avec ou sans notre intervention ? demandai-je. Dans ce cas, que devons-nous faire pour l'éviter ?

— Il faut vous en aller, dit Créan. Ne pas jouer la couronne d'écume. Le grand khan connaît la prophétie : il ne pourra dominer l'Occident qu'avec vous. Si vous n'êtes pas à sa disposition, il se demandera s'il doit tout de même partir dans cette direction. Car on lui a aussi prédit qu'il provoquera le déclin de l'empire mongol s'il ne place pas sous sa coupe le « Reste du Monde ». Sans vous, il n'en aura pas le courage. Enfin, peut-être pas.

Créan s'allongea à côté de moi sur le sol de pierre. Le maître des bains nous avait quittés, le feu s'était éteint sous les pierres et les dernières traînées de vapeur retombaient en gouttelettes d'humidité.

— Nous devrions tous revenir, marmonna Créan, y compris Guillaume, pour apprendre à l'Occident stupide quels dangers le menacent. Yeza et toi-même, vous pourriez jouer un rôle singulier en la matière. Le roi

Louis n'est pas le seul à avoir de bonnes intentions à votre égard, c'est aussi le cas d'An-Nasir, le sultan de Damas, ou d'un homme important comme Baibars, au Caire. Nous devrions faire savoir à ces messieurs que le coup, cette fois, atteindra Alamut, puis Bagdad, et ensuite, depuis le califat, la Syrie, la Terre sainte et l'Égypte. Puis seulement, l'Occident proprement dit deviendra l'objectif. Votre mission serait de présenter cela à tous les participants, et de leur faire comprendre, surtout, que nul ne sera à l'abri.

— Et notre couronne ? (J'avais honte avant même que cette question n'ait fini de m'échapper.) Que reste-t-il de notre destin ?

— Votre destin, pour l'instant, c'est d'éviter le pire. Regarde, Roç, alors que je suis couché ici et que je cherche à te convaincre, je sais que la Rose, à laquelle j'ai consacré ma vie, sera inéluctablement la première victime. Et j'espère pourtant que les vagues se briseront sur les roches d'Alamut, que la disparition de la Rose permettra de dévier les flots loin des rives de *Mare Nostrum*. En agissant ainsi, tu ne renonces pas à la couronne, tu la rehausses au contraire...

— ... à une telle hauteur que même nous ne parviendrons plus à l'atteindre !

Pourquoi aurais-je dissimulé mon inquiétude ? Ce que Créan réclamait, c'était l'abdication du couple royal. Nous devions désormais errer de par le monde comme deux oiseaux de malheur et mettre tout le monde en garde contre un grand péril dont nul ne voulait entendre parler. Personne ne nous prendrait au sérieux. Je lui expliquai que j'avais compris ses arguments, mais que je ne les accepterais pas avant d'en avoir discuté tranquillement avec Yeza.

L.S.

2. LA NUIT DES CONJURÉS

Aucune envie de fuir

Extrait de la chronique secrète de Yeza.

Cette fois, Ariqboga m'a reçue dans ses appartements privés, une grande salle carrée et chauffée par deux gros poêles en céramique. Sur trois côtés, des escaliers mènent à l'étage supérieur. C'est sans doute là que se trouvent les dortoirs. Au plafond, au centre de la salle, on a accroché un lustre. Plusieurs tables basses y sont disposées en fer à cheval, entourées de gros coussins de cuir. Les fenêtres de la façade descendent jusqu'au sol de bois et dévoilent la verdure d'une cour intérieure. Les lambris de couleur et les tapis brodés donnent à cette pièce une chaleur sereine.

Le jeune khan portait cette fois une tenue d'intérieur commode. Il ordonna immédiatement à ses serviteurs de m'aider à enlever mes bottes et de me tendre de petites pantoufles légères. Ce qui m'étonna, et m'effraya même un peu, c'était le fait que, de toutes les femmes et esclaves du jeune khan, seule Shirat était présente. Avait-il percé mes intentions à jour, voulait-il me mettre à l'épreuve ? Je changeai de tactique, jusque-là, je comptais arriver comme par hasard à proximité de l'épouse de Hamo. Au bout du compte, je la saluai avec le plus grand naturel, très chaleureusement, mais sans montrer la moindre surprise. Je la pris dans mes bras et l'embrassai comme une sœur avant même de m'incliner devant le maître des lieux. Je faisais ainsi comprendre que je connaissais son rang de princesse et que j'acceptais de la faire participer à notre conversation, au cas où il aurait envisagé de la traiter comme une esclave et de la faire sortir.

Ariqboga ne manifesta aucune mauvaise humeur, et je m'étonnai de voir Shirat prendre place volontairement à côté du khan et même, me sembla-t-il, se coller contre lui.

— Je regrette que votre seigneur et royal époux soit malade, et j'ai honte que vous ayez accordé suffisamment d'importance à mon invitation pour le laisser sans surveillance.

— Il n'est pas de maladie qu'il ne puisse affronter seul, répondis-je. En tant que couple royal, nous sommes habitués à faire passer les affaires importantes avant nos désirs privés.

J'avais ainsi écarté le risque qui nous menace toujours, nous autres femmes, lorsque nous apparaissons sans nos hommes, celui que ma visite n'ait aucun caractère officiel. Alors qu'un homme, lorsqu'il laisse son épouse chez lui pour se rendre à un entretien, ne fait que souligner à quel point ces débats sont importants à ses yeux.

— La dernière fois, fis-je donc sans détour, nous nous étions arrêtés au moment où vous vous demandiez si vous mèneriez *in personan* une mission d'ambassade en Occident, un voyage qui permettrait enfin à un membre haut placé de la lignée des Gengis de se faire personnellement une idée de l'Occident et de sa population.

— J'en ai parlé à mes frères, dit Ariqboga avec un soupir. Möngke considère que ce n'est pas nécessaire, Hulagu juge que c'est dangereux, que cela « met en péril les projets du Il-Khan », pour reprendre les mots de son chambellan, ce Dschuveni...

— ... qui est, comme tous les renégats, animé par une singulière haine de l'islam, confirmai-je.

Je m'attendais à ce qu'il renonce à son projet. Mais Ariqboga ne comptait pas gâcher la dernière chance d'asservir le « Reste du Monde », qui était aux yeux des Mongols le dernier territoire restant à soumettre.

— Une fois que Hulagu se sera mis en marche, conclut-il fort justement, il sera trop tard pour effectuer

une mission de paix. Il ne s'arrêtera pas non plus à la
frontière occidentale de la Perse.

— Et alors ? dis-je, insolente.

— Alors, je me suis décidé à présenter une fois
encore ma requête au grand khan. Mais je n'aurai une
chance de réussir (il me lança un étrange regard,
mélange d'ardeur juvénile et de requête sincère) que si,
cette fois, je peux compter sur vous, le couple royal.
Vous devez déclarer officiellement que vous souhaitez
entreprendre cette mission avec moi !

Je ne répondis pas, cela me paraissait non seulement
lumineux, mais aussi très séduisant. Cette solution
nous permettrait de revenir en Occident avec les plus
grands honneurs, en passant devant Créan et Alamut.
D'autre part, cette mission de paix aurait vraiment un
sens. Car si nous étions seuls, Roç et moi-même, personne ne nous écouterait sérieusement. Notre aura de
« couple royal » était purement orientale.

Dans l'Occident de l'Église romaine, où l'on persé-
cutait les héritiers du Hohenstaufen et du Graal, nous
étions la « couvée d'hérétiques », et nous finirions plus
facilement sur un bûcher que sur un trône. Même
accompagnés de Guillaume, nous ne serions guère
entendus ; nous en avions déjà fait l'expérience. Il est
vrai qu'entre-temps, le franciscain était devenu l'ambassadeur du roi de France, et que nous jouissions nous
aussi de la faveur du roi Louis. Mais si nous nous pré-
sentions avec Ariqboga, le frère du grand khan, nos
paroles prendraient enfin un certain poids. Et puis
nous serions sous la protection d'une ambassade mongole, et cette sécurité était pour moi décisive. Je ne pouvais confier à personne à quel point j'en avais assez de
trembler pour moi-même et mon bien-aimé, tout en
jouant l'héroïne froide et audacieuse. En réalité, semblable à un gibier traqué, je flairais sans cesse
l'approche de l'ennemi, je prenais garde aux pièges et
j'évitais les sous-bois où de nouveaux dangers nous
guettaient derrière chaque fourré.

— Oui, dis-je, cela me semble être une bonne idée. Et
je suis sûre que mon roi aussi verra les choses ainsi.

— Lui mis à part, ne dites à personne que je vous
mènerai moi-même auprès de Möngke. Ce projet
déplaira à beaucoup !

— Certainement, répondis-je, car c'est la seule perspective de solution pacifique. Et l'on ne combat rien avec plus d'acharnement que la paix.

— Dans ce cas, je vais vous laisser seule avec votre vieille amie Shirat, car tel est certainement votre désir, ma reine.

Je hochai la tête, tout heureuse, j'avais presque oublié la présence de la princesse. Ariqboga ajouta en souriant :

— Ne me l'enlevez pas. Je tiens plus à Shirat qu'à une épouse, et je veille jalousement sur elle, comme un dragon des Kitai.

— Je pense, fis-je prudemment, qu'il pourrait être trop tard pour rentrer chez moi en pleine nuit.

— C'est aussi ce que nous nous sommes dit, intervint Shirat. Nous t'avons déjà préparé un lit.

— Je vous reverrai au repas, dit Ariqboga en sortant de la salle.

Et nous nous inclinâmes l'un devant l'autre.

L.S.

Au hammam de la maison de pierre, Roç et son invité s'étaient déjà rhabillés lorsque Barzo apparut. Il paraissait passablement effaré, et Créan eut besoin d'un certain temps pour lui faire dire ce qui était arrivé. Au cours de la nuit, Guillaume s'était rendu au chevet de Jonas, l'archidiacre des nestoriens. Il ne l'avait certes pas trouvé en très bonne santé, mais le religieux était en vie.

— Et cela uniquement, lâcha le petit franciscain, parce que le malade, sur les recommandations de Guillaume, n'a pas touché au breuvage empoisonné que lui avait donné le moine arménien. Comme il voulait aller se coucher, Guillaume, sur le chemin du retour, a envoyé à l'église son serviteur Philippe, pour qu'il annonce à ceux qui y attendaient la guérison de leur archidiacre. Mais le moine était aussi dans l'église. Lorsqu'il a entendu l'heureux message de Philippe, il est devenu blanc comme de la craie. Furieux, ce faux prêtre arménien a accusé Guillaume de Rubrouck de mensonge et est sorti en toute hâte avec tous les nestoriens, comme pour une procession — la croix en avant, brandissant les fanions et

les encensoirs — pour se rendre à la maison de
l'archidiacre. Arrivé là, il s'est précipité dans la
chambre du malade, a traité Jonas de Judas et l'a
forcé à boire immédiatement la coupe de ciguë censée contenir le remède sacré et à le désigner, lui, Sergius, « par ses dernières paroles », comme son successeur. L'Arménien s'est agenouillé devant le lit du
mourant, a prétendu se convertir à la foi nestorienne
et s'est fait admettre dans l'Église par Jonas. Les
prêtres présents se sont laissé prendre à cette farce,
ils se sont inclinés avec respect devant leur nouveau
chef, tandis que Jonas était secoué par les dernières
convulsions. Ensuite, les nestoriens ont accompagné
jusqu'à sa yourte le nouvel archidiacre, qui porte
désormais le titre d'« archimandrite ». Il n'y restera
d'ailleurs pas longtemps : dès ce soir, il dormira dans
le lit d'où il a fait évacuer la dépouille de Jonas.

— Amen, dit Créan. Guillaume de Rubrouck a
donc désormais un rival de poids dans le choix du
patriarche de Karakorom. *Pax et bonum*, comme
vous dites, vous autres frères mineurs.

Un mince croissant de lune éclairait à peine Karakorom et le palais du grand khan. Dans l'aile princière, celle qu'habitait Ariqboga, le plus jeune des
frères du khan, une lumière brillait encore.

Shirat avait fait installer un lit dans sa chambre à
l'intention de Yeza, mais les deux jeunes femmes
étaient couchées sur le ventre, sur la large couche de
la favorite. Tête contre tête, elles discutaient en
arabe, une sonorité familière qui avait longtemps
manqué à la princesse mamelouk.

— S'il n'y avait pas le destin incertain de notre
enfant, un remords qui me taraude jour et nuit...

— C'est plutôt à Hamo d'avoir des remords, dit
doucement Yeza. C'est lui qui t'a laissée voyager
seule sur la mer...

— C'était de la frivolité, Yeza, répondit durement
Shirat avant de regarder, par la fenêtre cintrée, la
lune et les petits nuages qui passaient devant elle. De
la frivolité, et je l'ai payée cher. Ce n'est pas ici que

j'ai le plus souffert, avec Ariqboga. Lorsque je suis arrivée, il m'a rossée pour écraser toute velléité de résistance de l'esclave que j'étais devenue. Mais depuis, le traitement qu'il me réserve n'a cessé de s'améliorer. Aujourd'hui, je me suis habituée à lui comme à un époux et je récompense ses attentions maladroites non seulement avec le savoir-faire d'une *houri* expérimentée, mais aussi et surtout avec les conseils d'une amie.

— Et Hamo ?

— Ah, Yeza... lorsque tu as vécu pendant deux ans avec le corps d'un autre homme, le souvenir pâlit et la nostalgie se dissipe. Hamo l'Estrange aurait pu me chercher, mais je n'ai jamais entendu de ses nouvelles. Il s'est certainement déjà consolé, il était encore si jeune !

Shirat soupira et se retourna sur le dos pour mieux voir le croissant de lune.

— La charge de comte d'Otrante, l'héritage de sa mère à la poigne de fer, était déjà trop lourde pour lui. Hamo n'est pas un homme qui assume volontiers ses responsabilités. S'il n'y avait pas ce drame de la perte de l'enfant, la seule chose qui m'attache encore à lui, alors...

— Tu ne t'enfuirais donc pas ? (Yeza était un peu choquée dans sa conscience d'amante fidèle.) Même si l'on t'en donnait l'occasion ?

— Mais s'enfuir pour aller où ? répondit Shirat. Vers l'inconnu, pour rejoindre un homme qui, jusqu'ici, n'a pas fait ses preuves autrement qu'en me donnant un enfant ? Je ne sais même pas si Hamo me veut encore, s'il m'attend toujours !

— Ça, j'en suis sûre, répondit Yeza, qui croyait fermement à la solidité de l'amour.

— Si Ari se décide à entreprendre ce voyage, et si ses frères ne lui mettent pas de bâtons dans les roues, s'ils n'intriguent pas pour empêcher la mise en œuvre de ce projet, je profiterai certainement de la possibilité d'entreprendre ce voyage avec vous et avec lui, je le lui ai déjà promis, dit Shirat. Nous

chercherons Hamo, et si mon cœur tranche en sa
faveur, je resterai auprès de lui. Sinon, Ariqboga lui
demandera de divorcer, et je resterai ce que je suis :
la femme d'Ariqboga, que nous nous marions ou
non.

— Et si ta fille vit encore ?

— Si..., répéta Shirat d'une voix amère. Et si
Hamo est au moins parvenu à la retrouver...

— Est-ce que, dans ce cas, tu revivrais avec
Hamo...

Yeza se cramponnait à l'image du couple réuni. Le
ton sobre et froid de Shirat lui brisait le cœur. Elle
sentait apparemment que toute cette histoire aurait
pu lui arriver à elle aussi, et que seule une chance
inouïe l'en avait préservée jusqu'ici. Quelque chose
se crispait en elle, il devait exister un amour capable
de résister à toutes les circonstances, si défavorables
soient-elles, un amour plus puissant que la mort !
Avec Roç, elle s'en tiendrait à cette certitude, quoi
qu'il arrive. Ensemble, ils formaient le couple royal,
depuis le début et jusqu'à la mort — non, même pas :
à tout jamais ! Amour éternel, fidélité éternelle !

— Que notre fille soit en vie est plus important à
mes yeux que de savoir auprès de qui elle grandit. Je
ne peux pas imaginer que Hamo me la refuse.

— Tu parles comme si votre séparation était déjà
avérée.

— Je ne peux concevoir les choses autrement, en
ce jour et en ce lieu. Je ne le veux pas non plus. Sans
cela, je n'aurais pu supporter ces deux ans.
Comprends-moi donc, Yeza, je suis une femme, il
me faut un homme — pas en rêve, comme cette lune
blafarde au-dessus de nous, mais à côté de moi,
chaud et vivant. Je l'ai trouvé, et je reste auprès de
lui. Il faudrait un miracle ou un événement
effroyable pour que je me sépare d'Ari. Il faudrait
que Hamo soit devenu Amon-Rê, le soleil rayonnant
lui-même, ce que je n'imagine guère. Ari n'est vraiment pas un dieu, ça n'est pas le soleil non plus,
mais c'est l'homme que j'ai trouvé. Contre quoi
dois-je l'échanger ?

Yeza était trop intelligente pour lui répondre « contre le père de ta fille ». D'une part, l'enfant était à sa connaissance introuvable ; de l'autre, Ariqboga était certainement capable de donner à Shirat d'autres descendants. Comme si elle avait lu dans les pensées de Yeza, Shirat ajouta :

— Plus tard, nous aurons aussi des enfants, ce que j'ai évité jusqu'ici.

Yeza comprit. Hamo n'avait pas été le premier homme dans la vie de Shirat, mais peut-être son premier amour. Mais Yeza le voyait bien, tout cela ne comptait pas beaucoup. On n'avait que ce que l'on tenait, le reste était du passé. Il n'était donc pas nécessaire de libérer l'esclave Shirat. Yeza serra son amie dans ses bras, se tourna sur le côté et s'endormit tout de suite. La lune d'argent s'était déplacée loin de la fenêtre et les derniers nuages lui couraient après comme des moutons attardés.

Le Dieu unique

Rapport de Bartholomée de Crémone, O.F.M., à titre de mémorandum pour ses supérieurs, sur une dispute religieuse tenue à l'initiative du grand khan Möngke le 24 mai 1254 à Karakorom.

Les trois frères du khan étaient présents et le khagan de tous les Mongols assistait personnellement à la dispute. Avec lui, son épouse « chrétienne » Kokoktai-Khatun, le Il-Khan et futur souverain de la Perse, Hulagu, accompagné de sa femme, une autre nestorienne répondant au nom de Dokuz-Khatun. Était également présent le plus jeune des frères, Ariqboga, gouverneur du khanat central et « prince héritier » ; celui-ci n'est pas encore marié, vit dans le péché avec de nombreuses femmes, mais aurait eu des propos bienveillants à l'égard du christianisme.

On ne peut pas en dire autant de Hulagu. Jusqu'à

ce jour (si Ariqboga ne peut exaucer ses ambitions),
il est responsable du « Reste du Monde », c'est-à-dire
de notre Occident. À elle seule, la nomination du
Sarrasin Ata el-Mulk Dschuveni au poste influent de
chambellan de Hulagu montre dans quelle direction
se portent ses sympathies. Le grand khan lui-même,
la chose est, hélas, connue et prouvée, fait preuve de
tolérance (c'est-à-dire d'indifférence) à l'égard de
toutes les religions. La cour royale était d'autre part
représentée par le général Kitbogha, chef de l'armée
d'invasion du Il-Khan, actuellement en préparatifs
secrets, lui aussi nestorien, mais avant tout profondément mongol. On trouvait également le grand juge
Bulgai, un homme impénétrable que nul ne peut
suspecter de quelque penchant religieux que ce soit.
Il est aussi le maître des Services secrets et voit les
choses comme son souverain, auquel il est fidèlement dévoué. Parmi les invités figurait en outre le
« couple royal », Roç et Yeza, les « enfants du
Graal », auxquels le grand khan a assigné un rôle
particulier une fois qu'aura été achevée la conquête
de l'Occident. Il les intronisera sans doute à Jérusalem, où ils deviendront deux marionnettes par la
grâce des Mongols. Les noms qu'ils portent depuis
peu suffisent à indiquer ce à quoi l'on peut s'attendre
de leur part : Roç Trencavel du Haut-Ségur et Yezabel Esclarmonde du Mont y Grial. Ils connaissent
parfaitement leur origine et désirent créer un
royaume de la paix fondé sur le droit des Hohenstaufen et la foi cathare, ce dont le grand khan n'est
manifestement pas encore conscient. Celui-ci (tel
était le but de la manifestation d'aujourd'hui) prévoit
de se faire construire par Guillaume de Rubrouck sa
propre « Église d'État » chrétienne, la *Nova Ecclesia
Mongalorum Ritus Orientalis*.

    La dispute des religions organisée dans la salle
d'audience de son palais gouvernemental devait permettre d'apporter les dernières corrections, afin que
la construction plaise à tous. Elle devait sans doute
aussi servir d'ultime mise à l'épreuve pour Guil-

laume de Rubrouck, que Möngke envisage de nommer « patriarche ».

On a désigné un tribunal composé de trois personnes : Dschuveni, un chaman nommé Arslan, venu de l'Altaï et manifestement très connu, et pour finir ma modeste personne. J'ai aussi été nommé secrétaire de séance.

Les parties étaient représentées comme suit : l'Église de Rome par le minorite débauché Guillaume de Rubrouck, que le grand khan considère à tort comme un ambassadeur du roi de France, le très saint seigneur Louis. La secte hérétique de Nestor, jusqu'ici seule représentante du Christ, par un moine arménien nommé Sergius qui, la veille, a usurpé grâce à un meurtre le siège d'archidiacre nestorien et s'est fait donner par sa communauté le titre d'« archimandrite ». Pour représenter l'islam, on n'attendait pas un spécialiste du Coran, mais un soufi.

Deux « derviches » ont d'abord remis en cause l'impartialité du tribunal arbitral, et j'ai regretté qu'il n'y ait pas sur place une délégation sérieuse pour représenter la doctrine de Mahomet. Les idolâtres, enfin, ont proposé le médicastre et devin Gada Sami, connu dans toute la ville, un disciple indien de Bouddha qui jouit aussi de beaucoup de sympathies à la cour. Personne n'avait encore vu le soufi et le moine Sergius n'était pas encore sur les lieux lorsque, après l'arrivée des autorités, Dschuveni a demandé que la dispute commence.

C'est alors que Guillaume est apparu, portant l'habit sacerdotal d'un évêque, avec mantelet, mitre et crosse, en compagnie de son « confesseur » Créan-Gosset. Son serviteur Philippe était son garçon de messe. À son arrivée, quelques nestoriens, qui n'avaient encore personne pour les représenter, ont entonné d'une voix incertaine le « *Credo in unum Deum* ». Mais la division s'est aussitôt installée dans le camp « chrétien ».

En réalité, les nestoriens étaient censés lancer la

dispute en s'opposant aux Sarrasins. Mais comme l'archimandrite se faisait attendre, ils ont cédé leur tour à Guillaume, qui a aussitôt voulu se confronter aux idolâtres.

— Nous sommes de toute façon liés aux musulmans par l'essentiel, a-t-il argumenté, la foi dans *un seul* Dieu.

Créan-Gosset lui a apporté son soutien :

— Prenez-moi comme *advocatus diaboli* ! a-t-il suggéré. Je joue l'idolâtre, et je dis : il n'y a pas de Dieu !

À quoi les prêtres nestoriens n'ont trouvé qu'une réponse :

— L'existence de Dieu est attestée par les Saintes Écritures !

— Les idolâtres ne les reconnaissent pas. Alors, que dites-vous à présent ? a répliqué Créan-Gosset en se moquant de leur légèreté.

Ils se sont tus, confus, et Guillaume a pu représenter l'ensemble du christianisme. Mais les idolâtres, venus en grand nombre, murmuraient et frappaient sur leurs cloches et leurs tambourins : aucun khagan n'avait encore osé mener une enquête sur les secrets de leur religion. Comme Dschuveni ne parvenait pas à rétablir le silence, c'est le grand juge qui a demandé le calme. Lequel s'est instauré immédiatement.

Gada Sami a envoyé un moine au crâne rasé, vêtu en jaune safran, demander à Guillaume, provocateur, s'il voulait que la dispute porte d'abord sur la naissance du monde ou sur la migration des âmes après la mort. Guillaume a ainsi pu faire sa première grande tirade.

— Mon ami, notre conversation ne peut débuter ainsi. Tout provient de Dieu. Lui-même est l'origine, il est ce qui est et il en est le maître. C'est de lui seul que nous devons parler pour commencer, car les esprits divergent déjà sur ce point. Or le grand khan veut savoir qui, d'entre nous, a la juste foi. Je dis : Dieu existe, et il n'existe qu'un seul Dieu.

Les idolâtres se sont mis à taper sur leurs tambourins et à agiter leurs clochettes, si fort que le Bulgai a
bondi et s'est mis à hurler :

— Du calme ! Au nom du grand khan ! Du calme !

Il a annoncé qu'à partir de cet instant, et sous
peine de mort, nul ne devrait plus produire le
moindre son avant d'avoir été invité à prendre la
parole par le chef de cette assemblée (il désigna
Dschuveni). La même peine frapperait quiconque
offenserait son contradicteur ou la religion représentée par celui-ci. « Sera aussi condamné à mort quiconque provoquera un tumulte ou dérangera ce
débat d'une autre manière », a enfin annoncé le
porte-parole du Bulgai.

Tous se sont tus, et Guillaume a aimablement rappelé l'idolâtre à son devoir :

— J'attends ta réponse.

— Seuls les idiots affirment qu'il n'existe qu'un
seul Dieu, a prudemment répondu Gada Sami, qui
tenait sans doute à conserver sa tête rasée sur ses
épaules. Les sages parlent de plusieurs dieux. N'y a-
t-il pas dans ton pays de grands souverains, et, dans
ce pays-ci, Möngke-Khan n'est-il pas le plus grand de
tous ? Il en va de même pour les dieux !

Guillaume n'a pas eu de mal à lui répondre.

— Tu donnes un mauvais exemple : tu te fondes
sur l'homme pour tirer des conclusions sur Dieu.
C'est l'inverse qu'il faudrait faire. Si l'on s'en tient à
ton raisonnement, n'importe quel puissant pourrait
être qualifié de dieu dans son pays. Mais même au-
dessus du grand khan, *tengri*, l'unique Dieu, s'étend
et règne !

J'ai lancé un rapide regard à Möngke, de l'autre
côté. Il a hoché la tête, parfaitement d'accord avec
moi, et a souri, tout fier de « son » Guillaume. Mais
Gada Sami n'a pas abandonné la bataille.

— Comment est donc fait ton Dieu, dont tu
affirmes qu'il est seul et unique, ce que *tengri* ne
revendique nullement, comme tu le sais sans doute.

Guillaume ne s'est pas laissé entraîner dans ce
débat.

— Tous les autres sont vos idoles, mais ce ne sont pas des dieux, a-t-il répliqué. Dieu, notre Seigneur à tous, est tout-puissant, et il n'existe pas d'autre dieu à ses côtés. Il n'a pas besoin d'être assisté par d'autres divinités, et encore moins par des idoles créées par la main de l'homme. Dieu sait tout, il n'a donc pas besoin de conseillers. Dieu, qui nous a créés, est notre maître. Il n'a pas besoin que nous le comprenions dans la plénitude de son pouvoir.

— Il en va peut-être ainsi au ciel, mais les choses sont différentes sur cette terre.

— Sur la terre comme au ciel, a répondu Guillaume d'un air bienveillant. S'il existait plusieurs dieux, aucun ne serait tout-puissant ; chacun devrait présenter un point faible qui serait compensé par la compétence d'un autre dieu. Je te le demande donc : crois-tu qu'un dieu quelconque soit tout-puissant ?

Gada Sami est resté longtemps muet. Il réfléchissait. Au bout d'un certain temps, le chambellan lui a ordonné de répondre ou de décamper. Il a enfin répondu :

— Aucun dieu n'est tout-puissant.

Le groupe des Sarrasins a éclaté d'un rire tonitruant, jusqu'à ce qu'un regard sévère du Bulgai les fasse taire.

Le tour est ensuite venu, pour les nestoriens, de disputer avec le musulman. Monseigneur l'archimandrite était arrivé entre-temps et, la mine sombre, avait assisté à la victoire de Guillaume. Il s'est frayé un chemin vers l'avant.

— Je veux encore poser une question à frère Guillaume, annonça-t-il. L'Église de Rome, en prétendant assumer seule l'héritage du Christ face au polythéisme qui existait à l'époque dans la capitale de l'Empire romain, n'a-t-elle pas repris à son compte une bonne partie de l'Olympe, de l'assemblée des dieux ? L'invention de la Trinité du Père, du Fils et du Saint-Esprit n'est que le déguisement réussi du dieu suprême Jupiter, du jeune garçon Mercure et de la figure de l'ancien père, Saturne ! L'esprit de Jean-

Baptiste, un esprit dont on peut contester la « sainteté », n'a-t-il pas remplacé Mars, le belliqueux ? Les divinités féminines de l'amour et de la fécondité ne se retrouvent-elles pas en Marie, la vierge et la mère ? Le patriarcat de l'Église leur accorde encore moins d'espace que ne l'avaient fait, auparavant, les seigneurs de l'Olympe ! À cela s'ajoute encore le croissant de lune, tandis que le soleil d'Apollon a été confié au nouveau Dieu, le fils de Dieu. Tout cela n'est-il pas un paganisme infâme, aussi pénible que mensonger ? Tout cela, on le passe soigneusement sous silence. Mais tu rabroues les idolâtres, lesquels, au moins, défendent loyalement leurs dieux secondaires !

— Tchhht-tchhht...

Dschuveni l'a rappelé à l'ordre, mais Sergius n'y a pas fait attention et a continué à tempêter.

— Dieu sait que l'Église de Rome n'est pas un modèle ! Elle se donne des airs de grand juge avec ses missionnaires, alors que les armes de leurs blasons sont empruntées aux signes puissants du zodiaque préchrétien, profondément païen : le Bélier, le Taureau, le Lion et l'Ange ! Regardez donc un instant l'icône préférée entre toutes, celle des apôtres et des saints ! Ils ne sont que concupiscence, extase et férocité ! L'Annonciation par l'ange, Jésus nu et ensanglanté sur sa croix, la colombe descendant de l'œil du Tout-puissant : même Dieu n'est pas épargné ! On représente le Créateur comme un vieil homme barbu, son omniscience par un faisceau de rayons qui lui pousse sur le front à la manière d'une corne, et sa toute-puissance par un nuage sur lequel le vieil homme se repose !

— Tchht-tchhht-tchhht, a répété le chambellan.

Le Bulgai, lui aussi, s'est raclé la gorge. Mais Sergius n'en démordait pas, on aurait dit une mangouste, les dents plantées dans le serpent.

— C'est pire que l'idolâtrie ! C'est une manière de se moquer de Dieu ! L'*Ecclesia catolica* est une honte pour toute l'humanité. Nous refusons de la suivre,

nous, les nestoriens. C'est à juste titre que le prophète Mahomet a proclamé l'islam, six cent vingt-
deux ans après la trahison de l'étoile de Bethléem. Je
suis tout disposé à mourir pour ces mots sous l'épée
du vénéré seigneur Bulgai, car je mourrai en sachant
que j'aurais pu, sous les yeux du souverain suprême
de tous les Mongols, devant les oreilles de l'illustre
grand khan, vous arracher le masque d'une Église
« chrétienne ». Ce n'est pas ce chemin que doit
prendre la *Nova Ecclesia Mongalorum*, pas avec un
patriarche adepte de telles pratiques sectaires !

Sergius l'Arménien (admettons-le : je le hais) avait
soigneusement préparé sa sortie, il faut le lui
reconnaître. Avec la rigueur de l'Ancien Testament,
une voix de tonnerre, les yeux brillants, un ange portant l'épée de feu pour chasser le pauvre Guillaume
du paradis du patriarche !

Guillaume avait écouté, intéressé, il avait même
hoché la tête à quelques reprises, comme si ce n'était
pas son Église que l'on attaquait avec autant de virulence que d'infamie. Il ne lui a pas été permis de
répondre aussitôt : Dschuveni voulait enfin laisser
parler les Sarrasins.

Le chambellan a poussé entre les deux coqs de
combat un charmant vieillard à la chevelure blanche
comme neige. Malgré son grand âge, le Maulana,
« notre maître », comme l'a chuchoté avec respect
l'un de ses élèves soufis, à côté de moi, avait presque
une démarche de danseur. Il s'est incliné de tous les
côtés et a parlé :

— Chers amis, la toute-puissance de Dieu est
peut-être égale à l'Océan. Celui qui y puise (mais ils
ne sont qu'une poignée) verra aussi les gouttes, il
pourra peut-être les compter. Celui qui y nage le per-
cevra de nouveau d'une autre manière que celui qui,
depuis la montagne, laisse son regard descendre sur
les flots. Et il en ira peut-être encore autrement pour
celui qui, depuis les nuages, laisse son regard s'y
perdre. Mais lui non plus ne pourra appréhender
l'Océan dans toute sa grandeur, aussi haut que

puissent voler les nuages — et pourtant, c'est une seule et même chose, c'est l'Océan un et unique.

Un silence complet s'était instauré dans la salle d'audience du khan. Le soufi s'inclina encore une fois, courtoisement, de tous les côtés, adressa un sourire à Arslan et annonça :

— Je veux vous réjouir en vous racontant l'histoire de « l'homme de Dieu ».

> « *L'homme de Dieu est ivre,*
> *pourtant il ne boit pas de vin;*
> *il est rassasié, mais il ne touche pas le moindre*
> [*aliment.*
> *L'homme de Dieu tournoie dans l'ivresse.*
> *Que lui importe la nourriture ou le sommeil?*
> *C'est un roi, caché sous son vêtement simple.*
> *Un diamant entre des ruines qui s'effondrent.*
> *L'homme de Dieu n'est ni air, ni terre,*
> *ni eau, ni feu.*
> *C'est une perle dans la mer sans rivage,*
> *un ciel sans nuages d'où coule le nectar.*
> *C'est un firmament démesuré, avec cent lunes*
> *et la lumière de cent soleils.* »

Lorsque le soufi a eu terminé, aucun applaudissement n'a salué sa tirade. Un silence honteux s'est instauré jusqu'à ce que le chambellan se reprenne et donne la parole à Guillaume, afin d'apporter une réplique « modérée » aux attaques de l'Arménien.

Mais à cet instant, Créan-Gosset a fait un pas en avant et a tendu une feuille de papier à Guillaume. Il a échangé avec lui quelques mots à voix basse et annoncé :

— Guillaume de Rubrouck voudrait auparavant profiter de l'occasion et puiser dans cette même source qui, manifestement, ne doit pas être nommément citée, ce à quoi nous nous tiendrons respectueusement. Il veut remercier le grand maître pour ce signe, qui nous montre si bien les rapports que nous devons avoir avec Dieu, nous, humbles hommes.

Et Guillaume récita d'une voix tranquille et sonore :

> « *Sa sagesse jaillit de la vérité suprême,*
> *et non des pages d'un livre;*
> *il se situe au-delà de la foi et du doute;*
> *il ne connaît ni vrai, ni faux.*
> *L'homme de Dieu a dit adieu à tout ce qui est*
> *   [insignifiant*
> *et il est revenu dans toute sa splendeur.*
> *L'homme de Dieu est bien caché.*
> *Ah, mon âme, mets-toi en route,*
> *cherche-le et trouve-le dans ton cœur!* »

À peine avait-il achevé son dernier mot que les applaudissements crépitaient. Guillaume a fait un signe de dénégation modeste et s'inclina profondément devant le soufi, un homme tellement célèbre que Créan-Gosset connaissait ses poèmes par cœur. Il en avait habilement donné le texte à Guillaume, qui avait su en profiter, comme le montraient l'ovation et le visage de Möngke. Quel jeu jouait Créan? Ne tenait-il pas au contraire à ce que ce frère mineur vaniteux connaisse une défaite cuisante? Voulait-il finalement que Guillaume l'emporte? Ou simplement éviter le succès de l'Arménien? Guillaume avait la tâche difficile, il lui fallait se tirer brillamment d'une affaire où il n'avait pratiquement pas la moindre chance. L'Arménien ne lui avait pas tendu un piège, il l'avait dirigé droit sur une fosse assez large pour capturer un éléphant. Guillaume y sauterait-il des deux pieds? Ceux qui le connaissaient l'en croyaient bien capable.

— Mon cher ami, a-t-il dit à Sergius. Tu as rendu au grand khan deux services inestimables. D'abord, avec ta virulence, tu lui as montré quels dangers attendent sa *Nova Ecclesia*, tu as montré à notre souverain ce que ne doit pas être son Église d'État. D'autre part, tu lui as prouvé de manière fort imagée à quel point la tige de la *Nova Ecclesia Mongalorum* doit porter des fleurs diverses et des ramifications multiples, autant que l'*Ecclesia romana catolica*. Je dois te remercier pour cet effort.

L'Arménien en est resté bouche bée. Mais je suis moi aussi demeuré ahuri, comme les autres jurés, face à ce numéro de funambule que nous offrait Guillaume de Rubrouck.

Celui-ci s'est incliné devant Möngke, qui lui a adressé un sourire plein d'espoir, et a repris ses tours de passe-passe.

— Je ne veux en aucune manière défendre les manigances auxquelles s'est livrée Rome lors des années de fondation — elles se sont d'ailleurs honteusement prolongées à travers les siècles, à l'ombre du trône de saint Picrrc. Micux, jc pourrais encore y ajouter beaucoup d'affaires encore moins avouables, car notre époque, justement elle, grouille des infamies de l'Église. Mais il est une chose qui ne fait aucun doute, cette Église, elle existe ! Et elle existe aussi, manifestement, devant Dieu, ce qui est une preuve supplémentaire de sa toute-puissance, qui englobe aussi le mal ! L'Église des papes est mauvaise et malveillante. Rien ne peut excuser cela aux yeux des humains. Mais voilà : Dieu, lui, n'a pas à se disculper ! Or c'est de lui et de lui seul qu'il s'agit. Même les adeptes du satanisme, même les prêtres idolâtres ne servent que lui au bout du compte. Sergius l'Arménien, qui n'a jamais été ordonné mais se donne à présent le titre d'archimandrite, le sert tout autant. Il a peint un tableau surchargé de l'Église, avec des anges et des démons, des vierges et des saints. Il y a de la place pour tout le monde là-dedans, même pour les hypocrites et les menteurs, pour les bonimenteurs, les voleurs et les meurtriers. Sergius nous l'a montré.

Guillaume a soudain abandonné son ton badin pour une sévérité biblique.

— Une Église doit servir son Dieu, mais elle ne prend jamais sa place. Elle est œuvre humaine, et doit s'en tenir aux commandements de Dieu. Or ceux-ci sont clairs et stricts. La loi du *Jasa* des Mongols correspond si parfaitement aux dix commandements ! On croirait que le grand Gengis Khan, comme Moïse, l'a reçue directement du souverain céleste. Ce sont eux, et eux seuls, qui doivent dicter la conduite de la *Nova Ecclesia !* Eux, et pas le nombre des formes sous lesquelles il faut vénérer Dieu : monophysite, en trinité ou par sections entières ! De tout cela, Dieu ne peut que sourire, comme Bouddha, ou se mettre en fureur, comme le Yahvé de l'Ancien Testament. Seule la volonté de conserver les commandements justifie la fondation d'une nouvelle Église, et pas la question de savoir si l'on mange du poisson ou du porc le vendredi ! Tout dépend à présent du grand khan : désire-t-il mettre au monde une Église ouverte à tous ses sujets, qu'ils soient musulmans ou chrétiens, idolâtres ou partisans des chamans, et qui impose également à tous l'obligation de respecter les commandements divins ?

Sur ces mots, Guillaume s'est incliné devant le khagan et a reculé pour prendre sa place entre Créan et Philippe. Il n'y a pas eu d'applaudissements : frère Guillaume y avait renoncé d'office en faisant ses remarques sur la viande de porc et ses autres allusions aux sensibilités des différentes religions. Mais il tenait son triomphe, c'est lui qui avait prononcé le dernier mot.

Sur un signe de Möngke, le chambellan a levé la séance. Après un instant d'hésitation, quelques nestoriens, sans doute des partisans de l'ancien archidiacre qui n'acceptaient pas l'archimandrite, ont entonné encore une fois avec ferveur le « *Credo in unum Deum* » que les Sarrasins ont repris, à mon grand étonnement. Seuls les idolâtres sont restés muets. Les monothéistes ont ainsi quitté la salle en vainqueurs.

L.S.

L'oracle des os

— Pourquoi, cher Créan, as-tu jeté cette bouée de sauvetage à notre frère en détresse, en lui confiant la poésie du soufi?

En pleine nuit, monseigneur Créan-Gosset et frère Barzo s'étaient retrouvés dans la maison du chambellan Ata el-Mulk Dschuveni.

— Ça n'est tout de même pas par altruisme chrétien? ajouta Barzo.

— L'altruisme chrétien ne me concerne pas, répliqua sèchement Créan. Et Guillaume ne l'a pas mérité. Mais l'attaque de l'Arménien était si grossière! Il était facile de prévoir que notre rusé Flamand y résisterait sans dommage et qu'il en sortirait encore plus fort — ce qui s'est d'ailleurs passé. J'ai voulu le faire briller pour transformer sa confiance en soi en témérité excessive. Il s'est alors présenté au grand khan comme apôtre de la morale et gardien des lois éternelles. Dans ce rôle, nous le savons tous, Guillaume est vulnérable. L'erreur de Sergius, ce moine avide de pouvoir, a été d'attaquer l'Église, dont notre franciscain dévoyé n'a strictement rien à faire. Il aurait dû dénoncer l'existence débauchée de Guillaume. Et nous voilà devant cette situation grotesque : cet Arménien ascétique et aux mœurs rigoureuses (mis à part quelques taches hideuses que l'on ne voit cependant pas sur sa soutane noire) apparaît comme un misérable semeur de troubles, tandis que notre frère à la main baladeuse se présente au khan, pour plaire à Dieu, comme l'homme pieux et respectueux des lois sur lequel se fondera une nouvelle Église. Le comédien idéal pour tenir le rôle du patriarche!

— Il faut l'empêcher par tous les moyens! dit alors d'une voix puissante Dschuveni, qui était entré sans bruit dans ses appartements. Il faut éloigner ce Guillaume de Karakorom, et aussi vite que possible. Il faut éviter qu'il soit désigné à ce poste : il sera difficile de provoquer, sans nuire au prestige de Möngke, la chute d'un prince de l'Église que le grand khan vient de nommer. Une fois qu'il aura intronisé Guillaume, il le soutiendra. Möngke y tient d'ores et déjà beaucoup plus que nous ne le souhaiterions.

— Jusqu'ici, Guillaume a pleinement exaucé les espoirs que le grand khan avait placés en lui, ajouta Créan. Nous devons nous dépêcher si nous voulons encore entreprendre quelque chose. L'annonce officielle de sa nomination est prévue pour la Pentecôte, cela nous laisse une semaine...

— Nous devons surtout nous demander ce que nous pouvons entreprendre, répondit Barzo.

— Oui, répéta en écho le chambellan, qui n'était pas particulièrement inspiré.

— Le premier coup doit être mortel, répliqua Créan, car le khan ne nous laissera pas le temps d'en porter un deuxième ou un troisième. Et ce coup doit être porté, sans sentimentalisme déplacé, contre l'apparence physique de notre Guillaume...

— Au bas-ventre! s'exclama Barzo en riant. Il me vient une idée, tellement banale que j'en ai presque honte.

— Allons, Barzo, pas de fausse pudeur, tu as déjà fait tes preuves à Otrante comme intrigant nuisible. Je ne dirai qu'un mot : la trirème!

— C'est justement à cela que je voulais en venir, exulta Barzo. Écoutez bien, Dschuveni! Le plus jeune frère du khan a une esclave nommée Shirat...

— ... à laquelle Ariqboga, cette tête brûlée, porte un amour tellement ardent qu'il lui a fait une demande en mariage, compléta le chambellan, heureux de pouvoir de nouveau apporter sa pierre à leur conversation. Mais cette présomptueuse a refusé!

— Tant mieux! s'exclama Barzo, avant de reprendre son plan, débarrassé de tous les obstacles. Dans ce cas, Shirat tiendra admirablement le rôle féminin, et nous pourrons prendre Guillaume sur le fait dans une situation gênante. Une tentative de débauche, voire une séduction consommée!

— Le futur patriarche viole l'un des commandements dont il a réclamé le respect auprès du khan!
reprit Créan. Tu ne convoiteras pas la femme de ton
prochain!

— Guillaume de Rubrouck s'attaque à la femme
d'un Gengis! s'exclama Dschuveni, qui jubilait. Il
paiera pareille infamie de sa vie. Même le khagan ne
pourra le sauver!

— Pauvre Guillaume, dit Créan.

Mais Barzo ne se laissa pas émouvoir.

— Il parviendra bien à sauver sa tête, tel que je le
connais, dit-il pour consoler Créan (mais Dschuveni
avait fixé sur lui un regard incrédule). Roç et Yeza
ont découvert Shirat, qu'ils connaissent depuis longtemps, dans le harcm d'Ariqboga, expliqua-t-il
patiemment au chambellan, dont l'expression ne
devint pas plus intelligente pour autant. Et ils sont
fermement décidés à la libérer.

— Le couple royal doit être tenu à l'écart de cette
histoire! dit Dschuveni, très ému. Le Il-Khan Hulagu
ne veut pas de tache sur l'image de ses rois de la
paix!

— Ils doivent rester immaculés! confirma Créan,
l'air grave.

— Ne vous faites aucun souci, répondit Barzo. Au
contraire, il faut éloigner sous un prétexte quelconque Roç et Yeza de leur maison de pierre. Shirat,
en revanche, y sera appelée, une fausse invitation de
Yeza...

— Vous pouvez vous en charger, messire Dschuveni, dit froidement Créan. Vous voulez certes
conserver l'intégrité des enfants, mais pas celle
d'Ariqboga, dont les ambitions gênent votre maître
Hulagu.

— Monseigneur, répondit le chambellan, vous ne
parlez pas comme un prêtre ordinaire. Mais j'assu-
merai cette partie de la mission.

— Bien reprit Barzo, notre *spiritus rector*. Les
enfants sont partis, Shirat arrive et y trouve Guillaume!

— Tout nu, de préférence, dit Dschuveni en rica-nant. C'est ainsi que les hommes du Bulgai les sur-prendront tous les deux.

— Je suis indigné, dit Créan. Vous ne parlez pas comme un haut dignitaire de la cour, messire Dschuveni, mais comme un homme des Services secrets.

Le chambellan éclata de rire et quitta les deux chrétiens. S'ils en étaient...

Créan et Barzo revinrent à la yourte qu'ils parta-geaient avec Guillaume.

— À quels « supérieurs de l'ordre » est au juste destiné le mémorandum que tu as rédigé sur la dis-pute religieuse ? demanda Créan d'un ton léger. Ça n'est tout de même pas pour le ministre général des franciscains ?

Barzo ne s'agaça qu'un bref instant de la curiosité de l'autre.

— Tu oublies, Créan de Bourivan, à quel ordre nous devons tous deux rendre des comptes. As-tu quelque chose à cacher au Prieuré ?

Créan secoua la tête.

— Rien qu'il ne sache déjà, frère Barzo.

— Alors ôte-moi aussi un peu de ma curiosité : qui était ce soufi dont tu connais les vers par cœur ?

— Si tu ne les connais pas, je ne te révélerai pas non plus le nom de leur auteur.

— Était-ce Maulana lui-même ?

Barzo brûlait du désir de connaître le mystère du derviche. Il reprit :

— Le grand Jalal al-Din Rumi en personne ? Ai-je vu en chair et en os le plus grand soufi de notre temps, est-ce de sa bouche que j'ai entendu ces mots beaux et sages ?

Malgré son grand âge, Barzo se comportait comme un écolier ravi.

— Peut-être, répondit Créan.

De la chronique secrète de Yeza.

Je crois que Roç et moi-même, nous sommes la seule exception à cette règle qui veut qu'on n'aille pas chez le grand khan lorsqu'on n'y a pas été appelé. Messire Möngke se réjouit toujours de notre visite. En réalité, c'est Ariqboga que nous voulions voir, afin que mon chevalier et roi puisse entendre lui-même, de la bouche de Shirat, que la princesse mamelouk ne désirait pas qu'on la libère. Il n'arrivait pas à croire à quel point la petite épouse de Hamo s'était transformée. Mais Dschuveni, que nous avons rencontré au portail de l'aile réservée au prince, nous a expliqué que le frère du khan était sorti à cheval en compagnie de Shirat. On n'attendait pas leur retour avant le soir.

Puisque nous étions au palais, nous nous sommes rendus dans la grande salle d'audience pour voir le grand khan régler les affaires gouvernementales. C'est une activité que Möngke aime beaucoup. Et puis en le regardant, on apprend énormément sur l'exercice du pouvoir. Le khagan était de méchante humeur. Le motif de sa colère était que ce jour-là, des prêtres qu'il n'aimait pas beaucoup entendre demandaient une audience d'urgence. C'étaient des nestoriens, sans doute envoyés par le moine, qui avait dû les aiguillonner ou les intimider avec ses tours de sorcier. Lorsqu'on leur donna la parole, ils expliquèrent au grand khan que Guillaume n'était plus à leurs yeux le candidat approprié pour le titre de patriarche.

Depuis quelque temps déjà, j'ai l'impression que Möngke ne s'intéresse plus à sa nouvelle Église. Grognon, il a longuement tenu entre ses mains les os d'un mouton abattu, les a tournés et retournés avant de les transmettre à des serviteurs qui les ont déposés dans la braise. Möngke regrette peut-être depuis longtemps déjà de s'être engagé dans la fondation d'une Église, peut-être préférerait-il que tout reste en l'état.

Mais comme lui, le plus grand, l'infaillible, avait annoncé la *Nova Ecclesia Mongalorum*, il ne comptait pas tolérer de reculade — ni de sa part, ni de quiconque. Il répondit donc aux prêtres de manière très peu aimable. Le simple fait qu'il ait chargé le redouté Bulgai de répliquer exprimait déjà sa mauvaise humeur :

— N'avez-vous pas été, chrétiens, les premiers à soutenir Guillaume ? Si vous tentez à présent de frapper le patriarche dans le dos et de vous soumettre à votre nouveau chef, vous serez à l'avenir les derniers que regardera Möngke, pour autant que vous serez encore autorisés à paraître devant lui !

Sur ces mots, le grand juge renvoya les disciples de Nestor, et l'on sentit que cela lui causait un certain plaisir.

— Faites savoir à votre « archimandrite », grogna-t-il à l'adresse des prêtres qui quittaient la salle, que le grand khan attend une déclaration d'allégeance écrite, et l'arrêt complet de toute discussion sur ce point.

Roç et moi-même, qui connaissons Guillaume depuis plus longtemps que n'importe qui d'autre, ici, à Karakorom (exception faite de Créan), nous nous sommes habitués aux prestations quotidiennes du patriarche *in spe*. Mais pour les Mongols, son apparition dans des tenues précieuses et toujours nouvelles, avec sa mitre et sa crosse, reste un spectacle de choix. Ils s'amassent dans les rues et l'accueillent en l'acclamant lorsqu'il se rend à l'église pour la messe ou lorsqu'il va rendre visite aux malades, accompagné de ses assistants nestoriens. Il reste suffisamment de prêtres pour le soutenir. Et l'Arménien ne parvient pas à interdire à Guillaume l'entrée de l'église. S'il n'y a pas de nestoriens disponibles, c'est Philippe qui sert la messe pour notre Guillaume. Alors, celui-ci laisse traîner dans la boue la longue traîne lisérée d'hermine qu'il soulève d'habitude avec soin. Mais, au moins, il porte devant notre gros franciscain la bannière à l'agneau. Et les gens sortent de leurs maisons et applaudissent, ils embrassent les mains de Guillaume. Beaucoup se jettent aussi par terre lorsqu'il passe devant eux. Il n'y en a pas deux comme lui : face à Guillaume, même le sombre Sergius paraît blême. Pourtant, il continue à se promener en tenue noire de pénitent, avec sa croix plantée sur un bâton, et somme sa communauté de respecter le jeûne.

Au moins une fois par semaine, Guillaume et maître Buchier (il est parfaitement rétabli) doivent informer le grand khan des progrès de la cathédrale démontable et transportable. Möngke leur a fait construire spécialement par ses menuisiers un gigantesque char à bœufs sur lequel la maquette en bois peint et en tissu sera conduite au palais pour qu'il puisse l'admirer. Les axes du véhicule, qui doit être tiré par vingt-quatre bœufs, sont si larges que l'on a dû découper des entailles dans le mur du portail principal, à hauteur des moyeux.

Möngke prend toujours un grand plaisir à ces présenta-
tions. Roç et moi-même devons être présents chaque
fois et donner notre avis. La fonte et la soudure des premiers éléments vont bientôt commencer.

Après les nestoriens, ce sont les idolâtres qui se sont
présentés devant le grand khan. Ils sont entrés en grand
fracas dans la salle d'audience, avec leurs cloches, leurs
petits tambours et leurs clochettes. Cette fois, ce n'est
pas Gada Sami qu'ils avaient désigné comme porte-
parole, mais un vieux lama — après sa défaillance lors
de la dispute religieuse avec Guillaume, ils avaient craché au visage de Sami, l'avaient frappé et chassé. Le
lama s'était couvert le visage de terre glaise et de
cendres. Il était sans doute aveugle : en tout cas, ils le
tenaient par la main. Le Bulgai les aurait volontiers mis
dehors tout de suite, mais Möngke est superstitieux.
Pour lui, un aveugle est un voyant. On a fait venir spécialement un interprète pour traduire les mots du
devin.

— Vous avez, ô seigneur, une admirable basse-cour
dans votre jardin.

La voix du vieux lama couinait comme s'il voulait
imiter le caquètement des poules, et l'interprète était
tenté de l'imiter.

— Y vivent des légions de pintades, de poules des
steppes à queue grise, de poules des neiges et de poules
à cou noir des montagnes. Chaque famille a son coq, et
toutes pondent des œufs.

Möngke montrait les premiers signes d'impatience,
mais cela ne pouvait pas émouvoir l'aveugle.

— Un jour, un roi étranger vous offre un paon, un
magnifique animal, grand et gras...

— Jette-le dehors, dit Möngke à voix basse au Bulgai.

Nous l'avions distinctement entendu, mais le lama,
lui, continua sa parabole.

— Et le paon se met aussitôt à crier : « Ne suis-je pas
plus somptueux que tous les coqs de cette cour ?
Qu'attendez-vous de plus ? Abattez-les ! » Bien sûr, le
paon est aussi une poule, mais que deviennent les
œufs ? Je vous le demande, ô souverain...

Möngke réprima sa colère et laissa au Bulgai le soin
de répondre.

— Je me le demande aussi, fit ce dernier en imitant
la voix de fausset d'un castrat. Que se passera-t-il
lorsque j'aurai coupé les deux vôtres ?

Il y eut un instant de silence complet, puis toute la cour éclata de rire. Les hommes se tapaient sur les cuisses. Les idolâtres parurent d'abord pétrifiés. Et, d'un seul coup, ils attrapèrent le lama et le tirèrent aussi vite que possible de la salle. Leurs clochettes et leurs tambourins tintaient frénétiquement. Les mugissements de rire des Mongols les poursuivirent longtemps, Möngke lui-même n'était pas arrivé à garder son sérieux.

Pendant ce temps-là, les Sarrasins, qui attendaient depuis quelque temps déjà, s'étaient levés. Leur porte-parole s'inclina devant le grand khan.

— Nous ne voulons pas nous comparer à des poules caquetantes. Un souverain possède des faucons de chasse, aussi nombreux, aussi bons et aussi différents qu'il lui plaît. Un seul d'entre eux peut se poser sur le poing du seigneur et y prendre son envol. Les autres sont-ils de moindre valeur pour autant ? Ils ne le sont pas ! Tous volent et s'abattent sur leur proie au nom du seigneur, et ils le louent. Ils sont fiers que l'honneur du gant revienne à l'un d'entre eux, un faucon, et pas à une poule !

— Voilà qui est bien parlé, répondit Möngke, et il leur fit signe de reprendre leur place. À présent, regardons les os ! ordonna-t-il.

Un instant après, les chamans tendirent en silence l'omoplate calcinée au grand khan. Il fronça les sourcils. Roç, assis juste à côté de lui, me chuchota : « Il a éclaté en biais ! » C'était un mauvais signe.

— Le mouton était vieux, dit le grand khan, agacé.

Le Bulgai hocha la tête.

— C'est bien possible, admit-il, l'air songeur. Mais nous n'avons pas besoin de l'oracle pour constater que la nomination de votre candidat préféré va provoquer un certain mécontentement. Il est de mon devoir de le dire, ajouta-t-il. Punissez-moi pour cela, je suis votre serviteur.

Avant que Möngke ait pu s'exprimer, son attention déjà dissipée (son regard revenait constamment vers les os calcinés et les chamans) fut attirée par le général Kitbogha qui entrait dans la salle avec Barzo. J'attendais avec impatience ce que les deux hommes auraient à dire, car le khagan leur demanderait aussi, certainement, leur opinion. Je m'étonnais déjà de constater que, contrairement à son habitude, il ne nous ait pas fait participer à la discussion, Roç et moi-même. Le général eut une brève discussion à voix basse avec le grand juge, et le Bulgai annonça, à notre grande surprise :

— Le couple royal prend congé du grand khan !

Nous nous levâmes, nous inclinâmes et descendîmes les marches. Le vieux général, que j'aimais beaucoup, nous accompagna hors de la salle d'audience.

— Vous devriez vous rendre dans votre maison, à présent, nous conseilla-t-il d'un air sérieusement inquiet. Et si vous voyez votre Guillaume, faites-lui savoir qu'il serait bon qu'il déplace rapidement ses grosses fesses vers le palais !

Kitbogha parut un instant soucieux. Mais il se raidit ensuite.

— Il doit à présent engager le combat contre ses ennemis !

Nous promîmes de nous en occuper.

L.S.

Un funeste bain

Dans la salle d'audience, le grand juge avait pris la parole.

— Le frère franciscain Bartholomée de Crémone est invité, au nom du grand khan, à répondre aux questions de l'illustre chambellan Ata el-Mulk Dschuveni, sous les yeux et devant les oreilles du souverain suprême.

Dschuveni s'avança.

— Je veux poser au compagnon de notre très vénéré Guillaume de Rubrouck quelques questions qui concernent la future fonction de son cher frère, comme lui membre de l'*Ordo Fratrum Minorum*. Considérons la situation en Occident, d'où proviennent les deux frères. Là aussi, il existe un souverain laïc suprême qui se fait appeler empereur et se situe au-dessus de tous les royaumes. Mais on trouve aussi le chef de l'Église chrétienne, le pape.

Il recula d'un pas et indiqua d'un signe à Barzo

que son tour était venu de parler. Celui-ci s'inclina devant le grand khan et répondit :

— Je n'ose pas vous décrire une situation que Votre Majesté, peut-être...

— Parlez! ordonna Bulgai.

— Depuis plus de deux cents ans, l'Occident est affaibli par des guerres. Le roi allemand, qui ne peut porter la couronne d'empereur que par l'onction de la sainte main du pape, est en querelle avec le Saint-Père. Celui-ci, le pape, chef de toute la chrétienté, doit défendre son droit divin d'introniser et de couronner les rois et l'empereur contre celui-ci. L'empereur estime en effet que son pouvoir séculier lui revient par le sang, pour ce qui concerne sa dignité royale, et qu'il suffit que l'assemblée des princes, le *Kuriltay* de l'Occident, l'élise pour qu'il puisse exercer la fonction d'empereur.

Barzo fit une pause afin que Dschuveni puisse intervenir.

— Dans ce cas, ce n'est pas l'empereur, le souverain suprême de tous les peuples, qui nomme le pape : c'est à l'inverse le grand prêtre qui nomme l'empereur?

— Oui, c'est ainsi, et Dieu le veut! confirma Barzo. Le pape a aussi le droit divin et le devoir de démettre un empereur, de le bannir de la communauté de l'Église, de l'exposer au mépris de tous les croyants si celui-ci ne vit pas et ne gouverne pas selon les commandements du pape. C'est exactement ce qui est arrivé au dernier empereur, Frédéric. Il a été chassé du trône, et le pape a réparti son empire entre d'autres souverains.

Les Mongols en restèrent cois. Möngke plongea le front entre ses mains.

— Le souverain doit-il se faire baptiser? demanda Dschuveni.

Barzo hocha la tête.

— Mais il ne suffit pas, reprit le chambellan, que le souverain se fasse baptiser pour qu'il puisse recevoir sa dignité de souverain des mains du par...

euh... du parrain, du pape. Doit-il aussi se comporter ainsi après son accession au trône? Doit-il vivre comme l'entend le pape?

— L'empereur doit confesser ses péchés comme n'importe quel autre chrétien. Ce qu'est le « péché », c'est le pape qui le décide. C'est lui qui peut le punir et lui imposer l'« expiation ».

— Et qu'est-ce que le péché?

— Lorsque l'empereur a plus... a plus d'une femme.

— Continue! insista Dschuveni.

— Pour ne pas vivre dans le péché..., bredouilla Barzo, en feignant la confusion, il faut... euh.. il faut boire beaucoup moins que... que... il faut se présenter à jeun à la messe, et ce chaque jour, on est forcé de respecter les commandements du jeûne...

— Continue, continue!

— Un bon chrétien ne doit pas non plus faire la guerre. Au contraire, lorsque quelqu'un lui donne une gifle, il doit tendre l'autre joue...

— Arrêtez! gémit le khan. Je me sens mal!

— Disparais! dit le Bulgai à Barzo, d'une voix tonitruante, avant de lancer un regard furieux à Dschuveni. Vous gâtez l'humeur du souverain!

Barzo sortit rapidement de la salle, en trébuchant. Il n'eut plus qu'une seule idée jusqu'à ce qu'il se soit retrouvé à l'extérieur : surtout, ne pas marcher sur le seuil! Le chambellan le suivit d'un pas mesuré.

— C'est vous qui avez voulu l'entendre! fit Barzo au grand juge. Je vous ai dit tout de suite que cela atteindrait le moral du khagan.

Il se fit encore plus petit : il avait vu Kitbogha se diriger vers lui, et le général paraissait lui aussi très en colère. Le Bulgai le laissa immédiatement paraître devant Möngke.

— Jurez-moi sur votre vie, grogna Möngke, que Guillaume n'est pas le pape déguisé, qui vient nous rendre visite ici *incognito*.

— Tranquillisez-vous, seigneur, je peux vous garantir sur la vie de mes enfants que Guillaume ne se comportera jamais comme le pape, ni dans sa manière de vivre, ni dans ses exigences sur le comportement des autres !

— Guillaume n'a-t-il pas parlé du respect rigoureux des dix commandements, s'il doit diriger la nouvelle Église ? N'y a-t-il pas d'effroyables exigences dans ces commandements-là ?

C'est Dschuveni qui venait de parler : il était revenu et ne voulait pas laisser perdre l'effet de sa mise en scène.

— Aujourd'hui, reprit-il en s'adressant au khan, Guillaume boit avec vous. C'est même un compagnon très sociable. Mais demain, une fois devenu patriarche, il en ira tout autrement.

— Nous verrons cela, dit le Bulgai.

Les mots du grand juge n'annonçaient rien de bon, et Kitbogha jugea nécessaire de défendre son protégé.

— Vous pouvez le mettre à l'épreuve, proposa-t-il finement. Envoyez-le en éclaireur en Perse, avec votre frère Hulagu et le seigneur Dschuveni. S'il réussit...

— Vous en prenez la responsabilité, Kitbogha ! répliqua le chambellan sur un ton venimeux. Si je suis bien informé, mon maître Hulagu et moi-même pouvons compter sur votre escorte, s'il s'agit de conquérir le « Reste du Monde » !

— Messieurs ! gémit Möngke.

Le grand juge comprit son vœu :

— Quittez-nous à présent, je vous prie. Nous vous ferons connaître nos décisions !

L'assemblée se dispersa. Dschuveni, le chambellan, se rendit en se frottant les mains dans l'aile des princes et fit savoir à Ariqboga que la princesse Yeza se réjouirait d'accueillir chez elle, dans la soirée, son amie la princesse Shirat.

Chronique de Guillaume de Rubrouck,
Karakorom, le jour de mémoire de saint Pie Ier, Anno
1254.

Je me trouvais seul dans ma yourte avec Créan et
je venais de lui demander pourquoi il m'avait aidé à
affronter le moine.

— Était-ce ton baiser de Judas, Créan de Bourivan ?

C'est alors qu'entra Barzo, mon autre faux frère. Il
s'était à présent tellement imprégné du rôle de « Bartholomée de Crémone » qu'il avait aussi adopté
l'allure d'intrigant des Services secrets de l'*Ecclesia
catolica* et totalement oublié le bon vieux moine
amusant qu'était Laurent d'Orta. C'est pourtant sous
ces traits qu'il apparut tout d'un coup, pour annoncer joyeusement :

— Décision spontanée et solitaire du grand khan
Möngke : le patriarche va être nommé immédiatement !

Et ils s'accrochèrent tous les deux à mon cou.

— Le khan, chez qui j'étais il y a un instant,
raconta Barzo, demande que tu prennes d'abord un
bain et que tu te présentes à lui en robe blanche de
pénitent. Je suppose que ce sont les nestoriens qui
lui ont mis ça dans la tête, ajouta-t-il, comme pour
s'excuser, lorsqu'il lut le doute sur mon visage. Tu
peux poser la question à Kitbogha. Il m'accompagnait.

C'est exact, j'avais vu les deux hommes s'en aller.
Mais c'est la gaieté forcée de Barzo, ce traître, qui
m'ahurissait.

— Et dans quel bain de ciguë voulez-vous me
noyer ? demandai-je à ce valet de bourreau, ce sbire
du Prieuré, lui ouvrant ainsi une dernière possibilité
de renoncer à ses mauvais projets.

Mais Barzo s'exclama :

— Avant que le coq ait chanté trois fois, tu
devrais, vieux pécheur, *de iure canonico*, avaler toute
la baignoire après avoir pris un bain froid dans les

orties fraîchement coupées, les gousses de poivre et la saumure !

Même Créan ne put s'empêcher de rire.

— *Fratre peccavi* ! Où est le lieu où je puis expier ? demandai-je à Barzo.

Créan connaissait la réponse.

— La maison de pierre des enfants — je veux dire : de Roç et de Yeza — dispose d'un hammam. Allez, Barzo, file ! ordonna Créan. Et demande à notre couple royal la permission de faire immédiatement chauffer le bain !

Barzo partit en courant, et Philippe me chercha une robe blanche de pénitent parmi les vêtements de l'évêque. Elle était taillée dans le lin le plus fin. J'aurais pris le monde entier dans mes bras. Comment avais-je donc pu soupçonner Créan ? Et je me rendis en toute hâte au bain rituel, accompagné de mon confesseur, monseigneur Créan-Gosset, et de mon serviteur Philippe.

L.S.

 De la chronique secrète de Roç Trencavel, Karakorom, première décade de juillet 1254.

Quelle joie ! Notre Guillaume devient patriarche !

Nous étions tous rassemblés dans le hammam, parce que ce vieux filou devait auparavant suer et laver tous ses péchés. J'ai dit à Yeza : « Viens, nous allons nous baigner avec Guillaume, comme au bon vieux temps ! » Mais la dame a fait des manières. J'ai donc ajouté : « Une fois qu'il sera patriarche, il ne pourra plus jamais se baigner avec nous ! »

Ce qui l'a persuadée.

Guillaume avait déjà ôté ses vêtements, il a pris une sacrée graisse au fil des ans ! Nous nous en faisions une joie. Mais Créan n'était pas d'accord, naturellement, ce gâte-sauce ! Il ne voulait pas que nous nous déshabillions pour rejoindre Guillaume. C'était un bain rituel, nous expliqua-t-il, et Guillaume devait se préparer seul, dans le calme et la méditation, à sa nouvelle mission. À ces mots, Guillaume lui-même n'a pu s'empêcher de rire. Mais lorsque nous l'avons ensuite conduit en bas, à la rotonde de marbre dont les piliers forment un *balaneion* et dont nous étions très fiers, il s'est cabré comme un cheval devant le fossé.

— Personne ne saura si j'y suis vraiment allé!

Il désigna l'eau sur laquelle flottait un nuage de vapeur.

— Mais si, dis-je, ça se sent.

— Tu as sans doute peur d'être un homme nouveau lorsque tu en sortiras? insista Créan. Ne te fais pas d'illusions!

Ces mots attisèrent encore l'esprit rebelle de Guillaume.

— Mais pourquoi tenez-vous donc à me pousser dans ce bassin? se mit-il à trembler. Vous voulez me tuer! Me noyer ou m'ouvrir les veines!

Mais de qui avait-il tellement peur, pour refuser de faire même un seul pas sur les marches et de tremper au moins un orteil dans l'eau pour vérifier la température?

— Quelqu'un veut m'empoisonner! me chuchota-t-il, effrayé. Le moine n'admet pas...

— Reprends-toi, à présent, Guillaume! fit Créan d'une voix forte. Un bain chaud n'a encore jamais tué personne, et tu as le cœur solide.

— Il n'en est pas question! cria Guillaume. Vous êtes tous des jaloux! Des essences invisibles vont s'introduire en moi comme des vers, des parasites me ravageront les tripes et me boiront le sang, des arômes vénéneux me couperont le souffle!

Je le pris par la main (il était au bord des larmes) et je le tranquillisai :

— Yeza et moi-même, nous allons te persuader que l'eau de notre bain ne présente aucun risque.

Mais Créan s'interposa :

— Vous êtes certes les maîtres de cette maison, mes rois. Mais ce que je viens de dire vaut toujours. Permettez-moi, je vous prie, de prouver à Guillaume que ses craintes sont infondées.

Il avait déjà ôté ses vêtements et descendait d'un pas mesuré les marches qui menaient au milieu du bassin.

— Plonge, tête sous l'eau, Créan de Bourivan! cria Guillaume. Alors, je te croirai, j'aurai honte et je te suivrai!

Créan s'exécuta et resta sous l'eau jusqu'à ce qu'il soit forcé de reprendre de l'air. Il réapparut en s'ébrouant.

— J'ai honte! s'exclama Guillaume en riant.

Il se préparait à imiter Créan. C'est à cet instant précis qu'apparut Kito. Nous ne l'avions pas vu depuis longtemps, car il était de service à la frontière. Yeza lui cria:

— Tu peux te baigner avec nous, toi aussi!

Mais Kito déclina l'invitation:

— Guillaume et vous deux, vous devez vous rendre immédiatement au palais. Ordre du khan!

— Dès que nous aurons donné son bain à Guillaume! fit Yeza.

Mais Kito ne comprit pas la plaisanterie:

— Il ne reste plus de temps pour les ablutions! Nous devons partir immédiatement!

Guillaume se glissa donc comme il était dans la tenue blanche que lui avait préparée Philippe, et nous partîmes à cheval pour le palais. À l'extérieur, nous rencontrâmes Dschuveni. Il cria:

— Hâtez-vous! Le khan attend déjà!

L.S.

Le chambellan se précipita dans le hammam.

— Qui donc a ordonné à Guillaume de s'éloigner? fit-il, furieux. Cette Shirat va arriver d'un instant à l'autre...

— Le grand khan l'a appelé à l'improviste, et les enfants avec! lui répondit Créan, qui se trouvait toujours debout au milieu du *balaneion*.

— Et qui va prendre le bain avec l'esclave?

— Sûrement pas moi, rétorqua aussitôt Barzo. En aucun cas! C'était votre idée, Dschuveni!

Par précaution, il quitta aussitôt la pièce, non sans avoir lancé, depuis le seuil de la porte:

— Maintenant, c'est vous qui êtes dans le bain!

— J'y serais volontiers, répondit Dschuveni, mais cela n'aurait aucun effet, car j'imagine mal qu'on impute à Guillaume une faute que j'aurais commise. Si monseigneur le patriarche n'est pas disponible, que ce soit au moins son représentant... son confesseur!

— Je ne suis pas crédible! répliqua Créan.

— Vous faites vraiment de beaux conjurés !
s'exclama le chambellan, furieux. Eh bien, dans ce
cas, il ne se passera rien du tout. Je vais intercepter
l'esclave et la renvoyer chez elle !

Fou de rage, il quitta la pièce en lançant un regard
soupçonneux à Créan, qui barbotait toujours.

De la chronique secrète de Yeza.

Dès notre arrivée au palais, nous fûmes conduits
devant le grand khan. Il n'y avait plus auprès de lui que
le Bulgai, qui s'étonna beaucoup de voir Guillaume en
chemise blanche. On était très loin de l'ambiance solennelle que j'avais imaginée pour le sacre d'un patriarche.
Je m'attendais au pire. Guillaume, dans sa tenue de
pénitent, avait certainement le même sentiment.

— Asseyez-vous, fit le khan d'une voix lasse.

Il avait bu, et abondamment. Hormis les serviteurs de
l'arbre à boire, près de la porte, on ne voyait personne.
Ils nous apportèrent une coupe. Guillaume but une gorgée. Möngke se mit à parler, lentement, en pesant chacun de ses mots :

— Nous, les Mongols, nous croyons qu'il n'y a qu'un
seul Dieu, dans lequel nous vivons et mourons, et c'est
vers lui que nous tournons notre cœur tout entier.

Guillaume se crut invité à répondre.

— C'est certainement Dieu lui-même qui le permet,
dit-il d'une voix fragile (je crois qu'il souffrait les sup-
plices de l'enfer). Car sans sa Grâce, rien de tel ne peut
se produire.

Le khan fit remplir sa coupe et but, mais ne la tendit
pas, comme d'habitude, à Guillaume, si bien que
celui-ci se rabattit sur la nôtre.

— Tout comme Dieu a donné différents doigts à la
main, reprit Möngke, l'air recueilli, il a aussi donné aux
hommes différents chemins pour arriver à la félicité. À
vous, Dieu a donné les Saintes Écritures et les dix
commandements. Mais vous, chrétiens, vous ne vous y
conformez pas. À nous, il a donné les chamans. Nous
agissons selon leurs paroles, et nous vivons en paix.

Il but de nouveau, comme pour se donner du courage. Guillaume but aussi : il préparait son âme à la douleur qui s'annonçait.

— Au nom de cette paix, Guillaume de Rubrouck, je suis contraint de me séparer de toi. Cette décision m'a été douloureuse, et elle me peine profondément. Mais je dois placer la paix de mon peuple au-dessus de l'amitié que j'éprouve à votre égard.

Je crus un instant qu'ils pleuraient tous les deux. Mais les sanglots que j'entendais étaient ceux de Roç. Möngke fit remplir sa coupe en or et la fit tendre à Guillaume avant de boire à son tour. Je pris notre coupe dans les mains tremblantes de Guillaume, et je bus. Puis je la tendis à Roç en lui lançant un sourire encourageant. Les yeux embués par les larmes, mon chevalier en prit lui aussi une gorgée, tandis que Möngke poursuivait :

— Je veux donc te faire un cadeau. Dis-moi ce que tu veux : cela t'appartiendra.

Je regardai Guillaume. Il ne paraissait plus abattu, mais songeur. Une lueur de dureté apparut au fond de ses yeux gris. Il avait certainement pris une décision énergique. Il annonça, d'une voix ferme et distincte :

— Je te demande l'arbre à boire en argent.

L.S.

Lorsque Shirat, accompagnée d'une nombreuse escorte formée par les gardes du clan d'Ariqboga, arriva à la maison de pierre du couple royal, celle-ci était encerclée par les hommes de Dschuveni. L'escorte de la jeune femme avait cru qu'il s'agissait d'une mesure de sécurité ordinaire, destinée à assurer la protection du couple royal. Par précaution, Dschuveni avait aussi échangé toutes les servantes de Yeza contre les siennes. Shirat fut reçue avec tous les égards, et on la conduisit dans la maison.

— La maîtresse vous attend au bain, lui annonçat-on d'une voix aimable.

Shirat ôta ses vêtements, se fit remettre un drap de bain et entra dans le hammam. Lorsque ses yeux se furent habitués aux nuages de vapeur, elle reconnut avec un effroi modéré Créan dans le *tepidarium*. Un homme nu, surtout qu'il était dans l'eau jusqu'aux hanches, ne suffisait certes pas à lui faire perdre

contenance, mais elle remarqua aussitôt que les serviteurs du bain se retiraient au lieu de l'accompagner. Avec une certaine présence d'esprit, Shirat
remonta les marches, arracha le drap d'un geste
rapide au maître des bains et le noua autour de son
corps. Mais le temps qu'elle perdit ainsi suffit au serviteur pour se faufiler à l'extérieur. Elle entendit le
cliquètement d'une clef, et Shirat se retrouva seule
au hammam, avec un homme nu! Lorsqu'elle le
regarda les yeux dans les yeux, elle reconnut Créan.

— Fais donc quelque chose! lui lança-t-elle. On
veut me compromettre... et toi avec!

— Si nous devons mourir ensemble, plaisanta
Créan, baignons-nous au moins tous les deux auparavant!

— Tu dois être fatigué de vivre! lança Shirat entre
ses dents.

Elle essaya d'ouvrir la porte, mais ce fut peine perdue.

— Si Ariqboga nous surprend dans cette tenue, il
te tuera. Et moi avec!

Voyant que Shirat, loin de s'apprêter à descendre
dans le bassin, se serrait anxieusement contre la
porte verrouillée de l'intérieur, Créan sortit de l'eau
et avança vers elle, bras grands ouverts.

— Couvre-toi! cria Shirat. Tu es fou!

— Moi? demanda Créan en s'approchant encore.
Je voulais juste prendre un bain chaud. Tu entres
toute nue et tu me dis que je suis un homme mort.
Qui...?

— Prends-moi dans tes bras, fit Shirat dans un
sanglot, en laissant tomber son drap. Ils auront ce
qu'ils veulent.

Créan reprit le drap et le noua autour de leurs
deux corps, après avoir rapidement constaté que le
sien n'était plus dans la salle.

— Si l'on veut nous tuer, on nous trouvera prêts,
debout et dignes.

Elle posa sa tête au creux de son épaule.

L'arbre à boire en argent

Un silence de mort régnait dans le palais. L'arbre à boire en argent se tenait au seuil de la porte ouverte qui, depuis la grande salle d'audience, menait aux cours et aux jardins. L'ange à la trompette que l'on avait fixé au sommet laissa tomber le bras avec une plainte qui ressemblait à un couinement, et les boissons qui avaient si joyeusement giclé dans les cruches se mirent à couler d'abord au compte-gouttes, puis plus du tout. Les serviteurs paraissaient pétrifiés. L'arbre à boire ! Toute la fierté du grand khan, l'ornement des salles de fête, le centre fameux et incontesté de toutes les beuveries royales, cette source éternelle de kumiz et d'hydromel, de vin et de nectar allait perdre sa place habituelle et quitter Karakorom, abandonner le pays des Mongols !

Les enfants, eux aussi, avaient un pincement au cœur. Ils avaient souffert avec Guillaume. À présent, ils éprouvaient de la compassion pour le khan. Möngke n'osait plus regarder son arbre, il avait honte, on aurait dit qu'il l'avait trahi. Mais un khan n'a pas le droit de rompre son serment, de l'atténuer ou de le contourner. Il avait blessé la fierté de Guillaume de Rubrouck, amèrement déçu l'amitié cordiale du grand homme. Et Guillaume, loin de tendre l'autre joue, avait répliqué comme un Mongol. Il lui avait asséné un joli coup, rude et douloureux. Quel besoin avait-il eu, lui, le khagan, le souverain de toutes les tribus, de faire un grand geste en prenant congé d'un simple missionnaire ? C'était bien fait pour lui !

Le souverain avait aussitôt fait convoquer maître Buchier dans son palais, pour qu'il commence sur-le-champ à démonter l'arbre à boire et à le transporter dans son atelier.

— Pressez-vous, maître ! avait grogné le Bulgai. Le khagan ne veut plus voir cet arbre. Demain matin, ses éléments doivent être transportables. On les chargera sur des carrioles.

« Ensuite, songea le grand khan, maître Buchier m'en fera un nouveau, cette fois tout en or, encore plus grand et plus beau. »

Lorsque l'orfèvre posa sa main sur la première branche, Guillaume se mit à crier :

— Je le veux entier !

Il avait bondi et s'adressait au khan, qui détourna le regard.

— Qu'on l'installe sur le plus grand de vos chars à bœufs, fermement arrimé. Et lorsque je rentrerai avec lui en traversant la steppe des Mongols, il témoignera de l'incommensurable éclat du khan Möngke, et de sa générosité !

Möngke se fit remettre sa coupe par le Bulgai et la vida. Puis il la fit passer à Guillaume. Le franciscain la prit, se leva, se rendit à l'arbre et la remplit lui-même à l'une des cruches. Il revint jusqu'au khan et la lui tendit. Le khan se leva et prit Guillaume dans ses bras. Puis ils burent ensemble et rirent comme chaque fois qu'ils se retrouvaient seuls, tous les deux, après un repas. Roç et Yeza se regardèrent et sourirent.

Bien que la porte du hammam, dans la maison de pierre, ait été verrouillée de l'extérieur, les hommes des Services secrets se jetèrent dessus avec une telle force qu'elle se brisa en deux. L'homme et la femme étaient assis l'un à côté de l'autre sur le banc de pierre. Créan avait caché sa nudité avec une serviette, et Shirat avait noué le drap de bain autour de ses épaules et de ses hanches de telle sorte que seules ses jambes nues pouvaient encore, à la rigueur, heurter la sensibilité. L'union charnelle n'avait été consommée que par l'esprit, et la femme tenait sa tête appuyée sur l'épaule de l'homme.

Les hommes du Bulgai étaient furieux : ils étaient arrivés trop tard et n'avaient pas pris les deux criminels en flagrant délit. Ceux qui avaient écouté derrière la porte ne pouvaient guère que décrire des faits imaginaires. Seule l'entrée de Dschuveni évita que les hommes n'arrachent aux délinquants les draps qui les protégeaient. Mais même ainsi, on pouvait dire qu'ils étaient à demi nus. C'est de cette façon qu'on les fit sortir de la maison, et cela suffit à assurer le scandale désiré. On emmena le confesseur de Guillaume de Rubrouck et l'esclave d'Ariqboga.

L'arbre à boire vacilla, l'ange pivota sur son axe, mais il ne tomba pas. Maître Buchier fit déposer doucement son chef-d'œuvre sur les peaux de bêtes et les couvertures que l'on avait étalées sur toute la gigantesque surface du char à bœufs pour que les branches ne soient pas endommagées. C'était le char sur lequel on transportait d'ordinaire au palais la maquette de bois de la cathédrale en cours de construction, pour que le khan puisse admirer les progrès de cet édifice unique en son genre. Mais celui-ci ne serait sans doute jamais achevé. Le maître paraissait anesthésié. Le khan exigerait sûrement qu'il lui fabrique sans délai un nouvel arbre, plus grand, plus somptueux. Mais Buchier était un vieil homme malade. Il n'aurait jamais rêvé de mettre lui-même la main à son œuvre d'art. C'est le khan qui l'y avait contraint. Buchier le haïssait pour cela — et c'est avec une satisfaction mêlée de colère que le maître se demandait à quoi pourraient encore servir le cadavre d'argent du tronc de l'arbre, qui dressait misérablement ses branches dans l'air de la nuit, ou la caverne formée par ses racines. Là-dessus, l'orfèvre dirigea avec ardeur l'enlèvement et le chargement de l'arbre.

Roç et Yeza observaient la scène et donnaient des conseils avisés. Möngke et Guillaume buvaient et se promettaient une amitié éternelle. Guillaume, se disaient-ils, reviendrait certainement un jour ou l'autre. Seul le Bulgai était muet. Mais ses yeux voyaient tout.

Il aperçut immédiatement le porteur de mauvaises nouvelles que l'on avait retenu dans l'antichambre. Bulgai était le seul, dans toute la cour, à oser déranger le khagan lorsqu'il buvait. On lui apprit que Koka, la Deuxième épouse du grand khan, était à l'agonie. Lorsque son grand juge l'en informa, Möngke cessa de rire, mais pas de boire. Il exigea que le moine Sergius se rende immédiatement auprès de la malade avec son breuvage magique. Guillaume proposa ses services, mais Möngke tenait à ce que l'Arménien s'en occupe. Guillaume se proposa tout de même d'aller chercher l'archimandrite dans sa maison. Le grand juge lui adjoignit deux de ses hommes : le franciscain avait déjà beaucoup bu.

On emporta l'arbre à boire, et cette vision brisa presque le cœur du grand khan, tout aussi éméché que Guillaume.

— Au fond, dit-il en bredouillant à Roç et à Yeza, j'aimerais bien les garder ici tous les deux, le Guillaume d'argent et le gros arbre !

— Qui vous en empêche, illustre souverain ? fit Roç avec insolence.

Mais Yeza s'exclama aussitôt :

— Ce qui est dit est dit !

— Mais vous pouvez lui faire faire le tour de la ville, ou une excursion dans la région. Comme cela, Guillaume vous aura quitté, et puis il reviendra !

— Et tout recommencera de zéro ? répondit le grand khan en riant avant de retomber dans la mélancolie. Un souverain peut reprendre une parole en l'air, mon jeune roi, mais pas une décision mûrement réfléchie : Guillaume doit quitter la terre des Mongols, et pour longtemps.

Le Bulgai avait aperçu un nouveau messager dans l'antichambre. C'était l'un de ses hommes des Services secrets, qui lui indiquait l'accomplissement de la mission. Le Bulgai secoua la tête, mécontent. C'était impossible ; la victime désignée, Guillaume, avait passé tout ce temps sous les yeux attentifs du grand khan. Qu'avaient-ils donc fait à l'esclave — et qui l'avait fait ?

À cet instant, le chambellan entra dans la salle, très excité, et se précipita jusqu'à ce qu'il soit pratiquement devant le grand khan et les enfants. Le grand juge lui fit respecter les derniers mètres.

— Illustre souverain ! s'exclama Dschuveni en tentant de passer devant le juge chauve et trapu qui lui barrait la route et le dépassait d'une bonne tête. Nous avons trouvé le confesseur de Guillaume, le prêtre Gosset, nu dans les bras d'une esclave de votre frère Ariqboga. Ils ont impudemment...

— Ont-ils ? fit Möngke en lui coupant la parole.

Le Bulgai seconda aussitôt son souverain :

— L'avez-vous vu de vos yeux ?

— J'ai des témoins ! répondit le chambellan fou de rage, car jusqu'ici, il avait pu compter sur l'assistance du grand juge dans ce complot.

— Elle est belle ? demanda Möngke en buvant une nouvelle coupe. Les enfants, eux, paraissaient pétrifiés.

— Le prêtre a souillé la propriété d'un *kungdaitschi*, même si la femme, selon les témoins, y a pris plaisir ! Elle doit donc elle aussi être condamnée à mort !

— Bulgai ! grogna le khan. Qu'en dites-vous ?

Le grand juge se racla la gorge.

— Le prêtre a abusé de notre hospitalité, même si la femme n'est pas une Mongole. L'esclave a déshonoré le nom de votre frère, auquel son corps appartenait. Vous pouvez donner suite à la demande du chambellan.

— Non ! cria Roç, en se jetant aux pieds de Möngke.

Yeza, fulminante, criait au Bulgai :

— Si vous touchez ne serait-ce qu'à un cheveu de l'un ou de l'autre, le lien entre le couple royal et les Gengis sera rompu à tout jamais !

— Que Guillaume revienne ! demanda Möngke.

— Nous allons le chercher ! s'exclama Roç en bondissant sur ses jambes.

— Vous devez nous promettre, cria Yeza au grand juge (elle n'avait jamais cessé de lui faire confiance) que vous protégerez désormais Gosset et Shirat contre quiconque.

En prononçant ces mots, elle lança un regard à Dschuveni.

— C'est déjà fait, ma reine, répliqua le Bulgai d'une voix de stentor, en souriant. Ils se trouvent sous ma protection.

Roç et Yeza quittèrent les lieux en courant, d'une manière fort peu royale.

— Je veux retrouver mon Guillaume! fit le khan, et le Bulgai lui remplit sa coupe.

De la chronique secrète de Roç de Trencavel, Karakorom, première décade de juillet 1254.

Nous avons couru, main dans la main, franchissant la porte du palais pour rejoindre notre escorte, qui nous attendait déjà avec les chevaux. Les hommes dormaient debout. Nous leur avons arraché les rênes des mains, et Yeza a ordonné : « Attendez ici, nous revenons tout de suite! » Et nous foncions déjà dans la pénombre. J'ai crié à Yeza :

— Ce n'est qu'un tas d'intrigants alcooliques. Comme à Alamut! Je commence à en avoir plus qu'assez, de ces Mongols!

— Moi tout autant! répondit-elle. Désormais, nous ne pouvons plus compter sur Ariqboga! Il ne pardonnera jamais cette histoire à Shirat!

— C'était un piège! hurlai-je. Il était certainement jaloux de sa concubine!

— Non! cria ma dame au grand galop. Quelqu'un a atteint Créan, mais la cible était Guillaume! Créan et Shirat n'étaient que les dindons de la farce!

Nous distinguâmes devant nous une silhouette vacillante : Guillaume marchait vers la ville en titubant.

— Halte-là, franciscain! ordonnai-je. Tu dois revenir immédiatement auprès du grand khan!

Et nous racontâmes à Guillaume ce qui s'était passé après son départ.

— L'arbre à boire est-il arrivé à la forge, chez Buchier? demanda-t-il seulement.

Je me dis qu'il avait vraiment dû forcer sur la boisson pour ne pas avoir remarqué que le char aux vingt-quatre bœufs l'avait dépassé depuis longtemps. Je répondis donc :

— Il est certainement déjà arrivé!

— Alors ne vous occupez plus de Créan et de Shirat,

je prends l'affaire en main. Courez vers la maison de pierre, attachez-y les chevaux et faufilez-vous, sans que personne vous voie, dans l'atelier de Buchier. Là, vous vous cacherez dans le pied de l'arbre à boire, vous connaissez la grotte!

— Tiens donc? fit Yeza, étonnée, en me riant au visage. On repart en voyage!

Guillaume hocha la tête, l'air mécontent.

— Les Mongols ne vous ont pas mérités. Si vous voulez venir avec moi... Nous parviendrons bien, d'une manière ou d'une autre, à tourner le dos au royaume du grand khan.

— Nous lui montrerons notre derrière! m'exclamai-je, et ma dame éclata de rire.

— Je vais informer le khan que le couple royal se fie à sa bonté et à son équité, annonça Guillaume, et qu'il est allé dormir en confiance!

— Qu'il en soit ainsi! lançai-je avec entrain. Même si, pour la première fois depuis longtemps, ce ne sera pas dans notre lit...

— Je comprends à présent, malin Flamand, fit Yeza en riant, pourquoi tu as chipé son arbre à boire au khan!

— Qui aime bien châtie bien! répondit Guillaume en tournant les talons. Et plutôt deux fois qu'une!

— Arrête! ordonnai-je. Prends mon cheval, nous pouvons revenir à deux sur celui de Yeza. Dépêche-toi, pour que Créan et Shirat ne subissent pas eux aussi une double peine!

Nous l'avons aidé à monter, et il est parti à cheval. J'avais Yeza devant moi, sur la selle, et je la serrais contre moi, d'une main. Elle a lancé sa tête en arrière et j'ai pu embrasser son tendre cou. Car à cheval, si l'on cherche à s'embrasser sur la bouche, on a vite fait de se casser les dents.

L.S.

3. DÉPART DANS UN SILENCE ÉMU

La séparation douloureuse

 Chronique de Guillaume de Rubrouck, Karakorom, saint Alexius 1254.

Les dés sont jetés. Vu avec une tête d'ivrogne comme la mienne, où le kumiz a pris la place du cerveau, je ne suis moi-même que l'un de ces dés, tout comme Roç et Yeza, et certainement pas le grand joueur qui transforme l'histoire du monde et fonde en un tournemain une Église chrétienne de Mongolie avant d'en porter la pourpre. Le Prieuré a montré une fois de plus qu'il avait plus de souffle que moi : Créan et Barzo ont agi pour lui, ils ont tout fait pour que je m'en aille sans gloire avec les enfants, et ont fini par me faire tomber moi aussi dans leur piège. Alors que Roç et Yeza avaient, pour la première fois de leur vie, trouvé chez les Mongols le calme et la sécurité, ils les ont poussés à se lancer une fois de plus dans l'aventure d'une fuite et à s'exposer à des dangers que ni eux ni moi ne pouvions évaluer. Il m'arrive parfois de douter de la sagesse du Prieuré. Et pourtant, la boucle s'est toujours refermée. Et tout ce qui me paraissait incompréhensible, voire contradictoire et absurde, à moi comme à Créan et à Barzo, a toujours fini par s'assembler... pour lancer un nouveau jeu, tisser de nouveaux fils, faire de nouvelles victimes. « Le chemin est l'objectif », m'avait un jour confié le vieux John Turnbull, en guise de consolation, un jour où je doutais que le « grand projet » soit jamais mis en œuvre. Il ne s'agit pas de moi, bien entendu, je ne suis qu'un personnage secondaire. J'ai trop tendu la tête et j'ai pris un bon coup sur le nez, comme le gros paysan idiot de la fable. Tout tourne autour des enfants royaux, et d'eux seuls. Depuis bien longtemps déjà, je ne peux que leur transmettre les principes édictés par des puissances supérieures et, lorsque je suis plein de lait de jument fermenté, m'imaginer qu'il s'agit de ma vengeance toute personnelle. En réalité, le gros crétin n'a fait que bredouiller le texte que d'autres avaient écrit : le roi et la reine se cachent dans la charrette du paysan, que nul ne soupçonne de complicité, et ils quittent le château du grand khan.

Fort de ces pensées confuses, vexé et fier à la fois, j'étais arrivé devant les portes du palais. Il me fallut mettre pied à terre. Comme je titubais encore, les gardes me prirent sous les bras et m'amenèrent devant le khan. Je n'en voulais plus à Möngke, lui aussi n'était qu'un simple pion dans le jeu qu'on livrait pour la Couronne du Monde. Dans cette mesure, nous nous ressemblions, bien qu'il soit un grand et pas un bouffon, un paysan en chemise blanche de pénitent, celle-là même que je comptais échanger contre un manteau de patriarche. La nuit était déjà bien avancée. Le grand khan avait vomi et continuait à boire, tandis que les serviteurs nettoyaient par terre.

Le Bulgai se tenait droit comme un pilier.

— Le khagan vous demande de choisir, Guillaume de Rubrouck, annonça le grand juge. La vie des délinquants ou l'arbre à boire.

Je me rappelai alors pourquoi j'étais revenu. Je dis : « La vie de toute façon, car ce qui est donné est donné ! » J'espérais avoir ainsi exprimé clairement qu'il devait laisser Créan et Shirat en vie, et qu'il devait me laisser mon butin. S'il voulait me le

reprendre de cette manière, je ne pouvais naturellement pas m'y opposer.

Le Bulgai partageait manifestement mon avis. Il
annonça :

— Guillaume de Rubrouck est partisan de la grâce
et renonce à la dignité de patriarche. (Il rappelait
ainsi au souverain pourquoi il m'avait fait ce
cadeau.) Cela me paraît bon marché, ajouta-t-il
encore.

— C'est cher, marmonna Möngke. Laissons passer
la nuit là-dessus.

Le grand juge appela les valets. Ils prirent la coupe
dans les mains du souverain et le conduisirent à son
lit.

— Voulez-vous boire encore quelque chose ? me
demanda le Bulgai, impassible. Dans le cas
contraire, j'irai volontiers me reposer, moi aussi.

J'allais répondre en plaisantant : « Je ne bois
jamais ! Et vous, vous ne dormez jamais, Bulgai ! »
Mais à cet instant même, Ariqboga se précipita dans
la salle vide.

— J'exige l'exécution immédiate de l'esclave Shirat, hurla-t-il. (Lui aussi était complètement ivre.)
Qu'on lui attache le crâne de son profanateur autour
du cou avant de la lapider. Je ne tolérerai pas de
savoir qu'elle est en vie, et je ne veux plus jamais la
revoir. Je vous ordonne...

Il me sembla qu'il allait se mettre à pleurer ou à
vomir. Il ne se dirigea pas vers le Bulgai, qui se tenait
droit comme un rocher dans la houle, mais se recro-
quevilla sur l'un des sièges. Le Bulgai lui fit verser à
boire et lui dit d'une voix douce :

— Le khagan, votre frère, a réglé cette affaire...

— Où est-il ?

— Il est allé se coucher, dit le grand juge, et personne ne doit le déranger.

— Je lui réclamerai mon...

— Demain ! dit le Bulgai.

Je regardai Ariqboga. Il s'était endormi.

Le grand juge et moi-même fîmes ensemble, à cheval, le chemin de la ville. Il prit congé de moi devant ma yourte.

— Guillaume de Rubrouck, dit-il, en tant que gardien suprême du droit et de l'ordre, je suis heureux que vous nous quittiez. Mais l'homme Bulgaï est peiné que vous deviez nous abandonner. Adieu !

Et sur ces mots, il s'en alla.

Je me rappelai alors le moine et Koka, la mourante ; elle avait vraisemblablement péri depuis longtemps, mais l'envie me prit de me retrouver une fois encore face à l'Arménien. Je réveillai Philippe, mon serviteur, et lui fis sortir de la caisse de l'évêque la tenue la plus somptueuse.

C'était une robe coûteuse, toute de soie jaune abondamment mêlée de fils d'or. Le mantelet damassé était orné de nombreuses croix où l'on avait appliqué des pierres précieuses. C'est elle que j'avais envisagé de porter pour mon intronisation. Elle était trop voyante pour les messes ordinaires. Je me débarrassai de ma chemise de pénitent, qui était à présent toute tachée, et me glissai dans la tenue d'évêque. Je choisis avec soin une étole rouge écarlate, et une mitre particulièrement haute.

Philippe portait ma crosse et l'encensoir ; je n'avais pour ma part dans les mains que l'évangéliaire et une simple croix d'ébène, avec une gravure du Sauveur en ivoire. Dans cet équipage, nous nous dirigeâmes lentement vers la maison du moine. À présent, je pouvais lui pardonner. Il n'avait pu empêcher mon élection au titre de patriarche : c'était moi, magnanime, qui avais renoncé à cette fonction. Barzo me rattrapa.

— Roç et Yeza sont chez Buchier, dans la forge, me chuchota mon faux frère. Ne t'y montre en aucun cas, attire l'attention sur toi dans un autre lieu.

— J'y vais de ce pas ! répondis-je.

Mais je ne parvins pas à me débarrasser de lui. Nous entrâmes dans la maison du moine. L'archimandrite ne dormait pas, et cette visite à une heure tellement inhabituelle ne lui déplut pas. Il avait prié.

C'est du moins ce qu'il prétendit. Malgré l'ordre du khan, il ne s'était pas rendu chez Koka :

— Je me refuse à ouvrir le chemin du paradis à cette idolâtre invétérée.

— Elle est mourante, objectai-je. Son âme...

Sergius resta inflexible.

— Elle n'a jamais tenu compte des sacrements de l'Église, et ne s'est pas fait baptiser en temps utile.

— Si vous n'allez pas auprès d'elle, dit frère Barzo que le moine n'avait jamais pu souffrir, c'est parce que, après avoir donné un dernier sacrement, on n'est plus admis devant le grand khan pendant un mois.

L'Arménien lança à mon compagnon fielleux un regard annonciateur de malheurs, ce qui ne l'intimida nullement.

— Et dans ces conditions, il est difficile de devenir patriarche, ce qui est votre objectif secret, moine !

Sergius resta muet, l'air sombre. Puis j'annonçai d'une voix ferme :

— Je me rends au chevet de la mourante !

L.S.

Aucune lueur ne s'échappait de la forge de maître Buchier. La charrette portant l'arbre à boire avait été garée si près de l'entrée que le pied de l'arbre et la grotte formée par les racines étaient déjà à l'intérieur. Buchier avait fait aménager sous l'ouverture, dans les planches de la charrette, un trou par lequel on pouvait grimper dans la grotte. La trappe pouvait être fermée de l'intérieur. Il avait soudé de manière bien visible la porte qui permettait jusqu'alors l'accès du trompettiste, et que tout le monde connaissait. À Barzo, qui avait tout vérifié, il avait expliqué :

— Ce voyage agité en rase campagne exige que l'on bloque les portes... Je dis cela pour le cas où quelqu'un poserait la question.

Barzo hocha la tête, satisfait. Buchier aurait d'ailleurs pu refaire sa démonstration devant Dschuveni, qui apparut tout d'un coup. Mais le chambellan n'avait aucune raison de nourrir des soupçons. Si l'on travaillait encore sur l'arbre à boire, c'était sur ordre du grand khan.

— Votre étrange prêtre, ce monseigneur Gosset, a eu de la chance, dit-il à Barzo. Le khagan était déjà allé se coucher lorsque Ariqboga a réclamé la tête du sacrilège. Ainsi, les deux coupables seront seulement expulsés.

Il était clair que cela lui faisait vraiment de la peine. Il passa aussi sous silence le fait qu'il avait personnellement pris soin de prévenir Ariqboga. Mais le frère de Möngke avait été tellement désolé par cette nouvelle qu'il s'était soûlé avant de pouvoir concevoir le moindre projet rationnel de vengeance. Le chambellan se moquait bien du sort de l'esclave, mais il aurait aimé avoir ce drôle de prêtre entre les mains. Et voilà, désormais, le Bulgai lui barrait la voie. Dschuveni repartit aussi discrètement qu'il était venu. Barzo reprit son souffle.

Roç et Yeza, qui attendaient dans l'obscurité de la forge, étaient si fatigués qu'ils tenaient à peine sur leurs jambes. Ils avaient écouté tout ce que le chambellan avait raconté sur le sort réservé à Créan et à Shirat. Ils étaient soulagés. Selon leurs indications, et avec un soin pratiquement maternel, Ingolinde leur avait aménagé la grotte pour qu'ils puissent y loger. Nul ne savait combien de temps ce trou devrait les abriter. Madame Pacha leur avait donc aussi emballé quantité d'aliments non périssables, et le maître avait retourné le tuyau débouchant sur le trombone de l'ange, afin qu'ils puissent aspirer toutes les boissons que Guillaume, pendant le trajet, verserait discrètement dans l'entonnoir.

— Ce qui est rassurant, dit Yeza en bâillant, c'est la trappe. Si nous n'y tenons plus, nous pourrons toujours quitter la grotte pendant la nuit.

— Je vais commencer par dormir pendant trois jours, comme une marmotte, répondit Roç.

Tous deux se faufilèrent à tour de rôle sous la grande charrette et passèrent par-dessous dans leur cachette. La bonne Ingolinde leur tendit encore des couvertures et des peaux de bêtes. « Merci mille fois ! » chuchota Yeza. Mais elle s'abstint d'ajouter « Ma chère putain » : ces temps-là étaient définitivement révolus.

Maître Buchier apparut. Il était triste. Il lança seulement : « Bon voyage, mes petits rois », et referma la trappe. Roç la verrouilla de l'intérieur. Peu de temps après, le silence de la nuit s'était abattu sur la forge.

Le petit palais de la Deuxième épouse était entouré de badauds. On avait allumé des brasiers dans la rue, et ceux qui attendaient y faisaient griller des morceaux de viande. Koka-Khatun agonisait. À l'intérieur de la maison, la foule était encore plus dense. Ici aussi, dans les âtres, les marmites et les creusets fumaient. Des lamas en longues tuniques jaune safran étaient assis en lotus le long des murs, battant d'un rythme sourd et monotone leurs petits tambours portables, et l'un des crânes rasés soufflait dans sa flûte. Le chaman était venu, il avait dansé et était reparti, les bras chargés de cadeaux. Les prêtres idolâtres entouraient le lit de la mourante et brûlaient des bâtons d'encens pour chasser les mauvais esprits qui guettaient l'instant où ils pourraient enlever l'âme de la femme. Ils ne cessaient de faire sonner de petites cloches pour attirer les bons démons, afin qu'ils soient sur place lorsque la respiration de la malade ne déposerait plus de buée sur la plaque d'argent qu'on lui tenait entre la bouche et le nez. Les yeux de Koka allaient et venaient, comme ceux d'un animal affolé, entre les étranges volutes de fumée qui projetaient leur ombre sur les murs, à la lueur des bougies, et les clochettes qu'on agitait frénétiquement à intervalles irréguliers, comme si elles étaient tenues par la main d'un spectre.

La jolie femme avait le front couvert de sueur. Elle ne comprenait pas pourquoi elle devait mourir si tôt. Elle comptait le demander à Guillaume, qui arrivait à présent avec son servant de messe. Son apparition suscita un certain agacement chez les idolâtres, qui avaient gardé un souvenir cuisant de leur défaite

devant le grand khan, mais ils se gardèrent bien de
lui barrer le chemin. On sentit même un certain respect lorsqu'ils s'éloignèrent du lit de Koka pour
céder la première place. Ce Guillaume de Rubrouck
était assurément un grand magicien, et un puissant,
cela se voyait déjà. Chaque pierre incrustée dans son
mantelet valait une fortune. Il avait certainement
amené les bons démons avec lui. Son serviteur n'agi-
tait-il pas un encensoir pour chasser les *ada* ?

L'apparition de Guillaume tranquillisa profondément Koka. Désormais, quoi qu'il lui arrive, elle
serait entre de bonnes mains. Elle ne lui demanderait rien. Guillaume posa sa croix sur sa poitrine.
Avec le peu de force qui lui restait encore, la malade
attrapa la main de Guillaume et la tira vers elle
jusqu'à ce que ses lèvres touchent les doigts du
moine. Guillaume la laissa faire. Le silence s'était
fait dans la pièce. Les fumées des bâtonnets d'encens
montaient en longs fils verticaux : aucun souffle d'air
ne venait plus les troubler. Koka ferma les yeux et
Guillaume sentit la force de sa main se dissiper. Elle
s'endormit lentement, lui échappa et retomba sur la
couverture. Une cloche sonna doucement. Les doigts
de Guillaume se détachèrent des lèvres froides et
dessinèrent la croix sur le front de Koka. C'est seulement à l'instant de son départ que les applaudissements se déclenchèrent. Les idolâtres furent les premiers à battre sauvagement des mains ; les lamas en
jaune safran reprirent le cliquetis et leurs roulements de tambour, et les applaudissements se com-
muniquèrent à la rue, où les gens s'étaient levés d'un
seul coup autour des brasiers. Ils entourèrent Guillaume, qui sut que désormais, il pourrait aller où il
voudrait : ils le suivraient et ils seraient de plus en
plus nombreux. La nuit avait laissé place à l'aube.
Guillaume décida de se rendre à l'église en passant
devant la maison de l'archimandrite. En réalité, il
souhaitait que le grand khan puisse le voir à cet instant. La foule, à laquelle s'étaient désormais mêlés
de nombreux nestoriens, chantait le « *Vexilla regis
prodeunt* ».

Le tribunal

Devant la porte aux chèvres, celle qui donnait sur l'ouest, un groupe s'était rassemblé autour d'un cheval sur lequel on attachait un homme, le visage tourné vers l'arrière. Créan était assis sur le garrot de l'animal. Il était nu. Ses pieds étaient posés à l'envers dans les étriers que l'on avait noués sous le corps du cheval. C'était son seul appui. S'il tombait, il serait traîné au sol et aurait le crâne broyé. Bulgai et Kitbogha vérifiaient en spécialistes la bonne position des cordes que l'on nouait sous la surveillance de Kito : si les délinquants glissaient sous le ventre immédiatement après leur départ, le divertissement ne durait guère. De nombreux spectateurs s'étaient rassemblés. On ne violait pas la loi tous les jours, ici. Et, dans la plupart des cas, le Bulgai employait des méthodes plus expéditives.

Une jeune femme fut amenée à son tour, et on lui ôta la couverture qui l'enveloppait. On avait attaché dans le dos les mains de Shirat, nue elle aussi, moins pour l'empêcher de masquer sa nudité que pour lui interdire de s'agripper au cavalier pendant la galopade. C'est de la force de l'emprise de l'homme, mais aussi et surtout de la dureté de son éperon, que dépendrait la survie de la jeune femme. Mais Créan ne montrait pas le moindre signe d'érection.

— Aidez-le à démarrer ! conseilla le général à mâchoire d'ours. Comme vous le faites pour les étalons fatigués !

Les valets du Bulgai rirent grassement et brandirent de fines cannes de saule avec lesquelles ils fouettèrent le membre engourdi du condamné. Mais sa confusion était encore plus forte que la crainte de la mort.

— Reprends-toi, Créan ! exigea Shirat, plus fâchée qu'anxieuse. Autrement, non seulement on te coupera la queue, mais on nous privera tous les deux de notre tête !

Dieu seul sait si cet encouragement fut efficace. En tout cas, les coups de baguette ne strièrent pas seulement le *corpus delicti* de zébrures rouges, mais le dressèrent aussi peu à peu. Les spectateurs braillèrent et applaudirent lorsque Shirat fut attrapée par de grosses mains, soulevée, jambes écartées, et plantée sur le sexe rougi et érigé. Elle tomba devant la poitrine de Créan, qui l'enlaça des deux bras et la serra solidement contre lui ; déjà, les premiers coups de canne s'abattaient sur la croupe du cheval. Il fit un grand bond et partit sous les cris de joie des curieux, qui commentaient la scène avec des gestes obscènes. Le cheval chargé du couple disparut en galopant dans la steppe. Les gens le suivirent du regard, espérant secrètement voir les corps déséquilibrés par les sauts, et assister à la lutte désespérée des deux victimes pour ne pas tomber sous les sabots. Mais les deux condamnés ne leur firent pas ce plaisir. Ils restèrent bien assis jusqu'à ce que le cheval et ses cavaliers aient disparu au loin.

— C'était une vieille ganache, ce cheval, lança le général au Bulgai, avec un clin d'œil.

— Et l'on va à présent utiliser les étalons fougueux pour les aider à se tirer de ce très mauvais pas ? répliqua le grand juge.

D'un geste de son crâne chauve, il désigna les deux chevaux attachés l'un à l'autre qui portaient des vêtements et des vivres pour les condamnés.

— Vous avez suffisamment obéi à la loi, répondit le vieux grognard. Je peux me permettre d'éviter aux deux victimes toute honte supplémentaire, le froid et la faim !

— Je partage votre point de vue !

— Et moi, je ne le partage pas ! s'exclama Dschuveni, de derrière. Vous avez anticipé la sentence du khagan !

Le chambellan avait suivi très attentivement l'ensemble de la procédure. Il s'avança vers les deux hommes. Le chauve au cou de taureau lança à Dschuveni un regard condescendant.

— Je suis le juge et j'ai jugé, dit-il froidement. Le général peut mener ses chevaux où il lui plaît.

Kitbogha fit un signe à son fils Kito, et l'on chassa à leur tour les chevaux bâtés.

— Pour le reste, ajouta le Bulgai, la seule chose que j'aie anticipée, à la rigueur, c'est un acte de vengeance irréfléchi de la part d'Ariqboga, et l'une de vos fines intrigues, Ata el-Mulk Dschuveni !

— Il ne fallait peut-être pas punir cette esclave ? s'insurgea celui-ci. Ariqboga avait droit à...

— Ariqboga peut s'estimer heureux que vous l'ayez débarrassé de cette femme. De la même manière, le roi Hethoum devrait vous présenter ses remerciements, lui qui a eu l'impudence de nous envoyer en cadeau la comtesse d'Otrante, une parente de l'empereur et du sultan, que l'on avait fait enlever. Qui, à votre avis, Dschuveni, est déjà en route pour la ramener ? Hamo l'Estrange, l'époux légitime ! Et nous (le grand juge avait à présent le sourire du chef des Services secrets), nous lui avons renvoyé sa femme aimante en compagnie d'un prêtre ! Tant les Mongols sont attentionnés !

— Ariqboga ne s'en souciera guère. Il tenait beaucoup à sa favorite.

— C'est bien la raison pour laquelle il a demandé sa tête ! répondit le Bulgai d'une voix tonitruante. Et c'est précisément ce que je voulais éviter !

— L'honneur du frère du khan contre la...

— Contre l'honneur d'un descendant du Dschagetai ! Hamo l'Estrange est sans doute un Gengis par son père ! Ces deux hommes doivent-ils se battre comme des coqs pour une femme ? Certainement pas ! Le chambellan Dschuveni, particulièrement perspicace, a tout arrangé pour le mieux !

Dschuveni ne pouvait accepter pareille moquerie.

— Vous voulez me faire porter la responsabilité, au cas où le khagan décidait de tout pardonner à Guillaume et de le garder ici ?

— Il ne le fera pas, lui rétorqua sèchement le grand juge. Il n'y a rien à pardonner. La mission de

Guillaume est tout autre, mais le comprendre est sans doute trop demander à un musulman sunnite qui étranglerait de bon cœur tout ismaélite qui lui passerait entre les mains, et qui fait appel à la Loi pour le faire lorsqu'il n'y parvient pas lui-même.

— Ce faux prêtre n'était donc...

— ... pas un véritable Assassin ! dit le Bulgai en lui coupant la parole. Sans cela, il vous aurait tué, et le général avec vous. (Il observa un instant le visage du chambellan, qui ne comprenait plus rien.) C'est le général Kitbogha qui mènera la campagne que vous préparez et que vous prolongerez jusqu'à l'élimination complète des Assassins...

— Alamut doit être détruite ! cria le chambellan.

Kitbogha lui coupa la parole.

— C'est votre volonté. Pour une guerre, je n'ai pas besoin de raison précise, mais d'un prétexte tangible. Quelqu'un doit nous le fournir.

Les yeux de Dschuveni brillaient de rage. Les deux vieux guerriers l'avaient donc tout de même sous-estimé.

Au hammam du palais, les maîtres du bain s'efforçaient de chasser par les pores du grand khan les derniers restes de kumiz et de vin. Après une bonne suée au bain de vapeur et un rinçage à l'eau glacée, ils massaient le souverain couché sur le ventre, en s'attendant constamment à ce qu'il les frappe si les nouvelles dont ils avaient le privilège d'assurer la propagation par leurs bavardages accroissaient encore sa mauvaise humeur. Ils dosèrent donc leurs informations matinales.

— Messire votre frère est dans une colère effroyable, parce que le grand juge a laissé échapper les condamnés. Il les a chassés.

— J'aurais volontiers assisté au spectacle, fit Möngke en gémissant d'aise. De préférence avec Ariqboga, d'ailleurs. Le Bulgai aurait pu attendre...

Avec des compresses chaudes et de douces caresses sur le dos, les serviteurs le préparèrent à la nouvelle suivante.

— Cette nuit, votre valeureuse Deuxième épouse est...

Cela valut un premier coup au masseur. Les maîtres redoublèrent d'attention et reprirent l'information sous un autre angle.

— Le moine arménien a refusé de l'assister. Guillaume de Rubrouck s'est glorieusement occupé d'elle. Elle a eu une belle fin.

Le grand khan grogna, ce qui pouvait indiquer une certaine satisfaction.

— Le moine a désobéi à mon ordre?

Leur silence valait une réponse.

— Bulgai! Allez me chercher immédiatement le Bulgai!

Möngke éloigna les maîtres du bain et se redressa. Ils l'enveloppèrent dans des couvertures chaudes. « Ah! songea-t-il tout d'un coup, Guillaume ne veut plus paraître devant moi. C'est pour cela qu'il s'est ainsi sacrifié! C'est certainement dans ses bras que Koka a laissé le dernier soupir de sa jeune vie. Pauvre petite Koka! » Après un tel gage d'amour, le khan ne pouvait plus que prendre généreusement congé de Guillaume, en accomplissant un acte encore inouï... De toute façon, il faudrait lui laisser l'arbre à boire.

— Que Guillaume vienne! s'exclama-t-il.

Tous ceux qui l'entouraient parurent pétrifiés, c'était contre toutes les règles! Mais si le khagan le souhaitait ainsi... L'ordre fut transmis aux gardiens postés à la porte, et, de là, aux gardes du palais. « Le khan veut voir Guillaume et le Bulgai! » hurlèrent-ils aux messagers, qui partirent immédiatement en courant.

La grande place, devant le palais, était peuplée d'une foule dense. Sur des tribunes érigées à la hâte, le grand khan, sa Première épouse et ses frères se tenaient face à Guillaume de Rubrouck, auquel le général Kitbogha et Dschuveni faisaient une escorte d'honneur. Dans cette ambiance d'adieux particuliè-

rement tendue, personne ne remarqua l'absence de
Roç et de Yeza.

On avait réservé une petite attention à Guillaume :
c'était le Bulgai en personne qui allait à présent
accomplir la sentence. Barzo apportait l'ultime assistance à celui qui allait être jugé. C'est à lui que Sergius, le moine, avait offert sa croix préférée, accrochée à un bâton qu'il tenait fermement. Ils priaient
ensemble, tandis que les assistants du Bulgai ver-
saient de l'eau froide sur la lame recourbée. Puis ils
menèrent le moine devant son juge.

Sergius s'agenouilla devant lui. D'un geste énergique, il rabattit sa capuche vers l'arrière, découvrant son front et sa nuque. Ses yeux ardents cherchèrent le grand khan.

— Avec moi, tu tues le Christ pour les Mongols...
Il n'alla pas plus loin, d'un coup rapide, le Bulgai
lui avait sectionné le cou. Ses assistants attrapèrent
par les bras le corps tombé en avant et l'emmenèrent. Quant à la tête, elle fut plantée sur un bâton
de bois, car Barzo refusa courageusement de
remettre à cette fin la canne portant la croix. On pro-
mena un peu la tête de l'archimandrite, et l'Arménien reçut enfin ces applaudissements qui lui avaient
toujours été refusés de son vivant.

Pendant ce temps-là, on avait envoyé des messagers chercher les enfants. On pouvait comprendre
que le couple royal ait voulu s'épargner le premier
acte, mais il ne devait pas manquer aux adieux de
Guillaume. Les vingt-quatre bœufs tirèrent la charrette gigantesque au milieu de la place. L'arbre à
boire était fermement arrimé à la verticale, orné, de
haut en bas, par des fanions et des guirlandes.
Maître Buchier avait travaillé toute la matinée afin
de permettre ce superbe spectacle, que le grand khan
avait imaginé pour prendre congé de son ami Guillaume de Rubrouck sans que celui-ci ait à franchir
encore une fois le seuil du palais. Möngke avait
oublié ses prérogatives ; après tout, Guillaume était

resté auprès de Koka jusqu'à ce que les bons esprits viennent la chercher, et le khagan était superstitieux.

La transmission solennelle de l'arbre à boire avait eu lieu. Guillaume avait grimpé sur le siège du cocher. Il était donc à portée de voix de Möngke, et le souverain s'apprêtait à prononcer son discours d'adieu. Mais à cet instant précis, la foule s'agita. On criait : « Les enfants ont disparu ! »

Le grand khan était hors de lui, Guillaume consterné. Les soupçons se portèrent aussitôt sur Créan et Shirat. Ariqboga les exprima devant tous tandis que Dschuveni se rappelait les chevaux chargés de gros ballots que Kitbogha avait envoyés aux bannis. Mais il se garda bien de faire part de ses doutes. Ariqboga criait déjà bien assez fort.

Le khan, quant à lui, répétait d'une voix puissante : « Il est strictement impossible que le couple royal nous ait quittés ! Cherchez-les ! » Mais il ordonna tout de même à ses hommes d'essaimer aux quatre points cardinaux. La section de la garde placée sous les ordres de Kito partit aussitôt à la poursuite de Créan et de Shirat avant qu'Ariqboga ne puisse envoyer ses propres hommes à leurs trousses.

La Première épouse, Kokoktai-Khatun, cria à son mari : « Eh bien, la voilà, la malédiction du moine ! » Le khan fit emmener sa femme. La tête dans les mains, Möngke resta immobile au milieu de la mêlée. À côté de lui, le Bulgai se tenait droit, impassible, comme toujours. Guillaume voulut crier au souverain mongol :

— Dois-je rester auprès de vous jusqu'à ce que le couple royal...

— Non, non ! Partez ! fit le grand juge à la place de son maître.

Guillaume fit un signe aux conducteurs des bœufs, et ceux-ci, dans un grincement, mirent l'engin en marche. Möngke ne leva pas les yeux. Il fallut que le silence complet soit revenu sur la place pour qu'il demande :

— Ils sont vraiment partis ?

— Oui, dit le Bulgai. Ils nous ont quittés.

— Ils étaient la clef..., fit le grand khan en soupirant.

Puis il se redressa et proclama :

— Nous ne devons pas les perdre.

Maudits, bannis, désespérément recherchés

Rapport des Services secrets, 10 juillet 1254.

Le roi Hethoum d'Arménie vient de quitter le camp de Batou-Khan. Il lui avait apporté beaucoup de cadeaux, et ils se sont séparés bons amis. Ce point est très important pour le roi d'Arménie, car ses terres sont presque exclusivement limitrophes du khanat de Qiptchak, le territoire de la Horde d'Or. Le roi était aussi accompagné par son frère Sempad, le connétable du royaume. Voyageait également dans son escorte un riche étranger, le comte Hamo l'Estrange d'Otrante, et comme nous vous en avons déjà informé, celui-ci porte autour du cou l'amulette porte-bonheur en jade vert que seuls reçoivent de leur mère les descendants de la seconde lignée masculine, issue du clan vénérable des Kungdaitschi. Cette amulette est authentique, nous l'avons vérifié. Il pourrait s'agir de l'héritier que le fils du Temudjin, Dschagetai, aurait procréé avant que les Assassins d'Alamut ne le tuent. À moins qu'il ne soit un fils « caché » du grand Gengis Khan lui-même, qui aurait donc été le père de ce Hamo l'Estrange sans que nous le sachions. Quant à sa mère, on dit qu'elle a mené une vie très inconstante et qu'elle a entrepris de nombreux voyages. Le comte d'Otrante, si l'on en croit ses propres dires, est âgé de vingt-cinq ans. Nous pourrions peut-être retrouver des traces de son origine à Constantinople, cette grande ville de la Corne d'Or vers laquelle il se sent étrangement attiré bien que l'amiral de l'empereur Frédéric, le comte Henri de Malte, soit considéré comme son père.

Hamo l'Estrange affirme qu'il existe une personne qui en sait plus que lui-même sur son identité : Guillaume de Rubrouck! Nous recommandons donc le comte à votre attention particulière. Il voyage du reste à ses propres frais, chargé de cadeaux qu'il distribue généreusement. Il est à la recherche de son épouse, la princesse Shirat Bundukdari. C'est une sœur du puissant émir Baibars, l'homme le plus influent d'Égypte après le sultan. Cette Shirat, dit-on, est entre nos mains, elle serait esclave à la cour de Karakorom. Nous ne pouvons y croire, et nous l'avons affirmé avec force, car nous savons quelles filles de princes sont chez nous à la cour du khan; elles sont nos hôtes ou nos otages, mais en aucun cas nos esclaves. Nos services ne commettraient jamais pareille bévue! Pourtant, le comte ne démord pas de ces idées absurdes. Nous vous demandons donc de vérifier ce point, ce serait une honte pour nous si le khan devait entendre pareille accusation.

Quelques jours de voyage après avoir quitté le khanat de Qiptchak, le cortège a rencontré une yourte misérable au bord de la route. Il s'agissait du campement d'Omar, le banni qui était venu chez nous avec le couple royal, et de la jeune Orda, qui l'a volontairement suivi dans son exil.

Vous vous rappelez sans doute que ce bannissement a été prononcé il y a un an. Depuis, ce couple qui vit dans une profonde misère a mis un enfant au monde. Ils mendient auprès des cavaliers de passage, qui leur donnent des fruits et du lait. Nous estimons que ces pauvres créatures, qui ne flattent guère notre image, ne devraient pas rester au bord de cette route très fréquentée par les ambassades. Nous recommandons de demander au banni, à sa compagne et à l'enfant de ne pas s'approcher à portée de vue de la route pour ne pas donner de mauvaise impression.

L.S.

Des cavaliers bondissaient à intervalles irréguliers

par les portes de la ville. Les troupes que l'on avait
envoyées mener les recherches portaient sur le dos
de petits fanions de couleur afin qu'on les
reconnaisse rapidement. Les hommes étaient faiblement armés. À Karakorom, le Il-Khan Hulagu était
arrivé avec son épouse Dokuz-Khatun. Elle l'avait
immédiatement traîné à l'église pour assister à la
messe d'imploration que Barzo donnait afin d'obtenir le retour des enfants.

> « *Supplice te rogamus, omnipotens Deus :*
> *jube haec perferri per manus sancti Angeli tui*
> *in sublime altare tuum, in conspectu*
> *divinae majestatis tuae.* »

La fin brutale du moine Sergius avait plongé la
communauté chrétienne des nestoriens dans la
confusion, et le départ du vénéré Guillaume de
Rubrouck lui avait ôté tout espoir d'être élevée au
rang d'Église d'État. Il n'en était plus question, et
personne n'osa aller en réclamer la fondation au
grand khan.

> « *Agnus Dei, qui tollis peccata mundi, miserere*
> [nobis.
> *Agnus Dei, qui tollis peccata mundi, miserere*
> [nobis.
> *Agnus Dei, qui tollis peccata mundi, dona nobis*
> [pacem.* »

Après la cérémonie, les hommes et les femmes restèrent devant la maison de Dieu, formant des
groupes séparés et discutant à voix basse. Le général
Kitbogha s'apprêtait à repartir, c'est lui qui avait été
chargé d'organiser les recherches, et le khan avait
demandé à être informé toutes les heures. À cet instant, le Il-Khan sortit de l'église, s'éloigna de sa
femme et marcha vers son chambellan, Dschuveni.
Hulagu paraissait épuisé, ses joues grasses pendaient comme des bajoues. Il fit aussi signe à son
général de le rejoindre.

— Messieurs, s'exclama-t-il, combien de temps encore allez-vous faire croire au grand khan que dix sections parties à la recherche des enfants ne peuvent pas les trouver ? Ils n'ont pas pu disparaître sans laisser de traces, ils bénéficient certainement de l'aide d'une personne qui se trouve ici et qui est très puissante. Quant à vous, vous ne voulez pas les trouver !

Le vieux général, offensé, ne répondit pas. Mais Dschuveni vit dans cette diatribe une possibilité de faire adopter sa propre stratégie par son maître.

— Nous pourrions aussi, dit-il, ne serait-ce que pour tranquilliser votre frère l'illustre khagan, faire raser la steppe par cinquante sections pour y dénicher le couple royal ; mais nous ne le trouverons pas pour autant.

— Ce serait très malsain pour vous, Ata el-Mulk Dschuveni, fit remarquer le Il-Khan avec une douceur dangereuse. Vous êtes mon chambellan, et vous étiez à ce titre responsable du bien-être et de la sécurité du couple royal, dont mon frère voulait me faire cadeau pour qu'il conquière le « Reste du Monde » à la tête de mon armée. Que vais-je faire sans cette pointe de lance dorée, et avec un chambellan sans tête ?

— Cette évasion est le fruit d'un complot des Assassins, se défendit Dschuveni, qui sentait son intégrité physique menacée. C'est peut-être même un enlèvement ! Nous en aurons la preuve lorsque Roç et Yeza seront réapparus à Alamut. Nous aurions alors une poss...

Kitbogha lui coupa la parole, mais pour s'adresser à Hulagu.

— La clef, à mon avis, c'est Guillaume de Rubrouck. Il a dit lui-même qu'il était la serrure, si je puis vous rappeler ses propres paroles presque prophétiques...

— Il les a emmenés avec lui ? demanda Hulagu, pour répondre aussitôt à sa propre question. Mais non ! Ils s'étaient déjà enfuis alors que mon frère était en train de prendre congé de lui !

— Et pourtant, insista le vieux général, il les a incités...

— Ou bien est-ce le contraire ? interrompit le Il-Khan, qui était un homme méfiant, grognon et autoritaire. En tout cas, il faut que ces deux-là reviennent, sans quoi le khagan va encore repousser la date de la campagne militaire en Occident. La prophétie était claire : « Tu n'obtiendras la Couronne du monde qu'en compagnie des enfants. »

Pour le général, la mission ne faisait aucun doute : il fallait reprendre les recherches.

Seul Dschuveni, obstiné, ne se montra ni impressionné, ni convaincu.

— Si Roç et Yeza ne réapparaissent pas à Karakorom, mais à Alamut (je suis prêt à parier ma tête là-dessus tant que vous me la laissez), cela nous suffira !

Son maître lui lança un regard pénétrant.

— Soit, chambellan, votre supposition est sans doute la bonne. Mais je vous conseille de ne pas croire que votre tête soit indispensable !

Et une fois encore, les groupes de cavaliers sortirent de la ville, section par section, s'égaillant dans toutes les directions. Ils furent bientôt mille, puis dix mille à rechercher le couple royal disparu.

 Rapport des Services secrets, 11 juillet 1254.

Objet : Bannissement.

Le prêtre Gosset et l'esclave légère d'Ariqboga sont rapidement parvenus à arrêter la jument qui les portait. Ils se sont libérés mutuellement de leurs liens et se sont comportés avec une extrême pudeur. Il ne nous semble pas y avoir de relation amoureuse entre eux, nous parlerions plutôt de communauté dans la détresse ou — nous ne voulons pas vous dissimuler cette éventualité — d'un couple d'agents bien entraîné qui supporte aussi de temps en temps d'être secoué lorsqu'il est en service !

Tous deux se sont mis à fouiller les chevaux bâtés que l'étalon avait guidés vers eux. On aurait dit qu'ils avaient attendu cette aide. Ils se sont habillés avec les vêtements qu'on avait envoyés à leur suite, et ils ont poursuivi leur voyage, contre toute attente, non pas en direction du sud, mais vers le campement de Batou-Khan. Ils ont à présent l'air de deux Mongols, et personne ne les remarque.

Nous avons trouvé un témoin qui a confirmé votre soupçon. Il a déjà vu le prêtre une fois, à Constantinople. Là-bas, il s'appelait « Mustafa Ibn-Daumar », et se faisait passer pour un riche marchand de Beyrouth, ce qui n'est pas forcément la réalité non plus.

Nous vous demandons surtout de déterminer qui a envoyé les chevaux bâtés aux deux bannis. Nous continuons notre observation, car nous jugeons ces deux personnes hautement suspectes.

L.S.

 Rapport des Services secrets, 13 juillet 1254.

Nous demandons pardon pour notre bavardage inconsidéré. La section placée sous le commandement de Kito, le fils du général, a rattrapé les bannis et a fouillé minutieusement, sous nos yeux, les sacs qu'on avait envoyés à leur suite. Nous aurions pu vous dire, nous aussi, que le couple royal ne s'y trouvait pas, car nous les avions observés de très près, tous les deux, lors de l'arrivée des chevaux bâtés. L'esclave immorale et ingrate s'est dévoilée ; il s'agit bien de la princesse Shirat, comme nous vous l'avions indiqué. Nous pouvons aussi vous annoncer du nouveau pour ce qui concerne l'identité du prêtre. Sur la base de nos recherches vigilantes, nous pouvons prouver aujourd'hui qu'il s'agit d'un ismaélite haut placé, dont le nom même de Créan n'est pas authentique. Son véritable prénom serait « Odo ». Un moine irlandais que nous avons entendu à Samarcande et qui l'a vu au marché nous a indiqué qu'il s'agissait d'une déformation du mot germanique pour « la crème », *Rahm*, *cream* en anglo-saxon. Si l'on échange le *m* contre un n, cela donne « Créan ». Sous ce nom se cache « Odo le Crémier », le fameux ménestrel d'Occitanie. Il s'agit sûrement de cet homme, qui s'est entre-temps converti à l'islam et est entré dans l'ordre des Assassins.

Comme vous le voyez, éminent Bulgai, vos Services secrets ne dorment pas. Veuillez présenter nos excuses au général Kitbogha pour l'avoir stupidement soupçonné d'avoir favorisé l'évasion. Son fils Kito nous a déjà pardonné et a beaucoup ri. Nous allons à présent concentrer toute notre attention sur le couple royal disparu. Il n'échappera pas à notre vigilance.

Recommandez-nous au grand khan Möngke, il peut à présent coucher sa puissante tête en toute quiétude. Ses Services secrets veillent pour lui !

L.S.

Les Services secrets ne connaissent pas les esprits

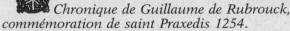 *Chronique de Guillaume de Rubrouck, commémoration de saint Praxedis 1254.*

Roç et Yeza me font de la peine, serrés dans leur minuscule caverne d'argent et secoués à longueur de journée par les soubresauts du char. La nuit, seulement, ils peuvent se faufiler par la trappe située dans le plancher, afin de faire leurs besoins et de se laver à un seau plein d'eau que j'installe toujours à cet endroit sous prétexte d'abreuver les bœufs.

Mais nous n'avons pas le choix. Toute la journée, les patrouilles défilent devant nous. Certaines s'arrêtent pour me parler de l'inutilité de leurs recherches ou me demander conseil : dans quelle direction les fugitifs ont-ils bien pu se rendre ? Je donne une réponse différente à chacune.

Ensuite, Kito est revenu lui aussi avec sa section.

Il avait été le premier à filer sur la route à côté de moi et avait rattrapé Créan et Shirat. Pour rassurer les Services secrets, dont les membres sont postés partout au sommet des collines et nous accompagnent en silence, il avait fouillé encore une fois les deux exilés et les sacs qu'il leur avait lui-même envoyés, le tout sous les yeux des espions. Dans les sacs, bien entendu, il n'a rien trouvé. Quant aux bannis, ils étaient nus au moment de leur départ, et ne pouvaient pas avoir caché grand-chose sur eux...

Je finis par leur suggérer : « Les enfants pourraient être ici, dans mon arbre. Si vous le replacez ensuite sur son char, je vous laisse le démonter de bon cœur. »

Ils éclatèrent tous de rire. Kito et ses hommes essaimèrent de nouveau dans la steppe, mais sans le moindre espoir : on n'apercevait personne à des lieues à la ronde. Il n'existe pratiquement pas de fourrés ni de bois, pas plus que de grottes. Pour les Mongols, le couple royal semble avoir été avalé par un tremblement de terre, ce qui est, pour eux, inconcevable sans l'action de mauvais esprits. C'est la raison pour laquelle, la nuit, ils viennent s'installer près de moi, autour du feu, serrés les uns contre les autres parce qu'ils redoutent plus les *ada* que la fureur du grand khan. S'ils venaient à remarquer que les vivres déposés près des rayons disparaissent tout d'un coup, et que les cruches de lait que je glisse devant la trompette de l'ange se vident, ils ne pose-raient pas la moindre question : les esprits, on le sait, réclament des sacrifices. Ma seule crainte est que Yeza et Roç (qui entendent le moindre de nos mots) ne soient pris d'un accès de témérité et ne viennent jouer les esprits en chair et en os. Je comprendrais bien qu'ils veuillent se dégourdir un peu les jambes dans l'obscurité, après tant de temps passé dans leur prison étroite. Jusqu'ici, ils m'ont épargné ce genre de surprises. Le problème principal est moins l'appa-rition sporadique des patrouilles que l'équipe très nombreuse de conducteurs de bœufs qui m'accompagnent. C'est à eux que je dois prendre garde. C'est la raison pour laquelle j'ai donné à l'espace situé sous le char, la nuit, le statut de chapelle privée et personnelle dans laquelle je me rends pour prier à voix haute et demander la disparition des mauvais esprits. Je peux ainsi m'entretenir avec les enfants sans que nul me dérange. Je pose toutes les questions comme si je récitais une liturgie latine, et ils répondent en frappant : une fois pour manifester leur accord, deux fois pour exprimer leur refus. Ensuite, je leur propose une autre strophe. Le toc-toc qui rythme ainsi nos dialogues effraie encore plus les Mongols. Le seul que j'aie mis dans le secret, bien entendu, est mon serviteur Philippe. C'est aussi lui qui m'a proposé de faire de l'arbre à boire le siège permanent des esprits : cela tiendrait les Mongols à distance et expliquerait tous les incidents bizarres, comme la présence d'excréments ou les bruits inexpliqués. Assez souvent, la trompette émet des sons distordus et sourds, les racines craquent, et surtout, tout ce qui est comestible disparaît des récipients creusés dans les parties postérieures du lion. Le matin, on n'y retrouve plus que de petits os rongés. J'ai donc annoncé que les *ada* revendiquaient l'arbre comme une propriété personnelle et avaient fait de moi leur otage pour que je les serve et que je les approvisionne en nourriture et en boisson. Si je ne m'exécutais pas, ils s'abattraient sur mes valets et leur arracheraient tout ce dont ils auraient besoin. Mais moi, Guillaume de Rubrouck, je me sacrifierais pour qu'il n'arrive rien de mal aux Mongols qui m'ont été confiés. Ils n'ont qu'une seule chose à faire, se tenir éloignés de l'arbre. Moi, je continuerais à combattre les *ada* avec mes prières, car un bon chrétien ne redoute pas les esprits. Ils m'en sont tous reconnaissants et me font secrètement passer des fruits, du pain aux noix et d'autres délicatesses, des poissons qu'ils ont eux-mêmes pêchés, du mouton qu'ils ont acheté, et avec lesquels je dois nourrir les mauvais esprits.

Nous donnons l'image d'une longue caravane, précédée par des Mongols. Des bœufs puissants tirent le
gigantesque char sur lequel l'arbre à boire en argent
se dresse, solitaire, fermement arrimé par des cordes
aux quatre coins du véhicule. Tout en haut, l'ange et
sa trompette tournent de tous les côtés sur ce sentier
cahoteux. Derrière ne marche plus que l'homme de
Dieu en habits d'apparat, et Philippe, son fidèle serviteur. Les conducteurs du char, qui sont les plus
menacés puisqu'ils avancent à proximité de l'arbre
aux esprits, ont dressé derrière eux une sorte de bouclier protecteur constitué d'une demi-yourte ; avec
moi dans le dos, ils ont presque une âme de héros.
De loin, le cortège doit ressembler à une procession
guerrière, l'arrivée d'une unique trompette dont la
sonorité va faire s'effondrer les murs du monde
entier comme celles de Jéricho. Dans la steppe, la
nouvelle de notre infestation par les mauvais esprits
s'est répandue comme une traînée de poudre. Les
patrouilles sont de plus en plus rares à venir nous
importuner, surtout après la tombée de la nuit. Elles
décrivent de grands arcs autour de l'arbre qui traverse les terres désertiques, tout seul, visible à deux
lieues de distance.

L.S.

Créan et Shirat étaient fouillés, avec force injures
et vexations grossières, par chaque patrouille mongole qui les rencontrait. Ce n'étaient pas seulement
les unités qui couraient derrière eux en brandissant
leurs armes, comme s'il fallait tailler en pièces un
ennemi en fuite ; il y avait aussi ceux qui, épuisés par
une longue chevauchée inutile, revenaient de mauvaise humeur à Karakorom et ne savaient pas quoi
raconter au grand khan. À chaque fois, les bannis
étaient forcés de s'arrêter sous la menace des flèches.
Ensuite, on arrachait les sacs du dos de leurs chevaux, on les ouvrait et on les fouillait. Bien évidemment, on n'y trouvait jamais le couple royal ; mais à
chaque inspection, des vivres disparaissaient. Les

réserves d'eau diminuaient elles aussi, car un chasseur furieux avait percé l'une des outres.

— Apparemment, des délinquants de notre niveau sont forcément responsables aussi de la disparition de Roç et de Yeza, fit Shirat. Et pour nous punir, ils vont nous affamer.

Créan affirma que tout cela était la faute de Guillaume. Mais Shirat en doutait.

— Nous nous trouvons toujours dans une toile d'araignée, songea-t-elle à voix haute, dans laquelle nous nous sommes collés comme des papillons aveuglés. L'araignée n'est pas encore apparue. Mais ça n'est certainement pas ce bon gros Guillaume.

Elle leva les yeux vers Créan, qui trottait à côté d'elle, l'air maussade.

— J'ai faim, Créan! cria-t-elle.

Le soir tombait. Ils devaient trouver un endroit où passer la nuit, mais cela ne les nourrirait pas. À midi, ils avaient partagé le dernier quignon de pain et bu dans leurs outres les dernières gouttes d'eau.

— Nous devrions au moins trouver un puits ou un point d'eau.

La seule réponse de Créan fut un grognement incompréhensible. Il avait aperçu une lumière qui éclairait la steppe. Quelqu'un avait allumé un feu de camp.

« Attends-moi ici », ordonna-t-il à la petite et jolie femme avec laquelle il passait ses nuits, mais qu'il n'avait plus touchée depuis qu'ils étaient descendus de cheval. À quoi bon? Ils se seraient simplement réchauffés l'un l'autre et se seraient amusés de leurs gargouillements d'estomac. Mais ce jour-là, ils n'avaient plus envie de rire. Créan devait trouver quelque chose à manger, et surtout à boire. Il partit au grand galop. Il savait jusqu'où il pouvait approcher du camp sans être trahi par le bruit des sabots. Arrivé là, il mit pied à terre et attacha son cheval à un tas de pierres, nota la position des étoiles et poursuivit lentement son chemin à pied. Il dut attendre que tous dorment pour se faufiler et chercher quel-

que chose de comestible. S'il était parti si tôt, c'est
parce que seul le feu était susceptible de le guider : il
devait rejoindre le campement avant qu'il ne se soit
éteint. Créan s'assit par terre. Il regarda les étoiles
qui brillaient au-dessus de lui et réfléchit au sens de
son errance, dont il venait de trouver une représentation sur la voûte céleste, à travers deux constellations. Celle, fugitive, des Gémeaux, symbolisait Yeza
et Roç. La Balance, autour de Vénus, représentait la
Rose. Comme s'il avait été touché par une comète,
l'ismaélite comprit d'un seul coup que ces deux
constellations étaient condamnées à disparaître —
qu'elles soient attirées mutuellement par leur équilibre et leur légèreté élémentaires, ou qu'elles se
repoussent l'une l'autre — ce serait sans doute à une
date tardive pour les enfants, mais plus précoce pour
la Rose. Cela sembla tout d'un coup, pour Créan,
aussi inéluctable que la course des étoiles les unes
vers les autres. Une lueur enflammée éclaterait subitement et donnerait naissance à autre chose,
homme, étoile ou simple signe ; ce serait peut-être
dans le Verseau, dont l'ère était encore à venir. Sou-
lagé, Créan de Bourivan, le vieux cathare, se releva.
Tout avait un sens, et rien n'était tellement important.

Il avança sans bruit vers le campement. Il s'agissait sûrement d'un convoi accompagnant des personnalités. Des insignes de souveraineté étaient
accrochés aux tentes, pour autant qu'on pouvait le
discerner dans la pénombre. Des gardes patrouil-
laient aussi tout autour du camp ; leurs casques brillaient à la lueur de la lune. Lors de sa formation
d'Assassin, Créan avait appris à ramper sans bruit
comme un serpent, et il y parvenait encore, même si
ce n'était plus aussi facile avec ses cinquante-trois
ans. Il arriva ainsi entre les dormeurs.

L'un des seigneurs était couché à l'écart ; il n'était
entouré que de Mongols, qui se sentaient tellement à
l'abri dans leur steppe natale qu'ils n'avaient pas
posté de gardes. Un drap blanc brillait à côté du

jeune seigneur. On y avait disposé de la viande rôtie, du pain, du fromage et des fruits, et l'on n'y avait presque pas touché. Créan, l'eau à la bouche, rampa à l'ombre d'une tente, à côté de la tête du dormeur. Il pourrait ainsi lui fermer la bouche s'il venait à se réveiller. Créan commença par tirer un poignard posé au sol près du rôti. C'est alors que son regard tomba sur le visage de l'homme endormi. C'était Hamo! Il n'y avait aucun doute. Créan lui posa la main sur les lèvres et colla sa bouche contre son oreille en chuchotant : « Hamo! »

Le comte se réveilla aussitôt, mais loin de se laisser impressionner par cette silhouette au couteau entre les dents, il lui mordit la main et lui envoya un coup de poing. Sans que Créan ait rien fait, le comte se blessa à la main en touchant le poignard. C'est à cet instant seulement qu'il reconnut l'ismaélite.

— C'est toi?

Hamo se laissa retomber, et Créan put enfin lui apprendre l'essentiel, en chuchotant. Lorsque Hamo entendit que Shirat attendait tout près d'ici, il voulut sauter sur ses jambes et la rejoindre. Cette fois, l'Assassin le blessa volontairement à l'épaule. Hamo comprit que son comportement n'avait aucun sens et se reprit.

— Puisque de toute façon tu m'as déjà à moitié charcuté, laisse-moi couché ici et disparais avec tout ce dont tu as besoin. Fais-moi encore une entaille au cou et à la joue pour que je nage dans mon sang. Dans une demi-heure, je crierai : « Assassins! »

— Et ensuite? demanda Créan, sceptique, tout en passant sa lame sur la joue de Hamo et en lui entaillant sa chemise avec le poignard ensanglanté, si vite que le jeune comte ne sentit même pas la coupure.

— Ensuite, répondit Hamo, impassible, les Arméniens seront ravis si j'exige qu'on me laisse couché ici. Sur ce point, tu peux faire confiance à mes amis!

— Parfait, dit Créan, et il acheva son ouvrage en rassemblant la nappe damassée et les vivres qui s'y trouvaient. Lorsque le terrain sera libre, nous te rejoindrons!

Et il disparut dans la nuit, sans un bruit.

Rapport des Services secrets, 16 juillet
1254.

Le convoi du roi Hethoum d'Arménie a été attaqué
cette nuit, à la faveur de l'obscurité. Au milieu de la
nuit, le campement a été réveillé par les cris du
comte d'Otrante, qui hurlait : « Assassins ! Assassins ! » et nous l'avons retrouvé couvert de sang. À y
regarder de près, il ne s'agissait que de blessures
légères et sans gravité à la tête, dans la région du
cœur et à l'épaule. Le comte Hamo l'Estrange a
affirmé que deux hommes lui avaient sauté dessus. Il
avait aussitôt compris qu'il s'agissait forcément
d'Assassins.

Le fait qu'ils aient attaqué à deux plaide effectivement pour cette hypothèse. On est encore loin
d'avoir capturé chacun des quatorze *fida'i* que
l'imam d'Alamut aurait, dit-on, lancés contre notre
grand khan. Le fait qu'ils soient repartis avec une
nappe pleine de vivres permet de croire que les
assaillants ont faim, ce qui fait, là encore, penser à
des éléments errants et affamés d'une bande de
meurtriers.

Mais bien que nos hommes se soient aussitôt levés
et aient inspecté les environs du camp avec des
torches, nous n'en avons pas trouvé la moindre
trace. Nous nous permettons de vous recommander
instamment de rétablir enfin la sécurité sur nos
routes. Peut-être les nombreuses patrouilles qui
recherchent actuellement le couple royal devraient-elles être prévenues afin qu'elles trouvent elles aussi
cette canaille dont les menées sont une honte pour
nous, Mongols, surtout vis-à-vis d'invités éminents,
comme le roi d'Arménie.

Lors de cet incident, dont la cible n'était assurément pas sa personne, mais son dîner, le comte
Hamo l'Estrange a certes montré la bravoure d'un
Gengis ; mais ensuite, il n'a plus affiché la ténacité de
notre grande lignée de souverains. Bien que nous

ayons pansé ses plaies et stoppé les hémorragies, il a
expliqué, le lendemain matin, qu'il était incapable de
poursuivre le voyage avec les autres. Nous n'avons
pu l'y forcer, car, curieusement, les Arméniens se
sont presque aussitôt montrés disposés à le laisser
sur place. Ils ont tout d'un coup été très pressés de
lever le camp et de s'en aller. On est presque tenté de
penser que ce sont eux qui ont voulu tuer le comte.
Sempad, le frère du roi, n'a certainement pas de très
bonnes intentions à son égard, et les Arméniens sont
connus pour leur fourberie. Ils lui ont cependant
laissé ses chevaux et tous ses biens, qui représentent
une fortune considérable.

Là-dessus, nous avons divisé l'escorte. Une partie a
continué le voyage avec le roi, une autre est restée
auprès du comte. Celui-ci a de nouveau fait preuve
d'un comportement très peu mongol, et n'a pas du
tout tenu à notre présence. Aux hommes qui avaient
déjà reconnu en lui à Sis, la capitale arménienne, le
kungdaitschi, un descendant du Grand Forgeron
Gengis Khan, il a donné l'ordre de l'abandonner
dans la steppe et de le laisser mourir sur place.
Comme si les Mongols avaient jamais laissé en plan
un membre de la lignée des souverains ! Nous ne le
quittons pas d'un pouce. Hamo l'Estrange refuse
toute espèce de nourriture ; le fluide vital paraît
l'avoir abandonné, comme si le poignard des Assassins avait été couvert d'un poison que nous ne
connaissons pas encore et qui ôte à l'homme le courage de vivre. Nous vous demandons de transmettre
d'urgence au prochain *jam* des instructions sur l'attitude que nous devons adopter.

L.S.

Le grand khan refusait de quitter son lit. Le grand
juge, assis à côté de la couche du souverain, jouait
au go avec lui. Mais Möngke avait beau faire, il se retrouvait toujours encerclé.

— Donnez-m'en cinq autres ! grogna-t-il pour
cacher son mécontentement.

Le Bulgai passa d'un pied léger au-dessus du jeu et encercla un pion.

— Ceux que nous recherchons sont forcément dans un rayon de mille lieues. Ils ne peuvent pas être allés plus loin, sauf s'ils se sont transformés en oiseaux...

— Ce sont les esprits! dit Möngke en lui coupant la parole, mais lui-même était effrayé par cette idée.

— ... et il est impossible que dix mille chasseurs ne les y débusquent pas, reprit le Bulgai avec flegme. Aucune souris ne...

— Et qu'en déduisez-vous? (Möngke était agacé, son partenaire l'avait de nouveau cerné.) Je veux une explication!

Le Bulgai l'avait déjà :

— Le couple royal voyage sous nos yeux, mais nous ne le voyons pas.

Möngke osa un coup risqué, espérant que son partenaire pensait à autre chose.

— Vingt mille yeux ne peuvent être frappés de cécité en même temps!

— Une enveloppe qui les rend invisibles...

— Des esprits? C'est bien ce que je dis!

— Guillaume, laissa échapper le grand juge, a depuis peu du pouvoir sur les esprits. À moins que ce ne soit l'inverse. Les *ada* se sont abattus sur lui, se sont installés dans l'arbre à boire et ne le lâchent plus...

— Mon Guillaume? Certainement pas!

— Nous permettez-vous de l'arrêter et de tirer cette affaire au clair en ouvrant l'arbre, en le découpant et en le sciant?

— Mon arbre d'argent? Jamais de la vie!

Möngke était tellement indigné qu'il se laissa de nouveau encercler par le Bulgai sans s'en soucier véritablement.

— Nous pourrions lui faire traverser un plan d'eau, ou allumer un feu dessous.

— Pas si des esprits l'habitent!

— Les esprits n'existent pas, répondit le Bulgai

d'une voix dure. Si Guillaume en transporte quelques-uns dans votre arbre, il n'y a qu'une conclusion possible...

— L'arbre pourrait être endommagé dans la manœuvre. De quoi aurais-je l'air, alors, devant Guillaume ?

Möngke profita de la stupéfaction de son grand juge pour encercler enfin l'un des pions adverses. Le Bulgai eut un sourire retenu.

— Je voulais juste attirer votre attention sur lui, dit le Bulgai, en encerclant le khan à son tour.

Les besoins des ada

Rapport des Services secrets, 17 juillet 1254.
Très fortuné Bulgai, qui nous couvrez toujours de honte. Votre *jam* est arrivé, et tout s'est expliqué. Comme le comte Hamo l'Estrange continuait à insister pour qu'on le laisse seul, nous nous sommes retirés, mais l'un de nous a mis pied à terre derrière chaque élévation, derrière chaque buisson, en se cachant derrière le bouclier de la nature, comme nous avons appris à le faire. Nous avons ainsi installé une chaîne de surveillance que le jeune homme ne pouvait pas voir.

Nous n'avons pas attendu longtemps avant que le prêtre banni et la princesse Shirat arrivent à cheval. La femme a sauté de sa monture et a bondi au cou de Hamo. Le prêtre est resté là, confus, tandis qu'ils s'embrassaient et roucoulaient comme de jeunes amants, alors qu'ils sont mari et femme, comme nos observations nous ont permis de le constater.

Le couple réuni a couvert le prêtre de cadeaux. Ils lui ont donné des vêtements, des chevaux et l'ont laissé tout seul.

Nous avons décidé de continuer à agir secrètement, et nous avons encore une fois divisé notre troupe. Une moitié a suivi le couple à cheval, en respectant la distance prescrite, celle de « l'ombre de la petite colline ». Comment pourrions-nous laisser un *kungdaitschi* reconnu chevaucher seul, surtout avec une épouse qui a connu tant d'avanies ?

L'autre moitié, sur le conseil de votre *jam*, est restée auprès du banni, dont nous savons à quel point il est dangereux. Ceux qui en avaient reçu l'ordre se sont témérairement cachés tout autour de l'individu, dans la position des « renards dans le terrier », que nous avons déjà utilisée avec succès. On n'oublie jamais ce que l'on a appris. Nous attendons donc, à couvert, les actes qu'il va commettre à présent.

Nous nous permettons encore d'indiquer que c'est peut-être le prêtre qui a tenté de poignarder le comte Hamo au cours de la nuit, par jalousie, afin de conserver la princesse. Il est vraisemblable qu'il n'a emporté le drap contenant les restes de vivres que pour camoufler ses intentions de meurtre, lorsque son agression a échoué à la suite d'une résistance héroïque de Hamo. Le comte l'a peut-être lui aussi reconnu, ce qui expliquerait qu'il ait été aussi gêné. Dans ce cas, la restitution de la femme aurait été faite en échange de vêtements et de chevaux ? En tout cas, ce « prêtre » est un homme très dangereux, et c'est certainement un Assassin.

L.S.

 Chronique de Guillaume de Rubrouck, San Petri ad Vincula 1254.

En raison du poids de l'arbre à boire, nous progressons avec une lenteur effroyable. Vingt-quatre bœufs ne progressent pas plus vite que deux. La charrette avance, pesante, portant le symbole de la défaite du grand khan et de mon dernier triomphe, visible de loin sur la steppe. Roç et Yeza veulent sortir de leur boîte, et je les comprends. Ils me menacent de quitter une nuit leur « cachot sans rats », comme ils l'appellent, et d'apparaître tout d'un coup devant le feu de camp des Mongols, à la

manière de ces bons vieux *ada*. Les mains jointes (je
continuais à prier sous la trappe), je les ai implorés
d'attendre encore, mais le jet de liquide qui m'a alors
atteint n'avait rien à voir avec l'eau potable, et ils se
sont mis à pousser d'effroyables « ouuuh-ou-ou-ou-
houiiiii ! » dans la trompette, si bien que mes
accompagnateurs se sont figés de frayeur. J'ai donc
couru vers mes cochers, en faisant mine d'être terro-
risé, et j'ai crié :

— Les esprits veulent prendre possession du
couple royal ! Ils ont dit qu'ils allaient le chercher et
le trouver !

Cela les a tellement intimidés que j'en ai rajouté
encore un peu.

— Si nous devions nous opposer à leurs désirs ou
les trahir, les *ada* nous tordraient le cou !

Ce qui était une bonne manière de les préparer au
spectacle qui les attendait le lendemain matin : Roç
et Yeza étaient assis dans le baquet où l'on donnait à
boire aux bœufs et s'éclaboussaient en riant.

— Où sommes-nous ? demanda Yeza. Qui êtes-
vous ?

Je jouai le jeu, leur adressai une formule de bienvenue respectueuse et demandai :

— Quel chemin devons-nous suivre, ô couple
royal ?

— Nous sommes prisonniers des *ada*. Nous ne
pouvons séjourner parmi vous que pendant la journée. La nuit, nous devons rester avec eux, dans
l'arbre, répondit Roç d'une voix triste.

Cela nous parut être une solution acceptable par
tous, d'autant plus que les cochers assis en haut, sur
le siège, craignaient tant pour leur vie qu'ils se mettaient à crier chaque fois qu'ils apercevaient une
patrouille :

— Cachez-vous vite !

Roç et Yeza disparaissaient alors sous le char,
dont tout le monde continuait à se tenir à bonne distance, si bien que personne ne les vit jamais monter
par la trappe dans la grotte de l'arbre à boire. Mais,

au bout de quelque temps, ils s'assirent tous les deux sur le siège du cocher, et montèrent la garde eux-mêmes.

Un jour, nous vîmes un groupe considérable, presque une armée, avancer vers nous. Roç nous tranquillisa :

— Ce ne sont pas des Mongols ! Je reconnais le drapeau des Arméniens. Inutile de nous cacher !

Les cochers avaient peur. Mais Yeza et Roç refirent leur coiffure hirsute, rajustèrent leurs vête-ments en haillons, autant qu'il était possible, et reçurent les Arméniens bien droits sur leur siège. Roç et Yeza avaient pris en main les rênes de l'atte-lage. Ils saluèrent dignement les arrivants.

L'un d'eux était le roi Hethoum en personne, le monstre qui avait acheté Shirat à un marchand d'esclaves et l'avait offerte au grand khan, comme partie de son tribut, qui plus est. Yeza, malheureuse-ment, le savait elle aussi, et elle s'exclama :

— Ah, vous êtes donc le roi d'Arménie, celui qui vend les femmes des chevaliers courageux ! La comtesse d'Otrante vous a longtemps attendu pour vous remercier comme il convient.

— Que dites-vous là, jeune dame ? fit un guerrier trapu et musculeux. Je suis Sempad, le connétable, et je vous prie de...

— Épargnez votre salive, messire Sempad, inter-vint Roç en lui coupant la parole. Shirat n'a pas sou-haité attendre plus longtemps et a abandonné la cour du grand khan. Vous auriez pu la rencontrer sur le chemin !

— Mais comme vous avez encore vos deux yeux dans leurs orbites, reprit Yeza, je suppose que vous l'avez manquée. Elle vous les aurait arrachés !

— C'est sans doute vrai, mon cher frère ! répondit le roi en souriant méchamment.

— Mais qui êtes-vous, pour oser me tenir pareil discours ?

Je m'exclamai alors rapidement :

— Le couple royal voyage à la demande du grand

khan. Et je suis Guillaume de Rubrouck, ambassadeur du roi Louis de France.

Le roi Hethoum, étonné, contempla un instant Yeza et Roç, ainsi que le gigantesque arbre à boire qui se dressait derrière eux et lui donnait sans doute l'impression de pouvoir servir de baldaquin à un trône comme on n'en avait jamais vu. Il finit par me déclarer :

— Nous l'avons entendu dire. Nous ne voulons pas vous retenir plus longtemps. Viens, Sempad !

Il rappela ainsi son frère qui avait déjà mis pied à terre et, la mine menaçante, semblait vouloir marcher vers le char. Il grogna quelques mots incompréhensibles lorsque Roç fouetta les bœufs et cria à Hethoum :

— Transmettez nos salutations au grand khan !

Notre véhicule se remit en mouvement en grinçant et les Arméniens reprirent leur chevauchée.

Vers le soir, nous aperçûmes Créan debout au bord du chemin. Il semblait nous avoir attendus. Il tirait plusieurs chevaux derrière lui et était bien habillé ; en vérité, si ma mémoire ne me trompait pas, il portait exactement les mêmes vêtements que le marchand de Beyrouth Mustafa Ibn-Daumar.

Il nous raconta comment Hamo et Shirat s'étaient retrouvés. Roç et Yeza, eux, n'étaient pas heureux du tout de le revoir, d'autant plus qu'il leur demanda aussitôt de reprendre leur cachette dans l'arbre : il était, nous affirma-t-il, surveillé par les Mongols, tapis dans chaque vallon et derrière chaque bosquet. Il montra un fourré, près de la route, qui se déplaça tout d'un coup et sauta sur le côté, dans un trou.

— C'est mon escorte, plaisanta Créan sans desserrer les dents, ce qui était son habitude.

— Si je cède à Mustafa Ibn-Daumar la moitié de mes hommes, fis-je, il pourrait reprendre son voyage vers Beyrouth avec la marchandise. Celle-ci n'est plus en sécurité auprès de moi, maintenant que les Arméniens ont pu la voir.

Créan me dévisagea et hocha la tête :

— Tu es resté ce bon vieux finaud de Flamand, Guillaume de Rubrouck. Le destin te glisse toujours à l'oreille une sage solution!

— Pas le destin, les *ada*, rectifiai-je, mais il ne me comprit pas.

L.S.

Rapport des Services secrets, 4 août 1254.
Nous suivons, en respectant scrupuleusement « l'ombre de la petite colline », le comte d'Otrante et son épouse. Nous ne connaissons pas son objectif et nous regrettons profondément de ne pouvoir faire escorte à un membre de la Haute Maison dont les veines sont irriguées par le sang du Grand Forgeron. Mais Hamo l'Estrange ne veut pas de notre compagnie, nous avons bien été forcés de l'admettre après l'avoir interrogé sur ce point. Nous avions envoyé un *jam* à sa rencontre pour lui proposer une fois encore notre escorte, très respectueusement. Il se dirige vers le campement de Batou-Khan. Il va vraisemblablement traverser le territoire des brigands, ce qui nous inspire les plus vifs soucis, car un couple habillé de vêtements aussi riches et aussi précieux, tout seul sur le chemin de la steppe, est une véritable incitation au vol. Par précaution, nous avons réduit la distance, afin de ne pas le perdre de vue et de pouvoir intervenir.

Le comte et son épouse n'ont pas rencontré les brigands de grand chemin, mais la yourte d'Omar et d'Orda, dont nous vous avons déjà signalé une fois, pour les regretter, les conditions de vie misérables.

Ils ont une fille, âgée de quatre mois. Comme s'il ne leur suffisait pas d'être aussi pauvres! Une honte pour notre pays.

Bien entendu, les deux bannis ont demandé l'aumône au noble *kungdaitschi*, et Hamo l'Estrange a laissé son cœur parler. Il a mis pied à terre et a offert des cadeaux grandioses à ces parasites. Son épouse, Shirat, s'est laissé attendrir jusqu'à prendre l'enfant avec elle, et, comme si toutes ces gentillesses ne suffisaient pas, ils ont échangé leurs vêtements raffinés contre les haillons des deux exilés. Ils leur ont aussi offert tous les chevaux de monte, tous leurs biens, et sont partis sur deux rosses, sans chevaux bâtés ni quoi que ce soit pour les remplacer. Hamo l'Estrange et sa femme doivent être des chrétiens exemplaires, profondément croyants.

Post-scriptum à notre rapport du 4 août 1254.

En tant qu'épouse d'un banni, la Mongole Orda était obligée de répondre aux questions des Services secrets. Nous vous faisons parvenir le compte rendu de son interrogatoire. Nous le jugeons très instructif ; en tout cas, cette conversation nous a apporté des connaissances entièrement nouvelles.

Question à Orda : « Comment avez-vous osé demander l'aumône aux voyageurs ? Tu n'as pas honte ? »

Réponse d'Orda : « La misère ne connaît pas la honte. Notre chance a été que la princesse, du temps où elle était esclave chez Ariqboga, a entendu parler de notre malheur, même si elle ne nous avait jamais vus. Elle nous a donc d'elle-même proposé son aide. »

Question à Orda : « Pourquoi les voyageurs ont-ils échangé leurs vêtements contre vos frusques ? »

Réponse d'Orda : « Le comte craint que sa femme ne soit poursuivie aussi bien par celui qui la possédait jusqu'ici, le frère du khan, que par Sempad, le frère du roi d'Arménie, qui avait des vues sur elle. Ils espèrent qu'ainsi déguisés, ils échapperont à toutes les recherches. »

Question à Orda : « Comment as-tu pu t'arracher l'enfant de la poitrine et le donner à d'autres que toi ? Vous n'aimez donc pas votre enfant ? »

Réponse d'Orda : « Amál est un enfant de l'amour. Mais nous souffrons d'une telle misère, ici, que nous vivions constamment dans la crainte de perdre cette tendre créature, qu'elle ne meure de faim ou de froid. La princesse a perdu sa propre fille dans des circonstances tragiques. Notre petite Amál a aussitôt éveillé ses instincts maternels. Elle m'a demandé de lui confier l'enfant. Lequel facilitera certainement aussi sa fuite, parce que personne ne regarde le visage d'une mère qui allaite. »

Question à Orda : « Les voyageurs vous ont-ils proposé de les accompagner, et si oui, dans quelle direction ? »

Réponse d'Orda : « Nous serions volontiers partis avec eux, mais ils ont dit qu'il vaudrait mieux voyager séparément et nous retrouver à Samarcande, à la frontière du royaume. Là, ils comptent aussi nous rendre notre petite Amál, nous offrir une forte récompense et s'occuper de nous. »

Question à Orda : « Et que comptez-vous faire à présent ? Avez-vous repoussé cette offre princière ? »

Réponse d'Orda : « Nous allons les suivre à l'étranger. Au pays des Mongols, sur ma terre natale, nous n'avons plus d'espoir ! »

Nous les avons laissés filer tous les deux. Cette solution nous paraît tout à fait bienvenue. Ainsi, nous nous en débarrassons et nous n'avons plus à subir cette honte. Nous cessons désormais de filer Hamo l'Estrange, mais pas de l'observer. De toute façon, les bannis ne méritent pas tant de peine.

L.S.

Malgré toute la colère que lui inspirait l'échec des recherches — c'était de la sorcellerie, Roç et Yeza demeuraient introuvables ! —, le grand khan respecta la tradition de son peuple et transféra sa résidence au camp d'été. Auparavant, il avait résolu la question de la réforme de la communauté chrétienne sur le territoire des Mongols : il avait nommé Bartholomée de Crémone patriarche, mais sans fonder de *Nova Ecclesia*. Tout resta comme par le passé. Barzo était désormais censé tenir le rôle d'une sorte de *jam* des chrétiens, pour tous les ambassadeurs du Saint-Siège et des potentats occidentaux, s'il devait encore s'en présenter.

Dans un premier temps, le seul à arriver fut le roi d'Arménie. Il refusa la tutelle de Barzo : l'Église arménienne reconnaissait sans doute la suprématie du pape, mais il ne souhaitait pas qu'un moine franciscain lui pose les questions rituelles et lui donne des instructions. Il était, dit-il, venu rendre hommage au grand khan, et il n'avait pas besoin pour cela d'assistance spirituelle.

Par courtoisie, personne ne lui parla de ce « cadeau » qu'il avait envoyé bien en avance, l'esclave Shirat. C'est Sempad, avec sa légèreté habituelle, qui fut chargé de s'informer sur la « créature », et seule l'habileté de l'interprète, qui traduisit ce mot par « la création féminine du Seigneur », lui évita d'être provoqué en duel par Ariqboga. Lorsque le chambellan entendit ensuite toute l'histoire, l'un des chevaliers qui accompagnaient Sempad prit la parole ; il avait reconnu Créan dans la steppe, alors que celui-ci attendait Guillaume. C'était un chevalier français, messire Olivier de Termes : « C'était Créan de Bourivan ! » s'exclama-t-il, et l'interprète traduisit :

— C'est vrai, c'est un Assassin, mais c'est aussi un homme du Prieuré. Comment pouvez-vous encore vous étonner qu'on vous ait pris Roç et Yeza ? Ils appartiennent corps et âme à l'Ordre secret. Le Prieuré est le créateur du couple royal, si je peux m'exprimer ainsi.

Les Mongols s'étonnèrent tout de même : ils avaient certes déjà entendu parler du pape et de l'empereur, deux puissants souverains auxquels, jusqu'ici, ils ne s'étaient pas soumis. Mais c'était bien la première fois que l'on évoquait le Prieuré devant eux. Le grand khan fut atterré qu'il existât une telle puissance inconnue et qu'elle ait osé s'ingérer directement dans ses affaires. Il comprit immédiatement qui était Guillaume de Rubrouck : un agent de cette Alliance secrète ! Et lui, Möngke, avait repoussé son amitié, il l'avait blessé, offusqué, parce que quelques prêtres et idolâtres avaient grogné. Bien entendu, Guillaume avait emmené avec lui *ses* créatures !

Ariqboga, dont le cerveau était un peu plus lent, fut le seul à exulter.

— C'est donc bien un complot des Assassins ! J'avais raison de réclamer la tête de ce Créan. C'est lui qui a déclenché l'enlèvement du couple royal !

Sempad le regarda, étonné.

— Si vous voulez parler du couple royal qui voyage avec Guillaume de Rubrouck sur ordre du grand khan, nous l'avons rencontré. Il vous transmet ses salutations, fit-il en s'adressant à Möngke, sans se douter de rien.

Celui-ci en resta bouche bée, et lorsqu'il retrouva la parole, ce fut pour crier : « Bulgai ! »

Le grand juge se tenait à côté de lui et répondit courtoisement :

— Je vous l'avais laissé entendre, mon souverain. C'était la seule solution possible !

— Et qu'attendez-vous encore ! hurla Möngke. Ramenez-moi immédiatement le couple royal !

Sempad fit un pas en avant.

— Je vous prie de m'accorder l'honneur, illustre souverain, de vous ramener ces jeunes gens !

— Vous voyez ! grogna le khan, méprisant, lorsque le général Kitbogha arriva à son tour. Le connétable obtient en un clin d'œil ce que vous n'avez pas réussi à faire en trois lunes avec dix brigades ! Pourquoi ? Parce qu'il a des yeux, lui. Donnez-lui autant de troupes qu'il voudra en emmener avec lui. Partez immédiatement, mon cher Sempad !

— Prenez mes braques, lui proposa Ariqboga.

Le connétable, saisi par la fièvre de la chasse, hocha la tête, cramoisi. Puis il sortit comme une trombe de la salle d'audience. Peu après, il franchissait la porte des Chèvres avec une section mongole et tous ses chevaliers.

— Et que devons-nous faire de Guillaume ? demanda le Bulgai à son maître, qui avait retrouvé son calme.

Möngke regarda son grand juge, les yeux mi-clos.

— C'est seulement maintenant que vous me posez

cette question, alors que le seul à savoir où l'on trouvera ce traître a déjà quitté la ville ?

Le Bulgai ne broncha pas.

— Procédez avec lui comme vous vouliez le faire avec mon arbre à boire. Jetez-le dans l'eau, sciez-le, mettez-le au feu, tout ce qu'il vous plaira.

— Et les esprits ?

— Ah, les esprits ! répliqua le grand khan avec un geste méprisant. Débrouillez-vous plutôt pour que l'arbre me soit rapporté en bon état.

Le Bulgai s'inclina et fit un signe discret au général, qu'il retrouva ensuite derrière un pilier.

— Prévenez votre fils. J'ai déjà fait en sorte que ce Sempad n'arrive pas à son objectif aussi vite qu'il est parti.

Les deux vieux hommes hochèrent la tête en souriant.

— Je lui ai donné la « Section des cinquante paralytiques et des cinquante aveugles », répondit le général en ricanant. Et j'ai déjà envoyé mes dix cavaliers les plus rapides pour prévenir Kito.

4. FUYARDS, SBIRES ET GIBIER

Les braques de l'Arménien

 Rapport des Services secrets, 14 septembre 1254.

La section de Kito est arrivée comme une tempête. C'était un bonheur de voir les Mongols soudés à leur cheval comme un unique corps d'armée, et dix rangées de dix cavaliers former à leur tour une superbe phalange ! Voilà qui nous fait bondir le cœur de fierté, nous qui continuons à accomplir dans le calme notre mission, si importante soit-elle.

Messire Kito a raconté à Hamo l'Estrange que le connétable d'Arménie avait reçu carte blanche, et qu'on lui avait donné suffisamment de cavaliers pour chercher le couple royal. Il a ajouté que Sempad aurait sans doute du mal à résister à la tentation de reprendre la princesse Shirat sous son contrôle. Nous savons par nos hommes, les combattants secrets disséminés parmi les guerriers de Kito, que dans un premier temps cette mise en garde n'a pas particulièrement impressionné le comte. Il a remercié messire Kito pour l'information, mais lui a demandé de le laisser seul avec sa famille. Alors, messire Kito, fine mouche, lui a indiqué que l'amulette, le porte-bonheur que le comte portait au cou, le désignait comme un *kungdaitschi* et l'obligeait, lui,

Kito, à lui prêter une assistance inconditionnelle jusqu'à la mort. Dans le cas contraire, lui-même et sa section, selon la loi du *jasa*, seraient considérés comme des déserteurs et exécutés. Le comte n'a pas voulu répondre. Il a accepté l'escorte qui revenait à un *kungdaitschi*. Tout le convoi a d'autre part quitté la direction des terres de Batou-Khan, et s'est orienté vers le sud. Nos observateurs gardent le contact.

L.S.

 Chronique de Guillaume de Rubrouck, *Septem Dolorem B.M.V. 1254.*

Les cochers, sur leur siège élevé, avaient été les premiers à apercevoir le nuage sombre. Puis ils distinguèrent les cent hommes qui avançaient vers nous, étendards au vent et lances dressées. Je montai sur la charrette et passai derrière l'arbre à boire.

— L'heure est venue où s'accomplira la menace des *ada*! criai-je à mes Mongols. Tenez votre langue, pour ne pas la retrouver au matin toute noire et pendue à votre cou! Pas un mot sur le couple royal, sans quoi nous serons tous étranglés par les démons (je désignai, la mine anxieuse, les branches de l'arbre, derrière moi) qui attendent uniquement de savoir si nous allons les trahir!

Les premiers poursuivants étaient déjà arrivés. C'était messire Sempad, le connétable du roi d'Arménie, accompagné par une section de combattants mongols qui, curieusement, chevauchaient toujours à deux, l'un des hommes guidant deux chevaux à la fois. Ils amenaient aussi une meute de cinquante braques, qui tiraient sur leur laisse en flairant et en aboyant. C'étaient les chiens d'Ariqboga, à propos desquels j'avais déjà entendu tant de choses effroyables — des histoires auxquelles je crus volontiers en les voyant entourer notre char, les babines pendantes.

— Au nom du grand khan! s'exclama Sempad. Où se trouve le couple royal?

Nous nous regardâmes, étonnés, comme si nous ignorions de quoi il parlait, et il se mit à hurler :

— Vous les cachez !

Une fois de plus, je lui lançai un regard aussi stupide que possible, et je dis :

— Qui donc ?

— Eh bien, dans ce cas, vous l'aurez voulu ! Nous avons le droit et la mission de fouiller l'arbre à boissons que vous transportez pour y trouver les fugitifs.

— Si c'est le khagan qui vous a envoyés, répondis-je d'une voix ferme, je vous aiderai volontiers. Mais dans ce cas, vous savez aussi que je voyage en tant qu'ambassadeur officiel de Möngke, doté des pleins pouvoirs par sa plume et par son sceau !

— Vous verrez ce que vaut ce morceau de papier, Guillaume de Rubrouck, répondit le connétable avec une colère glacée, lorsque nous aurons inspecté l'arbre auquel vous allez être pendu s'il devait produire les fruits que nous sommes venus cueillir !

Pendant ce temps-là, les Mongols, qui avaient mis pied à terre deux par deux (à chaque fois, un aveugle soutenait un paralytique qui le guidait) parlaient avec mes cochers. Ceux-ci désignaient en silence, d'un air respectueux, les branchages de l'arbre, avec une mine que les nouveaux venus reprirent tous les uns après les autres, comme piqués successivement par la même puce. Même les braques en eurent le poil hérissé et se mirent à pousser des grognements effroyables.

— Pour la dernière fois ! cria le connétable en direction de l'arbre, et sa voix tremblait de fureur, sortez ! Il ne sera fait aucun mal au couple royal. Nous devons seulement vous ramener à l'illustre Möngke-Khan !

Mais on n'entendit pas le moindre bruit ; seul le vent de la steppe sifflait doucement dans les branches en argent et s'engouffrait dans l'embouchure de la trompette, laissant un son sourd enfler et diminuer dans le pavillon.

Les Mongols échangèrent des regards entendus.

Les chevaliers de Sempad avaient entre-temps suffisamment desserré les amarres de l'arbre pour pouvoir le pencher lentement sur le côté. On leur avait
sans doute rappelé qu'ils ne devaient surtout pas
endommager ce joyau, en tout cas, ils procédaient
avec une extrême prudence. Enfin, l'angle fut suffisant pour examiner la grotte creusée entre les
racines. L'un des chevaliers de Sempad se mit à
quatre pattes et regarda dans la pénombre du trou
que maître Buchier avait forgé de telle sorte qu'il n'y
reste plus qu'une étroite sortie vers le bas. Ils
n'avaient pas encore découvert la trappe de bois
dans le plancher du char. L'homme tira son épée et
farfouilla dans l'obscurité.

— Ça pue comme dans un terrier de renard, là-
dedans ! s'exclama-t-il lorsque sa tête fut de nouveau
en sécurité. Manifestement, la grotte est vide,
expliqua-t-il à Sempad, mais elle ne l'était pas il y a
peu. Deux personnes de petite taille auraient pu tout
à fait y...

— Amenez les chiens ! ordonna Sempad, qui fulminait.

On hissa sur le char plusieurs animaux de la
meute, et on les laissa s'y promener au bout de
longues laisses. Ils se mirent aussitôt à flairer et
entrèrent dans l'arbre, d'où ils arrachèrent, furieux,
des couvertures et des peaux de bêtes. L'un d'eux,
dans sa frénésie, était monté si haut dans le tronc
qu'il ne parvenait plus à en sortir. Ses jappements
angoissés sortaient à présent des lèvres pointées de
l'ange. Les Mongols — les miens comme ceux de
messire Sempad — échangèrent des regards entendus. Aucun n'osa se faufiler derrière le chien et le
tirer par la queue. Les hommes qui maintenaient
l'arbre d'argent en position oblique refusèrent de le
caler plus longtemps et hurlèrent qu'ils allaient le
laisser tomber si on ne se décidait pas immédiatement à tirer sur les cordes et à le remettre à la verticale.

Sempad donna l'ordre de redresser l'arbre et

d'abandonner le chien à son sort. Désignant le tas de couvertures et de peaux que les braques excités continuaient à renifler et à déchiqueter, le connétable marcha vers moi, l'air menaçant :

— Face à ces preuves puantes, comptez-vous continuer à nier que vous avez caché ici ceux que nous cherchons ?

— N'allez surtout pas affirmer, répliquai-je froidement, que l'arbre à boire du grand khan sent mauvais. Vous devriez savoir que dans cette grotte se tenait toujours un serviteur du souverain, c'est un secret connu de tous à la cour. C'est lui qui soufflait dans la trompette de l'ange les ordres de l'échanson, pour réjouir le khagan et ses invités. La voilà, l'explication.

— Et pourquoi, dans ce cas, les chiens se sont-ils mis sur la piste ? Ce n'est pas l'odeur du souffleur qu'ils ont perçue, mais celle du couple royal. D'ailleurs, je les ai vus de mes yeux, tous les deux, et je leur ai parlé. Comptez-vous me faire croire que je ne sais plus ce que je vois ? Je vous préviens, tout protégé que vous soyez par le grand khan, cette offense va vous coûter...

Il tira son épée, mais l'un de ses accompagnateurs s'interposa. Je le reconnus aussitôt, c'était Olivier de Termes.

— Halte-là, connétable ! s'exclama-t-il. Guillaume de Rubrouck, le plus grand imposteur de ce siècle, est immortel ! (En prononçant ces mots, il me sourit méchamment et me poussa hors de portée de la lame.) Le transpercer serait une peine bien faible pour tout le désordre qu'il a semé. Je propose que nous interrogions ses hommes. Ils le démentiront. Ensuite, nous lui préparerons la fin qu'il mérite, une agonie qui plaira aussi au grand khan.

Il fit venir l'interprète auprès de lui et s'adressa à mes cochers :

— Vous avez tous bien vu la jeune fille Yeza et le jeune garçon Roç, assis sur le siège du char ?

L'interprète traduisit, et mes Mongols jouèrent

leur rôle avec l'habileté d'une troupe de comédiens bien rodée.

« De quoi parles-tu ? Qu'est-ce que tu racontes ? Tu as perdu la raison, toi aussi ? » répondirent-ils, indignés, avec l'air le plus stupide que l'on puisse s'imaginer. « Nous avons mangé ici, et il n'y avait pas de fille ! »

Et ils brandissaient le poing. Dans le même temps, les Mongols qui avaient escorté Sempad se placèrent à côté de mes hommes, si bien que le connétable se retrouva tout d'un coup face à une troupe considérable, alors que lui-même était resté seul avec quelques chevaliers.

Sempad aurait sans doute pu l'emporter si le combat avait eu lieu, mais il ne pouvait pas s'attaquer à ses hôtes. Il trépignait :

— Je n'arracherai pas ces mensonges scandaleux de la bouche des Mongols, fit-il en écumant. Mais je vais faire sortir la vérité à coups de bâton de celle de Guillaume de Rubrouck, avant de mettre personnellement un terme à son immortalité !

Et sur ces mots, il s'éloigna d'Olivier pour foncer de nouveau sur moi.

Je pris alors mon courage à deux mains et sautai du char parmi mes Mongols. Ils me rattrapèrent si bien que je ne me rompis pas les os, et me protégèrent. Comme si les chiens avaient compris contre qui ils devaient désormais aboyer, ils se tournèrent vers le connétable et retroussèrent les babines.

Celui-ci se mit à hurler : « Je suis un hôte du grand khan ! » et il recula jusqu'au bord du char. On lui amena son cheval, et il rampa plus vers sa selle qu'il n'y monta. Il voulut quitter immédiatement le lieu de sa défaite, quitte à renoncer à sa section mongole infidèle. Mais Olivier de Termes s'adressa de nouveau à moi :

— Vous avez encore fait honneur à votre réputation, si l'on peut employer le mot d'honneur pour ce qui vous concerne !

Les Mongols formaient un cercle épais autour de

moi ; l'interprète traduisit, et cela me valut des applaudissements nourris.

— Lorsque je vous ai rencontré pour la première fois à Marseille, il y a dix ans, les enfants du Graal étaient avec vous, et je n'ai pu les voir en personne. À Constantinople et à Chypre, ils étaient également en votre compagnie, et il n'y a pas eu moyen de mettre la main dessus. Mais je vous jure...

Il n'alla pas plus loin : les Mongols s'étaient remis à m'acclamer. Ils me hissèrent sur le siège du cocher, et je criai :

— Mais toutes ces expériences, messire Olivier, ne vous ont pas rendu plus malin que messire Sempad, qui ne me connaît pas encore. Tâchez tout de même de lui faire comprendre que, si Guillaume de Rubrouck et le couple royal ne sont certes pas une seule et même personne, ils sont à moi ce que la clef est à la serrure...

Et comme le chien coincé dans l'arbre poussait un nouveau glapissement épouvantable, j'ajoutai :

— Il existe de bons et de mauvais démons qui sont plus forts que tous les hommes. C'est sous leur protection qu'est placé le couple royal. Ne tentez pas de porter encore la main sur Roç et Yeza !

Il y eut une nouvelle acclamation, et je fouettai les bœufs.

En se donnant l'accolade et en se tapant sur l'épaule, les Mongols de Sempad se séparèrent des miens et s'éloignèrent par paires, tirant derrière eux les braques, et suivant les chevaliers arméniens. Je n'avais pas seulement remporté une victoire, j'avais inspiré à ses combattants une sainte terreur des *ada*. Ils ne prêteraient jamais la main au connétable s'il devait parvenir à rattraper Créan et mes petits rois. Dieu les bénisse !

L.S.

Rapport des Services secrets, 15 septembre 1254.

Ce que Sempad n'a pas réussi à faire, vos Services secrets, éminent Bulgai, viennent de l'accomplir : nous avons retrouvé la piste de Créan et du couple royal, et nous les suivons, conformément aux instructions, « à la distance du butor », qui ne vole certes pas bien vite ni bien loin, mais produit dans sa course un affreux sifflement. Comme vous l'aviez justement supposé, les trois cavaliers se sont dirigés vers le sud, et leur voyage pourrait bien les mener à Alamut. Nous nous conformons à vos ordres et nous ne les retenons pas, mais nous sommes prêts à intervenir à n'importe quel moment si quelqu'un se plaçait en travers de leur route.

Nous nous permettons encore de vous indiquer qu'il se trouve dans l'escorte du connétable d'Arménie un chevalier français qui en sait beaucoup, pour ne pas dire tout, sur le couple royal, son origine et sa destinée. Ce seigneur s'appelle Olivier de Termes. Vous devriez en faire un bon ami et tenter de lui soutirer les éléments qui nous manquent encore sur les « enfants du Graal ». Et il nous en manque beaucoup. Messire Olivier connaît et apprécie grandement Guillaume de Rubrouck. Il dit qu'il s'agit d'un imposteur sans pareil. Vous pourriez aussi vérifier ce point. Nous demandons que nos très respectueuses recommandations soient transmises au khan tout-puissant.

L.S.

Sempad, le sbire volontaire des Mongols, n'était nullement disposé à abandonner la traque, ni celle des enfants royaux ni celle de Shirat, cette biche que la bonne étoile des chasseurs avait remise sur son chemin alors qu'il avait perdu tout espoir. Il devait intercepter Shirat avant qu'elle ne retrouve Hamo. Il aurait volontiers monté cette femme-là sous les yeux du jeune comte, mais les Mongols le considéraient comme un de leurs princes et veillaient à son bien-être.

Le connétable avait mis un certain temps, et ce n'est qu'à mi-parcours qu'il avait remarqué la composition de la section qu'on lui avait donnée, moitié paralytiques, moitié aveugles. Mais les Mongols tenaient les chiens, et de toute façon il était trop tard. Sempad était certain qu'en chevauchant vite il arriverait encore à prendre Guillaume en flagrant délit avec le couple royal. Après tout, il se moquait bien de Roç et de Yeza, mis à part le fait qu'il s'était fait fort de les ramener au grand khan. Mais, au bout du compte, c'étaient les Mongols qui l'avaient trahi, et les choses se seraient certainement déroulées de la même manière s'il avait trouvé ce petit couple d'insolents en compagnie de Guillaume !

Sempad avait soif de sang et de proies. Il galopait avec ses chevaliers sur la steppe asséchée, et les Mongols le suivaient sans difficulté. La meute des braques courait derrière eux, au bout de longues laisses.

La troupe des chasseurs avait déjà passé la yourte misérable dressée au bord de la route lorsque messire Olivier cria : « Halte ! » et brida son cheval : « J'ai vu un homme portant les habits du comte Hamo ! »

Tous s'arrêtèrent et revinrent lentement sur leurs pas. Les hommes encerclèrent la tente. Orda et Omar en étaient sortis. À la vue de la jeune femme, les braques d'Ariqboga se remirent à flairer et à retrousser les babines : elle portait une tenue de Shirat. Les chiens étaient tellement déchaînés que leur guide avait du mal à les retenir.

Le connétable s'adressa sans douceur à Orda :

— Comment es-tu entrée en possession de ces vêtements ?

— On me les a offerts, grand seigneur, dit Omar avec respect, en repoussant Orda dans la tente.

— Tu les as volés, s'exclama Olivier de Termes, qui ne voulait pas s'opposer encore une fois au connétable. À moins que vous ne soyez allés jusqu'à tuer le comte pour le détrousser ? Je vois là ses chevaux, avec tous ses biens !

Omar était devenu livide.

— Je vous le jure, grand seigneur, le comte d'Otrante et sa chère femme nous ont laissé tout cela de leur propre chef...

Il tomba à genoux en voyant que Sempad faisait allumer une torche avec un mauvais sourire. L'interprète avait traduit leurs mots, et la moitié des Mongols avaient armé leur arc.

— Nous n'avons commis aucun crime! leur cria Omar, désespéré.

Et depuis la porte de la yourte, Orda cria aux Mongols :

— C'est le *kungdaitschi* qui l'a voulu ainsi!

La première flèche siffla et lui transperça le bras. « Halte! » hurla Sempad à son escorte mongole, qui baissa les arcs. Omar avait profité de ce bref instant pour se jeter en arrière par la porte en protégeant sa femme. Il referma la yourte. Le connétable lança en riant la torche sur le toit. Les flammes montèrent aussitôt, le misérable logis brûlait comme de l'amadou. Armé d'une hache, Omar franchit la paroi en feu et se jeta sur Sempad en hurlant. Mais avant qu'il ait pu frapper, une douzaine de flèches l'avaient déjà transpercé. Il tomba en arrière dans les flammes, dont la fumée entourait aussi les assaillants. Mais Olivier de Termes aperçut tout de même Orda qui tentait de s'enfuir. Le connétable émit un rire gras et fit signe aux Mongols de lâcher les braques. En quelques sauts, ils rattrapèrent la fugitive, et les premiers d'entre eux la plaquèrent au sol. La fumée cacha le reste de ce spectacle atroce. Sempad laissa à la meute le temps d'achever son ouvrage avant de donner l'ordre du départ. Il avait l'âme joyeuse.

Le sacrifice de Créan

 Chronique de Guillaume de Rubrouck, campement de Batou-Khan, saint Luc, 1254.

J'ai enfin atteint le campement de Batou. Le vieux khan du Qiptchak m'a fait venir dans sa tente immédiatement après mon arrivée et m'a prié de présenter la lettre de créance que m'avait remise Möngke. Puis il a indiqué au *jam* une yourte où je pourrais passer la nuit. On ne m'a rien donné à manger, mais j'étais tellement épuisé que je me suis aussitôt endormi.

Le lendemain matin, c'est Philippe, mon serviteur, qui me réveilla. Il m'informa que tous nos vachers et nos cochers avaient été renvoyés chez le grand khan avec l'attelage des vingt-quatre bœufs. Cela n'annonçait rien de bon. Je courus voir le *jam* et demandai une audience immédiate chez Batou-Khan. Il me répondit que celui-ci m'avait déjà reçu la veille, et que je devais être patient.

— Et les bœufs? demandai-je. Comment va-t-on tirer le char sur le reste du chemin?

— Crois-tu donc que nous n'avons pas de bœufs? Ceux-là appartenaient au grand khan, et nous les lui avons rendus, comme il se doit.

J'ai jugé préférable de ne pas mentionner l'arbre à boire, et je suis rentré dans ma yourte. J'y ai trouvé presque tous les prêtres de Batou, qui m'avaient déjà laissé, à l'aller, le souvenir d'une bande de gredins et de pillards. Ils avaient ouvert mes bagages et étalé sur le sol tous mes habits d'évêque. Je leur ai demandé quelle mouche les avait piqués pour s'attaquer ainsi à mes biens. Ils m'ont brutalement chassé de la yourte. Le *jam* leur avait dit que je voulais leur offrir ces vêtements. D'ailleurs, je n'en avais plus besoin puisque je me trouvais sur le chemin du retour. Eux, au contraire, restaient sur place pour proclamer la parole de Dieu, telle que le Christ l'avait enseignée et que Nestor la leur avait transmise.

J'ôtai alors mes vêtements de voyage, les leur jetai

aux pieds et remis ma vieille bure de franciscain, que Philippe avait dénichée tout au fond d'une caisse. Je revins auprès du *jam* et lui dis :

— Faites savoir à Batou-Khan que je compte reprendre mon voyage aujourd'hui même.

Il nous a renvoyés dans notre yourte. Nous avons attendu un mois durant l'autorisation de quitter le camp.

J'ai profité de tout ce temps pour écrire enfin à l'intention de mon roi Louis la suite du rapport qu'il attend certainement déjà depuis longtemps. L'inspiration était avec moi, et j'ai dépeint l'univers des Mongols tel qu'on se l'imagine : grossier et méchant.

Pendant tout ce temps, l'arbre à boire en argent trônait sur le grand char, au milieu du camp, ce qui me tranquillisait un peu. Mais, ce matin, Philippe est arrivé en courant et m'a crié : « Ils déchargent l'arbre à boire ! »

Je suis aussitôt sorti de la yourte. C'était bien cela ; ils avaient glissé des poutres dessous et s'apprêtaient à le soulever. J'assistais à la scène, hagard, lorsque le *jam* est arrivé et m'a informé que Batou-Khan souhaitait me voir immédiatement. Je l'ai suivi et j'ai trouvé le vieux seigneur de fort méchante humeur.

— Je t'ai laissé un mois, Guillaume de Rubrouck, pour m'offrir respectueusement l'arbre à boire comme cadeau d'invité. Tu n'as pas eu cette courtoisie. Puisque le grand khan, dans sa lettre, ne dit pas un mot du cadeau qu'il me fait, je suppose que tu as oublié de me transmettre ses paroles. Je ne suis pas satisfait de ton comportement, mais je ne veux pas en tenir rancune à Möngke-Khan. J'accepte son cadeau et je te demande de quitter mon camp aujourd'hui même après avoir joui pendant un mois de notre hospitalité. Maintenant, va-t'en avant que la colère ne me gagne.

J'étais mis à la porte. Je me suis bien gardé de protester. On m'a donné un guide et une escorte de dix hommes, censés m'accompagner jusqu'à la frontière arménienne. Mais passer par le pays de Sempad ne

me dit rien qui vaille. J'espère que mes accompagnateurs m'abandonneront avant, d'autant plus qu'ils
n'ont aucun cadeau à attendre de moi. Je ne possède
plus rien, sinon la bure en toile que je porte, la corde
qui la serre et une paire de sandales à bout de
souffle. J'espère pourtant atteindre Constantinople
en vie, avec l'aide de Dieu. Je fredonne « *Vexilla regis
prodeunt* ». D'une certaine manière, je me sens
libéré.

L.S.

 Rapport des Services secrets, 23 octobre
1254.

Sous la bonne garde de Kito et de sa section de
combattants aguerris, le comte Hamo et son épouse
ont continué leur route avec Amál, l'enfant d'Orda.
Comme la princesse ne peut allaiter, nous avons
trouvé une nourrice en chemin. Elle l'accompagne
désormais. Ainsi que l'on pouvait s'y attendre, la
bande du connétable arménien et ses cavaliers ont
fini par apparaître à l'horizon. Messire Sempad
semble considérer l'autorisation de chercher le
couple royal, que lui a donnée le grand khan, comme
une carte blanche lui permettant de chasser tout ce
qui tombe sous son sabot. Nous avons pris des
mesures pour que des incidents désagréables, tel le
massacre des bannis, ne puissent se renouveler ;
désormais, la section des maîtres-chiens empêchera
messire Sempad d'exercer la justice dans notre pays,
un droit qui vous revient à vous seul, illustre Bulgai.
Nous regrettons très profondément de ne pas avoir
pu intervenir à temps dans le cas d'Orda et du banni.
L'ivresse sanguinaire du connétable a surpris nos
hommes, qui ont cru, par-dessus le marché, que le
banni avait effectivement assassiné un *kungdaitschi*.
Ils ne pouvaient pas savoir ce qui s'était réellement
passé. Nous ne pouvons que nous féliciter de voir la
petite Amál dans les bras de la princesse, qui s'en
occupe comme si c'était son propre enfant. Seul Kito
sait qu'elle est désormais orpheline de père et de

mère. Mais il ne doit pas effrayer le comte et son épouse en leur apprenant la fin atroce que Sempad a réservée à ses parents.

Lorsque la meute du connétable eut rejoint la section de notre seigneur Kito, elle s'est bien gardée de l'attaquer. Contre l'avis de Sempad, qui ne voulait pas laisser filer « Shirat, sa biche », il a été décidé d'arrêter Roç et Yeza avant qu'ils n'atteignent le territoire des Assassins d'Alamut. On a expliqué au connétable que cela lui permettrait au moins de sauver la face devant le grand khan. Sempad a accepté, de mauvaise grâce.

Kito a alors intégré à ses rangs la moitié de l'escorte mongole de Sempad, avec ses chiens, et l'a placée sous ses ordres. Le connétable était scandalisé par cette « désertion », comme il l'a appelée, mais Kito n'a pas voulu discuter. Messire Sempad a compris qu'il était désormais en situation d'inéluctable faiblesse, et il est revenu sur ses pas, fou de rage. Il se serait peut-être même volontiers débarrassé de l'autre moitié de sa section, qui n'était plus qu'un obstacle, mais Kito ne lui a pas fait ce plaisir. À peine les Arméniens hors de vue (mais nous continuions à les filer), Kito a pris congé du comte Hamo et de son épouse. Il leur a laissé sa demi-section, elle leur servira d'escorte pour la suite du voyage, tant que le couple le souhaitera. Messire Kito a conseillé à Hamo l'Estrange de partir en direction de l'ouest, pour ne pas se retrouver sans l'avoir voulu en territoire arménien. Hamo l'a rassuré ; il trouverait bien le chemin de la mer Noire et de Constantinople.

Avec la moitié de troupe qui lui restait et la demi-section des maîtres-chiens, Kito a ensuite talonné les Arméniens. Il pouvait garder suffisamment de distance car, même plusieurs heures après, les chiens pouvaient flairer les traces de leurs congénères. Les animaux précédaient la troupe, au bout de leurs longues laisses.

Mais pour garantir la sécurité du couple royal, nous allons faire parvenir un avertissement à Créan.

Vos Services secrets n'ont encore jamais été autant mis à contribution, vénéré Bulgai. Nous pouvons vous garantir que nous sommes fiers de servir ainsi l'empire. Veuillez en informer très respectueusement l'illustre grand khan.

L.S.

Deux cavaliers, l'un âgé, l'autre plus jeune, guidaient leur cheval dans le massif rocheux qui s'élève au nord de la mer Caspienne. Ils étaient accompagnés par un mince écuyer, c'est du moins l'impression que donnait Yeza, de loin, qui tenait comme toujours à ne pas se donner l'allure d'une femme.

À la demande insistante de Roç, qui avait menacé, dans le cas contraire, de ne pas faire un seul pas de plus, Créan avait acheté des armes à une caravane en route pour Samarcande. Pour Roç, il avait fait l'acquisition d'une épée légère. Yeza avait tenu à recevoir un arc et des flèches. Là-dessus, Roç avait aussi réclamé un bouclier. Et l'on y avait ajouté des cuirasses de poitrine pour chacun. Au bout du compte, Créan lui-même s'était aussi équipé : une bonne lame de Damas, une lance et un faisceau de javelots.

— Je me fais l'effet d'un scarabée ! dit-il lorsque Roç et Yeza voulurent le voir tout habillé de fer, depuis la cotte de mailles jusqu'aux attelles. Cela fait des années que je n'ai plus porté autant de fer-blanc sur le corps !

— L'époque du faux prêtre Gosset est révolue, autant que celle du mièvre marchand de Beyrouth, dit Yeza d'une voix ferme. Tu redeviens un Assassin.

— Pour cela, il ne me faut qu'un poignard, répondit Créan en plaisantant. Et une chemise pour pouvoir me déplacer avec vitesse et légèreté.

— Ma *damna* s'est trompée, objecta Roç. Créan de Bourivan revient à ses origines. Il redevient un chevalier du Graal !

Ces mots rendirent Créan songeur.

— Je ne l'ai jamais été, dit-il doucement. Mais tel a peut-être toujours été mon destin.

Ils payèrent une fortune pour tout cet attirail, mais Hamo avait laissé à Créan une bonne partie des richesses contenues dans la chambre au trésor de l'évêque, apparemment inépuisable. Les ciboires, croix d'autel et chandeliers dorés étaient une marchandise appréciée en Extrême-Orient, d'une valeur bien supérieure à celle des armes dont les Mongols avaient plus qu'il n'en fallait, et taillées selon leurs propres désirs. Lorsqu'ils achetaient des monstres de fer composés de coques soudées les unes aux autres, comme celui dans lequel s'était enfermé Créan, c'était tout au plus pour les accrocher comme trophées aux poteaux de leur yourte !

Roç et Yeza étaient heureux, moins réjouis par leurs propres conquêtes que par l'image que leur offrait Créan : le *fida'i* renfrogné s'était transformé en un chevalier de la Table ronde, digne du roi Arthur.

— Le digne Créan de Bourivan voyage avec le Trencavel du Haut-Ségur et la princesse Yezabel du Mont y Grial, plaisanta Roç. Ils rentrent au pays de leurs pères...

— Dommage que ton père, notre bon vieux John Turnbull, ne puisse plus te voir dans cet accoutrement, fit Yeza. Ça l'aurait réjoui.

Créan se retourna vers eux.

— Mais nous ne partons pas pour l'Occitanie, répondit-il d'un ton obstiné. Nous rentrons à Alamut !

— Il n'en est pas question ! s'exclama Roç, indigné.

Yeza brida son cheval.

— Jamais, Créan ! Ôte-toi cela de la tête ! Même dix chevaux...

Elle s'arrêta, Créan s'était retourné une fois de plus et regardait au loin.

— Cent, murmura-t-il. Au moins soixante ou soixante-dix ! Nous sommes poursuivis.

Roç et Yeza aperçurent alors, eux aussi, le nuage de poussière et les éclairs d'acier. On entendait le roulement des sabots.

— Descendons dans la prochaine vallée latérale !
cria Créan. Roç en avant, toi derrière, Yeza. Je me
charge de l'arrière-garde ! ordonna-t-il.

— Mais je veux..., fit Roç.

Un regard de Créan suffit à le faire obéir. Il fila et
Yeza lui colla aux talons.

— Toi non plus, ne joue pas au héros ! cria-t-elle à
Créan. Suis-moi, je veux savoir qui j'ai dans le dos !

Créan éperonna son cheval. Il était certain que les
poursuivants les avaient vus. Pour s'échapper, Roç
devait trouver les ravines que l'eau dévalant vers la
vallée avait creusées au printemps, mais que l'on distinguait difficilement à présent, au mois d'octobre,
parce qu'elles étaient à sec.

Les trois chevaliers remontèrent le lit de la rivière.
D'autres yeux, au loin, le virent aussi. Lorsque Roç et
Yeza filèrent tout d'un coup à une vitesse telle que
Créan avait peine à les suivre, les observateurs
crurent d'abord qu'il s'agissait d'un mauvais tour
joué par le couple royal à son brave gardien. Mais
eux aussi remarquèrent alors la troupe compacte des
rabatteurs qui se dispersait à l'approche de son
gibier.

Aux yeux de Kito, posté en hauteur, les trois cavaliers disparurent immédiatement. Ils s'étaient certainement enfoncés dans les rochers.

— J'espère que ce ne sera pas dans une gorge sans
issue ! grommela-t-il en ordonnant à ses hommes de
mettre pied à terre.

Il ne lui restait plus qu'à espérer en la troupe de
maîtres-chiens aveugles et de paralytiques auxquels
il avait ordonné de surveiller Sempad. Kito craignit
cependant que celle-ci ne se soit fiée au flair des
chiens pisteurs, et qu'elle ne soit plus très nombreuse aux trousses de l'Arménien. Le jeune Mongol
rassembla sa propre section, composée de remarquables combattants.

— Nous ne savons pas dans quelle direction se
sont orientés Roç et Yeza, dit-il. S'ils montaient de
notre côté, nous pourrions encore les aider. Dans le

cas contraire, nous arriverons trop tard. Vingt hommes avec moi. Tous les autres essaiment, dix au moins dans chaque ravine, à gauche ou à droite. En route !

L'entraînement qu'avait subi Roç dans la troupe de Kito lui servait à présent. Un œil non exercé n'aurait sans doute pas découvert le passage étroit creusé dans la roche. Ils durent cependant mettre pied à terre et guider leurs animaux pour leur faire contourner les gros blocs de pierre que le torrent avait fait tomber de la paroi. Derrière le goulet, ils purent remonter à cheval et parcourir vers le haut le lit abrupt du cours d'eau, couvert d'éboulis. Créan rejoignit Roç et Yeza. Elle avançait la première, tant bien que mal, et fut la première à voir les poursuivants sortir de la faille rocheuse. Ces maudits chiens ! Ils flairaient toujours leur piste, au bout de leurs longues laisses.

— Baissez-vous ! cria Yeza. Ils ne nous ont pas encore découverts !

Mais lorsqu'ils menèrent leurs chevaux par les rênes sur les marches creusées par l'eau dans la roche, ils entendirent voler les premières flèches. Le cheval de Roç fut touché au cou. Il ne put garder l'équilibre et tomba entre les pierres.

— Gardez votre bouclier au-dessus de la tête ! s'exclama Créan. Nous devons laisser les chevaux ici !

Le sien recula devant l'obstacle formé par le corps de l'animal agonisant, et il tira son poignard.

— Laisse-le en vie ! hurla Yeza d'en haut. Un cheval vivant les retiendra mieux qu'un mort !

Créan sourit. La princesse gardait toujours son sang-froid. Il envoya sa monture en direction des poursuivants et passa au-dessus du cheval de Roç, qui continuait à se démener furieusement. Il fut tenté de lui donner le coup de grâce, mais se rappela les mots de Yeza et se dépêcha de rejoindre Roç. Une flèche s'enfonça alors dans sa cuisse, à l'endroit où aucune cuirasse ne protège le chevalier. Il l'attrapa et la brisa.

Roç lui tendit la main et le tira vers lui.

— Nous serons sur la crête dans un instant! cria-t-il pour encourager son aîné. Derrière, un torrent descend certainement à pic dans la vallée, tu entends ce bruit?

Créan perçut effectivement un crépitement, mais il n'aurait pas juré que ce n'était pas simplement la douleur qui lui montait à la tête. C'est alors que Yeza cria à son tour, depuis le haut : « Une chute d'eau ! »

Une flèche se planta brutalement dans le bouclier de Roç, qu'il tenait derrière lui, sur la nuque, comme on le lui avait ordonné. Il se pencha derrière une grosse pierre et prit le temps d'examiner le projectile.

— Ils ne semblent pas tenir à nous capturer en vie, dit-il à Créan. Dans ce cas, qu'ils payent notre mort au prix fort !

— Ne dis pas de bêtises ! répliqua Créan qui poussa le garçon devant lui. Débrouille-toi pour rejoindre Yeza et pour trouver un tronc auquel vous pourrez vous accrocher dans l'eau !

— Je ne te laisserai pas seul ! s'exclama Roç.

Mais, à cet instant précis, de nouvelles flèches atteignirent Créan. Deux d'entre elles rebondirent sur sa cotte, mais une passa entre les mailles. Rassemblant ses dernières forces, Créan se traîna un peu plus loin et bouscula Roç.

— Occupe-toi de ta *damna !* hurla-t-il d'une voix hargneuse. Sans cela, je serai mort pour rien !

Il apercevait à présent l'eau qui dévalait la montagne. Yeza s'efforçait de dégager un tronc d'arbre coincé dans les rochers. Elle avait posé son arc et ses flèches. Créan vit Roç courir à son aide, ils tirèrent tous les deux sur le morceau de bois. Il se redressa, un nouveau projectile rasant s'enfonça dans son bras. Protégé par son bouclier, Créan attrapa l'arc et les flèches. Il tira à l'aveuglette, évaluant à peu près l'endroit où le cheval de Roç s'était couché. Des hur-

lements lui indiquèrent qu'il avait au moins atteint
son but à deux ou trois reprises. Puis il leva de nouveau les yeux vers les enfants. Ils avaient réussi,
l'arbre bougeait. Créan se demanda s'il devait aller
les aider, mais il jugea préférable de retenir les
assaillants autant qu'il le pourrait, ou du moins
jusqu'à ce que Roç et Yeza aient mis leur tronc à
l'eau. Ils venaient de le dégager. Les premiers poursuivants apparurent devant Créan, mais ne le virent
pas, couché entre les pierres, et dirigèrent leurs
flèches sur les deux enfants, qui étaient sans doute
juste en train de plonger dans le torrent. Créan ne les
regardait plus ; il attrapa son faisceau de javelots, les
serra contre sa poitrine, en prit un à la main, bondit
et le jeta contre l'archer le plus avancé, qu'il atteignit
au milieu de la poitrine. Dressé sans protection,
comme un ours à l'attaque, il lança les autres rapidement, à la file. Il ne sentait plus les pointes qui
s'enfonçaient dans son propre corps, car une douleur abominable l'avait envahi depuis longtemps.
Avant de pouvoir lancer le quatrième javelot, il
s'effondra et dévala en arrière dans les rochers. La
dernière chose qu'il entendit fut un braillement de
rage. Il eut le temps d'espérer que ce hurlement
saluait l'évasion des enfants. Ensuite, il perdit
connaissance.

Il ne vit pas les Arméniens se précipiter en avant,
escalader les rochers entre lesquels il était couché, et
tomber les uns après les autres sous une grêle de
flèches qui s'abattait des deux côtés de la ravine et
fauchait tous les poursuivants, même ceux qui
avaient bondi en arrière face à ce danger non identi-
fié et cherchaient à s'enfuir vers la vallée. Les Mongols de Kito visaient impitoyablement chacun des
hommes présents. En quelques instants, la ravine fut
pleine de cadavres d'Arméniens. Une flèche dans la
gorge imposa le silence à ceux qui criaient encore.
Seuls furent épargnés Sempad lui-même et ses seigneurs, dont Olivier de Termes, ils n'avaient pas
voulu participer à la chasse à pied et attendaient sur

leurs montures dans le lit asséché de la rivière. Hurlant de colère, souillé par le sang de ses hommes morts, le connétable redescendit les rochers et revint vers ses chevaliers. Il lança un regard méprisant à sa demi-section de maîtres-chiens mongols, qui n'était pas intervenue dans le combat. Les hommes se tenaient là, comme un bloc hostile, et les chiens flairaient encore au bout de leur laisse raccourcie.

Sempad sauta sur le cheval qu'on lui avait gardé et partit sans un mot. Ses chevaliers le suivirent, tête basse. Seul Olivier de Termes avait un sourire moqueur aux lèvres.

Roç et Yeza venaient tout juste de placer le tronc d'arbre dans l'eau bouillonnante et avaient attaché leur casque lorsqu'ils aperçurent au-dessus d'eux leurs poursuivants prêts à tirer. Comme ils avaient déjà de l'eau jusqu'à la poitrine, ils cherchèrent à s'abriter derrière le tronc. Mais aucune flèche ne partit, ils virent les archers tomber à la renverse les uns après les autres. Roç et Yeza éprouvèrent alors pour Créan ce respect qu'ils lui avaient si souvent refusé, mais aussi une profonde tristesse.

— Viens ! dit Yeza en se jetant sur l'extrémité la plus étroite du tronc, qu'elle entoura des deux bras.

— Créan est mort en héros ! hurla Roç en pleurant, tenté d'aller imiter son vieil ami.

— Viens ! cria de nouveau Yeza.

Roç, fou de colère et de désespoir, frappa le tronc avec son cimeterre, si fort que la lame s'y encastra. Il poussa le morceau de bois au milieu de la rivière et s'agrippa à un moignon de branche. L'arbre se retourna une fois sur son axe, comme s'il voulait les désarçonner, puis il fila vers le bas, sa grosse extrémité en avant. Bientôt, on ne vit plus rien du tronc qui dansait et des deux têtes casquées qui apparaissaient de temps en temps à côté de lui.

Le torrent

Le couple en haillons qui portait son nourrisson n'aurait suscité aucun intérêt, et encore moins d'envie, s'il n'avait pas eu ces superbes montures. Jusque-là, personne ne les avait remarquées, car Hamo et Shirat, accompagnés par la nourrice de la petite Amál, étaient entourés d'une demi-section de guerriers mongols détachés par Kito pour les protéger. Mais à peine arrivés à la frontière du territoire mongol, le jeune comte prit congé de l'escorte. L'adjoint de Kito l'implora en vain de la conserver. Pour les Mongols, Hamo était le *kungdaitschi* : ils seraient allés en enfer pour lui, et plus facilement encore en terre ennemie, car c'est ainsi que Hamo l'Estrange considérait l'Arménie toute proche. Mais il n'écouta pas le bon conseil du soldat, et ne sembla pas entendre non plus lorsqu'on lui expliqua le chemin. Les Mongols s'éloignèrent, inquiets.

Hamo se dirigea vers le sud et suivit une route qui les éloignerait forcément de la côte, à l'ouest, pour les faire entrer dans les massifs montagneux, au centre du royaume de Hethoum.

La nourrice montait mal à cheval. Elle prétendait aussi que le balancement lui faisait tourner le lait. En tout cas, ils avançaient lentement. Et ils ne tardèrent pas à remarquer derrière eux un nuage de poussière qui se rapprochait.

Shirat cria à Hamo de se cacher dans les fourrés, sur le côté de la route, mais il ne voulut rien savoir.

— Nous sommes sur les terres de l'empereur de Trébizonde, dit-il pour tenter de calmer sa femme. Et puis ce n'est pas une armée hostile, mais une simple caravane pacifique !

Shirat, qui portait Amál lorsqu'ils allaient à cheval, se retourna et blêmit :

— Des marchands d'esclaves ! gémit-elle. Les cages...

Effectivement, on apercevait à présent entre les

chameaux des cages équipées de grilles, et des silhouettes de jeunes femmes qui s'agrippaient aux
barreaux.

— Tu n'as plus à redouter ce sort !

Hamo riait de sa petite femme, mais Shirat, figée,
blanche comme de la craie, ne parvenait plus à détacher son regard de la caravane.

— Ils viennent me chercher ! chuchota-t-elle,
anxieuse. Ce sont les mêmes hommes ! Je préfère
mourir...

— Allons, allons ! dit Hamo.

Son regard venait de tomber sur une silhouette
sombre et étirée, ponctuée d'un menton anguleux et
barbu ; c'était certainement Abdal le Hafside ! « N'aie
pas peur, Shirat ! » cria-t-il à sa femme qui tremblait
de tous ses membres. Elle avait posé d'un geste
brusque la petite Amál dans les bras de la nourrice et
tirait un poignard de ses vêtements.

— Ne fais pas de bêtise ! hurla Hamo, mais il vit
que la jeune femme se contentait de cacher l'arme
dans son dos. Abdal le Hafside est notre ami ! cria-
t-il au marchand en tirant lentement son épée pour
que celui-ci s'arrête.

Abdal n'avait encore jamais rencontré Hamo, mais
il avait reconnu Shirat et en avait déduit l'identité du
voyageur.

— À votre service, comte Hamo, le salua-t-il aimablement, comme *ruh min al qanina !* Ordonnez, et
j'accomplirai tous vos vœux, mais dites à votre
épouse, Shirat, qu'elle range ce poignard !

Il se mit à rire, un peu gêné, il n'avait tout de
même pas l'habitude de rencontrer une ancienne
esclave redevenue comtesse. Shirat lança à Hamo,
entre ses dents :

— Ne lui fais pas confiance !

Mais elle avait parlé d'une voix suffisamment forte
pour qu'Abdal puisse l'entendre. Celui-ci descendit
de cheval et déposa la ceinture qui retenait ses armes
avant de marcher, bras écartés, vers Hamo et Shirat.

— Notre ami commun, le Pénicrate de Constantinople, en est témoin : j'ai juré de vous aider, car je suis en partie responsable de votre séparation.

— Où est mon enfant ? cria Shirat.

Sa voix était inhabituellement stridente, le poignard tremblait dans sa main, derrière son dos.

— Il est vivant, et se trouve à Antioche, à la cour du prince !

L'arme glissa alors de la main de Shirat. Elle cacha son visage entre ses mains, perdit connaissance et glissa de son cheval. Le Hafside barbu eut à peine le temps de l'intercepter. Lorsque la jeune femme se réveilla dans les bras de Hamo, elle sourit au Hafside.

— Jurez-le ! fit-elle dans un souffle.

— Voici la nouvelle que je dois vous transmettre, comte Hamo, répondit Abdal ; elle vient de votre capitaine, le Pénicrate. La trirème attend vos ordres à Antioche.

Hamo se redressa.

— Vous avez tenu parole, Abdal. Je vous fais confiance. Faites venir mon navire !

Le Hafside se remit à rire, moins confus qu'amusé, cette fois-ci.

— Je suis certes un puissant magicien, mais pour cela, il me faut un miroir.

— Bien, dans ce cas, où se trouve le plus proche ? demanda Hamo, impatient.

— Certainement pas en Arménie ! répondit le marchand d'esclaves. Il nous faut revenir sur la côte le plus vite possible. Là-bas, à la frontière, nous trouverons une vieille tour de garde.

Roç et Yeza étaient beaucoup trop occupés à s'agripper à leur tronc pour pouvoir se lancer plus que de brefs cris d'avertissement lorsque l'un d'entre eux se dirigeait vers une roche dépassant de la surface, ou lorsque les tourbillons et les rapides menaçaient de les entraîner sous l'eau. Souvent, le tronc aux moignons de branches tournait si vite sur lui-même qu'ils devaient le lâcher pour ne pas couler. Mais ils s'y raccrochaient ensuite et filaient avec lui comme sur une flèche. Sans les casques bosselés qui les protégeaient encore, leurs têtes auraient été brisées. Ils étaient couverts de taches vertes et bleues; Roç saignait du nez, Yeza avait les bras et les jambes entaillés.

Le tronc se coinça alors contre deux piliers de pierre, avec une telle violence qu'ils crurent tous deux perdre connaissance. Le torrent franchissait aussi ce goulet-là, en gargouillant et en crachant de l'écume. Roç et Yeza déployèrent toutes leurs forces pour ne pas être écrasés sous le bois, et cherchèrent refuge derrière les piliers de pierre.

— Une chute d'eau! hurla Roç, qui s'était dressé sur le tronc. Je ne sais pas jusqu'où elle descend!

— Regarde donc! répondit Yeza. Je tiens le bois! cria-t-elle

Elle surestimait quelque peu ses forces, mais l'eau plaquait si fermement le tronc de bois au rocher que Roç put s'y installer debout et s'accrocher à la pierre lisse. De là, il aperçut un lac à l'eau claire et bleue, sans écueils. Y plonger lui paraissait une tentative audacieuse, mais sans risque mortel. Roç revint sur l'arbre en marche arrière, en rampant.

— Je saute le premier! cria-t-il à sa *damna*, en bon chevalier.

Mais Yeza ne le voulut pas : elle se tenait déjà au-dessus du tronc.

— Nous chevauchons ensemble! cria-t-elle, et elle lui attrapa la main.

Ils se précipitèrent ensemble dans la cascade qui jaillissait de la porte rocheuse et disparaissait vers les profondeurs. Ils tournoyèrent un instant dans le nuage d'écume et atterrirent dans un bassin où l'eau s'accumulait.

— Nous nous en sommes tirés une fois de plus, grogna Yeza en voyant le casque de Roç apparaître à côté d'elle.

— C'est parce que nous nous sommes laissé entraîner par le courant, c'est lui qui nous a catapultés vers l'avant! répondit Roç en s'ébrouant.

— Tout juste, mon héros... Et toi qui voulais sauter comme un saumon! (Les yeux de Yeza étincelaient.) À l'heure qu'il est, je serais obligée de trier tes osselets parmi les graviers...

— Une belle occupation pour une jeune veuve immigrée!

Yeza lui lança un regard réprobateur. Ils barbotaient toujours dans le lac. Leurs palpitations s'apaisèrent peu à peu, leurs membres étaient épuisés, ils commençaient à avoir froid. Ils rassemblèrent leurs dernières forces, nagèrent vers la rive, s'installèrent sur la berge de petits cailloux lisses, et restèrent là un moment, immobiles.

— Il est sans doute mort, à présent, finit par dire Roç en levant les yeux au ciel. En fin de compte, je l'aimais beaucoup. C'était notre sauveur de Montségur...

— Créan était notre gardien, dit Yeza à voix basse. Et nous ne lui avons jamais demandé pourquoi il en avait tant fait pour nous — pendant toutes ces années.

— Et il est mort pour nous, à présent, constata Roç dont le cœur se serrait à cette idée. Était-ce son destin?

Yeza sentit le bras de Roç à côté d'elle, sa main chercha la sienne et la bague du jeune homme. Elle portait son propre anneau à gauche, pour le seul plaisir de sentir son aimant attirer l'autre et s'unir à lui avec un cliquetis.

— Nous devrions commencer par nous faire une idée précise de notre propre destin, dit-elle avec une énergie toute neuve. Nous devons décider de ce que nous allons faire maintenant, seuls et sans notre gardien!

— Que pouvons-nous faire? interrogea Roç avec une petite voix.

— Réfléchir, répondit sa compagne.

Ils se turent tous les deux. Yeza jouait avec les doigts de Roç, qu'elle retenait par la force de sa bague. Elle les sentit tout d'un coup se serrer : Roç avait fermé le poing.

— Cette destinée, c'est le « grand projet » qui nous l'a imposée, dit-il d'une voix sourde, on nous en a coiffés, comme d'un casque ou d'une couronne. En voulons-nous vraiment ?

— Mon Trencavel, voilà comment il faut poser la question : qui sommes-nous, au juste, pour que, aussi loin que remonte ma mémoire, nous nous battions avec une prétendue destinée, pour que nous ayons toujours été en fuite, poursuivis par nos « protecteurs », protégés par ceux qui nous traquaient ? Qui es-tu ? Et qui suis-je ?

Cette fois, ce furent les doigts de Roç qui se serrèrent contre les siens. Puis elle sentit la pression de sa cuisse.

— Tu es ma sœur ! dit-il d'une voix rauque. Et je t'aime !

— En es-tu tout à fait sûr, Trencavel ?

— Tu as bien entendu ce que Créan racontait sans arrêt. Et face à la mort, il n'aura pas menti...

— J'ai déjà entendu les histoires les plus invraisemblables sur notre origine, répliqua Yeza. Peut-être cette incertitude explique-t-elle tout ce qui nous est arrivé jusqu'ici. Mais cela me plaît, que tu sois mon frère, mon chevalier et mon amant !

Roç lui tenait fermement la main, empêchant d'autres incursions au-delà de sa jambe.

— Esclarmonde a donné le jour à deux enfants. Le premier, elle l'a rapporté d'Italie, où elle avait accompagné son père, le châtelain de Montségur, afin de demander de l'aide à l'empereur. L'empereur Frédéric avait auprès de lui le blond Enzio, lequel était un bâtard, mais son fils préféré tout de même. C'est lui, ton père !

— Ce n'est donc pas un hasard si je porte la ride de colère toute droite des Hohenstaufen ! s'exclama Yeza. Lorsqu'il était prisonnier des Bolonais, Enzio a écrit d'admirables poèmes. Il vit peut-être encore ? Imagine, Roç, nous pourrions voir mon père !

— Tu aurais plus de chance que moi, à supposer qu'ils te laissent entrer à Bologne, ô ma petite

Hohenstaufen ! Mon père est mort. Le fils de Trencavel ou de « Perceval », comme ils l'appellent aussi,
Roger-Ramon III de Carcassonne, a péri en tentant
de reprendre sa ville.

— Mais avant, il avait donné un enfant à Esclarmonde ; et cet enfant, c'était toi, mon héros !

— Notre mère est morte sur le bûcher, rappela
Roç, songeur. Que devons-nous faire ? Qu'aimerais-
tu... ?

Elle prit sa tête et l'embrassa sur la bouche ; leurs
langues jouèrent l'une avec l'autre, leurs corps se serraient de plus en plus. Mais Roç s'arracha à elle.

— Yezabel, déesse de l'âtre, dit-il, haletant, fais du
feu, je vais aller chasser !

— Et avec quoi donc, mon seigneur et maître ?

— Cherche du petit bois et frappe des pierres à
feu, lui conseilla Roç, imperturbable. Et puis ôte ce
casque, il me servira de marmite.

Il désigna le milieu du lac. Le cimeterre était toujours planté sur le tronc qui y surnageait. Roç sauta
à l'eau et tira leur fidèle destrier sur la berge. Puis il
se tailla une lance : l'eau du bassin rocheux grouillait
de truites.

Yeza se leva, ôta sa coiffe de fer et secoua sa chevelure blonde. Puis elle escalada la berge pour chercher du bois sec. Elle en trouva suffisamment, du
petit bois friable qui se disloquait entre ses mains, et
de la mousse séchée. Elle fourra le tout prudemment
dans son casque. Elle rassembla quelques pierres
brillantes, s'assit à côté de cet âtre de fortune et fit
jaillir des pierres quelques étincelles. Les tranches
affûtées des silex lui entaillèrent les doigts. Elle
aspira le sang avec ses lèvres : l'humidité aurait pu
faire échouer l'opération.

Un cri de triomphe retentit au milieu du lac. Roç
avait harponné le premier poisson et brandissait fièrement sa lance. Mais la truite sauta et replongea
dans l'eau.

Yeza ne put s'empêcher de rire. Elle redoubla
d'efforts, elle frappait, soufflait et frappait encore ;

soudain, un petit nuage de fumée s'éleva. Elle jeta les pierres de côté, attrapa le casque des deux mains et souffla à l'intérieur. Ses yeux pleuraient, mais cette petite incandescence se transforma finalement en un point rouge au cœur de la mousse ; elle toussa et souffla jusqu'à ce qu'une flammèche sorte des herbes. Elle plongea la main dans le casque de fer, alimenta le feu et le recouvrit de petits morceaux de bois jusqu'à ce qu'il soit véritablement parti. Le casque était à présent si chaud qu'elle n'était plus capable de le tenir. Elle le posa par terre et alla casser d'autres branches. Elle eut bientôt construit un véritable feu de camp, et Roç apparut avec deux superbes poissons qu'il déposa avec son cimeterre auprès de sa « déesse ».

— Je vais chercher des fruits, des baies et des champignons, annonça-t-il.

Ils avaient admirablement mangé. Roç avait effectivement trouvé, entre les roches, des buissons dont les petits fruits rouges ressemblaient à des airelles et avaient un goût passablement amer. Ils en avaient d'abord croqué un morceau et jugé que leur goût doux-amer irait admirablement avec les champignons. Ceux-là, il ne les connaissait pas. Il les avait trouvés près d'une grotte, et avait appelé Yeza pour qu'elle les examinât. Elle avait toujours affirmé qu'il suffisait de mordre leur chair crue pour savoir en toute certitude s'il s'agissait d'une espèce comestible. Yeza avait observé les morilles avec méfiance, puis y avait prudemment planté les dents. Roç ne vit pas la lueur qui passa rapidement dans les yeux de la jeune femme à l'instant où, sur un coup de tête, elle attrapa les champignons et les jeta avec les baies dans l'autre casque qu'elle remplit d'eau et posa sur le feu, où les deux truites plantées sur leur broche prenaient déjà une teinte brune et un aspect croustillant.

Roç repartit une fois encore et rapporta, outre de grandes feuilles vertes qui leur serviraient d'assiettes, une bonne nouvelle : au-dessus de leurs têtes se trouvait une grotte dans laquelle s'étaient amassées des feuilles sèches. Ils pourraient aller y dormir après leur dîner frugal. Il tailla des couverts pour lui et sa *damna :* un bois plat avec une petite excavation qui leur servirait de cuillère, et un autre, doté de deux pointes, en guise de fourchette !

— À table, mon roi ! s'exclama Yeza.

Elle sortit du feu le casque où elle avait fait cuire ses champignons et ses baies et déposa l'une des truites sur l'assiette végétale. Ils s'installèrent sur le flanc, tête contre tête, si bien qu'ils pouvaient se glisser l'un à l'autre les morceaux dans la bouche. Roç découpa avec sa fourchette une entaille sur le dos du poisson et détacha les deux filets. Ils mangèrent avec les doigts le poisson sans épices et piochèrent à la cuillère dans leur décoction de champignons. Elle était encore tellement brûlante qu'ils ne sentirent pas son goût répugnant.

En voyant Roç se lécher les doigts, elle fut prise par le désir de les prendre dans sa bouche. Elle le tira vers lui. Elle s'était tachée avec les baies rouges : c'est Roç, à présent, qui laissa courir la langue sur sa poitrine. Une vague de chaleur ardente parcourut leurs corps, qui semblèrent prendre feu. Roç sentit son membre gonfler comme s'il allait exploser. Il prit la main de Yeza et la serra contre son sexe qui lui paraissait plus dur, plus lourd et plus brûlant que jamais. Soudain, il prit peur : il se rappela les champignons. Leur poison épouvantable allait les tuer !

— Au secours, fit-il en gémissant, je meurs !

Yeza se jeta en arrière, le tira contre elle, ouvrit largement les cuisses et enfonça le membre gonflé du garçon dans sa vulve brûlante. Car elle éprouvait exactement les mêmes sensations que lui : chaque fibre de son corps brûlait, sa tête fumait, son ventre était en flammes. Elle planta ses ongles dans les fesses musclées de Roç et se serra contre lui pour qu'il éteigne l'incendie qui faisait rage en elle.

— Meurs en moi ! cria-t-elle. Ne me laisse pas...

Roç sentit un voile de désir joyeux se déposer sur

lui. Il se serait laissé mourir d'amour. Mais ensuite, il revint à la raison. Il se rappela les leçons de sa maîtresse expérimentée et, très lentement, avec une lenteur excitante, il retira la pointe de son épée et la replongea.

— Tu me tues ! gémit Yeza. Mets-moi donc à mort ! fit-elle en criant de joie et en serrant ses jambes autour du corps de Roç, répondant fébrilement à chacune de ses poussées.

Le feu roulait comme une boule à travers ses membres, et leurs mouvements à tous les deux passèrent du doux balancement du désir de mort aux puissants élans de la force vitale. Leur cœur, aiguillonné par le poison, battait à présent si fort qu'il leur semblait l'entendre. Le sang bouillonnait dans leurs artères. Il leur sembla un instant qu'ils ne faisaient plus qu'un. Le même sang les parcourait, un souffle les atteignit et balaya leurs visages surchauffés. Ils se regardèrent dans les yeux en se souriant comme des conjurés, et leurs lèvres se retrouvèrent. Roç passa la main sous les fesses de Yeza, elle posa les pieds autour de ses hanches et tendit les cuisses, exigeante. Cette cérémonie où ils s'offraient et s'accueillaient, se donnaient et se prenaient l'un l'autre paraissait devoir être toujours plus rapide et plus violente. Ils se cabraient, se recroquevillaient, s'étiraient, ils se poussaient et se tiraient l'un l'autre dans ce staccato qui précède le finale. Yeza plongea les lèvres dans les cheveux de Roç, elle l'embrassa, le mordit, et il la remercia en ne la relâchant pas avant que la bataille se soit aussi achevée pour elle et qu'il puisse se considérer comme vainqueur. Alors, épuisé, il s'affaissa sur elle.

Ils restèrent longtemps couchés ainsi, Yeza sur le dos, la tête de Roç sur son épaule. Elle toucha avec la main son jardin humide et songea que ce flot impétueux qui s'y était déversé était mille fois préférable au jeu de ses propres doigts. Elle attira à elle son bien-aimé et l'embrassa sur le front, comme pour le remercier.

Roç avait des bourdonnements dans la tête. Il toucha son membre redevenu mou. Il avait acquis la certitude qu'il pourrait utiliser sa lance dans n'importe quel tournois, où elle lui rapporterait la couronne. Mais cela n'avait rien à voir avec une entrée au paradis. Le paradis, c'était Yeza, elle le portait en elle, et il lui faudrait désormais veiller sur lui avec son épée enflammée, afin que nul ne la lui conteste. Cette vision se dressa soudain devant Roç comme si elle était écrite sur le mur en lettres de feu, et il demanda avec angoisse :

— M'aimes-tu, Yeza ?

— Oui, répondit-elle en caressant sa lance. J'ai faim !

Mais la seconde truite était calcinée depuis longtemps.

Un château fort sur la mer Noire

Chronique de Guillaume de Rubrouck, sur les rives de la mer Noire, jour de saint Pierre Chrysologue.

En apercevant la mer, mon escorte de dix hommes s'était séparée de moi. Nous n'étions plus depuis longtemps en territoire mongol, mais nous regardions, depuis la chaîne montagneuse, l'eau qui s'étendait en dessous de nous, dans le brouillard. Désormais, la seule menace qui pesait sur nous était une attaque des brigands, mais dans l'accoutrement où nous étions, Philippe auquel je n'avais jamais offert de nouvelle tenue, et moi dans ma robe de bure, une agression de ce genre était très invraisemblable. Nous avions dû tout laisser aux prêtres cupides de Batou, et j'avais payé avec mon dernier crucifix le guide qui nous avait accompagnés dans ces montagnes inhospitalières, et qui avait fait bien plus que son devoir. Je descendis donc seul vers la côte en compagnie de mon serviteur — de bonne humeur, car j'étais sûr d'y trouver un navire qui nous reconduirait dans la joyeuse ville de Constantinople.

Je pensais à mes petits rois, qui avaient dû emprunter avec Créan les routes dangereuses menant à Alamut, lorsque j'aperçus au bord de la mer, isolé sur la roche, un château ou plutôt une tour. Une femme aux seins impressionnants et au postérieur puissant se tenait sur la rive, entre les pierres, et lavait son linge. Elle était penchée en avant, et me montrait ses fesses sous sa robe relevée, une invitation si pressante que je fus tenté de m'approcher par derrière et de lui confier mon pilon à frotter et à rouler : il n'avait plus pris de vrai bain depuis longtemps. Je dis à Philippe de rester sur place et je fis sortir mon bâton de sous mon froc — mes sous-vêtements auraient eux aussi besoin d'être lavés, pensai-je. Mon esprit était surchauffé. Mais pas de fausse honte, Guillaume, qu'elle s'occupe d'abord du gourdin, tu pourras toujours livrer ensuite tes vêtements puants ! Je laissai donc tomber ma robe de bure et me faufilai derrière la femme lorsqu'elle se retourna pour déposer sur les pierres le linge qu'elle venait de laver. Elle regarda mon pieu dressé, son visage rond de Mongole s'illumina, elle attrapa le ballot de linge humide et froid et se mit à frapper avec sur ma baguette, comme si elle voulait essorer et amollir son linge. La terreur et la douleur me firent tomber en arrière sur les rochers, et elle prit la fuite. Elle ne courut pas vers la tour, craignant sans doute que je ne lui coupe la route, mais vers la colline, où elle passa devant Philippe. Celui-ci s'exclama : « Brave femme, brave femme, il n'avait que de bonnes intentions ! » Mais elle savait à quoi s'en tenir et disparut entre deux blocs rocheux.

Nous décidâmes d'aller voir cette tour de plus près afin de passer la nuit sous sa protection. Le soleil disparaissait déjà derrière les falaises. Nous remontâmes en trébuchant dans la pénombre l'arête étroite sur laquelle se dressaient les murailles, qui avaient été bien conservées. L'unique porte se trouvait tout en haut, dans le mur, mais une échelle y menait. Je montai en premier et donnai un coup d'épaule dans la lourde porte en madriers. Elle céda. Je fis signe à Philippe de me suivre et je passai mon nez dans l'entrebâillement. Un effroyable coup sur la tête me fit perdre conscience.

Lorsque je revins à moi, Hamo et Shirat étaient penchés au-dessus de mon visage, à la lueur d'une torche de résine.

— Guillaume, demanda Hamo qui ne se souciait nullement de ma bosse, as-tu vu notre nourrice ? Elle était partie laver du linge. Le soleil s'est couché...

— ... et elle n'est pas encore revenue ! La petite a besoin de lait ! fit Shirat d'une voix chargée de reproches.

Mais Hamo avait une autre inquiétude.

— Si elle est tombée entre les mains des gardes-frontières arméniens, elle va révéler notre cachette.

Je répondis seulement que cette brave femme avait été tellement effrayée par mon apparition qu'elle était partie en courant et que même des paroles rassurantes n'avaient pu la retenir. En réalité, j'étais profondément honteux d'avoir causé pareil désastre. Philippe promit de trouver la femme ou une chèvre dès le lever du jour. Pour la nuit, nous nous débrouillâmes avec le reste de kumiz que notre guide avait versé, en guise d'adieu, dans une outre de cuir. Shirat prit la boisson dans la bouche, la mêla à sa salive et la donna à la petite.

— C'est le marchand d'esclaves qui nous a conduits jusqu'ici, nous expliqua Hamo. Et, avec l'aide du miroir, en haut, dans la tour, il a émis des signaux qui devraient faire venir ma trirème. Quelqu'un a aussi répondu que l'on avait transmis la demande. À présent, je passe toute ma journée en haut, à attendre en regardant la mer...

— Qui arrivera en premier ? demanda Shirat en lui coupant sèchement la parole. Les Arméniens de Sempad ou ton capitaine, le Pénicrate ?

— Je vous quitterai de nouveau dès demain matin

et j'irai à la rencontre de l'Arménien pour le diriger vers une fausse piste. C'est la moindre des choses que je puisse faire pour expier la responsabilité que je porte dans votre malheur. Je laisse ici mon serviteur, il peut vous être utile.

Puis nous montâmes l'échelle et nous nous couchâmes pour prendre un peu de repos.

L.S.

 De la chronique secrète de Roç Trencavel, au bord de la mer, deuxième décade de janvier 1255.

Yeza, reine de mon cœur et maîtresse de notre paradis, a dit que notre sobre jardin d'Éden ne l'était plus depuis l'arrivée de l'hiver : il n'est plus que froid et humain, parce que le soleil ne s'égare plus dans cette ravine que pour quelques heures chaque jour.

Je nous ai fabriqué deux très bons arcs avec des intestins de poisson noués, et des flèches affûtées de toute nature ; mais nous n'avons rien pu prendre d'autre que quelques oiseaux d'eau. Le gibier est totalement absent. Et nous en avions plus qu'assez des truites.

À vrai dire, nous ne pouvions même plus les sentir, tout autour de nous empestait le poisson. Nous avons donc chargé un bon paquet de cette précieuse nourriture sur notre tronc d'arbre, nous avons mis et attaché nos casques et nous avons replongé dans l'eau. Elle était bien plus froide qu'à notre arrivée ; nous avons agité les jambes et battu des bras pour ne pas nous figer sur place. Notre radeau de fortune allait vite ; le lit de la rivière n'avait pas beaucoup de pierres, mais le parcours n'était pas sans danger, car il se rétrécissait souvent considérablement entre les parois abruptes, et l'eau gargouillait méchamment. Des tourbillons s'ouvraient pour nous entraîner vers le bas ; des rapides menaçaient de nous arracher l'arbre des mains. On ne trouvait guère d'îles rocheuses sur lesquelles nous aurions pu reprendre notre souffle. Nous nous sentions pitoyables, et nous avions à peine encore la force de nous embrasser pour nous réchauffer l'un l'autre. À un moment, j'ai vu Yeza, le visage livide et les yeux fermés, suspendue sur le tronc entre les moignons de branches, et j'ai cru qu'elle était morte. J'ai voulu partager son sort. Raide et fatigué, je me suis glissé vers elle, car je voulais être uni à elle dans la mort.

Le tronc a alors emprunté un coude pour s'arrêter dans un lac tranquille dont l'eau me paraissait beaucoup plus chaude. La gorge s'ouvrait pour former une vallée en hauteur, j'ai vu des arbres et de la verdure.

— Yeza! criai-je. Nous sommes sauvés!

Elle ouvrit les yeux, mais elle était trop épuisée pour tourner la tête. Au moins, elle vivait encore. Je dirigeai le tronc vers le rivage couvert d'une végétation dense, je le fis accoster prudemment, portai ma reine à terre et la couchai dans l'herbe. Elle claquait des dents, et je l'implorai silencieusement : surtout pas de fièvre, à présent! Je me mis à frotter ses membres glacés jusqu'à ce qu'ils rougissent et que Yeza crie de douleur. Je commençai par lui masser ses pieds gelés, puis ses genoux et ses cuisses. Elle geignait encore. Mes mains montèrent de plus en plus haut, jusqu'à son jardinet. Ses portes s'ouvrirent, aussi accueillantes que des lèvres attendant le baiser, je me penchai entre ses jambes et lui fis sentir ma langue. Je trouvai ce qu'elle appelle en plaisantant son « petit Roç », cette miniature de mon membre, dont la cajolerie lui cause tant de délices. Il n'était pas saisi par le froid, et la pointe de ma langue caressa ce bonhomme minuscule. J'ôtai mes chausses et m'agenouillai au-dessus d'elle. J'étais très excité.

— J'ai froid, dit Yeza à voix basse. Réchauffe-moi!

Elle se tourna sur le ventre et me tendit ses fesses d'albâtre. J'obéis à son ordre et la pris contre moi avec tendresse, car son postérieur était gelé — mais la lave bouillonnait sous le glacier. Je laissai le soin à la maîtresse des lieux d'accueillir mon membre, et me consacrai à masser et à frotter et à pétrir son dos crémeux. Je l'embrassai sur la nuque et tâtonnai à la recherche de ses seins. Eux aussi étaient encore froids, et leur pointe dure. Mon pénis poussait avec passion, et elle finit par céder.

— Donne-moi de la chaleur, demanda-t-elle à voix basse.

Je me retins, l'enlaçai des deux bras et fis tout pour caresser la moindre parcelle de sa peau, comme si j'étais le soleil. Je la serrai contre moi pour lui communiquer ma chaleur, et c'est seulement à l'instant où il m'était devenu impossible de me retenir que je la pris par les hanches et pénétrai plus profondément en elle. Je me fis l'effet d'un sans-cœur en poussant sur ces petites fesses comme on frappe un enfant, mais ma verge voulait avoir son compte. Je poussai de plus en plus vite jusqu'à ce que je me vide en tressaillant et que mon membre dressé redevienne un serpent qui ondulait. Puis je me laissai tomber sur elle — j'avais pourtant senti que mon amante voulait conserver sinon cette dure matraque, du moins le mol animal. Mais il se faufila, honteux, hors du jardin. Je vis alors que Yeza pleurait.

Je me relevai, confus, et rassemblai de l'herbe et des feuilles pour l'en recouvrir. Lorsque seule sa chevelure blonde dépassa encore du tas de feuillage et que je pus être sûr que sa chaleur remplaçait ma présence égoïste et maladroite, je partis inspecter notre nouveau port.

Je rencontrai un troupeau de chèvres sauvages qui ne manifestèrent pas la moindre crainte. Quelques-unes d'entre elles avaient le pis gonflé. À ma grande surprise, je découvris aussi des ossements avec des nœuds autour des vertèbres cervicales. Dans les grottes rocheuses des restes de murailles ne laissaient qu'un passage bas. Je m'y faufilai et me retrouvai dans un ermitage abandonné.

Tout au fond de la caverne sèche, je découvris le campement de l'ermite, avec un âtre doté d'une étroite cheminée de pierre. Dans une salle annexe, où une ouverture en forme de fenêtre ouvrait la vue sur le lac, se dressait une table grossièrement menuisée et jonchée de parchemins jaunis. Leur scribe solitaire les ayant recouverts d'une pierre, ils n'avaient pas été emportés par le vent ni dévorés par les chèvres, dont les crottes jonchaient le sol. Je remarquai un petit pot de grès rempli d'encre desséchée et crachai dedans pour vérifier si ce précieux liquide pouvait revenir à la vie. J'y plongeai l'une des plumes qui traînaient sur la table, touillai un peu et écrivis : « Roç Trencavel du Haut-Ségur et sa reine Yezabel du Mont y Grial, en terre déserte, au bord d'un lac, au pied du Caucase. »

J'utilisai le recto de l'une des feuilles, et c'est seulement à l'instant où la joie que m'inspirait cette trouvaille inespérée se fut apaisée que je lus les mots inscrits au verso :

« Dans ce monde, il y en a un autre,
que l'on ne peut décrire par des mots.
La vie y règne, mais sans crainte de la mort.
Un printemps éternel qui ne devient jamais automne.
Les plafonds et les murs racontent des légendes et
                                        [des histoires,
même les roches et les arbres récitent des poèmes.
Ici, la chouette devient paon,
un loup se métamorphose en beau pâtre.
Si tu veux changer l'image,
change seulement d'humeur,
tu n'as qu'à le vouloir. »

Je retournai en courant auprès de Yeza pour la distraire en lui racontant ma découverte, elle qui aimait
tellement écrire ! Guillaume ayant disparu une fois de
plus, nous pouvions de nouveau nous considérer
comme ses fidèles chroniqueurs — même si notre destin devait être d'achever ici notre existence tels deux
ermites, ce que je ne parvenais pas vraiment à
m'imaginer. Je me figurais très bien, en revanche, l'instant où, un siècle plus tard, quelqu'un trouverait nos
notes à cet emplacement.

Yeza dormait à poings fermés dans son lit végétal. En
y enfonçant le bras, je constatai qu'il y régnait une chaleur délicieuse. Je me faufilai auprès d'elle et lui chuchotai à l'oreille : « Nous avons une maison et des
chèvres ! »

Elle tourna vers moi sa tête bouclée et couverte de
feuilles et me prit dans ses bras. « Je veux un palais et
des chevaux ! » chuchota-t-elle, et ses yeux me regardèrent, brillants comme des étoiles. Je fus aussitôt
d'une tout autre humeur.

— Je veux, fit-elle alors qu'elle m'avait déjà empoigné
entre les jambes, je veux sentir la lance de mon chevalier, lorsque des sucs brûlants et délicieux montent en
moi... (elle me pinça le gland pour plaisanter)... et non
lorsque l'eau glacée m'a lavée comme un poisson et que
mes sens sont aussi gelés qu'une rose dans la neige.

Je ne laissai pas passer l'occasion, posai la baguette
battante sur le tambour tendu formé par son ventre, et
savourai cet instant de paradis.

— Votre art poétique, noble dame, vaut tout le
savoir-faire de votre giron. Aucun petit poisson ne s'est
jamais baigné dans une source plus chaude, aucune

rose n'a brillé de lumières plus enflammées dans la fournaise du soleil que le plaisir de votre amour !

— Vous avez comme toujours raison, mon chevalier, mais vous devez expier ce crime. Ma magie fait de vous l'étalon, et de moi le cavalier !

Et elle ne lâcha pas ma lance avant de s'être frayé un chemin hors du feuillage et d'être montée sur ma scène. Elle commença par me brider, puis m'éperonna et chevaucha même de manière magistrale ; chaque fois que j'espérais pouvoir me lancer au grand galop, elle me prenait par les rênes et me forçait à prendre le pas d'un mulet, couvrait mon visage de baisers, fouillait dans ma chevelure. Bientôt, pourtant, le tremblement qui s'empara de son mince corps, ses mains qui tiraient les miennes contre ses seins, son bassin qui se mit à tourner et à trépigner m'annoncèrent que la chevauchée atteignait son point culminant. Elle se jeta en arrière et me laissa enfin les rênes. Je pus la rattraper, et plus je me dominais, plus elle se comportait avec sauvagerie. Elle m'attaquait comme un chat sauvage ; quant à moi, je conservai ma dignité de cavalier. Cela la rendit folle, elle se cabra et tressaillit jusqu'à ce que je devienne moi aussi un animal en passe de nous déchirer tous les deux. L'aigle qui nous portait vers le soleil fut touché par une flèche et nous précipita vers le sol, nous fûmes recueillis par le tendre plumage des cygnes et nous descendîmes doucement jusqu'à ce que nous nous retrouvions dans le feuillage. Nous nous souriions, heureux. Nous n'avions pas besoin de nous parler.

L'hiver passa au gré des combats amoureux que se livraient dans la pénombre nos corps avides, des ascensions légères de nos âmes heureuses, mais aussi des notes que nous prenions sur nos pensées confuses.

Le printemps fit un jour son apparition dans la vallée que le lac avait coupée du reste du monde et où se trouvait notre cellule. Pour parvenir jusqu'à nous, il aurait fallu remonter le torrent à la rame, car, notre crique mise à part, toutes les falaises rocheuses tombaient à pic dans l'eau. Je ne parvenais pas à m'expliquer comment les flots avaient pu jeter l'ermite ici, bien des années auparavant. Les conditions étaient certainement différentes à cette époque ; la nature, et l'eau tout particulièrement, transforme toujours le visage de la terre. Peut-être, sous la surface du lac, trouverait-on un monastère ou même tout un village en murs et en tours,

peut-être un glissement de terrain avait-il fait monter le
fleuve, peut-être l'ermite avait-il été le seul à pouvoir se
réfugier dans cette falaise. Mais les parchemins n'en
disaient pas le moindre mot. Il s'agissait sans exception
de vers admirables, de poèmes que Yeza et moi-même
nous lisions le soir, au coin du feu :

« Arrête-toi pour un instant,
contemple le désert épineux
il fleurit et devient un jardin de couleurs.
Vois-tu ce fragment de roche, là-bas, dans le sable ?
Il est en mouvement, une grotte s'ouvre,
des rubis étincellent vers toi.
Lave-toi les mains et le visage dans les eaux de cette
[source.
Les cuisiniers ont préparé un festin. »
L.S.

 *De la chronique de Guillaume de Rubrouck,
dans la tour du bord de mer, à la Saint-Polycarpe.*

Mon serviteur, Hamo et moi-même avions monté
la garde toute la nuit, à tour de rôle, grimpant l'un
après l'autre par l'échelle à l'intérieur de la tour,
jusque sur la plate-forme. C'est là, protégé par les
créneaux et un châssis de bois, que se trouvait un
miroir d'argent ciselé et orientable, une sorte de
disque concave. Nous regardions la mer sombre à
nos pieds, espérant voir la trirème surgir des
embruns et des nuages, et scrutions les roches de
l'arrière-pays, craignant d'y voir surgir les gardes-
frontières arméniens à cheval. Lorsque l'aube
pointa, lorsque se fut écoulée la période du petit
matin à laquelle les ennemis passent généralement à
l'attaque, sans que rien ait bougé nulle part, Philippe
descendit courageusement de la tour pour aller chasser la chèvre.

Dame Shirat s'était retirée tout en haut avec la
petite Amál qui à présent hurlait de faim. Hamo et
moi-même attendions au seuil de la porte surélevée
ouverte dans la muraille, prêts à remonter l'échelle à
n'importe quel instant.

Philippe réapparut effectivement avec quelques chèvres. Il avait capturé des chevreaux, et leurs mères au pis rebondi galopaient après les petits qui bêlaient dans ses bras. Il nous tendit les animaux en riant ; mais ensuite, il se retourna et se mit à courir.

Hamo comprit plus vite que moi, il descendit l'échelle, défit sa ceinture, fit tomber une chèvre et lui noua les pattes. J'avais trouvé près de la porte une longue corde, sans doute destinée à hisser des objets pesants. Je la lui fis descendre. Hamo attacha la chèvre bêlante à l'extrémité, et je tirai. Hamo sacrifia sa chemise pour nouer les pattes arrière d'un autre animal. Puis il l'attrapa par les membres antérieurs et la souleva sur ses épaules. Il commença ensuite rapidement à monter.

Je regardai de l'autre côté, vers la ravine rocheuse, un mur d'hommes à cheval était en train d'en sortir. Leurs lances étaient dressées, leurs visières fermées. Les bannières du connétable d'Arménie battaient au-dessus des casques. Je fis rentrer ma chèvre, défis la corde et la lançai à Philippe, qui avait bien du mal à grimper l'échelle avec ses chevreaux dans les bras. Il noua la corde autour du ventre des animaux, qui se mirent à balancer en l'air en bêlant misérablement.

Les cavaliers s'étaient rapprochés. L'un d'eux tenait la nourrice sur sa selle, devant lui. Philippe ne voulut pas renoncer à une troisième chèvre. Il se la jeta sur les épaules et monta les barreaux de l'échelle. Je hissai son paquet trépignant. Hamo atteignit lui aussi la porte et me jeta son animal aux pieds. Je n'eus pas le temps de me détendre, il me fallut aussi remonter ses chevreaux.

Les premières flèches passèrent alors par l'ouverture de la porte, je sentis l'air qu'elles déplaçaient me balayer le visage. Elles restèrent plantées dans la poutre de bois. Hamo me repoussa, et tandis que je continuais à remonter la corde, bien à l'abri, il se jeta au sol et tendit la main pour m'aider. Les projectiles s'abattaient à présent contre l'échelle et le cadre de la porte, et l'un d'eux aurait aussi atteint mon serviteur à la nuque si le chevreau ne lui avait pas fait obstacle avec son corps. Hamo le lui ôta des épaules. Je tirai mes propres animaux sur l'arête du mur. Ils étaient morts tous les deux, transpercés par les flèches comme le buste de saint Sébastien.

Hamo et moi-même avions suffisamment relevé l'échelle, à laquelle le premier Arménien s'était agrippé, pour qu'avec mon aide massive, nous puissions la faire basculer vers le haut. Il ne la lâcha pas et fut soulevé jusqu'au moment où il fut incapable de tenir le barreau et alla s'écraser sur la roche. Nous tirâmes l'échelle hors de l'entrée et refermâmes la lourde porte de bois. Trois rôtis et deux pis rebondis : tel était notre fier butin !

Nous sommes ensuite montés rejoindre Shirat, qui s'était installée avec le nourrisson sous le châssis du miroir, à l'abri des flèches. Cachés derrière les créneaux, nous avons entendu le chef des gardes-frontières crier que, si nous ne déclinions pas notre identité, la tour serait prise d'assaut. Puis ils ont menacé de tuer la nourrice sous nos yeux. Nous avons continué à nous taire ; la grosse nourrice pleurait, et le chef a ordonné qu'on l'emmène. En dressant la tête entre les créneaux, nous avons pu voir cinq ou six hommes la pousser sur une pierre, près du rivage. L'un d'eux a tiré son épée, mais il n'a pas frappé : les autres avaient enlevé la jupe de la nourrice. Ils sont ensuite passés l'un après l'autre entre ses cuisses, chausses baissées, et se sont soulagés en elle.

Elle aurait pu avoir la même chose avec moi, me suis-je dit, et une fois au lieu de cinq !

Ils sont ensuite partis chercher du renfort, « du feu grégeois pour nous enfumer », comme ils nous l'ont crié avant de partir.

Plusieurs journées s'écoulèrent avant que nous ne nous hasardions de nouveau à l'extérieur. Shirat et moi-même observions le terrain d'en haut tandis que Hamo et Philippe redescendaient l'échelle. Comme rien ne bougeait, ils se faufilèrent jusqu'aux bosquets situés en dessous de la falaise, pour cueillir des

feuilles et couper du blé : nos deux chèvres ne voulaient plus donner de lait, et la nourrice, cette vache
stupide qui nous avait rejoints, avait eu tellement
peur de mourir que le sien avait tourné. Cela n'avait
cependant rien à voir avec les coups de boutoir des
cinq satyres.

Nous installâmes une clôture sur le terrain où les
chèvres sauvages paissaient, afin de ne pas être obligés de les chercher partout chaque fois que nous
avions envie de déguster un chevreau. La nourrice, à
laquelle, faute de production personnelle, on avait
confié le soin de traire les chèvres, s'essaya à la
confection de fromages, et Hamo (qui avait retrouvé
son audace, au grand souci de Shirat) commença à
plonger pour harponner des poissons.

Le succès fut relatif ; mais ce plongeur expérimenté nous pourvut désormais en moules, en crabes
et autres crustacés. Nous avions ainsi un menu très
varié, et la petite Amál, elle aussi, se requinquait à
vue d'œil.

Nous avions oublié les Arméniens depuis très
longtemps lorsque la trirème, un matin, apparut à
l'horizon.

Retour heureux ?

Extrait de la chronique secrète de Yeza.
J'étais assise à la fenêtre de notre cellule et je regardais le ciel bleu, la vaste tente de *tengri*, devant laquelle
passaient de petits nuages cotonneux. De temps en
temps, des oiseaux glissaient au-dessus et jouaient à
tire-d'aile. Le lac était paisible.

C'est alors que je vis le petit bateau qui remontait le
torrent. La silhouette sombre de l'homme qui l'animait
d'une seule rame se découpait sur le reflet du ciel, des
nuages, des écueils et des oiseaux.

Je courus hors de la grotte pour prévenir Roç ; il
grimpait au-dessus de moi, dans les rochers, moins

pour trouver des œufs d'oiseaux que pour garder son beau corps mince et nerveux, à mon intention.

— Roç, voilà une barque ! lui criai-je.

J'entendis juste sa voix.

— Je n'en vois pas !

Lorsque je voulus lui indiquer précisément l'endroit où j'avais aperçu le bateau, je l'avais moi aussi perdu de vue. J'étais sans doute dans une mauvaise position, les roches me barraient le passage. J'étais pourtant sûre de moi.

— J'ai vu un homme dans un canot, redescends !

Quelques pierres me passèrent au-dessus de la tête, et mon héros dévala la pente pour se retrouver à mes pieds. Je courus vers le rivage en riant.

— Viens, je vais te montrer !

— Tu as besoin d'un autre homme ? demanda-t-il en me suivant, moqueur.

Mais j'avais déjà sauté sur l'une des pierres rondes et polies qui s'étalaient au soleil sur notre plage comme de gros corps démesurés, et je regardais fixement l'eau. On n'y voyait rien. La chaleur de la pierre diffusait dans mon corps une sensation délicieuse. J'y serrai mon petit ventre et étendis mes jambes nues.

Roç, mon noble chevalier, ne déçut pas sa *damna*. Au début, je sentis juste un brin d'herbe qui me taquinait les cuisses, jusqu'au jardinet. Mais ensuite, le souffle de Roç devint moins paisible, et un animal, une sorte de lézard, ne tarda pas à se glisser sur la pierre et à demander à entrer. Je soulevai légèrement le bassin et laissai passer le petit monstre qui connaissait bien les lieux. Et pourtant, tout était différent, excitant, comme à chaque fois. D'abord d'une insolence curieuse, puis courtois et lisse, enfin impétueux, âpre et violent. Il me cajola comme on caresse un chat à rebrousse-poil et me plongea dans le délice en allant et en revenant devant mon « petit Roç ».

Ainsi captive entre la pierre chaude et la forte pression de la lance de mon chevalier, je me sentais cependant la libre reine de mon plaisir. Je me l'offrais, et lui, mon chevalier, était autorisé à me l'apporter. Il se déchaînait sur moi et je le laissai faire jusqu'à ce que mon calice déborde, lui aussi. Alors je criai, et Roç cria mon nom. Le sacrifice était perpétré, nous étions heureux tous les deux. Épuisé, il laissa le poids de son beau corps reposer sur le mien. Je l'aimais tant. Oh, si chaque journée pouvait débuter et s'achever ainsi !

Je pris Roç par la main, et nous rentrâmes tous les deux dans notre cellule. Arslan était assis à table, il nous souriait. Nous nous étions immobilisés au seuil de la grotte, main dans la main. Le chaman n'avait pas changé depuis que nous avions pu séjourner chez lui, dans l'Altaï.

— Je vois, dit-il, que le couple royal est heureux, et brûle d'amour réciproque. (Il regarda par la fenêtre, le ciel se reflétait sur le lac.) Pourtant, ceci n'est pas le monde ni votre destinée, ajouta-t-il avec une nuance de regret se mêlant à son ton amusé. Votre destin est lié à celui des Mongols, ne tentez pas d'y échapper.

Je voulus le contredire, mais il poursuivit :

— Ils ne peuvent conquérir le monde sans vous ; et sans eux, vous ne monterez pas sur le trône qui vous est promis.

— Même si nous le voulions, répondis-je, nous ne pourrions pas échapper à notre destin. Ce sont les Mongols qui nous ont abandonnés, et pas le contraire.

— C'est ce que votre regard d'Occidentaux vous fait croire. Moi, je vous le dis, ils souffrent. Le peuple des Mongols est en deuil, et le grand khan n'aura plus de repos tant qu'il ne vous aura pas retrouvés.

— Ils ne nous veulent pas comme le couple royal que nous sommes, intervint Roç, mais comme leurs insignes de campagne ; leurs *onggods*, des petites poupées cousues à l'ourlet du manteau de l'illustre khagan !

Arslan inclina la tête, et un sourire glissa sur les petites rides de son visage. Sa peau ressemblait à du parchemin.

— Les temps du puissant forgeron Temudjin, de l'unique Gengis Khan, sont révolus. Autant il a engendré de fils (et ceux-ci, à leur tour, lui ont donné des petits-fils), autant le royaume se disloque dans l'aveuglement, les jalousies et l'arrogance ! soupira-t-il profondément. Mais il existe un grand esprit de tous les Mongols, qui plane au-dessus d'eux dans la tente céleste éternellement bleue. Celui-là sait qu'il n'existe qu'un seul chemin, le chemin commun, et un seul but : tout ou rien !

Arslan baissa la voix, qui parut soudain venir de très loin.

— Même si ce « rien » se dissimule encore aujourd'hui dans les profondeurs de l'Océan, tel un monstre marin informe. Un jour, il surgira et aspirera le peuple des Mongols dans la mer de l'oubli, comme si son pouvoir n'avait jamais existé.

— Pourquoi ? demanda Roç timidement.

Arslan le regarda droit dans les yeux.

— Parce que le pouvoir doit tout vouloir !

— Et nous ? répondis-je au chaman. Et le « Reste du Monde » ?

— Vous, le couple royal, vous partagerez le destin des Mongols.

— Sinon ? demandai-je d'une voix tout aussi ferme.

Arslan resta longtemps sans rien dire. Le vieil homme, dont je ne me serais pas attendue à ce qu'il cherche des échappatoires, paraissait absent. Il avait quelque chose de visionnaire.

— Le « Reste du Monde » comprend aussi l'Océan. Celui qui acquiert la souveraineté sur les mers sera le maître du monde, du feu et de l'eau, de la terre et de l'air.

— Vous n'y arriverez pas ! s'exclama Roç.

— Ils n'en sont pas capables, dis-je seulement.

— Alors d'autres y arriveront, dans mille ans.

Je levai les yeux au ciel. Des nuages continuaient à y courir, de grands oiseaux tournoyaient en altitude avant de descendre à pic vers les falaises qui se reflétaient dans l'eau. Un point noir disparut dans le lac, un homme dans une barque ; son coup de rame mesuré entailla la surface lisse de l'eau et y décrivit des cercles.

J'entendis alors Roç crier : « J'ai vu des cavaliers ! En haut, sur les falaises ! »

Sa voix provenait des rochers, au-dessus de la grotte où il cherchait des œufs dans les nids d'oiseaux. Je me retournai vers le chaman. Sa place à notre table était vide. Je courus à l'extérieur et je vis de grosses cordes glisser le long des falaises comme autant de serpents.

Mon Roç sauta devant mes pieds, après s'être annoncé par un jet de pierres. Je lui désignai les cordes, sans rien dire. Des hommes s'y laissaient glisser. Je les reconnus aussitôt. C'était des gens de l'imam, des Assassins d'Alamut. Ils s'agenouillèrent devant nous, et leur chef parla :

— Nous remercions Allah d'avoir retrouvé le couple

royal sain et sauf. Nous sommes venus pour vous ramener à la Rose. *Allahu akbar !*

L.S.

 *Chypre, fête de saint Ephrem le Syrien,
Anno Domini 1255.*

Pour la fête de l'archange saint Michel, nous
sommes revenus dans le labyrinthe familier du
palais Kallistos, d'où nous étions partis il y a deux
ans. Cela me paraissait une éternité, après tout ce
que nous avions vécu.

Gosset, que nous avions à l'époque laissé sur place
avec le titre de Grand *Domestikos*, exigea d'entendre
toute notre histoire jusqu'à la fin.

Sur la trirème se trouvait, outre le fidèle Pénicrate,
une femme répondant au nom de Xenia qui me plaisait bien. Lors de la traversée, elle me préserva du
mal de mer : notre propre balancement compensa en
effet les roulis du navire. Cette courageuse veuve au
pied marin avait emmené la fillette de Hamo et de
Shirat, la petite Elaia, qui avait désormais quatre
ans. Les parents étaient aux anges, Xenia était profondément affligée, mais je la consolai avec dévoue-
ment. Elle aimait comme une mère cette enfant qui
ne connaissait pas du tout ses parents. Alena Elaia,
elle aussi, tenait beaucoup à elle et au Pénicrate, qui,
par la force des choses, lui avait fait office de père.
Elle était désormais accaparée par les sentiments
débordants d'une femme inconnue et sous la protection d'un jeune homme qui lui donnait plus l'impression d'être un grand frère, si mûr soit-il, qu'un père
respectable.

On lui laissa son prénom — il est vrai qu'elle avait
déjà été baptisée, et que le prince Bohémond VI
d'Antioche avait été son parrain. Elle s'accoutuma
très vite à sa nouvelle situation, mais sa mère adoptive souffrait beaucoup. Nous trouvâmes une solution ; en guise de succédané, nous confiâmes à Xenia
la petite Amál, dont nous savions désormais qu'elle

était orpheline de père et de mère, car Abdal le Hafside nous avait appris la mort atroce d'Omar et
d'Orda.

Si la trirème avait pu atteindre si vite la tour située
sur la rive orientale de la mer Noire, c'est que son
capitaine, le Pénicrate Taxiarchos, avait déjà reçu
auparavant, à Antioche, un message l'invitant à revenir à Constantinople, le comte Hamo l'Estrange
étant sur le chemin du retour. Il eut beaucoup de
mal à retrouver dans l'ancienne Colchide cette tour
qu'on lui avait décrite précisément. Mais le Pénicrate
était incapable de dire qui lui avait transmis cette
information. Il avait trouvé cet ordre à côté de sa
tête, un matin au réveil. On était déjà à la fin de
l'automne.

Était-ce le long bras du Prieuré ? me demandai-je.
Ou bien les Assassins ? Qui d'autre ? Oui, qui ? Les
Mongols, leurs Services secrets ? C'était aussi conce-
vable.

Je devais mener ma mission à son terme. Gosset
était disposé à me raccompagner en Terre sainte.

Nous laissâmes Barth, le triton, quitter sa prison
souterraine, pour lui imposer une sorte d'arrêts de
rigueur.

Gosset s'était porté garant de lui. Frère Bartholomée n'est certes pas devenu pieux, mais très instruit.
Il a appris à réaliser des miniatures avec lesquelles il
orne ses copies. Il a accepté de bon cœur d'écrire
selon mes instructions le rapport pour le roi Louis.
Je lui ai donc dicté chaque jour, au « Pavillon de
l'espoir inutile », tout ce qui me paraissait important, et surtout tout ce que l'on peut attendre d'un
missionnaire.

Bartholomée eut ainsi sans avoir eu à se déplacer
un récit de première main sur le pénible voyage chez
le grand khan des Mongols, auquel je comptais donner le nom d'*Itinerarium*. Et il apprit à y tenir son
rôle, au cas où nos supérieurs au sein de l'ordre
l'interrogeraient à ce sujet. Il pouvait m'être
reconnaissant ! Il était resté tranquillement à paresser à Constantinople tandis que son *alter ego* et moi-

même avions affronté la steppe, la neige et la glace. Il est, je crois, tout à fait heureux que nous ayons fait de lui le glorieux missionnaire O.F.M. Bartholomeus Cremonensis. Quant à son double, Laurent d'Orta, on ne peut craindre qu'il dévoile cette petite supercherie : il est devenu patriarche de Karakorom, même si tous se demandent bien comment il a pu y arriver. Barth, le triton, se taira, ne serait-ce que dans son propre intérêt. Nous l'avons donc relâché après un examen attentif et en lui donnant des consignes précises, afin qu'il puisse partir rejoindre son maître, le pape.

Messire Rainaldo di Jenna, jadis cardinal-archevêque d'Ostie, est en effet entre-temps monté sur le trône de saint Pierre, et comme on pouvait s'y attendre, conformément à ses vieilles lubies, il a pris le nom d'Alexandre. Son prédécesseur, Innocent, est mort de rage le 7 décembre de l'an dernier, pris d'une crise cardiaque en apprenant que le roi Manfred l'avait devancé et, en un tournemain, s'était emparé du trésor de la couronne laissé par l'empereur Frédéric, une fortune stockée près de Lucera et surveillée par les Sarrasins fidèles aux Hohenstaufen. Innocent avait secrètement envoyé son armée le récupérer, mais il était arrivé trop tard. Le choc a été trop violent pour son cœur fatigué. Et cinq jours plus tard, le conclave élisait le Cardinal gris pour lui succéder.

Il se réjouirait sûrement de revoir son directeur de l'*Ufficium Studii Mongalorum*, enrichi de tant de connaissances sur le monde des Mongols et plein d'expériences extrêmement personnelles après ses relations avec le grand khan.

En fait, il était convenu que Xenia et la petite Amál resteraient à Constantinople. En reconnaissance pour avoir sauvé la chair de sa chair, Hamo lui avait accordé un apanage perpétuel et lui avait également proposé de séjourner au palais ; cela permettrait aussi aux deux petites filles de grandir et de jouer ensemble. Mais, derrière le dos du comte, Shirat remit à Xenia une lourde bourse d'or pour qu'elle retourne à Antioche.

Mon départ imminent sur la trirème fut pour Xenia le signal du départ. Elle accepta cette offre qui n'en était pas une. Shirat voulait désormais tenir éloignée la femme que sa fille Alena Elaia avait, quatre années durant, considérée comme une mère, elle voulait garder pour elle seule l'amour de cette enfant. Xenia fut conduite à bord dans le plus grand secret.

Je me retrouvai donc de nouveau avec la femme et la petite Amál, mais je ne le sus qu'au moment où nous étions en haute mer et avions déjà franchi la Corne d'Or.

Je serais volontiers resté auprès de Hamo et de Shirat, et monseigneur Gosset de même. J'abandonnai aussi sur place, avec le plus grand regret, Philippe, mon fidèle serviteur. Je m'étais habitué à sa bienveillance. À mon départ, je voulus lui offrir de grands cadeaux, mais il refusa. Il demanda juste la bague du « patriarche », en souvenir de notre voyage commun. Je la lui donnai de bon cœur.

Placée pour la première fois sous le commandement du Pénicrate, la trirème nous a conduits à Chypre, que nous avons atteint hier, le 17 juin A.D. 1255, afin de poursuivre d'ici notre voyage en direction d'Antioche.

Il y a sept ans, c'est depuis cette île que j'ai aidé Roç et Yeza à échapper à la croisade. Comment se portent donc mes petits rois ? Ils vont à la rencontre de leur destin. Le mieux n'est sans doute pas de les accompagner plus longtemps.

Je sens une sorte de vide s'insinuer en moi, une sensation de faiblesse dans le ventre — ils me manquent beaucoup. « Je vous aime ! » ai-je soupiré comme si je parlais à la mer qui m'éloignait d'eux, de plus en plus. Les reverrai-je jamais ? « Oubliez votre Guillaume ! » m'exclamai-je, mais je me sentais malheureux à en hurler. « Non ! Ne m'oubliez pas ! »

L.S.

De la chronique de Roç Trencavel, Alamut, dernière décade de septembre 1255.

Les feuilles en acier de la Rose brillaient comme des torches à travers les nuages bas lorsque nous descendîmes la montagne. Elles paraissaient tantôt à portée de main, tantôt très loin de nous. Un rayon de soleil s'égarait sur le croissant de la lune argentée qui émergeait de la mer de nuages, et j'étais de nouveau prêt à me consacrer au miracle de l'œuvre d'art.

— Quel contraste, ce raffinement d'un monde tout d'esprit, après le kumiz, les rôtis d'agneau et la steppe, s'exclama ma dame qui dirigeait son cheval dans la vallée, à côté de moi.

— Yezabel Esclarmonde, fis-je contre mes propres sentiments, tu oublies *tengri*, la voûte céleste éternelle !

Yeza se mit à rire.

— Soufflons à la manière mongole la poussière des pétales de la Rose, que l'imam en ait un rhume !

Mais nous allions bientôt cesser de rire.

L'accueil fut accablant. À peine avions-nous franchi le haut plateau que les grandes cornes de bélier résonnèrent depuis les montagnes, et l'éclat des miroirs invisibles nous salua des sommets. Hassan vint à notre rencontre à cheval, accompagné d'une grande escorte, et, sur la plate-forme de l'observatoire, je crus distinguer la charmante silhouette de la prêtresse.

Je pensai à mon vieil ami « Zev sur roues », dans les profondeurs de la « marmite », et je perçus avec joie le souffle des pétales ; l'un d'eux s'était abaissé au-dessus de la douve, pour nous accueillir. Les *fida'i* se tenaient sur les créneaux. Ils tiraient en l'air des flèches enflammées et d'autres qui portaient à leur extrémité des flûtes d'argent et produisaient des sons stridents à vous faire frémir.

Nous passâmes le pont au trot et franchîmes le haut portail.

Je revis cette tige étrange qui, sortie des profondeurs, s'élevait dans la « marmite » et transperçait sans même le toucher le palais suspendu, le « nid de guêpes », avant de disparaître tout en haut, dans les entretoisements. J'admirai de nouveau la « marmite » avec ses rayons entre lesquels un grouillement d'échelles, d'esca-

liers, de ponts suspendus et de grosses cordes ne laissait rien deviner de la manière géniale dont on avait
assemblé tout cela, du niveau de technique que l'on
avait atteint ici et que l'on avait rassemblé en une
unique boîte aux merveilles. Je vis de nouveau les
parois de glaise, dures comme du granit et pourtant
souples comme une lame de Damas, ces côtes qui en
sortaient comme des artères gonflées, soumises à une
tension bien calculée dans laquelle chaque élément de
la Rose était maintenu. Je contemplai les balistes prêtes
à tirer, les gigantesques arquebuses tendues à la roue et
les catapultes rapides que Zev Ibrahim avait dotées de
la magie de la *vis laxans*. Le feu grégeois sommeillait
dans ses pots ; de minces amphores emplies de *damm al
ard*, le « sang de la terre », étaient encastrées dans les
gouttières en bois.

Cette gigantesque machine de guerre n'attendait que
l'instant où elle pourrait faire ses preuves. Je songeai
aux légions mongoles, avec leurs cent mille pieds, et je
vis la Rose disparaître sous cet essaim de sauterelles
aux allures de centaures. Je la vis glisser loin d'ici
comme un bousier à la splendide carapace transporté
sur le dos d'une horde de fourmis, un scarabée dont les
jambes s'agitent dans le vide et auquel ses beaux élytres
n'offrent déjà plus de protection.

J'écartai cette pensée, mon vieil ami Zev Ibrahim
était venu me saluer dans son fauteuil roulant. Comme
Yeza avait immédiatement été accaparée par son ensei-
gnante, Pola, je suivis le génial ingénieur de la Rose
dans son royaume souterrain, celui d'Héphaïstos, un
infirme comme lui.

— Roç, dit-il lorsque nous fûmes assis tous deux au
sous-sol, devant un verre de vin, vous n'auriez pas dû
revenir. Le ver est dans la Rose, elle pourrit de l'intérieur.

Je le regardai sans comprendre. L'eau coulait dans
les canaux, le « sang de la terre » gargouillait dans les
tuyaux, les engrenages tournaient comme toujours et
animaient l'axe qui grinçait, des contrepoids montaient
et descendaient, des cordes se déroulaient sur des poulies en colimaçon, des chaînes s'immobilisaient en cliquetant.

— Pendant votre absence, l'imam a perdu la raison.

— Voyons, objectai-je, le maître a toujours été
imprévisible, et ses punitions cruelles.

— Cela s'est considérablement aggravé ! Quand il est en crise, il voit dans le lointain grand khan un avorton du diable monté sur la terre pour dévorer la Rose. Ensuite, il se charge lui-même de démasquer des Mongols déguisés parmi les *rafiq*. Il les fait torturer d'une manière abominable, puis brûler vifs sous prétexte qu'ils sont les fils du *cheîtan*. Mais lorsqu'il est en crise de démence, même cela ne lui suffit plus. Il se met à étrangler les suspects de ses propres mains, à déchirer avec son membre infâme les fidèles qui n'avouent pas. Et il passe nuit et jour à se demander, comme un possédé, comment il pourrait exciter les Mongols jusqu'au sang. Avec votre retour lève la mauvaise graine qu'il pense avoir semée.

— Que pouvons-nous y faire, répondis-je, indigné, si ce malade joue avec le feu ! Il devrait savoir que certains Mongols n'attendent qu'un bon prétexte pour se jeter sur Alamut.

— Et ce prétexte, vous le lui avez fourni, répondit tristement Zev Ibrahim.

Je n'avais pas encore vu notre retour sous ce jour-là.

— Et pourquoi ne vous débarrassez-vous pas de ce fou aveuglé ?

— Chhhhut ! fit l'ingénieur, posant le doigt sur ses lèvres. Ici, les murs sont des oreilles de fer. Tu es l'ange à l'épée de feu, l'ange étrangleur descendu pour nous anéantir !

La folie s'était-elle aussi emparée de mon vieil ami ? Cette image effroyable me choqua : c'était Sodome et Gomorrhe que j'avais devant moi ! Je me défendis faiblement.

— Nous sommes venus apporter la paix. D'autre part, le couple royal n'est pas rentré de son propre chef. Alamut nous a repêchés, au sens propre du terme, et amenés ici. Nous sommes disposés à quitter la Rose sur-le-champ si cela permet encore d'éviter le malheur. Mais je n'y crois pas ! ajoutai-je.

— Moi non plus je n'y crois plus, soupira Zev. La loi de la nature dicte le temps de la floraison, celui de la maturité et celui de la pourriture, qui entraîne soit la naissance du germe d'une nouvelle vie, soit la disparition définitive. La Rose empeste déjà le moisi et la corruption qui annoncent la fin, comme les vautours, en tournant, annoncent la mort de l'animal agonisant.

— Et Khur-Shah ? fis-je en lui coupant la parole, une tentative désespérée pour changer de sujet.

Zev vida sa coupe, plus vite cette fois-ci que jadis, et sa main tremblait un peu.

— Que fait le Veau ? demandai-je en m'efforçant de prendre un ton amusé.

— Son père, pour combler le tout, lui fait sortir du crâne, à coups de poing, ce qu'il lui reste de raison. Il le punit presque quotidiennement. Ce garçon va bientôt avoir vingt ans, mais on le traite comme un cabot teigneux et désobéissant.

— Et pourquoi ?

— Parce que Khur-Shah, cette tête de lard, continue à prôner la réconciliation avec le grand khan chaque fois qu'il est convoqué chez l'imam. À deux reprises, déjà, ce pauvre bougre a voulu s'enfuir pour faire allégeance à Möngke, à Karakorom. Son père l'a laissé à demi mort et a envoyé de nouveaux *fida'i* pour mettre enfin le grand khan en lambeaux. Alors que les quatorze premiers ne sont même pas revenus.

— Ils ne reviendront pas, dis-je sèchement, et je lui racontai la fin courageuse des *fida'i* à Samarcande et le bannissement de mon ami Omar — je passai seulement sous silence le rôle peu glorieux que j'y avais tenu.

— Créan ne reviendra pas non plus, ajoutai-je, parce que je n'étais pas certain que Yeza informerait son amie Pola de la mort héroïque de son père. La Rose peut le remercier, c'est grâce à lui que nous sommes encore en vie et revenus ici.

— Ah ! fit seulement Ibrahim. Cela me réjouit pour lui. Au fond de son cœur, Créan n'a jamais cherché que la mort. C'est la seule raison pour laquelle il vivait parmi les *fida'i*. Il lui a donc enfin été donné de pouvoir franchir le seuil. Le bienheureux !

5. LA FIN S'ANNONCE

La fleur pourrit

Deuxième décade d'octobre 1255.

Zev travaille à une sorte de pilori que l'imam a commandé pour pouvoir punir avec plus de jouissance et plus d'efficacité le Veau, son fils unique. Ce sera une espèce de bélier sur quatre roues. Khur-Shah, attaché sur le ventre, devra y présenter sans défense ses fesses et son dos. Ses cuisses et ses bras seront attachés aux quatre jambes de bois de telle sorte qu'il puisse encore faire avancer avec ses pieds ce pilori roulant, dans le vain espoir d'échapper ainsi aux coups de fouet. Comme quelqu'un, vraisemblablement cette vipère de Hassan, a dit à l'imam qu'on n'appelait plus désormais Khur-Shah que par son sobriquet, *'ai jil*, le Veau, son cruel géniteur a eu l'idée de couvrir le corps de sa victime d'une peau de cet animal. J'espère secrètement que ce ne sont pas mes bavardages inconsidérés qui lui ont valu ce surnom.

— La peau ôte à l'imam ses dernières inhibitions, m'a expliqué Zev, et lui épargne la vue du sang.

— Et puis cela lui permet de frapper plus longtemps, ai-je ajouté en spécialiste, parce que la chair n'éclate pas tout de suite.

J'ai ensuite annoncé, sur un coup de tête subit :

— Je vais venir avec toi, et parler directement avec l'imam.

Ni Yeza ni moi-même n'avions vu l'imam depuis notre retour, ce qui m'étonnait de plus en plus : jadis, il

voulait nous avoir chaque jour auprès de lui, à chaque
festin, à chaque exécution.

— Ne fais pas cela! s'exclama Zev, effrayé. Il vous
considère comme des espions mongols : ni Hassan, ni
Khur-Shah ne lui ont raconté ce qui s'est véritablement
passé au puits d'Iskenderun. Pour lui, vous avez trahi la
Rose et vous êtes passés de votre propre chef dans le
camp des Mongols...

— C'est cela! fis-je en lui coupant la parole. Et le
Veau est tombé entre les mains des méchants Tatares
en essayant de nous tirer de leurs griffes?

— Non, répondit mon ami en riant. Tout de même
pas! Pour l'imam, cela a été la première tentative
menée par son fils pour contrecarrer ses ordres. Il croit
que Khur-Shah s'est montré si stupide que les Mongols
n'ont pas voulu l'autoriser à les accompagner jusqu'à
Karakorom, où il souhaitait rendre hommage au grand
khan. Pendant une semaine, Khur-Shah a donc été roué
de coups!

— Stupide, il l'a certainement été, dus-je admettre,
mais il me fait de la peine tout de même. Et quel rôle
joue Hassan là-dedans?

Zev cessa de bricoler son pilori et avala une bonne
gorgée de vin avant de me resservir.

— L'émir Hassan Mazandari tient sans doute, d'une
part, à attiser la folie évidente de notre imam Mohammed III, et d'autre part à maintenir l'héritier Khur-Shah
dans son hébétude. Car cette situation lui donne un
pouvoir illimité à l'intérieur de la Rose. Il s'est en outre
acoquiné avec Madame Pola et s'est aussi assuré
(j'ignore par quel moyen) la bénédiction de la chaste
grande prêtresse. À l'heure actuelle, il tient effectivement tous les fils dans sa main — mis à part mes
chaînes, mes tuyaux et mes arbres de transmission. Il
n'y comprend rien, et me laisse donc tranquille.

Zev reprit une gorgée. Sa coupe, de nouveau, était
déjà vide.

Je pensai qu'il valait mieux ne pas poser de questions
sur Kasda : je savais qu'il y avait eu entre eux une liaison secrète. Je me contentai donc de me renseigner sur
Herlin, que nous n'avions pas vu non plus depuis notre
retour dans la Rose. Il avait beaucoup de tendresse
pour Yeza, qui l'appelait « Maître » et se sentait chez
elle dans sa bibliothèque. Le simple accès au « nid de
guêpes » nous était désormais interdit. Mais comme je

connaissais Yeza, elle convaincrait bien Pola de lui montrer l'autre chemin — si elle ne le connaissait pas déjà.

— Le vieil Herlin est devenu fou, me raconta Zev, la langue pâteuse. On l'a vu plusieurs fois errer tout nu dans le « Paradis », où il courait après les *houris* qui le taquinaient. L'imam a juré de le faire châtrer s'il le prenait sur le fait. On dit que le maître s'est lui-même posté à l'affût pendant plusieurs jours et plusieurs nuits : après tout, le « Paradis » est sa basse-cour personnelle.

Zev avait vraiment beaucoup bu. Manifestement, seule l'ivresse lui permettait encore de supporter la vie dans la Rose.

— Mais Hassan a pris les devants, et a muré tous les trous qu'utilisait ce vieux renard, dissimulés derrière des armoires pleines de manuscrits jaunis. Maintenant, ce pauvre rat de bibliothèque n'apparaît plus que de temps en temps à l'une des petites fenêtres qui donnent sur le « Paradis », et il montre ses parties génitales aux *houris* amusées. Pour le reste, il ne quitte plus la « voûte de l'équilibre ». Pola l'entend encore parfois faire du bruit dans la *magharat at-tanabuat al mashkuk biha,* la « grotte des prophéties apocryphes ». Il a sûrement oublié depuis longtemps la « grotte des révélations ultimes » !

Zev se versa directement dans la gorge le vin qui restait dans la cruche et aspergea ses vêtements sans même le remarquer. Nous montâmes au palais dans deux corbeilles différentes. Je convainquis Zev, très éméché, de me laisser passer la peau de veau, mais sans me l'accrocher, bien entendu. Je voulais ainsi surprendre l'imam.

Les gardes amenaient justement Khur-Shah, pieds et poings liés. Le Veau me regarda, effrayé, en me voyant apparaître sous la peau de bête. Ses yeux étaient vitreux, comme s'il avait pris avant sa punition imminente trois rations de *hashash* à la fois. Mais il finit par me reconnaître, et il comprit peu à peu ce que je comptais faire. Il bredouilla, anxieux :

— Ne fais pas cela, il va te battre à mort !

Je me mis à rire et demandai aux gardes, qui ne savaient que faire, de me rouler ainsi jusqu'à la salle d'audience. Par les orbites du crâne de l'animal, je vis l'imam assis sur son trône ; il tenait déjà le fouet à hippopotames. Lorsqu'il aperçut sa victime, une lueur démente apparut dans ses yeux et un sourire narquois barra son visage rouge et boursouflé.

— Arrive ici! ordonna-t-il, et il commença à descendre les marches d'un pas souple, autant que son poids le lui permettait.

J'étais resté au milieu de la salle, je feignis une timide tentative de fuite, je décrivis un demi-cercle et — il était arrivé en bas de son estrade et déroulait son fouet avec volupté — je fonçai tout d'un coup, droit sur lui, si bien qu'il dut, pour éviter le choc, sauter sur la plus basse des marches. Il n'eut même pas le temps de lever le bras pour frapper. D'ailleurs, un *saut farras bahri* est totalement inefficace à courte distance, et j'étais passé si près de lui que j'avais effleuré le tissu de sa cape somptueuse. Je fis demi-tour en ralentissant, mais en lui tendant toujours mes fesses, et me retrouvai alors sur son flanc. Il ne put résister à cette provocation et redescendit dans mon arène, rouge et boursouflé de colère. Et moi, le veau, je pris la fuite. Je l'attirai loin de l'escalier, au milieu de la salle, je me cachai derrière un pilier, et il me courut après. Alors, une fois de plus, je surgis, presque dans son dos, et fonçai vers lui. Effrayé, il recula et buta contre la rambarde de bois qui entourait l'un des trous ronds donnant dans les profondeurs de la « marmite ». Il avait certainement compris le danger : l'épouvante déforma ses traits avant qu'il ne laisse s'abattre le fouet, un rictus aux lèvres. Si j'avais bondi en avant à cet instant précis, le choc aurait brisé la balustrade et il aurait été précipité dans le vide. Je fis mine de préparer une attaque de ce genre, mais je restai à bonne distance de lui, comme un taureau devant le chiffon rouge. Puis je me redressai et ôtai la peau de bête.

— Salut à vous, illustre imam, dis-je joyeusement. Ce jeu né de votre riche imagination me réjouit beaucoup. Mais vous devriez prendre le rôle du taureau, et pas celui d'un prêtre!

L'imam éclata d'un rire mugissant qui sonnait extraordinairement faux.

— Roç, gamin de Dieu! s'exclama-t-il en marchant vers moi pour me saluer.

Je n'avais pas peur de lui, je savais où il avait caché son poignard : dans sa manche gauche. Je lui pris donc la main gauche et lui permis de me serrer contre sa poitrine tandis qu'il poursuivait son discours :

— Nous avons longtemps attendu le couple royal, et nous n'avons pas oublié qu'il s'est sacrifié pour notre héritier et successeur.

Il me relâcha, et je vis le poignard briller dans sa main droite avant qu'il ne le fasse disparaître dans sa large manche. Il posa le bras sur mes épaules, comme un vieil ami.

— Nous comprenons que vous avez été forcés de nous punir en nous ôtant votre faveur; c'est pour cette raison que vous n'avez pas paru au palais, où nous vous... où nous vous attendions depuis votre retour.

— Cela va changer maintenant, répondis-je à ce mensonge éhonté.

— Certainement, dit-il.

Puis il me donna une tape sur l'épaule et me guida personnellement jusqu'à la porte de la salle d'audience.

— Gardes! appela-t-il d'une voix très aimable. Jetez notre ami au cachot! — Son regard tomba sur Khur-Shah, toujours ligoté. — Et faites enfin entrer le Veau; aujourd'hui, il recevra le double de ce qu'il mérite!

Il enroula son fouet et me fit un dernier signe lorsque l'on m'emmena.

Ma geôle est dans la cave, au royaume de Pluton, juste à côté des ateliers de mon « Zev sur roues ». Mais Hassan est le seul à avoir les clefs. Enfin, c'est ce qu'il croit. Zev m'approvisionne aussi en parchemin et en encre, pour que le temps ne me paraisse pas trop long d'ici à ma « punition ». Il m'a promis de prévenir Yeza, pour qu'elle ne se fasse pas de souci.

Extrait de la chronique secrète de Yeza.

J'ai trouvé mon amie Pola très changée, elle est devenue plus autoritaire, et la tendre familiarité qui nous liait autrefois s'est envolée. Elle s'est à peine intéressée au fait que je suis désormais devenue une femme qui aime, avec tous les problèmes et toutes les interrogations qui en résultent, et pour lesquels j'espérais son conseil. Elle qui m'enseigna jadis tant de choses me paraît aujourd'hui jalouser mon jeune bonheur, et elle se montre toujours sèche lorsque je me mets à parler de mon amour pour Roç. Elle n'a pour les hommes qu'amères moqueries, et elle n'en réserve même pas autant aux *houris* du « Paradis » qui sont placées sous ses ordres, tant elle méprise ces jeunes filles.

— La Rose baigne depuis trop longtemps dans l'eau où le génial Zev Ibrahim l'a plongée autrefois. L'eau est devenue un cloaque, la Rose surnage dans un marécage malodorant, et Zev dans le mauvais vin...

— Et le vieil Herlin, mon maître ? demandai-je ingénument.

Cette question la mit hors d'elle, mais lui donna au moins envie de parler.

— Parce que le matin, je n'acceptais plus comme il se devait son phallus de vieillard gonflé par la seule pression de la vessie, fit Pola (qui me révélait ainsi les véritables rapports qu'elle entretenait jadis avec mon cher maître), il a cru devoir jouer les Cupidon, ou plus exactement le faune qui effraie les oies du « Paradis ». Herlin néglige seulement le fait que le plus grand don de Priape lui échappe..., dit-elle, avec tant de mépris que je me sentis obligée d'intervenir en faveur de mon maître.

Dans quel but m'avait-il fait lire les poètes grecs, et me les avait-il patiemment expliqués ?

— Rares sont les bibliothécaires à avoir acquis un tel savoir, répliquai-je. Un fils de Vénus et de Bacchus... je le reverrais volontiers.

— Qui donc ? répliqua Pola, moqueuse. Le vieux ou ses parties ?

Lorsqu'elle vit mon visage agacé par son ton primesautier (je connais cette fameuse ride de colère des Hohenstaufen qui me barre le front dans ces cas-là), elle éclata de rire et me serra dans ses bras comme au bon vieux temps.

— Si je suis tellement en colère, me confia-t-elle, c'est parce que je ne supporte pas la déchéance, ni la mienne, ni celle des autres. J'aurais volontiers gardé notre bon Herlin dans mon souvenir tel que je le connaissais aux grandes heures de la Rose, lorsqu'il réjouissait mon cœur avec ses poèmes, et restaurait secrètement avec tendresse et expérience le jardin de la jeune fille que l'imam, son propriétaire, ravageait brutalement. C'est la raison pour laquelle j'ai longtemps aimé Herlin. Mais je ne le peux plus. Je suis fatiguée, fit-elle à voix basse. Je suis lasse de voler à travers le pays comme une vieille corneille : *al muchtara* erre en quête d'œufs frais qu'un vieux dément pourra ouvrir et gober avant de les jeter cruellement. Le « Paradis » est couvert de coquilles de cygnes avortés, de rossignols qui n'ont jamais chanté, d'alouettes qui n'ont jamais pu s'élever vers le ciel. Elles n'y sont sans doute pour rien, mais toutes se sont transformées en oies idiotes qui cancanent et picorent — jusqu'à ce qu'on les abatte !

Pola cacha son visage entre ses mains. Elle est devenue vieille, me suis-je dit.

Elle pleurait. Entre ses doigts maigres coulait la pâte noire comme suie avec laquelle elle cachait les rides de ses yeux jadis si beaux. Je la pris dans mes bras. J'étais triste. Qu'était devenue la somptueuse Rose ? Pola leva les yeux. Moi aussi, j'avais entendu des pas.

— Cache-toi ! lança-t-elle entre ses dents, prise entre la colère et la peur. Je hais l'émir, me confia-t-elle comme si elle avait honte de cette visite. Mais je suis à ses ordres. Il a le pouvoir...

Elle ne parla pas plus longtemps, elle m'avait poussée dans un réduit déguisé en placard, juste derrière son lit somptueux.

Je me retournai. C'était un cabinet d'habillage dont elle m'avait jusqu'ici caché l'existence. La petite pièce était remplie de caisses et de bahuts pleins de robes précieuses, de tenues séduisantes et de bijoux coûteux. C'est alors que je découvris le gros arbre de transmission. Il passait dans la pièce par un trou dans le plafond et la quittait en traversant une caisse bleue. Le passage était suffisamment large pour qu'un homme s'y faufile. D'où venait cette tige, je l'ignorais — mon Roç l'aurait su tout de suite ! Mais en dessous de nous se trouvait la bibliothèque de maître Herlin, la *qubbat al musawa* : de cela, j'étais tout à fait sûre.

Avant de descendre en me laissant glisser, je voulus entendre ce que Hassan avait à dire. Je m'appuyai donc à la paroi du placard et regardai par une fente dans le bois. L'émir était debout, totalement nu. Je me frottai les yeux, mais cela n'y changea rien. Puis il se mit à quatre pattes, par terre, et rampa devant le lit où Pola était à moitié assise, à moitié couchée, les genoux écartés dans sa direction. Je pouvais imaginer quelle vue elle lui offrait ainsi. L'émir approcha, il tenait un fouet dans la bouche, comme un chien obéissant, et le déposa aux pieds de Pola.

— Tu le sais, maîtresse, je peux faire de toi une souveraine, à mes côtés...

À peine eut-il prononcé ces mots que le premier coup

claquait déjà sur son dos. Pola ne s'était même pas redressée pour le lui donner.

Hassan gémit et reprit :

— Je ne supporte plus l'imam, je veux sa mort !

Il reçut alors un second coup, qu'il accepta avec joie, me sembla-t-il. Pola, elle, paraissait frapper sans plaisir; peut-être avait-elle honte d'agir ainsi en ma présence. Mais Hassan continuait sa confession :

— Je ne suis pas disposé non plus à voir le Veau devenir imam, couronné de la puissance divine. Khur-Shah doit mourir.

Il attendait la punition suivante. Mais Pola changea d'avis et répondit :

— Tu ne veux pas faire de moi une souveraine, mais m'abaisser au rang de complice, d'exécutrice de tes sales combines, de ton coup d'État ! (Et avec une rage subite, elle se mit à fouetter l'émir.) Une fois au pouvoir, tu prendras des *houris* comme concubines. Des *houris* ! des *houris* ! des *houris* ! (À chaque mot, un nouveau coup atteignait le dos de Hassan.) La grosse Laila ? Aziza, la chèvre des montagnes ? À moins..., s'arrêta-t-elle un instant épuisée, ... à moins que tu n'aies des vues sur Kasda, ma chaste sœur...

Cette fois, elle ne frappa pas, l'émir s'était relevé et la dévisageait avec haine.

— Tu ne te trompes pas tant que cela, *al muchtara :* la prêtresse fera sans aucun doute une meilleure souveraine à mon côté.

Hassan se releva, recula et se rhabilla. Pola était restée assise sur son lit, recroquevillée sur elle-même. Dans ce mauvais silence, tout d'un coup, la paroi du placard craqua : je m'y étais sans doute appuyée trop fort.

Je vis le regard de l'émir quitter le visage de Pola et se diriger vers mon œil, à travers la fente. Il prit son lourd poignard d'apparat et se dirigea vers moi. D'un seul bond, je reculai et tentai d'ouvrir la caisse bleue dans laquelle passait l'arbre qui menait certainement en dessous, chez Herlin. Mais elle était fermée à clef. La paroi de bois s'ouvrit, j'attrapai la dague toujours dissimulée dans mes cheveux. L'émir était déjà dans le cagibi, et me riait au visage.

— Quelle charmante épingle à cheveux, princesse Yeza ! dit-il aimablement en tendant la main.

Il avait un regard tellement perçant que mon poing

crispé se défit. Je lui tendis mon arme, sans la moindre
volonté. Il la regarda en détail avant de dire, d'excellente humeur :

— Je vous l'échange !

Et d'un geste habile, il détacha une précieuse dague
de sa ceinture. Il la tira de son fourreau : la lame était
triangulaire, c'était un stylet ciselé, recourbé et élégant.
Puis il fit rentrer la lame mortelle et déclencha un
mécanisme sur le pommeau qui libéra d'un seul coup
une hache affûtée, une arme tout aussi effroyable si l'on
utilisait comme manche le fourreau en acier. Il referma
sa hache, satisfait, et me tendit cet instrument de meurtrier.

— Prenez celle-là en échange !

Ce n'était pas une proposition, c'était un marché
conclu. J'étais sous sa coupe, même si son « cadeau »
me brûlait les mains comme du feu. Je hochai la tête, je
n'eus pas d'autre choix : je tenais pourtant au petit poignard que j'avais tiré de ma chevelure, et qui m'avait
fidèlement accompagné face à d'innombrables dangers.

Hassan quitta la garde-robe sans prendre congé. Un
verrou grinça, une clef tourna dans la serrure. J'étais
prisonnière. Par la fissure, je le vis faire sortir Pola de
sa chambre.

Quel jeu jouait donc ma vieille amie ?

J'utilisai la hache de Hassan pour la première fois :
elle me servit à forcer la caisse où disparaissait le gros
axe qui menait en dessous. Mais lorsque je l'eus
ouverte, je vis que le trou, taillé aux dimensions d'un
homme, avait été muré. L'arbre était trop lisse pour que
j'y grimpe. Mais avec la hache, je pouvais y tailler des
encoches, ou encore réduire en miettes la paroi du placard, si c'était nécessaire. Était-ce précisément l'intention qu'avait eue Hassan ? Autrement, cet échange
n'aurait eu aucun sens. Pas de démarche hâtive, Yeza,
me dis-je, et je commençai à examiner tranquillement
le contenu du cagibi. Les robes précieuses me plaisaient bien. Je décidai de les essayer.

L.S.

Pola et l'émir Hassan se trouvaient à l'extérieur,
sur les créneaux, le seul endroit d'Alamut où l'on
puisse parler sans être écouté.

— J'ai dû me comporter d'une manière si stupide,

chéri, dit Pola en se collant à lui, cela m'a été très pénible, et j'ai voulu...

— Laissons cela, dit sèchement l'émir. Des idées monstrueuses sont venues à l'imam depuis qu'il a vu Roç dans la peau de bête. Désormais, il s'imagine les fesses nues du Veau sous la peau et ne veut plus seulement le punir à coups de fouet, mais aussi l'entreprendre avec son propre gourdin...

— ... ce qui est interdit avec son propre fils...

— ... et ce qui n'a sans doute rien de séduisant non plus, estima l'émir. Mais cela nous donne la possibilité de placer un scorpion mortel sous la couverture de notre imam vénéré. Car si je ne me trompe pas sur Roç, il n'acceptera jamais pareille humiliation. Il nous épargnera donc un meurtre, en agissant en légitime défense avérée.

Pola était choquée.

— Mais ensuite, que deviendra Roç?

— Le juger sera le premier et le dernier acte de gouvernement accompli par Khur-Shah, avant que Yeza ne se venge et n'assassine le Veau, répliqua l'émir.

— Tu es effroyable, Hassan, fit Pola avec un gémissement dans lequel l'émir voulut percevoir une certaine admiration. Et Yeza, que lui arrivera-t-il?

— Elle sera déjà sous notre coupe; je prononcerai le verdict, et tu la gracieras. Ou tu ne la gracieras pas.

Pola resta longtemps silencieuse et regarda vers le bas, depuis les créneaux. Elle, maîtresse de la Rose? Tous ceux qui y travaillaient étaient fanés et vénéneux, serviteurs ou seigneurs, tous étaient voués à disparaître. Il était certainement plus gratifiant de vivre la fin sur le trône, devenue reine, que de pourrir au fond de la « marmite ». Même la pourriture a ses charmes, songea Pola en éclatant d'un rire strident.

— J'ai toujours cru, rappela-t-elle à Hassan d'une voix rauque, que tu voulais accoupler Yeza à Khur-Shah, pour qu'elle devienne la mère du futur imam et que la lignée des ismaélites se perpétue.

— Si tous deux, au lieu de s'assassiner mutuellement, veulent d'abord assurer l'avenir de la dynastie,
cela me semble encore préférable. Le Veau peut être
abattu après une insémination réussie, tu sauveras la
vie de ton amie Yeza — au moins le temps de la grossesse, de l'accouchement et de l'allaitement.
Ensuite...

— Tu as raison, mon chéri, chuchota Pola. Avec
l'enfant-imam, tant qu'il sera mineur, il sera plus
facile de gouverner s'il n'y a pas de mère naturelle
pour nous déranger.

Elle eut un nouveau rire complice et s'éloigna, le
pas léger.

Hassan la suivit du regard, en méditant. Puis ses
yeux se portèrent vers le fin minaret, l'observatoire
d'Alamut. Sous le croissant de la lune d'argent, il
aperçut la silhouette de la prêtresse. Kasda regardait
dans sa direction : elle l'avait sans doute vu avec
Pola. L'émir s'inclina et rentra dans la « marmite »
d'un pas énergique.

Il appela autour de lui quelques *fida'i* qui lui
étaient aveuglément dévoués et leur ordonna d'aller
chercher Roç dans sa prison, en bas, de l'attacher nu
sur la *hamalat at-tariba*, de le recouvrir avec la peau
de bête et de le monter au palais. Mais avant même
que ses hommes n'aient pu exécuter son ordre, la
nouvelle de la punition qui attendait Roç était déjà
parvenue à Zev Ibrahim. Il fit rouler le pilori devant
la grille du cachot.

— Écoute-moi bien, mon prince, expliqua-t-il au
détenu. Cette fois, tes cuisses et tes bras seront retenus par des pinces de fer, et Hassan va vérifier
qu'elles sont bien fixées. Mais si tu appuies avec tes
mains à cet endroit précis, sur les pattes arrière du
pilori, les pinces arrière, celles qui te tiennent les
cuisses, s'ouvriront, et tu pourras courir, ou donner
des coups de pied derrière toi.

Roç vit les deux demi-cercles de fer s'ouvrir d'un
seul coup, et hocha la tête, satisfait.

— Mais si, une fois tes pieds libérés, tu frappes

cette barre transversale située entre les pattes arrière, les étaux qui te retiennent les mains s'ouvriront à leur tour. J'espère que l'émir ne verra pas ce mécanisme et que tu pourras sauver ta peau.

— Tu veux parler de l'intégrité de mon postérieur ! répliqua Roç.

Mais les hommes de Hassan arrivaient déjà dans la cave.

Pola était revenue en toute hâte dans ses appartements. Elle appela Yeza par la paroi verrouillée et lui parla rapidement par la faille.

— Dans le coin, tu trouveras un grand bahut plein de vêtements. Vide-le et monte ! Lorsque tu refermeras le couvercle sur toi, le sol s'ouvrira sous tes pieds et tu pourras ramper dans une galerie qui te mènera à la bibliothèque. Ensuite, tu devras te débrouiller toute seule...

— Et si elle ne s'ouvre pas, répondit Yeza, méfiante, je serai prise au piège et ton Hassan pourra me faire transporter où il lui plaira, sans que je puisse rien y faire. Non, il n'est pas question de m'enfuir !

Pola battit des poings contre la porte du placard.

— Il ne s'agit pas de ta fuite, Yeza ! fit-elle, folle de rage. Roç est en danger ! Tu dois le sauver ! Prends l'arme de Hassan, la *balta ua chanjar*, il faut que tu tombes dans les bras de cet imam dément. Vite, cours au palais !

Elle observait à présent par la fente.

— Cherche-le ! Trouve-le ! Tue-le ! siffla-t-elle entre ses dents.

Lorsqu'elle vit Yeza se diriger vers le bahut, elle respira et quitta sa chambre à coucher.

Le pilori

Hassan avait vérifié tous les liens de Roç, installé sur le « bouc des punitions ». Il lança à Khur-Shah un regard interrogateur. Celui-ci hocha la tête, l'air hébété, et Hassan étala la peau de veau sur le corps musclé accroché sur le ventre. Puis il fit signe aux gardes de faire rouler la victime vers les appartements de l'imam. Ils virent tous deux les pieds nus du garçon, qui paraissaient lutter contre le destin qui l'attendait. Mais les hommes, implacables, poussaient en avant le pilori à roulettes.

Hassan veilla à ce que Khur-Shah se trouve à côté de lui pendant les événements qui allaient suivre, afin de pouvoir témoigner, plus tard, que Hassan n'était pas intervenu. Quoi qu'il advienne désormais, ce serait à la demande et sur l'ordre très précis du souverain.

Yeza avait jeté les luxueuses tenues sur le sol du cabinet : des tuniques de soie, des gilets ourlés de perles et des capes en brocart, les robes d'une future souveraine, songea-t-elle avec colère. Elle frappa contre le fond du bahut vide, recouvert de velours. Cela sonnait creux. Yeza prit alors son courage à deux mains, s'y installa, y rentra la tête et fit s'abattre le couvercle bombé. Elle tomba aussitôt et la chute fut aussi brève que rude. Elle vit effectivement une galerie, qui tenait plutôt du conduit de briques. Yeza s'y faufila. La trappe s'était immédiatement refermée. Elle se rappela alors que, dans sa hâte, elle avait oublié la hache-poignard dans la garde-robe. Devait-elle revenir sur ses pas ? Non ! Il devait être possible de sauver Roç même sans cette meurtrière *balta ua chanjar*.

Un large lit s'étalait au milieu de la chambre à coucher du souverain de tous les ismaélites, l'imam Mohammed III. Quatre colonnes d'albâtre portaient le baldaquin. Le poignard de Yeza se trouvait sur

une *tarabeza* en laiton. Roç l'y aperçut aussitôt et se
demanda avec angoisse comment il y était arrivé.
Yeza avait-elle déjà été victime de ce fou ? Il sentit
monter en lui une rage froide mêlée d'angoisse : il
dut se forcer pour réfléchir de nouveau à sa propre
situation.

L'imam portait une large cape en damassé violet.
Mais il n'avait rien d'autre. Roç avait entendu beaucoup de rumeurs sur les gigantesques parties génitales du souverain, mais lorsque la cape le dévoila, il
ne put s'empêcher de frémir. Ce membre aurait fait
honneur à n'importe quel étalon. L'imam tenait en
outre à la main un bâton qui, au premier regard, ressemblait à un sceptre. Mais à bien y regarder, il
s'agissait d'une longue fourchette dont une dent était
recourbée pour former un crochet. Cela permettrait
à l'imam de tenir sa victime à distance si Roç devait
se montrer aussi agressif que la dernière fois ; il
pourrait la lui planter dans le postérieur, ou le ramener vers lui. Il n'aurait besoin, pour cela, que de fixer
le crochet dans l'une des pattes arrière du pilori, ou
de le plonger directement dans la chair du supplicié.

Le maître de la Rose se posta de telle sorte que le
lit se trouve entre lui et Roç lorsque celui-ci fut
poussé dans la pièce et que l'on verrouilla la porte
derrière lui. Ils s'observèrent un instant. Roç avait
libéré ses bras dès qu'il était entré, ce qu'il dissimula
bien sûr soigneusement. Mais il avait beau appuyer
avec ses mains sur le mécanisme de devant, ses
cuisses tendues restaient captives de ces serres
larges comme des mains.

Il fit avancer son véhicule sans quitter le vieux fou
des yeux. L'imam prenait plaisir à cette partie de
cache-cache entre les piliers du lit, d'autant plus qu'il
avait remarqué que sa victime n'avait plus toute sa
liberté de mouvement. Ce petit derrière dur sous la
peau de bête aiguillonnait ses désirs. Il fit mine de
tenter une attaque sur la gauche, Roç se dirigea de
l'autre côté, mais l'imam avait déjà bondi à droite.
Cette fois, Roç ne pouvait pas filer devant lui, il fit

pivoter la *hamala* et repartit en tournant autour des piliers. Il entendit bientôt le halètement de son poursuivant et sentit une piqûre au postérieur. Il freina des deux pieds. L'imam buta contre lui et cogna violemment son phallus de cheval contre la boucle de fer. Il hurla de rage. Roç en profita pour se retourner de toute sa force sur son axe, si bien qu'il se retrouva de nouveau face à son bourreau. L'imam furieux tenta de le frapper avec son bâton, c'est exactement ce qu'attendait Roç. Il lança la main en avant, attrapa le crochet et le tint fermement. Le maître d'Alamut tirait à l'autre bout : chacun s'efforçait à présent d'arracher à l'autre l'unique arme présente. Roç se rappela alors le poignard de Yeza sur la *tarabeza* : il était désormais à portée de sa main. Mais son regard n'avait pas échappé à l'imam. Celui-ci fut le plus rapide. Il attrapa le poignard, avança et entailla le dos de la main de Roç. Celui-ci ne sentit pas la douleur. Il n'avait plus qu'une idée en tête : l'autre ne pourrait pas tenir longtemps le crochet d'une seule main. Il le tira à lui — c'est alors seulement qu'il vit le sang. D'un coup, il fit voler le poignard hors de la main de l'imam. L'arme atterrit sur le lit. Comme il ne pouvait l'atteindre avec sa main, Roç tenta de le pousser avec le crochet hors de portée de son adversaire. Mais avec une agilité dont il n'aurait pas cru ce gros homme capable, l'imam fit le tour du poteau et sauta de toute sa force sur la hampe, si bien que le bois brisé s'abattit sur la main de Roç. Le jeune homme gémit de douleur, le vieux fou eut un rire gras, posa les deux mains à l'arrière du pilori et le précipita face contre le lit, ce qui ôtait à Roç toute possibilité de fuite. Alors, sans cesser de rire, haletant sous l'effort, tremblant d'excitation, l'imam ôta la peau de bête.

À cet instant, Yeza sortit de la paroi. L'imam la regarda fixement, comme si c'était un spectre.

Yeza vit son cher poignard sur le sol, devant elle, et se pencha pour le ramasser. L'imam abandonna Roç et se dirigea vers elle, menaçant, en passant par le lit. Elle regarda son sexe, qui émergeait de sous le manteau. Elle lui lança son poignard, trop tôt, car la lame n'effleura même pas son cou et alla se planter en tremblant dans les lambris. Le souverain laissa tomber la cape pour la lancer sur Yeza, comme l'oiseleur jette son filet sur sa proie. Avant qu'elle ne puisse se libérer, il donna à la silhouette empêtrée un coup de poing d'une telle force qu'elle s'effondra dans le tissu. Roç s'était rapproché en quelques bonds brefs et désespérés, mais ce fut pour se livrer aux moqueries du vainqueur. L'imam se jeta avec concupiscence, par derrière, entre les cuisses de sa proie sans défense. Roç avait levé les pieds, et le bouc, poussé par la force du violeur, fonça droit sur l'un des piliers. Roç rentra la tête et plaça les mains devant son front. Mais l'imam, couché sur la peau de bête, n'eut pas le temps de se protéger. Lorsque la *hamala* percuta le pilier, son corps massif fonça comme une flèche sur la surface lisse. L'éclatement de l'albâtre et l'explosion de sa calotte crânienne produisirent le même bruit. Et Roç se retrouva sous le corps immobile de son bourreau.

Le garçon, totalement abasourdi, comprit seulement que l'imam était mort lorsqu'il sentit le sang couler sur ses épaules. Il appela timidement Yeza, mais elle ne répondit pas. Il ne pouvait pas se retourner vers elle : le pilori s'était encastré dans le bas du pilier.

La porte s'ouvrit à cet instant précis. Hassan et, derrière lui, Khur-Shah contemplèrent la scène. L'émir s'assura, d'un regard rapide, que le poignard de Yeza ne se trouvait plus à l'endroit où il l'avait placé.

— Roç l'a tué, constata-t-il sèchement en voyant que le jeune garçon vivait encore. C'est à vous, imam Khur-Shah, d'infliger au meurtrier sa juste punition.

Khur-Shah mit du temps à détourner son regard du cadavre de son père. Mais il finit par se reprendre et ordonna aux gardes d'aller chercher une caisse.

— Nous voulons que le corps de notre illustre père

y soit conservé avec l'arme du crime jusqu'à ce que le tribunal se réunisse.

Le Veau venait ainsi de prendre le pouvoir dans le « nid de guêpes ». Khur-Shah prit le favori de son père par la manche et le fit sortir de la salle.

— Nous voulons tous deux, cher émir Hassan Mazandari, que les circonstances du meurtre demeurent telles que nous les avons trouvées, et qu'aucun doute ne pèse sur elles. Chacun doit donc savoir que nous ne sommes pas entrés dans cette pièce.

Sur ces mots, il ferma la porte et recula de deux pas. Hassan le regarda avec inquiétude.

— Mais vous avez bien vu, vous aussi, que c'est le poignard de Yeza qui a provoqué la...

— Pour l'instant, il nous suffit de savoir qu'il est mort, répondit tranquillement Khur-Shah. On trouvera bien le reste, y compris le poignard.

Mais l'émir n'en démordait pas.

— Je ferai arrêter la jeune fille immédiatement, au moins pour complicité, insista-t-il, ahuri par la nonchalance du Veau, qui avait gardé tout son sang-froid et ne criait pas du tout vengeance.

— Nous parlerons nous-même avec Yeza, ordonna le jeune imam. Rendez-vous auprès de la princesse et annoncez-moi.

À sa grande colère, Hassan ne trouva aucun motif pour ne pas exécuter immédiatement cet ordre. Il aurait volontiers jeté un dernier regard sur le cadavre et vu de ses propres yeux le poignard plongé dans la blessure mortelle.

Les gardes apportèrent une caisse.

— Installez dans le cercueil le cadavre tel que vous l'aurez trouvé, ordonna Khur-Shah avant qu'ils n'entrent dans la chambre à coucher. Fermez-le et scellez-le bien. Puis suspendez-le à des cordes, sous le palais, pour que chacun de mes *fida'i* puisse le voir! (Les gardes hochèrent la tête.) Quant à Roç, détachez-le et ramenez-le au cachot!

Khur-Shah se rendit dans la salle d'audience et

s'installa sur le trône désormais inoccupé. Il voulait réfléchir tranquillement à tout ce qui venait d'arriver. Mais Hassan entra et lui annonça que Yeza l'attendait.

— Voici la clef du réduit où elle se trouve, dit-il, tout fier de son exploit, il est situé derrière le lit de la *al muchtara*. Personne ne vous interdit de l'engrosser ! ajouta-t-il familièrement.

Il s'efforçait tant bien que mal de retrouver le ton de supériorité intellectuelle qu'il avait d'habitude avec le jeune homme.

— La fille du Graal serait un choix sans pareil pour mettre au monde l'imam de demain ! plaisanta-t-il avant de conclure d'une voix sévère : Le maintien et la préservation de la lignée des imams de tous les ismaélites est votre premier devoir, et le plus important.

Khur-Shah le dévisagea comme s'il n'avait pas bien entendu. Son regard se voila et se perdit au loin.

— Nous allons célébrer solennellement à la fois nos noces et l'exécution du meurtrier, digne en cela de notre illustre père.

 De la chronique secrète de Yeza.

L'imam est mort ! Si je ne l'avais vu de mes propres yeux se fracasser le crâne, j'aurais pris cette histoire pour un subterfuge cruel. Lorsque j'ai été convaincue qu'il était définitivement inanimé et que Roç, en revanche, était vivant, mon effroi a laissé place à la joie.

J'étais encore comme pétrifiée, et j'entendais les voix de Hassan et de Khur-Shah devant la salle. Alors, derrière moi, la porte secrète s'ouvrit dans la paroi. Le bras de Pola m'attrapa et me tira hors de ce cagibi, derrière les lambris. Elle ne prononça pas un mot, mais sa main désigna, impérieuse, le couloir par lequel j'étais venue.

Abasourdie, je pris le chemin du retour. Je n'arrivais pas à décider si je devais aller voir mon maître dans la bibliothèque et le mettre dans la confidence. Mon crâne bourdonnait encore du coup que m'avait asséné l'imam alors que j'étais prisonnière de sa cape et sans défense. Je revins dans la garde-robe et sortis de la caisse verte.

Il ne fallut pas longtemps avant que j'entende des pas ; quelqu'un s'approchait de la paroi du placard, qui était toujours fermé. Était-ce Hassan qui m'observait à travers la fente, le souffle lourd ? C'était lui, effectivement. Sa voix cassante me parvint à travers le bois :

— L'illustre imam Khur-Shah va vous faire l'honneur d'une visite, tenez-vous prête !

Puis les pas s'éloignèrent de nouveau.

Le Veau ne se fit pas attendre longtemps. J'eus tout juste le temps de me changer : ma robe avait souffert de mon passage par les galeries étroites. Elle était salie et trouée. Je pris la plus simple de celles que je pus trouver parmi les vêtements de Pola, et fourrai les autres dans la caisse verte. Si le Veau est devenu imam, songeai-je, je vais le recevoir comme une princesse de sang. Mais qu'attendait-il de moi ?

À peine avais-je fermé le couvercle que la clef tourna dans le verrou, et je vis Khur-Shah devant moi, souriant. D'un geste galant, il me fit sortir de ma prison et m'offrit une place sur le lit de Pola. Je m'assis sur le rebord, sans vraiment savoir comment je devais me comporter.

— Puis-je m'asseoir à côté de vous, Yeza ? demanda-t-il.

Je me déplaçai un peu sur le côté, pour ne surtout pas laisser s'instaurer la moindre promiscuité.

— Voulez-vous devenir ma femme ? demanda-t-il de but en blanc, mais sans oser me regarder.

— Non ! répondis-je tout aussi franchement.

Il baissa la tête, l'air maussade.

— Roç a tué mon père...

Comptait-il me faire chanter ? Il ne s'en sortirait pas aussi simplement ! C'était tout de même un veau !

— Non, c'était moi, assurai-je d'une voix ferme.

Il paraissait encore plus soucieux qu'auparavant, mais leva tout de même vers moi un regard scrutateur.

— Et avec quoi ?

— Avec mon propre poignard ! répliquai-je insolemment.

Mais je me rappelai à l'instant même que j'avais oublié de le sortir du mur.

Khur-Shah me regarda, incrédule.

— Avec celui-là... ? demanda-t-il en désignant ma dague, qui se trouvait à nos pieds, sur le sol de la garde-robe, bien visible par la porte ouverte.

J'avais perdu la partie. Je dis à voix basse :

— Je me plierai à votre volonté, mais ne tuez pas Roç !

Pour que l'idée stupide d'accepter mon offre immédiatement, sur le lit de Pola, ne lui vienne pas, je me laissai lentement glisser au sol. Si je tombais à ses pieds, je pourrais attraper mon poignard d'une main. Mais le jeune imam se leva et cessa de me regarder.

— Le meurtrier sera mis à mort, dit-il en s'éloignant.

Il paraissait très triste. Je l'aurais embrassé de bonheur : il était sans doute indiscutable que l'imam avait lui-même provoqué sa mort. On pourrait du moins le prouver lors d'un procès en bonne et due forme : Roç ne pouvait avoir commis un meurtre alors qu'il était accroché au pilori et ne portait pas d'arme ! Au pire, on considérerait que tout cela avait été un duel à mort, et que l'imam n'avait pas eu le dessus.

Khur-Shah me quitta, et j'eus le temps de réfléchir à la manière dont le poignard était arrivé ici. Était-ce Hassan qui l'y avait rapporté ? Alors j'avais de quoi m'inquiéter ; car cet homme-là n'agissait jamais sans arrière-pensées. Je repris mon arme et la fis disparaître dans mes cheveux. Qui sait ce qui nous attend encore !

L.S.

De la chronique secrète de Roç Trencavel, Alamut, première décade d'octobre 1255.

J'ai pu observer Zev alors qu'il fabriquait l'instrument de mise à mort. Mon ami n'avait été chargé que de la mise en œuvre artisanale : c'est le jeune imam qui avait imaginé la chaise de fer. Khur-Shah l'a baptisée *quimat at-tafkir*, le « trône de la réflexion », en souvenir de la dernière volonté de son illustre père, volonté qu'il n'avait pu exaucer avant de se défoncer le crâne.

Le trône était composé de quatre poteaux, et le dossier était très haut. Mais les pieds, eux aussi, étaient plus allongés que d'ordinaire, comme si l'on avait voulu surélever son utilisateur pour mieux le vénérer. Ce n'était qu'une impression, rapidement démentie par ce que l'on apercevait sous l'assise du trône, qui se déplaçait librement. Elle était attachée aux poteaux par quatre anneaux, et elle était donc amovible, pouvait-on penser, mais on ne voyait nulle part la moindre attache. Zev l'avait recouverte de velours noir. Lorsqu'il l'ôta

solennellement à mon intention, je vis apparaître un
trou semblable à ceux des *maharid*, mais beaucoup plus
petit. Sous le siège se dressait un pilastre d'or en forme
de phallus. Il était garni de pierres précieuses affûtées
et s'élargissait vers la hampe pour atteindre des proportions indécentes. C'est donc lui qui servait au « blo-
cage » des fesses suspendues dans le vide et que le poids
du corps pousserait forcément vers ce précieux gourdin. J'eus un haut-le-cœur. Il m'était difficile de manifester la moindre reconnaissance à mon ami Zev pour
cet admirable travail. Pour que cette effroyable procédure ne soit pas entravée par une résistance malvenue
des sphincters (car un refus du condamné était toujours possible), on avait installé aux quatre poteaux du
trône des pinces de fer pour les mollets et les bras, qui
devaient assurer une posture droite. Les anneaux de fer
étaient pourvus, à l'intérieur, de pointes d'acier légèrement inclinées vers le haut, comme sur les colliers des
molosses. Si le délinquant tressaillait de douleur, il le
faisait inévitablement en baissant les fesses, ce qui, non
seulement accélérait l'avancée du pal, mais lui causait
aussi de nouvelles déchirures et entailles aux bras et
aux jambes. C'était une machine géniale, dont Zev
aurait dû avoir honte s'il l'avait imaginée. Il n'avait sans
doute pas pu refuser de la fabriquer, mais il était tout
feu tout flamme en accomplissant sa besogne. Il
m'autorisa à m'asseoir pour l'essayer, un sentiment très
désagréable, bien que j'aie posé auparavant une
planche sur ce trou maudit. Au moindre mouvement,
on s'écorchait aux pointes des anneaux de fer. Au bout
de quelques secondes, je saignai comme si j'avais été
piqué par mille aiguilles, alors que les anneaux
n'avaient même pas encore été refermés « à mes
mesures ». Je léchai mon sang, furieux.

— Zev, comment peux-tu faire un travail pareil en
toute bonne conscience ?

Il me dévisagea, étonné :

— Il faut bien que quelqu'un le fasse. J'aurais honte
si je ne l'accomplissais pas avec soin.

— C'est la morale des bourreaux, des instruments du
mal. Pour ce genre de cas, le christianisme a prévu
l'issue glorieuse du martyre.

— Je ne suis pas un chrétien, et encore moins un *per-
fectus* cathare, Roç, répondit-il, nerveux. Je suis juif,
tout au plus un israélite acclimaté ! Tu peux avouer le

meurtre, monter sur le « trône de la réflexion » et
témoigner, en expiant, de la pureté de ta foi !

— Mais je ne suis pas un meurtrier ! Il n'y a pas de
meurtrier !

Je me revis dans la chambre à coucher de l'imam, et
le vieux fou allongé sur moi, le crâne en mille morceaux. Pola surgit tout d'un coup devant moi, armée de
la *balta ua chanjar* de Hassan. C'est elle qui plante la
hache dans le front de l'imam. Puis elle prend l'imam
par les cheveux ensanglantés, lève sa tête et le regarde,
haineuse, droit dans les yeux inanimés. Sans trembler,
sa main lui plonge le stylet acéré juste sous le menton,
pour que la pointe ressorte du cou par le haut. Caché
sous ma peau de bête, je peux en déduire que le manche
de l'arme, celui qui dissimule la hache, est planté
jusqu'à la garde dans la gorge du vieux fou. Lentement,
presque avec componction, elle laisse retomber la tête
et la lame. Le sang de l'imam me dégouline sur la tête et
la nuque, mais Pola fait comme si je n'étais pas là. *Al
muchtara* arrache du mur le poignard de Yeza et disparaît. Immédiatement après, des gardes entrent dans la
salle et placent l'imam et « l'arme du crime » dans le
cercueil qu'ils ont apporté, le scellent et l'évacuent.
Lorsque on me libère, peu après, de ma position
inconfortable sur le pilori mobile, uniquement pour me
reconduire dans mon cachot, je vois le cercueil suspendu à des cordes, sous le « nid de guêpes », visible de
tous, inaccessible à quiconque voudrait encore
s'occuper de son corps...

Il s'agissait certainement de faire peser les soupçons
sur l'émir et de le forcer à apporter la preuve de son
innocence. À moins qu'il n'ait eu un alibi imparable, ou
ait pu prouver qui était en possession de l'arme au
moment du « meurtre ». Tel que je le connaissais, il
avait certainement prévu quelque chose. Zev me détacha : on venait de lui annoncer la visite de Khur-Shah,
qui souhaitait inspecter son ouvrage.

L.S.

Un empalement interrompu

Depuis que Khur-Shah était entré dans son rôle de nouvel imam, il s'entourait d'une garde personnelle de jeunes *fida'i* qu'il avait recrutés aux environs d'Alamut, de solides fils de mineurs et de jeunes bergers. Il n'avait aucune confiance en Hassan Mazandari et savait que celui-ci avait dans la Rose ses propres hommes qui, le cas échéant, obéiraient aux ordres de l'émir. La fin qu'avait connue son père lui avait servi de leçon. Et même si l'imam Mohammed III avait mis, involontairement, un terme à son existence, il était néanmoins tombé dans un piège.

Khur-Shah, entouré de ses gardiens, entra dans le royaume souterrain de l'ingénieur. Il se chargea personnellement de pousser la chaise roulante de Zev pour pouvoir parler avec lui sans que nul l'entende.

— Je veux organiser une répétition avant la fête imminente...

— Vous voulez parler de votre union avec la mère du futur imam, et de l'exécution de celui qui a causé la mort de votre vénérable père ? s'assura Zev en désignant l'installation dont on lui avait passé commande, le « trône de la réflexion ».

— Je veux parler, corrigea Khur-Shah, de l'exécution du coupable et de la procréation de mon descendant au cours d'une cérémonie publique !

— Et à qui reviendra cet honneur ? demanda Zev, curieux.

Khur-Shah posa le doigt sur ses lèvres, en souriant.

— Ce sera une surprise, répondit-il. Pour la répétition, il me suffit d'avoir Hassan sur le trône et Pola sur le pilori nuptial.

Il remarqua le visage ahuri de « Zev sur roues » et ajouta en riant :

— La *hamalat at-tariba* se prête remarquablement à mes désirs. La dame de mon choix y sera accrochée sur le dos. Son sexe, qui me sera ainsi offert, restera anonyme grâce à la peau de veau qui recouvrira le reste de son corps, du moins jusqu'au moment où l'acte de procréation sera solennellement accompli. Pendant ce temps-là, pour exciter mes sens, le meurtrier s'enfoncera le pal dans le corps. On verra ce qui prend le plus de temps avant d'arriver à la glorieuse conclusion. Faites porter les deux engins dans mon palais !

— *Maut oua haia jadida !* s'exclama Zev, enthousiasmé. Mais il eut quelques scrupules : *Al muchtara* sera certainement disposée à accomplir votre demande pour répéter la cérémonie, éminent imam, mais je ne vois pas comment vous comptez inciter l'émir à s'asseoir sur le trône.

— S'il s'y refuse, ce sera une mutinerie et je le...

Il s'arrêta : au loin, tout en haut de la « marmite », il avait entendu résonner le grand gong ; son tintement sourd fit trembler la Rose à trois reprises. Ce signal n'annonçait pas forcément une attaque, mais au moins l'apparition d'ennemis.

Khur-Shah se rendit tout en haut, sur les créneaux, pour se faire lui-même une idée. Une troupe de guetteurs mongols s'était effectivement hasardée dans la haute vallée. Khur-Shah estima qu'il ne s'agissait même pas d'une demi-section. Ce qui était incompréhensible, c'est qu'ils avançaient sans crainte vers la Rose et entouraient les douves sur leurs petits chevaux rapides.

Pétri d'admiration, Kito leva les yeux vers cette forteresse qui surgissait des eaux. Il n'avait encore jamais rien vu de tel : des parois en poutres de chêne couvertes de plaques de fer protégeaient le socle comme autant de pétales de fleurs ; derrière des créneaux découpés comme une gerbe s'élevaient des palmiers, des arbres fruitiers et un minaret d'une hauteur infinie. Il portait une plate-forme qui paraissait voler entre les nuages bas. Et au-dessus de tout cela étincelait une lune d'argent en lente rotation. En voyant cette tour, Kito pensa à un mince bras de femme sortant d'un calice pour offrir, sur sa paume ouverte, un trésor à un dieu invisible.

En réalité, Kito, avec sa petite troupe, avait juste voulu vérifier si Roç et Yeza s'étaient effectivement réfugiés dans la Rose. Le père d'Omar, à Iskenderun, le lui avait déjà confirmé lorsque Kito lui avait rapporté le bracelet de son fils et lui avait raconté la mort courageuse qu'il avait connue en défendant sa femme contre les Arméniens. Mais Kito n'avait pu résister à l'envie d'aller observer de près la célèbre Rose, et ils avaient chevauché jusqu'à ses fossés. Ils ne devinaient pas le danger qui les menaçait.

Au premier coup de gong, Hassan avait rassemblé ses hommes autour de lui, et avait rapidement constaté qu'il n'y avait pas de piège : sur les montagnes avoisinantes, aucun message n'annonçait qu'une troupe de Mongols plus puissante se fût dissimulée en vue d'une attaque. « Il ne s'agit donc que de cette cinquantaine d'égarés », songea-t-il, étonné. S'ils étaient venus en ambassadeurs, ils l'auraient fait savoir, en brandissant des drapeaux et surtout en se comportant plus dignement. Ceux-là galopaient comme des enfants autour de la Rose, ils riaient, ils s'amusaient ! Cette attitude agaçait l'émir. Il ne s'agissait sans doute pas d'espions non plus, ceux-là se comportent avec plus de discrétion — *Allah oua'alam !* Que voulaient-ils donc ?

Après les récents événements, l'émir tenait à montrer au nouvel imam, plus encore qu'aux Mongols, qui commandait dans la Rose.

Il répartit ses hommes sur trois portes de sortie et les fit monter en selle. Ses archers et arbalétriers se chargèrent d'abattre d'un seul coup la moitié des cavaliers mongols, tandis que les deux ponts latéraux s'abattaient au-dessus des douves et que deux compagnies à cheval franchissaient dans un bruit de tonnerre les plaques d'acier soutenues par des poutres de chêne.

Kito appela auprès de lui, en hurlant d'une voix de fausset, le reste des cavaliers. Sur son ordre, ils foncèrent, non pas vers l'arrière, pour échapper à cette prise en tenailles, mais tout droit, en quinconce, vers l'aile gauche.

Les hommes de Hassan ne s'attendaient nullement à pareille attaque, d'autant plus que Kito, accompagné d'une poignée de fidèles, chargeait dans le même temps l'autre troupe sortie de la Rose. Mais ce n'était qu'une feinte : il s'arrêta dans sa course et constata avec satisfaction que ses hommes, de l'autre côté, avaient réussi à passer. Il ne tenait pas du tout à payer sa bêtise par un sacrifice, et il ne voulait surtout pas livrer à leur sort ceux de ses hommes qui avaient été atteints par la pluie de flèches. De toute façon, ils étaient encerclés. Toute tentative pour se défendre aurait signifié une mort certaine. S'ils se laissaient capturer, ils n'avaient guère qu'une petite chance de survie, à en croire les rumeurs qui couraient sur la cruauté de l'imam. Kito songea aux mains et aux pieds coupés, dans la montagne : leurs os lavés par la pluie et blanchis par le soleil étaient encore sur place et désignaient le chemin d'Alamut.

Alors, de tout en haut, un troisième pont-levis s'abattit. Et du portail d'apparat de la Rose, que l'on voyait désormais, l'émir Hassan Mazandari sortit et se rendit sur le champ de bataille pour recevoir l'épée du chef mongol. Kito et tous les survivants furent introduits dans la forteresse et jetés au sous-sol, dans les cachots.

De la chronique secrète de Yeza.

Début novembre, le cadavre de l'imam a commencé à dégager une puanteur épouvantable. La caisse était toujours suspendue aux cordes attachées au palais ; son odeur empestait la Rose jusque dans la tour et le « Paradis ». C'est sans doute la raison pour laquelle Khur-Shah ne voulut pas attendre plus longtemps. On disait certes qu'il s'agirait, dans un premier temps, d'une simple répétition, mais Pola, ma geôlière, me mit en garde :

— Fais attention, il est sérieux !

De toute façon, je ne savais pas ce qui se passait.

J'ignorais aussi si je devais être tranquillisée ou inquiète en voyant que Roç, tout comme moi, était transporté vers le nid de guêpes dans une sorte de boîte grillagée. C'était la première fois que je le voyais depuis la mort de l'imam, et nous n'avions plus discuté l'un avec l'autre depuis notre retour à Alamut.

— Quelle pièce joue-t-on ici, ô mon chevalier Trencavel ? fis-je en le saluant joyeusement.

Il ne devait surtout pas croire que je me rongeais de chagrin ou d'inquiétude pour lui.

Roç regarda comme un singe à travers le grillage, me fit des grimaces et me cria :

— Une double tragédie, ma chère Esclarmonde du Mont Sion : des noces et une exécution en un seul acte !

Nous ne pûmes discuter plus longtemps : on avait séparé nos cages pour les faire monter au palais.

La salle d'audience était ornée pour la fête, les lustres massifs brillaient d'innombrables lampes à huile, et beaucoup de dignitaires étaient rassemblés. Je vis de dignes *Da'i D-Du'at* aux longues barbes blanches et des *Da'i L-Kabir*, c'est-à-dire des responsables de haut rang au sein de l'ordre des ismaélites. Ils devaient être venus de loin ; tous étaient accompagnés de leurs *rafiq* barbus, leurs élèves-maîtres initiés. Manifestement, les *fida'i* ordinaires, qui n'avaient pas encore subi l'initiation, n'étaient pas admis. Parmi les anciens, on trouvait aussi beaucoup d'érudits et de médecins jouissant d'une grande réputation. C'est ce que se racontaient les gardes, en chuchotant respectueusement, lorsqu'ils nous portèrent dans la salle et nous installèrent sur le côté de la galerie sans nous faire sortir de nos cages. Cette position élevée était cependant une manière de reconnaître notre titre royal... Nous nous trouvions au même niveau que le jeune imam, le Veau Khur-Shah, flanqué de Hassan Mazandari, de Zev Ibrahim, toujours sur son fauteuil roulant, et du vieil Herlin, entouré par ses gardes du corps. J'observai attentivement le bibliothécaire. Il ne me paraissait pas si fou que cela : il était vêtu d'habits de fête, comme tous les autres dignitaires et prêtres, et regardait la scène en toute quiétude. Les musiciens se mirent alors à jouer, et des danseuses choisies dans les rangs des *houris* firent la ronde. Aziza était l'une d'elles. Elle avait toujours la même démarche de chevrette. Pola, qui avait supervisé ce divertissement, ne se montra pas.

Khur-Shah salua toutes les personnes présentes par leur nom entier et la totalité de leurs titres; à mon grand étonnement, il nous salua nous aussi. « Le couple royal en caisse! » annonçai-je en moi-même, et je ne pus m'empêcher de glousser.

— Je ne célébrerai mon accession au trône, annonça-t-il ensuite, qu'au moment où mon illustre père sera vengé et où son âme sera montée auprès d'Allah. C'est la raison pour laquelle je veux prononcer mon verdict dès aujourd'hui.

Il se racla la gorge et laissa l'assistance exprimer en murmurant son approbation.

— Les temps sont incertains. Comme vous le savez tous, la menace croît. C'est la raison pour laquelle je veux me plier aux recommandations de mes conseillers et veiller sans délai à assurer la pérennité de la lignée des imams. Je vais procréer un fils aujourd'hui même.

Tous se mirent à applaudir. Je me sentis très mal. Pourquoi me gardait-on en cage? Ça n'était tout de même pas pour que le Veau me monte devant tous ces gens et sous les yeux de Roç?

Mais je ne pus y réfléchir plus longtemps : on venait d'apporter une chaise en fer qui semblait réserver de mauvaises surprises. Le Veau dit fièrement :

— Voici le *quimat at-tafkir*, le « trône de la réflexion ». Je le dédie à la mémoire de mon illustre père.

Les applaudissements crépitèrent de nouveau. Khur-Shah y mit un terme en levant les deux mains.

— Nous avons fait un prisonnier, un chef de section envoyé par le grand khan des Mongols. À cette occasion, je souhaite qu'il soit témoin de ce qui se passe ici. Je vous prie de l'accueillir en l'applaudissant.

On fit alors entrer Kito enchaîné — ma terreur fut telle que je crus sentir mon cœur s'arrêter. Il fut salué par une véritable ovation. Il lui fallut se rendre au trône, mais on ne l'y installa pas. À partir de l'assise et jusqu'en bas, la chaise était couverte d'un drap noir. Elle me rappelait cet instrument de torture avec lequel on plonge les gens dans l'eau jusqu'à ce qu'ils se noient.

Kito, en vrai Mongol, ne montra pas le moindre signe de peur. Je me dis en frissonnant que le jeune imam allait à présent annoncer qui serait l'épouse, et je cherchai anxieusement Pola des yeux. En fait, on apporta solennellement la caisse contenant la dépouille de l'imam, précédée par un nuage de puanteur. Je vis avec un étrange plaisir que même quelques-uns des plus hauts dignitaires ismaélites se bouchaient discrètement le nez. Le cercueil fut déposé au milieu de la salle, devant le trône surélevé du maître de la Rose.

— J'ai fait enfermer le cadavre dans cette caisse, tel qu'il a été trouvé, avec l'arme du crime. Les gardes peuvent en témoigner, expliqua Khur-Shah. Il s'agissait pour moi de ne pas agir dans la confusion des sentiments, mais de laisser passer, avant de me venger, le temps dont nous avons tous besoin pour avoir les idées claires.

C'était désormais ce parfum d'enfer qui nous obscurcissait l'esprit. Mais les *Da'i* hochèrent la tête.

— À présent, brisons les sceaux et, de ce que nous voyons, déduisons ensemble ce qui s'est passé et qui l'arme utilisée désigne comme coupable.

Il en fut ainsi. On ôta le couvercle. Les effluves vénéneux de la décomposition nous entourèrent et nous donnèrent un haut-le-cœur, mais le Veau était implacable. D'un geste impérieux, il ordonna à quelques-uns des anciens, sans doute des médecins, de s'approcher de la caisse. Pour se protéger, ils posèrent un pan de leur habit devant leur bouche et leur nez avant de jeter un regard à l'intérieur.

— Meurtre, lâcha le premier.

— Par coups et blessures, ajouta le deuxième.

— Front fracassé, cou percé, constata le troisième. L'instrument des deux actes ayant provoqué la mort se trouve encore dans la blessure !

Et, du bout des doigts, il alla extraire l'arme. C'était la *balta ua chanjar* de Hassan, la hache-poignard. L'émir était devenu livide.

— Et à qui appartient cette arme ? demanda le premier des médecins, ce qui lui donna un prétexte pour s'éloigner de la caisse.

— À Hassan Mazandari ! s'exclama alors d'une voix forte le vieil Herlin. Je la connais ! ajouta-t-il, l'air buté.

— Emparez-vous de l'émir ! ordonna Khur-Shah aux gardes, qui bondirent aussitôt et l'enchaînèrent.

Tout avait été admirablement préparé, mais l'émir fit face à son accusateur.

— Vous pourriez tout aussi bien être le meurtrier, Khur-Shah ! (Il s'adressa aux anciens.) Le fils du vieil imam se trouvait en ma compagnie au moment du meurtre !

Il y eut une rumeur parmi les *Da'i*, mais Khur-Shah l'arrêta aussitôt :

— L'émir se trompe. À ce moment-là, je me trouvais dans la bibliothèque. Maître Herlin peut en témoigner. C'est la raison pour laquelle il m'a, hélas, été impossible de venir au secours de mon père. En revanche, les gardes ont vu l'émir à la porte de la chambre où s'est déroulé le meurtre. Et lorsqu'ils sont entrés, ils ont trouvé l'imam nageant dans son sang. Cette arme effroyable était plantée dans son cou. C'est aussi avec elle que l'on a fracassé le crâne de l'imam.

Il s'arrêta pour laisser son accusation dramatique produire son effet, puis changea de ton. Il se donna l'air désespéré et déçu : la pose du souverain solitaire.

— N'y a-t-il personne ici qui puisse témoigner à la décharge de l'émir ?

Tous se turent, moi comme les autres : toute gêne à la démonstration de Khur-Shah aurait pu faire entrer Roç dans ce jeu mortel. Hassan avait voulu la mort de l'imam. Il aurait froidement transformé Roç, ou peut-être moi-même, ou bien les deux, en meurtriers. Il était juste qu'il paie à présent pour ses actes.

— Devons-nous considérer Hassan Mazandari comme convaincu du meurtre ? Mérite-t-il la mort ?

— *Nam Makhoum aleihi bil maut.* Oui, il mérite la mort, murmura l'assemblée des juges.

Hassan fut mené au *quimat at-tafkir*, et on l'y installa. Ses bras et ses mollets furent placés dans les anneaux de fer qui le maintenaient droit sur la chaise, à demi suspendu.

— Nous pouvons à présent passer à la procréation du futur imam ! s'exclama le Veau, plein d'entrain, à l'adresse des anciens dont l'attention paraissait entièrement captivée par Hassan, sur sa chaise de fer.

Le maître des lieux claqua des mains et l'on fit entrer le pilori en forme de bouc. Une fois de plus, un corps humain s'y trouvait, couvert par la peau de veau. Quelle *houri* se cachait sous le cuir ? Était-ce Pola elle-même qui tentait, par ce dernier moyen, de prendre le pouvoir sur la Rose ?

On revêtit Khur-Shah d'une somptueuse cape blanche dont la capuche dissimulait aussi sa tête bovine. Il avança ainsi vers le pilori, déboutonna ses chausses, elles aussi heureusement cachées par la cape et se pencha au-dessus du corps destiné à donner la vie. Je respirai. À cet instant, au rythme virulent d'une musique interprétée à la flûte et soutenue par des tambours et des clochettes, les gardes marchèrent jusqu'au « trône de la réflexion », tirèrent d'un seul geste le drap noir placé sous les fesses de l'émir et le lui jetèrent sur la tête, ce qui dissimula son visage. Sous l'assise était apparue une statue en or où brillaient des pierres précieuses incrustées. Elle me rappelait un membre masculin érigé, aux dimensions obscènes. Je songeai en frissonnant aux parties génitales de l'imam assassiné, et je sus que c'était son pénis que l'on avait représenté.

Le corps de Hassan se raidit. On sentait une volonté de fer, celle de ne pas céder à son destin. Les flûtes, devenues stridentes, furent rejointes par des chalumeaux jouant très haut, les timbales battaient le rythme sur lequel Khur-Shah, le Veau, engrossait celle qui se trouvait sous la peau. On ne distinguait pas la moindre trace de plaisir, et *a fortiori* de passion dans ses mouvements. J'aurais tant aimé savoir qui était « l'heureuse élue ».

Hassan était à présent suspendu sur le siège de fer. Du sang lui dégoulinait sur les bras, mais il ne bougeait ni le corps, ni la tête sous le tissu noir. Il tenait fermement ses jambes dans les anneaux inférieurs, du sang lui coulait aussi sur les chevilles. On ne voyait plus le gland du pénis en or. L'orchestre accéléra le rythme, les tons devinrent plus rauques et plus agressifs, les chalumeaux criaient, les tambours frappaient en staccato et les timbales se déchaînaient, de plus en plus rapides. Hassan commença alors à céder : « Grâce ! » hurla-t-il en se cabrant, ce qui enfonça plus profondément le pal. « *Bismi Allah ar-rahman !* » gémit-il, mais sa voix était couverte par le son des trompettes.

Tandis que l'émir criait et geignait pour implorer pitié, la silhouette en cape blanche poussait de plus en plus vite, elle se courba, se cabra à son tour et finit par tomber sur la peau de veau, en l'entourant des deux bras. Alors, d'un seul coup, les instruments s'arrêtèrent, seul un son de grelots accompagna encore les derniers tressaillements. Puis le silence se fit, et tous les yeux se tournèrent vers Hassan, qui ne faisait plus que gémir doucement.

D'un seul coup, en bas, au fond de la « marmite »,

comme venu d'un autre monde, le grand gong de la
Rose résonna de nouveau; mais cette fois, les notes lan-
cinantes d'un marteau de fer se mêlaient, à intervalles
réguliers, au son sourd de l'instrument : boum ! une,
deux, une, deux, boum ! Des voix montèrent vers nous,
confuses et effrayées. Herlin, toujours clairvoyant, les
entendit et cria dans la salle d'audience :

— Les Mongols ! Les Mongols arrivent !

Je dois avouer que cette annonce m'inspira une
secrète joie. Je n'aspirais plus à rien d'autre qu'à l'arrivée des Mongols. Ils devaient nettoyer ce lieu de terreur !

Le Veau se redressa. Personne ne se soucia de la
femme sous la peau de bête. Khur-Shah avança vers
Hassan, lui arracha sa capuche noire de la tête et jeta
un regard sur le corps recroquevillé.

— Tes geignardises m'ont donné des ailes, dit-il, et
elles t'ont sauvé la vie ! Si tu t'étais comporté en héros,
tu aurais crevé ! Mais désormais, tu es un pleutre
reconnu, et tu ne représentes plus aucun danger pour
moi.

Il fit signe aux gardes de libérer l'émir.

Zev arriva sur son fauteuil et ordonna qu'un homme
glisse son épée à plat sous le postérieur de Hassan et le
pousse jusqu'à ce qu'il ait été soulevé du pal en or.

— Vous avez encore besoin de moi, éminent imam,
dit Hassan d'une voix oppressée, mais je...

Sur ses mots, il perdit connaissance et tomba dans
les bras des gardiens.

— Exact, admit Khur-Shah.

Mais l'émir ne l'entendait plus Alors, les regards de
toutes les personnes présentes se tournèrent enfin vers
la silhouette féminine installée sur le pilori. Pola
s'approcha, et sur un signe de Khur-Shah, elle retira la
peau : c'était Kasda ! Livide, les yeux fermés, son tendre
front aux veines bleues couvert de sueur, c'était bien la
prêtresse sacrée qui était couchée là.

— Kasda pour engendrer le futur imam : voilà ce
qu'il fallait faire ! chuchotai-je, soulagée, à Roç.

Je ne pouvais pas le voir dans sa cage, et il ne répondit pas. C'est un peu plus tard, seulement, que j'entendis de nouveau sa voix :

— Je n'aurais jamais cru que Hassan demanderait
grâce aussi vite, et en geignant !

Il y avait une nuance de mépris dans sa voix. Je

compris alors que le seul but poursuivi par le Veau avait été d'humilier l'émir, et non de le tuer. Entre-temps, on avait appris que les coups de gong n'avaient été qu'une fausse alerte. Kito fut renvoyé dans son cachot. Mais on nous libéra de nos cages, Roç et moi-même.

— Le couple royal revient s'installer auprès de nous, au palais..., annonça Khur-Shah au moment précis où Hassan rouvrait les yeux... Palais dont l'accès est désor-mais interdit à l'émir Hassan Mazandari, sous peine du châtiment qu'il connaît déjà. En revanche, nous le nom-mons, avec effet immédiat et tous les pouvoirs atte-nants, *hami al ouard*, défenseur de la Rose.

Le jeune imam prit place sur le trône de son père et laissa les *Da'i* présents défiler pour lui faire allégeance et le féliciter d'avoir engendré son descendant. Pola fit rouler hors de la salle la *hamalat at-tariba* où sa sœur était toujours accrochée. Les yeux baissés, Hassan se faufila par une autre porte.

L.S.

Le calme avant la tempête

L'homme ouvrit les yeux. Des nuages blancs filaient sur un fond bleuâtre et glissaient au-dessus de la lune ronde. Un charmant filet de fumée ondoyait devant le disque clair. Tout autour, c'était la nuit noire, sans étoiles. Un défunt ne voit-il plus le ciel que par une lorgnette ? Il était mort, cela ne fai-sait aucun doute. Dieu le voyait-il ? Ou bien l'avait-il oublié, n'avait-il prêté aucune attention à sa fin ?

L'homme se tenait sur le dos, immobile. Il tenta de tourner la tête vers la lumière. Une douleur infernale lui perça la poitrine, comme si l'on y avait enfoncé des aiguilles, et lui parcourut les bras, les épaules et le dos. Il se rappela alors les flèches, les enfants au bord du torrent, la chute entre les rochers. Il avait donc survécu. C'est ce que semblaient aussi prouver les visages arrondis des femmes mongoles qui s'étaient penchées au-dessus de lui, curieuses, avant de repartir en caquetant.

Lorsque Créan émergea une deuxième fois de son inconscience, le général Kitbogha se trouvait dans la yourte, près de son lit. Il l'entendit commenter :

— Pour un prêtre, vous êtes taillé dans un bois très coriace, monseigneur Gosset.

Le Mongol souleva la couverture et contempla les blessures que Créan ne pouvait voir, mais qu'il ressentait encore comme autant de brûlures.

— Lorsque mon fils Kito vous a porté ici, nous avons seulement songé à l'enterrement chrétien que vous aviez mérité, dit le général avec un rire désemparé. Personne n'aurait cru que vous alliez nous priver de cette fête !

— Où suis-je ? fit Créan dans un souffle.

L'effort qu'il avait fait pour parler avait déplacé les pointes dentelées, qui le piquèrent à nouveau comme les coups de poignard des meurtriers.

— Vous avez lutté pendant deux mois avec la mort, ici, avec l'avant-garde de notre armée, qui a entre-temps franchi l'Oxus, la frontière occidentale de l'empire.

— Quand ? demanda Créan à voix basse, trop épuisé pour avoir peur. Quand cela s'est-il passé ?

— En janvier de l'an 1256, valeureux monseigneur Gosset, répondit le général. L'ordre a été donné par le grand khan. Les maîtres de l'Occident se sont refusés à lui faire allégeance. Or c'était la condition pour obtenir une aide militaire. C'est donc à lui que revenait l'initiative, et il a été forcé de les attaquer.

— Les Mongols marchent contre le « Reste du Monde » ? chuchota Créan, incrédule.

Il aurait tant aimé pouvoir espérer que la Rose serait épargnée. Mais le général dissipa ses illusions, d'une voix tout à fait tranquille :

— Mais non. L'Occident est éloigné, et le monde de l'Islam est de toute façon plus proche de nous.

— Votre cible a pour nom Alamut ? demanda Créan, accablé.

Le général hocha la tête, satisfait, et Créan referma les yeux. Il était plus qu'épuisé.

— L'Occident peut attendre.

Le grand khan Möngke, qui venait de prononcer ces mots, demandait que l'on comprenne sa décision.

— Les rares chrétiens qui vivent dans notre empire sont fidèlement dévoués à l'État mongol. En revanche, les musulmans y sont en si grand nombre (des peuples entiers !) qu'il serait irréfléchi de ne pas placer Bagdad, leur centre spirituel, sous notre contrôle.

— Ça n'est tout de même pas la raison pour laquelle tu as lâché Hulagu, qui temporisait, alors que tu ne me lâches pas la bride, à moi, ton frère préféré et successeur désigné ?

— La soumission des royaumes islamiques et de leurs chefs spirituels est une obligation plus impérieuse que l'entreprise délicate consistant à s'emparer de l'Occident, lui expliqua Möngke. Il faut aussi pour y parvenir plus de sensibilité que nous ne voulons en attribuer à notre frère le Il-Khan.

Mais ces mots n'avaient pas suffi, loin s'en fallait, à calmer la mauvaise humeur d'Ariqboga. Möngke ajouta donc en souriant :

— Le jour où je ne serai plus là, au plus tard, et où tu auras pris les rênes, tu seras libre de pacifier le « Reste du Monde ».

— Tu oublies ce qu'a prophétisé le chaman des Gengis, à l'époque, avant que le *Kuriltay* ne t'élise khagan parce que tu avais promis...

— J'ai toujours à l'esprit la signification des paroles du sage Arslan. Nul besoin d'être visionnaire pour comprendre qu'aucune dent ni aucun joyau ne doit manquer sur la Couronne du Monde...

— La Couronne du Monde ! s'exclama Ariqboga, railleur. Je vois un géant, le Maître du Monde. Il est couché et agonise parce qu'il a sous-estimé le David de l'Occident, qui lui a tiré entre les yeux la pierre qui lui manquait. La plaie suppure, l'infection gagne

736 La Couronne du Monde

le corps du géant, il se corrompt et finit par se décomposer !

— C'est peut-être vrai pour nos ennemis, répliqua Möngke. Mais le peuple des Mongols déborde de santé et de soif d'agir. Toi, en revanche, Ariqboga, tu n'es pas encore assez mûr pour le mener, ni même pour diriger une partie de ses armées, surtout pas dans les marécages trompeurs de l'Occident, dans ses forêts ténébreuses, sur les eaux de ses mers et de ses fleuves qui mènent toutes au grand Océan...

— ... dont tu as peur...

La veine de colère de Möngke se mit à gonfler, et Ariqboga comprit qu'il avait été trop loin.

— Je préfère ne rien avoir entendu, répondit le grand khan d'une voix rauque. Maintenant, laisse-moi et ne me donne pas d'autre prétexte de douter de ton obéissance, puisque tu manques tant de clair-voyance.

Ariqboga avait ainsi échoué dans sa dernière tentative pour participer à la campagne contre l'Ouest. Hulagu, en revanche, reçut les pleins pouvoirs et l'on plaça sous ses ordres un cinquième des hommes de chaque khanat en état de combattre. Même la Horde d'Or n'échappa pas à cette levée en masse. Batou-Khan détacha trois de ses neveux, qui durent remonter la rive occidentale de la mer Caspienne pour se rassembler avec leur armée devant le premier objectif de leur attaque.

La Rose d'Alamut, fier symbole du mouvement religieux ismaélite et quartier général de son bras armé, l'ordre des Assassins, avait toujours été comme une épine dans le pied de Hulagu — bien avant que le dernier imam ait envoyé ses quatorze meurtriers contre le grand khan. Hulagu ne pouvait pas se permettre de garder dans son dos ce repaire aux mille scorpions s'il voulait prendre la Perse. Il chargea le général Kitbogha d'assurer une avancée sans friction, d'enfumer les insectes et de les faire sortir de leur trou. Le Il-Khan lui confia comme rabatteur son chambellan, Dschuveni, ce sunnite orthodoxe qui pouvait certainement nourrir à l'égard des partisans chi'ites de cette hérésie une haine plus profonde et plus tenace que Kitbogha, un chrétien nestorien.

Pour Ata el-Mulk Dschuveni, l'heure du triomphe était venue. Des années durant, il avait œuvré pour que vienne ce jour, et son rêve s'accomplissait à présent : il allait marcher sur Alamut à la tête de cette puissante armée. Il commencerait par arracher à la Rose les pointes vénéneuses qu'elle opposait à la juste foi, et les écraserait dans la poussière. Puis il mettrait le feu à ce marécage de l'hérésie jusqu'à ce que la cendre des ismaélites recouvre le sol. Nul ne devait l'en empêcher, même ce bienveillant guerrier, ce courageux général qui — il ne cessait de le répéter — ne connaissait pas la haine, mais uniquement des adversaires et son devoir.

Avant de partir pour le campement militaire, Dschuveni évoqua la situation avec le Bulgai, le grand juge de l'empire et chef des Services secrets, au sein desquels Hulagu occupait lui aussi un rang élevé.

— Prendre d'assaut Alamut pose un problème, lui dit le Bulgai. Le couple royal est dans la forteresse. Les survivants de l'expédition lancée par Kito ont rejoint l'armée centrale et ont confirmé la rumeur. Ils ont aussi rapporté au général une nouvelle accablante : son fils est prisonnier à l'intérieur de la Rose.

Dschuveni ne se montra guère disposé à en tenir compte :

— Ni l'un ni l'autre ne peuvent ni ne doivent me retenir de punir par le feu et par l'épée les...

— Ou bien vous n'avez toujours pas appris au sein des Services secrets que les fanfaronnades et les gesticulations ne font pas partie de notre artisanat, fit le chauve en lui coupant la parole, ou bien vous vous considérez comme un chef de guerre compétent. Or, et à la différence du général Kitbogha, vous ne l'êtes pas.

Le chambellan était offusqué.

— J'ai reçu une mission claire de mon maître, le Il-Khan Hulagu, dit-il sans contenir sa colère. Et je l'accomplirai ! Il m'est indifférent de savoir si...

— Rien n'est indifférent, et surtout rien n'est aujourd'hui comme hier. Dans votre fièvre, mon cher, un fait vous a échappé : notre avant-garde a capturé et garde en otage un Assassin de haut rang. Kito l'a trouvé et l'a sauvé avant d'être lui-même fait prisonnier par les Assassins. Créan de Bourivan, notre monseigneur Gosset, était hérissé de flèches comme un porc-épic. Certaines l'avaient littéralement transpercé : il s'était sacrifié pour permettre aux enfants royaux d'échapper aux Arméniens. Cela a incité Kito à le recueillir et à le soigner.

— Et en quoi pensez-vous que cela me concerne, grand Bulgai ?

— Croyez-vous sérieusement, mon cher Dschuveni, que le général lancera ne serait-ce qu'une seule pierre sur la Rose tant que Roç et Yeza y séjourneront contre leur gré ? Il sacrifierait peut-être son fils. Mais jamais le couple royal !

— Nous devons donc les en faire sortir, de gré ou de force !

— Par la ruse, mon cher, par la ruse. Grâce à Créan.

— Ah ! s'exclama le chambellan. Vous nous dépassez tous, éminent Bulgai.

À peine arrivé au camp militaire du général, Dschuveni fut le premier à convoquer les meilleurs chirurgiens arabes pour qu'ils raccommodent cet ismaélite détesté et l'aident à se rétablir peu à peu. Rien ne permettait de dire s'il maintenait Créan en vie pour son bien ou pour sa perte. Lorsque l'armée se déplaçait, c'est en civière que l'on transportait l'Assassin, toujours très affaibli par ses blessures internes et des plaies qui avaient du mal à cicatriser.

L'avant-garde de dix fois mille hommes dirigée par le commandant suprême, le général Kitbogha en personne, arriva ainsi dans le massif montagneux d'Iskenderun. Le chambellan, qui se contenta d'abord d'agir discrètement, jouant en quelque sorte le rôle de commissaire politique, connaissait bien le chemin. Le général fit arrêter l'armée devant le puits. Pris de panique, les habitants s'étaient enfuis dans les montagnes : ils ne se rappelaient que trop bien la petite escorte mongole de l'ambassadeur el-Din Tusi. Seul le père d'Omar était resté. Il reconnut Dschuveni, qui le salua avec une amabilité perfide : jusqu'alors, les Mongols n'avaient encore rencontré aucun chef local. Et il y avait beaucoup de choses que le chambellan aurait voulu connaître sur Alamut avant que l'armée n'arrive devant la forteresse. Il savait que l'on avait déjà annoncé à la Rose l'arrivée des Mongols à Iskenderun.

— Il y a quatre ans, vous avez fait mon bonheur avec un admirable *jibn tasa*, fit Dschuveni pour flatter le berger, mais le visage de celui-ci s'assombrit.

— À l'époque, mon fils Omar jouissait encore de sa jeune vie. Vous l'avez banni avec son épouse, une fille de votre peuple, et tous deux ont trouvé la mort dans leur exil.

— D'où tiens-tu cela ? demanda Kitbogha qui les avait rejoints.

— Le jeune chef de l'époque, répondit l'homme, est venu me voir il y a peu de temps et m'a apporté ce bracelet qui appartenait à mon Omar. Je ne l'ai pas abattu, bien qu'il ait jadis souillé ma fille, Aziza.

— Je suis le père de Kito, dit le vieux général. Tu t'es montré magnanime, mais cela n'a pas beaucoup servi à mon fils. Il est prisonnier à Alamut !

— La Rose se comporte comme une plante carnivore, dit le père d'Omar. Elle dévore quiconque l'approche de trop près. Moi, elle m'a pris mes deux enfants.

— Alors, ce *jibn tasa* ? répéta Dschuveni sans la moindre gêne, tant l'envie d'un fromage de chèvre frais lui faisait venir l'eau à la bouche.

— Ma femme est morte de chagrin et j'ai vendu les chèvres, répondit le père d'Omar en s'en allant.

— Ne le laissez pas filer! demanda Dschuveni à Kitbogha. Il doit nous dire d'où la Rose tient sa force.

— Certainement pas du *jibn tasa*! répondit, narquois, le vieux général. Je parlerai avec cet homme dès qu'il aura digéré votre compassion! Et maintenant, laissez-moi discuter en tête-à-tête avec monseigneur Créan, pour lui éviter l'impression qu'il subit un interrogatoire ou qu'il est victime d'un chantage.

— Comme il vous plaira, répliqua le chambellan, du moment que vous ne lui promettez pas la liberté...

Le général alla rejoindre la civière que l'on avait déposée devant le puits pour que Créan puisse laver ses plaies, toujours suintantes. Il avait encore maigri, et son visage livide paraissait abattu. Il souffrait.

— Vous supportez mal les secousses du voyage, monseigneur Gosset, dit Kitbogha avec tact. Que pouvons-nous faire pour atténuer vos souffrances?

— Les douleurs sont supportables, répondit Créan à voix basse. Ce qui me torture, c'est le destin incertain de ceux que l'on garde dans la Rose contre leur volonté.

Le vieux général aida personnellement Créan au moment où on le recoucha sur la civière.

— J'ai entendu dire, dit-il avec assurance, que l'ancien imam est mort et que le nouveau ne refuserait pas un pacte d'amitié avec les Mongols...

— Les partisans de l'hérésie restent une bande de meurtriers! laissa échapper Dschuveni, qui, au grand agacement de Kitbogha, n'avait pas quitté le général d'une semelle.

— C'est exact, confirma Créan. Khur-Shah a souffert de l'inimitié invétérée de son père à l'égard du grand khan, il cherchera certainement la voie de la paix...

— Alors qu'il se rende! lâcha le chambellan. Qu'il livre immédiatement le couple royal et votre fils Kito...

— N'en demandez pas trop à la fois, marmonna Créan d'une voix sourde. Le vieil imam était animé par une haine abyssale contre les Mongols...

— Un dément ! glapit Dschuveni.

— Plutôt un faible d'esprit, répondit sèchement le général.

— Mais son fils Khur-Shah, reprit Créan, conclurait volontiers la paix avec le grand khan, et lui ferait allégeance. Roç et Yeza militeront eux aussi en faveur d'une solution pacifique. Ma tâche sera de savoir si l'influence du couple royal suffira pour que la Rose se soumette sans épanchement de sang inutile.

— Vos protégés Roç et Yeza ne sont certainement pas les conseillers qu'écoute cette bande de tueurs ! lança le chambellan d'une voix railleuse. Ils sont tous les deux, dans le meilleur des cas, des prisonniers, des otages destinés à éviter à la Rose la punition qu'elle mérite !

— Si les colombes ne s'imposent pas, admit Créan, soucieux, la Rose se battra jusqu'au dernier homme.

— Eh bien, qu'elle se batte ! s'exclama Dschuveni, triomphant.

Mais le général l'empoigna d'une main de fer et l'éloigna de la civière :

— On pourrait croire, Ata el-Mulk Dschuveni, que vous n'êtes pas le chambellan, mais le général ! Je partage les inquiétudes de monseigneur Gosset !

— Cessez donc de lui coller ce pseudonyme chrétien ! Il s'agit de Créan de Bourivan, un envoyé de haut rang de la dangereuse société secrète du Prieuré, accrédité auprès de la secte meurtrière des Assassins !

— Lui et moi avons pourtant le même problème, rétorqua Kitbogha. Nous devons aller chercher les otages dans la Rose avant d'assiéger et de faire expier les occupants.

— Comme vous le savez, le diable a emporté le mauvais génie des Assassins. Le vieil imam est mort !

chuchota le chambellan en regardant à la ronde, inquiet, comme s'il n'était pas convaincu de ce qu'il venait de dire. Qu'est-ce qui empêche le jeune souverain de demander la paix ? fulmina-t-il.

— Je suis disposé à le recevoir ! dit le vieux Kitbogha. Je saluerais cette démarche.

— Vous êtes le général, répliqua Dschuveni d'une voix tranchante. Votre rôle est d'attaquer. Pour les questions politiques, je suis seul compétent.

— Notre maître à tous, l'éminent grand khan, a exprimé sans la moindre équivoque sa volonté de voir le couple royal partir avec nous en direction de l'Ouest, et d'y partir en vie. Je ne vois aucune autre possibilité que d'envoyer monseigneur Gosset dans la forteresse pour y présenter le souhait du grand khan. J'aimerais savoir si vous vous y opposerez.

— Pour que messire de Bourivan ne revienne jamais auprès de nous, répliqua le chambellan, mais se place à la tête des défenseurs dès qu'il sera guéri ?

— Je ne m'y placerai pas, je me coucherai à leur tête, objecta Créan en souriant. Ma vie approche de toute façon de sa fin sur cette terre. Peu m'importe où la mort me fauchera. Mais je veux sauver Roç, Yeza, et la vie de Kito qui a prolongé la mienne.

— Je donne l'ordre, dit le général aux Mongols qui l'entouraient, de conduire monseigneur Gosset à Alamut. Allez chercher ce berger, le père d'Omar, pour qu'il vous montre le chemin de la Rose, en passant par les montagnes.

6. LA CHUTE D'ALAMUT

Frénésie désespérée et léthargie de plomb

C'était comme une alternance de vagues de chaleur et d'accès de sueurs froides. On s'efforçait fébrilement, face au danger imminent, de placer la Rose en état de défense ; mais cette frénésie n'empêchait pas la nonchalance, l'attentisme et l'inactivité. Le jeune imam, avec une tranquillité irritante, fumait son narguilé. Le pavot et le cannabis l'enlevaient dans d'heureux rêves ensommeillés où la Rose se dressait toujours victorieusement hors de l'eau, au-dessus de ses ennemis. L'émir Hassan épanchait son agressivité en infligeant des inspections-surprises à ses hommes, lorsqu'il ne montait pas au « Paradis » pour s'abattre sur les *houris* comme une bête sauvage. Tous savaient, même s'ils ne l'avaient pas encore vu, que l'ennemi guettait dans les montagnes avec une armée gigantesque ; et ce n'était que l'avant-garde des forces mongoles qui affluaient de toutes parts vers Alamut. Chaque jour, de sombres messages arrivaient des autres forteresses des Assassins : lorsqu'elles ne s'étaient pas rendues tout de suite, elles avaient été submergées, étouffées, étranglées par les masses monstrueuses d'hommes, d'animaux et d'engins de guerre qui se déversaient dans les vallées. Les miroirs étaient de moins en moins nombreux à briller au sommet des montagnes lointaines, et les derniers à émettre encore ne parlaient plus que de détresse et de mort.

Il régnait dans la « marmite » une chaleur torride et accablante qui faisait de chaque geste un effort pénible. On vérifia les cordes des lourdes catapultes. Il fallut empiler des projectiles, en si grand nombre que certains *fida'i* durent céder leur cellule pour les entreposer. On amassait aussi les amphores de terre cuite contenant la masse collante du « feu grégeois » qui s'allumait de lui-même lorsque le récipient s'ouvrait et éclatait.

On trouvait Zev Ibrahim partout où il fallait tendre les muscles de la machinerie. Le sol de la « marmite » n'était plus qu'une grande forge incandescente. On fondait des boulets, on découpait des poutres, on taillait des milliers de pointes de flèches. Aux ponts-levis blindés qui formaient les « pétales » de la Rose, on rajouta d'autres plaques de fer armées de pointes : le principal, désormais, était qu'ils résistent aux attaques. Compte tenu de la supériorité numérique de la cavalerie mongole, une sortie courageuse à cheval était inconcevable.

Chaque coin libre se transforma en cellier à provisions : on ne pouvait pas s'attendre à ce que l'ennemi se retire après le premier assaut infructueux. Pour conserver les vivres et assurer les renforts, le commandant de la forteresse se fiait aux galeries souterraines. Afin d'éviter des problèmes d'approvisionnement, il avait interdit tout accueil de réfugiés. Hassan avait même envisagé de faire évacuer le « Paradis » et de renvoyer les *houris* chez elles, ce qui l'aurait privé de la satisfaction de ses désirs. Mais Pola avait alors rappelé que les jeunes femmes soignaient les guerriers blessés et pouvaient restaurer l'ardeur au combat des combattants fatigués. Elle fit semer des graines de céréales dans les jardins et planter des fruits à croissance rapide.

Sa sœur Kasda s'était retirée dans l'observatoire aux premiers signes annonçant sa grossesse. Elle y utilisait sa connaissance de la médecine et des herbes cicatrisantes pour former les *houris* à leur rôle d'infirmières. Pour le reste, Hassan et son ingénieur faisaient confiance à l'eau qui bouillonnait en abondance dans les profondeurs et à l'effet terrifiant du *damm al ard* qui flottait sur l'eau avant de s'enflammer. À lui, les Mongols n'avaient rien à opposer. Et s'ils y parvenaient quand même? Hassan se disait que la pire des solutions ne serait peut-être pas de sacrifier la Rose et de ne sauver que sa propre personne et l'imam nouveau-né. Ou bien devait-il s'enfuir immédiatement en emmenant Kasda enceinte, et abandonner la Rose à son destin? L'émir n'était pas un héros. Mais c'est en tant que tel qu'il comptait se présenter un jour avec le nouvel imam devant le peuple d'Ismaël. Il rejeta donc l'idée de la fuite, de toute façon, la jeune femme enceinte l'aurait embarrassé. Après l'humiliation que lui avait infligée Khur-Shah, on aurait pris cela pour de la lâcheté. Il ne trouverait plus un chien, et surtout plus un ismaélite, pour partager son pain avec lui. S'il voulait pouvoir espérer assumer le rôle de chef charismatique sur tous les ismaélites, il devait se présenter comme le défenseur héroïque de la Rose, celui qui se serait battu jusqu'à la dernière goutte de sang — le sien mis à part, bien entendu! Le « sauveur de l'imam »! Pareil haut fait lui apporterait le pouvoir dont il rêvait, même si ce n'était, nominalement, qu'une régence exercée sur le petit imam. Mais il aurait le pouvoir entre les mains. Hassan savait bien qu'un bain dans le sang des Mongols le laverait de l'injure que lui avait fait subir Khur-Shah. Oh, comme il le haïssait, ce Veau!

Lorsqu'on annonça à Hassan qu'une petite troupe descendait la montagne depuis Iskenderun, il ordonna de surveiller l'issue de la vallée, mais de ne surtout pas tenter de sortie : il pouvait s'agir d'un piège. Créan fut ainsi porté dans sa civière jusqu'au lieu où les corbeilles d'approvisionnement franchissaient les douves, suspendues à des cordes. Per-

sonne, dans la forteresse, ne parut s'en soucier.
Lorsque l'escorte mongole se fut retirée et qu'il resta
juste quelques bergers auprès de la civière, Hassan
donna l'autorisation de la faire remonter. Il avait
reconnu Créan d'en haut, et le voir apparaître en
invalide fragile lui inspirait une certaine méfiance.
Le converti était trop coriace, et les projets qu'il préparait n'avaient certainement rien à voir avec le destin d'Alamut : tous ses actes étaient dictés par son
engagement maniaque en faveur du couple royal, de
Roç et Yeza.

Hassan se rendit près de la poulie où arrivaient les
corbeilles. Créan s'était, à grand-peine, levé de sa
civière. L'émir le regarda ; il eut du mal à s'habituer à
la pâleur et à la faiblesse évidente de l'homme qui lui
faisait face.

— Il y a cinq ans, la Rose vous a envoyé en mission
et vous a doté de moyens considérables pour que
vous convainquiez l'Occident de nous aider à préserver la fleur de notre ordre. Vous voilà revenu en mendiant, chargé par les Mongols dans un panier
d'immondices. En mendiant ou en espion...

Créan ouvrit alors sa chemise sur sa poitrine et
montra à Hassan et à tous ceux qui l'entouraient ses
effroyables blessures.

— Vous laisseriez-vous torturer de la sorte, Hassan ? Dans le seul but de ne pas trahir la Rose ?
demanda-t-il tranquillement.

Ce retournement ne plut pas à l'émir.

— Qu'avez-vous à raconter à notre imam, l'illustre
Rukn ed-Din Khur-Shah ? glapit-il à l'intention de
Créan. Où sont les armées de nos amis chrétiens ? Je
n'ai entendu parler que d'une bande de Mongols qui
infeste les montagnes autour d'Iskenderun. Et pourquoi Dschuveni vous a-t-il fait grâce de la vie ?

— C'est pour expliquer cela que je veux être
confronté à l'imam, répondit Créan d'une voix ferme.
À moins qu'il n'y ait plus d'imam ? À moins que vous,
Hassan Mazandari, ayez enfin pris le pouvoir dans la
Rose, quitte à la mener à sa perte ?

— Prenez garde à ce que vous dites, Créan de Bourivan, ou je ferai si bien arranger votre misérable corps que vous gémirez pour retrouver les tortures des Mongols !

Il fit un pas en arrière comme s'il allait en donner l'ordre, mais il changea finalement de tactique.

— Admettez-le donc : vous vous moquez bien de savoir si les adeptes d'Ismaël survivront ou disparaîtront. Vous n'avez jamais été que l'envoyé de cette puissance qui prétend pouvoir remettre la Couronne du Monde ! Vous êtes venu pour éloigner Roç et Yeza de la Rose, afin que les hordes du grand khan puissent se déchaîner contre elle d'autant plus librement ! Mais ils s'y briseront le crâne, ils s'y brûleront les doigts ! Leur sang infect dévalera le cours des torrents et le fera savoir à tous : la Rose vit, et elle est éternelle !

— Si vous en êtes tellement sûr, Hassan, répliqua Créan qui avait retrouvé son esprit sarcastique, pourquoi vous accrochez-vous à ce point au couple royal, qu'avez-vous donc besoin de l'aide d'infidèles ? Si les choses étaient telles que vous les décrivez en termes tellement imagés, vous n'auriez rien à craindre des Mongols...

— Qu'offre le général Kitbogha contre le départ de Roç et Yeza, et la libération de son fils Kito ? demanda Hassan en changeant de ton. Est-il prêt à lever le siège immédiatement et sans réserve, est-il disposé à signer cet engagement... ?

— Ne posez pas de conditions ! dit Créan en lui coupant brutalement la parole. La situation de la Rose ne permet plus cette attitude. Ce sont les Mongols qui ont le dessus...

— Eh bien, qu'ils attendent jusqu'à ce qu'ils se dessèchent ! répliqua Hassan. Quant à vous, Créan, vous avez besoin de soins urgents, qui vous seront administrés par vos filles.

Créan n'apprécia pas d'entendre Hassan prononcer ces paroles, mais c'est sans doute lui qui commandait, même s'il ajouta avec un sourire :

— Quant au destin de la Rose, c'est l'imam qui en décidera, comme il décide de notre destin à tous.

Créan fut forcé de se recoucher sur sa civière. Il s'y endormit aussitôt, épuisé.

Hassan se rendit secrètement auprès de Kasda, qui connaissait les remèdes de Mercure, les poisons et contrepoisons. Il demanda à la prêtresse un somnifère suffisamment puissant pour plonger un homme dans la léthargie, un remède indispensable « en raison des douleurs effroyables que lui causent ses graves blessures ».

Kasda ne posa pas de question, ne l'interrogea ni sur le nom du malade, ni sur la nature de ses plaies : en temps de guerre, la demande de Hassan n'avait rien d'extraordinaire.

— L'*afium*, dit-elle en souriant, dépose le voile de l'oubli sur toute chose.

Elle prépara aussitôt son breuvage. L'émir en prit un échantillon et la chargea de faire descendre désormais chaque jour la dose nécessaire à sa sœur Pola. Il savait que les deux sœurs ne se parlaient pas. Puis il en fit boire à Créan et, lorsqu'il fut déjà somnolent, le fit porter à Pola qu'il chargea de soigner son père :

— Kasda vous enverra chaque jour une dose fraîche de son remède, dit Hassan, qui semblait très désireux d'aider le blessé. Nous pouvons avoir confiance dans ses connaissances médicales.

Il attendit encore un peu pour vérifier l'effet de la drogue. Créan n'avait même pas reconnu sa fille. Il ne prononça pas deux paroles sensées à la file et s'endormit chaque fois qu'il tentait de parler, malgré tous les efforts de Pola. Hassan se frotta discrètement les mains.

Chronique de Guillaume de Rubrouck,
Saint-Siméon, à la Saint-Cornélius 1256.

Mes supérieurs m'ont reçu de manière assez dis-
gracieuse. Ce n'était pas qu'ils aient eu vent de
l'ascension et de la chute du patriarche de Karakorom : ils n'en savaient rien et ignoraient que mon
frère Laurent d'Orta occupait désormais cette haute
fonction, qui était donc sous le contrôle du Prieuré.
Je me gardai bien de raconter quoi que ce soit sur cet
épisode. Non, ils étaient fâchés que je sois resté aussi
longtemps absent et que je n'aie pas de résultats
concrets à présenter — que je ne sois pas revenu, par
exemple, avec l'autorisation, pour l'ordre de Saint-
François, d'étendre sa mission jusqu'à la lointaine
Mongolie. Je ne pus leur faire comprendre non plus
que le grand khan ne tenait pas à voir se propager
une foi qui ne le reconnaissait pas comme chef, une
religion soumise au pape. Que s'il tolérait certes le
christianisme et lui réservait même un traitement de
faveur parce que les épouses des khans étaient nestoriennes, il ne manifestait en revanche aucune espèce
de compréhension pour les prétentions hégémo-
niques de l'*Ecclesia romana*.

Mon commanditaire, le roi Louis, était revenu
depuis longtemps en France. Je demandai à aller lui
présenter personnellement mon rapport. Mais mes
supérieurs accueillirent ma requête avec autant de
bienveillance que Batou-Khan lorsque j'avais voulu
lui faire découvrir le Sauveur. Le vieux souverain,
fondateur de la Horde d'Or, est du reste mort il y a
peu de temps, et son fils et successeur Sartaq a un
penchant affiché pour l'islam. Le bréviaire richement
enluminé à l'or, celui dont la reine Marguerite
m'avait fait cadeau et qu'il m'a dérobé, n'aura donc
servi à rien.

La rumeur dit aussi qu'une gigantesque armée
mongole s'est mise en marche depuis Karakorom
pour conquérir la Perse et les régions occidentales
qui s'y rattachent. Une avant-garde placée sous les

ordres du général Kitbogha serait déjà sortie de
Samarcande et se dirigerait vers Alamut, le quartier
général des ismaélites.

Je pensais à Roç et à Yeza, mes petits rois, dont je
n'avais plus eu aucune nouvelle depuis plus d'un an,
ce qui corroborait mes soupçons : ils se trouvaient
vraisemblablement dans la forteresse des Assassins.
Savaient-ils à quels périls ils s'exposaient ?

À l'insu du provincial de mon ordre, Gosset et moi-
même allâmes demander une audience au prince,
par l'intermédiaire du Pénicrate, toujours disposé à
nous aider. Le capitaine de la trirème ne s'était pas
laissé ravir l'honneur de nous accompagner du port
de Saint-Siméon jusqu'en haut, dans la ville d'Antioche. Il avait ses entrées chez le jeune prince Bohémond. On nous conduisit à la partie arrière du palais,
en nous faisant passer devant la caserne de la garde
et sous une allée de platanes. « Bo » nous reçut dans
le parc. Il avait à présent vingt ans : une éternité (huit
années !) s'était écoulée depuis qu'il avait voulu épouser Yeza. Il s'est entre-temps marié avec Sibylle
d'Arménie, la fille du roi Hethoum.

Il me salua comme un vieil ami et se renseigna sur
le sort des deux jeunes rois. Je ne pus malheureusement que lui faire part de mes soupçons : Roç et Yeza
se trouvaient selon moi dans la forteresse des Assassins. Bohémond se montra atterré.

— Mais ils ne doivent en aucun cas y rester plus
longtemps ! Mon beau-père vient de revenir à Sis et
nous a fait savoir que le grand khan Möngke a autorisé le Il-Khan Hulagu à raser Alamut et à faire passer chaque Assassin trouvé dans la Rose par le fil de
l'épée. Aucune pierre ne doit rester au-dessus de
l'autre, aucun oiseau ne doit encore pouvoir chanter
sous le ciel là où la Rose a jadis fleuri.

— N'est-il pas concevable, fis-je en m'agrippant au
dernier fétu d'espoir, que la Horde d'Or (laquelle est
désormais sous les ordres de Sartaq, et donc favorable à l'islam) vienne à l'aide de ses frères de foi ou
empêche au moins les Mongols de détruire la Rose,

d'anéantir sa splendeur et ses trésors? La riche
bibliothèque...

— Combien de temps avez-vous séjourné chez les
Mongols, frère Guillaume? fit le jeune prince avec un
sourire supérieur. Vous devriez savoir que l'esprit des
livres, le savoir et la sagesse sont aussi étrangers aux
Mongols que les bonnes manières à table. Les seuls à
leur inspirer le respect sont leurs *ada* et leurs *onggods*. Quant au souverain du khanat de Qiptchak,
Sartaq, il est d'abord mongol, et ensuite seulement
musulman.

— La Rose est donc condamnée? conclus-je d'une
petite voix.

— Les Assassins se sont condamnés eux-mêmes,
me répondit froidement Bo. Ils ont assassiné Dschagetai, tout comme le comte Raymond de Tripoli, l'un
de mes ancêtres. On ne peut rien faire pour eux! Le
dernier imam a envoyé officiellement quatorze de ses
sbires pour assassiner Möngke. Et son fils, Rukn ed-
Din Khur-Shah, paraît trop faible ou trop indécis
pour éviter ce malheur au dernier moment en se sou-
mettant sans condition.

— Une aide du côté de l'islam...

Bohémond me toisa, une lueur moqueuse dans les
yeux.

— De l'aide pour cette secte haïe de meurtriers,
d'hérétiques et de fanatiques? De Bagdad au Caire,
tous se réjouiront si l'on élimine cette vermine, si l'on
fait périr cette couvée de scorpions dans les
flammes! Les partisans orthodoxes du Prophète
seront en liesse!

— Mais qui arrêtera ensuite l'avancée des Mongols? Alamut n'est que la première pierre, ils
s'apprêtent à l'écarter de leur chemin comme un obstacle gênant. Ensuite, Bagdad...

— Je ne leur opposerai certainement pas de résistance stupide: je leur ouvrirai le chemin de l'Arménie. Antioche est situé trop loin au nord pour pouvoir
espérer l'aide du royaume. Damas et Alep devront
trouver eux-mêmes les moyens de s'en sortir. Les
seuls à résister seront les mamelouks du Caire.

— Vous voyez vraiment l'avenir sous un jour aussi sombre, mon prince ? répondis-je d'un ton enjoué. Mais je n'avais pas la moindre consolation à lui offrir.

— Aucune armée ne viendra de l'Occident, reprit Bo. Les puissants sont divisés comme ils ne l'ont encore jamais été. À Saint-Jean-d'Acre, la guerre civile fait rage entre les deux ordres de chevalerie et les trois républiques maritimes. Antioche se soumettra aux Mongols. De toute façon, nous sommes chrétiens et nous n'avons à long terme aucune faveur à attendre des mamelouks. Je prie pour une victoire du grand khan et je demande sa paix, la *pax mongolica*. C'est mon unique espoir !

Cette discussion me consterna. Je revins dans nos quartiers avec mes compagnons. C'est le Pénicrate qui s'était chargé de nous trouver un logement, car il aurait fallu passer sur le corps, si j'ose dire, de mes supérieurs pour que je puisse vivre sous le même toit (que dis-je ? sous la même couverture !) que la femme Xenia. Elle m'a suivi à Antioche avec la petite Amál, espérant sans doute que j'y pourrais y mener une vie paisible en sa compagnie, puisqu'elle possède une petite maison dans la ville. Je n'y tenais pas spécialement, mais je ne voulais pas non plus revenir au monastère, d'autant plus qu'on y attend la fin de mon rapport au roi Louis, afin qu'il soit porté en France non pas par mon humble personne, mais par le père Gosset.

Au cours des premières journées de septembre, à mon grand effroi puis pour mon plus grand bonheur, nous vîmes surgir à Antioche frère Bartholomée, le Triton. Notre capitaine, perspicace, l'avait cueilli au port de Saint-Siméon à l'instant même où le Pénicrate s'apprêtait à embarquer dans la trirème pour rejoindre Constantinople, et l'avait amené jusque dans nos quartiers avant que les supérieurs des frères mineurs aient remarqué sa présence. Comme on pouvait s'y attendre, Bartholomée a repris son service auprès du pape Alexandre. L'Église tenait beau-

coup, m'a-t-il fait savoir, à ce que le rapport destiné
au roi Louis soit animé par l'espoir d'une bonne
entente des Mongols avec l'Église. Bartholomée,
quant à lui, estimait glorieusement qu'il pouvait me
dicter une version revue ! Mis à part le fait que je
trouvais extrêmement amusante l'idée qu'un homme
n'ayant pas fait le voyage et n'ayant jamais vu des
Mongols qu'un chapeau de feutre usé (je le lui avais
offert « en souvenir » à mon retour à Constantinople)
ait pu s'imaginer un *Itinerarium* « amélioré », l'idée
de me blesser les doigts en jouant le rôle de scribe
m'était profondément désagréable. Je répondis
donc :

— C'est une idée admirable, que seule a pu t'insuf-
fler notre Sainte Vierge. Demain matin, nous nous
rendrons ensemble à la maison de l'ordre et nous
nous attellerons à cet ouvrage qui répondra aux vœux
du pape et du roi.

La nuit même, Xenia et moi-même prîmes nos
cliques et nos claques. Je ne pouvais plus me débarrasser d'elle, et la petite Amál devait elle aussi partir
avec nous. Je serrai Gosset dans mes bras. Il
m'enviait : il ne se plaisait pas autant à Antioche, loin
s'en fallait, qu'à la Corne d'Or. Avec l'aide du Pénicrate, nous quittâmes secrètement la ville et descendîmes au port de Saint-Siméon.

L.S.

À peine l'été fini, au moment où les bergers faisaient redescendre leurs animaux vers la vallée, une
rumeur courut à Alamut : les Mongols organiseraient
un *ta'adid ash-shab* parmi les ismaélites des environs
proches et lointains. Quelques jours plus tard, les
Assassins retranchés dans la Rose découvrirent un
tableau inhabituel. Protégés par des palissades à hauteur d'homme spécialement installées pour l'occasion, on poussa en longues files d'abord des centaines, puis des milliers d'Assassins venus des
montagnes, et on les fit passer dans les enclos où le
recensement devait avoir lieu. Ils ne pouvaient pas
voir le spectacle auquel assistaient, tout en haut, les

défenseurs de la forteresse. Lorsque les hommes arrivaient au bout de ce gigantesque labyrinthe, on leur
coupait la tête sans autre forme de procès. Et ce sont
les crânes que l'on décomptait ensuite. Hassan, blanc
de rage, était resté un certain temps, comme fasciné,
à assister à ce massacre avant d'en informer l'imam.
Mais celui-ci, en l'apprenant, répéta seulement les
quelques mots qu'il avait à la bouche depuis plusieurs jours :

— Nous devrions négocier avec les Mongols.

L'émir n'avait pas dissimulé à Khur-Shah l'arrivée
de Créan. En revanche, il lui avait fait savoir qu'il n'y
avait aucune possibilité de s'entretenir avec lui. Hassan affirma qu'il avait été impossible de lui faire
savoir que Khur-Shah occupait désormais le trône de
l'imam. Et Créan n'avait même pas reconnu la chair
de sa chair !

— Tenez-nous informé, avait marmonné l'imam. Il
faudrait qu'il négocie en notre nom.

Depuis son accession au trône, Khur-Shah s'était
enfermé et prétendait réfléchir, lorsqu'il ne jouait pas
aux échecs avec Roç, ou lorsque Yeza ne lui lisait pas
à voix haute les livres des philosophes grecs. Elle lui
lut ainsi des passages de la *Bibliotheka* de Photios, les
écrits d'Algazel *Pour animer la théologie*, mais surtout
l'œuvre d'Averroès, cet aristotélicien qui niait
l'immortalité de l'âme au profit d'une raison universelle.

Sans le moindre égard pour les montagnards, de
toute façon condamnés à mort, Hassan ordonna que
l'on incendie avec des catapultes l'installation meurtrière mise en place par les Mongols. Ceux-ci se retirèrent alors avec leurs prisonniers.

En revanche, le sage el-Din Tusi arriva dans la
Rose. Il était investi d'une mission de négociateur.
Kitbogha l'avait fait venir de Megara, sachant qu'il
avait déjà mené pour le compte des Assassins une
délégation auprès du grand khan.

Hassan le reçut sur l'ordre de l'imam, en grinçant
des dents mais avec la courtoisie distinguée qui

seyait à un savant de son rang. El-Din Tusi insista cependant pour être conduit devant l'imam. Il ne se perdit pas en longs préliminaires : son respect pour Khur-Shah était relativement limité.

— Si vous voulez préserver de l'élimination complète le peuple qui est sous votre garde, envoyez immédiatement le couple royal au campement des Mongols, auprès du général Kitbogha et non du chambellan Dschuveni, qui a autant de haine pour les enfants que pour vous-même. Roç et Yeza sont en mesure d'apaiser les Mongols. Vous ne trouverez pas de meilleurs avocats !

Pour briser l'apathie de l'imam et l'hostilité manifeste de l'émir, il ajouta :

— D'autant plus que Créan de Bourivan a déjà violé le serment fait aux Mongols et n'est pas, à ce jour, revenu avec l'offre de paix que l'on attendait.

Khur-Shah lança à Hassan un regard sévère ; celui-ci haussa les épaules. L'imam répondit :

— Les Mongols l'ont mis dans un tel état qu'il lutte encore aujourd'hui contre la mort. À ce jour, aucun mot concernant une offre de paix n'est sorti de ses lèvres, mais je vais m'occuper personnellement de lui.

Hassan regarda en l'air, comme s'il n'était pas concerné.

Puis Khur-Shah fit appeler Roç et Yeza auprès de lui et leur demanda s'ils étaient disposés à se rendre auprès des Mongols avec le sage el-Din Tusi pour sauver la Rose et tous ses habitants, à négocier avec eux les conditions éventuelles d'une reddition et d'une soumission, et à s'assurer que l'on garantirait l'intégrité physique des Assassins.

Roç allait spontanément accepter cette offre. Mais Yeza lui pinça le bras et dit d'une voix grave :

— Le couple royal se retire pour délibérer !

Elle poussa Roç dans un coin.

— Moi aussi, mon cher Trencavel, je dois me retenir pour ne pas montrer ma joie et mon soulagement à l'idée de quitter enfin Alamut !

— Non pas par crainte du sort qui nous menace, mais par écœurement devant tout ce que nous avons dû vivre ici depuis notre retour.

— C'est cela, dit Yeza. Maintenant, tu peux annoncer notre accord.

Khur-Shah ne laissa pas au couple le temps de prendre congé de leurs amis « Zev sur roues » et le vieux maître Herlin, dans la bibliothèque, pas plus qu'à Pola et Kasda. La garde personnelle de l'imam les accompagna jusqu'à la porte de la Rose, pour que l'émir ne puisse leur faire obstacle.

Hassan les y attendait déjà.

— Nous désirons, dit Roç d'une voix ferme, emmener avec nous notre ami Kito, que vous détenez encore. Allez le faire sortir de son cachot !

L'émir s'inclina respectueusement.

— Ce sera fait immédiatement. Je vous l'enverrai dès que les Mongols auront mis fin au *ta'adid ash-shab*.

Comme la garde insistait pour qu'on ne laisse pas aussi longtemps le pont-levis baissé et la porte ouverte, Roç et Yeza suivirent el-Din Tusi. Une petite troupe de Mongols escorta le général Kitbogha, qui chevaucha à la rencontre des enfants et de son émissaire, jusqu'à la ligne de portée extrême des catapultes. Il se réjouit de constater que la raison l'avait emporté, même si l'absence de son fils lui serra le cœur.

— Bienvenue ! s'exclama-t-il.

À cet instant précis, un projectile s'éleva de la Rose, atterrit devant le général et roula aux pieds de son cheval. Figé par l'horreur, il reconnut la tête sanguinolente de son fils Kito.

Le porte-bonheur

Pendant tout l'été brûlant et jusqu'au début de l'automne, le haut plateau d'Alamut resta désert. Seul un essaim de vautours s'était posé sur les lieux immédiatement après le départ des Mongols, ne laissant que des ossements blancs sur le sol caillouteux. Les Mongols avaient planté les têtes des morts sur de longues tiges, si bien que la Rose était entièrement entourée de crânes grimaçants. Hassan avait envoyé des troupes les décrocher, car personne ne supporterait longtemps ce spectacle. Mais chaque matin, on les retrouvait sur leurs poteaux. On ne voyait pourtant personne. Les Mongols paraissaient s'être volatilisés. Mais aucun message n'arrivait plus des massifs montagneux avoisinants : les miroirs ne brillaient plus, et les troupes d'éclaireurs envoyés dans la montagne ne revenaient pas.

Le jeune imam séjournait jour et nuit dans la bibliothèque, dans la *qubbat al musawa*, la « voûte de l'équilibre » qui s'étendait au-dessus de son palais et était remplie, jusqu'aux côtes arquées, d'œuvres érudites que Khur-Shah avait seulement découvertes pendant ces journées d'attente sourde. Il y cherchait conseil. Il avait dévoré le *Taijet*, le *Cantique de l'Amour* d'Omar Ibn al-Farid et les *Conversations avec des oiseaux* de Ferid ud-Din Attar, sur les pérégrinations de l'âme. Il suivait les grands mystiques de Perse et se plongeait dans le *Livre royal* de Firdausi, l'un des plus anciens traités sur le jeu d'échecs. Le vieil Herlin lui avait disposé des piles entières de manuscrits sur la table, près du trou qui servait de fenêtre. On y trouvait aussi un texte d'alchimie réalisé par le fameux ismaélite Gabir Ibn Haiyan, *Le Donner*. Et Herlin lui avait aussi préparé, après avoir un peu hésité, l'interprétation du moine Chi K'ai sur les symboles mystiques de la doctrine de Bouddha.

Khur-Shah était déjà emporté dans les beaux rêves que la froide fumée du cannabis diffusait dans son cerveau. Il leva les yeux vers les nuages et rêva un instant. Mais son regard se resserra tout d'un coup et tomba sur Hassan, qui se tenait en dessous de lui, sur les créneaux, et scrutait l'arrière-pays ; l'émir observait fixement le désert rocheux jonché d'ossements et, à l'arrière, la montagne sur laquelle les Mongols surgiraient un jour.

La grossesse de la jeune femme avait dépassé les délais normaux, on pouvait s'attendre à un accouchement d'un moment à l'autre. Kasda était couchée sur son lit, sous le baldaquin ouvert de l'observatoire, et attendait le début des douleurs. Elle avait obstinément refusé l'aide d'une sage-femme, et encore plus celle de sa sœur ; seul le vieil Herlin était autorisé à l'assister. La nuit, elle se traînait jusqu'à ses instruments et regardait les étoiles. Leur position n'était pas favorable. Unuk Elhaia brillait d'un éclat vif ; il saluait en conjuré Ras Alhague et Procyon ; Phoenon était en quinconce avec Mars ; le Guerrier pulsait, rouge sang, vers la cruelle Hécate qui s'enveloppait dans son manteau de pénombre comme si même l'impitoyable voulait refuser la vision de malheur qui s'annonçait.

Sur les conseils du vieil Herlin, qui assurait quotidiennement le transport des médicaments préparés par Kasda et administrés par Pola à un Créan agonisant, celle-ci cessa enfin de lui faire ingurgiter cette drogue. Créan se réveilla tout d'un coup et sa guérison fut si rapide qu'elle put bientôt évoquer avec lui les mesures à prendre pour sauver, si la chose était encore possible, cet enfant à naître. Au grand étonnement de Créan, celle de ses filles qui s'engageait pour préserver la lignée du sang de l'imam était celle dont Créan n'aurait jamais imaginé qu'elle se consacrât ainsi au message spirituel d'Ismaël. Pola, avec beaucoup d'intuition, examina avec lui les quelques possibilités qui subsistaient encore.

— On n'aura une chance de fuir la Rose et de mettre l'héritier à l'abri qu'au moment où les Mongols seront effectivement passés à l'assaut contre Alamut, expliqua-t-elle à son père. À ce moment-là, ils consacreront toutes leurs forces et leur attention à briser notre résistance, et leur vigilance, qui leur permet encore de contrôler l'arrière-pays, diminuera. Au beau milieu des combats, vous devrez risquer une sortie avec Shams.

Créan de Bourivan eut un sourire tourmenté.

— Pour vous, ma fille, il est donc évident que c'est moi qui dois me charger de cette mission. Et d'où tenez-vous la certitude que ce sera un garçon, puisque vous donnez déjà le nom de Shams à cet enfant qui n'est pas né ?

— J'en suis certaine, tout comme je suis sûre que vous ne vous déroberez pas à cet appel. À qui, sinon à vous, puis-je confier ce dernier service à rendre à la Rose...

Pola dévisagea avec un élan d'amour son père aux cheveux prématurément gris, et ajouta précautionneusement :

— C'est l'accomplissement de votre vie.

Créan hocha la tête, fatigué.

— Vous n'avez pas si tort que cela, marmonna-t-il. Dites à votre sœur que je m'en chargerai et que je réussirai, si Dieu le veut.

Au-dessus du haut plateau désert où l'on n'apercevait que des rochers isolés et d'innombrables ossements, un moine franciscain en bure brune tirait derrière lui un mulet stupide. Sur l'animal, une femme voilée portait un enfant dans les bras.

Xenia avait adopté la petite Amál comme sa propre fille, et elle suivait l'homme qu'elle admirait, bien qu'elle eût instinctivement senti que ce Guillaume de Rubrouck ne lui offrirait jamais aucune espèce de sécurité.

Alors qu'ils étaient encore à une journée de marche d'Alamut, ils furent attaqués par des Mongols ; mais dès qu'ils eurent reconnu Guillaume, ils s'arrêtèrent net. Certains s'étaient même agenouillés, comme pour demander la bénédiction. D'autres, en revanche, se comportèrent avec méfiance. On les emmena au campement militaire et l'on conduisit le moine, sans sa femme et sans l'enfant, dans la tente du général Kitbogha. Roç et Yeza y étaient présents eux aussi, et c'est eux qui, après des salutations exubérantes, proposèrent à « leur » Guillaume de se rendre en ambassade à la Rose.

— C'est la dernière chance, expliqua franchement Roç. Si toi non plus, tu ne réussis pas...

— Mais il faut absolument que tu arrives jusqu'à Khur-Shah, le nouvel imam, intervint Yeza. Si tu te laisses barrer le chemin par Hassan, le commandant de la citadelle, ta mission n'aura servi à rien.

— Guillaume, s'exclama Roç, tu dois tout essayer pour ramener la Rose à la raison, et lui faire comprendre que sa situation est sans issue !

— J'accorde une heure de délai ! annonça le général, qui ne voyait pas beaucoup de raisons d'attendre des miracles du franciscain. L'ultimatum court à partir de l'entrée de votre Guillaume dans la forteresse ! Je ne peux vous garantir plus !

Guillaume avait ainsi avancé jusqu'au pied de la Rose avec Xenia et la petite Amál. Dschuveni, lui aussi, avait approuvé l'idée de laisser filer le franciscain droit vers la mort. Ainsi lui, le chambellan, n'aurait plus jamais sur son chemin ce « gardien des enfants » autoproclamé pour la suite de la campagne. Et il ne tenait pas du tout à voir se renforcer la position du couple royal.

Arrivé devant la Rose, Guillaume vit s'ouvrir l'un de ses tendres pétales qui autorisaient seulement l'accès d'une personne à la fois ; il était aussi étroit qu'une échelle et posé au-dessus des douves.

— Attendez-moi ici, dit-il à la femme, je dois porter un message de Roç et Yeza, mes petits rois.

Il franchit la passerelle branlante et frappa à la porte. On la déverrouilla de l'intérieur, des mains s'emparèrent de Guillaume et le tirèrent avant même qu'il ait pu ouvrir la bouche.

Le franciscain, étonné, regarda comme un enfant l'intérieur de la « marmite », avec ses voûtes et les escaliers raides qui la traversaient de toutes parts, ces grosses cordes qui pendaient ou étaient tendues d'un montant à l'autre, ces chaînes qui montaient et descendaient sur les parois et autour de l'arbre rotatif situé au centre. Des feux brûlaient dans la profondeur, et vers le haut, son regard se perdit dans l'entrelacs de poutres obliques, de glissoires et de côtes qui paraissaient librement suspendues. Partout, les gens allaient et venaient à grands pas.

Voici l'enfer, se dit Guillaume, ou du moins le purgatoire. Il remarqua aussi un homme qui ressemblait à Satan. C'est ce dernier qui ordonna d'une voix tranchante : « Jetez-le au cachot, et faites-le parler ! » Depuis une galerie au-dessus des portes, Hassan ajouta : « Ou bien c'est un espion, sans quoi les Mongols ne l'auraient pas laissé passer... ou bien c'est un bouffon ! »

Guillaume aperçut alors une corbeille qui glissait depuis le haut de la Rose. Créan en descendit avec l'aide d'une belle dame, comme s'il était envoyé par le ciel. Khur-Shah arriva en même temps, entouré par sa garde. Créan ordonna aux soldats de relâcher Guillaume.

— Guillaume de Rubrouck est un porte-bonheur, expliqua-t-il à l'émir. Si celui-là apparaît, vous pouvez être sûr que rien ne va se dérouler comme prévu.

— Cette « Main de Fatima » rondouillarde est une précieuse *chamsa*, s'exclama Khur-Shah. Je la prends !

Il invita Guillaume à monter dans sa corbeille, qui le hissa aussitôt vers le ciel.

— Pas de chance ! dit Créan à l'émir.

Il prit congé de Pola et se rendit, d'un pas traînant, dans le royaume souterrain de Zev Ibrahim.

Xenia, qui portait la petite Amál dans un drap, était toujours assise devant la Rose. La forteresse tendait ses pointes vers elle comme autant de serres.

Alors, entre les rochers, au pied de la montagne, étincela le reflet des armes. Les vallées s'emplirent de milliers de soldats. Ils s'écoulaient sur le plateau comme un brouet : des chevaux et des corps trapus enveloppés de cuir et de fer, hérissés de lances, de sabres courbes, d'arcs et de flèches. Mais ce n'étaient pas des masses désordonnées. Chaque brigade se formait à son tour et occupait la place qui lui avait été attribuée. Les lourdes machines de siège, les gigantesques mangonneaux cédèrent la première place aux trébuchets, plus légers et plus mobiles. Les balistes et les catapultes entrèrent aussitôt en action ; c'était une provocation destinée à diminuer les stocks de projectiles dans la Rose.

Mais les Mongols avaient fait leurs comptes sans prévoir le sang-froid dont Hassan était capable de faire preuve et l'inventivité inlassable de Zev Ibrahim. La Rose rattrapa avec des filets les projectiles ennemis et ne tira pas un seul coup de catapulte.

Le général abandonna donc aussitôt cette tactique imaginée par Dschuveni.

— Vous comptez vous attaquer au corps d'un scorpion avec des piqûres de moustique ? lança-t-il au chambellan devant les officiers réunis.

Dschuveni fut renvoyé à Iskenderun où le Il-Khan Hulagu, accompagné de son épouse, Dokuz-Khatun, avait installé son quartier général.

— Occupez-vous de vos affaires ! lança-t-il encore en guise d'adieu au chambellan vexé, qui montait sur son cheval. Jusqu'ici, les Services secrets ne m'ont pas encore apporté un seul Assassin qui nous ait révélé où coulent les canaux rocheux souterrains qui alimentent la Rose en eau et en énergie.

Roç et Yeza s'étaient rendus sur le champ de bataille avec l'ancienne section de Kito, celle où Roç avait servi. Ils n'avaient qu'un faible espoir de pouvoir obtenir encore la clémence pour la Rose et la grâce pour ses défenseurs. Compte tenu de la fin atroce qu'avait connue Kito, on ne pouvait guère s'attendre à la clémence des Mongols, et surtout pas l'exiger. Roç et Yeza s'abstinrent donc de parler et restèrent, l'air fermé, auprès des chefs de cette armée de siège qui n'attendait plus que l'échec de Guillaume pour passer à l'attaque.

L'anneau s'était refermé autour de la Rose. L'ultimatum avait expiré. À perte de vue, les blocs de l'armée se tenaient serrés les uns contre les autres et attendaient le signal de l'attaque.

Une escorte se présenta pour raccompagner le couple royal à Iskenderun, sur ordre du général. Avec Roç et Yeza, qui quittèrent les lieux, muets et désespérés, on renvoya dans les montagnes Xenia et la petite Amál, en compagnie du chambellan. Sur le chemin, dont les Mongols avaient fait une route de pierre carrossable, Roç et Yeza apprirent par la femme, inconsolable, que son Guillaume avait tout juste eu le temps de se faufiler dans la forteresse, mais qu'il n'en était pas encore ressorti. Les deux enfants auraient aimé faire demi-tour sur-le-champ pour aller plaider auprès de Kitbogha la cause de leur ami, mais il savait que Dschuveni ne le leur permettrait jamais.

Yeza montra un intérêt très maternel pour la petite Amál. Xenia lui raconta que la petite fille était l'enfant de l'amour malheureux qui avait lié Omar et Orda. Roç fut ému par cette aventure. Et ils se proposèrent de présenter Amál à son grand-père dès qu'ils seraient arrivés dans le village de montagne. Ils montèrent donc vers la petite ferme du père d'Omar, qui les reconnut aussitôt et les accueillit amicalement avec du miel et du fromage frais. On eut bien du mal à le convaincre de ne pas abattre un chevreau pour l'occasion.

— Mon Omar ne m'a donc pas donné de petit-fils. Mais à quoi bon, en ces temps où le seul destin des jeunes gens est de passer par le fil de l'épée?

Il souleva la fillette, la lança en l'air de ses bras puissants et la rattrapa. La petite jubilait. Le berger s'écria, tout heureux :

— Amál! Mon espoir de paix!

Il la remit entre les mains de Xenia, tout anxieuse, et serra encore une fois l'enfant contre son cœur. Il remercia le couple royal, les larmes aux yeux, et demanda à Roç et Yeza de considérer sa maison comme la leur pour la durée de leur séjour. Puis il descendit au village, « pour inspecter le puits ! » comme il le leur cria en partant.

Le sauvetage du nouveau-né

Les Mongols avaient pris leurs quartiers à Iskenderun. Le chambellan était de mauvaise humeur. Il la laissa éclater immédiatement après son pitoyable retour, et s'en prit à la population restée sur place. Le premier auquel il s'attaqua fut le père d'Omar, son ancien hôte. Dschuveni se rappelait encore le fromage frais qu'il avait dégusté dans sa maison. Cela ne l'empêcha pas d'injurier le berger, puis de lui promettre que toute indication sur la canalisation d'eau de la Rose lui sauverait la vie.

— Quelqu'un a tout de même creusé le tunnel dans la roche, il y a forcément quelqu'un pour en assurer l'entretien ?

Mais le père d'Omar éclata de rire à la face du chambellan et haussa les épaules : il ne savait rien ou ne voulait rien savoir. Dschuveni, fou de rage, ordonna que l'on coupe la tête du vieil homme. Mais le berger sortit tout d'un coup un poignard. Livide, Dschuveni fit un bond en arrière ; il trébucha, tomba à genoux et leva les bras. Avant que ses sbires aient pu s'emparer du père d'Omar, celui-ci s'était tranché la gorge d'un geste rapide. Son sang aspergea le chambellan.

— La Rose n'est pas seulement invincible, avait annoncé le jeune imam à un Guillaume assez incrédule, elle est aussi imprenable !

Le franciscain, réfugié à la cave, racontait son entrevue à son vieil ami Créan et à Zev Ibrahim. Ils avaient joué une rapide partie d'échecs remportée en quelques instants par Khur-Shah, comme pour souligner la validité de sa thèse. Mais Guillaume était un piètre joueur.

— Sa Majesté Rukn-ed-Din Khur-Shah souhaite que les Mongols commencent par reconnaître et admettre cette supériorité triomphale. Après seulement, l'imam sera tout à fait disposé à négocier avec des envoyés du grand khan.

Guillaume avait été très impressionné par cette conversation, comme d'ailleurs par la Rose en général. Il s'étonna que ni Créan, ni Zev ne s'intéressent beaucoup à son récit, cela l'agaça même un peu.

Bien après minuit, Créan et l'ingénieur sur fauteuil roulant étaient descendus dans les profondeurs des entrailles de la Rose. Là, les eaux jaillissaient avec une pression monstrueuse des écluses réglables. Des pales montées sur des ressorts en spirale faisaient tourner les rouages massifs de l'axe central. L'eau atterrissait en écumant dans un bassin avant de disparaître dans des canaux.

— Les Mongols prennent leur temps. Je m'attends à une attaque générale dans les premières heures de la matinée, murmura Zev Ibrahim. À cette période de la journée, les assaillants ont dormi tout leur soûl et ont tous leurs moyens, tandis que les défenseurs ont passé une nuit blanche et sont épuisés par leur longue veille...

— La seule chose qui compte est que d'ici là, Kasda ait enfin accouché, fit Créan en lui coupant la parole. L'imam doit quitter ces lieux dès que le cordon sera coupé...

— Maître Herlin nous informe que les douleurs de la prêtresse ont commencé, répondit Zev. Le premier cri de cet illustre enfant coïncidera sans doute avec le choc du premier projectile ennemi contre les pétales blindés de la Rose !

— J'espère que ce ne sera pas son dernier ! s'exclama Guillaume.

Le moine avait suivi les deux hommes. Tout ce qu'il avait pu voir et entendre d'Alamut excitait sa curiosité et lui faisait oublier tout danger. Zev lança au franciscain bruyant un regard réprobateur et annonça :

— J'ai préparé un véhicule qui permettra de sauver le petit imam.

Il désigna fièrement une sorte de fût à clapets, à peine plus grand qu'une miche de pain. L'intérieur était garni de coussins mous.

— Et comment ce nourrisson aguerri ouvrira-t-il la porte à son arrivée ? demanda Guillaume, toujours aussi narquois.

Mais cette fois-ci, Créan lui donna raison :

— Nous ne pouvons pas nous contenter de croire que des femmes bien intentionnées ramasseront ce morceau de bois dans l'eau comme le firent jadis les filles du pharaon avec Moïse.

Il jeta un regard sur deux coupelles d'assez grandes dimensions qu'une main invisible semblait retenir dans l'eau bouillonnante.

— Je vais accompagner l'enfant, décida-t-il. Permettez-moi d'essayer cette coquille de noix : au point où nous en sommes, tout doit aller très vite.

Créan se laissa descendre à grand-peine dans cette sorte de barque qui n'atteignait même pas la taille d'un homme et flottait devant les autres. Il s'allongea à l'intérieur : s'il se recroquevillait, il y avait encore suffisamment de place pour garder un petit enfant contre sa poitrine. Créan voulut savoir avec précision où et comment il reviendrait à la surface de la terre. Zev le lui expliqua avec un sourire :

— En haut, dans les montagnes, se trouve une grotte. C'est de là que jaillit cette eau délicieuse. Un canal creusé dans la roche en part, passe sous la Rose et débouche sur un lac de montagne artificiel. Lorsque j'abaisse le niveau de ce plan d'eau, cela produit dans le canal un siphon qui soulève la capsule jusqu'au lac.

Zev constata que Guillaume était le seul à le comprendre. Il s'adressa donc à ce moine qu'il ne connaissait pas, si ce n'est par les récits de Roç.

— En dessous de nous, dans le bassin, il y a une sortie. (Il désigna fièrement les profondeurs de l'eau gargouillante.) C'est la raison pour laquelle j'ai pourvu ces capsules hermétiques d'une quille renforcée ; elle vous permettra de glisser le long de cette rigole, et vous serez entraîné jusqu'à l'entrée du canal.

— Splendide ! s'exclama Guillaume.

— Guillaume ne pourrait-il pas prendre l'autre ? Sa compagnie pourrait m'être utile, demanda Créan depuis sa coquille.

— Pourquoi pas ? répondit l'ingénieur. Je la gardais en réserve... et puis je n'en ai pas besoin pour moi. Je reste dans la Rose jusqu'au...

Il ravala la fin de la phrase, constatant que Créan avait déjà refermé le couvercle au-dessus de sa tête et ne pouvait entendre son opinion fataliste.

— Il ne me reste qu'à rendre votre vaisseau hermétique, expliqua-t-il joyeusement à Guillaume. Tendriez-vous la main à un pauvre infirme ?

Il attrapa une corde imbibée de goudron noir, se fit soulever par Guillaume dans la coquille vacillante et commença à ourler le bord du couvercle avec la corde gluante. Guillaume observait Zev, une étrange sensation au creux du ventre. Il suivait, méfiant, en se balançant au bord du bassin, la trajectoire de la rigole en bois ; c'est alors qu'il heurta un levier qu'il n'avait pas remarqué. Un mugissement infernal s'éleva au-dessus du bassin. Le vaisseau de Créan se mit à glisser, s'inclina et disparut dans les profondeurs. Zev rama avec ses bras en criant : « L'enfant, l'enfant ! » Il eut juste le temps de refermer le couvercle au-dessus de lui : le courant puissant l'emporta à son tour, sa capsule se dirigea à toute vitesse vers le trou noir et fut immédiatement aspirée par les flots.

Guillaume avait vainement tenté de réparer les dommages causés par son inattention, mais la pression de l'eau lui avait arraché des mains ce levier qu'il avait à peine effleuré. Le moine avait beau s'échiner, rien ne semblait plus capable de le faire revenir en

arrière. Guillaume chercha désespérément une possibilité de retenir l'eau. Il vit une roue, grande comme
celle d'une voiture, mais dotée de rayons à poignées.
Ou bien la Rose se noierait, et lui avec elle, ou bien...
Il ne pouvait demander conseil à personne : il avait
envoyé l'ingénieur de l'autre côté du siphon. Il tourna
donc la roue, poussant de tout son poids sur les
rayons. Lentement, très lentement, il sentit la pression décroître, l'eau s'apaisa et le niveau baissa.

« Si cette roue avait pu lui rompre les os ! »
Hassan, qui venait de marmonner ces quelques
mots rageurs, avait observé toute la scène. L'émir
avait dû assister impuissant et en grinçant des dents
au départ de l'ingénieur des fortifications, dont il
avait tant besoin en cette heure critique. Mais il
connaissait désormais ce secret que Zev Ibrahim ne
lui avait jamais révélé ; et il savait aussi, grâce à Guillaume, comment on pouvait actionner le mécanisme.
Car un troisième vaisseau, en forme de sphère, accroché à une chaîne, se trouvait encore dans le souterrain. L'émir avait immédiatement aperçu ce qui
constituait sans doute la dernière possibilité de fuite.
Sur un point et un seul, il était d'accord avec Créan,
ce renégat qu'il haïssait : il fallait préserver la lignée
des imams. Devenu le régent de Shams, il pourrait
encore régner de nombreuses années sur les ismaélites. Car même si Alamut tombait, la secte ne dispa-
raîtrait pas. L'émir quitta sa cachette. Guillaume
entendit le cliquetis d'une serrure de fer. Lorsqu'il
atteignit la porte située en haut de l'escalier, celle qui
menait vers le haut de la forteresse, elle était fermée.
Et les torches installées aux anneaux, contre la paroi
rocheuse, s'éteignirent bientôt, elles aussi, l'une après
l'autre. Guillaume se retrouva assis dans l'obscurité.

Il faisait nuit noire, on était à la nouvelle lune.
Après un voyage infernal dans les profondeurs de la
terre, Créan et Zev Ibrahim avaient été projetés
comme deux bouchons à la surface d'un lac de montagne paisible. Quelques minutes à peine s'étaient

écoulées, mais l'air avait failli leur manquer. Ils ouvrirent de l'intérieur les couvercles hermétiques et leurs poumons aspirèrent l'air glacé des hauteurs. Zev était à moitié couché dans l'eau : il avait dû refermer la partie supérieure si rapidement que le colmatage avait été mal ajusté.

Les deux demi-fûts flottaient l'un à côté de l'autre.

— Mon fauteuil roulant ! s'exclama l'infirme. Comment vais-je me déplacer maintenant ? Ce moine ! Je l'assommerais, je le noierais, je l'écartèlerais, je le ferais cuire à petit feu. Vous l'aviez bien traité de « porte-bonheur », non ? s'écria-t-il, ne pouvant s'empêcher de laisser échapper un éclat de rire amer. Que va faire la Rose, maintenant, sans moi ?

— Demandez plutôt qui va sauver le futur imam, répondit Créan.

— Je maudis ce Guillaume de Rubrouck, que le Dieu de l'Ancien Testament en soit témoin. Qu'il soit maudit jusqu'au troisième membre !

— Guillaume n'en a qu'un, et cela ne changera pas !

— Qu'il le perde ! Qu'il pourrisse et qu'il pue !

Ils ramèrent avec les mains jusqu'à la rive et tirèrent leurs bateaux sur le rocher.

— Lorsque le jour se lèvera, dit Créan, je vous porterai.

Les Mongols n'attendirent pas les lueurs de l'aube. La nuit même, pour effrayer les défenseurs, ils firent crépiter tout autour de la Rose des bouquets de petites étincelles. Puis, d'un seul coup, les mille archers de Kubilai tirèrent leurs flèches enflammées. On aurait dit un essaim de lucioles. Mais elles ne se mirent à briller qu'au moment où leurs pointes plates et collantes s'attachèrent aux feuilles d'acier : elles plongèrent alors la Rose tout entière dans une lumière éclatante et lugubre à la fois. À ce moment, des centaines de trébuchets lancèrent leurs projectiles contre les plaques. Tel un orage de grêle, les cubes de fer gros comme le poing, aux angles tranchants, s'abattirent derrière les créneaux sur les

défenseurs et déchiquetèrent les arbres du « Paradis ». Ils étaient accompagnés par des boulets aussi
gros que des têtes lancés par les lourds mangonneaux. Les plaques de protection grinçaient et cra-
quaient, mais aucune n'éclata ; la Rose vibrait et
mugissait sous les coups, mais elle tenait bon. Même
les torches enflammées ne pouvaient rien contre sa
cuirasse et finissaient par s'éteindre.

Ce fut le signal de la deuxième vague. Lorsque la
pénombre fut revenue d'un seul coup, à l'instant où
les yeux des défenseurs s'adaptaient à l'obscurité
après cette clarté aveuglante, des dizaines de milliers
de fantassins mongols se ruèrent de toutes parts vers
les douves. Ils traînaient des barques pourvues de
toits, des échelles d'assaut en métal, des grappins
accrochés à de longues chaînes et se jetaient à l'eau.
Les défenseurs observaient la scène d'en haut, depuis
leurs meurtrières, attendant que le *damm al ard*
s'enflamme, mais il ne se passa rien de tel. Sous une
pluie de flèches, de goujons et d'huile bouillante, les
Mongols traversèrent les douves, poussèrent leurs
embarcations jusque sous le ventre bombé de la
Rose, levèrent leurs échelles, mais uniquement pour
coincer leurs grappins derrière les pétales et faire
tomber les blindages à bonne distance en tirant sur
leurs chaînes de fer. Les défenseurs assistaient à
l'assaut avec un certain effroi. Ils avaient beau précipiter des amphores de feu grégeois sur les Mongols,
chaque barque enflammée reculait immédiatement,
et une autre la remplaçait.

Il fallait mettre le feu aux douves elles-mêmes, et
tout de suite ! Hassan envoya en bas, dans la cave,
tous ceux qui avaient eu l'occasion de travailler avec
l'ingénieur, pour chercher le tuyau par lequel Zev
acheminait dans les fossés le sang noir de la terre,
qui semait la mort parmi les ennemis.

Le vieil Herlin, les mains ensanglantées, arriva de
l'observatoire et cria avant même que sa corbeille ne
parvienne en bas :

— L'imam est né ! L'imam est né !

Hassan se précipita vers lui :

— Il disparaîtra avec nous si les douves ne brûlent pas rapidement. Et Zev s'est enfui !

— Nous ne savons pas comment le *damm al ard*...

— Mais moi, je le sais, dit fièrement le vieux bibliothécaire, qui se tut un instant avant de marmonner : Il faut juste que je me rappelle....

L'émir le traîna personnellement dans la cave, et ils trouvèrent la roue qui ouvrait l'écluse. Hassan remonta aussi vite que possible sur les créneaux. Il fit interrompre pour un instant les projections de feu grégeois.

Les Mongols jubilaient. Ils ne virent pas l'eau des douves, sous leurs barques, se couvrir d'une pellicule noire. Et peu de temps après, les amphores enflammées leur tombèrent dessus de plus belle. En un instant, les douves ne furent plus qu'une mer de flammes jaune et rouge mêlées à une épaisse fumée noire. Tous les assaillants qui se trouvaient sur les échelles ou n'avaient pu se réfugier à temps sur le rivage furent calcinés. L'incendie était si violent, la fournaise était telle que les chaînes arrimées à la Rose fondirent sous les grappins.

Kitbogha fit suspendre l'attaque. À l'est, le soleil se levait, incandescent, mais les nuages de fumée l'avaient presque dissimulé.

Hassan laissa le pétrole brûler jusqu'au bout à la surface de l'eau, et fit refermer l'écluse. La chaleur, à l'intérieur de la Rose, était épouvantable. Mais Herlin savait aussi comment y remédier. Bientôt, de l'eau froide se mit à jaillir à travers les côtes en bois, dégoulina depuis les créneaux, rafraîchit l'enveloppe de la Rose et aspergea les défenseurs qui se trouvaient au fond de la « marmite ».

Sur le long et pénible parcours qu'ils accomplissaient dans le massif montagneux, Créan se demandait comment les Mongols accueilleraient Zev. Il portait l'ingénieur sur le dos ; en temps normal, ce poids ne l'aurait pas dérangé, mais il était encore affaibli par ses blessures, et Zev n'était pas un fardeau commode. L'infirme s'accrochait à ses épaules, lui frappait les lombaires, le tirait, et Créan devait se maîtriser pour ne pas le jeter au sol comme un sac.

— Zev, annonça-t-il, je compte vous présenter aux Mongols comme un estropié indigent que j'ai trouvé sur le chemin et...

Il n'eut pas le temps d'en dire plus :

— Indigent ? moi, Zev Ibrahim, le génie ? s'indigna le ballot en agitant dangereusement les bras. Moi, un estropié ? J'ai dans mon cerveau plus de puissance que celle abritée par les chausses de vingt mille Mongols, en comptant leurs étalons. Soumettez-vous, messire Créan ! cria-t-il en serrant le poing.

— Je vous ai emmené par pitié, parce que j'ai à Iskenderun des parents qui peuvent vous soigner. Ainsi, aucun Mongol ne pourra soupçonner que vous sortez de la Rose...

— Que je *sors* de la Rose ? Mais la Rose, c'est moi ! Qui a imaginé les installations techniques, qui a maîtrisé les courants d'énergie, à qui la Rose doit-elle ses capacités uniques ?

— C'est bien, dit Créan. Racontez tout cela au premier Mongol que nous rencontrerons. Il estimera certainement votre cerveau unique à sa juste valeur, après vous avoir trépané vif !

Agacé, Créan reprit l'homme-tronc sur son dos et tint fermement les deux mains de Zev pour que celui-ci ne l'attrape pas par les oreilles ou par les cheveux. Puis il reprit sa route. Zev s'était calmé ; l'histoire de la trépanation l'avait impressionné.

— Ma création est d'une grandeur et d'une beauté sans égales ; mais les mécanismes de défense ne sont qu'un accessoire de l'*opus magnum*, les déchets de la machinerie prodigieuse du planétarium, le seul dans son genre, qui imite avec une précision unique au monde la trajectoire des astres autour du Soleil et la rotation de la Lune autour de la Terre.

— Qu'est-ce donc qui anime toutes ces merveilles, qu'est-ce qui provoque la rotation et le déploiement de la lune d'argent ?

Créan avait toujours voulu le savoir ; il n'avait jamais pu élucider le mystère du fameux symbole de la Rose d'Alamut.

— Si l'on plonge dans le puits d'Iskenderun, on arrive dans une grotte d'où des galeries praticables mènent à tous les canaux aqueux. Le gardien d'Iskenderun protège l'entrée.

— Et si on le torture ? demanda Créan.

— Eh bien, il révélera ce qu'il sait, et ce n'est pas grand-chose. Chaque tunnel a un homme chargé d'assurer sa maintenance ; je suis le seul à les connaître tous. Mais qu'est-ce que tout cela à côté de la lune d'argent, qui continuera à tourner, précise à la minute près, même lorsque nous ne serons plus de ce monde depuis longtemps. Même dans mille ans !

C'était toute la fierté de Zev. Avec cette création, il pouvait se mesurer avec son vieil ami Herlin, qui avait fait de la bibliothèque d'Alamut le plus grand refuge des connaissances secrètes. Il existait des œuvres apocryphes dont on ne trouvait l'unique exemplaire que dans sa tour, la *magharat al ouahi* qui résistait à toutes les flammes. Zev souhaitait cependant que son vieil ami les transporte à la cave, il n'avait cessé de le lui demander. Et comme si le vieux gardien du verbe écrit avait reçu par télépathie les réflexions de son ami, Herlin commença, à cet instant précis, à transporter dans les profondeurs de la Rose ses trésors les plus précieux, de gros manuscrits et des rouleaux de papyrus jaunis.

Vers midi, une patrouille de cavaliers mongols arrêta un homme maigre qui, malgré de sévères blessures à peine guéries, portait un cul-de-jatte sur ses épaules. Les soldats emmenèrent les deux hommes à Iskenderun, où ils furent présentés à Dschuveni.

Le chambellan, amer et déçu, avait repris le *ta'adid ash-shab*, ce recensement très spécial qu'il avait inventé. Il ne se donnait plus la peine de dissimuler à ses victimes, jusqu'au coup de sabre mortel, le sort qui les attendait. Les prisonniers devaient s'agenouiller en longues rangées et attendre qu'on leur pose une seule question, toujours la même : « Peux-tu nous montrer le canal souterrain qui alimente la Rose en eau ? »

Nul ne connaissait la réponse, et tous perdirent la tête. Dschuveni reconnut aussitôt Créan. Il se moqua de lui :

— Je vous envoie chercher le couple royal dans la Rose, et vous revenez avec un *soaluq mushawah*, un misérable estropié, un nabot ! Quel salaire attendez-vous en contrepartie ?

À peine Créan l'avait-il déposé au sol que Zev Ibrahim se dressait de toute sa longueur :

— Dieu m'a peut-être refusé votre beauté, ô homme de cœur, mais il m'a accordé d'autres dons. Je suis Zev Ibrahim, le grand ingénieur de la Rose. C'est contre mes constructions géniales que vous vous fracassez le crâne et que vous vous brûlez les doigts ! Vous ne serez jamais maître de la magie de la Rose, vous ne comprendrez jamais ses mystères nés du sang et du jus de la terre, ceux qui donnent à la Rose sa puissance enflammée.

Le chambellan n'en crut pas ses oreilles. Depuis le début de la campagne contre les Assassins, il essayait, par tous les moyens à sa disposition, les menaces et les promesses, l'infamie et la cruauté, d'arracher une indication même infime... et voilà qu'il se retrouvait face à ce nain qui portait en lui la totalité de l'*ars motionis* de la Rose — et qui s'en vantait, par-dessus le marché ! Dschuveni eut du mal à concevoir son bonheur.

— Le couple royal vous attend, mon cher Créan, dit-il d'une voix mielleuse. Allez-y tout de suite. Pendant ce temps-là, je vais prendre le thé avec notre sage invité.

Et Créan accepta cette invitation.

En fin d'après-midi, les Mongols installés en bas, sur le haut plateau d'Alamut, étaient de nouveau prêts à prendre d'assaut la forteresse. Le soleil était déjà bas, et leurs béliers, leurs échelles de fer, leurs catapultes et leurs barques, cette fois recouvertes de sable, dessinaient de longues ombres.

Hassan fit aussitôt couler des quantités importantes de pétrole dans les douves, et attendit. Mais les Mongols s'arrêtèrent à mi-chemin. Leur plus grosse catapulte lança avec précision une sorte de boule au-dessus des créneaux ; elle alla s'abattre dans le « Paradis » avec un bruit sourd. On entendit aussitôt les glapissements d'effroi des *houris*. Un homme se précipita vers Hassan et lui annonça que le projectile n'était autre que le torse ligoté et abominablement mutilé de Zev Ibrahim. Sa tête avait été enfoncée dans son ventre ouvert, et il portait dans sa bouche un message enjoignant Khur-Shah de se rendre sans condition.

Hassan vit alors l'imam, escorté par sa garde, ouvrir l'une des petites portes dérobées et se rendre, un drapeau blanc à la main, sur le sentier étroit qui menait aux Mongols. L'émir ordonna de refermer les portes derrière lui, et il attendit. Non pas que Khur Shah, d'un geste de son drapeau blanc, l'invite à se rendre pour profiter du sauf-conduit, mais que les Mongols se décident enfin à reprendre leur attaque.

Créan cherchait Roç et Yeza, que l'on avait logés dans la maison du père d'Omar. Ils étaient abattus. Le propriétaire de la ferme de la montagne dans laquelle ils avaient passé beaucoup d'heures heureuses, le dernier gardien du puits d'Iskenderun, avait été retrouvé décapité. Ils avaient d'autre part entendu dire que leur vieil ami « Zev sur roues » avait été emballé comme un boulet et transporté dans la vallée, qu'il n'était sans doute plus de ce monde et que Dschuveni n'avait aucune intention de faire preuve de clémence envers la Rose.

Créan leur donna un petit espoir, Guillaume pourrait se sauver s'il ne forçait pas sa propre balourdise, et leur raconta le secret du lac. Roç et Yeza le connaissaient. Ils furent aussitôt tout feu, tout flamme. Ils firent savoir à Dokuz-Khatun, chargée de surveiller le couple royal, qu'ils songeaient à entreprendre une excursion dans la montagne afin d'égayer leur humeur, qui était bien morne.

La brave épouse du Il-Khan les exhorta à revenir avant la tombée du soir, et jugea excellente leur proposition d'emmener Xenia avec eux. Roç et Yeza partirent aussitôt.

Le soleil se couchait. Khur-Shah n'avait rien obtenu du général Kitbogha, sinon une promesse d'épargner la Rose dans l'hypothèse où ses défenseurs se rendraient sans condition et sans délai. Le général fit savoir que l'émir Hassan Mazandari, responsable de l'assassinat de son fils, serait exclu de toute grâce.

L'imam agita le drapeau blanc, mais la Rose ne manifesta aucune réaction. Le général fit alors avancer ses troupes.

Hassan, avec une satisfaction cruelle, regardait depuis les créneaux les fossés remplis de *damm al ard*. Toutes les balistes étaient armées, les catapultes et les trébuchets, installés dans le jardin du « Paradis » et derrière la couronne dentelée de la fleur, étaient chargés. Alors, d'un seul coup, l'eau se mit à baisser dans les douves, tandis qu'un nouveau flot de pétrole se déversait de tuyaux que nul n'avait jamais vus. Les archers kitai tirèrent leurs flèches enflammées dans ce bouillon noir. Aussitôt, un mur de feu s'éleva, enveloppant totalement la Rose.

La panique ne s'empara pas tout de suite des défenseurs de la Rose ; mais la fournaise leur coupa le souffle. Les fontaines alimentées par les côtes de la fleur qui, d'habitude, lançaient des jets d'eau froide depuis les créneaux, se tarirent l'une après l'autre. L'air tout entier se transformait en une vapeur brûlante, la fumée toxique se propageait sans rencontrer le moindre obstacle, et les flammes montaient de plus en plus haut roussir tout ce qu'elles touchaient. Le feu sautait par les meurtrières, s'emparait des catapultes et de leurs servants. Les cordes tendues des balistes cassaient les unes après les autres. Les premiers rayons se détachèrent de la paroi de la « marmite » et tombèrent dans le vide, emportant avec eux les pots d'argile pleins de *nar junani*, de feu grégeois. Le magma jaillissait des amphores brisées comme un esprit de sa bouteille, si bien que les flammes dardaient aussi, désormais, à l'intérieur de la forteresse ; la masse poisseuse dégoulinait sur les échelles et les passerelles, rampait sur les balustrades, dévalait les escaliers.

Les blocs de l'armée mongole restaient à bonne distance de cette gigantesque colonne de feu qui s'élevait dans le ciel. La Rose noire brûlait, semblable à une sorcière dangereuse sur son bûcher. La fumée auréolée de gerbes d'étincelles s'élevait à plusieurs centaines de mètres, mais le mince corps de la tour émergeait encore au milieu de cet enfer. La lune d'argent continuait elle aussi à tourner comme si les lois de la matière ne s'appliquaient pas à elle. Aucun tir n'avait eu lieu depuis que le corps mutilé de l'ingénieur prodigieux avait annoncé le début de l'auto-destruction. La Rose grillait dans son propre jus.

Guillaume, prisonnier des profondeurs de la cave et entouré d'un flot d'eau froide, ne remarqua pas ce qui se passait au-dessus de lui, dans la « marmite ». Il avait seulement noté qu'un peu plus tôt, la boule pendue au-dessus de l'eau, à une chaîne, s'était mise en mouvement. Il avait un instant songé à s'y glisser et à essayer de s'enfuir avec elle, mais la boule avait ensuite disparu, d'un seul coup, par un trou creusé dans le plafond rocheux. Elle revint ensuite dans un cliquetis, et il ne put s'empêcher de l'ouvrir. Sa surface extérieure était chauffée à blanc : il s'y brûla les doigts. Mais lorsqu'il ouvrit le couvercle, il y découvrit un enfant minuscule qui n'avait pas souffert de la fournaise. C'était certainement Shams, l'imam nouveau-né. Il était si tendre que Guillaume en fut tout ému. Les astres avaient dû le destiner au sauvetage d'enfants importants ! Il coucha donc le nourrisson dans le petit fût que Zev lui avait préparé, l'embrassa

sur le front, referma le couvercle et se pencha vers
l'eau bouillonnante. Il venait tout juste de poser cette
petite capsule dans le rail de bois et de lui donner un
peu d'élan lorsqu'il reçut un coup de pied aux fesses
qui le jeta dans le bassin. Tout en battant sauvagement des mains pour ne pas se noyer, il vit que Hassan s'était emparé de la sphère et s'apprêtait à y monter. Guillaume avait repris pied : l'eau ne lui arrivait
qu'aux épaules. Cela lui donna le courage d'attaquer
l'émir. Ramant violemment avec ses bras, il remonta
le courant et attrapa la jambe que Hassan s'apprêtait
à poser dans la sphère. L'émir envoya un coup de
pied rageur à son assaillant et le fit suivre d'un coup
de poing dans la figure. Guillaume vit rouge, et il
comprit aussi que sa dernière possibilité d'évasion
était en train de s'évanouir. Il se jeta devant Hassan
qui avait déjà détaché la chaîne et le regardait, ahuri,
puis il appuya sur ce petit levier avec lequel il avait
déjà déclenché un premier déluge. Un bruit terrible
résonna dans le bassin. Guillaume s'accrocha convul-
sivement au levier pour ne pas être emporté. L'eau
cngloutit le petit fût où se trouvait Shams et
l'emmena dans les profondeurs, sur la rigole. Hassan
avait été surpris par cette lame soudaine ; sa demi-
sphère vacilla, il chercha à fermer le couvercle, perdit
l'équilibre et fut précipité dans l'eau. Il tendit en vain
le bras pour atteindre Guillaume, pour l'entraîner
avec lui ou se retenir. L'or que l'émir portait sur lui
l'attira vers le fond et l'aspira, sous l'eau, vers le trou
d'évacuation. Dans un horrible bruit de succion, le
siphon s'empara de lui et l'avala.

Guillaume était toujours cramponné au levier de
bois, qui n'était pas plus grand qu'un manche de
marteau ; il lui était facile de deviner à quel moment
le poids de son corps replet allait l'emporter sur la
tension de ses doigts et des muscles de son bras étiré.
Il priait, il se voyait déjà suivant le trajet de l'émir —
pour autant que le trou, en dessous, qui s'ouvrait
encore comme une bouche noire, fût suffisamment
large pour le laisser passer. Son sort serait vraisem-

blablement d'y rester coincé et de s'y noyer. Mais le bouillonnement de l'eau cessa tout d'un coup au-dessous de lui, comme dans un chaudron que l'on aurait retiré du feu. L'eau s'apaisa, elle redescendit et le bassin se vida. Guillaume, reconnaissant, ôta du levier ses doigts engourdis. Ses pieds touchèrent de nouveau le sol. Ou bien Dieu avait eu une intuition, parce qu'il s'agissait de lui, Guillaume de Rubrouck, et avait tourné la grande roue de l'écluse, ou bien l'eau s'était tarie. Le franciscain chercha à se hisser à l'extérieur du bassin, mais ses forces n'y suffisaient plus, le bord était trop haut pour cela. Il éternua. Il allait mourir sur place, transi de froid.

Une fin dans la terreur

Dans la « marmite », au cœur de la Rose, la four-naise continuait son œuvre. Tout ce qui avait jadis été collé sur la paroi intérieure de la fleur, avec autant de délicatesse que la tendre toile des arai-gnées, les cocons denses des vers à soie ou les rayons réguliers des abeilles, était en proie aux flammes, lorsque ce n'était pas déjà incendié et calciné. Comme par miracle, le « nid de guêpes », le palais de bois, était encore suspendu au milieu. Ils n'étaient pas nombreux, dans la Rose, à pouvoir se demander pourquoi le « nid » résistait encore. La plupart des Assassins, ceux qui se tenaient avec leurs arcs der-rière les créneaux ou avaient servi les lourdes cata-pultes, avaient eu les poumons brûlés par la chaleur et avaient finalement été précipités vers le bas comme autant de torches humaines. Ceux qui ser-vaient au fond avaient été écrasés par les décombres. Quant à ceux auxquels ce destin avait été épargné, ils avaient fait d'eux-mêmes le saut vers le paradis, et avaient quitté ce monde.

Pola et ses jeunes filles avaient, jusqu'à l'épuise-

ment, pansé les blessés et abreuvé les hommes qui
mouraient de soif. Mais l'eau s'était tarie ; la fin était
là. C'est elle qui prépara de sa main la dernière
cruche pleine de jus de fruits. Chacune des *houris* put
en avaler une gorgée. Le breuvage était amer, mais
l'agonie ne durait pas longtemps. Secouées par les
convulsions, elles tombèrent toutes, les unes après
les autres, sur le sol du jardin du « Paradis », dont les
fleurs étaient calcinées, les arbres noircis. Leurs
corps tressaillirent avant de s'immobiliser à tout
jamais. Pola avala le fond de sa mixture. Elle leva les
yeux vers l'observatoire ; la silhouette de sa sœur
Kasda se détachait sur le ciel de la nuit, embrumé
par la fumée. Elle chercha encore à lever la main
pour la saluer. Puis, comme frappée par la foudre,
elle tomba parmi les cadavres de ses *houris*.

Les Mongols attendirent jusqu'aux premières
heures du matin ; la Rose paraissait encore brûler
comme un four. Des incendies épars lançaient des
ombres vacillantes, et la fumée enveloppait la tour.

Il faisait toujours sombre lorsque Kitbogha, bouillant d'impatience, envoya une section arracher avec
des grappins et des chaînes l'un des boucliers qui
protégeaient les ponts-levis. Le fossé était rempli de
poutres, de machines de guerre et d'échelles calcinées.

Les hommes installèrent les grappins sans se heurter à aucune résistance, et lorsque deux cents Mongols tirèrent sur les deux chaînes, le bouclier gigantesque s'effondra : ce n'était plus qu'un tas de cendres
soutenu par un cadre calciné. Le général franchit les
décombres ; la porte s'ouvrit au premier coup de
bélier. Kitbogha partit à la recherche de Hassan.
L'épée brandie, il descendit dans les caves.

Dschuveni l'avait courageusement suivi. Mais son
objectif à lui était la bibliothèque. Il avait amené plusieurs auxiliaires et bon nombre de sacs. Mais à
présent qu'il se trouvait dans les restes noirs de la
cathédrale, il ne savait pas comment atteindre ces

trésors. D'une voix de fausset, il appela Créan de Bourivan.

Suivis par Xenia, qui les aurait accompagnés partout sans se plaindre, pourvu qu'elle garde sa petite Amál et retrouve son Guillaume, Roç et Yeza avaient atteint le soir même le lac de montagne. Mais il n'était pas question de faire dans la pénombre le chemin du retour. Ils décidèrent donc de camper pour la nuit sur la rive du lac, entre les rochers, en s'efforçant de rester éveillés pour pouvoir tirer Guillaume de l'eau dès qu'il en sortirait. Mais la fatigue les avait terrassés et ils s'étaient endormis, serrés l'un contre l'autre. Ils furent réveillés par un cri de Xenia, au petit matin.

— Il y a un tonneau dans l'eau !

Le fût était beaucoup trop petit pour abriter Guillaume. Roç plongea tout de même dans l'eau froide et ramena la capsule sur le rivage. Ils l'ouvrirent et y trouvèrent un petit bonhomme endormi. Les sentiments maternels de Xenia s'éveillèrent aussitôt, et avant que Yeza, qui avait d'abord pris l'enfant dans ses bras, ne puisse se poser la moindre question, Roç pressa contre la poitrine de la brave femme le nourrisson qui s'était mis à crier. Ils attendirent encore un moment, afin de vérifier si Guillaume allait apparaître à son tour. Mais il ne vint pas, et Xenia finit par conclure, à juste titre : « Il a envoyé l'enfant. » Et ils se mirent en marche, déçus.

Dans la Rose calcinée, Kitbogha avait tiré Guillaume de Rubrouck de sa situation embarrassante. Le franciscain avait le nez qui coulait ; il grelottait de froid. Guillaume raconta au général la fin méritée de Hassan, mais il ne dit pas le moindre mot sur le sauvetage du petit Shams. Kitbogha lâcha un juron fort peu chrétien, et ils remontèrent. En haut, Créan avait montré à Dschuveni le chemin de la bibliothèque où quelques foyers brûlaient encore entre les vieux manuscrits et les rouleaux de papyrus. Le vieil Herlin sautait de l'un à l'autre comme un lutin et tentait de les éteindre avec une liasse de parchemins. Les nouveaux venus ne se soucièrent pas du vieux bibliothécaire. Dschuveni se fit encorder, car il n'avait aucune confiance dans le sol calciné, et se mit à fouiller dans les œuvres : il entassait dans les sacs tout ce qui lui paraissait précieux et conforme à la *sunna*. Il empilait en revanche sur un grand tas tous les textes hérétiques qui lui tombaient sous la main. Trouvèrent grâce à ses yeux la *Chronique* de Cassiodore (elle était plus ancienne que le Coran) et une version primitive de l'*Almageste* de Ptolémée, ainsi que des ouvrages de l'historien syrien Elias bar Shinaya, du géographe Idrisi et du physicien Albazen. Furent en revanche livrés à la destruction des œuvres aussi inestimables et irrécupérables que la *Hamasa* d'Abu Tammam, l'original de la *Brama Siddharta* du grand Brahmagupta ou *Le livre des chemins* d'Ibn Chordadhbeh, un simple guide des postes que ce censeur trop zélé prit dans sa hâte pour un texte d'ésotérique et donc pour une hérésie.

Créan avait observé la scène en secouant la tête ; puis il s'était détourné.

— Où allez-vous ? demanda le chambellan, suspicieux.

— Dans la Lune ! répondit Créan en souriant et en commençant son ascension.

Depuis son entrée dans l'ordre des Assassins, il n'était jamais monté dans la tour ; mais il trouva le chemin, par les escaliers dérobés, comme s'il l'avait toujours connu. Il entra dans la *magharat-at-tanabuat al mashkuk biha* et vit que Herlin avait mis en sécurité, et à temps, les livres secrets. Il continua à monter et atteignit la *magharat al ouahi al achir*. La « grotte des révélations ultimes » était vide.

Immédiatement après la naissance de son fils, Kasda s'était levée de son lit de couches, avait fait monter la sphère une dernière fois et lui avait confié Shams. Puis elle avait rejoint les instruments et avait imploré assistance auprès des étoiles de la voûte céleste. Lorsque Phosphoros apparut en scintillant, elle sut que son enfant, le nouvel imam, était sauvé. Elle s'approcha du bord de la plate-forme et vit, au « Paradis », sa sœur qui lui faisait signe. Comme une plume, la prêtresse s'envola et tomba en direction de Pola. Il n'y eut aucun témoin. Mais les deux sœurs étaient désormais unies dans la mort.

Dschuveni avait senti le choc du corps qui s'écrasait ; un tremblement parcourut la Rose, mais il ne s'en soucia pas. Au grand effroi du bibliothécaire, le chambellan avait fait allumer un feu au milieu de la salle voûtée et y jetait tous les livres qui ne respectaient pas la doctrine de l'islam orthodoxe, celle dont il était l'adepte. Furent ainsi la proie des flammes tout le savoir médical de l'époque, le *Canon* manuscrit d'Avicenne, la *Chronique* d'Ibn Kifti, l'*Antidotarium* de Nicolas Prévost, un cadeau du roi de France aux Assassins de Syrie, *Le livre des remèdes simples* de l'érudit Ibn al-Baitar, l'unique traduction arabe du *Galenus* de Honain Ibn Iszak, et le *Al-Havé* de Rhases, un disciple d'Hippocrate. Le feu se propagea. En un instant, toute la bibliothèque, desséchée par la fournaise, brûla comme une torche.

Kitbogha arriva en courant, tira Dschuveni par sa corde comme un bœuf échappé de l'enclos et le chassa de la Rose en termes grossiers. Les hommes de Dschuveni constatèrent avec agacement que le vieux bibliothécaire tentait d'arracher de nouveau au feu les précieux manuscrits.

— Pas le Dioskorides ! criait-il, hors de lui, en tirant des flammes le plus vieux rouleau de parchemin que l'on ait conservé sur les remèdes médicaux. Criminels ! Idiots ! Qu'entendez-vous à la *Divina praedictio ?*

Les soldats finirent par précipiter le bibliothécaire lui-même dans le tas de livres en flammes.

Kitbogha se trouvait encore en bas, devant l'une des portes ouvertes, et gardait les yeux levés vers le palais de l'imam : en haut, l'un des lustres venait de tomber et de voler en éclats. Alors, toute la gigantesque structure de bois collée au plafond comme un

« nid de guêpes » se détacha et tomba presque sans
un bruit. C'est seulement au moment où elle s'abattit,
provoquant un souffle qui catapulta le général par le
cadre de la porte, qu'il entendit le fracas des poutres
qui volaient en éclats. Les gravats plurent autour de
lui et de Dschuveni, puis un nuage de poussière les
entoura. Alors, le sol de la bibliothèque s'abattit lui
aussi comme une gigantesque trappe et emporta tout
et tous ceux qui s'y trouvaient encore. La voûte
s'effondra. Les côtes qui portaient l'ensemble, désormais privées de leur contrepoids, étaient incapables
de soutenir le socle.

Créan avait ouvert la porte donnant sur la plate-
forme de l'observatoire. Il vit au-dessus de lui la lune
d'argent ; son miroir concave capturait la lumière du
premier rayon de soleil d'un nouveau jour. Le miroir
trembla et Créan crut que la terre basculait. Le
regard sereinement dirigé vers la fierté de la Rose, il
sentit la tour tout entière se précipiter vers le sol avec
lui, comme une pierre, une météorite tombée des
étoiles. D'abord doucement, ce qui lui donna
l'impression d'avoir des jambes de plomb, puis de
plus en plus vite. Les montagnes se mirent à grandir.
Créan eut le souffle coupé. La terre s'ouvrit, le cône
rocheux de Montségur s'éleva jusqu'aux étoiles, le
joyau de la forteresse du Graal brillait comme une
couronne, les ballots blancs glissèrent le long de leurs
cordes dans la pénombre, les eaux du Klam mugis-
saient, elles bouillonnaient et montaient. Les
enfants ! Ils apparurent dans la brume de la côte. Sur
le sable du désert roulaient des étoupes d'épineux,
très légers, portés par le vent dans l'immense étendue. Créan galopait avec Roç et Yeza dans de
sombres forêts, voguait avec eux sur la mer en furie,
traversait à grands pas des grottes obscures qui
s'ouvraient à une vitesse faramineuse jusqu'à ce qu'ils
arrivent devant le lac souterrain, un miroir, d'une
clarté incommensurable. Le « grand projet », ce
n'était rien ! Roç et Yeza devaient se libérer des liens
que leur avaient passés ceux qui avaient fixé leur

« destinée », se libérer de cette chaîne sans fin, faite de triomphe et de persécution, d'épreuves réussies et de fuites. La Couronne du Monde est une couronne d'épines ! C'est dans l'amour que réside l'accomplissement du couple royal : le trouver lui apportera le salut ! Il était un mauvais guide pour les enfants, il aurait tant aimé leur crier : « Sautez ! Franchissez le feu purificateur, le feu qui consume ! »

Le miroir explosa, Roç et Yeza apparurent à la lumière. Créan leva les bras pour les enlacer. À cet instant précis, la tour atteignit le sol. Le choc fit éclater la Rose. Ses pétales se détachèrent et tombèrent en cendres. Puis son pistil explosa à son tour. Les gravats furent projetés très loin de là.

Le général s'était mis à l'abri avec Dschuveni, toujours encordé, sous un bélier d'assaut. La tour frappa comme un coin le cœur de la Rose et pénétra profondément dans ses entrailles. Un puissant jet d'eau entrecoupé de « sang de la terre » s'éleva et emporta tout ce qui tenait encore debout. La Rose se déracina elle-même, arrachant au sol son pied et sa tige. Il ne resta plus aux conquérants qu'à frissonner devant l'œuvre de destruction qu'ils avaient accomplie : la Rose était à présent semblable au sol d'où elle était sortie.

C'était une journée maussade. Les nuages gris étaient bas, on aurait dit que le soleil s'était voilé la face. Le Il-Khan Hulagu, son épouse, la chrétienne Dokuz-Khatun, et toute la cour avec eux avaient quitté Iskenderun pour Alamut, à l'instant même où le chambellan avait annoncé, triomphant, le début de l'agonie de la Rose.

L'imam, ligoté, exigea d'être présenté aux généraux vainqueurs, mais Hulagu refusa cette rencontre inutile.

— Vous avez trôné sans la moindre raison, et vous avez quitté vos fonctions sans le moindre sens, fit-il répondre à Khur-Shah par l'intermédiaire de Dschuveni. Un souverain qui n'a aucun pouvoir sur ses subordonnés n'a d'utilité pour personne, et surtout

pas pour nous, les Mongols. Mais cela ne vous exonère pas de vos responsabilités pour tout ce qui s'est
passé, ajouta le chambellan d'une voix hargneuse.

Derrière, on entendait une grappe de femmes
émettre des menaces stridentes et brandir leur poing
tendu.

— Les nobles femmes de la lignée du Dschagetai,
celui que votre père a fait assassiner, vous attendent
déjà.

À l'instant même où Roç et Yeza, suivis par Xenia
et les deux petits enfants, revenaient de leur
excursion dans la montagne, quelques gardiens traînaient Khur-Shah au bout d'une corde vers les
femmes ; celles-ci se comportaient avec une telle sauvagerie que d'autres hommes durent les faire reculer
à coups de canne.

Yeza ordonna aux gardes de s'arrêter et mit pied à
terre.

— Le couple royal souhaite prendre congé de
l'ancien imam ! s'exclama-t-elle d'une voix distincte.
Les hommes n'osèrent pas les retenir. Elle se dirigea
vers Khur-Shah avec son escorte, le prit dans ses bras
et l'embrassa. « Embrasse chacun d'entre nous ! » lui
chuchota-t-elle en voyant Dschuveni s'approcher
d'eux, méfiants. Roç laissa passer Xenia, qui portait
la petite Amál sur le dos et Shams contre sa poitrine.
Khur-Shah les embrassa tous. Son regard resta longtemps fixé sur l'enfant, qui ouvrit les paupières et le
regarda, l'air grave. Puis il donna l'accolade à Roç ;
les yeux de l'imam étaient embués par les larmes. Il
avait compris que, près de sa mort, il lui avait été
donné de pouvoir caresser son fils. « Soyez heureuse,
Princesse ! » cria-t-il encore à Yeza. Puis, sur un signe
brutal du chambellan, les gardes l'entraînèrent vers
son destin.

Roç et Yeza se détournèrent de la scène. Dschuveni
désigna Xenia.

— Comment se fait-il qu'elle ait deux enfants, tout
d'un coup ? demanda-t-il.

— Elle en a toujours eu deux, rétorqua Yeza. Mais

vous étiez trop aveugle pour le remarquer, messire le chambellan !

Et pour transformer sa méfiance en colère, elle ajouta insolemment :

— Ou bien simplement trop bête pour compter jusqu'à deux.

Le rire tonitruant du général lui prouva qu'elle avait gagné la partie. Guillaume était arrivé en même temps que Kitbogha. Le franciscain accueillit sa femme et les deux enfants — le chambellan pouvait bien calculer, en grinçant des dents, comment le moine avait pu procréer deux rejetons en aussi peu de temps. Mais Dschuveni fut distrait, d'abord par les braillements de satisfaction qui provenaient de la grappe de femmes, puis par les mots que Roç adressa ensuite au général :

— Vous pouvez nous menacer, vous pouvez nous tailler en pièces ou nous découper en morceaux : mais de toute façon, les Mongols devront renoncer à l'escorte du couple royal dans votre marche sur l'ouest. Après tout ce qui s'est passé, et surtout de la manière dont cela s'est passé, nos chemins se séparent ici. Je suis navré pour votre fils Kito. Je suis navré pour beaucoup de choses. Pour trop de choses.

Il s'inclina devant le général, mais Yeza marcha vers lui, le prit dans ses bras et l'embrassa comme elle l'avait fait avec Khur-Shah.

— Saluez le Il-Khan et Dokuz-Khatun. Un souverain qui n'a pas de pitié pour ses ennemis et n'éprouve pas le moindre respect pour des trésors uniques d'érudition et de sagesse, tels qu'ils étaient rassemblés dans la Rose, ne conquerra jamais la Couronne du Monde. Il est sans utilité pour le couple royal.

Elle monta sur son cheval.

— Vous, Kitbogha, vous avez toujours été un ami pour nous, ajouta-t-elle, et le couple royal veut vous garder comme tel dans son cœur.

— Mais vous ne pouvez tout de même pas nous quitter comme ça ? s'exclama le vieux général d'une voix atone.

— Si, répondit Roç en le regardant fixement dans les yeux. Nous pouvons !

Kitbogha pencha tristement sa tête grise. Ce geste était un avertissement à l'intention de Dschuveni : il devait rester strictement sur sa réserve.

— Je vais faire en sorte que personne ne vous retienne, dit-il dans un soupir. Mais vous devez savoir que vous ne quitterez pas le cœur de tous les Mongols avant que la mort ne nous ait emportés !

Roger Trencavel du Haut-Ségur et sa compagne Yezabel Esclarmonde du Mont y Sion ne se retournèrent même pas sur les lieux dévastés. Les décombres de la Rose abattue étaient désormais derrière eux, tout comme leur jeunesse, tout comme « Roç » et « Yeza ». Ils n'étaient plus de jeunes créatures immatures, et nul ne devrait plus désormais les considérer ainsi. Ils marchaient vers un avenir incertain, mais ce serait *leur* destin, *leur* vie qui s'accomplirait, et non plus des plans ourdis par d'autres qu'eux-mêmes. Ils se sourirent et firent un signe d'adieu à Guillaume et Xenia, Amál et Shams. Ils reverraient certainement ce gros franciscain aux cheveux roux. Ce malin ne montrait d'ailleurs aucun signe de tristesse : il souriait, en bon père de deux enfants.

Toute l'armée des Mongols, ce gigantesque tapis de soldats, de guerriers et d'acier qui recouvrait la haute vallée d'Alamut, une troupe composée en blocs de plus de cent brigades, une armée comme la terre n'en avait encore jamais vu mais qui s'était mise en mouvement pour conquérir la Couronne du Monde, oui, toute cette armée-là regarda en silence ces deux silhouettes minces et jeunes s'en aller, tête droite, jusqu'à ce que la montagne toute proche les ait englouties.

Alors, à cet endroit précis, le soleil perça les nuages.

FINIS
Coronae Mundi

NOTES, INDEX
ET SOURCES

NOTES

La situation politique du monde au milieu du XIIIᵉ siècle

L'OCCIDENT CHRÉTIEN

L'Allemagne

L'Empire allemand (également : *Imperium Romanum*, le Saint Empire romain) englobe l'Allemagne et les royaumes d'Arelat (Haute-Bourgogne), de Bohême, de Pologne, de Hongrie, d'Italie, ainsi que le royaume de Sicile, les territoires baltes de l'ordre Teutonique et la Provence.

Le royaume d'Italie est composé des villes de la plaine du Pô, indépendantes de l'Empire et le plus souvent unies au sein de la Ligue lombarde, les républiques maritimes de Venise, Gênes et Pise, et les grands-duchés de Montferrat, de Toscane et de Spoleto ; le royaume de Sicile comprend les grands-duchés d'Apulie (Foggia), de Campanie (Naples), de Basilicate (Tarente), de Calabre (Reggio) et de Sicile (Palerme).

Entre ces deux parties de l'Empire allemand, sur la péninsule apennine, se trouve le « *Patrimonium Petri* », l'État religieux (le Latium et les Marches).

Le Saint-Siège est occupé de 1243 à 1254 par Innocent IV. Alexandre IV lui succède et poursuit la politique d'hostilité aux Hohenstaufen qu'avait menée son prédécesseur. Les confrontations entre le pape et l'empereur allemand durent depuis la querelle des Investitures du milieu du XIᵉ siècle (Canossa). Mais elles s'exacerbent lorsque le Hohenstaufen Henri VI épouse la dernière princesse normande et unit à l'Empire allemand *(unio regis ad imperium)* le royaume de Sicile, que les papes considéraient comme un fief qu'ils avaient le pouvoir d'attribuer.

Depuis la mort de Frédéric II (1250), l'Empire allemand n'a plus d'empereur. Le fils de Frédéric, Conrad IV, prend certes sa succession, mais doit se défendre, en Allemagne, contre différents antirois qui ont été levés contre lui à l'instigation des papes. Il laisse ainsi en bonne partie le Sud à son frère bâtard Manfred (que Frédéric, sur son lit de mort, a déclaré légitime). Manfred règne en tant que gouverneur de l'Empire. Mais lui aussi doit se confronter à des antirois auxquels Rome vend la couronne de Sicile. Son principal adversaire, qui l'emportera d'ailleurs au bout du compte, est Charles d'Anjou, le plus jeune frère du roi de France. Après la mort de Conrad IX (1254), Manfred fait fi des droits de Conrad V (Conradin) et se couronne lui-même roi de Sicile. En Allemagne, à partir de cette époque, s'instaure un « *interregnum* » qui durera jusqu'à Rudolf de Habsbourg.

La France

Lorsqu'il monte sur le trône, le roi français Louis IX, un Capétien, trouve un territoire très modeste composé, pour l'essentiel, de Paris, de l'Île-de-France, des Flandres, de la Champagne et du duché de (Basse-) Bourgogne. Au cours de son règne et au fil de ses conquêtes, il y ajoute le Sud (Occitanie, Languedoc). Avec les guerres qu'il mène contre les Anglais, qui possèdent l'Ouest, et la soumission des Normands, au nord, il conquiert à peu près tous les territoires qui constituent aujourd'hui la France. En mariant son frère Alphonse de Poitiers avec l'héritière de Toulouse, et Charles d'Anjou avec l'héritière de la Provence, il consolide ces possessions.

L'Angleterre

Le roi d'Angleterre est Henri III, de la maison des Plantagenêts. Pour son fils mineur, Edmond, il cherche à acheter la Sicile, alors que son frère Richard de Cornwall devient antiroi en Allemagne (1256-1272).

L'Espagne

La couronne de Castille est portée par Alphonse X, dit le Sage, auquel on remet en outre, en 1257, la couronne de roi d'Allemagne. En Aragon règne Jacques Iᵉʳ, le Conquérant, auquel la France a pris ses terres de Carcassonne, sises au-delà des Pyrénées. Charles d'Anjou menace de les devancer l'un comme l'autre en Sicile, où les Aragon peuvent prétendre à l'héritage. Du reste, Alphonse et Jacques sont tous deux occupés à consolider les terres qu'ils ont conquises au cours de la « *Reconquista* » dans le sud de l'Espagne. Pendant leur règne, ils ont fait reculer l'ancien puissant califat de Córdoba jusqu'à ce qu'il n'en reste plus qu'un petit territoire sarrasin (émirat de Grenade).

Byzance

« L'Empire latin de Constantinople », créé en 1204 par des croisés égarés, vit ses derniers moments. Quatre États successeurs le menacent de toutes parts : l'empire de Trébizonde (Vatatses), l'empire de Nicée, la principauté d'Achaïe et le despotat d'Épire (Michel Paléologue). Celui-ci s'imposera avec la reconquête de Constantinople.

On peut d'autre part classer dans l'Occident : les principautés russes, le royaume de Géorgie, l'empire des Bulgares et le royaume d'Arménie. Il s'agit ici de l'Arménie Mineure, située sur la côte sud-orientale de l'Asie Mineure, coincée entre le sultanat seldjoukide d'Iconium et le sultanat de Damas, et disposant d'une liaison fragile avec l'État des croisés le plus septentrional, la principauté d'Antioche. Le roi d'Arménie est Hethoum Ier.

La Terre sainte

La Terre sainte, que les Français appellent « Outremer », le « royaume de Jérusalem », n'est composée, pour l'essentiel, que des villes portuaires de Jaffa, Tyr, Beyrouth et des châteaux des deux ordres de chevalerie qui se combattent avec virulence, les Templiers et les chevaliers de Saint-Jean. Depuis 1188, Jérusalem elle-même n'en fait plus partie ; après cette date, la capitale est Saint-Jean-d'Acre. Après la mort de Frédéric II, l'ordre des Chevaliers teutoniques a transféré la majeure partie de ses activités vers la Prusse et la Baltique. Le roi en titre de Jérusalem est Conrad IV, en raison du mariage de Frédéric II avec l'héritière, Yolande de Brienne ; mais Conrad ne montera jamais sur le trône.

De facto, et toléré par les Hohenstaufen, c'est le roi Louis de France qui règne sur la Terre sainte jusqu'à son départ, en 1254; ensuite, c'est Henri II de Chypre.

Dans les États septentrionaux créés par les croisés, Antioche et Tripoli, c'est le prince Bohémond VI qui règne. Entre Tripoli et Antioche s'étend le territoire des Assassins syriens, ceux de Masyaf.

Mais outre les ordres de chevaliers, ce sont les républiques maritimes italiennes, bien que rivales, qui déterminent la politique dans l'Outremer.

LE MONDE DE L'ISLAM

Le califat de Bagdad

Considéré comme l'instance spirituelle suprême et le juge arbitral, on le tolère en silence, mais il n'exerce pas de pouvoir essentiel. Le calife est el-Mustasim, de la dynastie des Abbassides, ininterrompue depuis trente-sept générations.

L'Égypte

Les officiers des soldats mamelouks y ont pris le pouvoir à la suite d'un coup d'État, ont assassiné le dernier sultan ayyubide et ont proclamé un de leurs généraux, Aybek, sultan du Caire.

Le Maghreb

À l'ouest, au Maghreb, la dynastie des Hafsides s'est établie en Algérie et en Tunisie. Au Maroc, c'est le sultanat mérinide de Fez, auquel appartient aussi l'émirat de Grenade, au sud de l'Espagne.

La Syrie

À l'est, en Syrie, les Ayyubides se sont maintenus. Le sultan de Damas est An-Nasir.

Alamut

La principale zone d'influence des Assassins ismaélites d'Alamut se situe au sud-ouest de la mer Caspienne. À cette époque, leur imam et grand maître est Mohammed III.

L'EMPIRE DES MONGOLS

Le cœur de l'empire est le khanat central, avec sa capitale, Karakorom. L'empire s'étend, au nord, jusqu'en Sibérie, au nord-ouest, par le biais des principautés russes. À l'ouest, le khanat de Dschagetai s'étend jusqu'à la mer Caspienne. Le grand khan exerce sa souveraineté au sud-ouest jusqu'en Perse, au sud jusqu'à la Chine du Nord, en passant par l'Inde. À l'époque du récit, le grand khan est Möngke, petit-fils de Gengis Khan (*cf.* arbre généalogique page suivante). Il abandonne largement à son cousin Batou le khanat du Qiptchak, au nord-est, le territoire de la « Horde d'Or », et distribue les autres zones d'influence entre ses frères. Kubilai reçoit la Chine actuelle, dont il deviendra plus tard l'empereur. Hulagu reçoit l'Afghanistan et la Perse, et les rassemble pour se créer son propre Ilkhanat. Le plus jeune frère de Möngke, Ariqboga, qu'il a choisi pour lui succéder, reste comme gouverneur dans le khanat central.

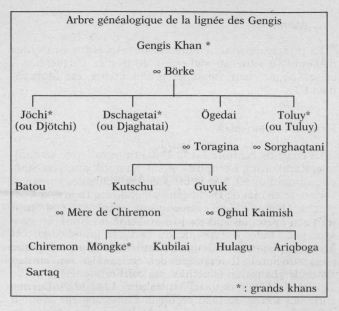

Arbre généalogique de la lignée des Gengis

Gengis Khan *

∞ Börke

Jöchi* (ou Djötchi)   Dschagetai* (ou Djaghatai)   Ögedai   Toluy* (ou Tuluy)

∞ Toragina   ∞ Sorghaqtani

Batou   Kutschu   Guyuk

∞ Mère de Chiremon   ∞ Oghul Kaimish

Chiremon   Möngke*   Kubilai   Hulagu   Ariqboga

Sartaq

* : grands khans

Index

Les bayadères : À l'origine, des danseuses sacrées indiennes ; puis, danseuses et chanteuses professionnelles.

Clarion : Comtesse de Salente, née en 1226 ; fille illégitime de Frédéric II Hohenstaufen, qui, lors de sa nuit de noces (Brindisi 1225), engrossa la demoiselle d'honneur de son épouse, Yolanda.

Houri : (arabe) Compagne.

Parle-moi des deux enfants : Roç, de son vrai nom Roger-Ramon-Bertrand, né vers 1240/1241, parents inconnus ; plus tard, s'est donné en outre le nom de « Trencavel du Haut-Ségur », ce qui permet de conclure qu'il était de la lignée éteinte de Perceval. Le fils de Perceval, Roger-Ramon II, est mort en 1241 en tentant de reconquérir Carcassonne.

Yeza, Isabelle-Constance-Ramona, née en 1239/1240 de parents inconnus, se donna le nom de « Yezabel Esclarmonde du Mont y Grial ». Sa mère n'était sans doute pas la fameuse Esclarmonde évoquée par la légende de Perceval, mais la fille du châtelain de Montségur, qui portait le même nom. Son père était peut-être le fils bâtard de Frédéric, Enzio, né en 1216, qui mourut en 1272, prisonnier de Bologne. Roç et Yeza portent le surnom d'« enfants du Graal ».

Les Hafsides : Dynastie régnante en Tunisie et en Algérie orientale (1228-1574).

La cabale : Doctrine mystique juive développée entre le IXe et le XIIIe siècle (théorie de la migration des âmes).

Créan de Bourivan : Né en 1201, fils de John Turnbull, grandit dans le sud de la France. Après la mort de sa femme, se convertit à l'islam et est admis dans l'ordre des Assassins.

Le Graal : Grand mystère de la secte des cathares, dont la révélation était réservée aux seuls initiés. On ignore encore aujourd'hui s'il s'agissait d'un objet (un calice ayant recueilli quelques gouttes de sang du Christ), d'un trésor ou d'un savoir secret (concernant la lignée dynastique de la Maison royale de David, qui mène, par le biais de Jésus de Nazareth, jusqu'en Occitanie).

Le Prieuré : Mystérieuse société secrète qui prétendait s'être consacrée à la préservation de la lignée dynastique de la Maison de David (le « sang des rois ») et qui s'est manifestée pour la première fois après la conquête de Jérusalem, en 1099. L'ordre des Templiers aurait été son bras armé. Le Prieuré était farouchement opposé à la papauté. À cette époque, il était dirigé par la grande maîtresse Marie de Saint-Clair, dite « la Grande Maîtresse ».

Guillaume de Rubrouck : (1222-1293) Né sous le prénom de Willem dans le village de Roebruk (également Rubruc, Rubrouck ou Roebroek), dans les Flandres. Fait ses études à Paris, sous le nom de Guilelmus, frère mineur. Professeur d'arabe du roi Louis IX de France, celui-ci le délègue en 1243 au siège de Montségur. Se retrouve impliqué dans l'opération de sauvetage des « enfants du Graal » et accompagne depuis le destin de Roç et Yeza. En 1253, le roi le nomme ambassadeur et l'envoie comme missionnaire auprès du grand khan des Mongols, un voyage sur lequel il rédige une chronique officielle, intitulée *Itinerarium*.

Humo l'Estrange : (né en 1229) Fils de la comtesse d'Otrante, Laurence de Belgrave, dite « l'Abbesse ».

L'émir Baibars : Az-Zahir Rukn ed-Din Baibars al Bunduqari (Bundukdari), dit « l'Archer » (né en 1211). Le commandeur de la garde du palais a vaincu le roi Louis IX près de La Mansourah, a assassiné de sa main le dernier sultan ayyubide, Turan-Shah, mais a fait proclamer le général mamelouk Izz ed-Din Aybek sultan d'Égypte. Lui-même est resté l'éminence grise du sultanat du Caire, et n'a régné que de 1260 à 1277, sous le nom du sultan Baibars Ier d'Égypte.

Les mamelouks : Gardes du corps des sultans d'Égypte (anciens esclaves turcs).

Le dernier souverain ayyubide : Les Ayyubides étaient une dynastie fondée par le sultan Saladin (d'après le nom de son père, Ayyub ou Ayoub). Ont régné sur la Syrie (Damas) et l'Égypte (Le Caire), où ils ont été remplacés en 1249 à la suite d'une révolution de palais menée par les mamelouks. La branche syrienne a pris son indépendance et a subsisté jusqu'en 1260.

Grand mollah : Religieux musulman.

Rois de Jérusalem : Le royaume de Jérusalem, produit de la première croisade, en 1099, englobait une ceinture côtière allant de Gaza, au sud, à Beyrouth, au nord, et avait Jérusalem pour capitale. Y étaient associés le comté de Tripoli et la principauté d'Antioche, qui s'étendait jusqu'à la limite du royaume d'Arménie Mineure, au nord. En 1188, Saladin reconquit Jérusalem. La capitale du royaume devint Saint-Jean-d'Acre.

Au XIIIe siècle, il n'en reste plus que ce port fortifié et celui de Tyr.

Shirat Bundukdari : (née en 1231) Sœur cadette de l'émir Baibars. Entre au harem d'An-Nasir en 1248. Libérée en 1250, elle épousa ensuite Hamo l'Estrange, comte d'Otrante.

Assassins : Secte secrète chi'ite ismaélite dont le siège principal était Alamut (Perse) et qui s'implanta aussi en Syrie en 1196. Son nom est peut-être une allusion au mot *haschaschin*, et à la consommation de drogue à laquelle se livraient ses adeptes. Une autre théorie affirme qu'il remonte au mot *asai*, qui signifie en ancien syrien le médiateur, le médecin, le porteur d'un savoir secret.

Les ismaélites : Musulmans extrémistes, chi'ites. Au début de l'islam, après la mort du Prophète, il y avait eu une scission entre les partisans de la *shi'a* (chi'ites), pour lesquels seules des personnes portant le sang du Prophète pouvaient lui succéder, et ceux de la *sunna* (sunnites) qui prônaient un califat électoral. Les Abbassides qui régnaient à Bagdad étaient des sunnites, et, à ce titre, furent combattus de manière meurtrière par les Assassins.

Les Templiers : Ordre de chevalerie reconnu depuis 1120 ; le nom provient du temple de Jérusalem, ou quelques chevaliers s'installèrent après la première croisade (1096-1099) et la conquête de la ville.

Le Vieux de la montagne : Surnom du premier grand maître des Assassins, le cheikh Rachi ed-Din Sinan, surnom qui se transmit aux autres grands maîtres de la secte. Il a transformé l'ordre secret en une compagnie de meurtriers sur gages.

Le grand projet : Un plan sur l'avenir des enfants Roç et Yeza, qui fut sans doute imaginé par John Turnbull, et repris ultérieurement par le Prieuré.

Bis'mil amir al-mumin ! : (arabe) Au nom du commandeur de tous les croyants.

Maka al-Malawi : Grand chambellan du calife de Bagdad.

El-Din Tusi : Nasir ed-Din el-Tusi (1201-1274), savant arabe. Vécut principalement à Bagdad, incita le Il-Khan mongol Hulagu à construire l'observatoire de Megara ; consigna ses observations sur des tableaux des planètes et dans un catalogue des étoiles fixes.

La dynastie des Abbassides : Dynastie de califes islamo-sunnites régnant de 749 à 1258, en l'an 132 du calendrier musulman. Successeurs des Umayyades, furent éliminés par les Mongols.

Le royaume du Khorezm : ou Chwarezm, Huwarizzm, Hwarizm, Choresmia : royaume de nomades dont le chef portait le titre de shah. Situé au sud-est de la mer Caspienne. S'étendit parfois sur la Perse et jusqu'en Inde ; quatre dynasties de 990 à 1231. Ensuite, les Khorezm n'ont plus été que des hordes sans souverain, et ont souvent fait office d'armées de mercenaires, qui ont poussé jusqu'en Turquie et en Égypte. Célèbres pour avoir pris définitivement et détruit Jérusalem en 1244.

Allah jasihum ! : (arabe) Qu'Allah les punisse !

Grand Da'i : Le chef suprême des ismaélites (ou ismaéliens). Ce titre était porté par des membres de l'ordre des Assassins et indiquait le plus haut degré de l'initiation. Le titre d'« imam », lui, les désignait comme chefs séculiers et porteurs de la lignée des successeurs de droit du prophète Mahomet. L'imam Ala'ad-Din Muhammad (Mohammed) III régna de 1221 à 1255 à Alamut.

Alamut : Située dans le massif du Khorassan, au sud-ouest de la mer Caspienne, c'était la principale des quelque trente forteresses des Assassins, le quartier général et la résidence de l'imam. Elle contrôlait la Route de la Soie, qui empruntait ce chemin. Aujourd'hui, il n'en reste plus que des ruines difficilement accessibles.

Shi'a : (*Shi'at' Ali*) (arabe) « Parti ». Ses adeptes, les chi'ites, ne reconnaissent comme imams ou comme califes que les descendants d'Ali et de Fatima (la fille du Prophète) et la tradition des paroles du Prophète qui remonte à eux.

Allahu Akbar ! : (arabe) Dieu est grand !

Madrasa : École coranique.

Sunna : (arabe) Tradition, usage, message. Tradition des paroles du Prophète utilisée comme ligne d'action par les musulmans sunnites. Au XIIIᵉ siècle, le califat de Bagdad était sunnite.

Shafi'i, hanafi, hanbalis, malakis : Différents groupes religieux sunnites.

Le dawatdar Aybagh : Grand secrétaire à la cour du calife de Bagdad et chancelier, essentiellement responsable de la politique intérieure.

Muezzin : Crieur qui appelle à la prière depuis la tour de la mosquée (le minaret).

L'émir Hassan Mazandari : Gouverneur d'Alamut, favori de

l'imam régnant, Mohammed III ; considéré comme le meurtrier de l'imam.

Rafiq : (arabe) Camarade. Membre de l'ordre des Assassins qui, à la différence du Da'i situé à un rang plus élevé, n'est que partiellement initié.

Fida'i : (arabe) Novices dans l'ordre des Assassins, qui n'ont pas encore été initiés, mais ont prêté serment.

Tatares : Nom d'une tribu mongole ; en Europe, le terme désigne tous les Mongols. C'est seulement vers 1240/1241 que le mot « Mongol » a été connu par des légats franciscains.

La jeune Tawaddud : Personnage des *Mille et Une Nuits*.

Le cheîtan : Satan, le diable.

Bis'mil Allah : (arabe) Au nom d'Allah !

Chaiman : Chef de la délégation, espion au service du chambellan.

Kitai : Ethnie de l'actuelle Chine, qui vivait dans le nord de la Chine et dans le sud de la Mongolie.

La croix de Toulouse : Armes de l'Occitanie.

Bil chattar... : (arabe) Dans le danger et la détresse, la voix médiane mène à la mort !

Allah jâtii... : (arabe) Qu'Allah lui offre une longue vie !

Allah jijasi... : (arabe) Allah punisse les infidèles !

Haroun al-Rachid : (786-809) Le cinquième calife abbasside, connu par les *Mille et Une Nuits*, ami de Charlemagne.

Muwayad ed-Din : Grand vizir (ministre des Affaires étrangères) du calife, chi'ite.

Halca : (arabe) Le cercle, l'anneau ; ici, enfants orphelins d'origine noble que l'on éduquait pour en faire des gardes du corps.

Kermanshah : Ville située au nord-est de Bagdad, dans l'Iran actuel.

Damna : (occitan) Dame.

Altaï : Montagne située à l'ouest de la Mongolie.

Les lignées princières des Gengis : Les descendants de Gengis Khan.

Tengri : « Dieu de la tente céleste éternellement bleue qui enveloppe toute chose », divinité suprême des Mongols chamaniques.

Arslan : Chaman et ermite, vivant dans l'Altaï. Les gouvernants de la lignée des Gengis firent aussi appel à lui pour les conseiller sur les affaires de l'État.

Möngke : (Monka, Mangu, 1208-1259) Petit-fils de Gengis Khan ; en 1251, est élu successeur de son cousin Guyuk à la dignité de grand khan (khagan) lors du congrès des mongols (le *Kuriltay*).

Ariqboga : (Arigh Böke, † 1266) Plus jeune frère de Möngke, qui le nomma gouverneur du khanat central et en fit son successeur.

Kubilai : (1215-1294) Frère aîné de Möngke qui l'envoya en Chine. Après la mort de Möngke, se proclama grand khan, et empereur de Chine à partir de 1280. C'est sous son règne que l'Empire mongol connut sa plus grande extension.

Hulagu : (Hulegu, 1218-1265) Fut envoyé en Perse par Möngke. Il prit en 1260 le titre de Il-Khan.

Sorghaqtani : (Sorkhokthani Beki) Veuve de Toluy, le fils de Gengis Khan, mère de Möngke, Kubilai, Hulagu et Ariqboga.

Toluy : (Toloui, Tului, 1190-1232) Le plus jeune fils de Gengis Khan, régent de 1227 à 1229.

Guyuk : Petit-fils de Gengis Khan, fils d'Ögedai, grand khan de 1246 à 1248, marié à Oghul Kaimish.

Le khan : Souverain sur le territoire d'une tribu mongole (khanat). Son épouse porte le titre de khatun.

Chamans : Prêtres-sorciers des peuples sibériens, qui sont en relation avec les esprits de la nature, font des prédictions et soignent. Les pratiques des chamans se propagent de la Sibérie aux Indiens d'Amérique du Nord, en passant par toute l'Eurasie ; à l'époque de Gengis Khan, c'étaient pour les Mongols des prophètes et des magiciens très estimés, qui mettaient les hommes en relation avec les esprits et les dieux.

Le Kuriltay : Congrès des Mongols, où se retrouvaient tous les chefs de tribus (de khanat).

Karakorom : (Qara-Qoroum, Karakoroum...) Devint vers 1220, sous le règne de Gengis Khan, le centre de l'Empire mongol.

2. Parfum de fleur et pourriture

Ali : Fils d'el-Din Tusi.

Zev Ibrahim : Physicien et ingénieur juif, au service des Assassins d'Alamut.

Pian del Carpine : (Giovanni dal Piano de Carpiniis, 1182-1252) Moine franciscain, premier custode de Saxe, auteur du *Liber Tartatorum*, a voyagé à la demande du pape, de 1245 à 1247, comme ambassadeur auprès du grand khan des Mongols. Après son retour, a rédigé

l'*Ystoria Mongalorum* et est devenu archevêque d'Anti-
vari.

L.S. : (latin) *Locus signili*, « place pour le sceau », correspond à notre « signé... » actuel.

Élie de Cortone : (1185-1253) De la famille du baron Coppi,
ce qui lui valut aussi le surnom de « Bombarone ».
Membre de l'ordre des moines mendiants fondé par
François d'Assise; 1223, ministre général de l'ordre,
réélu en 1232; après son excommunication, s'est retiré
à Cortone; en 1242/1243, s'est retiré à Constantinople
comme ambassadeur du roi Frédéric; revient en 1244
avec la relique de la Sainte Croix.

Le comte Jean de Joinville : (1224/1225-1317/1319) Sénéchal de Champagne, occasionnellement au service de
Louis IX à partir de 1244, il l'accompagna aussi dans sa
croisade en Égypte.

Damm al ard : (arabe) « Le sang de la terre », le pétrole.

Le « Paradis » : Nom donné aux jardins du grand maître
des Assassins. Selon la légende, les novices, mais aussi
les initiés de l'ordre, étaient autorisés, avant une mission dangereuse, à s'enivrer de haschisch avant d'aller
jeter un coup d'œil aux *houris* ou de faire un bref séjour
auprès d'elles, si bien que leur désir de rejoindre le
paradis les subjuguait et qu'ils ne craignaient plus la
mort.

Marahid : (arabe) Lieu secret. Ici, les toilettes.

Khur-Shah : (Rukn ed-Din Kwhurshah, 1235-1256) Fils de
Mohammed III (1212-1255). Dernier imam d'Alamut,
1255-1256.

Chorda laxans : Corde élastique (vraisemblablement obte-
nue avec du caoutchouc et des dérivés pétroliers); amé-
liora considérablement la force de projection des
machines de siège.

Herlin : Maître, bibliothécaire, scribe de l'imam d'Alamut,
vraisemblablement d'origine française.

Blanchefort : Nom du fief d'Achaïe que John Turnbull avait
accordé à son fils Créan.

Kasda : Née en 1222.

Pola : Née en 1223. Comme Kasda, c'est la fille de Créan,
née à Blanchefort de son mariage avec Elena Champ-
Litte d'Arcady; après la mort violente de leur mère et la
persécution de l'Inquisition, Créan les mit en sécurité à
Alamut.

Ratio atque usus : (latin) Par la raison comme par l'expérience.

Soufi : (arabe) Littéralement : porteur de vêtements en coton. Adepte du soufisme, une doctrine islamique qui a fait une science de l'exploration du spirituel (entre autres par l'ascèse et la méditation).

Faljusha'... : (arabe) Que la lumière soit !

Deus omnipotens : (latin) Le Dieu tout-puissant.

3. Le lointain *Kuriltay*

Gengis Khan : 1167-1227. Unificateur des peuples mongols vers 1195, souverain absolu à partir de 1206 ; marié à Börke, qui lui fut enlevée alors qu'elle était une jeune femme.

Yourte : Tente mongole composée d'entrailles tressées et tendues de feutre ; dans la plupart des cas, les yourtes étaient transportées entières sur de gigantesques chars à bœufs.

La loi du Jasa : Il s'agit de la loi donnée aux Mongols par Gengis Khan ; elle garantissait la paix dans l'ensemble de l'empire — ce que l'on a appelé la « *pax mongolica* ».

André de Longjumeau : († 1270) Dominicain, voyagea comme légat auprès des Mongols, au nom du pape.

Les nestoriens : Disciples du patriarche Nestor de Constantinople († 451). Chassé de l'Empire romain en 431 pour hérésie, Nestor fonda une Église en Perse. Doctrine dualiste, rejet du culte marial. A évangélisé l'Inde, la Chine, l'Afrique, mais aussi les Mongols, sans abolir les pratiques chamaniques.

A solis... : (latin) Là où le soleil commence son voyage vers les frontières de la terre, louons le Christ, le prince, né de la Vierge.

Chiremon : Membre de la lignée des Gengis, arrière-petit-fils de Gengis Khan, petit-fils du grand khan Ögedai. Considéré comme son successeur, on lui préféra cependant Guyuk, le fils d'un deuxième mariage (avec la régente Toragina-Khatun).

Famulis... : (latin) « Nous te prions, ô Seigneur, fais à tes serviteurs le don de ta grâce céleste. » Oraison de la liturgie célébrée pour la Visitation de la Vierge (2 juillet).

Général Kitbogha : (Kitbuqa) Chef d'armée sous Hulagu, exécuté en 1260 par Baibars.

Kito : Fils du général, né de l'union avec Irina-Khatun.

Dokuz-Khatun : († 1265) Épouse du Il-Khan Hulagu, chrétienne nestorienne.

Benedicta et... : (latin) « Tu es bénie et vénérée, ô Vierge. Dans ta virginité intacte, tu es devenue la mère du Sauveur. » Graduel de la célébration de la messe.

Dominus... : (latin) Le Seigneur soit avec vous !

Et cum... (latin) Et avec votre esprit !

Ite missa est : (latin) Annonce de la fin de la messe.

Batou : (Batu-Khan, né en 1207) De la lignée de Gengis, petit-fils de Gengis Khan, deuxième fils de Djötchi.

Djötchi : (Juji) Fils aîné de Gengis Khan (1180-1227), vraisemblablement un bâtard de l'épouse de Gengis Khan, Börke.

Ögedai : Troisième fils et successeur de Gengis Khan (1186-1241), grand khan depuis 1229. Il a été élu parce que l'on pouvait douter de la naissance légitime du fils aîné, Djötchi, et que le deuxième fils, Dschagetai (Jagatai), avait été tué par les Assassins.

Le Bulgai : De son vrai nom Chigi Khutukhu ; grand juge, chef des Services secrets du grand khan.

Le grand Temudjin : (Temüjin) « Le Forgeron », surnom de Gengis Khan.

Kokoktai-Khatun : (Kokoktai) Chrétienne nestorienne, princesse kereït, « Première épouse » de Möngke.

Irina : Chrétienne nestorienne, épouse du général Kitbogha.

Ecclesia catolica : (latin) L'Église universelle.

Ata el-Mulk Dschuveni : Musulman sunnite, grand chambellan de Hulagu.

Alleluia : (latin) Alléluia, Alléluia. Marie est montée au Ciel, le chœur des anges se réjouit, Alléluia.

Le pape Innocent IV : En fonction du 24 juin 1243 au 7 décembre 1254, successeur de Célestin IV qui régna seulement vingt-six jours, à l'automne 1241, avant d'être éliminé ; combattit l'empereur Hohenstaufen, Frédéric II, et, après la mort de celui-ci (en 1250), son fils et successeur Conrad IV en Italie du Sud, le bâtard Manfred. Il s'efforça de trouver pour le royaume de Sicile, qu'il considérait comme un fief pontifical, des souverains disposés à en chasser les Hohenstaufen. Il donna alternativement les droits, moyennant finances, à la maison royale anglaise et à Charles d'Anjou, le plus jeune fils du roi français Louis qui, effectivement, l'emporta en 1266 sur Manfred au cours de la bataille de Bénévent et tua le fils de l'empereur. En 1268, il fit décapiter à Naples le fils de Conrad, Conradin.

Paladin : Membre fidèle d'une escorte.

Omnipotens... : (latin) Dieu éternel et tout-puissant, toi qui as pris place dans le cœur de la bienheureuse Vierge Marie.

Alleluia... : (latin) Alléluia, alléluia. Salut à toi, Mère de l'espérance et de la Grâce, ô Marie, alléluia.

Sartaq : (Sartach) Fils de Batou, auquel il succéda (pour une année seulement). Khan de la Horde d'Or en 1256/1257.

Alexandre Nevski : (Alexandre Iaroslavitch Nevskii, 1220-1263) Grand prince russe de Novgorod et de Kiev, se soumit aux Mongols, qui prirent Kiev en 1240. En 1242, il l'emporta sur l'ordre des Chevaliers teutoniques dans la bataille du lac de Peïpous ; il bloqua ainsi la propagation de la foi catholique en Russie.

Miserere... : (latin) Seigneur, aie pitié de moi qui suis dans l'angoisse. La douleur mouille mes yeux, mon âme et mon cœur.

Ave Maria... : (latin) Salut à toi, Marie, sauve-nous, bienveillante. Salut à toi, chasse la vanité. Salut à toi, ô Sublime, rose de l'épineux. Salut à toi, tellement âgée, parole rédemptrice de Dieu. Salut à toi, écusson des vertus, ô reine.

Mappa... : (latin) Carte du territoire des Mongols.

La Saint-François d'Assise : Le 4 octobre.

Rainaldo di Jenna : Cardinal-archevêque d'Ostie, comte de Segni, fut élu le 27 décembre 1254 pour succéder à Innocent IV et prit le nom d'Alexandre IV. † le 25 mai 1261.

Papabile : (italien) Membre d'une famille dont les membres peuvent être élus papes.

Conti di Segni : Famille noble de la région du mont Albain, près de Frascati, au sud de Rome.

Thomas de Celano : (1190-1255) Frère mineur, chargé par Grégoire IX de rédiger une biographie officielle de saint François.

Un gibelin camouflé : Les gibelins étaient les partisans du Hohenstaufen.

Le Bombarone : Surnom d'Élie de Cortone.

La regula : (latin) La règle ; ici : la règle de l'ordre.

Ufficium... : (latin) Bureau pour l'étude des Mongols.

Bartholomée de Crémone : Travaillait pour les Services secrets de la curie, accompagnateur officiel de Guillaume de Rubrouck de 1253 à 1255 lors de sa mission auprès du grand khan des Mongols, mais aurait été remplacé par son frère d'ordre, Laurent d'Orta.

Ystoria Mongalorum : Histoire des Mongols.

Laurent d'Orta : (né en 1222) Franciscain, fut envoyé par le pape à Antioche, en 1245, afin d'apaiser la querelle des Églises (opposant l'Église grecque orthodoxe à l'Église romaine catholique).

Urbs : (latin) La ville. Ici : Rome.

Le Cardinal gris : Mystérieuse fonction au sein de la curie pendant le Moyen Âge. Supervisait l'Inquisition et dirigeait les Services secrets. Résidait au château Saint-Ange. Lorsque la curie fut chassée de Rome, c'est le Castel d'Ostie, à l'embouchure du Tibre, qui servit de quartiers de repli.

Capoccio : (né en 1181) Rainer de Capoccio, membre de l'ordre des Cisterciens.

Praefectus... : (latin) Chef du bureau.

Sine glossa : (latin) Sans réserve. Désignation du « testament » authentique de saint François d'Assise.

Brancaleone : Brancaleone degli Andalo, gibelin, comte de Caselecchio, chef d'un mouvement populaire qui chassa de Rome le pape et la noblesse. Sénateur, créa une république entre 1252 et 1258.

Cenni di Pepi : Dit Cimabue, né en 1240, peintre florentin, style byzantin tardif. Sur recommandation de Thomas de Celano, fut chargé par le pape de décorer l'église de San Francesco à Assise avec des fresques (« Vierge au saint François »); on considère qu'il a opéré la transition avec la Renaissance.

In Festo Omnium Sanctorum : À la Toussaint.

Mare Caspicum : (latin) La mer Caspienne.

Olivier de Termes : (né en 1198) Soutint le dernier Trencavel avant de se rallier à la France.

Guillaume de Gisors : (né en 1219) Templier, successeur de la grande maîtresse du Prieuré en fonction à l'époque du récit.

Gavin Montbard de Béthune : (né en 1191) Jeune chevalier, a été utilisé par les chefs de la croisade contre le Graal pour offrir un sauf-conduit à Trencavel (Perceval). La promesse a été rompue.

Grande maîtresse : Marie de Saint-Clair, grande maîtresse du Prieuré.

Lo absolverò... : (italien) Je lui donnerai l'absolution.

Le roi Conrad : (né le 25 avril 1228, † 20 mai 1254) Fils et successeur de Frédéric II; épousa en 1246 Élisabeth de Bavière; de ce mariage est né Conrad V, dit Conradin, le dernier Hohenstaufen.

Le roi Manfred : (né en 1232) Bâtard de Frédéric II, gouverneur en 1250 de la Sicile, au nom de Conrad IV. Après la mort de celui-ci, s'est proclamé roi sans tenir compte des règles de la succession.

Berthold von Hohenburg : Sénéchal de l'Italie du Sud sous Conrad IV, commandant de l'armée allemande envoyée en Italie.

Charles d'Anjou : Plus jeune frère du roi français Louis IX ; comte d'Anjou depuis 1246.

Mare Nostrum : (latin) « Notre mer », la Méditerranée.

Quod licet... : (latin) Ce qui est autorisé à Jupiter est loin de l'être au bœuf !

Advocatus diaboli : (latin) Littéralement, avocat du diable ; tenait le rôle du vérificateur critique lors des procédures de béatification et de divorce religieux.

Jean de Procida : Né en 1210, médecin qui exerçait dans sa ville natale de Salerne et fut le médecin personnel de l'empereur Frédéric au cours des dernières années de sa vie ; resta au service des Hohenstaufen. Manfred le nomma chancelier de l'empire.

Fête des Innocents : Le 28 décembre.

Imitator spiritus : (latin) Imitateur par l'esprit.

Rinaldus... : (latin de cuisine) Rinaldus a confié la mission au frère débile, Cimabue l'a peint.

Qubbat al musawa : (arabe) « Voûte de l'équilibre ».

Stabilitas... : (latin) La stabilité et la flexibilité conservent la Rose dans sa floraison, lui donnent sa solidité et lui permettent de respirer.

Magharat al ouahi : (arabe) « Grotte des révélations ».

Al-Kindi : (né vers 800) L'un des pères de l'astrologie arabe.

Alcabitius : († 967 à Saragosse) Son ouvrage le plus fameux est son *Introduction à l'art de l'astrologie*.

Abu'l Wefa : (940-998) Mathématicien et astronome arabe du nord de la Perse. A fait ses études en 970 à l'observatoire de Bagdad. A amélioré la trigonométrie en introduisant le sinus et la tangente.

Alphard : Plus brillante des étoiles fixes de l'Hydre, dans le signe du Lion, du type de Saturne et de Vénus.

Bellatrix : Étoile fixe d'Orion, dans le signe des Gémeaux, du type de Mars et de Mercure.

Annilam : Étoile brillante d'Orion, dans le signe des Gémeaux, du type de Jupiter et de Saturne.

Sirrah : Plus brillante étoile d'Andromède, dans le signe du Bélier, du type de Jupiter et de Vénus.

Le Veau : Désigne le Regulus, étoile fixe la plus brillante dans le signe du Lion, du type de Mars et de Jupiter.

Omar : Fida'i de l'ordre des Assassins, issu du village d'Iskenderun, dans le massif du Khorassan.

4. Sous la lune d'argent d'Alamut

Jibn tasa : Fromage frais.

Chubs : (arabe) Galette de pain.

Tin nashif : (arabe) Figues.

Jibn muchammar : (arabe) Fromage décroché.

Al jibn : (arabe) Fromage.

Habibat-al-oula-as-sabiqa : (arabe) L'ancienne favorite.

Al muchtara : (arabe) La sélectionneuse.

Hejab : (arabe) Voile de femme.

Mala femina : (italien) Une mauvaise femme.

Alhamdulillah : (arabe) Allah soit loué !

L'émir Belkacem Mazandari : cousin de Hassan Mazandari.

Sempad : Frère du roi Hethoum Ier d'Arménie (Mineure), connétable (général) du royaume.

Miraculum mobilis : (latin) Un prodige du mouvement.

Ruota della fortuna : (italien) La roue du destin.

Terra Nostra : (latin) Notre Terre.

Sol : (latin) Le soleil.

Hécate : Nom donné à la nouvelle lune, déesse crépusculaire avec ses chiens.

Lilith : La face cachée de la lune.

Sol invictus : (latin) Le dieu invincible, divinité de la Rome tardive.

Ishtar : Déesse babylonienne, mère primitive de Vénus.

Trismégiste : (latin) Le « trois fois suprême » ; surnom de Hermès.

Muchairra : (arabe) Sélective.

Muchtarrat : (arabe) (Les) Élus.

5. Les éclairs

Saints Anaclet et Marcellin : 26 avril. Anaclet occupa le siège de saint Pierre de 79 à 89. Marcellin fut pape de 296 à 304, il est mort en martyr, décapité.

Vitus de Viterbe : Né en 1208, fils bâtard du Cardinal gris Rainer de Capoccio. Sbire lancé par la curie contre Roç et Yeza. En 1247, survécut paralysé à l'attentat commis par les Assassins. Diacre général des cisterciens, se suicide en 1251 dans la citadelle des Assassins à Masyaf.

Pax et bonum : (latin) « Paix et bien » ; formule de salutation des franciscains.

Terra Sancta : (latin) La Terre sainte.

Camerlenghi : (italien) Chambellans.

Capitani : (italien) Capitaines.

Virga... : (latin) La branche de Jésus est la Vierge, la mère de Dieu, sa fleur est son fils et son père, oh ! Cette fleur née d'une manière extraordinaire, les chœurs des saints la chantent comme il se doit ; louange, louange, louange et félicitations ; Que la puissance et le règne soient pour l'éternité au Seigneur dans le Ciel !

Le âin al hasud : (arabe) Le mauvais œil.

Assalamu... : (arabe) Nous te souhaitons la bienvenue. Dieu te protège.

Hadha... : (arabe) C'est un avertissement.

At-tarhib : (arabe) La bienvenue.

Inch'Allah ! : (arabe) Comme il plaira à Dieu !

Quaât al musawa : (arabe) « Salle de l'équilibre ».

Fatirit... : (arabe) Pâté de gibier.

Thamar : (arabe) Fruit.

Rus binni : (arabe) Riz brun.

Pax mongolica : (latin) La paix mongole.

Otages du grand khan

1. Samarcande

La Saint-Augustin : Le 28 mai. Ce prieur d'un monastère bénédictin évangélisa les Anglo-Saxons. † 604.

Gosset : Un prêtre envoyé par le roi Louis, qui aurait accompagné les frères mineurs Guillaume de Rubrouck et Bartholomée de Crémone auprès du grand khan, mais a vraisemblablement été remplacé par Créan de Bourivan

Nuestra Señora de Quéribus : (espagnol) Notre-Dame de Quéribus. Quéribus fut la dernière citadelle des cathares dans le sud-ouest de la France, près de Perpignan. Elle ne tomba entre les mains des Français qu'en 1255, à la suite d'une ruse d'Olivier de Termes. Le maître de Quéribus était Xacbert de Barbera.

Xacbert de Barbera : (1185-1275) Parent du Trencavel et du comte de Foix, cathare excommunié par le pape ; après avoir mis fin à une résistance désespérée contre l'occupation de sa terre natale par la France, loua ses services de général et de corsaire au roi Jacques Ier d'Aragon, dit Jacques le Conquérant.

Don Jaime : Jacques le Conquérant, roi d'Aragon de 1213 à 1276, né en 1208, conquit les Baléares lors de la *Reconquista* (lutte de la population chrétienne contre la domination arabe), ainsi que les émirats de Valence et de Mursia.

Unio... : (latin) L'union du royaume de Sicile avec l'Empire allemand.

La Torre : (espagnol) La tour, le castel.

Ke spiate... : Qu'est-ce que vous faites, à espionner ici les navires, toute la journée ? Espions de l'Anjou ?

Samarcande : (ou Samarkand) L'une des plus anciennes villes d'Asie centrale, mentionnée pour la première fois en 329 avant J.-C.

Boukhara : Capitale historique de l'Ouzbékistan.

Malouf : Riche marchand de Samarcande.

Amir : (arabe) L'ordre.

Badgad : Fut de 762 à 1258 la capitale du royaume abbasside et le siège du califat.

Amin al chisana : (arabe) Titre du chambellán.

Hakim... : (arabe) Le maître de l'Occident.

Al malik... : (arabe) Le couple royal.

Salat... : (arabe) Prière de midi.

Saint-Jean-d'Acre : Ville portuaire située au nord de Haïfa. À partir de 1191, elle sert de capitale au royaume de Jérusalem (la ville sera reprise par Saladin en 1187), jusqu'à sa chute en 1291 ; elle était devenue le dernier rempart chrétien dans la région.

Schiroual : (arabe) Draps que l'on noue autour de la taille.

Alhamdulillah... : (arabe) Allah soit loué !

Sadiq... : (arabe) Un ami qui traverserait les flammes pour nous.

Chamara : (arabe) La taverne.

Âarajh... : (arabe) Un boiteux au mauvais œil.

Masyaf : Principale forteresse des Assassins de Syrie, entre Tripoli et Antioche, dans le massif du Noasiri.

Dhal âin... : (arabe) Il a le mauvais œil !

Bantalon... : (arabe) Pantalons bouffants.

Principessa : (italien) Princesse.

Arménie : L'Arménie Mineure, qui n'existe plus aujourd'hui, dont la capitale était Sis. Elle se trouvait au sud-est de la Turquie, elle jouxtait la Syrie et la principauté d'Antioche. La Grande Arménie, dont les restes subsistent encore aujourd'hui, se situait au sud du Caucase, entre la Perse et la Géorgie ; mais au XIIIe siècle, elle fut occupée d'abord par les peuples turcs, puis par les Mongols.

Kumiz : Boisson nationale des Mongols ; lait de jument fermenté. Au Proche-Orient, obtenu avec du lait de chamelle (Qumys), souvent coupé de sang, extrêmement nourrissant et enivrant.

Allah... : (arabe) Puisse Allah avoir pitié de leurs âmes, les bonnes comme les mauvaises !

2. L'héritage de la Corne d'Or

La Saint-Joseph : Le 19 mars.

Conrad V : (né en 1253) Fils de Conrad IV et d'Élisabeth de Bavière, dit Conradin, décapité en 1268 à Naples.

Nicola della Porta : Né en 1205 à Constantinople, fils de Guido II, évêque d'Assise, fut nommé évêque de Spoleto après la mort de son père, et délégué en 1235 dans l'Empire romain.

Respiciendum finem : (latin) En songeant à la fin.

Benoît de Pologne : Moine franciscain de Breslau, interprète et accompagnateur de Pian del Carpine lors de son ambassade auprès du grand khan des Mongols. Après son retour à Constantinople, il a été « remplacé » par Guillaume de Rubrouck et tué par les Assassins.

Philippe : Serviteur de Hamo l'Estrange.

Les Angeloi : Dynastie impériale de Byzance.

Le Pénicrate : (grec) Seigneur des pauvres, roi des mendiants.

Taxiarchos : (grec) Colonel, employé ici en nom propre.

Oktopi : Poulpes.

Le Centre du Monde : Nom de la salle stratégique du palais, dont le plancher représentait l'espace méditerranéen.

Lestai : Les bandits, les brigands.

Basileus, basilea : (grec) Roi, reine.

Onggods : Esprits bienveillants (des ancêtres) pour les Mongols.

Ada : Esprits malveillants.

Balaneion : (grec) Salle d'eau.

Temudjin, Er-e boyada : « Grand Forgeron », désignait Gengis Khan.

Allah... : (arabe) Qu'Allah nous assiste !

La Saint-Isidore : Le 4 avril. Doctrinaire de l'Église, né en 560 à Carthagène.

Nec spe nec metu : (latin) Ni espoir ni crainte.

3. Conte d'un camp d'été

As-Sinna : (arabe) Copuler.

Alhamdulillah... : (arabe) Dieu soit loué.

Orda : Jeune fille mongole.

Maître Guillaume Buchier : Orfèvre de Paris.

Yves le Breton : Né en 1224, ancien prêtre, tueur au service du roi Louis.

Mustafa Ibn-Daumar : Marchand de Beyrouth, pseudo-nyme adopté par Créan de Bourivan pour sa mission diplomatique comme ambassadeur des Assassins en Occident.

Villard de Honnecourt : Architecte français du XIIIᵉ siècle, connu pour son *Carnet de Croquis* où l'on trouve des indications sur la nouvelle technique de construction des cathédrales gothiques. S'est aussi fait une réputation en matière d'instruments et d'installations techniques (croquis pour une scierie hydraulique, sans doute jamais construite, et pour un *perpetuum mobile*). Ses plans ont inspiré la première écluse à comparti-ments en Hollande.

Élisabeth de Hongrie : Fille du roi André II de Hongrie, épouse du margrave de Thuringe, Louis IV.

Le vin de Falerne : Vin rouge de Campanie.

Assalamu... : (arabe) Formule de salutation.

Fête de saint Léon Iᵉʳ : Le 11 avril. Pape, né en 400, sauva Rome des hordes d'Attila (452) et des Vandales (455).

Royaume de la Paix : À travers tout le Moyen Âge, et notamment à l'époque des croisades, on retrouve l'aspi-ration à voir apparaître, un jour ou l'autre, un prince de la paix. La plupart des légendes l'appellent « l'archi-prêtre Jean ». Un temps, on s'est attendu à ce qu'il vienne d'Abyssinie ; puis, pour une brève période, l'espoir s'est porté sur le nouvel empereur des Mongols, Gengis Khan. Frédéric II se donnait volontiers, lui aussi, le titre de prince de la paix.

Alâna : (arabe) Maudit.

La Saint-Jean : Le 6 mai.

Trébizonde : Ville de la côte méridionale de la mer Noire, aujourd'hui Trabzon, en Turquie.

Timdal : Interprète mongol, également nommé « *homo Dei* » par Guillaume de Rubrouck.

4. Via Triumphalis

Le clams : Tunique blanche des templiers, frappée de la croix rouge à griffes et portée au-dessus de la cuirasse.

Al uafa... : (arabe) Fidèle jusqu'à la mort.

Via Triumphalis : (latin) La voie du triomphe.

La Saint-Sixte II : Pape de 257 à 258, martyr. Fête le 6 août.

Le jam : Outre les fonctionnaires, on avait réparti sur chacun des sièges de khan, sur tout le territoire mongol, des étapes dirigées par un *jam*. Ils étaient responsables de la bonne circulation du courrier et du bon déroulement du voyage des ambassadeurs. Il s'agissait donc, *de facto*, d'un mélange entre les maîtres de stations de poste et les gouverneurs de province.

Veni... : (latin) « Viens, esprit du Créateur. » Vieil hymne des croisés.

Alfiere : Porteur de bannière du pape. Titre honorifique, conféré à des nobles au nom de leurs mérites au profit de l'Église.

L'Ascension de Marie : Le 15 août.

Salve Regina : (latin) « Salut à toi, Reine (du ciel) » ; chant religieux.

Alma... : (latin) Auguste mère du Rédempteur que le Père a envoyé du Ciel pour le salut des peuples.

Hongrie, Bulgarie : La Grande Hongrie et la Grande Bulgarie, dont les terres d'origine se situaient bien plus au nord-est que les territoires actuels, puisqu'elles s'étendaient le long de la Volga. Il existait un royaume de Hongrie qui, beaucoup plus grand qu'aujourd'hui, poussait au sud-ouest jusqu'à la côte croate de l'Adriatique et, au nord, jusqu'au royaume de Pologne. Le roi de Hongrie était un vassal de l'empereur allemand.

Audi... : (latin) Entends-nous, ô mère de la bonté, entends-nous implorer pardon pour nos péchés, et protège-nous du mal.

La Porte de fer : Passage légendaire situé entre le Caucase et le rivage occidental de la mer Caspienne, à la hauteur de la ville actuelle de Deribent. Devait protéger la Perse et Bagdad des incursions des peuples nomades du nord.

L'Exaltation de la Sainte Croix : Le 15 septembre.

Canes Domini : (latin) « Chiens du Seigneur », sobriquet des membres de l'ordre des Dominicains, allusion à leur activité d'inquisiteurs.

Kinchak : Ville aujourd'hui disparue, située à l'est de

Jaxartes (aujourd'hui Syrdaria), à proximité de Frounze (Bichpek) et au sud du lac Baïkal.

Caialic : Dans le pays d'Organum, au nord-est de l'actuelle Alma-Ata, au sud du lac Baïkal. N'existe plus.

Om mani... : « Tu le sais. » Prière bouddhiste encore en usage aujourd'hui.

Credo in unum Deum : (latin) « Je crois en un seul Dieu ». Profession de foi.

In Circumcisione Domini : (latin) Fête de la circoncision du Seigneur, le 1er janvier.

La veille de l'Épiphanie : Le 5 janvier, jour des Rois.

Ave Regina... : (latin) « Salut à toi, reine du Ciel. » Hymne à la Vierge.

Sergius : Moine arménien qui était en mission auprès des Mongols à l'époque du voyage de Guillaume de Rubrouck.

5. Patriarche de Karakorom

Contessa d'Otranto : Hamo a donné à son navire le nom de sa mère, Laurence de Belgrave, comtesse d'Otrante.

Ayas : Ville portuaire d'Arménie Mineure, située dans le golfe d'Iskenderun, au sud de l'ancienne capitale, Sis, l'actuelle Kozan. Aujourd'hui port pétrolier.

Abdal le Hafside : Marchand d'esclaves originaire du Maghreb.

Mahdia : Ancienne capitale de l'émirat de Tunis, situé sur la côte Sud.

Kairouan : La grande mosquée de Kairouan fut, jusqu'à sa laïcisation par la puissance coloniale française, un sanctuaire de l'islam maghrébin, auquel les chrétiens n'avaient pas accès. On y conservait trois poils de barbe du prophète Mahomet.

Tingis : Ville gothique créée face à Gibraltar, la Tanger actuelle.

Djebel al-Tarik : (arabe) La montagne du Tarik.

Ceuta : Ville portuaire espagnole, au nord du Maroc actuel.

La côte des Mouwahides : Califat chiite qui gouverna au milieu du XIIe siècle et jusqu'en 1250 environ l'ouest du Maghreb et le sud de l'Espagne ; détaché des Hafsides.

L'océan de l'Atlas : Ainsi désigné d'après le massif montagneux du Maroc (Haut Atlas). C'est de là que vient le nom « Atlantique ».

Tlemcem : Ville et ensemble de temples situés sur la côte

mauritanienne, frontière occidentale de l'Algérie actuelle.

Boutres : Voiliers égyptiens à voilure fixe et oblique.

Le feu grégeois : Moyen de combat inventé par Kallinikos de Byzance en 671. Envoyé par les catapultes dans des pots fermés, il brûlait même dans l'eau. Mélange de soufre, de sel minéral, de résine, de pétrole, d'asphalte et de chaux brûlée. Fut utilisé avec succès par les Byzantins, en 672, pour défendre Constantinople contre les Arabes.

Aragon : Royaume du nord-est de l'Espagne, ancienne capitale Jaca, dans les Pyrénées, puis Saragosse ; au XIIe siècle s'y ajoute le comté de Catalogne, avec Barcelone.

Ascalon : La ville portuaire la plus méridionale du royaume chrétien de Jérusalem. Retomba constamment aux mains des Égyptiens. Sous domination des mamelouks au milieu du XIIIe siècle.

Henri de Malte : Enrico Pescatore, amiral de Frédéric II, époux de Laurence de Belgrave, qui hérita son château et le titre d'Otrante ; passait pour le père de Hamo l'Estrange, mais si l'on en croit une confession de la comtesse à Guillaume de Rubrouck, elle s'était fait engrosser peu avant son mariage, dans la prison de Constantinople, par un jeune prince mongol qui fut ensuite exécuté pour espionnage.

Syrte : Golfe de Libye.

Alexandrie : Ville portuaire égyptienne, située dans le delta occidental du Nil, fondée en 331 avant J.-C. par Alexandre le Grand, détenait l'une des Sept Merveilles du monde, son phare de 400 pieds de hauteur. À l'époque de Ptolémée, la ville était réputée pour sa bibliothèque, le centre artistique et scientifique du monde.

Claude Ptolémée : Célèbre astronome grec, mathématicien et géographe, né en Haute-Égypte, † en 178 après J.-C. C'est lui qui a dessiné la première carte du monde. Avec son œuvre *Grand système astronomique*, il est considéré comme le fondateur de l'école géocentrique. Cet ouvrage a été traduit en arabe sous le nom d'*Almageste*.

« Lumière du Monde » : L'expression désigne l'empereur Frédéric, qui portait ce surnom.

Sis : Capital du royaume. Le roi est Hethoum Ier.

Pacte de non-agression : Il a été conclu le 21 février 1254.

Bohémond VI : Prince d'Antioche, né en 1237. A succédé à

son père sur le trône à l'âge de quatorze ans, et a épousé Sibylle d'Arménie, la fille de Hethoum Ier.

Xenia : Femme d'Ayas.

Alena : Fille de Hamo l'Estrange et de Shirat Bundukdari.

Elaia : (grec) Olive ; surnom d'Alena.

Montjoie : Nom du navire amiral du roi de France, Louis IX.

Marguerite de Provence : Épouse du roi Louis IX de France.

L'Abbesse : Surnom de la comtesse d'Otrante, datant de l'époque où Laurence de Belgrave, devenue pirate, semait la peur dans l'est de la Méditerranée.

Gilles Le Brun : Connétable du roi de France à l'époque où Louis IX résidait à Saint-Jean-d'Acre, après sa captivité.

Saint Nicolas de Varangeville : Vénéré sur le lieu de pèlerinage de Saint-Nicolas-de-Varangeville, en Champagne.

Sibylle : Fille du roi Hethoum d'Arménie, mariée au prince Bohémond VI d'Antioche.

Guillelmus ante portas : (latin) « Guillaume est devant les portes ! » Expression humoristique pour désigner un danger, inspirée par Hannibal.

Jonas : Archidiacre des nestoriens à Karakorom.

Salve Regina... : (latin) Salut à toi, reine, mère de la miséricorde, notre vie, notre douceur, notre espoir, salut à toi.

Eia ergo... : (latin) Ô toi qui plaides pour nous, tourne vers nous tes yeux miséricordieux.

O clemens... : (latin) Ô bienveillante, ô douce, ô suave Vierge Marie !

Theodolus : Secrétaire grec.

Koka : Deuxième épouse du grand khan Möngke, origine inconnue, idolâtre.

Gloria... : (latin) Gloire à Dieu au plus haut des Cieux, et paix sur la Terre aux hommes de bonne volonté.

Laudamus... : (latin) Nous te louons, nous te vantons, nous t'adorons, nous te vénérons, nous te remercions pour ta grande splendeur, ô Seigneur, Roi du ciel, Dieu, Père tout-puissant.

Alléluia... : (latin) Alléluia, alléluia ! Heureux l'homme qui m'entend et veille à mes portes chaque jour, et demeure aux montants de ma porte. Alléluia.

Sexagésime : Les dimanches précédant Pâques sont décomptés à partir du neuvième (Nonagésime) ; il s'agit du 16 février 1254.

Quinquagésime : Le 23 février 1254.

Le samedi des Rameaux : Le 4 avril 1254.

Panem... : (latin) Donne-nous aujourd'hui notre pain quotidien.

Deuxième vers : Je reçois le pain et j'appelle le nom de Dieu.

Ingolinde : Ingolinde de Metz, ancienne prostituée, bonne amie du temps jadis.

Episcopus : (grec-latin) Évêque.

Le dimanche des Rameaux : Le 5 avril 1254.

Ultimae Cenae : Journée de la Cène, 9 avril.

Nova... : (latin) Nouvelle Église des Mongols.

Ex novo : (latin) Recommencé de zéro.

Secundum Memorandum : (latin) Deuxième Mémoire.

L'évêque Guido : Guido della Porta (1176-1228), évêque d'Assise.

Spiritus rector : (latin) Auteur, instigateur.

Pâques : Le 12 avril 1254.

In pectore : (latin) Prévu, choisi, mais pas encore nommé.

Est Deus... : (latin) Dieu est ce que tu es : un être humain, mais un être humain nouveau, pour que l'homme soit ce qu'est Dieu, et non plus ce qu'il était jadis.

O pone... : (latin) Oh, dépose l'ancien homme, dépose-le, et saisis l'homme nouveau !

Laudate Dominum... : (latin) « Louez le Seigneur dans sa sainteté, louez-le dans son illustre firmament. » Liturgie de la nuit de Pâques.

Laudate eum... : (latin) Louez-le avec des tambours et en dansant, en jouant des cordes et de la flûte.

Nova Ecclesia... : (latin) Nouvelle Église mongole de rite oriental.

La Pentecôte : Le 1ᵉʳ juin 1254.

L'accession au trône : Elle a eu lieu le 1ᵉʳ juillet 1251.

La Saint-Grégoire : Le 25 mai. Pape, 1020-1085.

LA ROSE DANS LE FEU

1. Des esprits, saints et moins saints

Agha : Accompagnateur de Hamo.

Léo et Ruben : Chasseurs de Sempad, le connétable d'Arménie.

Aquis submersus : (latin) Mort par noyade.

Un petit pain brun : Les Assassins avaient l'habitude d'annoncer un meurtre en déposant du pain chaud.

L'amulette : Elle a été offerte au jeune prince mongol qui avait engrossé la mère de Hamo, Laurence de Belgrade, en 1228, avant d'être exécuté ; il provenait vraisemblablement de la lignée de Dschagetai (deuxième fils de Gengis Khan, victime des Assassins en 1242).

Kungdaitschi : Expression mongole désignant les membres de la lignée des Gengis.

Du sang du Grand Forgeron : Un descendant de Gengis Khan.

La Saint-Marc : Le 25 avril 1254.

Pax Christi : La paix du Christ.

Apage, Satanas ! : (grec) Éloigne-toi, Satan !

Spiritus Occidentis : (latin) L'esprit de l'Occident.

Lais d'amor : Chants d'amour occitans ; genre de poésie qui reflétait les lois de la courtoisie (comportement du chevalier à l'égard de sa dame et de l'époux de celle-ci).

La Saint-Venatius : Le 18 mai. Martyr, † vers 250, décapité.

Medicus : (latin) Médecin.

Unam sanctam ! : (latin) Une seule et sainte Église !

2. La nuit des conjurés

Derviche : (persan et turc) Membre d'un ordre religieux islamique.

Credo in unum Deum : (latin) Je crois en un seul Dieu.

Le Maulana : Le grand maître.

L'homme de Dieu : Poème du célèbre soufi Jalal al-Din Rumi. Source : *Star, Shiva, A Garden beyond Paradise*, Bantam Books, 1992.

Sa sagesse... : Suite du poème de Rumi.

Monophysite : Conforme à la doctrine du monophysisme, selon laquelle les deux natures du Christ ont fusionné en une nature unique, divine et humaine à la fois.

Un lama : (tibétain) Le supérieur. Prêtre bouddhiste.

Le jour de mémoire de saint Pie Ier : Le 11 juillet. Pape et martyr, † 155 près de Rome.

De iure canonico : (latin) Selon le droit canonique (droit religieux de l'Église catholique).

Fratre peccavi ! : (latin) Frère, j'ai péché !

Balaneion : (grec) Bain.

Tepidarium : (latin) Salle des bains.

3. Départ dans un silence ému

Saint Alexius : 17 juillet. † 417 à Rome

Vexilla... : (latin) « Les bannières royales courent en avant. » Vieil hymne des croisés.

Supplice te... : (latin) Nous t'implorons humblement, Dieu tout-puissant. Puisse ton saint ange emporter cette victime vers ton autel céleste, devant ta Majesté divine.

Agnus Dei... : (latin) Agneau de Dieu, toi qui enlèves les péché du monde, prends pitié de nous ! Agneau de Dieu, toi qui enlèves les péchés du monde, donne-nous ta paix !

Commémoration de saint Praxedis : Le 21 juillet. † à Rome au IIe siècle.

4. Fuyards, sbires et gibiers

Septem... : Fête des sept douleurs de la Vierge Marie, 15 septembre.

Saint Luc : Le 18 octobre.

Ruh min al qanina : (arabe) Le génie sorti de la bouteille.

Fête de Saint Pierre Chrysologue : Le 4 décembre. Doctrinaire de l'Église, † vers 450 près de Ravenne.

En ce monde... : Poème de Rumi (voir ci-dessus).

Arrête-toi... : Poème de Rumi.

La Saint-Polycarpe : Le 26 janvier. Disciple de saint Jean, mourut en martyr.

La Saint-Éphrem : Le 18 mai. Prédicateur et poète (306-373).

Fête de l'archange saint Michel : Le 8 mai.

Itinerarium : (latin) « Itinéraire, description de voyage ». Les chroniques portent effectivement ce titre.

Alexandre IV : (356-323 avant J.-C.) Pape de 1254 à 1261, se faisait appeler Alexandre, son modèle était Alexandre le Grand, roi de Macédoine.

Innocent IV : Pape de 1243 à 1254.

Lucera : Ville d'Apulie, proche de la résidence impériale de Foggia. La ville a été créée par Frédéric II pour des Sarrasins rebelles qu'il voulait éloigner de Sicile. Ils devinrent sa garde la plus fidèle, si bien que, par la suite, les Hohenstaufen leur confièrent leur trésor d'État.

Baliste : Grande arbalète mobile, qui tirait avec précision des pieux affûtés ; le plus souvent, la corde était tendue par une roue.

Vis laxans : (latin) Littéralement, la force qui s'amollit ; ici, désigne l'élasticité.

Damm al ard : (arabe) Le « sang de la terre » ; le pétrole.

Héphaïstos : Dieu du feu et de la ferronnerie dans la mythologie grecque.

5. La fin s'annonce

'Ai jil : (arabe) Le Veau.

Hashash : (arabe) Kif.

Saut farras bahri : (arabe) Le fouet à hippopotames.

Priape : Divinité d'Asie Mineure et de Grèce, symbole de la fécondité, toujours représenté avec un gigantesque phallus érigé.

Vénus : Déesse romaine de l'amour.

Bacchus : Dieu romain du vin.

Hamalat at-tariba : (arabe) « Bouc des punitions ».

Balta ua chanjar : (arabe) Hache-poignard.

Maut oua... : (arabe) Mort et nouvelle vie !

Allah oua'alam ! : (arabe) Dieu le sait !

Quimat at-tafkir : (arabe) « Trône de la réflexion ».

Bismi allah ar-rahman ! : Pitié au nom d'Allah !

Hami al ouard : (arabe) Défenseurs de la Rose.

Maslaf : (arabe) Dérivé d'opium.

6. La chute d'Alamut

Le Saint-Cornélius : Le 16 septembre.

Photios : (né vers 810) Théologien. L'un des principaux représentants de l'humanisme byzantin.

Algazel : (1059-1111) Théologien, philosophe et mystique islamique ; l'un des principaux penseurs de l'islam.

Averroès : (1126-1198) Philosophe arabe, théologien, juriste, médecin. Principal commentateur des écrits d'Aristote au Moyen Âge.

Omar Ibn al-Farid : (1181-1235) Poète et mystique arabe.

Ferid ud-Din Attar : (1119-1229 – *sic !*), poète et mystique persan.

Firdausi : († 1020) A écrit le *Livre du Roi*, le plus ancien traité sur les échecs.

Gabir Ibn Haiyan : Les dates de naissance et de mort de l'alchimiste, qui a vécu vers 900, sont inconnues.

Le moine Chi K'ai : (531-597) Moine du pays des Kitai.

Unuk Elhaia : Étoile fixe la plus brillante dans la constellation du Serpent, sous le signe du Scorpion. Annonce des accidents et des blessures.

Ras Alhague : Étoile fixe la plus brillante dans la constellation du Porteur de serpent, sous le signe du Sagittaire. Annonce une tendance à la perversion.

Procyon : Étoile fixe la plus brillante dans la figure du Petit Chien, sous le signe du Cancer. Annonce une virulence qui peut aller jusqu'à la violence.

Phoenon : Nom désignant Saturne.

Quinconce : Aspect astrologique, angle de 5/12 ; considéré comme extrêmement défavorable.

Hécate : La funeste Nouvelle Lune, la déesse noire aux chiens.

Shams : Fils de l'imam Khur-Shah, né en 1256, peu avant la chute d'Alamut.

La main de Fatima : (*chamsa* arabe) Amulette porte-bonheur en forme de main censée détourner le mal.

Mangonneau : Catapulte basse mobile dont le jet était animé par le lâcher d'une corde sous tension. Bras de lancer arqué.

Trébuchet : Catapulte classique avec un long bras de lancer tournant sur un axe surélevé.

Magharat al ouahi : (arabe) « Grotte des révélations ».

Ta'adid ash-shab : (arabe) Recensement.

Soaluq mushawah : (arabe) Nain estropié.

Ars motionis : (latin) Littéralement, art du mouvement ; moteur.

Nar junani : (arabe) Feu grégeois.

Cassiodore : (né vers 490) Savant romain.

Elias bar Schinaya : († vers 1049) Historien syrien.

Idrisi : (né vraisemblablement vers 1110, † 1166) Géographe arabe. Lors de ses voyages, est allé jusqu'en Angleterre. A réalisé pour le roi Roger II de Sicile une représentation de la Terre en argent, fondée sur les conceptions de Ptolémée.

Albazen, Abu Ali Mohamed Ben el Hasan : (né vers 965, † 1038) Physicien. A étudié la diffraction de la lumière et sa réflexion sur différents miroirs. A rejeté la théorie grecque selon laquelle les rayons étaient émis par l'œil, et non par l'objet.

Abu Tammam : († vers 844) Écrivain arabe.

Hamasa : Recueil de chants héroïques arabes et de vers satiriques.

Brahmagupta : (né en 598) Astronome et mathématicien indien ; son œuvre a paru en 628. Elle apporta des nouveautés importantes aux mathématiques (règle de trois, nombres premiers et trigonométrie).

Ibn Chordadhbeh : (vers 820-912) *Le livre des chemins* est la première carte des routes d'Asie Mineure.

Magharat-at-tanabuat al mashkuk biha : (arabe) La « grotte des prophéties apocryphes ».

Phosphoros : Nom grec pour Vénus, étoile du matin.

Avicenne : (980-1037) Médecin, célèbre aristotélicien, a écrit le *Canon medicinae*, qui fut publié en Europe, dans sa version latine, en 1685.

Ibn Kifti : (1172-1248) Savant arabe, a écrit la grande *Chronique des médecins* (414 biographies des principaux scientifiques de l'époque).

Nicolas Prévost : Dates inconnues, originaire de Tours, écrivit en 1098, alors qu'il était professeur à Salerne, l'*Antidotarum*, avec 2 650 remèdes médicaux. L'ouvrage a été imprimé en 1549 en Europe. Il est aujourd'hui introuvable.

Ibn al-Baitar : (vers 1200-1248) Savant arabe. Son livre « des remèdes médicaux simples » est un manuel de pharmacologie arabe.

Honain Ibn Iszak : († 873) Médecin arabe, qui a traduit en arabe les œuvres du médecin romain Galenus.

Rhases : (vers 850-923) Médecin arabe, école d'Hippocrate et Galenus. Son livre de médecine était la base de diagnostic la plus connue.

Dioskorides : Rédigea vers 550 un manuscrit, perdu, sur la pharmacie, illustré de portraits de médecins célèbres.

Divina praedictio : (latin) La Providence divine.

Finis Coronae Mundi : (latin) Fin de *La Couronne du Monde*.

Sources

Steven Runciman, *A History of the Crusades*, Cambridge University Press, 1954.

Steven Runciman, *The Medieval Manichee*, Cambridge University Press, 1947.

Jim Bradbury, *The Medieval Siege*, The Boydell Press, 1992.

Jean Gimpel, *The Medieval Machine*, Victor Gollancz Ltd, 1976.

Bernard Lewis, *The Assassins*, Weidenfeld & Nicholson, 1967.

Santamaura, *Il paradiso e gli assassini*, Casa Ed. Marietti, 1989.

Edward Burman, *The Assassins*, Edward Burman, 1987.

Rumi, *A Garden beyond Paradise*, Jonathan Star & Shahram Shiva, 1992.

Reuben Levy, *A Baghdad Chronicle*, Cambridge University Press, 1929.

Walther Heissig et Claudius C. Müller (éd.), *Die Mongolen*, Pinguin, 1989.

Amin Maalouf, *Samarcande*, Lattès, 1988.

C.E. Bosworth, *The Islamic Dynasties*, Edinburgh University Press, 1967.

Gian Andri Bezzola, *Die Mongolen in abendländischer Sicht*, Francke, 1974.

Bertold Spuler, *Geschichte der Mongolen*, Artemis, 1968.

Guillaume de Rubrouck, *Voyage dans l'empire mongol (1253-1255)*, traduction et commentaires de Claude et René Kappler, Payot, 1985.

Michael Weiers (éd.), *Die Mongolen*, Wissenschaftl. Buchges., 1986.

Sagang Secen, *Geschichte der Mongolen*, Manesse, 1829.

Tilmann Nagel, *Staat und Glaubensgemeinschaft im Islam*, Artemis, 1981.

Manfred Taube (éd.), *Geschichte der Mongolen*, C.H. Beck, 1989.

Juan Gil, *En demanda del Gran Kan*, Alianza Editoria, 1993.

Philippe Ariès et Georges Duby, *Histoire de la vie privée*, Le Seuil, 1985.

Redon, Sabban et Serventi, *La gastronomie au Moyen Âge*, Stock, 1991.

Reay Tannahill, *Food in History*, Eyre Methuen Ltd, 1973.

Et mes propres travaux : *Franziskus oder Das zweite Memorandum*, Gustav Lübbe, 1989.

Les Enfants du Graal, Lattès, 1996.

Le Sang des rois, Lattès, 1997.

Table

botte — Le prix du veau — Adieux à la Rose
— La nuit dans la montagne.

Table 829

LA ROSE DANS LE FEU

Composition réalisée par EURONUMÉRIQUE

IMPRIMÉ EN FRANCE PAR BRODARD ET TAUPIN
La Flèche (Sarthe).
N° d'imprimeur : 2489 – Dépôt légal Édit. 2945-06/2000
LIBRAIRIE GÉNÉRALE FRANÇAISE - 43, quai de Grenelle - 75015 Paris.
ISBN : 2 - 253 - 14885 - 7